LE GRAND VOYAGE

JEAN M. AUEL

LE GRAND VOYAGE

ÉDITIONS FRANCE LOISIRS

Titre original : *The Plains of Passage*

Traduit par Alexis Champon

Édition du Club France Loisirs,
avec l'autorisation des Presses de la Renaissance.

Éditions France Loisirs,
123, boulevard de Grenelle, Paris
www.franceloisirs.com

© Jean M. Auel 1990
Édition originale : Crown Publishers Inc., New York
© Presses de la Cité, 1991 pour la traduction française
ISBN : 2-7441-5537-3

*A la fin de la glaciation du Würm, de 35 000 à 25 000 avant nos jours,
l'Europe largement recouverte de glaces et dont le tracé des côtes était
différent de celui d'aujourd'hui connut une période de réchauffement
de 10 000 ans.   C'est à cette époque que se déroule l'histoire des*

Enfants de la Terre

400 km

Le Grand Voyage d'Ayla et de Jondalar

Chasse
aux mammouths

Camp du Loup
(réunion d'été)

Camp du Lion

Mamutoï

Camp de l'Ambre
Vallée
des Chevaux

Camp du
Mammouth

S'Armunaï

Hadumaï

Camp des Fougères

Rivière Sœur

Rassemblement
du Clan

Caverne
du Clan

Sharamudoï

Camp
abandonné

Mer de Beran

Grande Rivière Mère

Cartographie AFDEC

1

A travers la brume poudreuse, la femme aperçut au loin un faible mouvement et se demanda s'il s'agissait du loup qu'elle avait vu gambader quelques instants plus tôt.

Elle jeta un coup d'œil inquiet à son compagnon et, plissant les yeux, chercha le loup dans le nuage qui montait du sol.

— Regarde, Jondalar ! s'écria-t-elle, le doigt tendu.

Sur sa gauche, on devinait les contours de tentes coniques balayées par les tourbillons de vent.

Embusqué, le loup guettait les êtres bipèdes dont la silhouette se dessinait de plus en plus clairement dans l'air chargé de poussière, leurs sagaies pointées vers les nouveaux arrivants.

— Je crois que nous avons atteint la rivière, Ayla, mais on dirait bien que nous ne sommes pas les seuls à vouloir camper ici, remarqua l'homme en tirant sur les rênes pour stopper son cheval.

D'une légère pression des jambes, la femme fit arrêter sa jument. Elle faisait tellement corps avec l'animal qu'elle avait à peine conscience de le diriger.

Un grondement menaçant sortit de la poitrine du loup et

Ayla nota qu'il avait abandonné sa position défensive pour passer en posture d'attaque. Il allait bondir ! Elle émit un sifflement aigu, comme un appel d'oiseau inconnu. Le loup quitta l'affût et s'élança vers la femme à cheval.

— Ici, Loup ! commanda-t-elle, accompagnant son ordre d'un geste de la main.

Les deux cavaliers s'approchèrent des inconnus postés devant les tentes, le loup trottant aux côtés de la jument louvette.

Un vent violent et capricieux, chargé de particules de lœss, les enveloppa, faisant disparaître à leur vue la troupe menaçante. Ayla passa sa jambe par-dessus la croupe de sa jument et se laissa glisser à terre. Elle s'agenouilla à côté du loup, une main sur son échine, l'autre contre son poitrail, pour le calmer et le retenir si nécessaire. Elle sentait la gorge de l'animal frémir d'un grondement féroce et ses muscles bandés, prêts à la détente. Elle leva la tête vers Jondalar. Une fine pellicule de poussière recouvrait les épaules et les longs cheveux blonds de l'homme à la haute stature. La robe de son alezan avait viré du brun au jaune grisâtre et ressemblait maintenant à celle, plus banale, de la vigoureuse jument. Whinney — c'était le nom de la jument — et Ayla avaient aussi la même couleur. Bien qu'on fût encore au début de l'été, les vents violents qui soufflaient des glaciers du Nord desséchaient déjà les steppes sur un vaste espace au sud des montagnes.

Contre elle, Ayla sentit monter la tension du loup, et c'est alors qu'elle vit s'avancer, au milieu des hommes armés de sagaies, quelqu'un habillé comme Mamut les jours de grande cérémonie, les vêtements peints et décorés de symboles énigmatiques et la tête recouverte d'un masque aux cornes d'aurochs.

— Allez-vous-en, esprits mauvais ! Partez ! hurla le mamut en agitant un bâton d'un geste menaçant.

Ayla crut déceler une voix féminine à travers le masque. En tout cas, les mots avaient été prononcés en mamutoï. Bâton levé, le mamut se précipita vers eux, et Ayla dut

12

retenir le loup. Le personnage masqué se mit à psalmodier et à danser d'avant en arrière en levant haut les genoux, comme s'il voulait les effrayer ou les chasser, et ne réussit qu'à faire peur aux chevaux.

Ayla s'étonna de voir Loup prêt à attaquer. D'habitude, les loups ne s'en prennent pas aux humains. Puis, elle se souvint : elle avait souvent observé le comportement des loups lorsqu'elle apprenait à chasser. Elle savait qu'ils étaient affectueux et loyaux avec leur propre bande, mais qu'ils n'hésitaient pas à chasser les étrangers de leur territoire. On racontait même que des loups avaient égorgé d'autres loups pour protéger leur groupe.

Pour le bébé loup, recueilli et élevé par Ayla dans le foyer mamutoï, le Camp du Lion constituait sa bande, et tout autre humain n'appartenant pas à ce camp était pour lui un loup étranger. Lorsqu'il avait grandi, il s'était mis à gronder et à montrer les dents quand un étranger leur rendait visite. Là, en territoire inconnu, celui d'une autre bande, peut-être, il n'était pas étonnant qu'il se mît sur la défensive à la vue d'hommes armés de sagaies. Pour quelle raison, d'ailleurs, les habitants de ce Camp les brandissaient-ils ?

La mélopée était familière à Ayla, et elle comprit soudain pourquoi. Les paroles appartenaient à la langue sacrée connue des seuls mamuti. Ayla ne saisissait pas tous les mots, Mamut ayant juste commencé à les lui apprendre avant qu'elle ne parte. Mais elle devinait que les incantations, bien que destinées à amadouer, exprimaient en réalité la même intention que les invectives en mamutoï prononcées plus tôt. Il s'agissait d'exhorter l'étrange loup et les esprits des hommes-chevaux à les laisser en paix et à s'en retourner dans le monde des esprits.

Pour que le peuple du Camp ne la comprît pas, Ayla expliqua en zelandonii les paroles du mamut.

— Alors, ils nous prennent pour des esprits ! s'exclama Jondalar. Ah, je comprends, maintenant. J'aurais dû le deviner. Ils nous menacent avec leurs sagaies parce qu'ils ont peur de nous. Et cela risque de se reproduire chaque fois que nous rencontrerons des êtres humains sur notre route. Ils ne sont pas habitués aux animaux apprivoisés et ils ne recherchent les chevaux et les loups que pour leur chair ou leur fourrure.

— Au début, à la Réunion d'Eté, les Mamutoï n'étaient pas rassurés, eux non plus, rappela Ayla. Ils ont mis du temps avant d'accepter que des chevaux et Loup se promènent en liberté parmi eux.

— Dans la grotte de ta vallée, le jour où, en ouvrant les yeux, je t'ai vue aider Whinney à mettre bas Rapide, j'ai moi-même cru que le lion m'avait tué et que je me retrouvais dans le monde des esprits, renchérit Jondalar. Peut-être devrais-je descendre de cheval moi aussi, et leur montrer que je suis un simple mortel, et non pas un esprit d'homme-cheval.

Jondalar s'exécuta, mais il garda dans ses mains la corde, attachée au licol qu'il avait fabriqué. Rapide secouait la tête, piaffant et reculant devant le mamut qui chantait toujours en agitant son bâton. De sa tête baissée, Whinney frôlait le dos d'Ayla, agenouillée devant elle. Ayla n'utilisait ni corde ni licol, elle menait son cheval à l'aide de simples pressions des jambes et de mouvements du corps.

Saisissant des bribes du langage étrange que parlaient les esprits, et voyant Jondalar descendre de sa monture, le chaman psalmodia encore plus fort, suppliant les esprits de se retirer, essayant de les amadouer avec des promesses de cérémonies en leur honneur et de cadeaux.

— Tu devrais leur dire qui nous sommes, proposa Ayla. Ce mamut a l'air bien effrayé.

Jondalar raccourcit sa longe. Affolé, Rapide tentait de se cabrer, et les cris du mamut, son bâton menaçant, n'arrangeaient rien. Même Whinney cédait à la panique, bien qu'elle fût d'une nature plus calme que son fougueux rejeton.

— Ecoutez-moi, nous ne sommes pas des esprits, déclara Jondalar, profitant d'une pause du mamut. Je suis

14

un visiteur, j'entreprends le Voyage. Et elle, ajouta-t-il en désignant Ayla, c'est une Mamutoï. Elle appartient au Foyer du Mammouth.

Les autres se regardèrent, surpris. Le mamut cessa ses incantations, agitant cependant son bâton de temps à autre pendant qu'il étudiait les voyageurs de plus près. Peut-être avait-il affaire à des esprits qui tentaient de l'abuser, mais du moins parlaient-ils une langue intelligible. Finalement, le mamut prit la parole.

— Pourquoi devrions-nous vous croire ? Comment savoir si vous n'essayez pas de nous tromper ? Vous prétendez qu'elle est du Foyer du Mammouth, mais où est sa marque ? Son visage n'est pas tatoué.

— Il n'a pas dit que j'étais une mamut. Il a dit que j'appartenais au Foyer du Mammouth. Le vieux Mamut, du Camp du Lion, avait commencé à m'enseigner son savoir avant mon départ, mais je ne suis pas entièrement initiée.

Le mamut parlementa avec un homme et une femme.

— Celui-là, déclara-t-il ensuite en désignant Jondalar, est bien un visiteur, comme il l'affirme. Il parle avec un accent étranger. Mais toi, tu prétends être une Mamutoï, pourtant, tu ne parles pas comme eux.

Jondalar retint son souffle. Il est vrai qu'Ayla avait un accent particulier. Elle ne pouvait pas prononcer certains sons et elle les articulait à sa manière, de façon étrange. On la comprenait très bien, sa prononciation n'était pas désagréable — en fait, il la trouvait mélodieuse — mais elle était bizarre. Ce n'était pas un accent étranger, c'était comme un langage presque inconnu. Ayla avait conservé l'accent guttural du langage oral limité qu'utilisait le peuple qui l'avait recueillie, jeune orpheline, et élevée.

— Je ne suis pas née mamutoï, avoua Ayla, retenant toujours Loup. J'ai été adoptée par le Foyer du Mammouth, par Mamut lui-même.

Cette déclaration provoqua un brouhaha, et un nouveau conciliabule entre le mamut, l'homme et la femme.

15

— Si vous ne venez pas du monde des esprits, alors, comment expliquez-vous que le loup vous obéisse et que les chevaux acceptent de vous porter sur leur dos ? demanda le mamut, décidé d'en finir.

— C'est facile, si vous les recueillez quand ils sont tout petits, répondit Ayla.

— C'est ce que vous dites, mais ce n'est certainement pas la seule explication.

On ne pouvait pas tromper un mamut, du Foyer du Mammouth, lui aussi.

— J'étais là quand elle a ramené le bébé loup au campement, intervint Jondalar. Il était encore à l'âge où l'on tète, et j'étais sûr qu'il ne survivrait pas. Mais elle l'a nourri de viande hachée et de bouillon, en se relevant la nuit comme on fait avec les bébés d'homme. Tout le monde était étonné de le voir vivre et grandir, mais ce n'était que le début. Plus tard, elle lui a appris à obéir. Elle lui a interdit d'éclabousser en s'ébrouant, de semer le désordre dans le camp, et de mordre les enfants, même quand ils lui faisaient mal. Si je n'avais pas été témoin, jamais je n'aurais cru qu'on pouvait apprendre tout cela à un loup, ni qu'il comprendrait. Vous avez raison, il ne suffit pas de les recueillir jeunes. Elle s'est occupée du loup comme s'il était son enfant. Pour lui, elle est sa mère, voilà pourquoi il fait tout ce qu'elle lui demande.

— Et les chevaux ? demanda l'homme à côté du mamut.

Il avait épié le fougueux étalon et le grand homme blond qui le maîtrisait.

— Pour les chevaux, c'est pareil. On peut les dresser si on les prend jeunes et qu'on les soigne bien. Il faut du temps et beaucoup de patience, mais ils apprennent.

Tous avaient baissé leur sagaie, et écoutaient, captivés. Les esprits n'avaient pas coutume de s'exprimer dans un langage intelligible, mais le maternage d'animaux faisait bien partie de ces bizarreries qu'on attendait de leur part... s'agissait-il de phrases à double sens ?

La femme du Camp prit la parole.

— J'ignore la façon d'élever des animaux comme une mère, mais il y a une chose que je sais : le Foyer du Mammouth n'adopte pas d'étrangers pour en faire des Mamutoï. Ce n'est pas un Foyer ordinaire, il est voué à Ceux Qui Servent la Mère. On est destiné au Foyer du Mammouth, ou c'est lui qui vous choisit. J'ai un parent au Camp du Lion et je sais que Mamut est très vieux. C'est peut-être le plus vieil homme vivant. Pourquoi aurait-il décidé d'adopter quelqu'un ? En outre, Lutie ne l'aurait pas permis. Ce que vous dites est invraisemblable, nous n'avons aucune raison de vous croire.

Ayla releva une équivoque dans le discours de la femme, ou plutôt dans les expressions subtiles qui accompagnaient ses paroles : la raideur de son maintien, la tension de ses épaules, le pli soucieux de son front. On aurait dit qu'elle prévoyait des ennuis. Ayla comprit alors que sa langue n'avait pas fourché. La femme avait délibérément introduit un mensonge dans ses propos, un piège, en somme. Grâce à son éducation si particulière, la ruse n'échappa pas à Ayla.

Ceux qui avaient élevé Ayla et qu'on appelait les Têtes Plates, mais qui eux-mêmes se nommaient le Clan, communiquaient entre eux avec profondeur et précision malgré un langage oral très primitif. Leur capacité d'articulation limitée leur avait valu d'être qualifiés de moins qu'humains, d'animaux tout juste bons à grogner. En fait, ils utilisaient un langage fort complexe composé de gestes et de signes.

Le peu de mots qu'utilisait le Clan — et que Jondalar pouvait à peine reproduire, tout comme Ayla avait des difficultés à prononcer certains sons zelandonii ou mamutoï — étaient articulés avec une vocalisation spéciale et ne servaient qu'à accentuer le sens des gestes, ou alors à nommer des choses ou des personnes. Le maintien, la posture, et les jeux de physionomie apportaient les nuances et donnaient à la langue toute sa variété et sa profondeur, exactement comme l'intonation et l'inflexion pour le langage verbal. Mais avec un tel mode de communication, il était impossible de mentir sans se trahir. Le mensonge était inconnu.

En apprenant leur langue, Ayla avait aussi appris à déceler et à déchiffrer les infimes mouvements corporels et les expressions du visage, indispensables pour une parfaite compréhension. S'initiant au zelandonii avec Jondalar, et à mesure qu'elle progressait en mamutoï, Ayla s'était rendu compte qu'elle percevait les signaux involontaires contenus dans chaque mimique et dans chaque geste, et ce, même chez les gens censés n'avoir recours qu'au langage verbal.

Elle découvrit qu'elle comprenait au-delà du contenu des mots et cette découverte lui causa d'abord un véritable désarroi. Les mots et les gestes qui les accompagnaient étaient parfois contradictoires, or elle ignorait l'existence du mensonge. Elle ne connaissait qu'une façon de ne pas dire la vérité : se taire.

Elle finit par saisir que certains mensonges n'étaient proférés que par pure courtoisie, mais ce ne fut qu'en acquérant le sens de l'humour — dont l'un des ressorts est de dire une chose en sous-entendant une autre — qu'elle saisit soudain la nature du langage oral, et par là, celle du peuple qui l'utilisait. Sa capacité d'interpréter les signes inconscients lui procura alors une dimension inattendue dans sa compréhension de la langue : la faculté presque inquiétante de percevoir ce que les gens voulaient vraiment dire. Elle en retirait un avantage considérable. Quoiqu'elle ne pût mentir elle-même, elle savait presque toujours si on lui disait la vérité.

— Lorsque j'étais au Camp du Lion, je n'ai rencontré personne du nom de Lutie, déclara Ayla qui avait décidé d'être directe. Ceux Qui Ordonnent se nomment Talut et Tulie, sa sœur.

La femme approuva d'un imperceptible signe de tête.

— Je sais qu'il n'est pas dans les usages d'être adopté par le Foyer du Mammouth, d'habitude, on y est destiné, poursuivit Ayla. Talut et Nezzie voulaient m'adopter,

Talut avait même agrandi le foyer afin de construire un abri pour les chevaux, mais le vieux Mamut a surpris tout le monde. C'est pendant la cérémonie qu'il m'a adoptée. Il a dit que j'appartenais au Foyer du Mammouth, que j'avais été élue dès ma naissance.

— Si tu avais amené ces chevaux au Camp du Lion, je comprends que le vieux Mamut ait pu dire une chose pareille, déclara l'homme.

La femme lui jeta un regard courroucé et marmonna quelques mots. Il y eut un nouveau conciliabule à trois. L'homme avait décidé que les étrangers étaient des humains et non des esprits leur jouant un tour — ou s'ils étaient des esprits, qu'ils n'étaient pas dangereux. Toutefois, il ne croyait pas qu'ils étaient ce qu'ils prétendaient. L'explication de l'homme à la haute stature sur le comportement étrange des animaux ne l'avait pas convaincu, il la jugeait trop simpliste, mais il était intéressé. Les chevaux et le loup l'intriguaient. La femme trouvait que les étrangers parlaient sans retenue et qu'ils se montraient trop amicaux. Elle était persuadée qu'ils leur cachaient quelque chose. Elle refusait de leur accorder sa confiance et ne voulait pas se compromettre avec eux.

Pour le mamut, la nature humaine des voyageurs s'imposa après qu'il eut trouvé une explication plausible, pour un initié, à l'extraordinaire comportement des animaux. Il était sûr que la femme blonde était une Visiteuse aux grands pouvoirs, et que le vieux Mamut savait sans doute qu'elle avait reçu le don mystérieux de commander aux animaux. Peut-être l'homme avait-il aussi des pouvoirs particuliers. Quand leur Camp rejoindrait la Réunion d'Eté, il serait passionnant de discuter avec ceux du Camp du Lion et d'avoir l'opinion des mamuti. Il était plus simple de croire à la magie qu'à cette idée grotesque qu'on puisse dresser les animaux.

Leur délibération ne déboucha sur aucun accord. La femme était mal à l'aise, les étrangers la troublaient. Elle aurait volontiers admis qu'elle avait peur si cette pensée l'avait effleurée. L'étalage de tels pouvoirs occultes la gênait mais son avis était minoritaire.

— Cet endroit où les rivières se rejoignent offre un bon emplacement pour dresser un campement, déclara l'homme. Notre chasse a été bonne, et un troupeau de cerfs géants vient dans notre direction. Il devrait arriver dans quelques jours. Si vous décidez de camper à côté de nous, vous pourrez participer à cette chasse.

— Nous te remercions de ton invitation, répondit Jondalar. Nous camperons ici pour la nuit, mais nous devons repartir demain matin.

L'invitation était prudente, loin de l'accueil qu'il avait reçu des étrangers qu'il avait rencontrés quand il voyageait à pied avec son frère. La formule de bienvenue exprimée au nom de la Mère offrait plus que l'hospitalité. C'était une invitation à tout partager. Celle, plus limitée, que leur faisait l'homme montrait de la méfiance, mais au moins ne levait-on plus les sagaies contre eux.

— Alors, au nom de Mut, acceptez de partager notre dîner, et nous serions heureux que vous déjeuniez avec nous demain matin.

Celui Qui Ordonne ne pouvait proposer plus, mais Jondalar sentait qu'il aurait aimé offrir davantage.

— Au nom de la Grande Terre Mère, nous serons heureux de partager votre dîner, dès que nous aurons installé notre camp, accepta Jondalar. Mais demain, nous partirons tôt.

— Où êtes-vous donc si pressés d'aller?

Jondalar avait vécu longtemps parmi eux, mais il fut tout de même surpris par la question directe, typique des Mamutoï, surtout qu'elle venait d'un inconnu. Dans le peuple de Jondalar, une question ainsi formulée aurait été une impolitesse, non pas une grave indiscrétion, mais le signe d'un manque de maturité, ou, à tout le moins, un défaut d'appréciation du discours subtil et plus indirect des adultes.

Mais Jondalar avait appris que la candeur était une

qualité chez les Mamutoï, et que l'absence de franchise était mal vue, même si les Mamutoï n'étaient pas toujours aussi ouverts qu'ils en avaient l'air. Tout dépendait de la façon dont on posait les questions, comment elles étaient reçues, et ce qui était sous-entendu. Mais la franche curiosité du chef de ce Camp allait de soi, parmi les Mamutoï.

— Je retourne chez mon peuple, répondit Jondalar, et je ramène cette femme avec moi.

— Etes-vous vraiment à un jour près ?

— J'habite très loin, vers l'ouest. Je suis resté absent... (Jondalar réfléchit)... quatre ans, et il nous faudra encore une année avant d'arriver, si tout se passe bien. Nous traverserons des endroits dangereux, des rivières, des glaciers, et je ne veux pas les atteindre à la mauvaise saison.

— A l'ouest ? On dirait plutôt que vous vous dirigez vers le sud.

— C'est exact. Nous voulons rejoindre la mer de Beran et la Grande Rivière Mère. Ensuite, nous remonterons le courant.

— Il y a quelques années, mon cousin est allé vers l'ouest, faire du troc. Il a rencontré là-bas des hommes qui vivaient près d'une rivière qu'ils appelaient aussi la Grande Mère et il pensait qu'il s'agissait de la même. Ces hommes étaient venus de nos régions. Tout dépend à quelle hauteur de la rivière vous allez, mais il y a un passage au sud du Grand Glacier, au nord de la montagne de l'ouest. Vous raccourciriez votre Voyage en prenant ce chemin.

— Oui, Talut m'a parlé de la route du nord, mais personne n'est sûr qu'il s'agisse de la même rivière. Si ce n'est pas la même, cela prendra du temps de retrouver l'autre. Je suis venu par le sud et je connais la route. En outre, j'ai un parent parmi le Peuple du Fleuve. Mon frère a été uni à une femme sharamudoï, et j'ai vécu parmi eux. J'aimerais les revoir, c'est la dernière fois que j'en aurai l'occasion.

21

— Nous commerçons avec le Peuple du Fleuve... il me semble avoir entendu parler d'étrangers, il y a un ou deux ans, des étrangers qui vivaient avec ce Camp qu'une femme mamutoï avait rejoint. Maintenant que j'y repense, oui, on parlait de deux frères. Les Sharamudoï n'ont pas les mêmes coutumes d'union que nous, mais si je me souviens bien, la femme mamutoï et son compagnon devaient s'unir avec un autre couple. Je crois que c'était une sorte d'adoption. Ils ont envoyé des messagers inviter les Mamutoï appartenant au foyer de la femme. Plusieurs s'y sont rendus, et un ou deux en sont revenus.

— L'étranger, c'était Thonolan, mon frère, déclara Jondalar, content que l'on puisse ainsi vérifier ses dires, et bien qu'il ne pût prononcer le nom de son frère sans ressentir un profond chagrin. Il a été uni à Jetamio en même temps que Markeno à Tholie. C'est Tholie qui, la première, m'a appris le mamutoï.

— Tholie est une cousine éloignée, et tu lui serais apparenté par ton frère ? (L'homme se tourna vers sa sœur.) Thurie, cet homme est un parent, nous lui devons l'hospitalité et à la femme aussi. Je m'appelle Rutan, poursuivit-il sans attendre la réponse, je suis Celui Qui Ordonne du Camp du Faucon. Au nom de Mut, soyez les bienvenus.

La femme n'avait plus le choix. Elle ne pouvait pas embarrasser son frère en refusant de se joindre à l'accueil des étrangers, mais elle avait l'intention de lui exposer sa façon de penser plus tard, quand ils seraient seuls.

— Je suis Thurie, Celle Qui Ordonne du Camp du Faucon. Au nom de la Mère, soyez les bienvenus ici. En été, nous devenons le Camp des Fougères.

Jondalar avait déjà reçu des accueils plus chaleureux. Il trouva celui-ci réservé et contraint. Thurie les recevait « ici », autrement dit, dans un campement temporaire. Il savait que le Camp des Fougères était le nom d'un camp de chasse estivale. L'hiver les Mamutoï étaient sédentaires, et ce groupe, comme tous les autres, vivait dans une grande nabitation semi-souterraine, ou dans plusieurs, moins spacieuses. C'était ce qu'ils appelaient le Camp du Faucon, et Celle Qui Ordonne s'était bien gardée de le mentionner.

— Moi, Jondalar des Zelandonii, au nom de la Grande Terre Mère, que nous nommons Doni, je vous salue.

— Nous avons de la place dans la tente du mamut, déclara Thurie, mais pour les animaux... heu... je ne sais pas...

— Si ça ne vous ennuie pas, il nous serait plus facile de dresser notre camp à proximité plutôt que de nous installer avec vous, répondit Jondalar par politesse. Nous sommes très sensibles à votre hospitalité, mais les chevaux ont besoin de paître où ils veulent, ils connaissent notre tente et y retourneront plus facilement. Ils seraient inquiets dans votre Camp.

— C'est bien naturel, approuva Thurie, soulagée. (Elle aurait été inquiète, elle aussi.)

Ayla se rendit compte qu'elle devait les saluer à son tour. Loup n'était plus sur le qui-vive, et elle relâcha son étreinte. Je ne peux tout de même pas passer ma vie à genoux pour retenir Loup, se dit-elle. Lorsqu'elle se releva, le louveteau sauta après elle, mais elle le calma.

Rutan lui souhaita la bienvenue de loin, sans lui tendre les mains. Elle lui renvoya son salut.

— Moi, Ayla des Mamutoï, du Foyer du Mammouth, je vous salue au nom de Mut.

Puis ce fut le tour de Thurie qui limita son invitation au Camp des Fougères, comme pour Jondalar. Ayla lui répondit avec cérémonie. Elle aurait souhaité de leur part un accueil plus chaleureux, mais comment leur en vouloir ? Elle comprenait que des animaux voyageant de leur plein gré avec des humains puissent être source d'inquiétude. Il était difficile de demander à tout le monde d'être aussi ouvert à la nouveauté que Talut, pensa-t-elle en éprouvant une certaine nostalgie au souvenir des gens du Camp du Lion qu'elle avait tant aimés.

Elle s'adressa à Jondalar en zelandonii :

— Loup s'est détendu maintenant. Je sais qu'il n'aimera pas cela, mais je préférerais ne pas le lâcher tant qu'il est dans ce Camp, et aussi au cas où nous rencontrerions d'autres gens. (Elle aurait voulu parler librement, mais elle ne se sentait pas à l'aise dans ce Camp de Mamutoï.) Il me faudrait une corde comme celle que tu as fabriquée pour guider Rapide, Jondalar. J'ai encore des cordes et des lanières au fond d'un de mes paniers. Je vais apprendre à Loup à ne pas courir après les étrangers et à rester où je le lui ordonne.

Ayla ne pouvait pas reprocher à Loup, qui avait compris la menace que représentaient les sagaies pointées vers eux, de se précipiter au secours des humains et des chevaux de sa bande. Son attitude s'expliquait, mais elle n'en était pas moins inacceptable. Il devait cesser de prendre les êtres humains qu'ils allaient être amenés à rencontrer pendant le Voyage pour des loups étrangers. Il faudrait qu'elle lui apprenne à modifier son comportement, et à accueillir les inconnus avec plus de retenue. Elle se demanda alors s'il existait d'autres peuples qui comprenaient qu'un loup obéisse à une femme, ou que des chevaux laissent des humains grimper sur leur dos.

— Reste avec lui, dit Jondalar, je vais chercher une corde.

Tenant toujours Rapide par sa longe, bien que le jeune étalon se fût calmé, il fouilla dans les paniers chargés sur le dos de Whinney. L'hostilité du Camp s'était atténuée, les Mamutoï n'étaient pas plus sur la défensive qu'avec des étrangers ordinaires. A en juger par les regards, la curiosité avait remplacé la peur.

Whinney aussi s'était apaisée. Jondalar la flatta et lui parla gentiment tout en fourrageant dans les paniers. Il avait beaucoup d'affection pour la robuste jument, et quoiqu'il aimât l'impétuosité de Rapide, il admirait la patience sereine de Whinney. Il attacha la longe de Rapide aux lanières qui retenaient les paniers sur le dos de sa mère. Jondalar rêvait de guider Rapide comme Ayla guidait

Whinney, sans licol et sans longe. Plus il chevauchait l'étalon, plus il découvrait l'étonnante sensibilité de l'animal. Il apprenait à trouver une meilleure assiette, et à commander Rapide par simple pression des jambes ou par de légers mouvements du corps.

Ayla, suivie de Loup, contourna la jument. Jondalar lui tendit la corde.

— Nous ne sommes pas obligés de rester ici, Ayla, murmura-t-il. Il est encore tôt, si tu veux, nous pouvons chercher un emplacement plus loin, au bord de cette rivière, ou d'un autre cours d'eau.

— Non, je préfère que Loup s'habitue aux gens qu'il ne connaît pas, même s'ils ne sont pas très amicaux. Ce sont des Mamutoï, Jondalar, ils font partie de mon peuple. Et je n'en rencontrerai peut-être plus jamais. Je me demande s'ils vont aller à la Réunion d'Eté ? J'ai bien envie de leur demander de transmettre un message au Camp du Lion.

Ayla et Jondalar plantèrent leur tente à l'écart du Camp des Fougères au bord du large affluent. Ils déchargèrent les chevaux et les laissèrent brouter à leur guise. En les regardant s'éloigner et disparaître dans le brouillard de poussière, Ayla ressentit une pointe d'inquiétude.

Ils avaient suivi le cours de la rive droite, à une distance respectable de l'eau. La rivière coulait vers le sud. Ses larges méandres serpentaient à travers la plaine monotone en creusant une profonde tranchée. S'ils étaient restés dans la steppe, au-dessus du fleuve, le chemin eût été plus direct, mais balayé par des vents opiniâtres et sans protection contre l'âpreté du soleil et de la pluie.

— Est-ce là la rivière dont Talut parlait ? demanda Ayla en déroulant ses couvertures de fourrure.

L'homme plongea sa main dans un des paniers et en tira un fragment de défense de mammouth, plat et gravé d'inscriptions. Il leva les yeux vers le ciel grisâtre, d'une luminosité aveuglante mais diffuse, puis observa le paysage enveloppé dans la brume poudreuse. Il était tard dans l'après-midi, ça, il le voyait bien, mais il n'en savait pas plus.

— Il n'y a aucun moyen d'en être sûr, Ayla, dit Jondalar en rangeant la carte. Je n'aperçois aucun repère, et j'ai l'habitude d'évaluer la distance que je parcours à pied. Mais l'allure de Rapide est différente.

— Faudra-t-il vraiment une année entière pour atteindre ton pays ?

— Difficile à dire. Tout dépendra des obstacles que nous rencontrerons, des arrêts que nous ferons. Si nous arrivons chez les Zelandonii à la même époque l'année prochaine, nous pourrons nous estimer heureux. Nous n'avons même pas atteint la mer de Beran où se jette la Grande Rivière Mère. Et ensuite nous devrons la remonter jusqu'à sa source, dans le glacier, et même au-delà, expliqua Jondalar le front soucieux.

Ses yeux, d'habitude d'un intense éclat bleu, trahissaient l'inquiétude.

— Nous devrons franchir des fleuves, mais c'est le glacier qui me tracasse, Ayla. Il faudra le traverser quand la glace sera dure, c'est-à-dire avant le printemps, mais on ne peut jamais savoir. Dans ces régions souffle un fort vent du sud, qui peut réchauffer la glace et la faire fondre en une journée. La neige et la glace se mélangent en surface et craquent comme du bois mort. Des crevasses énormes s'ouvrent et les ponts de neige s'écroulent. Des torrents, des rivières de neige fondue même, courent sur la glace, disparaissant parfois dans des gouffres profonds. Cela arrive sans qu'on s'y attende et c'est très dangereux. Nous sommes en été, et bien que l'hiver paraisse loin, le Voyage sera plus long que tu ne le penses.

Ayla prit un air entendu. Elle décida de ne plus se poser de questions sur la durée du Voyage, ni sur ce qui l'attendait une fois arrivée. Mieux valait vivre au jour le jour, et ne penser qu'au lendemain. Il serait bien temps ensuite de s'inquiéter de l'accueil que lui réserverait le peuple de Jondalar. L'accepterait-il comme les Mamutoï l'avaient acceptée ?

— Si seulement le vent tombait ! soupira-t-elle.

— Oui, moi aussi j'en ai assez de croquer du sable, approuva Jondalar. Allons donc rendre visite à nos voisins et voir si nous ne trouvons pas quelque chose de mieux à manger.

Ils se rendirent au Camp des Fougères, accompagnés de Loup qu'Ayla surveillait de près. Là, ils se joignirent à un groupe rassemblé autour d'un feu. Un gros gigot cuisait sur une broche. La conversation fut longue à démarrer, mais bientôt la curiosité céda la place à un intérêt chaleureux et une discussion animée balaya les dernières réserves. Les rares habitants de ces steppes préglaciaires n'avaient pas souvent la chance de croiser des inconnus, et cette rencontre inattendue alimenterait les conversations futures et pourvoirait en anecdotes le Camp du Faucon pour d'innombrables lunes. Ayla se lia d'amitié avec plusieurs personnes, notamment une jeune mère et sa petite fille, assez grande pour s'asseoir seule. Le bébé jouait et riait aux éclats, charmant tout le monde, Loup le premier.

Au début, la jeune mère vit d'un œil anxieux l'animal s'intéresser de près à son enfant, mais elle s'aperçut que la petite gazouillait de plaisir aux coups de langue amicaux du loup. En outre, Loup fit preuve d'une patience angélique lorsque l'enfant s'agrippa à sa fourrure et lui tira de pleines poignées de poils. Tous en furent très étonnés.

Les autres enfants mouraient d'envie de caresser Loup et bientôt il joua avec eux aussi. Ayla expliqua qu'il avait grandi parmi les enfants du Camp du Lion, et qu'il s'ennuyait probablement d'eux. Il avait toujours été particulièrement attentif aux plus jeunes ou aux plus faibles, et savait faire la différence entre l'étreinte trop fougueuse d'un bambin et les tiraillements de queue ou d'oreille malintentionnés des plus grands. Sa patience avec les premiers était admirable, et il gratifiait les autres d'un

27

grognement d'avertissement, ou d'un coup de dent, qui, sans blesser, signalait qu'il valait mieux arrêter le jeu.

Jondalar raconta qu'ils venaient de quitter la Réunion d'Eté. Rutan expliqua qu'eux-mêmes avaient été retardés par des réparations, sinon ils s'y seraient déjà rendus aussi. Il questionna Jondalar sur ses voyages, sur Rapide. Un cercle attentif les écoutait. On posait moins facilement des questions à Ayla, qui d'ailleurs ne les devançait pas. Le mamut aurait bien aimé la prendre à part, pour discuter avec elle de sujets plus ésotériques, mais Ayla préféra rester au Camp avec les autres. Même Celle Qui Ordonne était plus à l'aise, et lorsque Ayla regagna sa tente, elle demanda à Thurie de rappeler à ceux du Camp du Lion combien elle pensait à eux, quand elle arriverait à la Réunion.

Cette nuit-là, Ayla, songeuse, tarda à s'endormir. Elle était contente d'avoir surmonté l'impression causée par l'accueil inamical, et d'avoir rejoint le Camp. Une fois dépassée la peur de l'inconnu ou de l'étrange, ces gens avaient montré de la curiosité et une soif d'apprendre. Elle-même avait compris qu'en voyageant avec des compagnons aussi inhabituels, ils s'exposaient à des réactions violentes de la part de ceux qu'ils croiseraient sur leur route. Elle ignorait ce qui l'attendait, mais sans aucun doute, ce Voyage serait plus aventureux qu'elle ne l'avait d'abord imaginé.

2

Le lendemain matin, Jondalar avait hâte de partir mais Ayla voulut revoir ses amis au Camp des Fougères et malgré l'impatience de son compagnon, les adieux s'éternisèrent. Il était près de midi quand ils quittèrent enfin le Camp.

Les collines verdoyantes à travers lesquelles ils avaient chevauché depuis leur départ de la Réunion d'Eté prirent de l'altitude. L'affluent qui descendait des hauteurs coulait avec davantage de vigueur que le fleuve sinueux et creusait dans le sol de lœss déposé par le vent un lit profond entre deux rives escarpées. Ils durent suivre l'affluent vers l'ouest, puis vers le nord-ouest, avant de trouver un gué.

Plus ils s'écartaient de leur direction, plus Jondalar devenait irascible et impatient. Il se demandait s'il ne devrait pas tout de même choisir la route du sud, plus longue, plutôt que celle du nord-ouest qu'on leur avait recommandée — à plusieurs reprises, il est vrai — et où la rivière semblait les conduire. Ce chemin ne lui était pas familier, mais si c'était un raccourci avantageux, sans doute valait-il mieux le prendre. Si seulement il était sûr d'atteindre ainsi avant le printemps le plateau du glacier, à la source de la Grande Rivière Mère, il n'hésiterait même pas.

Cela impliquait qu'il abandonnât l'idée de revoir une dernière fois les Sharamudoï, mais était-ce si important ? Il dut s'avouer qu'il en brûlait d'envie, il avait tellement espéré ces retrouvailles. Il s'efforçait de faire la part des choses : sa décision d'emprunter la route du sud se justifiait-elle par son désir de prendre un chemin familier, et donc d'arriver à bon port avec Ayla, ou par l'envie de revoir un peuple qu'il considérait comme sa seconde famille ? Les conséquences possibles d'un mauvais choix l'inquiétaient.

Ayla interrompit les méditations de Jondalar.

— Regarde, Jondalar, déclara-t-elle. Je crois que nous pouvons traverser ici, la rive d'en face paraît facile à gravir.

Ils étaient parvenus à un coude de la rivière, et ils s'arrêtèrent pour examiner la situation. De leur côté, le courant bouillonnant avait creusé une berge escarpée, mais en face, la rive intérieure du méandre s'élevait en pente douce, étroite plage d'alluvions grisâtres bordée de broussailles.

— Crois-tu que les chevaux pourront descendre par ici ?

— Oui, je pense, répondit Ayla. L'eau doit avoir creusé profond de ce côté-ci. Il est impossible de deviner si les chevaux devront nager ou non. Alors, peut-être est-il préférable de mettre pied à terre et de traverser à la nage, nous aussi. Si ce n'est pas trop profond, s'empressa-t-elle d'ajouter en voyant la mine contrariée de Jondalar, les chevaux nous porteront de l'autre côté. J'ai horreur de mouiller mes vêtements, mais je n'ai vraiment pas envie de les ôter pour nager.

Ils forcèrent les chevaux à descendre le talus escarpé. Leurs sabots glissèrent sur la terre fine et tous furent précipités à grand renfort d'éclaboussures dans le courant violent qui les entraîna en aval. C'était plus profond qu'Ayla ne l'avait prévu. Après un instant de panique, les chevaux s'habituèrent à ce nouvel élément et entreprirent de nager à contre-courant jusqu'à la rive opposée. Comme ils remontaient la pente douce de la berge, Ayla chercha Loup des yeux, et l'aperçut sur la rive qu'ils venaient de quitter, jappant et couinant, courant de droite et de gauche.

— Il n'ose pas sauter, constata Jondalar.

— Allez, Loup! Saute! l'encouragea Ayla. Vas-y, tu peux nager.

Mais le jeune loup continuait à gémir, la queue entre les pattes.

— Qu'est-ce qui lui prend? Ce n'est pourtant pas la première fois qu'il traverse une rivière, s'énerva Jondalar, exaspéré par ce nouveau retard.

Il avait espéré parcourir une longue étape aujourd'hui, mais tout semblait se liguer contre lui.

Ils avaient levé le camp à une heure tardive, ensuite ils avaient dû pousser vers le nord-ouest, une direction qu'il eût préféré éviter, et voilà que Loup refusait de traverser l'eau. Il savait aussi qu'ils devraient s'arrêter pour vérifier le contenu des paniers, bien que leur tissage serré les rendît quasi imperméables. Et pour compléter le tableau, il était trempé et il se faisait tard. Le vent fraîchissait, or ils devraient changer de vêtements et faire sécher ceux qu'ils portaient. En été, les jours étaient plutôt chauds, mais la nuit, les vents hurlants apportaient le souffle polaire du glacier. Partout sur la terre on subissait l'effet du glacier gigantesque qui écrasait les terres du Nord sous des couches de glace hautes comme des montagnes, mais nulle part autant que dans les steppes froides qui le bordaient.

S'il n'avait pas été si tard, ils auraient voyagé dans leurs habits trempés. Le vent et le soleil les auraient séchés. Jondalar était impatient de descendre dans le Sud, ne serait-ce que pour allonger leur étape... si seulement ils pouvaient se remettre en route.

— Le courant est trop rapide, il n'a pas l'habitude, remarqua Ayla. Il doit d'abord sauter dedans, c'est nouveau pour lui.

31

— Que vas-tu faire ?

— Si je ne réussis pas à le décider, j'irai le chercher.

— Ayla, je suis sûr que si nous nous mettons en route, il sautera pour te suivre. Si nous voulons avancer un peu aujourd'hui, il faut partir tout de suite.

Le regard de mépris courroucé qu'elle lui jeta lui fit regretter ces dernières paroles.

— Ça te plairait, toi, qu'on t'abandonne quand tu as peur ? riposta-t-elle. Il n'ose pas sauter dans l'eau parce que c'est nouveau pour lui. C'est normal, non ?

— Mais je voulais dire... enfin, Ayla, ce n'est qu'un loup, et les loups savent nager. Il a seulement besoin d'une bonne raison pour se jeter à l'eau. S'il ne nous rattrape pas, nous reviendrons le chercher. Je n'ai jamais envisagé un seul instant de l'abandonner, tu sais.

— Inutile de revenir le chercher, j'y vais maintenant, déclara Ayla.

Elle tourna le dos à l'homme pour encourager Loup à sauter, et fit entrer Whinney dans l'eau. Le louveteau poussait des gémissements, reniflait le sol labouré par les sabots, et leur jetait des regards implorants. Guidant sa jument dans le courant, Ayla appela le loup, mais au milieu de la rivière, Whinney, sentant le sol se dérober sous ses sabots, hennit de peur et se débattit à la recherche de la terre ferme.

— Allez, Loup, viens ! Allez, ce n'est que de l'eau, saute ! cria Ayla, tentant d'obtenir par la cajolerie que le jeune animal effarouché se jette dans l'eau tourbillonnante.

Décidant alors de nager jusqu'à la rive escarpée, elle se laissa glisser du dos de Whinney. Loup rassembla enfin son courage et sauta. Il tomba dans l'eau avec un grand plouf et se mit aussitôt à nager vers Ayla.

— Bravo, Loup, c'est bien !

Whinney fit demi-tour, luttant pour reprendre pied, et Ayla, tenant Loup d'une main, essaya de la rejoindre. Jondalar, qui était entré dans l'eau jusqu'à la poitrine,

calma Whinney et s'avança au-devant d'Ayla. Ils regagnè-
rent la berge tous ensemble.

— Eh bien, dépêchons-nous, si nous voulons avancer un
peu aujourd'hui ! lança Ayla en remontant sur Whinney,
l'œil toujours brillant de colère.

— Non, arrête ! s'exclama Jondalar en la retenant. Nous
ne partirons pas avant que tu aies changé tes vêtements
trempés. D'ailleurs, nous ferions mieux de frictionner les
chevaux pour les sécher, et Loup aussi. Nous avons fait
assez de chemin pour aujourd'hui. Nous camperons ici, ce
soir. J'ai mis quatre ans pour arriver jusqu'ici, je me moque
pas mal d'en mettre autant pour rentrer chez moi, du
moment que je t'y conduis saine et sauve, Ayla.

L'inquiétude et l'amour qu'Ayla lut dans les yeux si bleus
de Jondalar eurent raison de sa colère. Elle se blottit contre
lui. Il chercha ses lèvres, et comme la première fois,
lorsqu'il lui avait montré ce qu'était un baiser, elle ressentit
un plaisir merveilleux. A la pensée qu'ils voyageaient
ensemble et qu'elle l'accompagnait chez son peuple, une
joie ineffable la submergea. Elle l'aimait plus qu'elle
n'aurait su le dire, davantage encore après ce long hiver où
elle avait cru qu'il ne l'aimait pas et qu'il partirait sans elle.

Lorsqu'elle était retournée dans la rivière, il avait craint
pour sa vie, et maintenant il la serrait dans ses bras. Il
n'aurait jamais cru possible d'aimer quelqu'un à ce point.
Avant Ayla, il ne se savait pas capable d'un tel amour. Il
avait même failli la perdre, convaincu qu'elle resterait avec
l'homme à la peau sombre et aux yeux rieurs, et il ne
supportait pas l'idée de la perdre une seconde fois.

Avec pour compagnons deux chevaux et un loup, dans
un monde qui ignorait que les animaux pussent s'apprivoiser, un homme seul avec la femme qu'il aimait, au milieu
de vastes prairies glacées, peuplées d'animaux d'innombrables espèces mais où l'homme était rare, se préparait pour
un Voyage à travers tout un continent. Parfois, l'idée qu'un
malheur pût s'abattre sur Ayla le pétrifiait de peur. Dans
ces moments-là, il voulait la serrer contre lui pour toujours.

Jondalar sentit la chaleur du corps d'Ayla, l'abandon de son baiser, et le désir monta en lui. Mais cela attendrait. Elle était trempée et glacée, elle avait besoin d'un feu et de vêtements secs. Ce rivage offrait un bon emplacement pour camper, et s'il était encore tôt pour s'arrêter, eh bien, ils auraient au moins le temps de sécher leurs habits et ils partiraient le lendemain à la première heure.

— Loup ! Lâche ça ! s'écria Ayla en se précipitant pour arracher au jeune animal l'objet enveloppé dans une peau. Je croyais t'avoir appris à ne pas jouer avec le cuir.

Elle essaya de le lui ôter de la gueule, mais il raffermit sa prise en serrant les dents, et secoua la tête dans tous les sens en grognant par jeu.

— Lâche ça ! ordonna Ayla en faisant mine de lui taper le museau.

Penaud, Loup rampa docilement, la queue entre les pattes, et déposa son butin aux pieds d'Ayla, couinant pour se faire pardonner.

— C'est la deuxième fois qu'il fouille dans les bagages, remarqua Ayla en ramassant les paquets que le louveteau avait mordillés. Il sait que c'est interdit, mais il ne résiste pas aux peaux de bêtes.

— Je ne sais pas quoi te dire, intervint Jondalar en aidant Ayla. Il lâche prise dès que tu lui demandes, mais tu n'es pas toujours là et puis, tu ne peux pas le surveiller tout le temps... Qu'est-ce que c'est ? Je ne me souviens pas d'avoir déjà vu ça, ajouta-t-il, en saisissant un paquet enveloppé avec soin dans une peau finement tannée.

Ayla rougit et lui prit vivement le paquet des mains.

— C'est... c'est quelque chose que j'ai rapporté... de... du Camp du Lion, assura-t-elle et elle enfouit l'objet au fond d'un de ses paniers.

Sa réaction surprit Jondalar. Ils avaient tous deux

limité leurs bagages au strict minimum, n'emportant que l'essentiel. Le paquet en question n'était pas très encombrant, mais pas négligeable non plus. Qu'est-ce qu'Ayla avait donc emporté ?

— Arrête, Loup !

Ayla s'élança à la poursuite du louveteau, et Jondalar ne put retenir un sourire. On aurait dit que Loup savait qu'il faisait des bêtises, et qu'il taquinait Ayla pour l'obliger à jouer avec lui. Il avait trouvé un de ses chaussons, un mocassin souple qu'elle portait à l'intérieur de la tente quand le sol était gelé, ou froid et humide, pendant qu'elle aérait ses bottes, ou qu'elle les faisait sécher.

— Qu'est-ce que je vais faire de lui ? gémit Ayla, exaspérée.

Elle revenait vers Jondalar, tenant à la main l'objet du dernier chapardage de Loup. Elle jeta un regard sévère au chenapan. Loup s'avança en rampant, la mine déconfite, avec des petits gémissements en signe de soumission en réponse au mécontentement d'Ayla. Mais une pointe d'espièglerie se cachait derrière sa détresse. Il savait qu'Ayla l'aimait, et dès qu'elle se laisserait apitoyer, il se mettrait à frétiller en jappant de plaisir, de nouveau prêt à jouer.

De la taille d'un adulte, plus mince cependant, Loup n'était encore qu'un louveteau. Il était né hors saison d'une louve dont le compagnon était mort. Son pelage tirait sur le gris — mélange de poils blancs, fauves, marrons et noirs, dont l'ensemble, d'une couleur indéfinie, permet aux loups de se fondre dans un paysage de broussailles, d'herbe, de terre, de roches ou de neige. Mais sa mère avait le poil noir.

C'était cette couleur inhabituelle qui avait incité les autres femelles de sa bande à la harceler sans merci, à lui donner le plus bas statut du groupe et, finalement, à la chasser. Elle avait erré en solitaire, apprenant à survivre hors des territoires des bandes, jusqu'à ce qu'elle rencontre un autre solitaire, un vieux mâle qui avait quitté sa bande où il n'avait plus sa place. Au début, ils se débrouillèrent bien. Elle était plus robuste à la chasse, lui, plus expérimenté, et ils avaient même réussi à établir et à défendre un petit territoire. Etait-ce le meilleur régime alimentaire qu'ils pouvaient s'assurer grâce à leur chasse commune, ou la présence permanente aux côtés de la louve d'un compagnon, ou encore ses propres prédispositions génétiques qui lui avaient permis d'avoir une période de rut hors de la saison des amours ? Toujours est-il que son compagnon ne s'en plaignit pas, et n'ayant pas de rival à vaincre, il avait pu volontiers la satisfaire.

Malheureusement, ses vieux os, raidis par l'âge, n'avaient pas résisté aux ravages d'un nouvel hiver rigoureux dans les steppes périglaciaires. Le début de la saison froide avait eu raison de lui. Ce fut une perte accablante pour la femelle noire, livrée à elle-même pour mettre bas... et en plein hiver. L'environnement naturel ne tolère guère les animaux déviants, et les cycles saisonniers renforcent cela. Une louve noire, dans un paysage d'herbe roussâtre, de terre gris-jaune ou balayé par des rafales de neige, est trop facilement repérée par les rares proies en hiver. Sans compagnon, sans famille pour prendre soin d'elle et de ses petits et l'aider à se nourrir, la femelle s'était affaiblie, et ses bébés avaient succombé l'un après l'autre. Il n'en était bientôt resté plus qu'un.

Ayla connaissait les loups. Dès qu'elle avait commencé à chasser, elle avait observé leurs mœurs, mais comment aurait-elle deviné que le loup noir, qui avait essayé de lui voler l'hermine qu'elle venait d'abattre avec sa fronde, était une mère affamée, encore en train d'allaiter ? La saison de la reproduction était passée. Lorsqu'elle avait voulu récupérer sa fourrure et que, contre toute attente, le loup l'avait attaquée, Ayla l'avait tué pour se défendre. C'était alors qu'elle s'était aperçue de l'état de l'animal. Elle en avait déduit qu'elle avait eu affaire à une louve solitaire, et éprouvant une étrange affinité avec l'animal chassé de sa bande, elle s'était mise à la recherche des petits orphelins qui ne trouveraient personne d'autre pour les adopter. Elle avait suivi les traces de la louve jusqu'à sa tanière, puis elle avait rampé à l'intérieur où elle avait trouvé le dernier petit survivant, les yeux à peine ouverts et pas encore sevré. Elle l'avait pris et l'avait rapporté au Camp du Lion.

Lorsque Ayla leur avait montré le minuscule bébé loup, tout le monde avait été surpris, mais déjà elle était arrivée dans ce Camp avec des chevaux qui lui obéissaient. On s'était habitué à leur présence et à cette femme étrange qui s'entendait si bien avec les animaux. Et puis, tout le monde se demandait ce qu'elle allait faire de ce loup. Qu'elle pût l'élever et le dresser en avait étonné plus d'un. Jondalar, lui-même, était encore ébahi par l'intelligence de l'animal. Une intelligence presque humaine.

— J'ai l'impression qu'il te taquine, Ayla, dit Jondalar.

Ayla regarda Loup et ne put réprimer un sourire. Aussitôt, le louveteau redressa la tête et sa queue fouetta le sol.

— Tu as sans doute raison, mais ça ne m'aidera pas à l'empêcher de mâchonner tout ce qu'il trouve, répondit Ayla en contemplant le chausson déchiqueté. Autant lui laisser celui-là. Il l'a déjà mis en pièces, et tant qu'il jouera avec, il ne touchera peut-être pas le reste.

Elle lui jeta le chausson qu'il attrapa au vol d'un bond avec, Jondalar l'aurait juré, un sourire moqueur.

— Dépêchons-nous, fit-il en se souvenant qu'ils n'avaient pas beaucoup progressé la veille.

Une main en visière pour se protéger du soleil qui se levait à l'est, Ayla scruta les alentours. Elle aperçut Whinney et Rapide dans la prairie herbeuse, derrière la bande de broussailles qui longeait le coude de la rivière. Elle siffla, un sifflement proche, mais différent tout de même, de celui qu'elle utilisait pour appeler Loup. La jument à la robe louvette dressa la tête, hennit et accourut au galop. Le jeune étalon la suivit.

Ils plièrent la tente, chargèrent les chevaux, et s'apprêtaient à lever le camp quand Jondalar décida de répartir les piquets de la tente dans un panier et ses sagaies dans un autre pour équilibrer son chargement. Ayla attendait, adossée à Whinney. Elles aimaient toutes deux cette position qu'Ayla avait adoptée quand la pouliche était sa seule compagne dans la vallée riche mais déserte où elle vivait alors.

Elle avait tué la mère de Whinney aussi. Elle chassait déjà depuis des années, mais seulement avec sa fronde dont elle avait appris seule à se servir. Elle pouvait la cacher facilement, et elle avait justifié cette transgression des tabous du Clan en utilisant sa fronde uniquement contre les prédateurs qui chassaient les mêmes proies que les hommes, et leur volaient parfois leur viande. Le cheval fut le premier gros animal à chair abondante qu'elle tua, et ce fut aussi la première fois qu'elle se servit d'une lance.

Si elle avait été un garçon, le Clan l'aurait autorisée à se servir d'un épieu, et c'eût été sa première chasse. Mais une femme qui utilisait un épieu devait mourir. Elle avait tué le cheval pour manger. Mais en creusant le piège, Ayla n'avait pas prévu qu'une jument en train d'allaiter y tomberait. Lorsque ensuite elle avait aperçu le poulain, son cœur s'était serré, sachant sa mort certaine sans sa mère. Pourtant, elle n'avait pas pensé à le recueillir et à l'élever. Pourquoi y aurait-elle songé, personne n'avait encore fait une chose pareille.

Mais lorsque des hyènes s'en étaient prises au poulain effarouché, Ayla avait repensé à celle qui avait essayé d'emporter le bébé d'Oga. Ayla détestait les hyènes, peut-être à cause de l'épreuve qu'elle avait dû affronter quand elle en avait tué une, dévoilant ainsi son secret à tous. Elles n'étaient pas pires que la plupart des autres prédateurs ou charognards, mais elles symbolisaient, aux yeux d'Ayla, la cruauté, le vice et le mal. Sa réaction ce jour-là avait été la même que la première fois, et les pierres qui avaient jailli de sa fronde avaient été aussi efficaces. Elle avait tué une hyène, mis les autres en fuite, et secouru le jeune animal sans défense. Mais cette fois, au lieu du bannissement, elle avait trouvé un compagnon à sa solitude, et les joies d'une relation affective extraordinaire.

Ayla avait pour le louveteau l'amour d'une mère pour un enfant charmant et intelligent, mais ses sentiments envers la jument étaient différents. Whinney avait partagé son isolement, et elles s'étaient toutes deux rapprochées autant qu'il était possible à deux créatures aussi dissemblables. Elles se connaissaient bien, se comprenaient, et se faisaient confiance. La jument louvette n'était pas seulement un animal utile, ni même un enfant aimé, elle avait été son unique compagne pendant des années, c'était son amie fidèle.

La première fois qu'Ayla avait grimpé sur le dos de Whinney et l'avait chevauchée au triple galop, ç'avait été un acte spontané, irrationnel. Et la griserie de cette cavalcade l'avait incitée à recommencer. Au début, elle n'avait même pas essayé de diriger la jument, mais elles étaient si proches que leur compréhension mutuelle avait grandi à chaque sortie.

En attendant que Jondalar eût terminé, Ayla regardait Loup mâchonner son chausson et se dit qu'il fallait trouver un moyen de canaliser ses instincts destructeurs. Elle enregistra machinalement les détails de la végétation qui poussait sur le bout de terrain où ils venaient de camper. La rivière, qui butait sur le haut talus escarpé de la rive opposée, inondait chaque année la berge en pente douce, déposant un terreau fertile qui nourrissait une grande variété de broussailles, d'herbes, d'arbustes et au-delà, les gras pâturages. Partout où elle allait, Ayla prêtait attention aux plantes. C'était une seconde nature, et grâce à un savoir enraciné au point d'en être devenu presque un instinct, elle cataloguait tout ce qui poussait et en répertoriait l'usage.

Elle vit un arbousier raisin d'ours, arbuste nain qui poussait dans la lande, aux petites feuilles coriaces et persistantes d'un vert foncé, les branches chargées de clochettes blanches teintées de rose, promesse d'une récolte abondante de baies rouges. Amères et astringentes, on pouvait les adoucir en les cuisant avec d'autres aliments. Mais les baies, Ayla le savait, étaient plus qu'une nourriture, leur jus soulageait la brûlure que cause parfois la miction, surtout lorsque l'urine est mêlée de sang.

Plus loin, un raifort dont les petites fleurs blanches étaient groupées au sommet d'une tige aux feuilles alternes et étroites qui surgissait d'un bouquet de longues feuilles plus larges, d'un vert foncé brillant. Sa racine, allongée et charnue, à l'arôme âcre, possédait un goût violemment épicé. En petite quantité, il relevait agréablement les plats, mais ses propriétés médicinales intéressaient davantage Ayla. C'était un stimulant pour l'estomac, il aidait à uriner et soulageait les articulations douloureuses. Elle hésita à en récolter, et décida finalement de ne pas s'attarder.

Mais en voyant une sauge des prés, elle n'hésita pas à sortir son bâton à fouir. Sa racine était l'un des ingrédients de la tisane matinale qu'elle buvait pendant la période lunaire où elle saignait. Le reste du temps, elle se composait une infusion avec d'autres plantes, notamment les fils d'or qui s'enroulent autour des végétaux et les étouffent. Il y avait fort longtemps, Iza lui avait parlé des herbes magiques qui fortifieraient son totem et l'aideraient à vaincre celui des hommes, évitant ainsi qu'un bébé grandisse en elle. Iza lui avait bien recommandé de n'en parler à personne, surtout pas à un homme.

Ayla doutait que les bébés fussent le fruit des esprits, et pensait plutôt que l'homme jouait un rôle prépondérant. Quoi qu'il en fût, les plantes secrètes étaient efficaces. Depuis qu'elle buvait sa tisane spéciale, aucune vie nouvelle n'avait germé en elle, qu'un homme fût dans les parages ou non. Ayla n'aurait pas été mécontente de mettre un enfant au monde, pourvu qu'ils fussent installés quelque part. Mais Jondalar lui avait bien fait comprendre qu'il eût été risqué pour elle de tomber enceinte au cours du Voyage.

Elle arracha la racine de la sauge des prés, et pendant qu'elle la nettoyait, elle aperçut les feuilles en forme de cœur et les longs calices jaunes et tubuleux d'une serpentaire, efficace contre les fausses couches. Avec un pincement au cœur, elle repensa au jour où Iza en avait cueilli pour elle. Elle se releva et s'apprêtait à ranger les racines fraîches dans un panier spécial, attaché au sommet du chargement, lorsqu'elle vit Whinney picoter de l'avoine sauvage. Elle aussi en aimait les graines, une fois cuites, et poursuivant machinalement son inventaire médicinal, elle nota que les fleurs et les chaumes facilitaient la digestion.

Le cheval avait déposé du crottin, dont l'odeur avait attiré les mouches. En certaines saisons, les insectes devenaient insupportables, et Ayla décida de ramasser des plantes qui les éloignaient, dès qu'elle en verrait. Qui sait quelles régions ils traverseraient ?

Dans sa lecture spontanée de la végétation locale, Ayla identifia une variété d'armoise, au goût amer et à la forte odeur camphrée, qui avait poussé en grosse touffe. Elle savait que son odeur ne chassait pas les insectes, mais elle possédait d'autres vertus. Il y avait aussi des géraniums sauvages aux feuilles dentelées et aux fleurs à cinq pétales d'un rose rouge qui donnaient des fruits en forme de bec de grue. Les feuilles, séchées et réduites en poudre, arrêtaient les saignements et cicatrisaient les plaies. En infusion, elles soulageaient les maux de bouche et l'urticaire. Les racines possédaient des vertus bienfaisantes pour les diarrhées et autres problèmes intestinaux. Le goût, bien qu'amer et piquant, était assez doux pour les enfants ou les vieillards.

En cherchant des yeux Jondalar, Ayla vit que Loup mâchait toujours son chausson. Poussée par une intuition soudaine, elle examina de nouveau les dernières plantes qu'elle avait remarquées. Pourquoi avaient-elles retenu son attention ? Quelque chose l'avait frappée, sans doute. Elle comprit d'un coup. Elle reprit vivement son bâton à fouir et commença de déblayer la terre autour de l'armoise au goût amer et à la forte odeur camphrée, puis autour du géranium, astringent et piquant, mais inoffensif.

Jondalar était déjà à cheval, prêt à partir.

— Pourquoi ramasser des plantes, Ayla ? s'impatienta-t-il. Il faut que l'on parte. Tu en as vraiment besoin maintenant ?

— Oh, oui ! Mais je n'en ai pas pour longtemps, répondit Ayla en s'attaquant à la longue racine charnue du raifort au goût si épicé. Je crois avoir découvert un moyen d'éloigner Loup de nos affaires, expliqua-t-elle en désignant le jeune louveteau mâchouillant ce qui restait du chausson de cuir. Je vais fabriquer un baume « anti-Loup ».

Ils quittèrent leur campement pour rejoindre, vers le sud-est, l'affluent qu'ils avaient suivi la veille. Le vent chargé de poussière était tombé pendant la nuit, et sous un ciel limpide, l'air enfin pur dévoilait un horizon dégagé. A perte de vue, du nord au sud, de l'est à l'ouest, tout n'était que prairies, une immensité ondoyante, une mer houleuse d'herbe toujours en mouvement. Les quelques arbres au bord des cours d'eau accentuaient encore l'impression d'immensité. Mais l'étendue des plaines herbeuses dépassait ce qu'ils imaginaient.

D'énormes couches de glace de trois, cinq, jusqu'à huit mille mètres d'épaisseur, recouvraient les confins de la terre et débordaient sur les plaines septentrionales, écrasant la croûte rocheuse du continent d'un poids incommensurable. Au sud du glacier, des steppes froides et sèches, vastes comme un continent, allaient de l'océan, à l'ouest, jusqu'à la mer, à l'est. Les terres qui bordaient le glacier n'étaient qu'une immense et riche prairie. Les plantes herbacées envahissaient tout, des vallées jusqu'aux collines battues par les vents. Seuls les montagnes, rivières, lacs et mers, qui dégageaient assez d'humidité pour permettre aux arbres de pousser, faisaient intrusion dans les vertes prairies nordiques de l'Ere Glaciaire.

Ayla et Jondalar sentirent que le sol s'inclinait au fur et à mesure qu'ils approchaient du grand fleuve, dont ils étaient pourtant encore assez éloignés. Bientôt, ils se retrouvèrent perdus dans de hautes herbes. Même en se haussant sur Whinney, Ayla n'apercevait que la tête et les épaules de Jondalar, noyé au milieu des herbes de deux mètres cinquante, et dont les tiges aux sommets duveteux ou couronnés de fleurs minuscules s'agitaient au gré du vent, formant une surface dorée aux reflets rougeâtres, sur un océan bleu-vert. Elle voyait apparaître et disparaître la monture marron et devinait Rapide plus qu'elle ne le reconnaissait.

Ayla se félicitait d'être à cheval. La barrière verte s'ouvrait sur leur passage sans offrir de résistance, mais ils voyaient à peine plus loin que les herbes les plus proches et, derrière eux, le mur se reformait, effaçant toute trace de leur passage. Leur vue se limitait à leur espace immédiat, comme s'ils se déplaçaient avec lui. Seuls, l'astre incandescent traçant sa route dans l'azur immaculé, et la courbure des tiges indiquant le sens du vent, les guidaient dans leur marche et évitaient qu'ils ne fussent séparés l'un de l'autre.

Tout en chevauchant, Ayla entendait le murmure du vent et les moustiques susurrer à ses oreilles. Au milieu des herbes denses, l'air était chaud et étouffant. Bien qu'Ayla vît les tiges s'agiter, elle ne sentait aucun courant d'air. Un bourdonnement de mouches et une odeur de crottin lui apprirent que Rapide venait de se soulager. Son fumet lui était aussi familier que celui de sa jument... ou même que sa propre odeur, et Ayla aurait deviné que le jeune étalon était passé par là même si elle n'avait pas su qu'il la précédait de quelques pas. L'air était chargé des arômes d'un humus riche et d'une végétation bourgeonnante. Elle ne classait pas les odeurs en bonnes ou en mauvaises, l'odorat était pour elle comme la vue ou l'ouïe, un sens qui l'aidait à percevoir et à analyser le monde extérieur.

Au bout d'un certain temps, la monotonie du paysage, haies après haies de tiges vertes, la cadence régulière du

43

cheval, et la chaleur du soleil, presque à la verticale, engourdirent la conscience d'Ayla. Les longues tiges minces se brouillèrent en une tache verte qu'elle ne voyait même plus. Mais peu à peu, elle découvrit une autre végétation : il n'y avait pas que de l'herbe dans cette prairie, et comme d'habitude elle le nota inconsciemment. C'était sa manière d'aborder le monde.

Là, se dit Ayla, un animal a dû laisser cette trace en se roulant dans l'herbe... tiens, des pattes-d'oie, comme Nezzie appelait l'ansérine qui poussait près de la caverne du Clan. Je devrais en cueillir, songea-t-elle sans lever le petit doigt. Cette plante, avec ses fleurs jaunes et ses feuilles enroulées autour de sa tige, c'est un chou sauvage. Ce serait bon aussi, pour ce soir, songea-t-elle sans s'arrêter. Et ces fleurs mauves, avec leurs petites feuilles et leurs gousses innombrables, ce sont des gesses. Sont-elles déjà mûres ? Non, sans doute pas. Là-bas, cette large fleur blanche arrondie, piquée de rose au milieu, c'est une carotte sauvage. On dirait que Rapide en a piétiné les feuilles. Je devrais prendre mon bâton à fouir. Tiens, en voilà d'autres ! Oh, cela peut attendre, il fait si chaud, j'en trouverai toujours plus loin. On dirait qu'elles pullulent par ici. Elle tenta d'écraser des mouches qui volaient autour de ses cheveux trempés de sueur. Au fait, je n'ai pas vu Loup depuis longtemps, où peut-il être ?

Elle chercha le louveteau et l'aperçut derrière la jument, reniflant le sol. Il s'arrêta, leva la tête pour humer une nouvelle odeur, et disparut dans l'écran de verdure, sur la gauche d'Ayla. Une libellule bleue, aux ailes mouchetées, dérangée par l'intrusion de Loup, voltigeait au-dessus de l'endroit où l'animal avait disparu comme pour en marquer l'emplacement. Bientôt, un cri rauque et un bruissement d'ailes annonça l'envol d'une grande outarde qu'Ayla aperçut soudain. Elle saisit la fronde ceignant son front. C'était une solution pratique : les cheveux d'Ayla étaient maintenus et son arme était à portée de main.

Mais l'énorme outarde — avec ses dix kilos, c'était

44

l'oiseau le plus lourd des steppes — volait vite pour son poids et était déjà hors d'atteinte avant qu'Ayla ait sorti une pierre de sa bourse. En regardant s'éloigner l'oiseau moucheté, ailes blanches, ailerons noirs, elle regretta de ne pas avoir deviné ce que Loup avait débusqué. L'outarde aurait composé un repas délicieux pour eux trois, et fourni des restes copieux.

— Dommage qu'on n'ait pas été assez rapide, regretta Jondalar.

Ayla remarqua qu'il rangeait une sagaie légère et son propulseur dans leur étui.

— Si seulement j'avais appris à me servir du Bâton Qui Revient de Brecie, soupira Ayla en ajustant sa fronde autour de sa tête, c'est tellement plus rapide ! Lorsque nous nous sommes arrêtés près du marécage où les oiseaux nichaient, en allant chasser le mammouth, elle tirait si vite que je n'en croyais pas mes yeux. Et elle pouvait toucher plus d'un oiseau à la fois.

— Oui, elle était habile. Mais elle s'était sans doute exercée aussi longtemps que toi avec ta fronde. On n'acquiert pas une telle adresse en une saison.

— Si encore l'herbe n'était pas aussi haute, j'aurais vu ce que Loup débusquait et ma fronde aurait été prête à temps. Je croyais qu'il courait après un campagnol.

— Tâchons d'ouvrir l'œil, recommanda Jondalar, Loup va sûrement effrayer d'autres proies.

— J'ai regardé, pourtant ! s'exclama Ayla, mais je n'ai rien vu. (Elle leva les yeux pour s'assurer de la position du soleil, et se dressa sur Whinney, tentant de découvrir ce que les herbes cachaient.) Tu as raison, de la viande fraîche ne nous ferait pas de mal. J'ai vu toutes sortes de plantes bonnes à manger. J'allais m'arrêter pour en récolter, mais il y en avait tant que j'ai décidé d'en cueillir plus tard. Au moins elles seront fraîches, au lieu de se faner sous ce soleil brûlant. Il nous reste bien les grillades de bison du Camp des Fougères, mais elles ne nous feront qu'un seul repas. Et puis, inutile d'entamer les réserves de viande séchée en

45

cette saison où la viande fraîche abonde. Quand nous arrêtons-nous ?

— Nous ne devons pas être loin de la rivière, l'air se rafraîchit, et l'herbe haute pousse près de l'eau, d'habitude. Quand nous serons arrivés près des berges, nous pourrons commencer à chercher un endroit pour camper, en descendant le courant, répondit Jondalar qui se remit en route.

Le mur d'herbes hautes s'étendait jusqu'au bord de la rivière, et des arbres avaient commencé d'apparaître en approchant des rives humides. Ils s'arrêtèrent pour laisser boire les chevaux, et descendirent de leur monture afin d'étancher leur propre soif, en utilisant un petit panier étroitement tressé qui leur servait à la fois de louche et de godet. Bientôt, Loup surgit de l'herbe à son tour, se mit à laper bruyamment, puis se laissa tomber avec un grand plouf et regarda Ayla, haletant, la langue pendante.

— Loup a chaud, lui aussi, remarqua-t-elle en souriant. Il a dû explorer les environs. Je me demande ce qu'il a découvert. Dans ces herbes hautes, il voit davantage de choses que nous.

— Oui, et je préférerais qu'on en sorte avant d'installer notre campement. Je me sens comme enfermé là-dedans. J'aime bien voir ce qui se passe autour de moi, déclara Jondalar en rejoignant son cheval.

Il saisit Rapide par les poils durs de sa crinière, d'un bond puissant il passa une jambe par-dessus le cheval, et, s'aidant des bras, il se mit avec aisance à califourchon sur le dos du vigoureux étalon. Puis il le guida sur le sol ferme, à l'écart de la rive boueuse, vers l'aval.

Les grandes steppes étaient loin de se réduire à une gigantesque étendue monotone d'épis ondulant gracieusement au rythme du vent. L'herbe géante poussait dans les endroits très humides, riches aussi de plantes les plus diverses. Dominée par des herbes de plus d'un mètre, pouvant atteindre jusqu'à trois mètres cinquante — bluestems bulbeux, stipes, touffes de fétuques — la prairie colorée comprenait aussi une variété de plantes florifères aux larges feuilles : asters, pas-d'âne ; aunée jaune à corolle multiple, grands entonnoirs blancs du datura ; carottes sauvages ; raifort, moutarde, oignons nains ; iris, lis et boutons d'or ; groseilliers, fraisiers et framboisiers.

Dans les régions semi-arides où les pluies sont rares, les plantes basses, de moins de cinquante centimètres, fructifiaient. La partie souterraine était plus importante, et elle développait de vigoureux rejetons en période de sécheresse. Elles partageaient le sol avec d'autres plantes telles que l'armoise ou la sauge.

Entre ces deux extrêmes, on trouvait les pâturages moyens, dans des régions trop froides pour les plantes basses, ou trop sèches pour les herbes hautes. Ces prairies tempérées étaient également très colorées, les plantes florifères s'y mêlaient à l'avoine sauvage, l'orge, et, sur les pentes des collines, aux bluestems. L'herbe aux tiges charnues poussait sur les sols humides, alors que l'herbe aux tiges plus frêles se localisait dans les régions plus froides, aux sols arides et pierreux. Les carex aussi foisonnaient — plante vivace aux nombreux rejets et aux épillets doubles — ainsi que les linaigrettes à feuilles larges, principalement dans la toundra et dans les sols humides. Les marais abondaient, peuplés de hauts roseaux, de prêles et de joncs.

Près de l'eau, la température fraîchissait, et plus l'après-midi avançait, plus Ayla était en proie à deux envies contradictoires. Elle avait hâte d'en terminer avec le mur d'herbes géantes, mais en pensant au repas du soir, elle mourait d'envie de s'arrêter pour cueillir les légumes qu'elle voyait en chemin. Elle chevauchait maintenant au rythme lancinant de : je m'arrête, non, je continue. Je m'arrête, non, je continue...

Bientôt, le rythme prit le dessus sur le sens des mots, comme une pulsation silencieuse et bruyante à la fois. Ayla fut prise d'appréhension. Cette impression de coups sourds, à peine audibles, la troublait. Et les herbes géantes qui l'entouraient et l'empêchaient de voir au-delà de quelques pas ajoutaient à son malaise. Elle était habituée aux paysages dégagés, aux vastes horizons, où la vue dépassait en tout cas l'écran de verdure immédiat. Plus ils avançaient, plus la sensation s'amplifiait, comme si le battement se rapprochait, ou comme s'ils touchaient à la source du bruit silencieux.

Ayla remarqua que le sol était fraîchement foulé en divers endroits, et elle plissa le nez pour humer une forte odeur musquée qu'elle essaya de définir. Loup fit alors entendre un long grognement sourd.

— Jondalar ! s'écria Ayla.

Il s'était arrêté, et, le bras levé, lui faisait signe de l'imiter. Il y avait bien quelque chose devant eux. Soudain, un cri strident déchira l'atmosphère.

3

— Ici, Loup! ordonna Ayla à l'animal que la curiosité poussait à continuer.

Elle se laissa glisser du dos de Whinney et marcha vers Jondalar qui avait mis pied à terre, lui aussi, et progressait prudemment à travers l'herbe épaisse en direction des cris perçants et des martèlements formidables. Elle le rejoignit au moment où il s'arrêtait, et ils écartèrent les dernières tiges hautes pour mieux voir. Ayla s'agenouilla pour retenir Loup, et resta fascinée par le spectacle.

Un troupeau de mammouths laineux, agités, piétinaient la clairière qu'ils avaient déblayée en se nourrissant. Un mammouth adulte absorbait plus de deux cent cinquante kilos de nourriture par jour, et un troupeau entier pouvait raser une surface considérable de végétation en peu de temps. Il y avait là des bêtes de tous âges et de toutes tailles, dont certaines n'avaient pas plus de quelques semaines. C'était un troupeau de femelles, principalement de même lignée : mères, filles, sœurs, tantes, et leur progéniture. Une large famille, conduite par une vieille femelle prudente et sage, de loin la plus imposante du troupeau.

A première vue, elles semblaient toutes être d'un même brun-roux, mais en y regardant de plus près, on remarquait des variantes. La toison des unes tirait sur le roux, celle des autres sur le brun, ou sur le jaune, ou le doré, et de loin, certaines femelles paraissaient presque noires. La double épaisseur de laine qui les couvrait, depuis leur grosse trompe et leurs oreilles singulièrement petites, jusqu'à leur queue courtaude terminée par une touffe de poils sombres, et leurs pattes trapues aux ongles larges, accentuait les différences de ton.

La laine drue et chaude, étonnamment soyeuse, du pelage d'été avait commencé à tomber et le poil d'hiver poussait par-dessous, d'une couleur plus claire et d'une texture duveteuse mais rude, imperméable aux vents, et qui donnait à la fourrure profondeur et reflets. Les poils du dessus, plus sombres et de longueurs diverses, pouvant atteindre un mètre, tombaient sur les flancs comme une robe, et pendaient dru de l'abdomen et du fanon — repli de la peau sous le cou et le poitrail — isolant les mammouths du sol glacé lorsqu'ils s'y couchaient.

Ayla fut amusée par de jeunes jumeaux dont la superbe fourrure d'un roux flamboyant était rehaussée de drôles de touffes noires, et qui, réfugiés derrière les pattes immenses de leur mère, semblaient l'épier. Le pelage ocre foncé de la vieille femelle était parsemé de poils gris. Ayla remarqua aussi les oiseaux blancs, éternels compagnons des mammouths, que ceux-ci toléraient ou ignoraient, selon qu'ils se posaient sur leurs crânes hirsutes, ou qu'ils évitaient adroitement d'être écrasés par leurs larges pattes, tandis qu'ils se gobergeaient des insectes dérangés par le passage des géants.

Loup gémissait, pressé d'aller voir de plus près ces animaux intéressants. Ayla le retint pendant que Jondalar cherchait dans un des paniers de Whinney la corde avec laquelle on l'attachait. La femelle grisonnante se

50

retourna et regarda longuement dans leur direction — une de ses défenses était brisée — puis elle reporta son attention sur autre chose.

Seuls les très jeunes mâles accompagnaient les femelles. D'habitude, ils quittaient le troupeau où ils étaient nés peu après leur puberté, vers douze ans. Mais en l'occurrence, plusieurs jeunes, et même quelques aînés, suivaient ce troupeau, attirés par une femelle à la toison d'une jolie couleur noisette. Elle était en chaleur, et cela expliquait le vacarme qui avait alerté Ayla et Jondalar. Une femelle en chaleur attire tous les mâles, parfois au-delà de ses vœux.

La femelle noisette venait juste de rejoindre son troupeau familial après avoir semé trois jeunes mâles d'une vingtaine d'années qui la poursuivaient. Les mâles avaient abandonné la partie momentanément. Ils se tenaient à distance des femelles excitées qui s'étaient regroupées et parmi lesquelles leur proie avait trouvé refuge. Elle accueillit d'une caresse de la trompe un petit de deux ans qui se précipitait vers elle. Le petit se glissa entre ses pattes antérieures et entreprit de téter pendant que sa mère arrachait des touffes d'herbe. Harcelée depuis le début du jour, elle n'avait pas eu le temps de nourrir son petit, ni même de manger ou de se désaltérer.

Un mammouth de taille moyenne s'approcha du troupeau, et du bout de sa trompe, examina les femelles l'une après l'autre, fourrageant sous leur queue, entre leurs pattes postérieures, reniflant et goûtant, s'assurant de leur disposition. Les mammouths continuaient de grandir toute leur vie, et la taille de celui-ci indiquait qu'il était plus âgé que les trois mâles qui avaient traqué la femelle noisette. Il devait avoir une trentaine d'années. Dès qu'il s'approcha de la femelle en rut, elle s'éloigna prestement. Aussitôt il la suivit. Ayla étouffa un cri en voyant son énorme organe sortir de son fourreau et se gonfler en un long S.

Jondalar entendit la réaction d'Ayla et jeta un coup d'œil vers elle. Leurs regards se croisèrent, reflétant le même étonnement émerveillé. Tous deux avaient déjà chassé le

51

mammouth, mais ils n'en avaient pas souvent observé de si près, et jamais assisté à leur accouplement. Jondalar sentit monter en lui une onde de chaleur en regardant Ayla. Le visage empourpré, la bouche entrouverte, l'œil brillant, elle respirait, le souffle court. Fascinés par le spectacle impressionnant des deux colosses prêts à honorer la Grande Terre Mère, ainsi qu'Elle l'exige de tous Ses enfants, ils continuèrent d'observer.

Mais la femelle courut hors de portée du gros mammouth en décrivant un ample arc de cercle, et se réfugia de nouveau au milieu du troupeau, mais sans succès. Elle fut aussitôt relancée par un autre mâle qui tenta de la couvrir contre son gré et dont elle réussit à se dégager. Son petit essaya à plusieurs reprises de la suivre dans sa fuite, puis il renonça et resta auprès des autres femelles. Jondalar ne s'expliquait pas pourquoi la femelle noisette s'obstinait à éviter les mâles en rut. La Mère n'attendait-Elle pas que les mammouths femelles L'honorassent, elles aussi ?

Comme si d'un commun accord tous avaient décidé une trêve pour paître, la paix revint et les mammouths avancèrent lentement vers le sud en arrachant sur leur passage touffe d'herbe après touffe d'herbe, à un rythme régulier. Profitant de ce répit, la femelle noisette, la tête basse, l'air harassé, s'efforça de se restaurer.

Les mammouths passaient l'essentiel des journées et des nuits à se nourrir. Ils avaient besoin chaque jour d'énormes quantités de fibres végétales, même de piètre qualité. En hiver par exemple, ils arrachaient l'écorce des arbres avec leur trompe. A ces centaines de kilos de nourriture quotidienne digérée en douze heures s'ajoutait une portion, minime mais indispensable, de plantes à larges feuilles, succulentes et nourrissantes, ou parfois quelques feuilles de saule, de bouleau ou d'aulne, plus riches que les herbes grossières ou les carex, mais dont l'abus était toxique pour les mammouths.

Lorsque les grands mammifères laineux se furent éloignés à une distance respectable, Ayla attacha la laisse au cou du jeune loup, au moins aussi intéressé qu'eux. Il mourait d'envie de s'approcher du troupeau, mais Ayla ne voulait pas qu'il sème la pagaille. Elle avait le sentiment que la vieille femelle qui dirigeait le troupeau acceptait leur présence, à condition qu'ils restent à distance. Les chevaux montraient eux aussi quelques signes de nervosité. A l'abri des hautes herbes, Ayla et Jondalar leur firent contourner la clairière pour suivre les mammouths afin de continuer à les observer, car il y avait dans l'air comme une attente fébrile. Un événement allait se produire. Peut-être n'était-ce que l'achèvement de l'accouplement auquel ils étaient, en quelque sorte, invités à assister? Non, il s'agissait, semblait-il, de plus que cela.

Tout en suivant le troupeau, chacun à sa manière étudiait les énormes bêtes. Ayla chassait depuis son plus jeune âge et elle avait souvent observé les animaux, mais jamais ses proies n'avaient atteint une telle taille. On ne chassait pas seul le mammouth. Il fallait constituer des groupes importants et bien organisés. En vérité, elle avait déjà approché ces animaux géants lorsqu'elle avait chassé avec les Mamutoï. Mais dans le feu de l'action, il n'y avait pas de temps pour l'observation, et comment être sûr qu'une si belle occasion se présenterait encore?

La tête d'un mammouth était massive et bombée — avec des sinus offrant de larges cavités qui aidaient au réchauffement de l'air glacial inhalé en hiver. La forme bombée du crâne était encore accentuée par une bosse de graisse et un remarquable toupet de poils drus et foncés. La nuque, courte et creusée, tombait sur un cou trapu que prolongeait une deuxième bosse de graisse à hauteur du garrot, au-dessus de l'épaule. De là, le dos descendait doucement jusqu'au bassin étroit aux hanches presque délicates. Pour avoir déjà dépecé et mangé de la viande de mammouth, Ayla savait que la graisse de la deuxième bosse était d'une autre qualité que celle de la couche de huit centimètres stockée sous la peau du crâne, peau dure et elle-même épaisse de deux centimètres. Elle était plus fine et plus savoureuse.

Les mammouths avaient des pattes relativement courtes pour leur taille, ce qui leur facilitait l'accès à la nourriture puisqu'ils mangeaient surtout de l'herbe, et non, comme leurs cousins des climats chauds, les feuilles des arbres. Rares étaient les arbres dans la steppe. Mais comme leurs cousins, la tête des mammouths était très haut au-dessus du sol, trop grosse et trop lourde pour qu'un long cou leur permette d'atteindre leur nourriture ou de s'abreuver comme les chevaux ou les cerfs. Alors leur trompe s'était développée, apportant l'herbe et l'eau jusqu'à la gueule.

Le long mufle sinueux et pelucheux du mammouth était suffisamment fort pour arracher un arbre ou bien soulever un énorme bloc de glace et le lâcher ensuite de façon qu'il se brise en petits morceaux afin de se désaltérer l'hiver, et assez adroit pour cueillir une feuille précisément choisie. La trompe était surtout merveilleusement adaptée à l'arrachage de l'herbe. A son extrémité, deux saillies : au-dessus, un appendice tactile que le mammouth commandait à sa guise, et en dessous un autre appendice aplati, plus large et très flexible, un peu comme une main, mais sans os ni doigt.

Jondalar regardait, fasciné par son habileté et par sa force, un mammouth enrouler l'appendice inférieur de sa trompe autour d'une touffe d'herbe haute et la maintenir pendant que de l'appendice supérieur il tâtait et rassemblait d'autres tiges en une gerbe suffisante. Utilisant le second appendice comme un pouce, la trompe se referma autour de la gerbe et extirpa d'un coup sec tiges et racines. Après qu'il l'eut secouée pour la nettoyer de sa terre, le mammouth l'enfourna, et tout en mastiquant, en prépara une autre avec sa trompe.

Pendant leur migration à travers les steppes, les mammouths laissaient derrière eux d'immenses espaces dévastés, du moins en apparence. Mais l'herbe déracinée, l'écorce arrachée étaient bénéfiques pour la steppe, et pour les autres animaux. Débarrassée des tiges ligneuses des hautes herbes et des arbustes, la terre donnait naissance à de riches plantes herbacées, nourriture essentielle pour la plupart des habitants des steppes.

Soudain, Ayla frissonna sous l'effet d'une étrange sensation. Elle s'aperçut que les mammouths avaient interrompu leur repas. Plusieurs d'entre eux s'étaient redressés et, dodelinant de la tête, oreilles tendues, ils regardaient vers le sud. Jondalar nota le changement qui s'opéra chez la femelle noisette, celle que les mâles n'avaient cessé de harceler. La tension de l'attente semblait avoir remplacé la fatigue extrême. Soudain, elle poussa un barrissement long et grave. En réponse, un grondement sourd, comme un roulement de tonnerre venant du sud-ouest, résonna dans la tête d'Ayla et lui donna la chair de poule.

— Jondalar ! s'écria-t-elle. Là-bas !

Il regarda dans la direction qu'elle indiquait. Soulevant un nuage de poussière telle une tornade, sa tête bombée dépassant à peine de l'herbe géante, un mammouth gigantesque chargeait. Il était roux pâle et deux défenses énormes surgissaient de la mâchoire supérieure, plongeant d'abord vers le bas, puis elles remontaient en se recourbant vers l'intérieur, et se terminaient en pointes émoussées. Si le mammouth ne les brisait pas, elles finiraient par former deux grands arcs de cercle dont les extrémités se croiseraient.

Les mammouths à l'épaisse toison laineuse de l'Ere Glaciaire étaient trapus. Ils dépassaient rarement trois mètres au garrot. Mais leurs défenses atteignaient des tailles spectaculaires, les plus prodigieuses qui existèrent jamais. Aux environs de soixante-dix ans, les défenses en ivoire d'un mammouth mâle en bonne santé pouvaient approcher les quatre mètres et peser plus de cent kilos chacune.

Un fort effluve, âcre et musqué, précéda l'arrivée du mammouth, déclenchant une excitation intense parmi les femelles. Lorsqu'il atteignit la clairière, elles se précipitèrent à sa rencontre, inondant le sol de leur urine pour lui offrir leur odeur, et le saluant par un concert de barrissements discordants. Attirées et perturbées à la fois, elles l'entouraient, lui présentaient leur arrière-train, essayaient de le caresser de leur trompe. Les autres mâles, eux, battirent en retraite à l'écart du troupeau.

La tête haute, le grand mâle exhibait fièrement ses spirales d'ivoire, qui excédaient de loin en taille les défenses des femelles, plus petites et plus droites. Même celles des plus gros mâles paraissaient frêles en comparaison. Ses petites oreilles laineuses déployées, son toupet dru et sombre dressé, sa toison roux clair dont les longs poils volaient au vent ajoutaient à la majesté de sa stature. Dominant les mâles adultes de près d'un mètre, deux fois plus gros que les femelles, c'était l'animal le plus formidable qu'aient jamais vu Ayla et Jondalar. Il avait survécu à quarante-cinq années, ou davantage, d'épreuves et de plaisirs, il était en pleine maturité, un seigneur des mammouths, il était magnifique.

Mais ce n'était pas seulement la majesté de sa taille qui avait fait reculer les autres mâles. Ayla remarqua que ses tempes étaient gonflées et à mi-chemin entre ses yeux et ses oreilles, un liquide visqueux ruisselait en traînées noires sur l'épaisse fourrure rousse de ses joues. Il bavait abondamment et projetait de temps en temps des jets d'urine d'une odeur âcre, qui recouvraient la fourrure de ses pattes postérieures et du fourreau de son membre d'une écume verdâtre. Ayla se demanda s'il était malade.

Non, aucun de ces symptômes n'était dû à une quelconque maladie. Chez les mammouths laineux, les femelles n'étaient pas seules à avoir un cycle œstral. Chaque année, les mâles adultes avaient une période de rut et donc d'intense activité sexuelle. Bien qu'un mammouth mâle atteignît la puberté vers l'âge de douze ans, il n'entrait pas en rut avant une trentaine d'années, et encore celui-ci ne durait-il alors qu'une semaine ou deux. Vers quarante ans, dans son âge mûr, un mâle en bonne santé pouvait être en rut jusqu'à trois ou quatre mois par an. Bien qu'il suffît qu'un mâle fût pubère pour s'accoupler à une femelle en chaleur, la copulation avait plus de chance d'aboutir si le mâle était en rut.

Le grand mâle roux n'était pas seulement un mâle dominant, il était en plein rut, et il était venu s'accoupler en réponse à l'appel de la femelle en chaleur.

De près, les mâles, comme la plupart des quadrupèdes, savaient que les femelles étaient en état de concevoir à l'odeur qu'elles dégageaient. Mais les mammouths se déplaçaient sur de telles distances qu'ils avaient développé un autre moyen de faire savoir qu'ils étaient prêts pour l'accouplement. Lorsque le cycle œstral de la femelle commençait, ou que le mâle était en rut, le ton de leur voix baissait. Les tons graves voyagent plus loin que les aigus, et les barrissements signalant la période féconde traversaient ainsi les plaines sur des kilomètres.

Jondalar et Ayla entendaient clairement l'appel de la femelle en chaleur, mais la réponse du mâle en rut était si grave qu'elle leur était à peine audible. Même en temps ordinaire, les mammouths communiquaient à travers la steppe par des barrissements inaudibles à l'oreille humaine. Là, le mammouth en rut barrissait avec une puissance extrême, et la femelle davantage encore, mais si quelques humains étaient capables de détecter les vibrations de sons graves, la plupart des composantes sonores émises par les mammouths échappaient à l'ouïe humaine.

La femelle noisette tenait à distance le groupe de jeunes mâles intéressés, eux aussi, par ses odeurs et par ses barrissements. Mais, pour engendrer, elle préférait un mâle dominant dont l'âge mûr prouvait la bonne santé et l'instinct de survie, un mâle assez puissant pour faire un bon géniteur. Un mâle en rut ! Elle ne le savait pas, mais son corps, lui, savait.

Maintenant, elle était prête pour le mâle. Ses longs poils battant ses flancs à chaque pas, la femelle noisette courut vers le mâle majestueux. Elle barrissait avec force et agitait ses petites oreilles touffues. Elle urina à grand bruit, puis, allongeant sa trompe vers l'imposant organe en forme de S du futur géniteur, elle renifla et goûta son urine. Dans un grondement de tonnerre, tête haute, elle pivota pour lui présenter son arrière-train.

Le grand mâle caressa le dos de la femelle avec sa trompe pour la calmer, et son immense organe touchait presque le sol. Il se dressa ensuite sur ses pattes postérieures et allongea ses pattes antérieures loin sur le dos de sa compagne pour la couvrir. Il était deux fois plus grand qu'elle, et si lourd qu'on aurait pu croire qu'il allait l'écraser, mais tout son poids reposait sur ses pattes arrière. Du bout de son organe merveilleusement mobile, il trouva la vulve qu'il pénétra profondément en poussant un grondement interminable.

Bien qu'il fût assourdi comme s'il était lointain, Jondalar l'entendit et en frémit d'émotion. Ayla ne le perçut guère plus fort, mais elle trembla de frissons violents. La femelle noisette et le mâle roux gardèrent longtemps la position. Les longues mèches de la toison du mammouth battaient ses flancs avec énergie bien que le mouvement fût léger. Il descendit enfin du dos de la femelle, lâchant un jet d'urine en se retirant. Elle fit quelques pas en avant et poussa un barrissement long et grave qui résonna dans la moelle épinière d'Ayla et lui donna la chair de poule.

Avec force barrissements, toutes les femelles accoururent vers la femelle noisette, chacune lui caressant de sa trompe la gueule et la vulve humide, déféquant et urinant, en proie à une excitation intense. Le mammouth roux se reposait, tête baissée, sans prêter attention à ce joyeux tohu-bohu. Finalement, tout le monde se calma et se dispersa pour se nourrir. Seul le petit resta près de sa mère qui barrit une dernière fois avant de frotter sa tête contre l'épaule du mâle majestueux.

Aucun des autres mâles n'approcha le troupeau tant que le mammouth roux resta, même si la femelle noisette n'avait rien perdu de son attrait. Le rut, qui conférait un charme irrésistible aux mammouths mâles, donnait à la femelle un pouvoir dominateur sur eux, et la rendait agressive même envers plus fort qu'elle. A moins que ce fût un mâle en rut aussi. Ils n'osaient approcher, sachant que le mâle roux serait prompt à se fâcher. Seul un mammouth en rut et de taille identique l'affronterait. Et si dans le même périmètre, une même femelle les attirait, ils se battraient jusqu'à ce que l'un des deux fût sévèrement blessé, ou mort.

Comme s'ils en connaissaient les conséquences, les mâles s'évitaient soigneusement et les combats étaient rares. Les appels aux notes graves et l'urine âcre du mâle en rut n'annonçaient pas seulement sa présence aux femelles, mais également aux autres mâles. Seuls trois ou quatre d'entre eux étaient en rut en même temps, pendant la période de six à sept mois du cycle œstral des femelles, mais ils ne se risqueraient pas à contester au mâle roux la possession de la femelle noisette. En rut ou pas, c'était le mammouth dominant, et tous le savaient.

Ayla, qui contemplait toujours la scène, remarqua que les deux partenaires se nourrissaient côte à côte. Puis la femelle s'éloigna pour arracher une touffe d'herbe particulièrement succulente. Un jeune mâle, à peine pubère, tenta de l'approcher. Elle se réfugia auprès de son compagnon qui envoya un jet d'urine vers le jeune intrépide, et poussa un barrissement menaçant. L'odeur âcre et le profond rugissement eurent raison de l'audace du jeunot. Il s'enfuit aussitôt, inclina la tête en signe de soumission, et garda ses distances. Tant qu'elle resta près du mâle en rut, la femelle noisette put se reposer et se nourrir sans crainte d'être importunée.

Ils savaient que l'accouplement était terminé, mais l'homme et la femme ne se résolvaient pas à quitter les lieux. Pourtant Jondalar ressentait à nouveau l'urgence du départ. Ils étaient émus et honorés d'avoir pu assister à l'accouplement des mammouths. Mais plus qu'une faveur accordée, c'était comme s'ils avaient fait partie d'une cérémonie de grande importance. Ayla aurait voulu courir toucher les deux partenaires pour leur témoigner sa reconnaissance et partager leur joie.

Avant de partir, Ayla remarqua qu'une quantité de plantes comestibles qu'elle avait vues en chemin poussaient dans les parages, et elle décida d'en collecter à l'aide de son bâton à fouir pour les racines, et d'un couteau spécial assez épais mais solide, pour couper les tiges et les feuilles. Jondalar s'agenouilla pour l'aider mais dut lui demander de spécifier ce qu'il devait ramasser.

Cela étonnait toujours Ayla. Pendant leur séjour au Camp du Lion, elle avait appris les coutumes des Mamutoï, différentes de celles du Clan. Déjà, alors qu'elle travaillait souvent avec Deegie ou Nezzie, la volonté de Jondalar de l'aider dans une tâche que les hommes du Clan réservaient aux femmes l'avait surprise. Pourtant, depuis les premiers jours où Jondalar avait vécu avec elle dans sa vallée, il n'avait jamais rechigné à faire les mêmes travaux qu'elle, et il ne comprenait pas qu'elle s'étonnât de le voir partager les tâches indispensables. A présent, seule avec lui, elle redécouvrait ce côté de sa personnalité.

Ils partirent enfin, et chevauchèrent en silence. Ayla pensait toujours aux mammouths, ainsi qu'aux Mamutoï qui l'avaient adoptée alors qu'elle était la femme de Nulle Part. Ce peuple s'était donné le nom de Chasseurs de Mammouths, alors qu'il chassait aussi beaucoup d'autres espèces, et il accordait à l'énorme animal une place d'honneur exclusive. Il ne leur procurait pas seulement tout ce qui était nécessaire à leur existence — la viande, la graisse, le cuir, la laine pour les cordages, l'ivoire pour les outils et les sculptures, les os pour les charpentes d'habitation et même pour le combustible —, il était sacré. La chasse au mammouth revêtait pour eux un sens spirituel profond.

Bien qu'elle l'eût quitté, elle avait le sentiment d'appartenir encore plus qu'avant au peuple des Mamutoï. La rencontre avec le troupeau de mammouths ne pouvait être un simple hasard. Elle était persuadée qu'il s'agissait d'un signe, et elle se demandait si Mut, la Grande Terre Mère, ou encore son totem, n'essayaient pas de lui délivrer un message. Ces derniers temps, elle pensait souvent à l'esprit du Grand Lion des Cavernes, le totem que Creb avait choisi pour elle, et elle s'interrogeait : la protégeait-il toujours, même si elle n'appartenait plus au Clan ? L'esprit d'un totem du Clan trouverait-il sa place dans sa nouvelle vie avec Jondalar ?

Le mur d'herbes hautes s'éclaircit enfin, et ils se rapprochèrent de la rivière, à la recherche d'un lieu propice pour camper. Le soleil déclinait à l'ouest, et Jondalar décida qu'il était trop tard pour chasser. Il ne regrettait pas leur halte auprès des mammouths, mais il avait espéré trouver de la viande pour leur repas du soir, et les jours suivants. L'idée d'entamer leur réserve de viande séchée lui déplaisait, il préférait l'épargner pour les cas d'extrême nécessité. Il leur faudrait chasser le lendemain, avant de lever le camp.

Les riches terres alluviales qui bordaient la rivière avaient changé l'aspect de la vallée et de sa végétation. A mesure que les berges s'élevaient, la nature de l'herbe se modifiait, arrivant à peine au ventre des chevaux, au grand soulagement de Jondalar. Il préférait voir où ils allaient. Comme ils approchaient du sommet d'une côte, le paysage leur sembla familier. Ils n'étaient jamais venus dans cette région, mais elle ressemblait à celle qui abritait le Camp du Lion, avec ses hautes berges escarpées creusées de ravines qui menaient à la rivière.

Ils gravirent une pente douce et Jondalar s'aperçut que la rivière obliquait vers la gauche, en direction de l'est. Il était grand temps de quitter cette artère de vie, qui après quelques méandres vers le sud, traversait l'Ouest du pays. Il s'arrêta pour consulter la carte que Talut avait gravée sur un morceau d'ivoire. En levant la tête, il vit Ayla, descendue de cheval et postée sur la berge, qui regardait au-delà de la rivière. A son maintien, il devina qu'elle était soucieuse ou malheureuse.

Il se laissa glisser de sa monture, la rejoignit et découvrit ce qui la captivait. Sur l'autre rive, saillant d'un terre-plein à flanc de côte, on distinguait un large monticule planté d'herbe. Il aurait pu s'agir d'une éminence naturelle si une ouverture en arc, fermée par une lourde peau de mammouth, n'avait dévoilé sa vraie nature. C'était en fait un abri, semblable à celui du Camp du Lion où ils avaient séjourné l'hiver dernier.

L'habitation semi-souterraine creusée dans le lœss et aux dimensions spacieuses était bâtie pour durer plusieurs années. Les murs enduits d'argile et le toit circulaire semé d'herbe étaient soutenus par une armature d'os de mammouth pesant plus d'une tonne. Entre le toit et le plafond composé de bois de cerf entremêlés et enduit d'argile, s'intercalait une couche épaisse de chaume et de roseaux. Adossés aux murs, des bancs de terre faisaient office de lit, et des fosses creusées dans le permafrost servaient de réfrigérateurs naturels. Deux défenses de mammouth, posées en vis-à-vis sur le sol, pointes en l'air, formaient la voûte d'entrée. Loin d'être une construction provisoire, c'était plutôt un foyer permanent, assez spacieux pour abriter plusieurs familles. Ayla en conclut que ses occupants reviendraient y passer l'hiver, comme le faisaient ceux du Camp du Lion.

— Je me demande qui habite ce Camp, remarqua Ayla.

— C'est peut-être le foyer du Camp des Fougères, avança Jondalar.

— Oui, peut-être, admit Ayla dont le regard se perdit au-delà du cours d'eau. Il a l'air vide. Tu sais, je ne pensais pas que je ne reverrais jamais le Camp du Lion. Quand je suis partie pour la Réunion d'Eté, j'ai laissé au camp beaucoup de choses qui m'appartenaient. Je ne savais pas que je ne reviendrais jamais, sinon, je les aurais emportées.

— Regrettes-tu d'être partie, Ayla ? demanda Jondalar

dont l'inquiétude se lisait toujours à son front creusé de rides. Je serais resté, et je serais devenu un Mamutoï moi aussi, si tu l'avais voulu. Je te l'avais promis. Je sais que tu étais heureuse parmi eux. Il n'est pas trop tard, nous pouvons encore faire demi-tour.

— Non, je suis triste, mais je ne regrette rien. C'est avec toi que je veux vivre. Et toi, tu veux retourner chez les tiens, Jondalar, je l'ai su tout de suite. Oh, bien sûr, tu te serais habitué à vivre chez les Mamutoï, mais tu n'y aurais jamais été heureux. Ton peuple, ta famille, te manqueraient. Pour moi, cela n'a pas la même importance. Jamais je ne connaîtrai ceux qui m'ont donné le jour. Mon peuple, c'était le Clan.

Ayla resta songeuse et Jondalar surprit un sourire de douceur sur ses lèvres.

— Iza aurait été tellement contente si elle avait su que je partais avec toi. Elle t'aurait aimé, Jondalar. Tu sais, il y a très longtemps, elle m'avait dit que je n'étais pas du Clan, et pourtant je n'avais pas d'autres souvenirs que parmi eux. Pour moi, Iza était ma mère, mais elle voulait que je quitte le Clan. Elle avait peur. Avant de mourir, elle m'a dit : « Va retrouver ton peuple, cherche-toi un compagnon. » Elle pensait à un Autre, un homme de mon peuple, quelqu'un qui ne serait pas du Clan. Un homme que je pourrais aimer et qui prendrait soin de moi. Je suis restée seule longtemps dans la vallée, et je désespérais de trouver quelqu'un. C'est alors que tu es venu. Iza avait raison, il fallait que je retrouve mon peuple. Vois-tu, si Durc n'existait pas, je remercierais presque Broud de m'avoir forcée à partir. Jamais aucun homme ne m'aurait aimée si je n'avais pas quitté le Clan et jamais je n'aurais rencontré un homme qui me soit si cher.

— Nous ne sommes pas si différents, Ayla. Moi non plus, je ne pensais pas m'éprendre d'une femme un jour. J'en ai pourtant connu beaucoup chez les Zelandonii, et pendant mon voyage. Thonolan se liait facilement avec tout le monde et il me facilitait la tâche.

63

Il avait tressailli en prononçant le nom de son frère et ferma les yeux pendant de longues minutes, le visage assombri. Ayla avait remarqué que chaque fois qu'il parlait de son frère, la douleur se réveillait, toujours aussi vive.

Elle contempla l'homme d'une taille exceptionnelle, aux longs cheveux blonds noués sur la nuque par une lanière, et s'émerveilla encore de sa magnifique stature. Après l'avoir vu à l'œuvre à la Réunion d'Eté, elle doutait qu'il eût besoin de son frère pour se faire des amis, surtout parmi les femmes. Plus que sa carrure ou la finesse de ses traits, c'étaient ses yeux, étonnamment vifs et expressifs, des yeux qui semblaient révéler l'âme profonde de cet homme secret, qui lui donnaient cette présence imposante, ce magnétisme, ce charme presque irrésistible.

Il la regardait, l'œil brûlant de désir. Ayla sentit son corps répondre à la douce caresse de ses yeux. Elle songea à la femelle noisette qui se refusait aux autres mâles dans l'attente du géant roux jusqu'à presque en défaillir. Prolonger l'anticipation du plaisir, c'était aussi du plaisir.

Elle adorait le regarder, s'emplir de son image. Tout de suite, elle l'avait trouvé beau, bien qu'elle n'ait eu personne à qui le comparer. Depuis, elle avait découvert que les autres femmes aussi aimaient le regarder, qu'elles étaient sensibles à son charme troublant. Elle avait aussi découvert son embarras devant un tel succès. Sa beauté remarquable lui avait causé au moins autant de peine que de plaisir. Etre apprécié pour des qualités dont il n'était pas responsable ne lui procurait aucune fierté. C'étaient des dons accordés par la Mère, et non le fruit de ses efforts.

Mais la Grande Terre Mère ne s'en était pas tenue à l'apparence, elle l'avait aussi doté d'une vive intelligence du monde physique, et d'une grande dextérité. Conseillé par l'homme avec qui sa mère s'était unie, et que l'on considérait comme le meilleur tailleur d'outils en pierre, Jondalar était devenu expert dans ce domaine. Il avait encore perfectionné son art en étudiant les techniques des tailleurs de silex rencontrés pendant le Voyage.

Ce n'était pas parce que Jondalar répondait idéalement aux canons de son propre peuple qu'Ayla le trouvait beau. C'était surtout la première fois qu'elle rencontrait un être qui lui ressemblait. Il n'était pas du Clan, c'était un Autre. Lorsqu'il était arrivé dans sa vallée, elle avait étudié ses traits minutieusement — effrontément, même — y compris pendant qu'il dormait. Quel étonnement de voir un visage ressemblant au sien après tant d'années passées à être seule de son espèce ! Jondalar n'avait pas d'arcades sourcilières saillantes, ni une nuque plate, ni un grand nez busqué haut perché au-dessus d'une lourde mâchoire dépourvue de menton.

Tout comme le sien, le front de Jondalar s'élevait, droit et lisse. Son nez, et même ses dents, étaient petits, et comme elle, il possédait une protubérance osseuse sous sa bouche, un menton. Elle avait alors compris pourquoi le Clan lui trouvait la tête plate et le front proéminent. Elle avait vu son propre reflet dans l'eau, et elle s'était fiée à leur jugement. Certes, Jondalar la dépassait en taille, tout comme elle dépassait ceux du Clan, et plus d'un homme lui avait parlé de sa beauté, mais dans son for intérieur, elle continuait de se trouver laide et trop grande.

Jondalar, parce qu'il était un homme, qu'il avait une ossature plus forte et des traits plus marqués, aux yeux d'Ayla, ressemblait davantage à ceux du Clan. Elle avait grandi dans le Clan, appris à mesurer la beauté suivant leurs canons, et contrairement à ceux de sa race, elle persistait à juger ceux du Clan plutôt séduisants. Et Jondalar, dont le visage était à la fois semblable au sien et plus proche de ceux du Clan, représentait pour Ayla le summum de la beauté.

— Je suis heureux d'apprendre qu'Iza m'aurait accepté, affirma Jondalar, la mine réjouie. Ah, comme j'aurais aimé la connaître ! Elle, et tous ceux de ton Clan. C'est une chance pourtant que je t'aie rencontrée d'abord, sinon je n'aurais jamais soupçonné qu'ils étaient humains. Mais, à t'entendre parler d'eux, on devine que c'étaient des êtres sensibles et bons. J'aimerais un jour rencontrer l'un d'entre eux.

— Il existe des êtres bons partout. Le Clan m'a recueillie après le tremblement de terre, quand j'étais petite. Et puis, Broud m'a chassée, je n'avais plus de peuple, et je devins Ayla de Nulle Part. Alors le Camp du Lion m'a accueillie à son tour, il m'a offert une place, et je suis devenue Ayla des Mamutoï.

— Les Mamutoï et les Zelandonii se ressemblent beaucoup, tu verras. Je crois qu'ils te plairont, et ils t'aimeront aussi.

— Tu n'en as pas toujours été sûr, rétorqua Ayla. Rappelle-toi, tu avais peur qu'ils ne me rejettent parce que j'avais vécu parmi le Clan. Et puis, à cause de Durc.

Gêné, Jondalar rougit.

— Tu craignais qu'ils traitent mon fils de monstre, d'esprit mêlé, de demi-animal — d'ailleurs, tu l'as toi-même appelé de cette façon, une fois — et tu pensais qu'ils me jugeraient mal pour avoir enfanté un être pareil.

— Ayla, avant de quitter la Réunion d'Eté, tu m'as fait promettre de ne plus jamais te cacher la vérité. Alors écoute : c'est vrai, au début, j'étais inquiet. Je voulais que tu m'accompagnes chez les miens, mais à condition que tu ne racontes rien de ton histoire. Bien que je déteste les mensonges, je voulais que tu mentes sur tes origines... mais tu n'as jamais su mentir. Oui, j'avais peur que mon peuple ne te rejette et je connais la souffrance que l'on éprouve alors, et je désirais te l'éviter. Mais c'était aussi pour moi que j'avais peur. Peur qu'on me bannisse à cause de toi, et je refusais d'endurer cette épreuve une deuxième fois. Et pourtant, je ne pouvais pas supporter l'idée de vivre sans toi. J'étais désemparé, tu comprends.

Ayla ne se rappelait que trop bien l'état de confusion et de désespoir dans lequel l'avait jetée la dramatique indécision de Jondalar. Elle n'avait jamais été malheureuse à ce point.

— A présent, je sais ce que je veux, reprit Jondalar. Il

m'a fallu presque te perdre pour comprendre. Pour moi, Ayla, tu comptes plus que tout. Sois toi-même, dis ce que tu penses, fais comme bon te semble, c'est comme cela que je t'aime. Et maintenant, je suis sûr que mon peuple t'acceptera, j'en ai eu la preuve. Les Mamutoï et le Camp du Lion m'ont appris une chose importante : tout le monde ne pense pas de la même façon, et on peut changer d'opinion. Certains te défendent, et parfois ceux-là même dont tu l'attends le moins, d'autres ont assez de compassion et d'amour pour élever un enfant considéré par la plupart comme un monstre.

— Je n'ai pas aimé la façon dont on a traité Rydag à la Réunion d'Eté. Il y en avait même qui lui refusaient une sépulture décente ! s'exclama-t-elle, au bord des larmes, la voix tremblante de colère.

— Je n'ai pas aimé cela, moi non plus. Il y a des gens qui ne changeront jamais, leurs yeux ne verront jamais l'évidence. Moi-même, cela m'a pris du temps. Je ne peux te promettre que les Zelandonii t'accepteront, Ayla. Mais s'il le faut, nous irons ailleurs. Je veux revoir mon peuple, ma famille, mes amis, c'est vrai. Je veux raconter à ma mère ce qui est arrivé à Thonolan, et demander à Zelandoni de retrouver son esprit, s'il n'a pas réussi à rejoindre l'autre monde. J'espère que nous aurons notre place parmi les miens. Mais, sinon, peu m'importe maintenant. C'est là, la deuxième chose que j'ai apprise. Voilà pourquoi je t'avais proposé de rester avec toi chez les Mamutoï si tu le désirais. J'étais sincère, crois-moi.

Il posa fermement ses mains sur les épaules d'Ayla et plongea dans ses yeux un regard résolu. Elle y lut sa détermination et son amour, mais c'était elle à présent qui se demandait s'ils avaient bien fait d'entreprendre ce Voyage.

— Et si ton peuple ne nous accepte pas, où irons-nous ?

— Ailleurs, répondit-il en souriant. Mais je ne pense pas que ce sera nécessaire. Je te l'ai dit, les Zelandonii ne sont pas très différents des Mamutoï. Ils t'aimeront, tout comme je t'aime. Je ne suis plus inquiet pour cela, et je me demande même comment j'ai pu l'être.

Ayla lui rendit son sourire, heureuse que Jondalar eût tant confiance en son peuple. Si seulement elle pouvait la partager ! Il avait sans doute oublié, à moins qu'il ne s'en fût jamais rendu compte, la profonde et durable impression qu'avait laissée sur elle la réaction qu'il avait eue en apprenant son passé et l'existence de son fils. Elle reverrait toujours son brusque mouvement de recul et sa moue de dégoût, comme s'il avait devant lui une hyène répugnante.

Lorsqu'ils se remirent en route, Ayla pensait encore à ce qui l'attendait au bout de ce Voyage. C'était vrai, les gens changeaient, Jondalar le premier. Il n'éprouvait plus d'aversion pour elle, mais qu'en serait-il du peuple qui la lui avait enseignée ? Sa réaction avait été si vive, si spontanée, qu'on avait dû la lui inculquer dans son éducation. Alors pourquoi les siens réagiraient-ils autrement que lui ? Elle voulait être auprès de Jondalar, elle était heureuse de l'accompagner chez son peuple, mais sa rencontre avec les Zelandonii l'emplissait d'appréhension.

68

4

Ils poursuivirent leur route en longeant la rivière. Jondalar était presque sûr qu'elle s'orientait vers l'est, mais redoutait que ce ne fût que le début d'un nouveau méandre. Si le cours d'eau changeait de direction, cela signifiait qu'ils avaient atteint le point où ils devraient s'enfoncer à l'intérieur des terres, abandonnant ainsi la sécurité d'une voie toute tracée. C'est pourquoi il préférait être sûr de ne pas se tromper.

Ils avaient déjà dépassé plusieurs emplacements où ils auraient pu camper, mais Jondalar cherchait d'après la carte le campement signalé par Talut, repère indispensable pour se situer exactement. Ce campement servait régulièrement et il espérait le découvrir bientôt, mais la carte donnait une orientation générale, quelques indices, et était pour le moins imprécise. Rapidement gravée sur une tablette d'ivoire, elle servait d'illustration à des explications données de vive voix et ne visait en aucun cas à une représentation exacte de la route.

La berge montait et descendait. Ils chevauchaient de préférence sur la hauteur pour avoir une vue dégagée, même si cela devait les éloigner de la rivière. A l'écart du cours d'eau, un bras mort était devenu un marécage. Une boucle de la rivière se déplaçant au gré des crues avait fini par se refermer en formant un petit lac d'eau stagnante qui commençait à s'assécher. C'était maintenant une plaine abritée et humide où fleurissaient roseaux, prêles, et toute une végétation de marécage. Avec le temps, elle se transformerait en prairie alluviale verdoyante et riche.

Jondalar faillit saisir une sagaie en voyant un élan surgir du couvert boisé et s'avancer dans l'eau. Mais le grand cerf était hors d'atteinte, même en utilisant le propulseur. Sans compter qu'il leur eût été impossible de le sortir du marais. Ayla regarda l'animal disgracieux, au long nez et aux grands andouillers palmés encore veloutés. Il levait haut ses longues pattes, plongeant jusqu'au fond vaseux ses larges sabots qui l'empêchaient de s'enliser. L'eau lui montait à hauteur des flancs. Il enfonça sa tête sous l'eau et ressortit la gueule pleine de lentilles d'eau et de renouées. Tout près, un oiseau qui nichait dans les roseaux ne se dérangea même pas.

Au-delà du marécage, les pentes sèches et ravinées offraient leurs fissures protectrices aux ansérines, aux orties, et à des touffes de mourons aux petites fleurs blanches. Ayla détacha sa fronde et sortit quelques pierres rondes de sa bourse. Tout au bout de sa vallée, elle avait rencontré un endroit similaire où elle avait souvent chassé des écureuils des steppes d'une taille exceptionnelle. Un ou deux suffiraient pour un excellent repas.

Les terrains accidentés ouvrant sur des herbages étaient leur habitat préféré. Les graines entassées dans des cachettes pendant l'hibernation nourrissaient les écureuils au printemps afin qu'ils mettent bas à la pousse des plantes nouvelles. Les herbacées riches en protéines constituaient une nourriture indispensable pour que les petits atteignent leur maturité avant l'hiver. Mais pas un écureuil ne se montra, et Loup fut incapable d'en débusquer un seul.

Au sud, la plaine granitique qui s'étendait vers l'est à perte de vue se fragmentait en collines douces. Les hautes montagnes qui se trouvaient auparavant sur cette terre qu'ils traversaient étaient depuis longtemps érodées. Leurs couches rocheuses avaient résisté aux immenses pressions qui avaient gauchi le sol, soulevant de nouvelles montagnes, et aux violentes secousses internes qui faisaient trembler la terre. De nouvelles roches s'étaient formées sur l'ancien massif, mais les affleurements des montagnes originelles perçaient encore la croûte sédimentaire.

À l'époque où les mammouths paissaient dans les steppes, les herbages et les animaux abondaient avec une diversité et des mélanges étonnants. Contrairement aux prairies futures, la végétation de ces steppes n'était pas déterminée par les conditions climatiques. Elle se composait d'innombrables variétés d'herbacées prolifiques et d'arbustes.

Chaque vallée bien arrosée, chaque prairie montagneuse, chaque colline, chaque déclivité possédait sa propre famille de plantes. Le versant sud d'une colline pouvait abriter des plantes de climat chaud, sans parenté avec la végétation des régions boréales qui poussait sur le versant nord.

Le terrain accidenté que traversaient Ayla et Jondalar était pauvre, couvert d'herbes fines et courtes. Le vent avait creusé de profondes ravines, et plus haut, le lit d'un ancien torrent asséché s'était transformé en dunes de sable, faute de végétation.

Ici, près des plaines alluviales, des campagnols et des pikas, qu'on ne retrouverait plus tard qu'en haute montagne, coupaient activement l'herbe, pour la faire sécher et la stocker. Plutôt que d'hiberner, ils creusaient des tunnels et des nids sous les congères qui s'entassaient au creux des vallons, ou au pied des rochers à l'abri du vent, et se nourrissaient de leurs réserves de foin. Loup, qui avait repéré les petits rongeurs, s'élança à leur poursuite, mais Ayla ne prit pas la peine de sortir sa fronde. Ils étaient trop petits pour constituer un repas, à moins d'en tuer des quantités.

Les plantes arctiques qui foisonnaient dans les plaines marécageuses du nord bénéficiaient au printemps de la fonte des congères, et poussaient, bizarrement, parmi de vigoureux arbustes alpins, sur des saillies rocheuses et des collines balayées par les vents. La potentille arctique, aux cinq pétales jaunes, nichait dans ces mêmes anfractuosités recherchées pas les pikas, alors que, sur les surfaces exposées aux vents froids et secs, des coussins de lychnis aux pétales pourpres ou roses se protégeaient eux-mêmes en tertres aux tiges serrées. A côté, des dryades s'accrochaient aux parois rocheuses. Au fil des ans, leurs longues branches aux minuscules feuilles persistantes constituaient un épais tapis.

Ayla sentit le parfum des silènes, proches de la floraison. C'était signe qu'il se faisait tard. Elle jeta un coup d'œil vers le soleil déclinant pour vérifier ce que lui avait appris son odorat. Les fleurs visqueuses s'ouvraient la nuit, offrant un refuge aux insectes, phalènes et mouches, qui en échange répandaient leur pollen. Elles n'avaient que peu de vertus médicinales ou nutritives, mais leur fragrance plaisait à Ayla qui hésita à en cueillir. Cependant, le jour tombait et elle préféra ne pas s'arrêter. Ils devraient bientôt planter leur tente, surtout s'il fallait préparer le repas qu'elle avait imaginé un peu plus tôt.

Elle vit des fleurs de pâques violacées, magnifiquement dressées sur leur tige aux feuilles pétiolées et délicatement villeuses. Aussitôt, elle pensa à leur utilisation médicale — la plante séchée soulage les maux de tête et les contractions de la femme — mais elle aimait autant la fleur pour sa beauté que pour ses vertus. Son regard fut attiré par les corolles bleuâtres au cœur jaune d'asters de montagne, avec leurs feuilles soyeuses, et elle fut tentée d'en collecter quelques-uns en même temps que d'autres espèces, sans autre raison que d'en composer un joli bouquet. Mais qu'en ferait-elle? Elles faneraient, voilà tout, songea-t-elle.

Jondalar se demandait s'ils n'étaient pas plus loin qu'il le pensait, réticent à en conclure qu'ils devraient bientôt camper et rechercher le fameux repère le lendemain matin. Cela, ajouté à la nécessité de chasser, et ils gaspilleraient encore un jour, ce qu'il voulait éviter à tout prix. Perdu dans ses pensées, se reprochant d'avoir pris la décision d'aller vers le sud, et inquiet des fâcheuses conséquences de son choix, il ne se soucia pas du remue-ménage en haut d'une colline à leur droite, l'attribuant à une bande de hyènes acharnées sur leur proie.

Les hyènes se nourrissaient de charognes, et affamées, elles se satisfaisaient des carcasses complètement pourries. Cependant, les grandes hyènes aux puissantes mâchoires broyeuses d'os étaient aussi de redoutables prédateurs. Elles avaient attrapé un jeune bison d'un an, presque adulte. Son manque d'expérience avait causé sa perte. D'autres bisons assistaient à la scène, hors de danger maintenant, et l'un d'eux regardait les hyènes en beuglant, affolé par l'odeur de sang frais.

Contrairement aux mammouths et aux chevaux des steppes, de taille relativement modeste, les bisons étaient énormes. Le plus proche mesurait près de deux mètres au garrot, son poitrail et ses épaules étaient larges et puissants, bien que ses flancs fussent presque élégants. Doté de petits sabots, adaptés aux courses rapides sur terrains secs, il évitait les marais où il se serait embourbé. Tête massive, armée de cornes noires longues de près de deux mètres, s'élargissant avant de s'incurver vers le haut, robe marron foncé à poil dru, particulièrement fournie au poitrail et aux épaules, le bison, habitué à affronter les vents glacials, en était protégé par une épaisse crinière retombant sur ses yeux en une frange de plus de soixante centimètres. Même sa courte queue était couverte de poils.

Tous herbivores, les mammifères qui paissaient dans les steppes ne recherchaient pas tous la même nourriture. Leurs systèmes digestifs ou leurs habitudes différaient, entraînant de subtiles adaptations. Les chaumes fibreux, dont se nourrissaient les chevaux et les mammouths, ne suffisaient pas aux bisons et aux autres ruminants qui préféraient les tiges herbacées et les feuilles riches en protéines. Le bison paissait surtout dans les régions sèches, où l'herbe courte était plus nutritive. Il ne s'aventurait qu'au printemps dans les steppes d'herbes hautes, en quête de nouvelles pousses. C'était également au printemps que ses os et ses cornes grandissaient. Le printemps durable et pluvieux des pâturages périglaciaires procurait aux bisons, et à bien d'autres animaux, une longue période de croissance, ce qui expliquait leurs proportions imposantes.

Tout à ses sombres pensées, Jondalar mit du temps à réagir à l'occasion qui se présentait d'abattre un bison. Enfin, il s'empara de son propulseur et de sa sagaie, mais Ayla avait déjà évalué la situation d'une tout autre manière.

— Aouh ! Aouh ! Fichez le camp ! Allez ouste, saletés de bêtes ! hurla-t-elle.

Elle brandit sa fronde et poussa Whinney au galop. Les pierres fusèrent. Aux côtés de la jument, Loup, ravi, menaçait les hyènes qui battaient en retraite, à grand renfort de grognements mêlés de jappements de chiot.

Des hurlements aigus apprirent à Ayla qu'elle avait touché sa cible, bien qu'elle ait retenu son bras et n'ait pas visé de points vitaux. Ses pierres eussent été fatales si elle l'avait voulu. Ce n'aurait pas été la première fois qu'elle tuait une hyène.

— Qu'est-ce que tu fais, Ayla ? s'étonna Jondalar en la rejoignant près du bison tué.

— J'éloigne ces bêtes répugnantes, répondit-elle sans plus de détail.

— Oui, mais pourquoi ?

— Parce que je doute qu'elles partagent avec nous ce bison mort.

— Mais j'allais en abattre un autre !

— Nous n'avons pas besoin d'un bison entier, à moins de faire sécher sa viande. Celui-ci est jeune et tendre. Les autres étaient de vieux taureaux coriaces, expliqua-t-elle en descendant de Whinney pour tenir Loup à l'écart du cadavre.

Jondalar regarda mieux les taureaux gigantesques que le tapage d'Ayla avait fait reculer, puis le jeune bison gisant sur le sol.

— Tu as raison. C'est un troupeau de mâles. Celui-là n'a pas dû quitter sa mère depuis longtemps. Il avait encore beaucoup à apprendre.

— La carcasse est fraîche, conclut Ayla après l'avoir examinée. Elles ont déchiqueté la gorge, les boyaux et une partie des flancs. Prenons ce qu'il nous faut et laissons-leur le reste. Pas besoin de perdre notre temps à en chasser un autre. D'autant plus qu'ils courent vite et pourraient nous échapper. Tu sais, je crois bien avoir repéré, près de la rivière, un endroit qui ressemble à un camp. Si c'est celui que nous cherchons, j'aurai encore le temps de cuisiner quelque chose de bon pour ce soir, avec cette viande et tout ce que nous avons ramassé.

Avant que Jondalar eût saisi le sens de ce qu'elle venait de dire, elle taillait déjà dans la peau, de l'estomac au flanc. Tout s'était passé très vite. Soudain, sa hantise d'un jour perdu à chasser et à chercher le campement avait disparu.

— Ayla, tu es merveilleuse ! s'exclama-t-il en descendant du jeune étalon.

D'un fourreau de cuir brut attaché à sa ceinture, il sortit un silex aiguisé, engagé dans un manche en ivoire, et aida la jeune femme à dépecer le bison.

— Voilà ce que j'aime chez toi, reprit-il. Tu me surprends sans cesse avec des idées excellentes. Tiens, prenons aussi la langue. Dommage que les hyènes aient déjà dévoré le foie, mais c'était leur proie, après tout.

— Oh, moi je m'en moque, du moment que la viande est fraîche ! Elles m'ont assez volée, à mon tour de me servir ! Je déteste les hyènes !

— Oui, on dirait. Je ne t'ai jamais entendue parler comme ça des autres animaux, même pas des gloutons.

75

Pourtant, eux aussi mangent parfois des charognes, ils sont plus vicieux et ils puent encore plus.

De nouveau, les hyènes s'approchaient en grondant du festin convoité. Ayla les chassa à coups de pierres. L'une d'elles poussa un cri, d'autres ricanèrent avec une cruauté qui fit frissonner Ayla. Au moment où les bêtes immondes décidèrent d'affronter encore une fois la fronde, Ayla et Jondalar avaient fini de se servir.

Ayla ouvrant la piste sur Whinney, ils retournèrent vers la rivière en suivant une ravine. Les fauves se précipitèrent sur la carcasse abandonnée et se mirent à la déchirer voracement.

Ce qu'Ayla avait aperçu n'était pas le campement proprement dit, mais un cairn indiquant la direction à suivre. Sous la pile de pierres, on avait enfoui des rations de secours, quelques outils, une drille à feu, une pièce de bois plate et de l'amadou ainsi qu'une couverture de fourrure plutôt rigide, et qui perdait ses poils par pleines plaques. Elle protégerait encore du froid mais il serait bon de la remplacer. Presque au sommet du cairn, la pointe brisée d'une défense de mammouth, solidement maintenue par de lourdes pierres, indiquait un gros rocher à moitié submergé au milieu de la rivière. On y avait peint en rouge un double chevron horizontal, pointé vers l'aval.

Après avoir tout remis en place, ils descendirent la rivière jusqu'à un second cairn pourvu d'une petite défense dirigée vers une agréable clairière bordée de bouleaux, d'aulnes, et de quelques pins. On y apercevait un troisième cairn, construit, comme ils allaient le découvrir, à côté d'une petite source d'eau pétillante, fraîche et pure. D'autres rations de secours et différents outils équipaient aussi ce monticule, qui comprenait encore une bâche de cuir, aussi rigide que la couverture de fourrure, mais assez grande pour servir de tente ou d'appentis. Derrière le cairn, près d'un cercle de pierres disposé autour d'un trou noirci, on avait entreposé une pile de branches mortes et de bois flotté.

— Voilà un endroit utile à connaître, déclara Jondalar. Je suis content que nous n'ayons pas besoin des rations de secours, mais si j'habitais ce pays, je serais soulagé de savoir qu'elles sont là.

— Oui, c'est une bonne idée, approuva Ayla, émerveillée par la sagesse de ceux qui avaient pensé à aménager un tel relais.

Ils déchargèrent promptement les chevaux, enroulèrent les lanières et les lourds cordages qui retenaient les paniers, et laissèrent les animaux paître et se reposer. Ils regardèrent en souriant Rapide se rouler dans l'herbe, et s'y gratter le dos comme si une irrépressible démangeaison exigeait soudain un apaisement urgent.

— Moi aussi, la transpiration me démange, déclara Ayla en dénouant les lanières de ses chaussures dont elle se débarrassa d'une ruade.

Elle défit sa ceinture, où elle suspendait l'étui de son couteau et ses petits sacs, ôta son collier de perles d'ivoire auquel pendait une bourse décorée, enleva sa tunique, ses jambières, et courut vers l'eau, suivie par Loup qui bondissait à ses côtés.

— Tu viens ? cria-t-elle à Jondalar.

— Plus tard ! Je ramasse d'abord le bois. Comme ça, je ne mettrai pas d'écorces ni de saletés dans la tente.

Ayla revint bientôt, enfila la tunique et les jambières qu'elle portait le soir, et remit sa ceinture et son collier. Jondalar avait déballé les paniers, et elle l'aida à installer le campement. Habitués à travailler ensemble, ils avaient développé des automatismes exigeant peu d'initiatives. Ils dressèrent la tente en étalant d'abord un tapis de sol ovale, puis ils plantèrent les montants de bois qui soutenaient la bâche de cuir, faite de plusieurs peaux cousues ensemble. La tente conique possédait au sommet une ouverture qui servait de cheminée lorsqu'ils faisaient du feu, bien que ce fût rarement le cas. Un rabat cousu à l'intérieur permettait de fermer si le temps menaçait.

Des cordes fixaient le bas de la tente à des piquets fichés

en terre. En cas de tempête, le tapis de sol pouvait s'attacher à la bâche, et l'entrée se fermait également de haut en bas. Ils transportaient une deuxième bâche pour doubler la première, mais n'avaient pas encore eu l'occasion de l'utiliser.

Ils ouvrirent leurs fourrures de couchage et les étalèrent au milieu du tapis, ce qui laissa juste assez d'espace sur les côtés pour leurs paniers et le reste de leurs affaires, et une place à leurs pieds pour Loup, si le temps l'exigeait. Au début du Voyage, chacun avait ses fourrures, mais ils les avaient ensuite assemblées pour dormir ensemble. Lorsque la tente fut montée, Jondalar alla ramasser du bois, afin de remplacer celui qu'Ayla utiliserait pour préparer le repas.

Ayla savait démarrer un feu avec l'équipement qu'ils avaient trouvé dans le cairn : on tournait très vite entre ses paumes le long bâtonnet sur le socle en bois, puis on soufflait sur la cendre incandescente ainsi obtenue et bientôt une flamme s'élevait. Mais son propre équipement était unique. Pendant ses mois de vie solitaire dans sa vallée, elle avait fait une découverte importante. Au lieu de la pierre dure qu'elle utilisait comme marteau pour fabriquer des outils de silex, elle avait ramassé par mégarde un morceau de pyrite de fer sur un tas de cailloux, près du torrent. Habituée à faire du feu, elle avait rapidement compris le parti à tirer de cette pierre quand, après avoir frappé le silex avec la pyrite de fer, une étincelle avait jailli, lui brûlant la jambe.

Au bout de plusieurs échecs, elle avait fini par découvrir la manière d'utiliser la pierre à feu. Maintenant, elle savait faire du feu plus vite que quiconque muni d'une drille à feu, d'amadou, et ne rechignant pas à l'effort, n'oserait imaginer. La première fois que Jondalar l'avait vue faire, il n'en avait pas cru ses yeux, et cette pure merveille avait contribué à ce que le Camp du Lion l'adoptât quand Talut l'avait voulu. Ils avaient cru en un tour de magie.

Ayla, elle, croyait que la pierre était magique. Ignorant si elle en trouverait ailleurs, Jondalar et elle avaient ramassé autant de pierres métalliques qu'ils avaient pu en emporter avant de quitter la vallée. Ils en avaient distribué à ceux du Camp du Lion et à d'autres Mamutoï, mais il leur en restait encore beaucoup. Jondalar voulait les partager avec les siens. Faire rapidement du feu était un grand avantage en maintes circonstances.

A l'intérieur du cercle de pierres, la jeune femme entassa des copeaux d'écorces très sèches, avec du duvet d'épilobe comme amadou, et prépara à côté un tas de brindilles et un autre de petit bois pour l'allumage. S'agenouillant près de l'amadou, Ayla maintint le morceau de pyrite magique à un angle qu'elle savait être le plus efficace, puis avec un silex frappa au milieu de la pierre jaunâtre, sur un sillon que l'usage avait creusé. Une grande étincelle jaillit et tomba sur le duvet d'épilobe, qui se mit aussitôt à fumer. Ayla le protégea de ses mains et souffla doucement dessus. Elle obtint une braise incandescente d'où fusa une gerbe d'étincelles. Bientôt, une flamme apparut. Elle ajouta des brindilles, du petit bois, et une fois le feu lancé, elle posa dessus une bûche de bois mort.

Lorsque Jondalar revint, Ayla avait mis à chauffer dans le feu plusieurs pierres rondes ramassées au bord de la rivière, et un beau morceau de bison cuisait à la broche dans un agréable grésillement de graisse. Elle avait lavé des racines de prêle qu'elle était en train de couper, ainsi qu'un tubercule à la peau marron foncé, et elle s'apprêtait à les jeter dans un panier imperméable rempli d'eau où attendait déjà la langue de bison, riche en graisse. Des carottes sauvages complétaient le repas. Jondalar déposa sa charge de bois.

— Hmm ! Comme ça sent bon. Que prépares-tu ?

— Un rôti de bison, mais nous le garderons pour le voyage. La viande froide est plus facile à manger en route. Pour ce soir et demain matin, je fais de la soupe de légumes avec la langue et ce qui nous reste du Camp des Fougères.

A l'aide d'un bâton, elle sortit une pierre brûlante du feu, et l'épousseta avec une branchette feuillue. Avec deux bâtons qu'elle utilisa comme une pince, elle souleva la pierre et la plongea dans le panier où trempait la langue. La pierre chanta au contact de l'eau. Ayla ajouta rapidement d'autres pierres chaudes, quelques herbes hachées menu, et ferma le panier avec un couvercle.

— Qu'est-ce que tu mets dans la soupe ?

Ayla sourit. Jondalar aimait connaître ses recettes, même celles des infusions. Encore un trait de son caractère qui l'avait surprise, aucun homme du Clan n'aurait osé montrer un tel intérêt, aussi curieux eût-il été, pour ce qui constituait la mémoire des femmes.

— En plus de ces racines, j'ajouterai la verdure de ces prêles, les bulbes, les feuilles et les fleurs de ces oignons verts, des tiges de chardons, pelées et émincées, les pois des gousses d'astragale, et je mettrai de la sauge et des feuilles de thym, pour donner du goût. Peut-être aussi des pas-d'âne pour saler. Si nous passons près de la mer de Beran, nous pourrions ramasser du sel. Nous n'en manquions jamais quand je vivais avec le Clan, précisa-t-elle. Pour accompagner le rôti, j'ai bien envie de faire une purée avec le raifort que nous avons trouvé ce matin. C'est un truc que j'ai appris à la Réunion d'Eté. Il n'en faut pas beaucoup, mais ça donne à la viande un goût épicé assez agréable. Je crois que tu aimeras.

— A quoi servent ces feuilles ? demanda-t-il, en désignant un bouquet qu'elle avait pris sans le mentionner.

— C'est de l'ansérine pour envelopper le rôti, répondit-elle. C'est bon avec de la viande froide. (Elle hésita, pensive.) Je vais peut-être saupoudrer la viande de cendres, cela donne un petit goût salé. Quand le rôti sera bien doré, j'en ajouterai un morceau dans la soupe pour la colorer et la parfumer. Cela devrait faire un bon bouillon bien riche. Pour demain matin, nous pourrions cuire les céréales que nous avons apportées. Il restera de la langue que j'envelopperai dans des herbes séchées et que je conserverai dans mon garde-manger. J'ai encore de la place, même avec le reste de la viande crue et la part de

Loup. Tant qu'il fera froid la nuit, cela se gardera assez longtemps.

— A t'entendre, j'en salive, fit Jondalar ravi à la pensée d'un bon repas. (Et l'œil égrillard, remarqua Ayla.) A propos, as-tu un panier à me prêter ?

— Bien sûr, mais pour quoi faire ?

— Je te le dirai à mon retour, répondit-il, mystérieux.

Ayla tourna le rôti et remplaça les pierres qui avaient refroidi. Pendant que la soupe cuisait, elle tria les plantes qu'elle avait cueillies pour fabriquer un « anti-Loup », et d'autres pour son usage personnel. Elle mélangea de la purée de raifort avec un peu de bouillon, entreprit d'écraser le reste de la racine mélangé à des herbes au goût âcre et poivré, tâchant de composer la mixture la plus irrespirable possible. A son avis, le raifort serait très efficace, mais la forte odeur de camphre de l'armoise serait utile également.

Mais elle pensait surtout à la plante qu'elle avait mise de côté pour son infusion matinale. Heureusement que je l'ai trouvée, se dit-elle. J'en aurais manqué avant la fin du Voyage. Il faudra que je m'en procure encore si je ne veux pas avoir un bébé, surtout avec Jondalar à mes côtés. Cette pensée la fit sourire.

Je suis sûre que c'est de cette façon que les bébés sont conçus, quoi qu'on raconte sur les esprits. Voilà pourquoi l'homme a envie de mettre son membre là où les bébés sortent, et pourquoi les femmes les y encouragent. Et c'est pour cette raison que la Mère a créé Son Don des Plaisirs. Le Don de la Vie provient d'elle, aussi, et Elle veut que Ses enfants se réjouissent de donner la vie. Les femmes refuseraient peut-être si la Mère n'avait créé Son Don des Plaisirs. Un bébé, c'est merveilleux, mais comment le savoir tant qu'on n'en a pas eu ? Ayla avait développé cette théorie fort personnelle l'hiver où Mamut, le vieux sage du Camp du Lion, l'initiait à Mut, la Grande Terre Mère. Mais il y avait longtemps que cette idée germait dans son esprit.

Pourtant, se souvint-elle, Broud était loin d'être source de plaisir. J'avais horreur qu'il me force, mais je suis persuadée que Durc est né de cette union. Tout le monde croyait que je n'aurais jamais de bébé, que mon totem du Lion des Cavernes était trop puissant pour que l'esprit du totem d'un homme pût le vaincre. Je les ai tous surpris. Mais ce n'est arrivé qu'après que Broud m'eut forcée, et le bébé lui ressemblait. C'est à cause de lui que Durc a commencé à croître en moi. Mon totem savait combien je désirais un enfant, la Mère aussi, sans doute. Que les Plaisirs fussent si puissants prouvaient bien qu'ils étaient un Don de la Mère, disait Mamut. C'est très difficile de leur résister. Il prétendait que c'était plus difficile pour les hommes que pour les femmes.

Il en était allé de même pour la femelle mammouth couleur noisette. Tous les mâles la voulaient, mais elle s'était refusée. Elle attendait son mâle dominant. Etait-ce pour cela que Broud ne me laissait jamais tranquille ? Il me détestait, pourtant. Le Don des Plaisirs de la Mère était-il plus puissant que sa haine ?

C'est possible, mais je doute qu'il ait fait cela juste pour obtenir les Plaisirs, que sa compagne ou n'importe quelle autre femme pouvaient lui donner. Non, il savait à quel point cela me répugnait et son Plaisir n'en était que plus vif. C'est Broud qui a fait germer un enfant en moi — à moins que mon Lion des Cavernes ne se soit laissé vaincre, sachant combien je désirais un bébé — mais Broud n'avait que son membre à me donner. Il ne pouvait pas me procurer le Don des Plaisirs de la Mère. C'est Jondalar qui me l'a fait découvrir.

Son Don ne se borne sûrement pas aux Plaisirs. Si Elle n'avait voulu accorder à Ses enfants que le Don des Plaisirs, pourquoi l'aurait-Elle situé à cet endroit précis d'où sortent les bébés ? Les Plaisirs peuvent se localiser n'importe où. Les miens ne se trouvent pas exactement où sont ceux de Jondalar. Son Plaisir survient quand il est en moi, mais le mien est juste à côté du puits d'amour.

Lorsqu'il me donne les Plaisirs là, ils se propagent dans mon intimité et partout dans mon corps. Alors, j'ai envie de le sentir en moi. Je n'aimerais pas que le lieu des Plaisirs soit dans mon intimité. Lorsque je suis très sensible, Jondalar doit se montrer particulièrement doux, sinon il me fait mal. D'autre part, accoucher n'est pas chose plaisante. Si le lieu des Plaisirs d'une femme se situait dans son puits d'amour, l'accouchement serait bien plus pénible, et il l'est déjà assez comme ça.

Comment Jondalar fait-il pour toujours savoir s'y prendre ? Il a su me donner les Plaisirs avant même que je ne connaisse leur existence. Et ce gros mammouth roux, lui aussi, savait donner les Plaisirs à la femelle noisette. C'est au moment des Plaisirs qu'elle a poussé ce profond barrissement, et c'est pourquoi sa famille se réjouissait tant. Ayla se sentit envahie de picotements, et une onde de chaleur la submergea. Elle jeta un regard vers les bois où Jondalar avait disparu, en se demandant quand il reviendrait.

Mais un bébé ne germe pas chaque fois que l'on partage les Plaisirs. C'est là que les esprits interviennent. Que ce soit l'esprit du totem des hommes du Clan, ou l'essence de l'esprit d'un homme que la Mère prélève pour le donner à la femme, tout commence quand l'homme introduit son membre dans l'intimité de celle-ci et y dépose son essence. Voilà comment Elle offre un enfant à la femme, avec Son Don des Plaisirs, et non pas grâce aux esprits. Mais c'est Elle qui choisit l'essence de l'homme, et le moment où la vie commence.

Mais si la Mère décide, pourquoi la médecine d'Iza empêche-t-elle une femme de tomber enceinte ? Peut-être la tisane interdit-elle à l'essence de l'homme (ou à son esprit) de se mêler à celle (ou celui) de la femme ? Iza ne savait pas pourquoi, mais sa recette était efficace, la plupart du temps.

J'aimerais tant laisser un bébé germer quand Jondalar partage les Plaisirs avec moi. J'aimerais tant avoir un bébé qui soit une parcelle de lui, de son essence ou de son esprit. Mais il a raison, nous devons attendre. J'ai souffert en donnant naissance à Durc. Qu'aurais-je fait si Iza n'avait pas été là ? Je serais plus rassurée si j'étais entourée de femmes pour m'aider.

Je continuerai à boire en secret l'infusion d'Iza tous les matins. Il ne faut pas que cela se sache, elle avait raison. Et je ne raconterai plus que les bébés proviennent du membre de l'homme. J'ai inquiété Jondalar en lui parlant de cela, il croyait qu'on devrait cesser de partager les Plaisirs. Si je ne peux pas avoir un bébé dès maintenant, qu'au moins je partage les Plaisirs avec lui !

Comme les mammouths. Etait-ce bien ce que faisait ce gros rouquin ? Faisait-il germer un bébé mammouth dans le ventre de la femelle noisette ? C'était si beau, quand ils ont partagé leurs Plaisirs avec le troupeau ! Je suis heureuse que nous soyons restés. Je ne comprenais pas pourquoi elle se refusait aux autres. En fait, ils ne l'intéressaient pas. Elle voulait choisir son compagnon. Elle attendait le grand mâle roux, et dès qu'il s'est montré, elle a su immédiatement que c'était lui. Elle avait tant attendu, elle s'est précipitée à sa rencontre. Comme je la comprends !

Loup surgit, tenant fièrement dans sa gueule un vieil os pourri. Il le déposa aux pieds d'Ayla, espérant des félicitations.

— Pffft ! Ça sent mauvais ! Où as-tu trouvé cette horreur, Loup ? Tu as déterré ça, j'en suis sûre. Tu aimes tout ce qui est pourri. Eh bien, voyons maintenant si tu aimes les choses fortes et épicées.

Elle ramassa l'os, y étala un peu du mélange qu'elle avait préparé exprès pour Loup, puis le lança au milieu de la clairière.

Le louveteau se précipita, mais renifla prudemment avant de s'emparer de son os. Il reconnaissait la délicieuse odeur de pourri qu'il aimait tant, mais l'autre parfum l'inquiétait. Finalement, il le prit dans sa gueule. Il le lâcha aussitôt et se mit à éternuer et à grogner en secouant la tête. Ses mimiques étaient trop drôles, et Ayla ne put s'empêcher d'éclater de rire. Loup renifla encore l'os, puis se recula en grognant, l'air malheureux. Il bondit ensuite vers la source.

— Ah, on dirait que tu n'aimes guère ! Tant mieux ! C'est fait pour ça, dit Ayla entre deux éclats de rire.

L'eau que Loup lapa ne le soulagea pas. Il frotta sa gueule avec une de ses pattes pour se débarrasser du goût. Il courut ensuite vers le bois tout en s'ébrouant, grognant et ronchonnant.

Jondalar le croisa, et en arrivant près du feu, il trouva Ayla qui pleurait encore de rire.

— Qu'est-ce qu'il y a de si drôle ? demanda-t-il.

— Ah, si tu l'avais vu ! hoqueta-t-elle. Pauvre Loup, il était si fier de m'apporter son os pourri. Il ne comprenait pas et essayait par tous les moyens de se débarrasser de ce goût désagréable. Si tu supportes l'odeur de raifort et de camphre, nous avons trouvé une astuce pour que Loup ne touche plus à nos affaires. Voilà ! fit-elle en exhibant le bol en bois dans lequel elle avait préparé la mixture. De la pommade anti-Loup !

— Eh bien, je suis content de ce succès, assura Jondalar en souriant, l'œil pétillant.

Mais Loup n'était pour rien dans ce regard malicieux. Ayla remarqua qu'il cachait quelque chose derrière son dos.

— Qu'as-tu rapporté ? demanda-t-elle, curieuse.

— Figure-toi qu'en cherchant du bois, j'ai trouvé autre chose. Si tu me promets d'être sage, je t'en donnerai un peu.

— Un peu de quoi ?

Il lui tendit le panier.

— Un peu de bonnes grosses framboises bien mûres !

— Oh, Jondalar ! J'adore les framboises !

— Comme si je ne le savais pas ! Qu'est-ce que tu me donnes en échange ? demanda-t-il d'un air gourmand.

Ayla se redressa et s'avança vers Jondalar, souriante, les

yeux brillants d'amour. Elle était heureuse qu'il ait pensé à lui faire une surprise.

— Ah, je sais, reprit-il. (Il retenait son souffle.) Oh, Mère, comme tu es belle quand tu souris ! Tu es toujours belle, mais encore plus quand tu souris.

Sa beauté lui apparut soudain dans toute sa splendeur. Ses longs cheveux blonds que le soleil rehaussait d'éclats dorés étaient maintenus par une lanière, mais les boucles naturelles dont quelques mèches s'étaient libérées encadraient son visage bronzé, l'une d'elles retombant sur ses yeux. Il réprima l'envie de remettre la mèche à sa place, sous le bandeau.

Sa haute taille était bien assortie à celle de Jondalar, et ses muscles souples et nerveux, témoins d'une force physique réelle, se dessinaient finement sur ses bras et ses jambes. C'était l'une des femmes les plus fortes qu'il ait rencontrées, aussi puissante que bien des hommes. Ceux qui l'avaient élevée étaient réputés pour leurs qualités physiques, plus développées que chez ceux parmi lesquels elle avait vu le jour. Et bien que le Clan ne la trouvât pas particulièrement robuste, Ayla, à force d'exercices, avait réussi à compenser sa relative infériorité. En outre, les années passées à épier, traquer, et pister le gibier qu'elle chassait, lui avaient appris à se mouvoir avec une grâce peu commune.

Sa tunique en cuir sans manches, nouée par une ceinture sur des jambières en cuir également, était confortable mais ne cachait pas sa poitrine ferme, qui aurait pu paraître lourde, ni ses hanches pleines, ni sa taille fine qui mettait en valeur ses fesses dures et bien galbées. Les lacets, qui attachaient ses jambières aux chevilles, étaient dénoués, et elle était pieds nus. Elle portait, autour du cou, une bourse de cuir joliment brodée, gonflée par de mystérieux objets.

Un couteau, dans son étui de cuir brut, pendait à sa ceinture. Le cuir provenait d'une peau nettoyée mais non traitée de sorte qu'en séchant, il prenait la forme de l'objet et qu'il pouvait s'assouplir de nouveau si on le mouillait.

Elle avait accroché sa fronde à sa taille, à côté d'une bourse remplie de pierres. De l'autre côté, sur sa hanche gauche, pendait un sac étrange, vieux et usé, fait d'une peau de loutre entière, avec les pattes, la queue et la tête. On avait entaillé la gorge, et vidé les boyaux par le cou. L'ouverture fermait en tirant un lacet et la tête aplatie servait de rabat. C'était son sac à médecines, celui qu'elle avait conservé lorsque le Clan l'avait bannie, celui qu'Iza lui avait donné.

En regardant Ayla, Jondalar se dit qu'elle ne ressemblait pas à une Zelandonii, mais sa beauté était éclatante. Ses grands yeux gris-bleu — la couleur d'un bon silex, songeait-il — étaient bien écartés, soulignés par des cils légèrement plus foncés que ses cheveux et des sourcils plus clairs. Son visage était parfait, en forme de cœur, pommettes hautes, mâchoires bien dessinées et menton étroit. Son nez était droit et fin, ses lèvres pleines s'ouvraient sur des dents blanches et régulières en un sourire qui éclairait ses yeux et témoignait du plaisir qu'elle éprouvait à simplement sourire.

Autrefois, chez ceux du Clan, ses éclats de rire renforçaient sa différence et elle avait pris l'habitude de les refréner. Mais Jondalar aimait la voir rire, et la joie qu'elle manifestait à ses plaisanteries décuplait sa beauté, pourtant remarquable. Une vague de tendresse et d'amour le submergea soudain, et il remercia en silence la Mère de la lui avoir rendue.

— Que veux-tu en échange des framboises ? demanda Ayla. Dis-le-moi, et c'est à toi.

— C'est toi que je veux, Ayla, dit-il d'une voix rauque.

Il posa son panier, et tremblant d'émotion, la prit dans ses bras et la couvrit de baisers.

— Je t'aime. Je ne veux plus jamais te perdre, murmura-t-il.

Une onde brûlante parcourut Ayla qui lui rendit ses baisers avec fougue.

— Moi aussi, je t'aime. J'ai envie de toi, mais puis-je d'abord éloigner la viande du feu ? Ce serait dommage qu'elle brûle pendant que... que nous... que nous sommes occupés.

Jondalar la regarda sans comprendre. Puis il se détendit, et après une ultime étreinte, fit un pas en arrière, en souriant avec regret.

— Je ne voulais pas te brusquer, s'excusa-t-il. Mais je t'aime tant, et j'ai parfois du mal à me retenir. Tu as raison, nous patienterons.

La chaleur inondait toujours son ventre, et l'ardeur de Jondalar la faisait frissonner de désir. Elle ne se sentait plus aussi sûre d'être capable d'attendre, et commençait à regretter ses paroles.

— Inutile d'éloigner la viande, finalement, assura-t-elle.

— Ayla, tu es une femme incroyable ! s'exclama Jondalar en riant. Sais-tu combien tu es exceptionnelle ? Tu es toujours prête à me recevoir chaque fois que je le veux. Tu ne cèdes pas contre ton gré, non. Tu abandonnerais tout si je te le demandais.

— Mais c'est que j'ai envie de toi, chaque fois que tu veux de moi.

— Tu ne sais pas à quel point c'est rare. Les autres femmes veulent qu'on les cajole, et la plupart refusent qu'on les interrompe quand elles sont occupées.

— Les femmes auprès de qui j'ai grandi étaient toujours prêtes lorsqu'un homme leur adressait le signal. Tu m'as donné ton signal, tu m'as embrassée, et j'ai compris que tu voulais de moi.

— Je regretterai peut-être un jour de te l'avoir dit, mais tu es libre de refuser, tu sais. (Son front se plissa.) J'espère que tu ne te crois pas obligée d'être prête chaque fois que je le suis. Tu ne vis plus avec le Clan.

— Tu ne comprends pas, protesta Ayla. Ce n'est pas un devoir pour moi. Dès que tu m'adresses ton signal, je suis prête. Peut-être est-ce à cause de mon éducation, ou parce que tu as été le premier à m'initier aux Plaisirs ? Peut-être est-ce parce que je t'aime tant, mais quand tu m'adresses ton signal, c'est plus fort que moi. Ton signal m'apprend que tu veux de moi, et me donne envie de toi.

Jondalar sourit, soulagé.

— Toi aussi, tu fais naître mon envie, affirma-t-il. Je n'ai qu'à te regarder.

Leurs lèvres se cherchèrent et Ayla se blottit contre lui pendant qu'il l'étreignait avec passion.

Il refréna son impétuosité tout en s'étonnant de cette faim d'elle sans cesse renouvelée. Il lui arrivait de se lasser d'une femme dès la première expérience, mais avec Ayla c'était toujours nouveau. Il sentait son corps souple et ferme contre le sien, ses bras autour de son cou. Il glissa ses mains sur le galbe de ses seins et se pencha pour embrasser le creux de son cou.

Ayla relâcha son étreinte et entreprit de dénouer sa ceinture qui tomba à terre. Jondalar passa les mains sous sa tunique, la releva et caressa les globes au mamelon durci. Il souleva davantage la tunique, dévoilant l'aréole rose foncé autour de la pointe dressée si sensible. La douce chaleur du sein lui réchauffait la main pendant qu'il effleurait le mamelon de sa langue. Il le prit alors dans sa bouche et le suça.

Des pointes de feu embrasèrent la poitrine d'Ayla et lui arrachèrent un râle de plaisir. Elle était surprise par l'intensité de sa propre attirance. Tout comme la femelle noisette, elle avait le sentiment d'avoir attendu tout le jour, et n'en pouvait plus. L'image du grand mâle roux et de son long membre sinueux traversa son esprit. Elle agrippa le col de sa tunique qu'elle ôta d'un geste gracieux.

A la vue de son corps nu, Jondalar retint son souffle. Il caressa sa peau douce et étreignit ses seins épanouis. Il massa et pétrit l'un des durs mamelons, tout en tétant et mordillant l'autre. Des ondes de plaisir submergèrent Ayla. Elle ferma les yeux et s'abandonna. Lorsque les délicieuses caresses cessèrent, elle garda les yeux fermés et sentit qu'il l'embrassait. Elle ouvrit les lèvres pour que la langue de Jondalar assouvisse son intrépide exploration.

Lorsqu'elle l'entoura de ses bras, elle sentit contre ses mamelons exacerbés le frottement des plis de sa tunique de cuir.

Il caressa la peau satinée de son dos, ses muscles fermes roulant sous ses doigts. La réaction passionnée d'Ayla décupla son ardeur, et son membre durci se tendit contre sa tunique.

— Oh, femme ! Je te veux, souffla-t-il.

— Viens, je suis prête.

— Laisse-moi ôter ces vêtements, dit-il en dénouant sa ceinture.

D'un geste vif, il enleva sa tunique, dévoilant le renflement qu'Ayla se mit à caresser. L'un et l'autre délacèrent leurs jambières qui glissèrent au sol. Ils s'en dégagèrent et s'étreignirent dans un long baiser sensuel. Jondalar jeta un coup d'œil autour de lui, à la recherche d'un endroit confortable, mais Ayla se laissa tomber à quatre pattes et lui adressa un sourire mutin.

— Même si ton poil n'est pas roux, c'est toi que j'ai choisi.

— Et ta toison n'est pas noisette, elle a la couleur des blés mûrs, mais elle cache une fleur rouge aux pétales délicieux, plaisanta-t-il en s'agenouillant derrière elle. Je n'ai pas non plus de trompe velue pour l'atteindre, il va falloir que je m'y prenne autrement.

Il la poussa légèrement, ouvrit ses cuisses pour exposer ses lèvres humides, et se pencha pour en goûter la chaude saveur salée. Il fouilla de sa langue à la recherche du bouton de rose, enfoui dans ses plis. Elle étouffa un cri et s'offrit davantage. Il chatouilla le bouton durci à petits coups de langue, puis plongea dans la fente accueillante. Il adorait le goût de sa féminité.

Des ondes de plaisir submergèrent Ayla, lui ôtant toute conscience à l'exception d'une lancinante pointe de feu qui lui brûlait le ventre. Elle était encore plus réceptive que d'habitude, et chaque baiser, chaque caresse déclenchait des vagues de volupté qui se propageaient dans tout son corps. Sans qu'elle en eût conscience, sa respiration devint haletante, et les râles de plaisir qui lui échappaient excitèrent Jondalar.

Derrière Ayla, il se redressa, et de son membre érigé, il la pénétra doucement. Ayla réagit en tendant sa croupe vers lui pour le sentir entièrement. L'incroyable chaleur de son accueil arracha un cri à Jondalar. Saisissant ses hanches, il commença un lent balancement. Puis, sa main chercha son bouton de plaisir qu'il caressa et roula entre ses doigts pendant qu'Ayla tendait sa croupe avide pour qu'il la pénétrât au plus profond. La sentant prête à exploser, il accéléra, et elle hurla sa jouissance enfin libérée. Jondalar râla de plaisir à l'unisson.

Ayla reposait le visage enfoui dans l'herbe. Allongé sur elle, le souffle de Jondalar caressait sa nuque. Sans bouger, elle ouvrit les yeux et observa une fourmi qui grimpait sur un brin d'herbe. L'homme remua et roula sur le côté, gardant une main sur sa taille.

— Jondalar, tu es un homme exceptionnel, le sais-tu?

— Tiens, n'ai-je pas déjà entendu ce mot quelque part? Je crois bien l'avoir employé en parlant de toi.

— Oui, mais il est vrai pour toi aussi. Comment fais-tu pour me connaître aussi bien? Tu m'as fait jouir si fort que j'en ai perdu conscience.

— C'est parce que tu étais prête.

— Oui, je sais. Chaque fois c'est merveilleux, mais cette fois-ci, je ne sais pas pourquoi... était-ce à cause des mammouths? J'ai pensé à cette femelle noisette, au grand mâle roux... et à toi, toute la journée.

— Eh bien, il faudra qu'on rejoue au mammouth plus souvent! plaisanta Jondalar en roulant sur le dos.

— Je veux bien, fit Ayla en s'asseyant. Mais je vais d'abord jouer dans la rivière avant qu'il ne fasse nuit. (Elle se pencha pour l'embrasser et sentit son goût sur ses lèvres.) Et surveiller la viande.

Elle courut vers le feu, retourna le rôti, remplaça les pierres, ajouta du bois dans les braises, et descendit à la rivière. L'eau était froide mais elle s'en moquait. Elle avait l'habitude de se laver dans l'eau glacée. Jondalar ne tarda pas à la rejoindre. Il avait apporté une peau de daim souple qu'il déposa sur la rive avant d'entrer dans l'eau. Il prit une profonde inspiration et plongea.

— Elle est froide ! cria-t-il en refaisant surface.

Il rejeta en arrière les cheveux qui lui tombaient dans les yeux. Un sourire malicieux aux lèvres, Ayla s'approcha de lui et l'aspergea. Il riposta et une bataille bruyante s'engagea. Ayla sortit de l'eau la première et se sécha avec la peau de daim. Puis, elle la tendit à Jondalar qui l'avait rejointe et rentra vite au campement s'habiller. Elle versait la soupe dans leur bol à l'aide d'une louche quand Jondalar arriva.

5

Le soleil, avant de sombrer à l'ouest derrière les hauts plateaux, dardait ses derniers rayons à travers les arbres. Souriant à Jondalar, Ayla attrapa la dernière framboise dans son bol et la mangea avec délice. Elle se leva ensuite pour nettoyer les ustensiles et les ranger afin de faciliter le départ de bonne heure le lendemain.

Elle donna les restes de leur repas à Loup, puis jeta dans la soupe les graines grillées — blé sauvage, orge, graines de pattes-d'oie, cadeau de Nezzie —, et posa le panier sur le rebord de l'âtre. Elle enveloppa le rôti de bison et la langue dans une peau brute en parflèches où elle conservait la nourriture. Elle noua le tout avec des cordes solides et le suspendit à un trépied fait de longues perches, hors d'atteinte des rôdeurs nocturnes.

Les perches effilées avaient été taillées dans des troncs d'arbres entiers, longs, fins et droits, ébranchés et écorcés. Ayla les transportait dans des fourreaux spéciaux qui dépassaient des deux paniers sur la croupe de Whinney. De la même façon, Jondalar transportait les mâts de tente, plus courts. Les longues perches leur servaient parfois à fabriquer des travois tirés par les chevaux pour les charges trop lourdes ou trop encombrantes. Ils avaient pris soin de les emporter parce que les arbres susceptibles d'en fournir étaient rares dans les steppes. Même au bord des rivières, on ne trouvait guère mieux que des taillis.

Jondalar ajouta du bois dans le feu, puis il alla chercher la tablette d'ivoire et examina à la lueur des flammes la carte que Talut avait gravée. Lorsque Ayla eut terminé son rangement et qu'elle vint s'asseoir près de lui, elle remarqua qu'il avait retrouvé son air inquiet des derniers jours. Elle l'observa longuement, puis mit des pierres à chauffer pour faire bouillir l'eau de l'infusion qu'elle préparait tous les soirs. Mais au lieu des inoffensives herbes odorantes qu'elle utilisait habituellement, elle piocha quelques sachets dans sa peau de loutre. Une herbe calmante serait la bienvenue, se dit-elle, de la matricaire ou des racines d'ancolie, mélangée à une infusion d'aspérule odorante. Elle aurait bien voulu connaître la cause du trouble de Jondalar, mais n'osait pas le questionner. Finalement, elle se décida.

— Jondalar, te souviens-tu de l'hiver dernier, quand tu n'étais pas sûr de mes sentiments, ni moi des tiens ? demanda-t-elle.

Plongé dans ses pensées, il ne saisit pas tout de suite le sens de sa question.

— Si je m'en souviens ? s'exclama-t-il enfin. Evidemment ! Tu ne doutes pas de mon amour, j'espère ? Moi, je ne doute pas de tes sentiments pour moi.

— Non, moi non plus. Mais il peut y avoir d'autres motifs de malentendu, et je ne veux pas que recommence ce qui s'est passé l'hiver dernier. Je ne supporterais pas de vivre dans l'angoisse, pour la seule raison que nous ne parlons pas de nos ennuis. Avant de quitter la Réunion d'Eté, tu m'as promis de tout me dire. Jondalar, je crois que tu as des ennuis. Parle-moi, je t'en supplie.

— Oh, ce n'est rien. Rien dont tu aies à t'inquiéter.

— Mais toi tu es inquiet. Si quelque chose t'inquiète, tu ne crois pas que j'ai le droit de savoir ce que c'est ?

Dans un panier d'osier où elle rangeait divers bols et ustensiles, elle puisa deux petits filtres à infusion en roseau tressé finement comme un filet. Après réflexion, elle choisit pour Jondalar un mélange de feuilles séchées de matricaire, d'ancolie, et de camomille, et en remplit un des filtres. Elle remplit l'autre pour elle-même avec de la camomille seulement.

— Tout ce qui te préoccupe me concerne aussi, reprit-elle. Nous voyageons ensemble, non ?

— Oui, mais c'est à moi de prendre les décisions, et je ne veux pas t'inquiéter inutilement, expliqua Jondalar.

Il se leva pour aller chercher l'outre d'eau, suspendue à un piquet à l'entrée de la tente, loin du feu. Il versa de l'eau dans un petit récipient et ajouta des pierres chaudes.

— Utile ou pas, tu as réussi à m'inquiéter. Alors, pourquoi ne pas me dire ce qui ne va pas ?

Elle plaça chaque filtre dans un bol en bois, versa l'eau frissonnante, et laissa infuser.

Jondalar saisit la tablette gravée dans une défense de mammouth et l'examina attentivement, espérant qu'elle lui révélerait ce qui les attendait et l'aiderait à prendre la bonne décision. Lorsqu'il voyageait avec son frère, les erreurs avaient moins d'importance. Le Voyage était une aventure, et les impondérables faisaient partie du jeu. A l'époque, il ne savait pas s'ils reviendraient un jour ; il ne savait même pas s'il le souhaitait. La femme qu'il n'avait pas le droit d'aimer avait choisi une voie qui menait encore plus loin et celle avec qui il était censé s'unir... n'était pas celle qu'il désirait. Mais ce Voyage-ci n'avait pas les mêmes enjeux. Cette fois, il voulait ramener saine et sauve chez les siens la femme qu'il aimait plus que tout au monde. Et plus il pensait aux dangers qui les guettaient, plus il imaginait le pire. Mais ses vagues pressentiments n'étaient pas faciles à expliquer.

— J'ignore combien de temps ce Voyage va durer, et cela m'inquiète. Nous devons absolument atteindre le glacier avant la fin de l'hiver.

— Oui, tu me l'as déjà dit. Mais pourquoi ? Que se passera-t-il si nous n'arrivons pas à temps ?

— Au printemps, la glace commence à fondre et la traversée devient trop dangereuse.

— Bon, eh bien, si c'est trop dangereux, nous ne traverserons pas. Mais dans ce cas, que faire ? demanda-t-elle en le forçant à envisager les alternatives qu'il avait refusé d'examiner. Y a-t-il un autre passage ?

— Je ne sais pas. Le glacier que nous devons franchir n'est qu'un petit plateau au nord des grandes montagnes. Il y a d'autres terres plus au nord, mais personne ne s'y aventure jamais et cela nous écarterait de notre route. On dit qu'elles sont bordées par le Grand Glacier du Septentrion. Les terres qui s'étendent entre les hautes montagnes du sud et le Grand Glacier sont les plus froides de toutes. Elles ne se réchauffent jamais, même en été.

— Et il ne fait pas froid sur le glacier que tu veux traverser ?

— Si, bien sûr. Mais le trajet est court. Et de l'autre côté, nous ne serons plus qu'à quelques jours de la Caverne de Dalanar.

Jondalar reposa la carte, prit le bol qu'Ayla lui tendait, et se perdit dans la contemplation du liquide brûlant.

— J'imagine que nous pourrions contourner le glacier par le nord s'il le fallait. Mais je préfère l'éviter. De plus, c'est un territoire de Têtes Plates.

— Ceux du Clan vivent donc au nord du glacier que nous allons franchir ?

Ayla retira le filtre de son bol. Elle était partagée entre l'enthousiasme et la crainte.

— Oh, pardonne-moi, Ayla. Je devrais sans doute les nommer le Peuple du Clan, mais ce ne sont pas ceux que tu connais. Ils vivent loin d'ici, tellement loin ! Ce ne sont pas les mêmes du tout.

— Mais bien sûr que si ! protesta Ayla. (Elle but une gorgée du breuvage parfumé.) Ils ont peut-être un langage et des habitudes un peu différents, mais tous ceux du Clan ont en commun les mêmes souvenirs, au moins pour les plus anciens. Au Rassemblement du Clan, tout le monde connaissait le langage archaïque des signes qu'on utilise pour s'adresser au monde des esprits, et communiquait de cette façon.

— Jamais ils ne nous laisseront pénétrer sur leur territoire. Ils nous l'ont fait comprendre quand Thonolan et moi nous sommes retrouvés du mauvais côté de la rivière.

— Cela ne m'étonne pas. Le Peuple du Clan n'aime pas se trouver en présence des Autres. Alors, si nous ne pouvons pas traverser le glacier, et s'il est impossible de le contourner, que ferons-nous ? demanda Ayla, en revenant au cœur du problème. Ne pouvons-nous attendre qu'il soit de nouveau praticable ?

— Si, bien sûr. Mais l'hiver ne reviendra pas avant un an.

— Si nous attendons un an, pourrons-nous sûrement traverser ? Et y a-t-il un endroit où nous installer jusqu'à ce moment-là ?

— Oui. Nous pourrions rester avec les Losadunaï, ils ont toujours été amicaux. Mais j'ai hâte d'être chez moi, Ayla ! s'écria Jondalar d'une voix si tendue qu'Ayla comprit à quel point c'était important pour lui. Hâte que nous soyons établis dans mon pays !

— Moi aussi, Jondalar. Nous devons tout faire pour atteindre le glacier à temps. Mais si nous y arrivons trop tard, cela ne remettra pas en cause nos projets. Nous serons retardés, mais nous serons toujours ensemble.

— Tu as raison, convint Jondalar, réticent. Un retard ne serait pas si néfaste, mais je ne veux pas attendre une année entière. Si nous avions pris l'autre chemin, nous serions peut-être arrivés plus vite. Il n'est pas trop tard, d'ailleurs.

— Il y a un autre chemin ?

— Oui. Talut m'a dit que nous pourrions contourner la prochaine chaîne de montagnes par le nord. Et Rutan, du Camp des Fougères, m'a assuré que nous rencontrerions la route au nord-ouest de l'endroit où nous sommes. J'avais

97

pensé suivre leurs conseils, mais je voulais revoir les Sharamudoï une dernière fois. L'occasion ne se représentera plus, j'en ai peur. Ils vivent vers la pointe sud des montagnes, au bord de la Grande Rivière Mère.

Pensive, Ayla hocha la tête. Elle comprenait, maintenant.

— Les Sharamudoï sont ceux avec qui tu as vécu, n'est-ce pas ? s'enquit-elle. Ton frère a été uni avec une de leurs femmes, c'est bien ça ?

— Oui. Ils sont comme une famille pour moi.

— Dans ce cas, allons par le sud pour que tu puisses leur rendre une dernière visite. Tu les aimes. Et si nous arrivons trop tard au glacier, tant pis. Nous patienterons jusqu'à l'année prochaine. C'est ta deuxième famille, Jondalar, ce n'est pas du temps perdu. Tu veux rentrer chez toi pour raconter à ta mère l'histoire de ton frère, alors ne penses-tu pas que les Sharamudoï voudraient savoir ce qui lui est arrivé ? Il faisait aussi partie de leur famille !

Jondalar parut perplexe, puis son visage s'éclaira.

— Tu as raison, décida-t-il. Ils ont le droit de savoir. Je me demandais si j'avais pris la bonne décision, en fait, je n'avais pas exploré toutes les possibilités.

Soulagé, il sourit. Il contempla les flammes danser au-dessus des bûches noircies. Elles s'élançaient, sautillantes et éphémères, à l'assaut de l'obscurité environnante. Il but quelques gorgées d'infusion en songeant au long Voyage qui les attendait, mais son anxiété avait disparu.

— C'était une bonne idée d'en parler, dit-il à Ayla en la regardant dans les yeux. Je n'ai pas encore l'habitude de… de me confier, tu sais. De plus, je crois que nous arriverons tout de même à temps, sinon je n'aurais jamais envisagé cette solution. Le Voyage sera plus long, mais au moins la route m'est-elle familière, alors que celle du nord m'est inconnue.

— Je crois que ta décision est la bonne, Jondalar. Moi-même si je n'avais pas été bannie, je rendrais visite au Clan de Broud. Ah, si seulement je pouvais ! ajouta-t-elle dans un murmure à peine audible. J'irais voir Durc une dernière fois.

La tristesse de sa voix fit comprendre à Jondalar avec quelle acuité elle ressentait la perte de son fils.

— Ayla, veux-tu essayer de le retrouver ?

— Bien sûr que je le veux ! s'exclama-t-elle. Mais c'est impossible, cela jetterait le désarroi parmi ceux que j'aime. Ils m'ont maudite et s'ils me revoient ils me prendront pour un esprit maléfique. Pour eux, je suis morte. Rien de ce que je pourrais faire ou dire ne les convaincrait du contraire. (Son regard se fit vague à l'évocation de souvenirs anciens.) En outre, Durc n'est plus le bébé que j'ai laissé derrière moi. Il approche de l'âge d'homme. Moi-même, je n'étais pas précoce pour une femme du Clan, et mon fils est peut-être à son tour à la traîne des autres garçons. Mais bientôt, Ura viendra vivre avec le clan de Brun... Ah, c'est vrai, c'est celui de Broud, à présent, rectifia Ayla d'un air malheureux. Cet été sera celui du Rassemblement du Clan, c'est donc à l'automne qu'Ura quittera son clan pour rejoindre Brun et Ebra. Elle sera unie à Durc dès qu'ils seront assez âgés. Je voudrais tant être là pour l'accueillir, soupira-t-elle. Mais je lui ferais peur, et elle penserait que Durc est marqué par la malchance puisque l'esprit de son étrange mère ne peut pas rester dans l'autre monde.

— Es-tu sûre de ne pas le regretter, Ayla ? Tu sais, nous prendrons le temps de le rechercher, si c'est ce que tu souhaites.

— Même si je le voulais, je ne saurais pas où chercher. Je ne connais pas l'emplacement de leur nouvelle caverne, et j'ignore où se tient le Rassemblement du Clan. Mon destin m'interdit de revoir Durc. Il n'est plus mon fils, je l'ai donné à Uba. C'est le sien, maintenant. (Au bord des larmes, Ayla jeta un regard désespéré à Jondalar.) Quand Rydag est mort, j'ai compris que je ne reverrais jamais Durc. Je l'ai enterré dans la couverture de Durc, que j'avais emportée en quittant le Clan, et dans mon cœur, c'était comme si j'enterrais mon fils en même temps. Je ne le verrai plus jamais. Pour lui, je suis morte, et il vaut mieux que je le considère mort pour moi.

« J'ai vraiment de la chance, tu sais, reprit Ayla, indifférente aux larmes qui inondaient ses joues. Pense à Nezzie. Elle n'avait pas donné naissance à Rydag, mais elle l'aimait et le soignait comme son fils. Et pourtant, elle savait qu'il mourrait vite. Elle savait aussi qu'il ne mènerait jamais une existence normale. Les mères qui perdent leurs fils les imaginent dans l'autre monde, au milieu des esprits, mais moi, je peux penser à Durc vivant et heureux. Je peux me dire qu'il est avec Ura, qu'il a des enfants dans son foyer... quand bien même je ne les verrais jamais, ajouta-t-elle dans un sanglot.

Elle s'abandonna enfin à sa douleur, et Jondalar la prit dans ses bras. Le souvenir de Rydag l'attristait. Personne n'aurait rien pu faire pour lui, et la Mère savait qu'Ayla avait tout essayé. C'était un enfant fragile, Nezzie prétendait qu'il l'avait toujours été. Mais Ayla lui avait apporté un bien précieux. Après qu'elle lui eut enseigné, ainsi qu'à tous ceux du Camp du Lion, le langage des signes, il avait enfin été heureux. Pour la première fois de sa jeune existence il avait pu communiquer avec ceux qu'il aimait. Il avait pu exprimer ses besoins et ses désirs, ses sentiments — et surtout sa reconnaissance envers Nezzie, qui s'était occupée de lui depuis la mort de sa mère, à sa naissance. Il avait enfin pu lui dire qu'il l'aimait.

Les membres du Camp du Lion en avaient été stupéfaits. Et après qu'ils eurent compris que Rydag n'était pas un animal savant privé de la parole, mais au contraire quelqu'un de différent, pratiquant un langage différent, ils avaient fini par reconnaître son intelligence, et l'accepter en tant qu'humain. Jondalar n'avait pas été le dernier surpris. Il avait appris le langage des signes avec les autres, et en était venu à apprécier l'humour tendre et la profondeur de jugement qu'il découvrait chez le jeune descendant de cette race ancienne.

Jondalar serrait dans ses bras la femme qu'il aimait, secouée par de longs sanglots. Il savait qu'Ayla avait refoulé son chagrin à la mort de l'enfant du Clan que Nezzie avait adopté, et qui lui rappelait tant son propre fils. Il comprit qu'aujourd'hui c'était aussi Durc qu'elle pleurait.

Mais au-delà de Rydag ou Durc, Ayla pleurait sur tous ceux qu'elle avait perdus : ceux qui lui avaient donné le jour, ceux du Clan qu'elle avait aimés, et le Clan tout entier qu'elle ne reverrait plus. Le clan de Brun lui avait servi de famille, Iza et Creb l'avaient élevée avec affection, et malgré sa différence, il lui arrivait de se considérer comme une femme du Clan. Bien qu'elle eût décidé de suivre Jondalar et de vivre avec lui, leur dernière conversation lui avait fait comprendre à quel point son pays était éloigné, à une année de voyage d'ici, peut-être deux, même. L'évidence l'avait anéantie : elle n'y retournerait plus jamais.

Ayla n'abandonnait pas seulement sa nouvelle famille adoptive, les Mamutoï, mais aussi le faible espoir de revoir le Clan et le fils qu'elle leur avait confié. Elle vivait avec son chagrin depuis si longtemps que sa peine s'était atténuée, mais la mort de Rydag avait réveillé ses anciennes blessures, et lorsqu'elle comprit que la distance enterrerait à jamais son passé, une tristesse immense l'envahit.

Elle n'avait plus de souvenir de sa petite enfance. Elle ne connaissait pas sa mère, ni son peuple. Hormis de vagues réminiscences — des sensations plus qu'autre chose —, elle avait oublié tout ce qui avait précédé le tremblement de terre. Pour elle, sa vraie famille, c'était le Clan. Mais le Clan l'avait bannie. Broud l'avait condamnée à mort, et pour tous ceux du Clan, elle était retournée dans le monde des esprits. C'était seulement maintenant qu'elle comprenait qu'avec la Malédiction Suprême des pans entiers de son existence avaient disparu à jamais. Elle ne connaîtrait jamais ses origines, ne rencontrerait jamais un ami d'enfance, et personne, pas même Jondalar, ne comprendrait quel passé l'avait façonnée.

Les êtres chers vivaient toujours dans son cœur, et elle se

résignait à cette perte, mais elle en souffrait et se demandait ce que lui réservait ce Voyage. Quoi que le sort lui réserve, quel que soit le peuple de Jondalar, rien ne lui appartiendrait... que ses souvenirs... et l'avenir.

La petite clairière était plongée dans une obscurité totale. Pas une silhouette, ni une ombre. Seuls le pâle rougeoiement des braises qui finissaient de se consumer et le scintillement des étoiles trouaient le noir absolu. Il faisait doux, Ayla et Jondalar avaient transporté leurs couvertures de fourrure devant la tente. Ayla, que le sommeil fuyait, contemplait la voûte étoilée, la géométrie des constellations, l'oreille à l'affût des moindres bruits nocturnes : le bruissement du vent dans les arbres, le doux murmure de la rivière, le coassement d'une grenouille géante, le grésillement des grillons. Elle entendit le floc sonore d'un plongeon, le hululement d'une chouette, et dans le lointain, le rugissement d'un lion et le barrissement retentissant d'un mammouth.

Plus tôt, Loup avait frémi aux hurlements d'un loup, et s'était élancé dans les sous-bois. Par la suite, Ayla avait entendu l'appel du loup et la réponse, plus proche. Elle attendit le retour du louveteau. Il arriva, haletant d'avoir couru, et se pelotonna à ses pieds, satisfait.

Elle venait à peine de s'assoupir qu'elle se réveilla en sursaut. L'oreille aux aguets, elle essaya de discerner le bruit qui l'avait tirée du sommeil. A ses pieds, la masse chaude poussa un long grognement sourd. Puis, elle perçut un cri nasillard étouffé. On s'était introduit dans le campement.

— Jondalar ! appela-t-elle doucement.

— Je crois que la viande a attiré un animal, chuchota Jondalar. Ça pourrait être un ours, mais je penche plutôt pour un glouton ou une hyène.

— Que faut-il faire ? Je ne veux pas qu'on me vole ma viande.

— Rien, pour l'instant. Le rôdeur ne pourra peut-être pas l'attraper. Attendons.

Mais Loup avait repéré l'intrus et n'avait nullement l'intention d'attendre. Partout où ils plantaient leur campement, Loup s'en appropriait le territoire et le défendait. Ayla sentit qu'il quittait sa couche, et peu après, elle l'entendit gronder, menaçant. Le grognement qui lui répondit sembla provenir de bien plus haut. Ayla se redressa et s'empara de sa fronde, mais Jondalar était déjà debout, la hampe de sa sagaie engagée dans son propulseur.

— C'est un ours ! s'exclama-t-il. Il doit être dressé sur ses pattes arrière, mais je ne distingue rien.

A mi-chemin entre l'âtre et les perches où la viande était suspendue, des bruits de piétinements leur parvinrent, puis les grondements des animaux prêts à s'affronter. Soudain, à l'opposé, Whinney puis Rapide hennirent nerveusement. Tout à coup, Ayla reconnut le cri particulier de Loup passant à l'attaque.

— Loup ! appela-t-elle, anxieuse d'éviter une bataille dangereuse.

Un hurlement de douleur retentit soudain et une gerbe d'étincelles jaillit autour d'une énorme silhouette qui trébuchait dans l'âtre. Près d'Ayla, un objet siffla en déchirant l'air. Elle en reconnut le son qui fut suivi d'un cri, et aussitôt, des craquements de branches qu'un animal cassait dans sa fuite. Ayla siffla Loup. Elle ne voulait pas qu'il se lance à sa poursuite.

Obéissant, le louveteau accourut et elle s'accroupit pour le caresser, soulagée. Jondalar arrangeait le feu, et à la lueur des flammes, il découvrit les traces de sang laissées par le fuyard.

— Je suis sûr que ma sagaie l'a touché, affirma-t-il. Mais je n'ai pas pu voir où je visais. J'attendrai qu'il fasse jour pour suivre sa piste. Un ours blessé est souvent dangereux, et je ne sais pas qui va utiliser ce campement après nous.

— On dirait qu'il a perdu beaucoup de sang, déclara

103

Ayla, venue observer les traces. Il n'ira sans doute pas loin. J'avais peur pour Loup. C'était un animal énorme, et il aurait pu le blesser gravement.

— Loup n'aurait jamais dû l'attaquer, l'ours risquait de se retourner contre nous. Mais sa bravoure pour nous protéger m'a fait plaisir. Je me demande comment il réagirait si on te menaçait vraiment.

— Je ne sais pas. Whinney et Rapide ont eu très peur de l'ours, je vais voir comment ils vont.

Jondalar, inquiet lui aussi, la suivit. Les chevaux s'étaient rapprochés du feu. Whinney avait appris depuis longtemps que le feu des hommes signifiait la sécurité, et à son contact, Rapide l'apprenait à son tour. Après quelques paroles apaisantes et autant de caresses, les chevaux se calmèrent, mais Ayla n'était pas rassurée et elle savait qu'elle aurait du mal à s'endormir. Elle décida de se préparer une infusion calmante et alla quérir à l'intérieur de la tente son sac en peau de loutre.

Pendant que les pierres chauffaient, elle caressait la fourrure du vieux sac qui lui rappelait tant de souvenirs : le jour où Iza le lui avait donné, sa vie avec le Clan, la Malédiction Suprême. Pourquoi Creb était-il retourné dans la caverne ? Il était peut-être toujours en vie, même s'il était vieux et fatigué. Pourtant, il n'était pas fatigué lorsqu'il avait intronisé Goov la nuit précédente. Il incarnait la puissance, cette nuit-là, c'était lui le mog-ur, comme autrefois. Goov ne sera jamais aussi fort que Creb.

Jondalar remarqua son air absent. Il crut qu'elle pensait encore à la mort de l'enfant et au fils qu'elle ne reverrait plus, et il ne savait pas quoi lui dire. Désireux de l'aider, il craignait toutefois de la déranger. Assis côte à côte près du feu, ils buvaient leur breuvage en silence quand Ayla leva les yeux par hasard. Ce qu'elle vit lui coupa le souffle.

— Regarde, Jondalar ! s'écria-t-elle. Regarde le ciel !

Il est tout rouge, on dirait un feu, mais un feu dans le ciel et loin, loin. Qu'est-ce que c'est ?

— C'est le Feu de Glace ! C'est ainsi que nous l'appelons quand il est aussi rouge. On dit aussi : les Feux du Nord.

Ils observèrent le spectacle des lumières nordiques décrivant un arc sinueux dans le ciel comme un voile arachnéen gonflé par un vent cosmique.

— On voit des bandes blanches ! s'extasia Ayla. Et ça bouge, comme des volutes de fumée, ou des vagues d'eau blanchies par le calcaire. Il y a aussi d'autres couleurs.

— Lorsqu'elle est blanche, on l'appelle Fumée d'Etoiles, ou Nuages d'Etoiles. On lui donne encore plusieurs noms, mais tout le monde comprend quand tu utilises l'un de ceux-là.

— Pourquoi n'ai-je jamais vu une telle lumière auparavant ? demanda Ayla avec un émerveillement mêlé de frayeur.

— Tu vivais trop au sud. C'est pourquoi on la nomme, entre autres, Feux du Nord. Je ne l'ai pas souvent vue et jamais si ample, ni aussi éclatante, mais ceux qui ont voyagé dans ces régions prétendent que plus on remonte vers le nord, plus ce phénomène est fréquent.

— Mais le mur de glace empêche d'aller plus au nord.

— Non, tu peux contourner le glacier par l'eau. A l'ouest de là où je suis né, à quelques jours de marche suivant la saison, la terre s'arrête au bord des Grandes Eaux. Elles sont très salées et elles ne gèlent jamais, bien qu'on y ait parfois vu des blocs de glace. On raconte que des hommes ont été au-delà du mur de glace en bateau pour chasser les animaux qui vivent dans l'eau.

— Des bateaux ? Comme ceux qu'utilisent les Mamutoï pour traverser les rivières ?

— Oui, je crois, mais plus grands et plus solides. Je n'en ai jamais vu, et je ne croyais pas à ces histoires avant de rencontrer les Sharamudoï. Près de leur Camp, au bord de la Rivière Mère, il y a beaucoup de grands arbres. C'est avec ces arbres qu'ils construisent leurs bateaux. Attends de les voir, tu n'en croiras pas tes yeux, Ayla. Ils ne traversent pas seulement les rivières, ils voyagent dessus. Ils peuvent remonter le courant et aussi le descendre.

L'enthousiasme de Jondalar frappa Ayla. Maintenant qu'il avait résolu son dilemme, il avait manifestement hâte de retrouver les Sharamudoï. Mais Ayla ne pensait pas à cette future rencontre, l'étrange clarté qui rougissait le ciel l'inquiétait sans qu'elle sût pourquoi. Ce mystère la déconcertait mais ne l'effrayait pas comme les tremblements de terre, qui eux, la terrorisaient. Ce n'était pas seulement l'ébranlement d'un sol supposé stable qui la paniquait, mais ce phénomène avait toujours annoncé de dramatiques changements dans sa vie.

Un tremblement de terre l'avait arrachée à son peuple et lui avait donné une enfance insolite dans un entourage étranger à tout ce qu'elle avait connu. C'était un autre tremblement de terre qui avait conduit le Clan à l'exclure, ou qui, en tout cas, avait fourni un prétexte à Broud. L'éruption volcanique qui avait déversé sur eux une pluie de cendres semblait avoir présagé son départ de chez les Mamutoï, quoique la décision lui eût appartenu à elle seule. Elle ignorait le sens de ce signe dans le ciel, si jamais c'en était un.

— Si Creb avait été là, je suis sûre qu'il aurait vu là un présage, dit Ayla. C'était le mog-ur le plus puissant de tous les clans, et il aurait réfléchi et médité jusqu'à ce qu'il en découvre le sens. Mamut aussi y aurait vu un signe. Qu'en penses-tu, Jondalar ? Est-ce un signe de... de malheur ?

— Euh... je n'en sais rien.

Il hésitait à lui faire part des croyances de son peuple pour qui ces lumières du nord, lorsqu'elles étaient rougeâtres, étaient presque toujours un avertissement. Parfois, elles présageaient seulement un événement important.

— Qui suis-je pour parler des présages ? poursuivit Jondalar. Je ne suis pas Celui Qui Sert la Mère, mais je pense que c'est un signe encourageant.

— Le Feu de Glace est un signe puissant, non ?

— En principe, oui. En tout cas, nombreux sont ceux qui le croient.

Ayla, que l'étrange luminescence du ciel et l'incursion de l'ours dans le campement avaient rendue fébrile, ajouta dans son infusion de camomille un peu de racine d'ancolie et de l'armoise, sédatif assez puissant. Elle eut tout de même du mal à trouver le sommeil. Elle se tournait et se retournait dans sa fourrure, sûre de déranger Jondalar. Lorsqu'enfin elle sombra, son repos fut peuplé de rêves troublants.

Les grognements d'un ours en colère déchirèrent le silence, les spectateurs effrayés reculèrent. Le gigantesque ours des cavernes défonça la porte de sa cage, et s'échappa fou de rage ! Broud était debout sur son cou, deux autres hommes s'accrochaient à sa fourrure. Soudain, l'un d'eux tomba dans les griffes du monstre, mais son cri de douleur mourut subitement, arrêté net par un coup de patte qui lui brisa la colonne vertébrale. Les mog-ur ramassèrent le corps et, dignes et solennels, le transportèrent dans une grotte. Creb, dans son manteau en peau d'ours, menait le cortège en trébuchant.

Ayla contemplait un liquide blanchâtre qui ruisselait dans un bol en bois fêlé. Le liquide devenait rouge sang et s'épaississait au contact de bandes laiteuses et lumineuses qui le traversaient en ondoyant. Une horrible culpabilité l'étreignait. Elle avait fait quelque chose de mal. Il ne devait pas rester de liquide dans le bol. Elle le porta à ses lèvres et le vida.

Son champ visuel se modifia. La lumière blanchâtre émanait d'elle à présent, elle se sentit enfler et regarder de très haut des étoiles tracer un chemin. Les étoiles se changèrent en petites lumières clignotantes balisant la route le long d'une grotte sans fin. A l'extrémité, une lumière rouge grandit, grandit, aveuglante. Avec un soudain malaise, elle vit les mog-ur assis en cercle, à moitié cachés par des stalagmites.

Pétrifiée de peur, elle tomba dans un abysse obscur. Soudain, elle sentit la présence de Creb, qui l'aidait, la soutenait, la calmait. Il la guida dans un étrange voyage vers leurs origines communes, à travers l'eau salée et de suffocantes goulées d'air, au-dessus de terres noires plantées d'arbres géants. Ils atterrirent et marchèrent à l'ouest d'immenses distances, vers une grande mer salée. Au bout d'une plaine où coulait une rivière, ils arrivèrent devant un mur abrupt où un immense surplomb recelait une faille profonde. C'était la caverne d'un ancêtre de Creb, mais à mesure qu'ils approchaient de l'entrée, Creb commença à disparaître.

Tout devint brumeux, Creb s'évanouissait de plus en plus vite, et lorsqu'il eut presque disparu, la panique s'empara d'Ayla. « Creb! Non, ne pars pas, je t'en supplie! » criat-elle. Elle fouilla le paysage, cherchant désespérément sa trace. Alors, elle le vit au sommet d'une colline, au-dessus de la caverne de son ancêtre, près d'un gros rocher. C'était un bloc de pierre légèrement aplati, sur le point de basculer dans le vide, comme gelé sur place au moment de tomber. Elle l'appela encore, mais Creb disparut dans le rocher. Ayla était désespérée. Creb parti, elle se retrouvait seule, accablée de douleur, sans aucun objet qu'elle pût toucher pour se souvenir de Mog-ur, rien d'autre qu'une infinie tristesse. Soudain, elle courut, courut le plus vite possible. Elle devait s'enfuir, s'enfuir...

— Ayla! Ayla! Réveille-toi! criait Jondalar en la secouant.

— Jondalar! (En larmes, elle s'assit et se cramponna à lui.) Il est parti, Jondalar... Oh, Jondalar!

— Allons, allons, murmura-t-il en la serrant dans ses bras. Tu as fait un mauvais rêve. Tu hurlais, tu gémissais. Raconte-moi, cela te fera peut-être du bien.

— C'était Creb. J'ai rêvé de Creb, et de la grotte du Rassemblement du Clan, où des choses étranges se sont produites. Il m'en a voulu longtemps après, et juste au

108

moment où nous allions nous réconcilier, il est mort. Nous avons eu à peine le temps de parler. Il m'a assuré que Durc était le fils du Clan, et je n'ai jamais su ce qu'il entendait par là. J'avais tant de choses à lui demander, et j'ai tant de questions à lui poser, maintenant. On prétendait qu'il était le plus puissant de tous les mog-ur, et qu'il ait été borgne et manchot effrayait tout le monde. Mais personne ne le connaissait vraiment. Creb était bon et sage, il comprenait le monde des esprits, et aussi le monde des humains. Dans mon rêve, je voulais lui parler, et je crois qu'il essayait de communiquer avec moi.

— Oui, c'est possible. Je n'ai jamais rien compris aux rêves, avoua Jondalar. Te sens-tu mieux ?

— Oui, ça va, maintenant. Oh, comme je voudrais savoir interpréter les rêves !

— Tu ne devrais pas partir seul traquer cet ours, conseilla Ayla après le repas du matin. Tu disais toi-même qu'un ours blessé était dangereux.

— Je serai prudent.

— Si je t'accompagne, nous serons vigilants à deux. De toute façon, je ne serai pas plus en sécurité au camp si l'ours revient en ton absence.

— Oui, c'est vrai. Eh bien, c'est entendu, viens.

Ils se dirigèrent vers les bois, en suivant les traces de l'ours. Décidé à participer à la chasse, Loup s'élança et disparut dans les fourrés. Ils avaient à peine couvert une demi-lieue qu'ils entendirent un tumulte de grognements et de rugissements devant eux. Ils avancèrent rapidement et tombèrent sur Loup, le poil hérissé, la tête basse, la queue entre les pattes, qui grondait sourdement à quelque distance d'une bande de loups campés devant la carcasse sombre de l'ours.

— Eh bien, constata Ayla qui avait déjà engagé une sagaie dans son propulseur, voilà un ours qui ne nous fera plus de mal.

— Ce n'est qu'une bande de loups ! fit Jondalar qui avait aussi préparé son arme. As-tu besoin de viande ?

— Non, nous en avons assez, et je n'ai pas de place pour en emporter davantage. Laissons-leur l'ours.

— Auparavant, j'aimerais bien prendre les griffes et les crocs, déclara Jondalar.

— Eh bien, prends-les. Ils te reviennent de droit, c'est toi qui as tué l'ours. Arrache-les pendant que je retiendrai les loups avec ma fronde.

Jondalar ne s'y serait pas aventuré tout seul. Disputer aux loups une carcasse qu'ils revendiquaient n'était pas de tout repos, mais il se rappelait la façon dont Ayla avait chassé les hyènes, la veille.

— Tu es prête ? demanda-t-il en sortant son couteau.

Lorsque Ayla commença à jeter des pierres, Loup exulta et courut monter la garde devant la carcasse pendant que Jondalar découpait vivement les griffes. Les dents lui donnèrent plus de mal, mais il eut tôt fait de revenir avec son trophée. Ayla observait Loup en souriant. Dès que sa « bande » avait eu chassé la bande rivale, son comportement s'était transformé. Tête dressée, la queue droite, dans la position du mâle dominant, son grondement était devenu plus agressif. Le chef des loups le surveillait, prêt à le défier.

Après qu'ils eurent abandonné la carcasse de l'ours aux loups, le chef de la meute renversa la tête en arrière et poussa un hurlement guttural et puissant. Loup tendit son cou et hurla en écho, mais son timbre fluet trahissait le louveteau immature.

— Laisse, Loup, ordonna Ayla. Il est trop fort pour toi, plus vieux aussi et plus expérimenté. Il ne ferait qu'une bouchée de toi.

Mais Loup réitéra, non par défi mais par instinct de solidarité avec son espèce.

Le reste de la bande se mit de la partie si bien que Jondalar eut l'impression d'être encerclé par les jappements et les hurlements. Alors, Ayla, pour satisfaire une envie, leva la tête et se mit à hurler à l'unisson. Jondalar en eut la chair de poule, tant la voix d'Ayla imitait celles des loups à la perfection. Jusqu'à Loup qui dressa les oreilles, la regarda, étonné, puis hurla longuement avec plus d'assurance. Les autres loups répondirent et bientôt les bois retentirent d'un chœur magnifique et émouvant.

En arrivant au camp, Jondalar nettoya les griffes et les crocs de l'ours, pendant qu'Ayla chargeait Whinney. Il n'avait pas terminé ses bagages qu'elle était déjà prête. Appuyée contre la jument qu'elle flattait distraitement, elle remarqua que Loup avait déniché un autre os pourri. Cette fois, il resta à l'autre bout de la clairière. Il jouait avec son trophée en grognant de plaisir tout en surveillant Ayla d'un œil et en évitant bien de lui apporter son trésor.

— Loup! Ici, Loup! appela-t-elle. (Il abandonna son os et accourut.) Le moment est venu de t'apprendre quelque chose de nouveau, annonça-t-elle.

Elle voulait le dresser à rester sans bouger, même s'il la voyait partir. Ce serait un dressage long et pénible, mais elle en prévoyait l'importance. A en juger par l'accueil qu'ils avaient reçu au Camp des Fougères, elle s'inquiétait des futures rencontres avec d'autres « bandes » d'humains, et des réactions de Loup.

Un jour, au Camp du Lion, elle avait promis à Talut qu'elle tuerait le loup de ses propres mains si jamais il mordait quelqu'un. Elle estimait de son devoir de veiller à ce que l'animal carnivore qu'elle avait amené parmi les humains ne blessât personne. Elle cherchait de surcroît à le protéger. Son attitude menaçante avait déjà provoqué des réactions défensives, et elle craignait qu'un chasseur effrayé ne tentât de tuer ce loup étrange avant qu'elle ne pût l'en empêcher.

Elle commença par l'attacher à un arbre. Elle lui ordonna ensuite de rester pendant qu'elle s'éloignait, mais la corde à son cou était trop lâche et il réussit à se libérer. Elle recommença en serrant davantage le collier, craignant un peu qu'il ne s'étranglât. Comme elle l'avait prévu, il se

111

mit à gémir tout en bondissant sur place pour tenter de la rejoindre. A plusieurs foulées de là, elle lui criait de ne pas bouger, accompagnant son ordre d'un geste de la main.

Lorsque enfin il se calma, il revint le féliciter. Après quelques autres tentatives, elle vit que Jondalar était prêt et détacha Loup. Cela suffisait pour aujourd'hui. Mais après qu'elle eut bataillé pour défaire les nœuds que Loup avait resserrés en essayant de se libérer, elle songea qu'il serait préférable d'envisager d'autres méthodes. Elle avait d'abord tenté d'ajuster le collier pour qu'il ne fût ni trop lâche ni trop serré, et voilà qu'elle n'arrivait plus à le dénouer.

— Crois-tu vraiment que tu puisses lui apprendre à ne plus menacer les étrangers ? demanda Jondalar qui avait assisté aux derniers essais infructueux. Tu disais pourtant qu'il était normal qu'un loup se méfie des autres. Comment espères-tu aller contre sa nature ?

Il monta Rapide pendant qu'elle rangeait la corde.

— Est-ce dans la nature de ce cheval de te porter ? rétorqua-t-elle en grimpant sur le dos de Whinney.

— Je ne crois pas que ce soit la même chose, Ayla, protesta-t-il alors qu'ils quittaient le camp côte à côte. Les chevaux mangent de l'herbe, pas de la viande, et leur nature les pousse davantage à éviter les ennuis. En présence d'étrangers, ou d'une menace, ils prennent plutôt la fuite. Un étalon peut en combattre un autre, ou se défendre en cas d'attaque, mais Rapide et Whinney fuient les situations dangereuses. Alors que Loup est toujours sur ses gardes et prêt à se battre.

— Non, il n'est prêt à se battre que pour nous défendre. Si nous prenions la fuite il nous suivrait. C'est un mangeur de viande et il pourrait tuer un homme, c'est vrai, mais il ne le fait pas. Je pense qu'il ne tuerait que pour protéger l'un de nous. Tu sais, les animaux apprennent tout comme les humains. Ce n'est sûrement pas dans la nature d'un loup de faire bande avec deux humains et deux chevaux. Même Whinney a appris des choses qu'elle n'aurait jamais sues si elle était restée parmi les chevaux. Crois-tu qu'il soit dans la nature d'un cheval d'être ami avec un loup ? Et avec un lion des cavernes ? Ce n'était pas dans sa nature, tout de même !

— Sans doute pas, concéda Jondalar. Tu ne peux pas imaginer comme j'étais inquiet quand Bébé s'est montré à la Réunion d'Eté et que je t'ai vue galoper vers lui sur Whinney. Comment savais-tu qu'il vous reconnaîtrait, toi et Whinney ? Ou que Whinney se souviendrait de lui ?

— Mais Jondalar, ils ont grandi ensemble ! Bébé... Bébé...

Le mot qu'elle utilisait signifiait « bébé », mais elle le prononçait avec un ton guttural étrange qui ne ressemblait à aucun langage que Jondalar connaissait. Il ne pouvait pas reproduire ces sons qui semblaient émaner des profondeurs de la gorge. C'était l'un des rares mots oraux du Clan. Ayla l'avait assez répété pour que Jondalar le reconnût, mais elle traduisait toujours les mots du Clan qu'elle utilisait. Quand Jondalar parlait du lion qu'elle avait élevé, il employait le nom zelandonii, trouvant toutefois incongru d'appeler « bébé » un énorme lion des cavernes.

— ... Bébé était... il était tout petit quand je l'ai recueilli. Il n'était même pas sevré. Un daim l'avait assommé d'un coup de sabot en fuyant, et il était presque mort. C'est pour ça que sa mère l'avait abandonné. Whinney aussi le considérait comme un bébé. Elle m'a aidée à prendre soin de lui... c'était si drôle quand ils ont commencé à jouer ensemble, surtout quand Bébé voulait attraper la queue de Whinney. Parfois, elle l'agitait devant son museau exprès. D'autres fois, ils attrapaient chacun l'extrémité d'une peau et ils tiraient chacun de leur côté. Ils m'en ont massacré des peaux cette année-là, mais ça me faisait tellement rire !

« Je n'avais jamais appris à rire auparavant, poursuivit-elle, soudain songeuse. Le Peuple du Clan ignorait le rire. Ils n'aimaient pas les bruits inutiles, et les sons étaient réservés pour prévenir d'un danger. La grimace que tu aimes tant et que tu appelles un sourire, ils l'utilisaient pour montrer leur nervosité, ou dans une attitude défensive. S'ils l'accompagnaient d'un certain geste, c'était une menace. Ils n'aimaient pas me voir rire, ni même sourire. Alors, j'ai appris à me contrôler.

Ils chevauchaient le long de la berge, sur une large bande de graviers.

— Beaucoup de gens sourient par nervosité, ou bien en présence d'étrangers, remarqua Jondalar. Mais ce n'est pas un réflexe de défense, ni une menace. A mon avis, on sourit pour montrer qu'on n'a pas peur.

Ils avançaient l'un derrière l'autre. Ayla se pencha sur le côté pour que sa jument contourne des broussailles bordant un ruisseau qui serpentait vers la rivière. A la suite de Jondalar, Ayla harnachait sa jument avec le licol qu'il avait inventé pour guider Rapide. Le licol lui permettait aussi d'attacher Whinney lorsqu'elle ne voulait pas qu'elle s'éloigne, mais elle ne s'en servait jamais pour la guider. Ayla n'avait jamais eu l'intention de dresser Whinney. Elles s'étaient progressivement habituées l'une à l'autre au point de se comprendre intuitivement. Lorsqu'elle s'était rendu compte que la jument pouvait obéir à des ordres, fussent-ils inconscients, Ayla avait commencé à lui enseigner quelques petites choses, mais toujours en respectant la profonde compréhension qui s'était installée entre elles.

— Mais si un sourire a pour but de montrer que tu n'as pas peur, cela ne signifie-t-il pas que tu n'as rien à craindre ? Donc, que tu te sens assez fort ? reprit Ayla quand ils purent de nouveau chevaucher de concert.

— Je n'ai jamais réfléchi à cela. Thonolan semblait toujours confiant et souriant quand il rencontrait des gens nouveaux, mais c'était surtout une attitude de prestance. Il voulait faire croire qu'il n'avait pas peur. Evidemment, on peut l'interpréter comme une attitude défensive, une façon de dire : « Je suis si fort que je n'ai rien à craindre de vous. »

— Oui, mais montrer sa force, n'est-ce pas une façon de

menacer l'autre ? Quand Loup montre ses crocs à des étrangers, n'essaie-t-il pas de les impressionner ? insista Ayla.

— Oui, peut-être. Mais il y a une différence entre un sourire de bienvenue et le rictus de Loup qui montre ses crocs en grondant.

— Oui, c'est juste, concéda Ayla. Un sourire rend heureux.

— Ou soulage au moins. Si l'étranger que tu croises te sourit, cela signifie qu'il t'accepte. Tu sais donc à quoi t'en tenir. Mais tous les sourires ne sont pas destinés à rendre heureux.

— Sauf si le soulagement est le début du bonheur. Je crois qu'il y a une similitude entre quelqu'un qui sourit à des inconnus parce qu'il est nerveux, et le rictus de ceux du Clan qui montrent ainsi leur nervosité ou leur menace, poursuivit Ayla après un long silence. Pour Loup, c'est pareil. Il montre ses crocs pour menacer l'intrus, ou pour nous en protéger.

— Cela voudrait dire que lorsqu'il nous montre ses crocs, à nous membres de sa bande, il sourit ? En tout cas, je l'ai déjà surpris à te taquiner. Je suis sûr qu'il t'aime, mais l'ennui c'est qu'il est normal pour lui de montrer ses crocs à des étrangers, de les menacer. S'il te protège, comment vas-tu lui faire comprendre de rester où tu le lui demandes, même lorsque tu t'éloignes ? Comment le forceras-tu à renoncer à attaquer les étrangers ? (L'inquiétude de Jondalar était réelle. Il se demandait s'il était sage de voyager avec le loup.) Souviens-toi que les loups attaquent quand ils ont faim, c'est ainsi qu'en a décidé la Mère. Loup est un chasseur. Tu peux lui apprendre beaucoup de choses, mais comment faire comprendre à un chasseur qu'il ne doit pas chasser ? Et ne pas attaquer les étrangers ?

— Mais, Jondalar, tu étais un étranger quand tu es arrivé dans ma vallée. Te rappelles-tu quand Bébé est revenu me rendre visite et qu'il t'a trouvé là ? demanda

115

Ayla avant qu'ils ne se séparent encore pour gravir une ravine menant au plateau.

Jondalar rougit. Ce n'était pas par embarras. Il revivait seulement les émotions intenses de cette rencontre. Il n'avait jamais eu aussi peur de sa vie. Jamais il n'avait vu la mort de si près.

Gravir l'étroite ravine leur prit du temps. Ils devaient contourner des rocs que les crues de printemps éboulaient, des buissons d'armoise aux tiges noires qui fleurissaient avec les pluies, pour se dessécher ensuite. Jondalar repensa au jour où Bébé était revenu sur les lieux de son enfance pour trouver un étranger sur la plate-forme qui menait à la grotte.

Bébé était le lion des cavernes le plus impressionnant qu'il eût jamais vu, presque aussi grand que Whinney, mais plus massif. Jondalar se rétablissait juste des lacérations que ce même lion ou un de ses semblables lui avait infligées lorsque Thonolan et lui avaient malencontreusement empiété sur son territoire. Ce fut la dernière aventure de Thonolan, et Jondalar avait cru sa dernière heure arrivée lorsque le lion avait rugi, bandé ses muscles et bondi. Soudain, Ayla était apparue, le bras levé pour arrêter le lion... et il s'était arrêté ! Si Jondalar n'avait pas été pétrifié, il aurait trouvé la scène comique : ce monstre énorme stoppé dans son saut, se contorsionnant pour éviter la jeune femme. Il l'avait ensuite vue avec stupéfaction flatter les flancs du gigantesque chat et jouer avec lui.

— Oui, je m'en souviens, avoua-t-il en rejoignant Ayla sur le plateau. Et je n'ai toujours pas compris comment tu l'avais arrêté en plein milieu de son saut.

— Quand Bébé était tout petit, expliqua Ayla, il s'amusait à m'attaquer, mais quand il est devenu trop grand pour qu'on joue à ce petit jeu, je lui ai appris à s'arrêter. Il était devenu trop brutal. Maintenant, il faut que j'apprenne la même chose à Loup. Non seulement pour qu'il ne blesse personne, mais aussi pour qu'on ne lui fasse pas de mal.

— Si quelqu'un peut le dresser, c'est bien toi, Ayla.

Elle l'avait convaincu, et si elle réussissait, il deviendrait plus facile de voyager avec Loup. Mais Jondalar s'attendait toujours à ce que le louveteau leur causât des ennuis. Il avait ralenti leur traversée de la rivière, et avait détruit quelques-unes de leurs affaires en les mâchouillant. Ayla était venue à bout de ce défaut, c'est vrai. Il eût été injuste de prétendre qu'il n'aimait pas l'animal. Car il l'aimait. Observer Loup de près était fascinant, et Jondalar fut plus d'une fois surpris de le voir si amical et si affectueux. Mais il demandait une surveillance continue, du temps, et les obligeait à stocker davantage de nourriture. Les chevaux aussi exigeaient que l'on prît soin d'eux, mais Rapide lui obéissait et ils les aidaient en retour. Le Voyage s'annonçait difficile, ils n'avaient que faire d'un fardeau supplémentaire, d'un animal source de soucis autant qu'un enfant.

Et encore, pas n'importe quel enfant, se dit Jondalar. Un enfant difficile. Pourvu que la Grande Terre Mère ne donne pas un enfant à Ayla avant la fin du Voyage ! Une fois arrivés et installés, ce sera différent, nous pourrons y penser. Mais qu'y faire ? Seule la Mère décidera... Tout de même, cela doit faire drôle d'avoir un enfant.

Et si Ayla avait raison ? Si les Plaisirs étaient à l'origine des naissances ? Pourtant, nous sommes ensemble depuis pas mal de temps, et aucun signe d'enfant à naître. Non, c'est forcément Doni qui met les enfants dans le ventre des mères. Mais alors, si jamais la Mère décidait de ne pas donner d'enfant à Ayla ? Elle en a déjà eu un, un esprit mêlé, c'est vrai. D'habitude, quand Doni en accorde un, elle en accorde souvent d'autres. Et si c'était à cause de moi ? Ayla peut-elle engendrer un enfant venu de mon esprit ? Ayla ou n'importe quelle autre femme ?

J'ai partagé les Plaisirs et honoré Doni avec de nombreuses femmes. L'une d'elles a-t-elle jamais eu un enfant grâce à moi ? Comment un homme peut-il le savoir ? Ranec le savait, lui. Sa couleur et son physique étaient si particuliers, et on retrouvait son essence chez certains enfants, à la Réunion d'Eté. Je n'ai pas une couleur exceptionnelle, ni de signe reconnaissable... peut-être que si, d'ailleurs.

Que dire de la rencontre avec les chasseurs Hadumaï, dans cette région, précisément ? La vieille Haduma voulait que Noria ait un bébé avec des yeux bleus comme les miens, et après les Premiers Rites, Noria m'a affirmé qu'elle aurait un enfant de mon esprit. Et avec mes yeux bleus. Haduma le lui avait promis. A-t-elle mis ce bébé au monde ?

Lorsque j'ai quitté Serenio, elle pensait être enceinte. Je serais curieux de savoir si son enfant a les yeux bleus. Serenio avait déjà un enfant, mais elle n'en a pas eu d'autre depuis, et Darvo était presque un jeune homme, déjà. Je me demande ce qu'elle pensera d'Ayla ? Et ce qu'Ayla pensera d'elle ?

Et si elle n'avait pas été enceinte ? La Mère ne m'a peut-être pas encore pardonné, et Elle me signifie que je ne mérite pas d'avoir un enfant dans mon foyer. Pourtant, Elle m'a rendu Ayla. Zelandoni me disait toujours que Doni ne me refuserait jamais rien, et elle m'incitait à être prudent avec mes demandes, parce qu'elle croyait que Doni les satisferait toutes. C'était pour cela que, lorsqu'elle s'appelait encore Zolena, elle m'avait fait promettre de ne pas la réclamer à la Mère.

Pourquoi demander quelque chose qu'on ne désire pas ? Je n'ai jamais compris ceux qui parlent avec les esprits. On dirait qu'ils ont une ombre sur la langue. Ils prétendaient que Thonolan était un favori de Doni, à cause de son aisance avec les gens. Mais ils ajoutaient : Garde-toi des faveurs de la Mère. Lorsqu'Elle favorise trop quelqu'un, Elle veut qu'il La rejoigne au plus vite. Est-ce pour cela que Thonolan est mort ? La Grande Terre Mère l'a-t-elle repris ? Que sont vraiment les faveurs de Doni ?

J'ignore si Elle m'accorde Ses faveurs, mais je sais que Zolena a bien fait de rejoindre les zelandoni. Cela m'a rendu service, à moi aussi. J'avais mal agi, mais si elle n'était pas devenue zelandoni, je n'aurais jamais entrepris ce Voyage avec Thonolan, et je n'aurais jamais rencontré Ayla. Alors, peut-être me favorise-t-Elle un peu. Mais je ne veux pas profiter des bontés de Doni. J'ai déjà demandé qu'Elle nous autorise à rentrer sains et saufs, je ne peux pas Lui demander aussi de donner à Ayla un enfant de mon esprit, surtout en ce moment. Mais en aura-t-elle jamais ?

6

Ayla et Jondalar s'éloignèrent de la rivière et s'enfoncèrent à l'intérieur des terres en obliquant vers l'ouest. Ils
rencontrèrent une autre vallée où coulait vers l'est un large
cours d'eau qui rejoignait en aval celui qu'ils venaient de
quitter. La vallée, vaste et verdoyante, se creusait en pente
douce jusqu'à la rivière qui courait rapidement au milieu de
terres alluviales jonchées de pierres de toutes tailles, allant
du gros rocher au gravier fin comme du sable. Hormis
quelques touffes d'herbe et de rares plantes, le lit rocailleux
était nu, lavé de toute végétation par les crues printanières.

Quelques arbres morts s'étaient accrochés aux rochers,
et des buissons d'aulnes et d'arbrisseaux aux feuilles
grisâtres restaient suspendus le long des rives. Une harde
de cerfs géants aux andouillers palmés si démesurés qu'ils
auraient fait paraître petits ceux des élans, viandaient près
des bosquets de saules cotonneux qui poussaient sur les
terres humides, au bord de l'eau.

D'humeur joyeuse, Loup gambadait près des chevaux,
jouant à éviter leurs sabots, ceux de Rapide en particulier.
Whinney n'y prêtait guère attention, mais le jeune étalon
montrait plus de nervosité. Ayla savait que le cheval aurait

répondu aux taquineries de Loup si Jondalar ne l'avait retenu. Celui-ci devait se concentrer pour contrôler sa monture. Il commençait à être agacé et il pensait sérieusement demander à Ayla de contenir son louveteau.

Au grand soulagement de Jondalar, Loup détala soudain comme une flèche. Il avait senti l'odeur des cerfs, et partait en éclaireur. Les longues pattes des cerfs géants étaient une vision irrésistible et il crut avoir trouvé de nouveaux compagnons de jeu. Mais lorsque celui qu'il approchait baissa la tête pour repousser sa charge, Loup s'arrêta net. C'était un mâle magnifique dont chacun des andouillers mesurait plus de trois mètres ! Conscient de la présence du carnassier, le bel animal continua cependant à brouter l'herbe grasse comme s'il n'avait rien à redouter d'un loup isolé. Ayla contemplait la scène en souriant.

— Regarde-le, Jondalar. Loup s'imaginait avoir trouvé un autre cheval à narguer.

— Oui, il a vraiment l'air étonné, s'amusa Jondalar. Il ne s'attendait pas à tomber sur des bois pareils.

D'un accord tacite, ils se dirigèrent lentement vers l'eau en s'efforçant de ne pas effrayer l'énorme cerf. Ils furent impressionnés par la taille de ces créatures géantes plus hautes qu'eux-mêmes à cheval. Avec une grâce majestueuse, les cerfs s'éloignèrent à l'approche des cavaliers, par prudence plus que par crainte, broutant quelques feuilles de saule dans leur retraite.

— Ils sont encore plus grands que je ne le croyais, remarqua Ayla. Je n'en avais jamais vu de si près.

Bien qu'à peine plus massifs que les élans, les cerfs géants avec leur magnifique ramure semblaient énormes. Chaque année, leurs bois tombaient, remplacés par d'autres plus grands et plus ramifiés, jusqu'à atteindre trois mètres et davantage en une seule saison chez certains vieux mâles. Mais même dépourvus de leurs andouillers, les plus grands étaient immenses comparés aux autres représentants de leur espèce. Leur poil rude, leurs épaules massives et les muscles de leur cou, qui s'étaient développés pour supporter les lourdes ramures, contribuaient à leur donner un aspect impressionnant. Animaux des plaines, encombrés par leurs andouillers démesurés, ils évitaient les sousbois. On racontait que certains étaient morts de faim, piégés par leurs glorieux cors emmêlés dans des branches.

Ayla et Jondalar s'arrêtèrent pour chercher un gué. L'eau était profonde, le courant violent, et des rapides s'étaient formés autour de gros rocs anguleux. Les conditions étaient partout identiques, en aval comme en amont. Finalement, ils décidèrent de traverser là où il y avait le moins de rochers.

Ils descendirent de leur monture, attachèrent les paniers sur la ligne de croupe des chevaux, et y rangèrent les vêtements chauds qu'ils avaient enfilés pour se protéger de la fraîcheur matinale. Jondalar ôta sa tunique sans manches, et Ayla faillit se dévêtir entièrement, mais après avoir testé la température de l'eau elle changea d'avis. Elle était certes habituée à l'eau froide, mais avec ce fort courant, celle-ci était aussi glacée que l'eau qu'elle avait laissée dehors la nuit précédente, et qu'elle avait retrouvée au petit matin recouverte d'une pellicule de glace. Même mouillées, sa tunique et ses jambières en peau de daim la réchaufferaient.

Les chevaux piaffaient, caracolaient, et secouaient la tête en hennissant. Ayla ajusta le licol de Whinney pour l'aider à traverser. Sentant alors la tension grandissante de la jument, elle flatta son encolure aux poils rudes et lui murmura des paroles apaisantes dans la langue qu'elle avait inventée lorsqu'elles vivaient ensemble dans la vallée.

Elle l'avait inventée inconsciemment, améliorant sans cesse la complexité des signes. Bâtie sur les rares mots du langage du Clan, elle y avait ajouté au fur et à mesure des onomatopées qu'elle utilisait avec son fils et auxquelles elle avait assigné un sens, mais aussi des sons inspirés de ceux des chevaux, d'occasionnels grognements de lion et même des gazouillis d'oiseaux.

Habitué au dialogue entre la jeune femme et sa jument,

Jondalar n'avait pourtant pas la moindre idée de son contenu. Ayla possédait ce don étrange d'imiter les bruits d'animaux — don qu'elle avait exercé quand elle vivait seule, avant qu'il ne lui eût appris à parler oralement — et Jondalar trouvait ces sons insolites, comme venus d'un autre monde.

Rapide frappa du devant et branla la tête, hennissant de nervosité. Jondalar lui parla avec douceur tout en le caressant et en lui grattant le flanc. Ayla observa l'effet quasi immédiat des cajoleries de son compagnon sur le cheval ombrageux. La confiance qui s'était instaurée entre Jondalar et le jeune étalon la ravit. La douceur de ses mains lui rappela soudain les caresses qui la troublaient tant et elle rougit. Ce n'était certes pas l'apaisement que lui apportait Jondalar lorsqu'il la touchait.

Les chevaux n'étaient pas les seuls à s'inquiéter. Loup savait ce qui se préparait et n'appréciait guère la perspective d'un bain glacé. Il allait et venait le long de la rivière en couinant. Il finit par s'asseoir, rejeta la tête en arrière et poussa un long hurlement plaintif.

— Allons, Loup! fit Ayla qui s'accroupit à côté du jeune animal pour l'apaiser. Tu as peur, toi aussi?

— Est-ce qu'il va encore nous embêter pour traverser? demanda Jondalar, toujours fâché du traitement que Loup avait infligé à Rapide.

— Je ne m'en fais pas pour ça. Il est seulement un peu nerveux, comme les chevaux.

Ayla était surprise que la peur compréhensible de Loup pût exaspérer Jondalar, pourtant si patient avec Rapide.

Certes la rivière était froide, mais les chevaux étaient des nageurs puissants. Une fois dans l'eau, ils n'eurent aucune difficulté à atteindre la rive opposée en guidant les deux humains autant que ceux-ci les guidaient. Même Loup traversa facilement. D'abord il fit quelques bonds sur la rive et couina en entrant dans l'eau. Il recula, avança plusieurs fois et s'élança finalement avec bravoure. Le museau hors de l'eau, il se mit à nager vers les humains et les chevaux chargés de paquets et de paniers.

Sur l'autre rive, Ayla et Jondalar se changèrent et essuyèrent les animaux avant de reprendre leur route. Ayla se souvenait des précédentes traversées qu'elle avait dû faire seule après avoir quitté le Clan, et elle remercia les robustes chevaux. Franchir un cours d'eau n'était jamais chose facile, et à pied on ne pouvait éviter de se mouiller. Avec leur monture, ils traversaient de petites rivières au prix de quelques éclaboussures seulement, et les rivières plus larges devenaient faciles à franchir.

Au fur et à mesure qu'ils avançaient vers le sud-ouest, le terrain changeait. A l'approche des montagnes de l'ouest, les collines se transformaient en hauts contreforts traversés de vallées profondes et étroites où couraient des rivières qu'ils durent franchir. Certains jours, ils ne faisaient que monter et descendre si bien que Jondalar avait l'impression qu'ils n'avançaient pas. Mais au moins les vallées offraient-elles des campements à l'abri du vent et les rivières les pourvoyaient-elles en eau, dans un pays par ailleurs très sec.

Ils s'arrêtèrent au sommet d'une colline dominant les hauts plateaux qui couraient parallèlement aux rivières. Un vaste panorama s'offrit à eux. Hormis les pâles contours grisâtres des montagnes qui s'élevaient au loin, à l'ouest, les plaines s'étendaient à perte de vue.

Bien que la terre aride et venteuse eût difficilement été plus dissemblable, les steppes monotones aux vagues vertes et ondoyantes que les deux cavaliers contemplaient évoquaient la mer dans son uniformité. Mais l'analogie allait plus loin. En dépit de son uniformité monotone, l'antique prairie qui ondulait sous le vent était incroyablement riche et variée et, comme la mer, recelait une vie foisonnante. Des créatures bizarres, aux attributs extraordinaires — tels que cornes ou andouillers exubérants, collerettes, houppes, bosses —, partageaient la steppe immense avec d'autres animaux gigantesques.

Mammouths et rhinocéros, magnifiques dans leur double toison de longs poils flottants sur une chaude couche duveteuse, protégés par une épaisse réserve de graisse, affublés de défenses gigantesques ou de cornes nasales extravagantes. Cerfs géants, parés de majestueux andouillers palmés, paissant parmi les aurochs, splendides précurseurs sauvages des placides bovins domestiques, presque aussi massifs que les bisons aux cornes énormes. Même les petits animaux atteignaient des tailles conséquentes, grâce à la richesse des steppes. C'était le cas des grandes gerboises, des hamsters géants et des marmottes.

Les vastes prairies nourrissaient quantité d'autres animaux. Chevaux, ânes, onagres se partageaient les pâturages des terres alluviales ; aux moutons sauvages, chamois, bouquetins, étaient réservés les alpages. Les saïgas parcouraient les plaines ; les parties boisées au long des rivières, ou concentrées près des mares et des lacs, ainsi que les rares forêts des steppes et de la toundra hébergeaient diverses variétés de cervidés, du daim tacheté et du doux chevreuil à l'élan, au renne et au cerf — qu'on appelait orignal lorsqu'il migrait vers d'autres terres, tout comme l'élan devenait caribou. Lièvres et lapins, souris et campagnols, marmottes, sousliks et lemmings pullulaient ; crapauds, grenouilles, serpents et lézards avaient aussi leur place. Des oiseaux de toutes sortes et de toutes tailles, de la grue au minuscule pipit, enrichissaient les steppes de leurs chants et de leurs couleurs. Tous jouaient un rôle, tous jusqu'aux insectes.

C'était aux carnivores qu'incombait la régulation des immenses troupeaux d'herbivores et des rongeurs. Les carnivores, mieux adaptés à leur environnement et qui survivaient tant que les proies abondaient, parvenaient eux aussi à des proportions impressionnántes en vertu de la profusion et de la qualité des réserves de viande. De gigantesques lions de caverne — jusqu'à deux fois la taille de leurs descendants des pays chauds — chassaient les jeunes ou les vieux spécimens des herbivores, même les plus grands. Toutefois, un mammouth adulte avait peu à craindre. Les grands félins dirigeaient leur choix sur le bison, l'aurochs, le cerf, pendant que des bandes de hyènes, de loups et de dholes s'attaquaient aux animaux moins imposants. Ils se partageaient le gibier abondant avec les lynx, les léopards, et les chats sauvages.

De monstrueux ours des cavernes, essentiellement végétariens et chasseurs occasionnels, atteignaient deux fois la taille des ours omnivores bruns ou noirs, alors que les ours blancs vivant sur les banquises se nourrissaient de poissons. Les carcajous et les putois s'attaquaient aux petits rongeurs, tout comme les martres, les belettes, les loutres, les furets, les zibelines, les visons, et les hermines qui devenaient blanches en hiver. Certains renards blanchissaient aussi l'hiver, où leurs poils prenaient un riche ton de gris, appelé bleu argenté, pour se fondre dans le paysage et chasser sans être vus. L'aigle royal, le faucon, le gerfaut, la corneille et le hibou attrapaient de petites proies inattentives ou malchanceuses, alors que les vautours et les milans noirs nettoyaient les carcasses abandonnées.

La grande variété et la taille exceptionnelle des animaux vivant dans ces steppes, la profusion et la démesure de leurs ornements ne pouvaient être le fruit que d'un environnement d'une remarquable qualité. Pourtant, c'était une terre exigeante, glaciale et desséchée, entourée d'une barrière de hautes montagnes de glace et de rudes océans d'eau gelée. Il semblait contradictoire que des conditions si difficiles puissent procurer la richesse nécessaire au développement démesuré de la faune, mais elles étaient en fait extrêmement appropriées. Le climat sec et froid stimulait la croissance de l'herbe et empêchait les arbres de pousser.

Les arbres, tels que chênes ou conifères, poussaient facilement, mais ils exigeaient du temps et beaucoup d'humidité. Certes, les forêts nourrissaient et protégeaient quantité de plantes et d'animaux, mais les arbres nécessitaient des ressources importantes pour croître et ils ne favorisaient pas le développement des grands mammifères. Quelques animaux mangeaient des noix ou des fruits, d'autres broutaient les feuilles ou même les brindilles, mais l'écorce et le bois étaient peu comestibles et mettaient du temps à repousser. La même énergie et la même substance nutritive au service de l'herbe nourrissait davantage d'espèces, et l'herbe se renouvelait constamment. Peut-être la forêt représentait-elle la quintessence de la vie végétale, mais c'était l'herbe qui avait permis ce développement extraordinaire de la faune et c'étaient les prairies qui avaient assuré sa subsistance.

Sans savoir pourquoi, Ayla était mal à l'aise. Rien de précis, une crispation désagréable. Avant de descendre la colline, ils avaient observé les nuages menaçants s'amonceler au-dessus des montagnes occidentales, ils avaient vu les éclairs zébrer le ciel et entendu au loin les roulements de tonnerre. Pourtant, au-dessus d'eux, le ciel était dégagé et le soleil encore haut, bien qu'il eût dépassé le zénith. Il ne pleuvrait pas mais Ayla n'aimait pas le tonnerre dont le grondement lui rappelait les tremblements de terre.

C'est peut-être parce que ma période lunaire va bientôt commencer, pensa-t-elle pour se rassurer. Je ferais bien de préparer ma bande de peau, et la laine de mouflon que m'a donnée Nezzie. Elle disait que c'était la protection idéale en voyage, et c'est vrai. Il suffit de la laver à l'eau froide pour faire disparaître toute trace de sang.

Ayla n'avait encore jamais vu d'onagres, et toute à ses pensées, elle ne prêta pas attention à ceux qui descendaient la colline. De loin, elle crut que c'étaient des chevaux. Mais lorsqu'ils approchèrent, elle remarqua certaines différences. Ils étaient plus petits, avec des oreilles plus longues, et leur queue assez courte n'était pas faite de longs crins flottant au vent, mais du même poil que la robe et se terminait par une touffe plus foncée. Comme celle du cheval, la crinière de l'onagre était raide mais plus touffue et inégale. La robe était d'un marron tirant sur le roux sur le dos et les flancs, et d'une couleur plus pâle, presque blanche, sur le ventre et même sur le chanfrein et les pattes. Une bande de couleur plus foncée suivait leur colonne vertébrale, une autre les épaules, et des bandes plus sombres zébraient leurs pattes.

Ayla ne put s'empêcher de les comparer aux chevaux qui, comme Whinney, avaient une robe jaune, couleur de foin. Celle de Rapide, marron foncé, était rare. Le gris foncé de l'épaisse crinière de la jument se prolongeait jusqu'à sa queue. Ses fanons étaient presque noirs, et le haut des jambes présentait de légères zébrures rappelant vaguement celles de l'onagre. L'étalon bai était d'une couleur trop sombre pour qu'on pût distinguer la rayure qui courait le long de sa colonne vertébrale, mais sa crinière, sa queue, ses jambes, toutes noires, obéissaient au même principe.

Pour qui connaissait les chevaux, il était évident que ces animaux n'en étaient pas. Ayla s'aperçut que Whinney s'intéressait d'une façon inaccoutumée au troupeau qui s'était arrêté pour brouter et venait de remarquer leur présence. Loup était captivé, lui aussi. En position d'arrêt, il était prêt à se lancer à la poursuite des étranges chevaux, mais Ayla, voulant les observer davantage, lui fit signe de ne pas bouger. Un des onagres se mit à braire, et Ayla fut très surprise de ne pas reconnaître le hennissement familier.

Rapide secoua la tête, hennit en réponse, et tendit le cou pour renifler un tas de crottin frais. Ayla lui trouvait l'aspect et une odeur semblables à ceux du cheval. Whinney hennit doucement et s'approcha pour humer à son tour. Comme elle s'attardait, l'effluve du crottin parvint aux narines d'Ayla qui crut y déceler le signe d'une nourriture différente de celle des chevaux.

— Est-ce que ce sont des chevaux ? demanda-t-elle.

— Non, pas tout à fait. Ils leur ressemblent, comme les élans ressemblent aux rennes, ou les orignaux aux grands cerfs. Ce sont des onagres.

— Je n'en ai jamais vu, c'est étonnant.

— Oui, c'est sans doute parce qu'ils préfèrent ce genre de pâturage, dit-il en désignant de la tête les collines rocailleuses et la végétation clairsemée des hautes plaines arides qu'ils traversaient.

Malgré les apparences, les onagres ne provenaient pas d'un croisement entre le cheval et l'âne. C'était une espèce à part, possédant des caractéristiques des deux, et extrêmement robuste. Ils se satisfaisaient d'une nourriture encore plus rudimentaire que celle du cheval, incluant les écorces, les feuilles et les racines.

Lorsqu'ils furent tout près du troupeau, Ayla repéra un couple d'ânons qui la firent sourire. Ils lui rappelaient Whinney lorsqu'elle n'était qu'un poulain. C'est alors que Loup aboya pour attirer son attention.

— Oui, je sais, mon Loup. Allez, si tu veux courir après ces... euh... ces onagres, articula-t-elle lentement pour s'habituer au son, vas-y !

A la grande satisfaction d'Ayla, le dressage de Loup progressait mais il n'aimait pas rester sans bouger trop longtemps. Son enthousiasme et sa curiosité juvéniles prenaient vite le dessus. Loup gambada en jappant vers le troupeau qui s'égailla avec une rapidité étonnante. Les onagres s'enfuirent avec un train soutenu qui laissa le chasseur en herbe loin derrière. Il rejoignit Ayla et Jondalar comme ils approchaient d'une large vallée.

Les rivières charriant le limon des montagnes qui s'érodaient lentement coupaient sans cesse leur route. Le relief s'abaissait graduellement vers le bassin formé par le delta de la Grande Rivière Mère et la mer de Beran. Ils voyageaient en direction du sud, la chaleur de l'été devenait plus sensible. Des vents chauds dus aux passages de dépressions atmosphériques venant de la mer faisaient grimper les températures et rendaient le temps instable.

Même au réveil, les deux cavaliers ne portaient plus qu'une seule épaisseur de vêtements. C'était l'air vif du petit jour qu'Ayla préférait, décidément.

L'après-midi est plus chaud que d'habitude, se dit-elle, impatiente de se tremper dans l'eau fraîche d'un torrent. Elle observa l'homme qui chevauchait quelques pas devant. Il était jambes et torse nus. Seul un pagne lui ceignait les reins. Dans ses longs cheveux blonds tirés en arrière, retenus par une lanière de cuir, des mèches dorées par le soleil se mêlaient à d'autres plus foncées, trempées de sueur.

De temps à autre, elle entrevoyait son profil aux joues rasées. Elle appréciait le dessin ferme de sa mâchoire, même si elle pensait qu'un adulte devrait garder sa barbe. Il lui avait expliqué un jour qu'il la laissait pousser en hiver pour avoir chaud, mais qu'il la coupait toujours en été, quand la chaleur devenait insupportable. A cet effet, il s'était taillé dans un silex une lame au tranchant très aiguisé, qu'il remplaçait quand elle était émoussée.

Ayla non plus n'était pas très vêtue. Tous deux portaient une peau souple passée entre les jambes et retenue à la taille par une simple cordelette. Le pagne de Jondalar, dont le pan arrière était rentré, flottait librement devant. Les deux pans du pagne d'Ayla pendaient comme des tabliers, devant et derrière. On aurait dit une jupe courte, ouverte sur les côtés. Les fesses protégées par la douce peau perméable et par la peau de daim couvrant le dos de la monture, les longues courses sur un cheval en sueur étaient plus confortables.

Jondalar avait vérifié leur position lorsqu'ils s'étaient arrêtés en haut de la colline. Il était satisfait de leur progression, et envisageait la suite du voyage avec plus d'optimisme. Sa sérénité nouvelle n'échappa pas à Ayla. Elle l'attribua à l'amélioration de ses qualités équestres. Jondalar avait souvent monté Rapide, mais ce long voyage lui donnait l'occasion de se familiariser avec sa personnalité, ses manies, ses préférences, et permettait au cheval de mieux connaître son cavalier. Les muscles de l'homme avaient appris à épouser les mouvements de la monture, son assiette était plus assurée, et donc sa position plus confortable pour lui, mais aussi pour le cheval.

D'après Ayla, l'aisance accrue de Jondalar n'expliquait pas tout. A ses gestes moins brusques, elle déduisait en outre que son inquiétude s'était apaisée. Bien qu'elle ne vît pas son visage, elle devinait que les plis soucieux de son front s'étaient effacés et qu'il était d'humeur souriante. C'était si bon de le voir sourire ! Elle observait ses muscles rouler sous sa peau bronzée au rythme de Rapide dont l'allure était souple et uniforme, et fut envahie par une bouffée de chaleur qui ne devait rien à la température ambiante... Comme elle aimait le regarder !

Loin vers l'ouest, ils apercevaient les montagnes pourpres, dont les sommets d'un blanc brillant perçaient les nuages noirs accrochés à leurs flancs. Ils avaient rarement l'occasion de voir des pics enneigés, et Jondalar s'émerveillait de ce plaisir unique. D'habitude, les sommets immaculés étaient noyés dans les nuages, fourrure blanche qui les cachait comme des objets précieux, ne s'entrouvrant que le temps de révéler leur éclat mystérieux, les rendant d'autant plus désirables.

Jondalar avait chaud, lui aussi, et il aurait bien voulu être plus près de ces montagnes enneigées, chez les Sharamudoï par exemple. Lorsqu'il aperçut le miroitement de l'eau au fond de la vallée, il observa la position du soleil, et bien qu'il fût encore tôt, il décida de s'arrêter. Ils chevauchaient à un bon rythme, plus rapidement qu'il ne l'aurait cru, et il ignorait quand ils trouveraient le prochain point d'eau.

De riches herbacées, principalement des tiges ligneuses, des fétuques et des espèces annuelles à germination rapide, poussaient sur le versant de la colline. L'épaisse couche sédimentaire offrait un terreau noir fertile, riche en humus, suffisant pour que poussent des arbres, pourtant rares dans les steppes de ces régions, exception faite de quelques pins rabougris aux racines vivaces qui allaient chercher l'eau profond dans le sol. Des bois où se mêlaient bouleaux, mélèzes et conifères qui perdaient leurs aiguilles en hiver étaient remplacés par des bosquets d'aulnes et de saules à mesure qu'on descendait. Dans la vallée, au bord de la rivière dont le murmure lui parvenait aux oreilles, Ayla eut la surprise de découvrir des chênes nains, des hêtres et des tilleuls. Depuis qu'elle avait quitté la caverne de Brun, située au sud de la péninsule bien irriguée qui avançait dans la mer de Beran, elle n'avait guère vu d'arbres à feuilles larges.

Le petit cours d'eau avait creusé son lit en zigzaguant à travers les buissons. Une de ses boucles, toutefois, était bordée de saules frêles et élancés qui délimitaient la zone forestière du versant opposé. Jondalar et Ayla préféraient traverser les rivières avant d'installer leur campement pour ne pas avoir à se mouiller en partant le lendemain. Ils décidèrent donc de planter leur tente près des saules. Ils longèrent le courant à la recherche d'un gué, et trouvèrent un large passage pierreux où ils traversèrent.

Tout en installant la tente, Jondalar se surprit à observer Ayla. Charmé par son corps chaud et bronzé, il s'estimait heureux. Elle n'était pas seulement belle — tout en elle lui plaisait, sa force, sa grâce, sa souplesse, son assurance —, elle était de surcroît une merveilleuse compagne de voyage, et elle apportait sa part équitable à leur bien-être. Bien qu'il se sentît responsable d'elle et qu'il brûlât de la protéger, il trouvait agréable de pouvoir compter sur elle. Voyager avec Ayla était à bien des égards comme voyager avec son frère qu'il avait toujours essayé de protéger, lui aussi. Prendre soin de ceux qu'il aimait, c'était dans sa nature.

Il y avait pourtant des différences. Lorsque la jeune femme leva les bras pour secouer le tapis de sol, il remarqua sa peau plus blanche à la naissance des seins, et eut un désir subit de comparer toutes les nuances de son corps. Il fallut qu'Ayla cesse de travailler pour qu'il réalisât qu'il était resté bouche bée. Leurs regards se croisèrent et Ayla lui sourit.

Le désir de Jondalar prit une forme plus insistante et il pensa avec satisfaction que si l'envie le prenait de partager les Plaisirs avec elle, là, tout de suite, elle y consentirait. Dans ce domaine, aussi, il pouvait compter sur sa disponibilité. Il lui rendit son sourire.

Le campement installé, Ayla voulut explorer la vallée. Les régions boisées étaient rares en pleine steppe, et sa curiosité s'en trouvait aiguisée. Il y avait des années qu'elle n'avait vu semblable végétation.

Jondalar était curieux, lui aussi. Après l'expérience de l'ours près du petit bois, il voulait s'assurer qu'il n'y avait pas de traces d'animaux dans les parages. Ayla prit sa fronde et un panier pour la cueillette, Jondalar son propulseur et quelques sagaies, et ils pénétrèrent dans la saulaie. Ils laissèrent les chevaux brouter, mais Loup ne résista pas au plaisir de les accompagner, excité au plus haut point par cette profusion d'odeurs nouvelles.

Après les saules, ils dépassèrent des aulnes, puis des bouleaux et des mélèzes, et peu à peu, les pins furent plus fréquents. Ayla ramassa vivement quelques pommes de pin dont elle appréciait les pignons, mais les rares arbres aux larges feuilles ne lui étaient pas familiers. Arrivés là où la pente commençait à s'élever, ils découvrirent un espace planté uniquement de hêtres.

Ayla les étudia attentivement, les comparant avec ceux qui poussaient près de la caverne de son enfance. L'écorce était lisse et cendrée, les feuilles ovales et dentelées, d'un blanc soyeux à l'intérieur. Les petites noix brunes enchâssées dans leur coquilles rugueuses n'étaient pas encore mûres, mais le sol jonché de faînes et de cupules de l'année précédente témoignait de l'abondance de la récolte. Elle se rappela que les faînes des hêtres se cassaient difficilement. Les arbres, de taille respectable pourtant, n'étaient pas aussi grands que ceux de son souvenir. Elle remarqua alors d'étranges plantes qui poussaient au pied des hêtres et s'accroupit pour les examiner.

— Tu ne vas pas ramasser ça, s'étonna Jondalar. Ces plantes n'ont plus de feuilles, on dirait qu'elles sont mortes.

— Non, elles ne sont pas mortes, corrigea Ayla. Elles poussent ainsi, c'est tout. Tiens, touche comme elles sont fraîches !

Elle brisa le sommet de la tige d'une trentaine de centimètres dépourvue de feuilles, mais où de fins rameaux poussaient sur toute la hauteur. La plante entière, boutons compris, était d'un rouge terne, sans la moindre trace de vert.

— Elle pousse sur les racines d'autres plantes, expliqua Ayla. Lorsque je pleurais, Iza m'appliquait sur les yeux une plante similaire. Certains en avaient peur parce qu'elle rappelait la peau des morts. D'ailleurs, on la nommait parfois la... euh... quelque chose comme la plante du mort, ou la plante du cadavre. (Le regard dans le vague, elle se plongea dans ses souvenirs.) Iza croyait mes yeux fragiles parce que de l'eau en coulait quand j'étais triste. Cela l'inquiétait. Alors, elle ramassait cette plante, et en pressait le jus dans mes yeux. S'ils me brûlaient d'avoir trop pleuré, cela me soulageait. Mais je ne sais pas si celle-ci serait bonne pour les yeux, reprit-elle après réflexion. Iza l'utilisait aussi pour les petites coupures et les bleus, et pour certaines tumeurs.

— Et quel est son nom habituel ?

— Je crois que dans ta langue, on dirait... comment appelles-tu ces arbres, Jondalar ?

— Je ne sais pas, il n'y en avait pas dans ma région. Mais je crois que les Sharamudoï les appellent des hêtres.

— Dans ce cas, le nom de la plante serait « larme de hêtre », conclut-elle en se levant et en époussetant ses mains.

Soudain, Loup se figea, museau pointé vers le sous-bois. Jondalar reconnut la position d'arrêt que le loup avait prise en sentant l'ours. Il saisit une sagaie et la plaça sur la rainure de son propulseur, une pièce de bois de la taille d'une demi-sagaie qu'il tint à l'horizontale dans sa main droite. Il engagea l'extrémité creuse de la hampe sur un crochet fiché dans une cavité à l'arrière de l'engin, introduisit ses doigts dans la double boucle située à la tête du propulseur, à mi-longueur. L'opération était rapide et se faisait sans à-coup. Jondalar, les genoux légèrement fléchis, se mit aux aguets. De son côté, Ayla avait chargé sa fronde et regrettait de ne pas avoir emporté son propre propulseur.

Loup se déplaçait furtivement dans les broussailles clairsemées, et bondit soudain vers un arbre. Un froissement agita les faînes, et une petite boule de fourrure escalada à toute vitesse le tronc lisse d'un hêtre. Debout sur ses pattes postérieures, Loup aboya après la créature.

Soudain, un bruit de feuilles attira leur regard vers le sommet de l'arbre. Ils entrevirent la fourrure dorée et la longue forme sinueuse d'une martre qui poursuivait l'écureuil couinant de peur, et qui croyait avoir échappé au danger en se réfugiant dans l'arbre. Ainsi, Loup n'était pas seul à trouver l'écureuil digne d'intérêt, mais l'espèce de grosse belette d'une cinquantaine de centimètres, et dont la queue touffue doublait encore la taille, avait plus de chances de réussir. La martre grimpait aux plus hautes branches avec autant de vivacité et de souplesse que sa proie.

— On dirait que cet écureuil est tombé dans les braises en voulant échapper à la cuisson, remarqua Jondalar en spectateur intéressé.

— Il peut s'en tirer, pronostiqua Ayla.

— Oh, ça m'étonnerait. Je ne parierais pas un silex sur lui.

L'écureuil faisait entendre des petits cris de plus en plus aigus. Le jacassement rauque d'un geai excité augmenta le vacarme, et une mésange s'annonça en zinzinulant. Loup n'y tint plus. La tête levée vers le ciel, il hurla longuement. Le petit écureuil fila à l'extrémité d'une branche, et sous les regards ébahis des humains, il sauta dans le vide. Membres écartés, les replis de sa peau tendus comme une toile joignant les quatre pattes, il fendit les airs.

Ayla retint son souffle, médusée par l'habileté de

l'écureuil à éviter les obstacles. Sa queue touffue lui servait de gouvernail. En changeant la position de ses pattes et de sa queue, il modifia la tension de la membrane pour diriger sa descente en vol plané. Il décrivit ainsi une large courbe jusqu'à un arbre préalablement visé, et en l'approchant, redressa son corps et sa queue pour se poser vers le bas du tronc, qu'il s'empressa d'escalader. Arrivé aux branches hautes, le petit animal de fourrure contourna le tronc et redescendit, tête la première, ses griffes arrière bien plantées dans l'écorce pour lui donner un point d'ancrage. Il scruta les environs, et disparut dans un trou. Son envol spectaculaire lui avait permis d'échapper à son prédateur, mais cette prouesse stupéfiante ne réussissait pas toujours.

Debout sur ses pattes arrière, Loup examinait le feuillage à la recherche de l'écureuil qui l'avait si facilement semé. Il retomba sur ses pattes et se mit à renifler les broussailles. Attiré par une autre odeur, il se rua vers sa nouvelle proie.

— Ça alors ! s'exclama Ayla avec un sourire émerveillé. Je ne savais pas que les écureuils volaient.

— Eh bien, j'aurais dû parier finalement. J'en avais déjà entendu parler, mais je n'y croyais pas vraiment. Des gens m'avaient raconté qu'ils avaient vu des écureuils voler la nuit, mais je pensais qu'ils les avaient confondus avec des chauves-souris. En tout cas, c'était bien un écureuil, cette fois-ci. Voilà, ajouta Jondalar avec une mimique désabusée, maintenant je serai celui qu'on ne croit pas quand il raconte ses histoires d'écureuils volants.

— Heureusement, ce n'était qu'un écureuil ! souffla Ayla, soulagée.

Elle fut prise d'un frisson. Elle leva la tête et constata qu'un nuage cachait le soleil. Mais le froid n'était pas l'unique cause de son frisson.

— Je me demande bien ce que Loup a encore débusqué, reprit-elle.

Légèrement honteux de sa réaction intempestive à un

136

danger imaginaire, Jondalar relâcha sa prise sur son propulseur, mais garda l'engin en main.

— J'ai cru qu'il pouvait s'agir d'un ours, se justifia-t-il. Surtout dans un bois aussi dense.

— Il y a toujours des arbres aux abords des rivières, mais je n'en ai pas vu de cette espèce depuis que j'ai quitté le Clan. C'est bizarre d'en trouver dans un endroit comme ici, non ?

— Oui, c'est inattendu. Cet endroit me fait penser à la terre des Sharamudoï, qui est plus au sud pourtant, bien plus loin que les montagnes qu'on aperçoit au couchant. Elle est près de la Grande Rivière Mère.

Soudain, Ayla s'arrêta, donna un coup de coude à Jondalar et de la tête, lui désigna une direction. Tout d'abord, Jondalar ne vit rien. Puis il aperçut un éclat de fourrure brun-roux et les andouillers à trois cors d'un chevreuil. Au bruit du loup et à son odeur, le petit animal s'était prudemment figé dans les broussailles, attendant de voir ce qu'il devait craindre du jeune prédateur. Après le départ de Loup, il avait commencé à s'éloigner sans bruit. Jondalar leva lentement son propulseur, visa et catapulta la sagaie dans la gorge de l'animal. Ainsi, le danger était là où il ne l'attendait pas. La sagaie avait atteint sa cible. Le chevreuil essaya de s'enfuir, fit quelques bonds, et s'écroula.

L'épisode de l'écureuil et de la martre fut vite oublié. En quelques pas, Jondalar fut près du cadavre de l'animal. Ayla le rejoignit. Il s'agenouillait pour achever d'un coup de lame le chevreuil qui remuait encore. Ayla détourna la tête. Le sang gicla et l'homme se releva.

— Chevreuil, quand ton esprit retournera auprès de la Grande Terre Mère, remercie-La de nous avoir accordé un gibier comme toi pour nous nourrir, récita Jondalar d'un ton calme.

Debout à côté de lui, Ayla approuva. Elle l'aida ensuite à dépouiller le chevreuil et à le dépecer pour le dîner.

7

— Je n'aime pas abandonner la peau, déclara Ayla en rangeant le dernier morceau de viande dans son parflèche. Le cuir de chevreuil est si doux. Et tu as vu comme la fourrure de la martre était belle ?

— Oui, mais nous n'avons pas le temps de préparer le cuir et nous sommes déjà trop chargés.

Jondalar installait les perches pour le trépied où le parflèche rempli de viande serait suspendu.

— Je sais, mais ça ne me plaît pas.

Ils accrochèrent le parflèche. Ayla s'abîma ensuite dans la contemplation du feu, pensant à ce qu'elle venait de mettre à cuire. Elle avait assaisonné le gibier d'herbes avant de le mettre au four. C'était un trou creusé dans le sol et tapissé de pierres chaudes. Elle y avait déposé la viande, accompagnée de champignons, de crosses de jeunes fougères, et de racines de prêle qu'elle avait ramassés, le tout enveloppé dans des feuilles de pas-d'âne et recouvert avec d'autres pierres chaudes sur une couche de cendres. La cuisson serait longue, mais Ayla était contente qu'ils se fussent arrêtés assez tôt — et d'avoir eu la chance de trouver de la viande fraîche — pour pouvoir cuire le chevreuil de cette façon. C'était sa méthode favorite. Elle rendait la viande plus tendre et plus goûteuse.

— Il fait lourd, dit-elle. J'ai trop chaud. Je vais aller me rafraîchir et j'en profiterai pour me laver la tête. J'ai vu de la saponaire, plus bas, vers la rivière. Tu viens nager avec moi, Jondalar?

— Oui, ça me tente. Et si tu trouves assez de saponaires je me laverai la tête, moi aussi, dit-il en louchant d'un air penaud vers une mèche de cheveux gras qui tombait sur son front.

Ils parcoururent côte à côte la large rive sablonneuse, et Loup gambadait et courait à droite à gauche, émoustillé par des odeurs prometteuses. Soudain, il détala et disparut au détour d'un bosquet.

Jondalar remarqua les empreintes de sabots mêlées à celles de Loup, qu'ils avaient laissées plus tôt.

— Je serais curieux de savoir ce qu'en penserait celui qui les verrait, déclara-t-il avec un sourire amusé.

— Et toi, qu'en penserais-tu?

— Si les empreintes de Loup étaient nettes, j'en conclurais qu'un loup chassait deux chevaux. Mais comme à certains endroits les traces des sabots effacent celles du loup, cela signifie qu'il ne suivait pas les chevaux, mais qu'il marchait avec eux. Voilà de quoi troubler les meilleurs traqueurs.

— Et même si les empreintes de Loup étaient nettes, je me demanderais pourquoi un loup pourchasserait deux chevaux. Les traces prouvent qu'ils sont tous les deux en bonne santé, mais si tu examines bien leur profondeur, et leur emplacement, tu devines que les deux bêtes sont chargées.

— De plus en plus troublant pour le malheureux traqueur! s'exclama Jondalar.

— Ah, les voilà! s'écria Ayla en apercevant les hautes plantes aux fleurs rose pâle et aux feuilles pointues qu'elle avait déjà repérées plus tôt.

A l'aide de son bâton à fouir, elle extirpa vivement quelques racines.

Sur le chemin du retour, Ayla se mit à la recherche d'une pierre ou d'un morceau de bois plat, et d'une pierre ronde pour broyer les racines et en extraire la saponine qui donnerait une mousse purifiante. En amont, dans une courbe de la rivière près de leur campement, le courant avait creusé une cuvette d'un mètre de profondeur où l'eau était fraîche. Après s'être lavés, ils explorèrent la rivière au fond rocheux, tantôt à la nage, tantôt en marchant à contre-courant, jusqu'à une chute d'eau où le lit se rétrécissait et les berges s'encaissaient.

L'endroit, avec l'eau bouillonnante, rappela à Ayla la petite rivière de sa vallée, bien que le reste du paysage lui fît plutôt penser aux pentes escarpées qui entouraient la caverne où elle avait grandi. Elle se souvenait aussi d'une chute d'eau, moins abrupte, plus moussue, qui l'avait conduite à la petite grotte qu'elle s'était ensuite appropriée, et qui lui avait plus d'une fois servi de refuge.

Ils revinrent en se laissant porter par le courant, s'éclaboussant en riant. Ayla adorait le rire de Jondalar. Il n'était pas avare de sourires, cependant, plutôt enclin à la réserve et au sérieux, il riait rarement. Quand c'était le cas, son rire exubérant et chaleureux éclatait de manière inattendue.

Lorsqu'ils sortirent et se séchèrent, il faisait encore doux. Les gros nuages sombres au-dessus d'eux avaient disparu et le soleil couchant n'était plus qu'une triste boule sombre, soulignée par des flots de lumière déchiquetés qui se dispersaient dans toutes les directions. Une fois que la boule de feu basculerait à l'horizon derrière les nuages noirs qui s'accumulaient à l'ouest, le froid gagnerait rapidement. Ayla vit paître les chevaux dans une prairie à flanc de colline, à portée de sifflet du campement. Loup n'était pas en vue. Elle se dit qu'il chassait toujours quelque part en aval.

Elle prit le peigne à longues dents d'ivoire et une brosse en poils de mammouth que Deegie lui avait offerts, tira sa fourrure de couchage hors de la tente pour s'asseoir dessus et commença à se peigner les cheveux. Assis à côté d'elle, Jondalar démêlait ses cheveux en broussaille avec un peigne à trois dents.

— Laisse-moi t'aider, Jondalar, dit-elle, à genoux derrière lui.

Elle démêla les nœuds de ses longs cheveux blonds et raides, tout en admirant leur couleur plus claire que les siens. Petite, ses cheveux étaient presque blancs. Ils avaient foncé avec l'âge et étaient devenus d'un jaune cendré proche de la teinte de la robe de Whinney.

Pendant qu'Ayla le coiffait, Jondalar ferma les yeux, profitant de la chaude présence de la jeune femme dont la peau effleurait la sienne, et avant qu'elle eût terminé une chaleur ne devant rien au soleil irradiait son corps.

— A moi maintenant, déclara-t-il en se levant.

Elle n'en avait pas besoin et faillit refuser. Il ne lui devait rien, ce n'était pas parce qu'elle l'avait peigné qu'il devait se sentir obligé... mais comme il soulevait sa chevelure, lui dégageant la nuque, caressant ses cheveux, elle se laissa convaincre.

Les cheveux d'Ayla avaient tendance à boucler et à s'emmêler, mais il s'attela à la tâche avec patience et douceur, libérant chaque nœud à petits coups. Ensuite, il la brossa jusqu'à ce que ses cheveux fussent soyeux et secs. Elle ferma les yeux, envahie d'une étrange sensation, frémissante de plaisir. Iza la peignait souvent quand elle était petite, démêlant ses boucles avec une infinie douceur, mais aucun homme encore ne l'avait coiffée. Le sentiment d'être aimée et choyée était délicieux.

De son côté, Jondalar prenait plaisir à cet exercice. La couleur dorée lui rappelait l'herbe mûre, et quelques mèches décolorées par le soleil étaient presque blanches. La chevelure étaient si brillante, si douce et si belle, que la toucher échauffait ses sens et excitait son désir. Lorsqu'il eut terminé, il reposa la brosse, dégagea le cou d'Ayla en soulevant les mèches encore humides, et déposa des baisers sur ses épaules et sa nuque.

Les yeux clos, Ayla s'abandonnait aux lèvres chaudes et douces de Jondalar qui la chatouillaient. Il lui mordilla le cou, caressa ses bras, puis l'enlaça et s'empara des deux seins, soupesant leur poids et leur fermeté, frottant de ses paumes les mamelons durcis.

Lorsqu'il se pencha pour lui baiser le cou, Ayla leva la tête en pivotant légèrement, et elle sentit son membre dur et brûlant contre son dos. Elle se retourna pour le prendre dans ses mains, et caressa, ravie, la douceur de la peau qui recouvrait la hampe tendue. Les deux mains l'une au-dessus de l'autre, elle recouvrit le sexe turgescent et exerça un mouvement de va-et-vient qui fit vibrer Jondalar, sensation bientôt décuplée quand il sentit la chaude bouche humide s'emparer de sa virilité.

Inondé de vagues de plaisir, Jondalar ferma les yeux en laissant échapper un râle. Il entrouvrit les paupières et ne put s'empêcher de caresser la douce chevelure. Ayla le prit encore plus profondément et il crut qu'il n'allait pas pouvoir se retenir plus longtemps. Mais il voulait attendre pour profiter du moment exquis où il lui donnerait le Plaisir. Savoir qu'il pouvait lui donner le Plaisir, c'est ce qu'il aimait le plus. Quitte à oublier le sien.

Sans savoir comment, Ayla se retrouva couchée sur le dos sur sa fourrure de couchage, Jondalar étendu à ses côtés. Il l'embrassa. Elle entrouvrit les lèvres pour laisser sa langue la fouiller, et l'étreignit. Elle aimait sentir ses lèvres presser les siennes, sa langue explorer sa bouche. Il la repoussa gentiment pour la contempler.

— Oh, femme, comment te dire combien je t'aime ?

Elle n'avait pas besoin qu'il le lui dise. Ses yeux brillants, si vivants, si incroyablement bleus, qui la couvaient avec amour, ses yeux parlaient pour lui, et la faisaient fondre. Ils exprimaient toutes les émotions qu'il cherchait tant à cacher.

— Moi, je sais combien je t'aime, assura Ayla.

— Je n'arrive toujours pas à croire que tu sois là,

avec moi. Que tu ne sois pas restée à la Réunion d'Eté pour t'unir à Ranec.

Au souvenir douloureux du temps où il avait failli la perdre au profit du séduisant sculpteur d'ivoire à la peau sombre, il l'étreignit avec force, comme s'il craignait de la laisser échapper.

Elle répondit à son étreinte, heureuse que le malentendu qui les avait écartés l'un de l'autre pendant tout un hiver se fût dissipé. Elle avait sincèrement aimé Ranec — il était bon et aurait fait un compagnon loyal — mais c'était Jondalar qu'elle voulait, et l'amour qu'elle portait à l'homme qui la serrait dans ses bras était plus que tout ce qu'elle pouvait imaginer. Il était inexprimable.

La terrible crainte de perdre Ayla s'atténua, et fut remplacée par un désir violent pour ce corps doux et chaud que Jondalar sentait contre le sien. Avec fougue, il la couvrit de baisers, picorant son cou, ses épaules, ses seins, comme pour s'en rassasier.

Il s'arrêta enfin et reprit son souffle. Il voulait faire durer le Plaisir, utiliser tout son art pour la mener au point culminant... et grande était sa maîtrise. Il avait été initié par une femme très expérimentée, et avec davantage d'amour qu'il n'était permis. Il aimait donner et sa soif d'apprendre avait été immense. Il avait si bien réussi qu'une plaisanterie circulait sur son compte : on disait qu'il était expert en deux arts, dont l'un était la taille des silex.

Accoudé près d'Ayla, Jondalar la couvait des yeux, s'imprégnant d'elle, de ses formes arrondies, de sa poitrine pleine qui se soulevait au rythme de sa respiration, de sa simple présence. Avec son corps, il faisait écran aux rayons du soleil, enveloppant la jeune femme d'une ombre fraîche. Ayla ouvrit les yeux. L'astre éblouissant lançait des éclats lumineux qui chatoyaient dans la chevelure de Jondalar et l'auréolait d'or. Elle avait envie de lui, et lorsqu'il se pencha en souriant pour baiser son nombril, elle ferma les yeux et lui offrit son corps. Elle savait ce qu'il voulait, et les Plaisirs qu'il lui prodiguerait.

Il étreignit ses seins, puis fit courir sa main le long de son corps, sur la courbe de sa taille, le galbe plein de sa hanche, la douceur de sa cuisse. Sa main remonta à l'intérieur de sa cuisse, si soyeuse et si tendre, et glissa sur les boucles soyeuses et dorées de son mont. Il caressa son ventre, puis se pencha pour déposer un baiser sur son nombril avant de remonter vers ses seins, d'embrasser chaque mamelon. Ses mains, douces langues de feu, voletaient chaudes et délicieuses, et avivèrent son désir brûlant. Il la caressa encore, et son corps se souvenait de chaque grain de peau effleuré.

Il baisa sa bouche, ses yeux, ses joues, son menton, et lui mordilla l'oreille. Sa langue parcourut son cou, s'attarda au creux de sa gorge, descendit entre ses seins. Il prit chaque globe dans une main, les étreignit, se délectant de leur forme abondante, de leur goût légèrement salé, et de la douceur de leur peau. Et son propre désir augmentait. Sa langue titilla un mamelon, l'autre, et fouilla bientôt sa bouche, puis redescendit lécher le bout d'un mamelon durci, le presser, le tirer, le frotter, pendant que sa main s'emparait de la forme généreuse de l'autre sein.

Ayla se souleva pour se coller à lui, s'abandonnant aux ondes de plaisir qui parcouraient son corps, et qui émanaient toutes du même centre profond. De sa langue brûlante, Jondalar taquina son nombril, puis décrivit des cercles le long de son ventre, légère brise effleurant sa peau, s'arrêta sur sa toison dorée, s'enfonça un court instant dans son intimité et glissa sur le bouton érigé, lieu de son Plaisir. Elle tendit ses hanches vers lui en laissant échapper un cri.

Il se nicha entre ses cuisses, ouvrit sa fleur pour en admirer les pétales roses et s'y plongea avec gourmandise pour se délecter de son goût — qu'il connaissait et adorait — et, n'y tenant plus, il la fouilla de sa langue exigeante qui explora chaque pli avant de pénétrer dans son puits profond.

Sous la volupté de ses coups de langue, Ayla criait et gémissait, de plus en plus haletante. Le monde extérieur n'existait plus, ni le vent ni le soleil, elle était livrée tout entière aux déchaînements de ses sens. Une houle sans cesse grandissante menaçait de l'emporter, et tendue vers le déferlement tant désiré, ses râles devenaient de plus en plus incontrôlés.

Soudain, l'explosion l'emporta, lui arrachant un cri d'indicible jouissance. Ayla, secouée de spasmes, eut l'irrésistible envie de sentir en elle sa virilité. Elle l'étreignit, se hissant vers lui comme pour le supplier de la satisfaire.

Au contact de sa soyeuse fourrure inondée et comprenant le désir intense d'Ayla, Jondalar se redressa et, s'emparant de son membre turgescent, le guida dans son puits d'amour qui aspirait à le recevoir. Elle sentit la hampe dure entrer en elle, et elle se souleva pour lui ouvrir l'accès davantage. Les chaudes lèvres humides encerclèrent le membre durci qu'il enfonça au plus profond du puits avide sans craindre que sa taille ne fût pour elle une épreuve au-dessus de ses moyens. Jondalar ne cessait de s'émerveiller qu'ils fussent si bien assortis.

Il se retira, embrasé par la volupté du frottement, et sans retenue, plongea de nouveau dans le chaud réceptacle tandis qu'elle se collait à lui pour ne rien perdre de son ardeur. Il atteignit presque l'apogée de son Plaisir, mais l'intensité se calma, et il continua son mouvement de va-et-vient, encore et encore. A chacun de ses coups, la jouissance montait en lui telle une sève voluptueuse, et Ayla le sentait tout en elle, entrant et se retirant comme le flux et le reflux d'une vague de feu.

Elle perçut le souffle de Jondalar s'accélérer, le sien aussi, pendant que leurs râles se mêlaient. Soudain, il cria son nom, elle se pressa contre lui, et une immense explosion les submergea, tel le soleil qui inonde la vallée de ses derniers rayons dorés avant de plonger derrière les nuages noirs qui rehaussent l'or incandescent de sa lumière céleste.

Après quelques coups ultimes, il se reposa sur le coussin

moelleux de son corps aux courbes généreuses. C'était l'un des moments préférés d'Ayla, sentir son poids sur elle. Il n'était pas lourd, c'était comme une pression agréable et chaude.

Soudain, une langue lui râpa la joue, et un museau froid se promena sur sa peau.

— Arrête, Loup ! s'écria-t-elle en repoussant le jeune animal. Va-t'en, allez, va-t'en !

— Fiche le camp, Loup ! gronda Jondalar à son tour, en écartant le museau humide.

Mais le charme était rompu. Jondalar se souleva et roula sur le côté, agacé mais incapable de se fâcher pour de bon. Il se sentait tellement bien !

Il s'accouda pour observer le louveteau qui s'était reculé de quelques pas et les surveillait, assis, haletant, la langue pendante. Jondalar aurait juré que le loup leur souriait.

— Tu lui as déjà appris à rester en place. Pourrais-tu aussi l'habituer à partir sur commande ? ironisa Jondalar.

— J'essaierai.

— Quel souci d'avoir un loup dans les pattes !

— Oui, ça demande de l'énergie, surtout qu'il est jeune. C'est pareil pour les chevaux, mais ça vaut la peine. J'aime bien leur présence. Ils sont mes meilleurs amis.

Les chevaux donnent quelque chose en échange, eux, ne put s'empêcher de penser Jondalar. Whinney et Rapide les portaient, ainsi que leurs bagages. Grâce à eux, le Voyage serait moins long. Alors que Loup, à part débusquer une proie de temps à autre, n'apportait pas une grande contribution à la communauté. Pourtant, Jondalar décida de taire ses pensées.

Une fois le soleil caché, le rose et le pourpre pâlirent comme assommés sous les coups de boutoir des nuages noirs agressifs, et la vallée se refroidit rapidement. Ayla se releva et plongea une dernière fois dans l'eau, bientôt imitée par Jondalar. Lorsqu'elle était plus jeune, Iza, la guérisseuse du Clan, lui avait enseigné les rites de purification de la femme, bien qu'elle doutât que sa fille adoptive si étrange, et — elle-même l'admettait — si laide, pût en avoir besoin un jour. Néanmoins, elle estimait de son devoir de lui apprendre les ablutions indispensables après chaque rapport sexuel. D'après elle, la purification par l'eau était particulièrement importante pour le totem de la femme, et quelle que fût la température de l'eau, c'était un rituel qu'Ayla ne manquait jamais d'accomplir.

Séchés et habillés, ils rentrèrent sous la tente les couvertures de fourrure et ranimèrent le feu. Ayla débarrassa le dessus du four des pierres et des cendres, et sortit leur repas avec ses pinces en bois. Ensuite, pendant que Jondalar rangeait ses affaires, elle s'occupa des préparatifs pour le lendemain matin : repas composé des restes de la veille, qu'ils mangeraient froids, accompagnés d'une infusion chaude. Elle mit ensuite des pierres à chauffer pour faire bouillir de l'eau pour les infusions.

Les derniers rayons du soleil couchant coloraient encore le ciel quand les chevaux revinrent. D'habitude, ils paissaient une partie de la nuit, car voyageant tout le jour, ils avaient besoin d'emmagasiner une grande quantité d'herbe pour assurer leur subsistance. Mais l'herbe de la vallée était si verte et si riche que leur appétit avait été vite satisfait, et ils préféraient rester près du feu à la nuit tombée.

En attendant que les pierres finissent de chauffer, Ayla contemplait la vallée dans les dernières lueurs du crépuscule, en récapitulant les connaissances acquises depuis le matin. La vallée était riche et lui rappelait son enfance parmi le Clan, mais elle n'aimait pas l'endroit. Quelque chose d'indéfinissable la mettait mal à l'aise et l'arrivée de la nuit accentuait cette impression déplaisante. En outre, elle éprouvait une sorte de lourdeur et un mal de tête qu'elle attribuait aux légers inconforts qui précédaient souvent l'arrivée de ses périodes lunaires. Elle aurait bien fait une courte promenade — marcher la soulageait souvent — mais la nuit était déjà trop noire.

Elle écoutait les plaintes du vent qui sifflait dans les branches souples des saules dont la silhouette se découpait

147

sur fond de nuages argentés. La pleine lune baignée d'un halo jouait à cache-cache dans le ciel strié de blanc laiteux. Ayla se dit qu'une infusion d'écorce de saule apaiserait sans doute son malaise et se leva vivement pour en arracher. Elle décida aussi de couper quelques brindilles flexibles.

La nuit était devenue humide et froide avant que l'infusion ne fût prête. Jondalar la rejoignit et ils s'assirent près du feu, contents de savourer une boisson bien chaude. Loup avait tourné autour d'Ayla toute la soirée et il semblait heureux de se pelotonner à ses pieds près du feu, comme s'il avait assez exploré les environs pour la journée. Ayla prit les longues et fines brindilles de saule, et commença à les tresser.

— Qu'est-ce que tu fais? demanda Jondalar.

— Une couverture pour protéger la tête du soleil, expliqua Ayla. Il fait trop chaud dans la journée... Tu en auras peut-être besoin, toi aussi.

— Tu en fais une pour moi? s'étonna-t-il en souriant. Comment as-tu deviné que j'y ai pensé toute la journée?

— Une femme du Clan doit apprendre à prévoir les besoins de son compagnon, répondit-elle, amusée. Tu es bien mon compagnon, n'est-ce pas?

— Absolument! Tu es ma femme du Clan! s'exclama-t-il en riant. Et nous l'annoncerons à tous les Zelandonii à la Cérémonie de l'Union dès la première Réunion. Mais dis-moi, comment peux-tu prévoir mes besoins? Et pourquoi les femmes du Clan doivent-elles apprendre cela?

— Oh, ce n'est pas compliqué. Il suffit de se mettre à la place de l'autre. Il faisait chaud aujourd'hui, alors j'ai pensé à me fabriquer une couverture pour la tête... un chapeau de soleil... et je savais qu'il faisait chaud pour toi aussi, expliqua-t-elle en ramassant un autre brin de saule qu'elle ajouta à la chose vaguement conique en train de prendre forme. Les hommes du Clan n'aiment pas demander, surtout s'il s'agit de leur confort. Ils considèrent que ce n'est pas viril. La femme est donc obligée de deviner. L'homme protège la femme du danger, en échange, elle le protège à sa façon. Elle s'assure qu'il a de bons vêtements, qu'il mange bien. Elle ne veut pas qu'il lui arrive malheur, sinon, qui les protégerait, elle et ses enfants ?

— Et c'est ce que tu fais ? Tu me protèges pour que je puisse te protéger ? Et tes enfants aussi ? demanda-t-il, l'œil pétillant de malice.

— Euh... non, pas tout à fait, concéda-t-elle en baissant les yeux. Mais je crois que c'est comme ça qu'une femme du Clan montre à son compagnon qu'elle l'aime, qu'elle ait ou non des enfants.

Elle s'absorba dans l'ouvrage qu'elle confectionnait de ses mains agiles, mais Jondalar savait qu'elle n'avait pas besoin d'yeux pour tresser. Elle aurait aussi bien travaillé dans le noir. Elle prit une longue brindille et le regarda en face.

— J'ai vraiment envie d'avoir un autre enfant, avant que je ne sois trop vieille, déclara-t-elle.

— Tu as tout le temps, assura-t-il en ajoutant une bûche dans le feu. Tu es encore jeune.

— Non, je vieillis. J'ai déjà... (Elle ferma les yeux pour compter, les doigts pressés contre sa jambe, épelant les nombres qu'il lui avait appris.)... J'ai dix-huit ans.

— Tant que ça ! Moi, j'ai déjà vu passer vingt-deux hivers. C'est moi qui suis vieux.

— S'il nous faut un an de voyage, j'aurai dix-neuf ans quand nous arriverons chez toi. Dans le Clan, ce serait déjà presque trop tard pour avoir un enfant.

— Nombreuses sont les femmes zelandonii qui enfantent à cet âge, affirma-t-il. Peut-être pas leur premier enfant, mais le deuxième ou le troisième. Tu es en bonne santé, tu es forte, non, tu n'es pas trop vieille pour avoir des enfants. Pourtant, tu as parfois un regard d'ancêtre, comme si tu avais vécu plusieurs vies en dix-huit ans.

Elle posa son ouvrage et le dévisagea, frappée par cette réflexion surprenante venant de lui. Elle lui faisait presque peur. Elle était si belle à la lueur des flammes, et il l'aimait tant, qu'il deviendrait fou s'il lui arrivait malheur. Bouleversé, il détourna les yeux et s'efforça de plaisanter.

— Et moi, que devrais-je dire ? Je suis prêt à parier que je serai le plus vieux à la Cérémonie de l'Union ! s'exclama-t-il en riant. Un homme qui s'unit pour la première fois à vingt-trois ans, c'est rare. La plupart des hommes de mon âge ont plusieurs enfants dans leur foyer.

Ayla déchiffra dans son regard un mélange d'amour éperdu et de peur.

— Ayla, je veux que tu aies un enfant, mais pas pendant le Voyage. Pas avant que nous soyons rentrés sains et saufs. Plus tard.

— Oui. Plus tard.

Elle travailla en silence, songeant au fils qu'elle avait laissé auprès d'Uba, et à Rydag, qu'elle avait considéré comme son fils à bien des égards. Elle les avait perdus tous deux. Même Bébé qui avait été un fils pour elle, aussi étrange que cela pût paraître, même Bébé l'avait quittée. Elle ne le reverrait plus jamais non plus. Soudain inquiète de le perdre, elle regarda Loup. Pourquoi mon totem m'enlève-t-il tous mes fils ? se demanda-t-elle. La malchance doit peser sur moi.

— Jondalar, y a-t-il des préférences chez ton peuple ? Les femmes du Clan veulent toujours des garçons.

— Non, je ne crois pas. Je pense que les hommes veulent qu'une femme apporte des fils dans leur foyer, mais il me semble que les femmes préfèrent avoir d'abord des filles.

— Et toi, que voudras-tu ?

Il la considéra avec attention. Quelque chose paraissait la contrarier.

— Ayla, ça m'est égal. Ce que tu voudras, ou plutôt ce que la Mère décidera de te donner.

A son tour, Ayla étudiait Jondalar. Elle voulait être certaine de sa sincérité.

— Dans ce cas, je crois que je préférerais une fille. Je ne veux plus perdre d'enfant.

150

Jondalar n'était pas sûr de la comprendre et ne savait pas quoi répondre.

— Mais je ne veux pas que tu perdes d'enfant, Ayla ! s'exclama-t-il.

Ayla reprit son ouvrage, et tous deux gardèrent le silence.

— Et si tu avais raison ? demanda soudain Jondalar. Si les enfants n'étaient pas délivrés par Doni ? S'ils étaient le fruit des Plaisirs partagés ? Mais... alors, tu pourrais avoir un bébé dans ton ventre, là, tout de suite, et tu n'en saurais rien !

— Non, Jondalar. Je ne crois pas. Je sens que ma période lunaire approche et tu sais bien que ça signifie qu'aucun bébé n'est en route.

Elle n'aimait pas aborder des sujets aussi intimes avec un homme, mais Jondalar n'avait pas le dégoût d'elle à ces moments-là, à l'inverse de ceux du Clan. Une femme du Clan devait absolument éviter de regarder les hommes quand elle était impure. Mais la promiscuité du Voyage empêchait Ayla de vivre à part, et d'éviter Jondalar, quand bien même elle l'aurait voulu. Ayla comprit qu'il avait besoin d'être rassuré et elle hésita à lui parler de la médecine d'Iza qu'elle prenait pour combattre les grossesses. Pas plus qu'Iza, Ayla ne savait mentir. Mais à moins d'être questionnée directement, elle pouvait se taire. Et si elle n'en parlait pas la première, les chances qu'on lui demande si elle connaissait un moyen de ne pas être enceinte étaient minimes. Personne n'imaginait qu'une magie aussi puissante existât.

— Tu en es sûre ? demanda Jondalar.

— Oui. Je ne suis pas enceinte, aucun bébé ne pousse dans mon ventre, assura-t-elle, au grand soulagement de Jondalar.

Ayla terminait le tressage des chapeaux quand elle sentit quelques gouttes de pluie. Elle se hâta de finir son ouvrage, et ils rentrèrent toutes leurs affaires à l'intérieur de la tente, sauf le parflèche suspendu au trépied. Loup les suivit, heureux de se blottir aux pieds d'Ayla. Elle n'attacha pas le rabat inférieur de la tente pour qu'il puisse sortir, mais ils fermèrent celui du trou d'aération quand la pluie s'intensifia. Ils se couchèrent, tendrement enlacés, mais se retournèrent ensuite chacun de leur côté sans trouver le sommeil.

Le corps douloureux, Ayla se sentait nerveuse, mais elle s'efforçait de bouger le moins possible pour ne pas déranger Jondalar. Elle se concentra sur le crépitement de la pluie, mais le rythme régulier des gouttelettes sur la paroi de la tente ne la berça pas comme d'habitude. Elle finit par souhaiter qu'il fît jour pour pouvoir sortir.

Rassuré que Doni n'eût pas béni Ayla, Jondalar recommençait cependant à se poser des questions. Incapable de dormir, il se demandait si son esprit ou la substance que Doni prélevait étaient assez puissants ? Si la Mère lui avait pardonné ses incartades de jeunesse et permettrait qu'une femme enfante grâce à lui ?

Mais peut-être était-ce à cause d'Ayla. Elle prétendait vouloir un enfant. Mais ils étaient tout le temps ensemble et elle n'était pas enceinte. Alors peut-être ne pouvait-elle plus avoir d'enfant, tout simplement ? Serenio, non plus, n'en avait jamais eu d'autres... à moins qu'elle n'en attendît un après qu'il l'eut quittée... Etendu sur sa couche, les yeux grands ouverts, il écoutait tomber la pluie en se demandant combien des femmes qu'il avait connues avaient mis un enfant au monde, et combien d'enfants aux yeux bleus...

Ayla grimpait, grimpait un mur de pierres, abrupt comme le sentier qui menait à la caverne de sa vallée, mais l'escalade était plus longue, et elle était pressée. Elle se retourna pour regarder la petite rivière qui décrivait une courbe, mais ce n'était pas une rivière. C'était une chute d'eau qui cascadait au-dessus de rochers en saillie, recouverts d'un tapis de mousse.

Elle leva les yeux. Creb était là ! Il lui faisait signe de se dépêcher. Il se retourna et, lourdement appuyé sur son bâton, escalada la dure rampe qui longeait la cascade et mena Ayla vers une petite grotte cachée par un buisson de noisetiers. Au-dessus de la grotte, en haut de la falaise, un gros rocher aplati en équilibre sur le rebord du précipice semblait sur le point de basculer.

Sans savoir comment, elle se retrouva dans la grotte, dans un passage étroit. Elle vit une lumière! Une torche à la flamme vacillante, puis une autre, et enfin elle entendit l'épouvantable grondement d'un tremblement de terre. Un loup hurla. Elle se sentit emportée par un tourbillon, prise de vertige, et c'est alors que Creb se glissa dans son esprit. « Enfuis-toi! ordonna-t-il. Dépêche-toi, sors d'ici! »

Elle se releva en sursaut, rejeta la fourrure qui la couvrait et se précipita vers l'ouverture de la tente.

— Ayla! s'écria Jondalar en la retenant. Que se passe-t-il?

A travers la paroi, un éclair illumina la tente, dessinant un halo autour des coutures du trou d'aération, embrasant le passage qu'ils avaient laissé ouvert pour Loup. Presque aussitôt, un violent claquement retentit. Ayla poussa un cri d'angoisse et, dehors, Loup hurla.

— Ce n'est rien, Ayla, murmura Jondalar en la serrant dans ses bras. C'est l'orage.

— Partons! Il nous a dit de nous dépêcher. Partons vite! supplia-t-elle, essayant maladroitement d'enfiler ses vêtements.

— Qui ça? Mais, Ayla, nous ne pouvons pas partir, il fait nuit et il pleut.

— C'était Creb. Je l'ai vu, j'ai encore rêvé de lui. Il me disait de faire vite. Allez, viens, Jondalar!

— Ayla, calme-toi. Ce n'était qu'un rêve. Ecoute l'orage, on dirait une cascade. Tu ne vas tout de même pas sortir sous ce déluge! Attendons qu'il fasse jour.

— Non, Jondalar, il faut que je parte. Creb me l'a conseillé, et je ne supporte plus de rester ici. Je t'en supplie, Jondalar, dépêche-toi! insista-t-elle, indifférente aux larmes qui ruisselaient sur ses joues, entassant fébrilement le matériel dans les paniers.

Il décida d'obtempérer. Il devenait évident qu'elle n'attendrait pas le matin, et il n'était plus question qu'il se rendorme. Il ramassa ses affaires pendant qu'Ayla ouvrait le pan de la tente. Dehors, la pluie redoublait. On aurait dit que quelqu'un versait de pleines outres d'eau. Ayla sortit et siffla longuement. Loup la suivit en hurlant. Elle attendit et siffla encore une fois, puis entreprit d'arracher les piquets de tente.

Enfin, elle entendit une cavalcade et poussa un soupir de soulagement. Les larmes s'effaçaient sous l'eau qui inondait son visage. Elle se précipita à la rencontre de Whinney, son amie venue à la rescousse, et enlaça l'encolure de la jument trempée et frissonnante de peur. Elle piaffait nerveusement, fouettant l'air de sa queue, tout en agitant ses oreilles dressées, à la recherche de l'origine du danger. La peur de la jument chassa celle d'Ayla. Whinney avait besoin d'elle. Elle la rassura avec des paroles douces et des caresses apaisantes, et Rapide encore plus effrayé que sa mère vint se frotter à elles.

Ayla tenta de le calmer, mais il recula en caracolant. Elle laissa les deux chevaux et courut sous la tente pour prendre les harnais et les paniers de charge. Jondalar avait déjà roulé les fourrures et les avait entassées sur ses sacs en entendant le bruit des sabots, et il avait préparé les harnais et le licol de Rapide.

— Les chevaux sont paniqués, déclara Ayla en surgissant dans la tente. Rapide risque de s'enfuir. Whinney essaye de l'apaiser, mais elle a aussi peur et il la rend encore plus nerveuse.

Jondalar ramassa le licol et sortit. Les paquets d'eau que le vent rabattit sur lui faillirent le renverser. La pluie tombait si fort qu'il se croyait sous une cascade. C'était encore pire que ce qu'il avait imaginé. La tente n'aurait pas résisté longtemps, et le tapis de sol aurait été vite inondé, et leurs fourrures avec. Il se félicitait qu'Ayla eût insisté pour

154

qu'ils plient bagages. Un nouvel éclair zébra le ciel, et il vit Ayla se débattre avec les paniers qu'elle tentait d'attacher sur le dos de Whinney. L'étalon bai était toujours là.

— Rapide ! Allons, viens, Rapide ! appela Jondalar.

Un fort roulement de tonnerre déchira l'air, si violent que le ciel sembla se fracasser en mille morceaux. L'étalon hennit et se cabra, puis se mit à caracoler sans but en tournant en rond. L'œil affolé, les naseaux dilatés, les oreilles dressées, cherchant d'où venait le danger. Mais précisément, le danger était partout, inexplicable, et c'était là ce qui le terrifiait le plus.

L'homme empoigna le cheval, et essaya de lui faire baisser la tête en passant son bras autour de son encolure tout en lui parlant pour le calmer. Une grande confiance les liait et la voix de Jondalar, ses mains familières apaisèrent finalement l'animal. Jondalar réussit à lui passer le licol et s'attaqua au harnais en souhaitant que le prochain coup de tonnerre n'éclate pas tout de suite.

Ayla vint chercher leurs derniers paquets dans la tente. Le loup, qu'elle n'avait pas remarqué, ne la quittait pas d'une semelle. Quand il la vit sortir à reculons de l'abri, Loup hurla, courut vers la saulaie, revint à fond de train et hurla encore.

— Oui, Loup, nous partons ! Voilà, c'est vide, dit-elle à Jondalar. Pressons-nous !

Elle se hâta de ranger ses paquets dans les paniers fixés sur le dos de Whinney. L'inquiétude d'Ayla était communicative, et Jondalar craignait que Rapide ne s'emballe. Le démontage de la tente fut vite réglé. Jondalar tira les perches d'un coup sec en arrachant le rabat central, les jeta dans un panier, et entassa par-dessus les lourdes peaux trempées. Lorsqu'il empoigna Rapide pour le monter, le poulain ombrageux fit un brusque écart en roulant des yeux. D'un saut mal assuré, Jondalar se retrouva tant bien que mal sur le dos de Rapide quand une ruade manqua le désarçonner. Il agrippa l'encolure du poulain et récupéra son assiette.

155

En montant Whinney, Ayla entendit le long hurlement de Loup, accompagné d'un grondement étrange. Elle se retourna pour apercevoir Jondalar cramponné au jeune étalon qui piaffait et ruait. Dès que Rapide se fut calmé, elle se pencha pour inciter sa jument à partir au plus vite. Sans attendre, Whinney se mit à galoper comme si une bête féroce la poursuivait, pensa Ayla. Loup les précédait en bondissant à travers les buissons, et Rapide suivait avec Jondalar. Le grondement menaçant s'amplifiait.

Whinney galopait à travers bois, évitant les arbres, sautant les obstacles. Couchée sur l'encolure de la jument, agrippée à sa crinière, Ayla la laissait choisir son chemin. La pluie et l'obscurité l'empêchaient de voir, mais elle devinait qu'ils se dirigeaient vers les steppes sur les hauteurs. Soudain, une suite d'éclairs illumina la vallée. Ils étaient dans les bois de hêtres et atteindraient bientôt la montée. Elle regarda en arrière vers Jondalar et étouffa un cri.

Derrière lui, les arbres bougeaient ! Elle eut le temps de voir vaciller plusieurs grands pins. Puis ce fut de nouveau le noir. Elle n'avait pas remarqué que le roulement menaçant s'était accentué, mais quand elle entendit les arbres s'effondrer, elle comprit que le fracas de leur chute était noyé dans un vacarme encore plus grand. Même le coup de tonnerre sembla se dissoudre dans la violence du grondement.

Ça y était, ils gravissaient la colline. Ayla s'en aperçut au changement d'allure de Whinney. Toujours aveugle, elle faisait confiance à l'instinct de la jument. L'animal glissa, puis retrouva son équilibre. Ils émergèrent alors des bois, et Ayla vit à travers la pluie les nuages déferler dans le ciel. Elle pensa qu'ils avaient atteint le pâturage où les chevaux étaient venus paître dans la soirée. Rapide et Jondalar les rejoignirent. Bien qu'Ayla pût à peine discerner la silhouette de l'homme, ombre noire sur fond noir, elle devina qu'il était lui aussi cramponné à la crinière de son poulain.

Whinney ralentissait l'allure et Ayla entendit son souffle

haletant. De l'autre côté de la prairie, le bois était moins épais, et la jument n'avait plus à éviter les arbres au dernier moment. Ayla se redressa sans lâcher la crinière de Whinney. Rapide piqua un galop frénétique, mais se mit vite au pas et Whinney le rejoignit. La pluie se calmait. Les arbres laissèrent place aux broussailles, puis à des champs, et bientôt les steppes s'étalèrent devant eux, dans une obscurité atténuée par la lumière de la lune qui filtrait à travers la pluie et les nuages.

Ils s'arrêtèrent et Ayla mit pied à terre pour reposer Whinney, et Jondalar l'imita. Ils cherchèrent à deviner à travers la nuit noire ce qui se passait dans la vallée qu'ils venaient de fuir. Un éclair zébra le ciel au loin, et le tonnerre gronda. Comme pétrifiés, ils scrutaient par-delà le gouffre noir, essayant de découvrir quelle calamité détruisait la vallée. Ils se rendaient compte qu'ils avaient échappé à un terrible désastre dont ils n'appréciaient pas encore l'ampleur.

Ayla sentit d'étranges picotements dans sa tête, et elle entendit un craquement sourd. Ses narines frémirent en décelant un âcre parfum d'ozone, comme une odeur de brûlé qui ne serait pas due au feu, mais à un phénomène céleste. Elle comprit soudain que l'odeur devait provenir des éclairs. Les yeux dilatés de peur, tremblante d'effroi, elle s'agrippa à Jondalar. Au-dessous d'eux, un grand pin abrité des vents acérés par une excroissance rocheuse s'embrasa d'une inquiétante lueur bleue.

Jondalar, qui aurait bien voulu la protéger, entoura Ayla de son bras, mais il était aussi effrayé qu'elle. Impuissant à dompter le feu céleste, il ne pouvait que la serrer dans ses bras. Alors, une boule de feu décrivit un arc de cercle à travers les nuages embrasés, explosa en une gerbe de flèches rougeoyantes, et dans un éclair aveuglant foudroya le grand pin. Ayla sursauta au craquement, si violent que ses oreilles tintèrent, et elle se tassa en entendant les échos du tonnerre se répercuter à travers toute la voûte du ciel. L'intensité du rayonnement lumineux leur avait fait découvrir la gravité de la destruction à laquelle ils venaient d'échapper.

La vallée était ravagée. Le sol tout entier n'était plus qu'un immense maelström. Sur le versant opposé, un glissement de terrain avait recouvert le lit de la rivière d'amas de rochers et d'arbres arrachés, laissant derrière lui, dans le sol éventré, une profonde cicatrice de terre rougeâtre.

Cette averse torrentielle était due à un concours de circonstances assez courant. Tout avait commencé à l'ouest, dans les montagnes, à cause de dépressions atmosphériques au-dessus de la mer intérieure. Des tourbillons d'air chaud saturé d'humidité avaient été aspirés vers le haut et s'étaient condensés en formant d'énormes nuages houleux, accrochés au sommet des collines rocheuses. L'air chaud s'était heurté à un front froid, créant une turbulence qui s'était résolue en un orage d'une intensité peu commune.

La pluie s'était déversée des cieux surchargés, engorgeant la terre qui bientôt avait débordé de ruisseaux bouillonnants. Charriant des rochers, ils s'étaient enflés en torrents dévastateurs. Puis, en prenant de la vitesse, les eaux tumultueuses nourries par le déluge continuel avaient dévalé les collines abruptes, renversant les obstacles, grossissant d'autres torrents, devenant une force dévastatrice qui saccageait tout sur son passage.

Lorsque l'inondation avait atteint le vert vallon, l'eau avait jailli au-dessus de la cascade et, dans un grondement vorace, s'était engouffrée dans la vallée. Mais la plaine riche et verdoyante réservait une surprise aux eaux bouillonnantes. Dans l'ère en cours, d'amples mouvements du relief avaient soulevé la terre, élevant le niveau de la petite mer intérieure, et lui ouvrant des passages au sud sur une mer encore plus vaste. Pendant les dernières décennies, le soulèvement avait fini par clore la vallée, la transformant en un bassin étroit qu'irriguait la rivière. Elle était alors devenue un petit lac protégé par un barrage naturel. Mais une brèche s'était creusée quelques années auparavant, asséchant le petit réservoir d'eau, laissant toutefois assez d'humidité pour nourrir une vallée forestière au milieu de steppes arides.

En aval, un second glissement de terrain avait maintenant rebouché la brèche, arrêtant le déferlement des eaux tumultueuses qui butèrent sur le mur des collines en un gigantesque ressac. Devant ce spectacle, Jondalar pensa qu'il faisait un cauchemar. Il n'en croyait pas ses yeux. La vallée tout entière n'était qu'un immense magma clapotant de boue et de rochers, écumant de broussailles et d'arbres déracinés, broyés par le ressac.

Nul être vivant n'aurait survécu, et Jondalar frémit en pensant à ce qui serait arrivé si Ayla ne s'était pas réveillée, insistant pour fuir au plus vite. Sans les chevaux, ils n'en auraient même pas eu le temps. Il scruta les environs. Whinney et Rapide, tête basse, pattes écartées, semblaient exténués. Loup se tenait à côté d'Ayla, et quand il s'aperçut que Jondalar l'observait, il tendit le cou vers le ciel et poussa un long hurlement. Jondalar se souvint vaguement d'un hurlement de loup qui avait dérangé son sommeil, juste avant qu'Ayla ne se réveillât.

Un autre éclair fusa, et quand le tonnerre gronda, Jondalar sentit Ayla trembler violemment dans ses bras. Ils n'étaient pas encore à l'abri du danger. Ils étaient trempés, ils avaient froid et toutes leurs affaires ruisselaient. Ils étaient sous l'orage, à découvert, et Jondalar ne savait pas où chercher refuge.

8

Le pin foudroyé brûlait toujours. Le feu, alimenté par la résine ardente, devait lutter contre les rafales de pluie. Les flammes crépitantes répandaient une faible lumière, suffisante pour que se devinent les contours du paysage le plus proche. Pas un abri en vue, à part quelques buissons le long d'un fossé, la plupart du temps à sec, maintenant submergé.

Ayla, le regard fixe, comme envoûtée par le spectacle auquel ils venaient d'assister, contemplait toujours la vallée plongée dans l'obscurité. La pluie redoubla de violence, inondant leurs vêtements déjà trempés, et vint à bout des flammes.

— Allons, il faut trouver un abri, déclara Jondalar. Tu as froid, moi aussi, et nous sommes trempés.

Elle le dévisagea sans comprendre.

— Nous... nous étions en bas, bredouilla-t-elle. Jondalar, nous serions morts si l'ouragan nous avait emportés.

— Oui, nous l'avons échappé belle. Il faut absolument chercher un abri tout de suite. Si nous ne trouvons pas d'endroit pour nous réchauffer, il n'aura servi à rien d'avoir échappé à la catastrophe.

Saisissant la longe de Rapide, il marcha vers les buissons. Ayla appela Whinney et le suivit, Loup sur ses talons. Arrivés près du fossé, ils s'aperçurent que là commençait un hallier assez haut qui avançait dans la steppe. Ils s'y engagèrent.

Ils se faufilèrent jusqu'au centre de l'épais bosquet de saules. Le sol était imbibé d'eau mais les minces feuilles vert argenté atténuaient le ruissellement de la pluie. Après avoir déblayé un espace en arrachant quelques pousses de saule, ils déchargèrent les paniers. Jondalar sortit le lourd paquet qui contenait la tente et le déballa. Ayla s'empara de quelques piquets, les planta et aida Jondalar à y étendre les peaux encore attachées au tapis de sol. C'était une construction de fortune, mais au moins étaient-ils abrités de la pluie.

Ils arrachèrent des feuilles pour recouvrir le sol humide, et y étendirent leurs fourrures. Ils enlevèrent leurs vêtements du dessus, se mettant à deux pour essorer les peaux mouillées qu'ils accrochèrent ensuite aux branches. Enfin, tremblant de froid, l'un contre l'autre ils s'emmitouflèrent dans leurs fourrures. Loup entra, s'ébroua avec une telle énergie qu'il éclaboussa le refuge, déjà tellement gorgé d'eau que les dégâts furent dérisoires. Les chevaux, protégés par leur épaisse robe laineuse, préféraient de loin le froid sec aux violentes averses estivales, mais ils avaient l'habitude de dormir dehors. Serrés ensemble à l'entrée du hallier, ils paraissaient insensibles à la pluie battante.

Loup se coucha sur Ayla et Jondalar, enroulés dans leurs épaisses fourrures, et la chaleur de leurs trois corps finit par les réchauffer. L'homme et la femme s'assoupirent, mais dormirent peu. A l'approche de l'aube, la pluie se calma et leur sommeil s'alourdit.

Ayla sourit avant même d'ouvrir les yeux. Dans le concert de chants d'oiseaux qui l'avait réveillée, elle distinguait les notes précises et compliquées d'un pipit. Elle entendit ensuite des trilles joyeux d'une intensité croissante, mais elle dut scruter les alentours avec soin avant de voir se poser la discrète petite alouette au plumage gris-marron. Ayla roula sur le côté pour l'observer.

L'alouette qui se déplaçait avec vivacité, bien d'aplomb sur ses larges pattes, baissa la tête d'un mouvement vif, et la releva une chenille au bec. Puis elle sautilla prestement vers un buisson de jeunes saules. D'un nid bien camouflé dans une dépression du sol, des oisillons juste éclos tendirent leur cou, le bec grand ouvert, mendiant chacun sa part du festin délectable. Bientôt apparut une deuxième alouette, dont le plumage légèrement plus gris se confondait avec la couleur de la terre. C'était la femelle. Elle tenait dans son bec un insecte volant. Pendant qu'elle en gavait un bec avide, le mâle s'envola en décrivant des cercles ascensionnels puis disparut. On n'entendit plus que son chant magnifique.

Ayla l'imita en sifflotant, avec une telle perfection que la femelle cessa de picorer le sol pour l'observer. Ayla siffla de nouveau, regrettant de ne pas avoir de graines à offrir. Dans sa vallée, elle ne manquait jamais de nourrir les oiseaux qui voletaient autour de la caverne, et c'était là qu'elle avait commencé à imiter leurs chants. Petit à petit, avec ou sans graines à partager, elle avait réussi à les attirer et ils étaient devenus les charmants compagnons de ses longues années de solitude. La mère alouette s'approcha, cherchant l'intrus qui avait envahi son territoire, mais ne voyant pas d'autre alouette, elle retourna nourrir ses petits.

D'autres sifflements plus doux et répétitifs qui s'évanouissaient dans une sorte de gloussement retinrent l'attention d'Ayla. Si les gélinottes étaient assez charnues pour faire un bon repas, ces tourterelles roucoulantes aussi, pensa Ayla, en cherchant des yeux ces oiseaux qui ressemblaient aux gélinottes brunes. Dans les basses branches, elle aperçut un simple nid de brindilles contenant trois œufs blancs, avant de voir le pigeon dodu à la petite tête, au bec menu et aux courtes pattes. Son plumage doux et dense était d'un brun pâle presque rose, et sur son dos et ses ailes, dont le dessin net rappelait un peu une carapace de tortue, scintillaient des taches moirées.

Jondalar remua, et Ayla se tourna pour contempler l'homme dont la respiration régulière témoignait d'un sommeil profond. Attentive à ne pas réveiller Jondalar, elle se glissa hors des chaudes fourrures, encore légèrement humides, avec précaution. Jondalar grogna, mais il n'ouvrit les yeux qu'après s'être rendu compte que la couche de sa compagne était vide.

— Ayla ? Ah, tu es là, murmura-t-il.

— Dors, Jondalar. Tu n'as pas besoin de te lever tout de suite, assura-t-elle en rampant hors de leur nid.

L'air était frais et pur, le ciel d'un bleu étincelant sans l'ombre d'un nuage. Loup était parti, sans doute en chasse, ou en exploration, se dit Ayla. Les chevaux aussi avaient disparu, et elle les aperçut paissant vers la vallée. Bien que le soleil fût encore bas dans le ciel, une brume s'élevait du sol détrempé, et Ayla en mesura l'humidité en s'accroupissant pour uriner. Elle remarqua alors les traînées rouges le long de ses cuisses, et comprit que ses périodes lunaires avaient commencé. Elle les attendait. Elle devrait se laver et nettoyer ses dessous, mais avant toute chose, il lui fallait la laine de mouflon.

Le fossé était à demi plein d'une eau courante propre et claire. Elle se baissa et se lava les mains, but quelques gorgées d'eau fraîche, et retourna à l'abri en se hâtant. Jondalar était debout et il l'accueillit d'un sourire. Ayla ouvrit un de ses paniers et le fouilla. Jondalar sortit deux de ses propres paniers et revint chercher le reste de leurs affaires pour vérifier l'ampleur des dégâts causés par l'inondation. C'est alors que Loup rentra au bercail en gambadant. Il alla droit vers Ayla.

— Tu m'as l'air bien content de toi, remarqua Ayla en lui frictionnant l'encolure couverte de poils si drus qu'ils formaient presque une crinière.

Lorsqu'elle cessa de le caresser, il sauta sur elle, labourant sa poitrine et ses épaules de ses pattes boueuses. Son exubérance l'avait surprise et il faillit la renverser. Elle se rétablit de justesse.

— Loup ! Regarde-moi toute cette boue, gronda-t-elle alors qu'il se précipitait pour lui lécher le visage à grands coups de langue.

Avec un grognement taquin, il ouvrit la gueule et lui attrapa la joue dans sa mâchoire puissante. Il la mordillait avec une infinie douceur, comme il l'eût fait avec un nouveau-né. Les crocs n'avaient pas pénétré la peau, ils laissèrent à peine une trace. De nouveau Ayla plongea ses mains dans son cou et lui repoussa la tête pour le regarder dans les yeux avec autant d'affection qu'il en montrait lui-même. Elle lui mordilla ensuite la mâchoire en grognant comme il l'avait fait.

— Maintenant, suffit, Loup. Tu vois dans quel état tu m'as mise ! Il va falloir que je lave tout ça, murmura-t-elle en brossant la tunique de peau qu'elle portait sur la courte culotte qui lui servait de dessous.

— Si je ne le connaissais pas si bien, j'aurais peur en voyant comme il te traite, Ayla, intervint Jondalar. Il est devenu si grand, et c'est un carnassier. Il pourrait tuer quelqu'un.

— Ne t'inquiète pas. C'est comme ça que les loups se disent bonjour et montrent leur affection. Je crois qu'il est content que l'on se soit réveillés à temps pour échapper au désastre.

— Tu as vu dans quel état est la vallée ?

— Non, pas encore... Loup, va-t'en, gronda-t-elle en repoussant l'animal qui reniflait son entre-jambes. J'ai mes périodes lunaires, expliqua-t-elle, en baissant les yeux, rougissante. Je suis venue prendre ma laine, et je n'ai pas encore eu le temps de la chercher.

Pendant qu'Ayla vaquait à ses soins intimes, qu'elle lavait ses affaires dans le ruisseau avant d'ajuster la laine spongieuse avec des lanières, Jondalar marcha jusqu'au bord de la colline pour uriner. Il en profita pour jeter un regard à ses pieds. Toute trace du campement avait disparu. La vallée était inondée. Arbres arrachés, troncs morts ainsi que divers débris plongeaient et émergeaient tour à tour de l'eau en effervescence dont le niveau montait encore. La petite rivière qui arrosait la vallée était toujours bloquée en aval, et le ressac, pourtant moindre que la veille, agitait encore l'eau boueuse.

Jondalar contemplait en méditant le spectacle de désolation. Sentant la présence d'Ayla qui venait de le rejoindre, il se retourna.

— La vallée doit se rétrécir en aval, remarqua-t-il, et quelque chose bloque la rivière. Sans doute des rochers, ou un glissement de terrain. L'eau est prisonnière. Ce qui expliquerait pourquoi la vallée était si verte. Ce ne doit pas être la première fois qu'elle est inondée.

— Si nous étions restés, la lame déferlante nous aurait emportés. Ma vallée était inondée chaque printemps, et c'était déjà assez dangereux, mais ça...

Incapable de trouver les mots, elle termina inconsciemment sa phrase en utilisant les signes du Clan, qui véhiculaient avec plus de force et de précision ses sentiments de désarroi et de soulagement.

Jondalar la comprenait. Lui-même ne savait comment exprimer ce qu'il ressentait. Ils s'assirent et contemplèrent en silence la vallée détruite qui s'étendait sous leurs yeux. Ayla remarqua le front soucieux de son compagnon.

— Si le bouchon de boue, ou ce qui empêche l'eau de s'écouler, cède d'un coup, l'eau en déferlant risque d'être dangereuse, constata Jondalar. J'espère que personne n'habite par là-bas.

— Ce ne pourra pas être pire que la nuit dernière. Tu ne crois pas ?

— Hier, il pleuvait, il y avait de l'orage. Les gens étaient prêts à affronter le danger, mais si le barrage cède sans avertissement ils seront pris par surprise. Ce serait catastrophique.

— Mais si des humains habitent dans la vallée, ils se

165

rendront compte que la rivière ne s'écoule plus, et ils en chercheront la cause, remarqua Ayla.

— Et nous? Nous voyageons, et nous n'aurions eu aucun moyen de savoir que la rivière était bouchée. Si un jour nous nous trouvons dans cette situation, rien ne nous préviendra du danger.

Ayla considéra la vallée inondée.

— Tu as raison, Jondalar, dit-elle enfin. Une autre inondation pourrait nous emporter. Tout comme la foudre aurait pu tomber sur nous au lieu de carboniser le pin. Un tremblement de terre pourrait aussi nous engloutir tous, sauf une pauvre petite fille qui resterait seule au monde. On peut aussi tomber malade, ou naître avec une infirmité. Mamut disait toujours que personne ne savait quand la Mère décidait de rappeler Ses enfants à Elle. Cela ne sert à rien de s'inquiéter de ces choses. On n'y peut rien. C'est Elle qui gouverne.

Jondalar écoutait, soucieux. Puis il se détendit.

— Je m'inquiète trop, dit-il en entourant Ayla d'un bras protecteur. Thonolan me le reprochait souvent. J'ai soudain eu tellement peur de te perdre, et... Ayla, je ne sais pas ce que je deviendrais si jamais cela arrivait, ajouta-t-il en l'étreignant avec ferveur. Je ne crois pas que je pourrais continuer à vivre.

Ayla s'émut d'une réaction aussi absolue.

— J'espère bien que si! protesta-t-elle. J'espère aussi que tu trouverais quelqu'un d'autre à aimer. Si un malheur devait te frapper, une parcelle de moi, ou de mon esprit, disparaîtrait avec toi parce que je t'aime. Mais je continuerais à vivre. Et une parcelle de ton esprit m'accompagnerait partout.

— Je ne sais pas s'il me serait possible d'aimer quelqu'un d'autre après toi. C'est déjà extraordinaire que de t'avoir rencontrée. Je ne suis pas sûr que je chercherais à te remplacer.

Sans mot dire, ils revinrent ensemble au hallier. Ayla semblait perplexe.

166

— Je me demande si c'est ce qui se passe quand on aime ? Est-ce qu'on s'échange des parcelles d'esprit ? C'est peut-être pour cela qu'on souffre tant de perdre ceux qu'on aime... C'est comme les hommes du Clan, poursuivit-elle après réflexion. Ce sont des frères de chasse, et ils s'échangent des parcelles d'esprit, surtout si l'un d'eux sauve la vie d'un autre. On vit difficilement avec un morceau d'esprit en moins, et chaque chasseur sait qu'une parcelle de son esprit partira dans l'autre monde si son frère meurt. Alors il le surveille et le protège, et fait tout son possible pour le sauver. (Elle considéra Jondalar avec curiosité.) Crois-tu que nous ayons échangé des parcelles de nos esprits, Jondalar ? Nous sommes partenaires de chasse, n'est-ce pas ?

— Oui, et tu m'as sauvé la vie. Mais tu es bien davantage qu'un simple frère de chasse pour moi, continua-t-il, souriant de ce qu'il venait de dire. Je t'aime. Je comprends seulement maintenant pourquoi Thonolan ne voulait plus vivre quand Jetamio est morte. Parfois, je me dis qu'il cherchait à atteindre l'autre monde, pour retrouver Jetamio et le bébé qu'elle portait.

— Mais s'il m'arrivait malheur, martela Ayla avec conviction, je ne voudrais pas que tu me suives dans le monde des esprits. Je préférerais que tu restes ici, et que tu trouves une autre compagne.

Parler d'autres mondes lui déplaisait. Elle ignorait de quoi ces autres mondes étaient faits, et même si, au fond de son cœur, elle croyait à leur existence. Ce dont elle était sûre, c'était que pour connaître d'autres mondes il fallait déjà quitter celui-ci, et elle ne voulait pas que Jondalar mourût, ni avant ni après elle.

Ses réflexions sur les mondes des esprits amenèrent d'autres pensées.

— C'est peut-être ce qui arrive quand on vieillit, supposa-t-elle. Si on échange des parcelles de son esprit avec les êtres qu'on aime, quand on en a perdu beaucoup, tant de morceaux d'esprit sont partis avec eux qu'il n'en reste plus assez pour continuer à vivre. C'est comme un trou qui se creuse de plus en plus. On veut rejoindre l'autre monde où demeurent la plus grande partie de notre esprit et les êtres chers.

— D'où tiens-tu un si grand savoir ? s'amusa Jondalar.

Malgré son ignorance du monde des esprits, Ayla faisait des hypothèses ingénieuses et spontanées témoignant d'une vive intelligence, et Jondalar, bien qu'il n'eût aucun moyen d'en vérifier le fondement, trouvait ses observations des plus cohérentes. Il regretta que Zelandoni ne fût pas là, il aurait pu lui demander son avis. Soudain, il prit conscience qu'ils rentraient chez lui, et qu'il pourrait bientôt la questionner.

— J'ai déjà perdu des parcelles de mon esprit quand j'étais petite, continua Ayla. Et ceux qui m'ont vue naître ont été engloutis par le tremblement de terre. Ensuite, Iza en a emporté un bout en mourant, puis Creb, et Rydag. Et bien qu'il ne soit pas mort, Durc a gardé un morceau de mon esprit que je ne récupérerai jamais. Ton frère a aussi emporté un morceau de toi, Jondalar, n'est-ce pas ?

— Oui, c'est vrai, admit-il. Il me manquera, et j'en souffrirai toujours. Il m'arrive de penser que c'était de ma faute, que j'aurais dû le sauver.

— Et qu'aurais-tu donc pu faire ? La Mère le voulait, et c'est Elle qui décide. Personne ne doit chercher le chemin qui mène à l'autre monde.

Arrivés au hallier de saules où ils avaient passé la nuit, ils commencèrent à inspecter leurs affaires. Presque toutes étaient humides et certaines complètement imprégnées. Ils défirent les nœuds du tapis de sol, toujours fixé à la tente, et essorèrent le tout. Mais de trop fortes torsions risquaient d'endommager les coutures, et ils décidèrent de monter la tente pour la laisser sécher au soleil. C'est alors qu'ils s'aperçurent que de nombreux piquets avaient disparu.

Ils étendirent le tapis de sol sur un buisson, et vérifièrent leurs vêtements, eux aussi passablement mouillés. Les affaires qui étaient restées dans les paniers avaient moins souffert. Beaucoup étaient trempées mais sécheraient assez vite, à condition de trouver un endroit sec où les exposer aux rayons du soleil. Les steppes étaient idéales dans la journée, mais c'était justement le jour qu'ils voyageaient, et le soir, le sol était souvent froid et humide. Ils n'avaient pas l'intention de dormir sous une tente imbibée d'eau.

— Si nous buvions une infusion bien chaude ? proposa Ayla, découragée.

Il était déjà tard. Elle alluma du feu, y fit chauffer des pierres en prévision du repas. Elle s'aperçut alors que les restes de la veille avaient disparu.

— Oh, Jondalar ! gémit-elle. Nous n'avons rien à manger. Tout est resté dans la vallée. J'ai laissé les céréales dans le panier de cuisson, près des braises. J'en ai d'autres, mais celui-là était bien. Heureusement que j'ai toujours ma poche à médecines, soupira-t-elle avec soulagement en la retrouvant. La peau de loutre est usée, mais elle a tout de même résisté à l'eau, les herbes sont complètement sèches. Je vais chercher de l'eau. Où est le panier dans lequel je prépare les tisanes ? demanda-t-elle en contrôlant leurs affaires entassées. L'aurais-je aussi perdu ? J'ai pourtant l'impression de l'avoir mis à l'abri quand il a commencé à pleuvoir. Il a dû tomber en route.

— Il y a encore autre chose que nous avons laissé là-bas, et ça ne va pas te réjouir, annonça Jondalar.

— Qu'est-ce que c'est ? s'inquiéta Ayla.

— Ton parflèche, et les longues perches.

Ayla leva les yeux au ciel, consternée.

— Oh, non ! s'écria-t-elle. C'était si pratique pour conserver la viande ! Et il était rempli de morceaux de chevreuil. Et les perches ! Elles étaient juste de la bonne taille, nous aurons du mal à les remplacer. Je ferais bien de m'assurer que nous n'avons rien perdu d'autre, et que nous avons toujours la nourriture de secours.

Elle fouilla dans le panier où elle rangeait quelques affaires personnelles et les vêtements de rechange. Les paniers étaient tous trempés et déformés, mais les cordes et les lanières entassées dans le fond avaient assez bien protégé le contenu de l'humidité. La nourriture pour la route était sur le dessus, recouvrant les rations de secours soigneusement emballées et encore sèches. Ayla décida d'en profiter pour vérifier si les aliments étaient en bon état, et combien de temps ils leur dureraient.

Elle étala les aliments séchés sur la fourrure de couchage. Il y avait des baies — mûres, myrtilles, baies de sureau, framboises, airelles, fraises — réduites en pâte et séchées. D'autres sucreries cuites, séchées jusqu'à former une croûte dure comme du cuir, mélangées avec des morceaux de pommes au goût aigrelet, riches en pectine. Des baies et des pommes sauvages, mélangées à des poires et des prunes, coupées en morceaux ou entières, séchées au soleil. Cela pouvait se manger tel quel, ou cuit dans de l'eau, et Ayla en utilisait souvent pour aromatiser les plats. Il y avait aussi des céréales et des graines, certaines à peine cuites et ensuite grillées, des noisettes décortiquées et grillées ; ainsi que les pommes de pin aux pignons nutritifs qu'elle avait ramassées la veille.

Les légumineuses aussi étaient sèches — tiges et fanes, bulbes, racines et rhizomes riches en amidon, tels queues-de-rat, chardons, réglisses, ou bulbes de lis. Certaines étaient préalablement cuites à la vapeur avant d'être séchées, d'autres pelées et suspendues à des fils confectionnés avec des écorces filandreuses ou des tendons d'animaux. Il y avait encore des guirlandes de champignons séchés et fumés pour leur donner plus de goût. Quelques lichens comestibles ébouillantés, séchés et pressés pour constituer des pains de riche valeur nutritive. Une grande variété de viande et de poissons fumés complétait leurs provisions, avec, en cas d'urgence, de petites galettes à base de viande hachée séchée, de graisse et de fruits secs.

Les aliments séchés étaient compacts et se conservaient bien. Certains dataient de l'année dernière et provenaient des réserves de l'hiver précédent, mais la plupart étaient en quantité limitée. Nezzie les avait reçus d'amies et de parentes qui les avaient apportés à la Réunion d'Eté. Ayla, qui préférait se nourrir des produits frais de la terre pendant la bonne saison, s'en était peu servie. S'ils n'étaient pas capables de survivre en profitant de la générosité de la Grande Terre Mère, comment espéraient-ils surmonter la traversée d'un pays inconnu pendant les rigueurs de l'hiver ?

Satisfaite, Ayla remballa le tout. Il n'était pas dans ses intentions de prélever des provisions de secours pour le repas du matin. Un couple de ramiers tomba sous les coups de sa fronde et finit à la broche. Quelques œufs qui n'auraient jamais éclos furent étêtés et mis à cuire dans le feu dans leur coquille et l'heureuse découverte d'une cachette de marmotte agrémenta le repas. Le trou de l'animal se trouvait sous leurs fourrures de couchage, empli d'arroches que la marmotte avait récoltées quand les bulbes étaient à leur maximum. Ayla les cuisit avec les pignons, qu'elle débarrassa de leur gangue en les cassant avec une pierre, après les avoir chauffés. Des mûres fraîchement cueillies complétèrent le repas.

Jondalar et Ayla laissèrent derrière eux la vallée inondée et prirent le chemin de l'ouest, en se rapprochant imperceptiblement de la chaîne de montagnes. Les plus hautes cimes, bien que de moyenne altitude, étaient couvertes de neiges éternelles, souvent enveloppées de brume et de nuages.

Ils étaient arrivés dans le sud du continent froid et le caractère des prairies s'était légèrement modifié. La profusion des herbacées n'expliquait pas seule la variété des animaux qui prospéraient dans les plaines froides. Dans chaque espèce, les animaux eux-mêmes avaient introduit des variations dans leur régime alimentaire, leur schéma migrateur, et le partage des territoires. Comme ce serait le cas par la suite dans les grandes plaines équatoriales du Sud, seul équivalent à la prodigieuse richesse des steppes de l'Ere Glaciaire, la faune se partageait l'espace dans une interrelation complexe.

Certains animaux se nourrissaient exclusivement d'une seule sorte de plante, d'autres d'une partie précise de ces plantes. D'autres ne mangeaient ces mêmes plantes qu'à un stade ultérieur de leur développement. Certains paissaient dans des lieux où d'autres n'allaient jamais, ou alors à une autre saison. La diversité des espèces était respectée parce que les habitudes alimentaires et les migrations des uns et des autres se complétaient.

Les mammouths à l'épaisse toison avaient besoin de grandes quantités d'herbacées fibreuses, tiges, herbes ou carex, et de peur de s'embourber dans la neige profonde, les marais ou la sphaigne des prairies, ils se cantonnaient dans les plaines fermes et venteuses, proches des glaciers. Ils entreprenaient de longues migrations le long du mur de glace, ne descendant vers le sud qu'au printemps et en été.

Les chevaux des steppes se nourrissaient eux aussi de fibres végétales. Comme les mammouths, ils digéraient les tiges grossières, mais leur goût plus sélectif leur faisait préférer les variétés d'herbe de taille moyenne. Ils savaient fouiller la neige pour trouver leur nourriture, mais l'énergie dépensée dans cette quête dépassait l'énergie absorbée. D'autre part, les déplacements dans la neige les épuisaient. Ils ne résistaient pas longtemps à ces climats, et préféraient les surfaces dures et ventées.

Contrairement aux mammouths et aux chevaux, le bison se nourrissait de feuilles et des enveloppes de l'herbe plus riches en protéines, et préférait par conséquent l'herbe courte, ne s'aventurant dans les hautes herbes qu'au printemps, à la saison des jeunes pousses. Pourtant en été, une coopération, involontaire mais essentielle, s'établissait. Grâce à leur denture servant de cisailles, les chevaux tondaient les tiges épaisses de l'herbe des prairies, stimulant la croissance des jeunes pousses derrière leur passage. Les bisons, qui raffolaient précisément des jeunes pousses, suivaient les chevaux à quelques jours d'intervalle.

L'hiver, les bisons descendaient dans le Sud, où le climat humide et les abondantes chutes de neige conservaient à l'herbe courte sa fraîcheur, or les bisons excellaient à déblayer la neige pour trouver leur nourriture. Toutefois, vivre dans les steppes enneigées du Sud comportait des risques.

Bien que protégés du froid sec par leur lourde toison à poils rudes, les bisons, ainsi que d'autres animaux migrant l'hiver vers le sud enneigé, rencontraient de grandes difficultés lorsque le temps hésitait entre le gel et le redoux. Leur robe trempée par le dégel pouvait leur être fatale en cas de refroidissement subit, surtout si le gel les surprenait couchés, car leurs longs poils gelés les empêchaient alors de se relever. De même, une neige trop profonde, ou recouverte d'une couche glacée, leur était souvent fatale, tout comme les blizzards, ou la fonte des glaces à la surface des lacs et les inondations.

Les mouflons et les saïgas prospéraient en se nourrissant exclusivement de plantes adaptées au climat très sec : petites herbacées et herbe feuillue à tige courte. Mais contrairement aux bisons, les saïgas n'étaient pas à l'aise dans la neige où ils ne pouvaient bondir. Admirables coureurs sur longue distance, ils ne semaient leurs prédateurs que sur le sol ferme des steppes venteuses. Le mouflon, lui, sorte de mouton sauvage et grand grimpeur, échappait à ses poursuivants sur les pentes abruptes. En revanche, il ne savait pas se nourrir en creusant la neige et vivait de préférence dans les hautes montagnes rocheuses exposées aux vents.

Les espèces parentes du mouflon, du chamois et du bouquetin se répartissaient les territoires en fonction de l'altitude, ou de la nature du terrain. Le bouquetin résidait sur les sommets escarpés. Au-dessous régnait le chamois, agile et plus petit, et encore plus bas vivait le mouflon. Tous se partageaient les terrains accidentés des hauts plateaux, tant qu'il y faisait froid et sec.

Le bœuf musqué ressemblait aux caprins, en plus trapu,

et sa toison d'une double épaisseur, tout comme celle du mammouth et du rhinocéros, lui donnait un aspect lourd et plus bovin. Il se nourrissait de feuilles d'arbustes et de carex, se plaisait dans les climats très froids, et recherchait par conséquent les plaines gelées et ventées, proches du glacier. Bien qu'il perdît son double pelage en été, le bœuf musqué détestait la chaleur.

Les cerfs géants et les rennes parcouraient les plaines où ils paissaient en troupeaux, mais les autres cervidés se nourrissaient surtout des feuilles des arbres. L'élan solitaire était rare. Il raffolait des feuillages et des succulentes plantes aquatiques, herbes des marais et des lacs. Ses larges sabots et ses longues pattes lui évitaient de s'embourber dans la vase des marécages ou sur le sol boueux des plaines alluviales. L'hiver, il survivait grâce à des herbacées plus indigestes, ou aux feuilles des hautes branches d'arbres poussant près des rivières, ses sabots et ses pattes le portant sans peine sur la neige que les rafales de vent entassaient dans les vallées.

L'hiver était la saison préférée des rennes, qui se nourrissaient des lichens poussant sur les sols arides et les rochers. Ils étaient capables d'en déceler de loin le parfum appétissant, même si la plante était enfouie sous d'épaisses couches de neige qu'ils creusaient alors avec leurs sabots. L'été, ils mangeaient aussi bien de l'herbe que des feuilles d'arbustes.

Hiver comme été, l'élan et le renne avaient une prédilection pour les alpages, à une altitude moindre cependant que les caprins, et l'élan préférait l'herbe aux arbustes. Les ânes et les onagres choisissaient les hautes montagnes arides, alors que le bison paissait plus bas — au-dessus des chevaux toutefois, dont l'aire d'alimentation était plus vaste que celle des mammouths ou des rhinocéros.

Les plaines primitives, avec leurs pâturages complexes et variés, nourrissaient une multitude d'animaux des plus divers. Le climat froid et sec des hautes montagnes n'était pas comparable. Les moutons, les chèvres et les antilopes étendirent leur territoire jusqu'aux bas plateaux, mais les immenses troupeaux des plaines ne purent subsister sur les pentes abruptes et rocailleuses des hautes montagnes quand le climat se réchauffa.

Il en allait autrement des fragiles marais du Nord. Trop humides pour que pousse l'herbe, les terres pauvres et acides ne produisaient qu'une végétation chargée de toxines, indigeste pour les grands troupeaux qui eussent ravagé cette flore délicate. Les variétés de plantes y étaient limitées, et trop pauvres en valeur nutritive pour suffire aux troupeaux. Seuls les animaux dotés de larges sabots évasés, comme le renne, pouvaient y survivre. Les bêtes énormes aux pattes courtaudes, ou les rapides coursiers aux sabots étroits, s'embourbaient dans la terre humide et boueuse. Il leur fallait un sol ferme et sec.

Plus tard, les pâturages des régions chaudes ou tempérées développèrent une végétation plus limitée, différente selon le climat et la température. On y trouvait peu de variétés en été, et trop de neige abondante en hiver. Les animaux équipés pour la terre ferme s'enlisaient dans la neige, et ne savaient pas la déblayer pour trouver leur nourriture. Si les cerfs subsistèrent dans les bois enneigés, c'était uniquement parce qu'ils mangeaient les feuilles des arbres. Les rennes, eux, savaient fouir la neige à la recherche du lichen. Les bisons et les aurochs survécurent, mais leur taille n'atteignit plus des proportions impressionnantes. Le nombre des autres animaux, comme les chevaux, diminuait à mesure que leur environnement naturel s'amenuisait.

La combinaison unique d'éléments rassemblés dans les steppes de l'Ere Glaciaire avait stimulé le développement de la vie d'une façon extraordinaire, et chacun de ces facteurs, le froid glacial, les vents cinglants et la glace, était indispensable. Lorsque les vastes glaciers se retirèrent vers les régions polaires, les immenses troupeaux fondirent aussi, et les gigantesques animaux virent leur taille rétrécir, à moins qu'ils ne disparussent complètement d'une terre devenue incapable de les nourrir.

Ayla s'inquiétait de la perte de son parflèche et des indispensables perches. Elle pensait à les remplacer, mais encore faudrait-il s'arrêter plus d'une nuit, et elle savait Jondalar anxieux d'avancer au plus vite.

De son côté, Jondalar pestait contre la tente trempée, mécontent de dépendre de son abri. En outre, les peaux souffriraient d'avoir été pliées et comprimées encore humides, et elles risquaient de pourrir. Il eût fallu les étendre tout en assouplissant le cuir pendant le séchage, bien que les peaux eussent été fumées au cours de leur fabrication. Cela prendrait plus d'une journée, Jondalar en avait peur.

Dans l'après-midi, ils approchèrent des gorges d'une grande rivière qui séparait les montagnes de la plaine. Grâce à leur position élevée, ils avaient la vue de l'autre côté du fleuve. Le contrefort des montagnes était troué de ravines et de couloirs creusés par les inondations, où couraient de nombreux affluents. C'était un fleuve important, grossi par les cours d'eau descendant de la face est des montagnes, et qui allait se jeter dans la mer intérieure.

En amorçant la descente vers le fleuve, Ayla trouvait des similitudes avec le paysage qui entourait le Camp du Lion, bien que le versant d'en face fût plus accidenté. Mais de ce côté-ci, les ravines creusées dans le lœss par la pluie et la neige étaient identiques, et les herbes hautes séchaient sur pied, comme là-bas. Dans la vallée alluviale, des mélèzes et des pins isolés étaient entourés de fourrés d'arbustes feuillus, et des massifs de massettes, de roseaux, et de joncs bordaient la rivière.

Arrivés au bord de l'eau, ils marquèrent une pause. Le fleuve était large et profond, grossi par les pluies récentes. Il allait falloir improviser un plan pour le traverser.

— Dommage que nous n'ayons pas de pirogue, regretta Ayla en repensant aux bateaux en peau utilisés au Camp du Lion.

— Oui, tu as raison. Cela nous serait bien utile pour traverser sans mouiller nos affaires. C'est curieux, je ne me souviens pas d'avoir eu ce genre de problème avec Thono-lan. Nous posions nos sacs sur des troncs d'arbre et nous traversions à la nage. Evidemment, nous n'avions rien d'autre. Avec les chevaux, c'est différent. On transporte davantage de matériel, mais c'est aussi plus de tracas.

Comme ils chevauchaient vers l'aval, tout en étudiant la situation, Ayla aperçut devant elle un groupe de frêles bouleaux. L'endroit lui parut si familier qu'elle s'attendit presque à voir la longue habitation semi-souterraine du Camp du Lion, creusée dans un terre-plein de la berge, avec son dôme recouvert d'herbe, et l'arche d'entrée d'une symétrie parfaite qui l'avait tant impressionnée la première fois. Tout à coup, elle vit réellement l'arche. Elle tressaillit sous le choc.

— Jondalar, regarde !

Il regarda la berge qu'elle pointait du doigt et vit non pas une, mais plusieurs arches symétriques, chacune signalant l'entrée d'une structure en forme de dôme. Ils mirent pied à terre et, avisant un sentier, grimpèrent au Camp.

La fébrilité qui s'empara d'Ayla à l'idée de rencontrer les habitants du Camp la surprit. Elle se rendit compte qu'ils n'avaient parlé à personne depuis longtemps. L'endroit était désert, et entre les deux défenses de mammouth qui formaient l'arche d'entrée, ils virent la petite statuette d'ivoire représentant une femme aux larges hanches et à la poitrine volumineuse.

— Ils sont partis, constata Jondalar. Ils ont laissé une donii pour garder le foyer.

— Ils sont à la chasse, ou à la Réunion d'Eté, supposa Ayla, terriblement déçue. Ou alors en visite dans une autre tribu. Quel dommage ! J'avais tellement envie de rencontrer quelqu'un.

— Attends, Ayla. Où vas-tu ?

— Je retourne à la rivière, répondit-elle, surprise.

— Mais pourquoi ? L'endroit est idéal. Nous pouvons faire halte ici.

— Ils... ils ont laissé un mutoï... euh, une donii, pour

garder le foyer. L'esprit de la Mère les protège. Ne troublons pas Son Esprit, cela nous porterait malheur, prévint Ayla, sachant pertinemment qu'il le savait aussi bien qu'elle.

— Non, nous pouvons rester si nous le voulons, insista Jondalar. Ce qui est interdit, c'est de prendre ce dont on n'a pas besoin. Ayla, il nous faut un abri. Notre tente est trempée, il faut attendre qu'elle sèche. Pendant ce temps, nous pourrons chasser et, si la chance nous est favorable, nous trouverons une peau pour fabriquer un canoë.

Le visage soucieux d'Ayla s'éclaira lorsqu'elle comprit où il voulait en venir. Quelques jours leur seraient nécessaires pour se remettre du cataclysme et remplacer ce qui avait été perdu.

— Et nous trouverons peut-être assez de peaux pour faire un parflèche ! s'exclama-t-elle. Après trempage et épilage, le cuir brut se travaille vite, ça ne prend pas plus de temps que de sécher de la viande. On l'étire et on le laisse durcir, c'est tout. Et regarde les bouleaux là-bas, ajouta-t-elle en montrant la rivière. Il y a de quoi faire de belles perches. Tu as raison, Jondalar, restons ici quelques jours. La Mère comprendra. Nous laisserons de la viande séchée pour les habitants de ce Camp... si notre chasse est bonne. Quel foyer choisir ?

— Pourquoi pas le Foyer du Mammouth ? C'est celui où on reçoit les invités.

— Tu crois qu'il y a un Foyer du Mammouth ? C'est... c'est un Camp de Mamutoï ?

— Je n'en sais rien. Il n'est pas conçu comme le Camp du Lion, remarqua Jondalar.

En effet, les sept constructions arrondies recouvertes de terre battue et de glaise remplaçaient l'unique et vaste caverne où ils avaient vécu un hiver entier. Ce Camp devait abriter une communauté d'hommes et de femmes plus ou moins apparentés.

— C'est vrai, approuva Ayla en s'arrêtant devant une

178

des entrées. Il ressemble plutôt au Camp du Loup, où se tenait la Réunion d'Eté.

Elle hésitait encore à pousser la lourde peau et pénétrer chez des étrangers qui ne l'avaient pas invitée, en dépit des coutumes qui voulaient que tout refuge fût utilisé lorsqu'il était question de survie.

— A la Réunion d'Eté, certains jeunes trouvaient que les grandes cavernes étaient dépassées, affirma Jondalar. Ils préféraient l'intimité des petites abritant une ou deux familles seulement.

— Tu veux dire qu'ils aiment mieux rester entre eux ? Une ou deux familles par foyer ? Pour un Camp d'hiver ?

— Non, personne ne veut s'isoler en hiver. Ils se regroupent, mais chacun vit dans son habitation. Il y en a toujours cinq ou six, parfois plus. Ceux à qui j'ai parlé trouvent plus facile d'en construire une petite pour une ou deux familles, qu'une seule grande pour tout le monde. Mais les familles restent groupées dans le même Camp, partagent les mêmes activités, la nourriture, et travaillent toutes ensemble à la collecte et à l'accumulation des vivres pour l'hiver.

Il écarta la peau accrochée aux défenses de mammouth et pénétra dans l'habitation en se baissant. Derrière lui, Ayla retint la lourde tenture pour laisser entrer la lumière.

— Qu'en dis-tu, Ayla ? Crois-tu que des Mamutoï habitent ici ?

— Oui, peut-être. Comment en être sûre ? Tu te souviens du Camp sungaea où nous nous sommes arrêtés sur le chemin de la Réunion d'Eté ? On aurait dit un Camp de Mamutoï. Ses habitants avaient sans doute des coutumes un peu différentes, mais tout prouvait que c'étaient des Chasseurs de Mammouths. Mamut prétendait que même leurs rites funéraires étaient très proches. Il pensait qu'ils étaient de lointains parents des Mamutoï. J'avais pourtant remarqué que leurs dessins étaient différents, dit-elle en essayant de se souvenir. Et aussi leurs habits... je pense en particulier au beau châle en laine de mammouth qui recouvrait le corps de la jeune fille morte. Mais c'est vrai, chez les Mamutoï, on trouve aussi plusieurs motifs. A la décoration de sa tunique, Nezzie savait à quel Camp tel Mamutoï appartenait. Alors que moi, je voyais à peine une différence.

Le jour pénétrait suffisamment pour laisser voir que la construction ne possédait pas de structure en bois, à l'exception de quelques perches en bouleau disposées à certains endroits stratégiques. La charpente était faite d'os de mammouth. Les os de ces énormes bêtes fournissaient le matériau le plus robuste et le plus abondant des steppes dépourvues d'arbres.

Beaucoup de ces ossements provenaient d'animaux ayant succombé à une mort naturelle. On les ramassait quand on découvrait une carcasse dans la steppe, mais le plus souvent ils étaient charriés par les rivières en crue et s'entassaient comme les arbres morts au creux d'un méandre ou contre un barrage naturel. Parfois, on construisait des abris au bord des rivières, près de ces amoncellements d'os et de défenses, précisément.

Il fallait se mettre à plusieurs pour soulever un seul os et on préférait éviter de transporter de telles charges. La charpente en os de mammouth d'une petite caverne pesait plus d'une tonne. Un tel travail n'était pas l'œuvre d'une seule famille, mais l'effort d'une communauté tout entière dirigée par un homme expérimenté, et organisée par un chef capable de se faire obéir.

Ce qu'on appelait un Camp était en fait un village, et ses habitants n'étaient pas des nomades de passage. C'étaient des sédentaires vivant de chasse et de cueillette. On abandonnait parfois le Camp en été, pour aller chasser ou collecter des provisions qu'on entassait ensuite dans des fosses. Il arrivait que les habitants d'un Camp aillent en visite dans d'autres villages, afin d'échanger des nouvelles ou des marchandises.

— Non, ce n'est pas le Foyer du Mammouth, fit

Jondalar en laissant retomber le rideau qui souleva un nuage de poussière.

Ayla redressa la petite figurine dont les pieds avaient été à peine esquissés pour qu'on pût la planter dans le sol afin qu'elle garde l'entrée, et accompagna Jondalar au foyer suivant.

— Celui-ci est sûrement le foyer du chef ou du mamut, ou des deux à la fois, déclara Jondalar.

Ayla nota que la construction était plus vaste et la statuette gardant l'entrée plus élaborée.

— Si ce sont des Mamutoï, c'est bien là qu'habite le mamut, confirma-t-elle. Le foyer de Ceux Qui Ordonnent du Camp du Lion était plus petit que celui de Mamut, qui recevait les visiteurs et servait de lieu de réunion.

Debout à l'entrée, ils maintinrent le rideau ouvert le temps de s'habituer à l'obscurité. C'est alors qu'ils virent briller deux points minuscules. Loup gronda et Ayla renifla une présence qui la rendit nerveuse.

— Jondalar, n'avance pas ! Loup, ici !

— Qu'y a-t-il ? s'inquiéta Jondalar.

— Tu ne sens rien ? Un animal se cache ici, un blaireau, je crois. Si on l'effraye, il va répandre une puanteur qui ne s'en ira pas facilement, et on ne pourra pas utiliser ce foyer. Ceux qui vivent ici auront eux aussi du mal à se débarrasser de l'odeur. Laisse le rideau ouvert, Jondalar, il partira peut-être de lui-même. Ces bestioles vivent dans des terriers et n'aiment pas la lumière, même s'il leur arrive de chasser pendant la journée.

Loup s'était mis à gronder, impatient de se ruer sur la fascinante créature. Mais, comme la plupart des plantigrades de son espèce, le blaireau, grâce à ses glandes anales, aspergeait ses agresseurs d'un puissant jet puant et Ayla n'avait nulle envie que le louveteau empestât l'atmosphère des effluves pestilentiels de sa proie. Mais comment retenir Loup plus longtemps ? Si le blaireau tardait à sortir de sa cachette, elle devrait utiliser des moyens plus radicaux pour le déloger.

Les petits yeux du blaireau voyaient mal, néanmoins ils fixaient l'entrée avec la plus grande attention. Quand elle comprit que l'animal ne bougerait pas, Ayla détacha la fronde dont elle ceignait son front, et sortit quelques pierres de la bourse pendue à sa taille. Elle en introduisit une dans la poche de la fronde, visa les deux points lumineux, et d'un geste vif et précis décocha son tir. Un bruit mat claqua, et les deux petites lumières s'éteignirent.

— Je crois que tu l'as eu ! s'écria Jondalar.

Ils patientèrent un peu pour s'assurer que l'animal ne bougeait plus, puis s'avancèrent et constatèrent avec effarement que le blaireau d'au moins trois mètres du museau à la queue, écroulé sur le sol avec une blessure sanglante à la tête, avait saccagé tout ce qu'il avait pu trouver dans l'abri. Tout était sens dessus dessous ! Le sol de terre battue avait été labouré, avec des trous çà et là dont certains contenaient les excréments de l'animal. Les peaux et les fourrures qui recouvraient les litières surélevées étaient rongées et déchiquetées ; les plumes, la laine ou le foin des paillasses jonchaient le sol avec des lambeaux de tapis et des boîtes en osier. Le blaireau avait creusé ses propres entrées dans le mur épais.

— Regarde-moi ça ! s'écria Ayla. Je n'aimerais pas trouver des dégâts pareils en rentrant chez moi.

— Quand on laisse un abri inoccupé, c'est toujours ce qu'on risque. La Mère ne protège pas le foyer de Ses autres créatures. Ses enfants doivent s'adresser directement à l'esprit de l'animal et se défendre seuls contre les animaux de ce monde. Nous pourrons au moins nettoyer l'endroit un peu, si nous ne parvenons pas à tout réparer.

— Je vais dépouiller le blaireau et leur laisser la peau, décida Ayla. Ils sauront qui est responsable des dégâts, et la peau leur sera toujours utile, conclut-elle en traînant l'animal dehors.

A la lumière du jour, elle remarqua le dos gris avec ses poils piquants, ceux du dessous plus sombres, et la tête aux rayures blanches et noires, typique du blaireau. Elle lui fendit la gorge avec une lame de silex aiguisée et le laissa saigner. Ensuite, elle alla s'asseoir quelques instants dans l'abri avant d'explorer les autres habitations. Elle essaya d'imaginer le foyer avec ses habitants, et regretta, un pincement au cœur, qu'ils fussent partis. La solitude est une chose pesante, se dit-elle en remerciant Jondalar de sa présence. Elle se sentit tout d'un coup éperdue d'amour pour lui.

Elle porta la main à l'amulette pendue à son cou, en palpa le contenu et pensa à son totem. Elle ne pensait plus autant à l'esprit protecteur du Lion des Cavernes. C'était un esprit du Clan, bien que Mamut eût affirmé qu'il la suivrait toujours. Lorsqu'il parlait du monde des esprits, Jondalar se référait à la Grande Terre Mère et elle-même songeait davantage à la Mère depuis l'initiation qu'elle avait reçue de Mamut, même si elle croyait que c'était son Lion des Cavernes qui avait mené Jondalar jusqu'à elle et qu'elle eût souvent envie de communiquer avec l'esprit de son totem.

Ayla ferma les yeux et dirigea ses pensées vers son totem en se servant de l'ancien langage sacré à base de signes que le Clan utilisait pour s'adresser au monde des esprits, et pour communiquer avec d'autres clans dont le langage courant différait du leur.

— Grand Esprit du Lion des Cavernes, fit-elle avec ses mains, cette femme est reconnaissante de l'intérêt qu'on daigne lui accorder, reconnaissante d'avoir été choisie par le Puissant Lion des Cavernes. Mog-ur avait coutume de dire à cette femme que même s'il était difficile de vivre avec un esprit puissant, cela en valait la peine. Mog-ur avait raison. Malgré les nombreuses épreuves, les bienfaits ont été à la hauteur des sacrifices. Cette femme est reconnaissante pour les dons de savoir et de compréhension qui lui ont été accordés. Cette femme est aussi reconnaissante pour l'homme que l'Esprit de son puissant totem a guidé vers elle, et qui ramène cette femme chez lui. L'homme ne connaît pas les Esprits du Clan, et il ne comprend pas qu'il a été aussi choisi par l'Esprit du Puissant Lion des Cavernes, mais cette femme est reconnaissante qu'il ait été jugé digne de considération.

Elle allait rouvrir les yeux quand elle se ravisa.

— Puissant Esprit du Lion des Cavernes, reprit-elle dans le même langage du Clan, Mog-ur a dit à cette femme que les esprits des totems ont besoin d'une demeure accueillante où ils puissent demeurer. Ce Voyage aura une fin, mais le peuple de l'homme ne connaît pas les esprits des totems du Clan. Le nouveau foyer de cette femme sera différent, mais l'homme honore l'esprit de tous les animaux et le peuple de l'homme connaît certainement et honore l'Esprit du Lion des Cavernes. Cette femme promet au Puissant Esprit du Lion des Cavernes qu'il sera toujours le bienvenu partout où cette femme sera accueillie.

Quand Ayla ouvrit les yeux, elle vit que Jondalar l'observait.

— Tu semblais... très absorbée, je n'ai pas voulu te déranger, hasarda-t-il.

— Je... je pensais au Lion des Cavernes, mon totem, expliqua-t-elle. Et aussi à ton peuple. J'aimerais qu'il soit bien accueilli... là-bas.

— Les esprits des animaux sont les bienvenus auprès de Doni. C'est la Grande Terre Mère qui les a créés. Toutes les légendes en parlent.

— Les légendes ? Les histoires des anciens temps ?

— Oui, on peut les appeler comme ça, mais on les raconte dans un style particulier.

— Le Clan aussi avait ses légendes. J'adorais que Dorv les raconte. Mog-ur a appelé mon fils d'après le héros d'une de mes histoires préférées : la légende de Durc, annonça-t-elle avec fierté.

Jondalar parut surpris. Il n'arrivait pas à croire que ceux du Clan, les Têtes Plates, eussent leurs légendes. Il éprouvait certaines difficultés à se débarrasser des idées préconçues avec lesquelles il avait grandi, bien qu'il eût été obligé de se rendre à l'évidence que ce peuple était plus évolué qu'il ne paraissait. En fait, pourquoi n'auraient-ils pas leurs légendes ?

— Connais-tu des légendes de la Terre Mère ? demanda Ayla.

— Oui, je me souviens de bribes. On les récite d'une façon spéciale pour se les rappeler plus facilement, mais seuls certains zelandoni les connaissent toutes.

Il se concentra quelques instants avant d'entonner un chant mélodieux :

De son ventre, des eaux jaillirent, emplissant mers et
[ruisseaux,
Inondant les terres où surgirent des arbrisseaux.
De chaque goutte une herbe, une feuille, naquit,
Et bientôt, de verdure la terre se recouvrit.

— Oh, comme c'est beau ! s'écria Ayla, ravie. J'aime la mélodie. On dirait les rythmes des chansons mamutoï. On doit s'en souvenir facilement.

— On chante souvent celle-là. Chaque peuple la chante à sa manière, mais les paroles restent les mêmes. Il y a des personnes capables de chanter l'histoire entière, et toutes les légendes qui s'y rapportent.

— En connais-tu d'autres ?

— Quelques-unes. Je les ai toutes entendues, et je connais le fil de l'histoire, mais les vers sont longs, il y en a trop à retenir. Le début raconte la solitude de Doni et comment Elle donne naissance au soleil, Bali, « la grande joie de la Mère », un fils magnifique et très brillant. Ensuite, Elle le perd et Elle se retrouve encore seule. La lune, Lumi, est son amant, et c'est aussi Elle qui l'a créé. Cette partie est une légende qui s'adresse aux femmes, elle parle des périodes lunaires et raconte comment on devient femme. D'autres légendes expliquent comment Elle a donné naissance à l'esprit des animaux, à l'esprit de l'homme et de la femme, et à tous les Enfants de la Terre.

Loup jappa, un jappement de jeune chiot qui a envie

qu'on s'occupe de lui et qu'il avait déjà utilisé avec succès, ce qui l'incitait à s'en servir encore bien qu'il en eût passé l'âge. Jondalar et Ayla se retournèrent et comprirent la cause de son agitation. Plus bas, dans la verte vallée alluviale, un petit troupeau d'aurochs venait de se montrer. Les bœufs sauvages étaient énormes, leurs cornes ramassées et leur toison épaisse, d'un roux si foncé qu'il en était presque noir. On comptait dans ce troupeau deux ou trois bœufs tachetés de blanc à la tête et à l'avant-train, aberrations génétiques fréquentes chez les aurochs.

Ayla et Jondalar se regardèrent, et d'un commun accord ils appelèrent les chevaux. Après avoir déchargé Whinney et Rapide des paniers qu'ils rangèrent à l'intérieur de l'abri, ils s'armèrent de leur propulseur et de quelques sagaies et enfourchèrent leur monture. Comme il approchait du troupeau, Jondalar s'arrêta pour étudier la situation et décider d'une tactique. Ayla fit halte à sa hauteur. Elle connaissait bien les carnassiers, surtout les petits — même si elle avait également chassé des lynx et une hyène des cavernes énorme et puissante, et vécu avec un lion, et à présent un loup —, mais les ruminants ne lui étaient pas familiers. Elle en avait chassé, à sa manière, quand elle vivait seule. Jondalar, lui, les chassait depuis son enfance et pouvait se prévaloir d'une plus grande expérience.

Peut-être parce qu'elle était entrée en relation avec son totem, et avec le monde des esprits, en tout cas Ayla considérait le troupeau avec un sentiment d'incrédulité. Comment ? Ils venaient juste de se convaincre que la Mère ne se fâcherait pas s'ils restaient quelques jours dans la grotte le temps de remplacer leurs pertes et de trouver de quoi remplir leur garde-manger, et un troupeau d'aurochs apparaissait comme par enchantement. Ayla ne croyait pas en une heureuse coïncidence. Elle se demandait si ce n'était pas plutôt un signe de la Mère, ou encore de son totem.

Il n'y avait pourtant là rien d'extraordinaire. Toute l'année, surtout à la saison chaude, divers animaux, en

186

troupeau ou solitaires, traversaient les forêts et les riches pâturages des vallées alluviales. Où que ce soit le long d'un fleuve important, on voyait couramment toute sortes d'animaux se reposer quelques jours, et pendant certaines saisons de véritables défilés ininterrompus traversaient les rivières. Cette fois il s'agissait d'un troupeau de bovins sauvages, exactement ce dont ils avaient besoin.

— Ayla, tu vois la femelle, là-bas ? demanda Jondalar. Celle qui a la tache blanche ?

— Oui.

— C'est elle qu'il nous faut. Elle est adulte, mais pas trop vieille d'après la taille de ses cornes. Et elle est seule.

Ayla eut une bouffée de reconnaissance. Maintenant, elle était sûre qu'il s'agissait d'un signe. Jondalar avait choisi celle qui était différente ! La vache tachetée ! A chaque tournant de sa vie, après moult tentatives pour expliquer ou rationaliser son choix, son totem l'avait confirmé en lui envoyant un signe, un objet ou un indice marquant une différence. Petite fille, Creb lui avait expliqué le sens de ces signes et l'avait incitée à les écouter. La plupart des objets qu'elle portait autour du cou dans une bourse décorée étaient des signes de son totem. La soudaine apparition du troupeau d'aurochs, suivant immédiatement leur décision de rester dans l'abri, et la vache choisie par Jondalar, tout cela ressemblait étrangement aux signes d'un totem.

Bien que la décision de rester dans ce Camp ne fût pas l'aboutissement d'une hésitation tourmentée de sa part, c'était malgré tout une décision importante requérant une profonde réflexion. Ce Camp était le foyer d'hiver d'un groupe de personnes qui avaient invoqué la Mère pour qu'elle le gardât pendant leur absence. Bien que la nécessaire survie autorisât un étranger de passage à s'y réfugier en cas de besoin, on ne pouvait pas utiliser cet abri sans raison valable. Nul ne pouvait encourir à la légère les foudres de la Mère.

La terre était abondamment peuplée de créatures

vivantes. Dans leur voyage, ils avaient rencontré d'innombrables variétés d'animaux, mais aucun être humain. Dans un monde où l'homme était si rare, il était réconfortant de penser qu'un royaume d'esprits invisibles connaissait leur existence, surveillait leurs actions et guidait parfois leurs pas. Même un esprit sévère ou inamical, assez concerné pour exiger des actes de pénitence, était préférable à la froide indifférence d'un monde dur et sans pitié, où leur vie ne dépendait que d'eux-mêmes et où ils n'avaient personne vers qui se tourner, pas même en pensée.

Ayla en était arrivée à la conclusion que si leur chasse était couronnée de succès, ils auraient le droit d'utiliser le Camp, mais s'ils échouaient, il leur faudrait partir. On leur avait envoyé un signe, la vache tachetée, et pour mériter la récompense, ils devaient en venir à bout. Sinon, s'ils rataient leur chasse, cela signifierait qu'ils étaient dans leur tort, que la Mère ne leur permettait pas de rester. Dans ce cas, ils devraient partir sur-le-champ. La jeune femme s'interrogeait sur leurs chances de succès.

9

Jondalar étudia la disposition du troupeau. Les aurochs, éparpillés entre le pied de la colline et la rive, paissaient dans des pâturages verdoyants parsemés de buissons et d'arbres. Jondalar choisit la femelle isolée dans un pré par un rideau d'aulnes et de bouleaux qui partait du pied de la colline avant de s'éclaircir et de laisser place à une bande de terre marécageuse envahie de grands roseaux et de massettes.

— Traverse les roseaux et poste-toi près du marécage, décida Jondalar. Moi, je passerai par cette trouée dans les aulnes pour la rabattre vers toi.

Ayla approuva le plan d'attaque et descendit de cheval pour attacher le long étui de cuir brut aux lanières qui retenaient la couverture de daim sur le dos de Whinney et qui contenait plusieurs sagaies aux fines pointes en os, polies, aiguisées et fendues à la base pour se fixer sur la hampe. Chaque sagaie, empennée de deux plumes droites, avait une entaille à sa base.

De son côté, Jondalar prit une sagaie dans son propre étui qu'il portait en bandoulière. Il avait conservé cette habitude de l'époque où il ne chassait qu'à pied. Toutefois, pendant les longues marches, il portait un sac au dos sur les côtés duquel étaient fixées ses sagaies. Il plaça la sagaie dans son propulseur, prêt à tirer.

Jondalar avait inventé le propulseur pendant l'été passé avec Ayla, dans sa vallée. C'était une innovation totale, une création de pur génie due à son sens technique inné et à une intuition de principes physiques qui ne seraient pas définis ni codifiés avant des centaines de siècles. Ingénieux dans son principe, le propulseur était pourtant d'une extrême simplicité.

On plaçait la sagaie sur l'engin, l'encoche reposant sur le crochet d'arrêt. L'index et le majeur engagés dans les anneaux de cuir, à l'avant du propulseur, à un point d'équilibre en retrait du milieu de la sagaie, plus longue que son support, et on tenait l'engin à l'horizontale. Mais tout l'intérêt résidait dans le lancement de la sagaie. En maintenant fermement l'avant de l'engin quand on projetait l'arme, l'arrière du propulseur s'élevait, et démultipliait l'extension du bras, accroissant l'effet de levier et la vitesse, avec pour résultat un gain de puissance, donc un jet plus long.

Avec un propulseur ou à main nue, le geste du lancer restait le même, mais les résultats étaient incomparables. La sagaie allait deux fois plus loin, avec une force d'impact bien supérieure.

L'invention de Jondalar utilisait un artifice mécanique pour transmettre et amplifier la force, mais ce n'était pas la première application de ce principe. Son peuple, inventif par tradition, utilisait des moyens analogues dans d'autres domaines. Ainsi, un silex bien aiguisé constituait déjà un outil tranchant, mais au bout d'un manche il donnait à l'utilisateur un surcroît de force et de précision. L'idée, simple en elle-même, d'ajouter un manche à une lame — couteau, hache, herminette, ou autres outils pour couper, creuser, percer ; un manche plus long pour les pelles et les râteaux, et même un manche détachable pour lancer une sagaie — décuplait leur efficacité. Ce n'était pas une trouvaille quelconque, c'était une invention capitale qui rendait le travail plus facile et la survie moins aléatoire.

Ceux qui les avaient précédés avaient inventé ou amélioré divers instruments, mais des gens comme Jondalar et Ayla étaient les premiers à apporter de telles innovations décisives. Ils étaient déjà capables d'abstraction. Ils savaient concevoir l'application directe d'une idée. A partir d'instruments fonctionnant avec des principes avancés, intuitivement compris, ils tiraient les conclusions logiques et les appliquaient dans d'autres circonstances. Ils n'inventaient pas seulement des outils utiles, ils découvraient la science. Avec ces mêmes pouvoirs de créativité et d'abstraction, ils étaient les premiers à voir le monde extérieur sous des formes symboliques, les premiers à en extraire l'essence et à la reproduire. Ils étaient à l'origine de l'art.

Son étui en place, Ayla enfourcha sa monture. Voyant que Jondalar avait préparé son propulseur, elle l'imita et se dirigea vers le lieu qu'il lui avait indiqué. Le troupeau de bœufs sauvages se déplaçait lentement tout en broutant. La vache qu'ils avaient choisie avait changé de pâturage, une autre et un taurillon l'avaient rejointe. Ayla longea la rivière, guidant Whinney d'une pression des genoux ou des jambes, accompagnée le plus souvent d'un mouvement du corps. En approchant de leur proie, elle aperçut Jondalar qui traversait le pré à sa rencontre. Les trois aurochs étaient pris en tenaille.

Jondalar leva le bras qui tenait le propulseur, espérant qu'Ayla comprendrait qu'il lui demandait d'attendre. Il se reprochait de n'avoir pas élaboré une stratégie plus précise, mais d'un autre côté, il était préférable de ne jamais définir de plan trop strict. Tout dépendait de la situation et de la réaction de la proie. Les deux aurochs qui paissaient aux côtés de la vache tachetée compliquaient la tâche, mais rien ne pressait. Leur présence ne semblait pas les alarmer et il voulait n'attaquer qu'à coup sûr.

Soudain, les aurochs levèrent la tête et leur indifférence

placide se mua en inquiétude. D'abord surpris, Jondalar sentit la colère monter en lui lorsqu'il découvrit la cause de leur réaction. La langue pendante, Loup avançait vers les aurochs l'air à la fois menaçant et joueur. Ayla ne s'en était pas encore rendu compte et Jondalar dut se retenir de lui crier de rappeler son louveteau. Un cri aurait effrayé les bêtes et les aurait probablement fait fuir. Il attira l'attention de sa compagne en agitant la main, et lui désigna Loup de sa sagaie.

Ayla aperçut Loup, mais elle n'était pas sûre des intentions de Jondalar et elle lui demanda de lui expliquer ce qu'il attendait d'elle en utilisant les signes du Clan. Bien qu'il en connût les rudiments, Jondalar ne comprit pas qu'Ayla lui parlait en langage du Clan. Il se demandait surtout comment retourner une situation largement compromise. Les vaches s'étaient mises à meugler, et le taurillon, sensible à leur peur, s'était joint au concert. On les sentait prêts à fuir. Ce qui s'était annoncé comme une chasse sans problème se transformait en débâcle.

Avant que les choses n'empirent, Jondalar lança Rapide. Apercevant le cheval au galop, la vache à la robe unie s'enfuit vers les fourrés. Le taurillon la suivit en beuglant. Ayla attendit d'être sûre que Jondalar poursuivait bien la vache tachetée, et à son tour elle lança Whinney sur la proie. Celle-ci, plantée au milieu du pré, les regardait arriver en meuglant avec inquiétude, lorsque soudain elle détala vers le marécage. Ils se précipitèrent à sa poursuite, mais comme ils la rejoignaient, la bête affolée fit volte-face et fonça entre les deux cavaliers, droit vers les arbres de l'autre côté du pré.

D'un rapide mouvement du corps, Ayla poussa Whinney dans la même direction. La jument était habituée à de tels changements. Ayla avait déjà une grande pratique de la chasse à cheval, même si elle choisissait d'habitude des proies plus petites qu'elle abattait de sa fronde. Jondalar était plus à la peine. Les rênes ne transmettaient pas ses ordres assez vite et, moins expérimenté, il synchronisait mal les mouvements de son corps. Après quelques hésitations, le cheval et son cavalier fondirent à leur tour sur la vache tachetée.

La vache fonçait à toute allure vers le fourré broussailleux. Qu'elle s'y réfugiât et il serait difficile de la suivre. Elle risquait donc de leur échapper. Ayla et Whinney, avec derrière eux Jondalar sur Rapide, gagnaient du terrain, mais les ruminants ne devaient compter que sur la rapidité pour assurer leur survie, et les bovins sauvages couraient presque aussi vite que les chevaux.

Jondalar poussa Rapide qui accéléra aussitôt. Tout en préparant son propulseur, Jondalar rejoignit Ayla, et la dépassa. Mais à un signe imperceptible de la jeune femme, Whinney allongea son galop. Ayla aussi avait son arme prête, et même au triple galop son aisance et sa grâce étaient remarquables, fruits d'une longue expérience et d'années de dressage spontané. Les signaux qu'elle adressait à sa monture étaient comme des extensions de son propre corps et non comme des ordres. Il lui suffisait de penser à la direction à prendre pour que la jument comprît. Si grande était leur complicité qu'Ayla ne se rendait pas compte que ses pensées s'accompagnaient de mouvements subtils, immédiatement enregistrés par l'intelligente Whinney.

Au moment même où Ayla armait son lancer, Loup avait rattrapé la vache. Celle-ci, un instant distraite par ce prédateur familier, dévia légèrement sa trajectoire et ralentit. Le loup bondit sur l'énorme aurochs qui lui fit face pour le menacer de ses cornes massives. Le loup recula, puis s'élança de nouveau, et, cherchant un point vulnérable, planta ses crocs acérés de toute la force de ses puissantes mâchoires dans le museau fragile de la vache. L'énorme bête redressa la tête en soulevant Loup, et le secoua pour lui faire lâcher prise. Ballotté comme un vulgaire sac de fourrure, l'intrépide canin tint bon.

Dès que Jondalar eut remarqué le ralentissement de la vache, il s'apprêta à en tirer parti. Lancé au triple galop, il propulsa de toutes ses forces la sagaie à bout portant. La pointe effilée perça le flanc de l'aurochs, pénétra profondément entre les côtes et atteignit des organes vitaux. Ayla arrivait juste derrière, et sa sagaie s'enfonça sous la cage thoracique, dans le flanc opposé. Loup resta accroché au museau jusqu'à ce que la vache s'écroule. Tirée par le poids du loup, elle s'abattit sur le côté, brisant la sagaie de Jondalar.

— Mais enfin, Jondalar, il nous a aidés ! s'écria Ayla. Il a empêché la vache d'atteindre les fourrés.

Dans la mare de sang qui s'écoulait de la gorge de l'aurochs par l'entaille qu'avait pratiquée Jondalar, ils bataillaient pour retourner l'aurochs et exposer son ventre.

— Oui, mais s'il ne s'était pas précipité sur elle comme il l'a fait, on l'aurait peut-être tuée avant qu'elle ait eu le temps de s'enfuir, répliqua Jondalar.

Il ramassa sa hampe brisée et la jeta au sol, râlant contre le sort, se disant qu'il aurait pu la récupérer si le loup ne s'était pas pendu au museau de la vache. Une bonne sagaie exigeait beaucoup de travail.

— Ça, tu n'en sais rien, protesta Ayla. Elle nous a bien esquivés, et elle était rapide.

— Les aurochs ne nous avaient pas sentis avant que Loup ne se montre. J'ai essayé de te prévenir pour que tu l'arrêtes, mais je n'osais pas crier pour ne pas les effrayer.

— Je ne comprenais pas ce que tu voulais. Pourquoi n'as-tu pas utilisé le langage du Clan ? Je t'ai fait signe mais tu ne regardais pas de mon côté.

Les signes du Clan ? pensa Jondalar. Cela ne lui était pas venu à l'esprit. Et pourtant, quel bon moyen de communiquer pendant les chasses !

— De toute façon, ça n'aurait rien changé, maugréa-t-il. Il ne t'aurait pas écoutée.

— Je n'en sais rien. Mais je t'assure qu'il peut nous être utile. Il m'a déjà aidée à lever des petites proies. Bébé avait appris à chasser avec moi. C'était un excellent partenaire.

Ce qu'un lion des cavernes peut faire, un loup en est capable aussi, affirma Ayla, volant au secours de son louveteau.

Après tout, ils avaient tué l'aurochs et Loup les y avait aidés.

Jondalar pensait qu'Ayla était trop indulgente mais il jugeait inutile de discuter. Elle traitait l'animal comme un enfant, et s'entêterait à le défendre.

— Allons, nous ferions bien d'étriper cette vache avant qu'elle n'enfle, dit Jondalar. Il faudra aussi la dépouiller et la découper sur place pour pouvoir la rapporter au Camp. Ah, j'oubliais ! Il y a Loup.

— Loup ? Quel est le problème ?

— Si nous découpons l'aurochs, il va manger les morceaux qui restent ici pendant que nous transporterons les autres au Camp ! s'écria Jondalar avec colère. Et quand nous reviendrons chercher d'autres morceaux, il ira manger ceux que nous aurons laissés au Camp. Il faut que l'un de nous reste ici, et l'autre là-bas. Mais alors qui transportera la viande ? Nous allons être obligés de planter la tente ici pendant que la viande séchera, nous ne pourrons pas dormir au Camp. Et tout ça, à cause de Loup !

Exaspéré par Loup, il n'était plus à même de penser correctement et Ayla s'en offusqua. Loup mangerait peut-être la viande si elle n'était pas là, mais tant qu'elle resterait avec lui, il n'y toucherait pas. Donc elle s'assurerait qu'il ne la quittait pas. Pourquoi Jondalar s'acharnait-il sur lui ? Loup ne causait pas tant de problèmes. Elle allait répondre, mais se ravisa et siffla Whinney qui accourut. D'un bond agile, Ayla monta sur son dos.

— Ne t'en fais pas, je me charge de rapporter cette vache au Camp, affirma-t-elle.

Elle appela Loup et partit au galop. Arrivée au Camp, elle descendit prestement de cheval, pénétra dans l'abri et en ressortit avec une hache en pierre munie d'un petit manche que Jondalar lui avait fabriqué. Elle enfourcha sa jument et la dirigea vers le bois de bouleaux.

Jondalar la vit entrer dans le bois et se demanda ce qu'elle mijotait. Troublé par des pensées contradictoires, il avait fendu le ventre de l'aurochs et commençait à vider les intestins. Les reproches qu'il avait formulés contre Loup lui paraissaient justifiés, mais il regrettait d'en avoir parlé à Ayla. Il connaissait son affection pour le louveteau, et n'espérait pas la faire changer d'avis. En outre, il devait admettre que le dressage du loup donnait de bien meilleurs résultats qu'il n'avait imaginé.

Quand il l'entendit couper du bois, il comprit soudain son intention et se dépêcha de la rejoindre. Il la trouva au milieu du bois, en train de passer sa colère sur un grand bouleau, martelant le tronc de violents coups de hache.

Ayla se disait que Loup n'était pas aussi insupportable que Jondalar le prétendait. Il avait effrayé l'aurochs, certes, mais il s'était rattrapé par la suite et les avait aidés. Elle reposa sa hache, et réfléchit, soucieuse. Et s'ils avaient raté leur chasse ? Auraient-ils dû en conclure que leur présence était indésirable ? Si Loup avait vraiment gâché leur chasse, elle ne perdrait pas son temps à essayer de rapporter l'aurochs au Camp, ils reprendraient leur route. Mais si les esprits autorisaient leur séjour, c'était donc que Loup n'avait pas ruiné leur chasse. Elle prit sa hache et se remit à l'ouvrage. Tout s'embrouillait. Ils avaient tué la vache, même avec l'intervention de Loup — ou grâce à elle —, donc ils pouvaient coucher dans l'abri. Après tout, les esprits les avaient peut-être guidés vers cet endroit, finit-elle par conclure.

Soudain Jondalar s'interposa et tenta de lui prendre la hache.

— Trouve un autre arbre, et laisse-moi terminer celui-là, proposa-t-il.

Ayla refusa son aide, bien que sa colère fût tombée.

— Je t'ai dit que je rapporterais la vache au Camp. Je n'ai pas besoin de toi.

— Je sais, je sais ! Tu vas t'y prendre comme le jour où tu m'as ramené à ta grotte. Mais en s'y mettant à deux, tu auras plus vite tes nouvelles perches... Et puis, je voulais te dire... Tu avais raison au sujet de Loup. Il nous a vraiment aidés.

La hache levée, elle s'arrêta et le dévisagea, interloquée. Il avait l'air sincère. Ses yeux reflétaient pourtant des sentiments contradictoires. Elle ne comprenait pas ses griefs à l'égard de Loup, mais l'amour qu'elle lisait dans son regard était authentique. L'intensité de ses yeux bleus, son magnétisme exerçaient sur elle un attrait irrésistible, une fascination dont il ignorait la force. Elle se détendit.

— Non, c'est toi qui as raison. Il les a effrayés et il aurait pu faire échouer la chasse.

— Alors nous avons raison tous les deux ! s'exclama Jondalar en souriant.

Elle lui rendit son sourire et ils s'enlacèrent tendrement pour échanger un baiser, heureux que leur dispute fût oubliée. On aurait dit que leurs corps cherchaient à supprimer la distance qui avait failli les séparer.

— Je crois sincèrement que Loup peut nous aider à chasser, assura Ayla un peu plus tard. Il a seulement besoin qu'on lui apprenne.

— Oui, peut-être. Enfin, puisqu'il voyage avec nous, autant lui apprendre le plus de choses possible. Si tu arrivais seulement à l'empêcher d'intervenir dans nos chasses, ce serait déjà bien.

— Toi aussi, il faut que tu lui apprennes. Comme ça, il verra que nous nous intéressons tous les deux à lui.

— Ça m'étonnerait qu'il fasse attention à moi ! C'est bon, j'essaierai, ajouta-t-il promptement pour prévenir ses protestations. (Il lui prit la hache des mains et changea de sujet.) Au fait, ton idée d'utiliser les signes du Clan pendant la chasse, c'est une bonne idée.

Ayla partit à la recherche d'un arbre de la bonne taille. Elle souriait.

Jondalar examina le bouleau qu'Ayla avait entamé, mesurant le travail qu'il lui restait. Abattre un arbre avec une hache en pierre n'était pas chose facile. Le tranchant de la pierre était épais pour éviter qu'il ne se cassât trop vite, et chaque coup n'entaillait pas profondément le tronc, mais découpait plutôt de petites encoches. L'arbre semblait plus rongé que vraiment coupé.

Cependant Ayla faisait son choix parmi les bouleaux. Les coups rythmés de Jondalar lui parvenaient aux oreilles. Elle trouva un arbre qui lui convenait, le marqua d'une entaille et poursuivit ses recherches.

Les arbres abattus, ils les tirèrent dans la clairière et élaguèrent les branches avec des couteaux et la hache. Ayla évalua leur longueur et les coupa à la même taille. Pendant que Jondalar vidait l'aurochs, elle alla chercher des cordes ainsi qu'un dispositif fait de lanières tressées et nouées qu'elle avait fabriqué elle-même. Elle rapporta aussi une des paillasses déchirées et appela Whinney pour l'harnacher.

Elle prit deux longues perches — la troisième ne servait que pour le trépied où elle suspendait la viande hors d'atteinte des rôdeurs — et attacha les deux extrémités les plus fines au harnais, en les croisant au-dessus du garrot. La partie large des perches traînait au sol, de chaque côté de la jument. Elle fixa la paillasse en travers du travois et ajouta des cordes pour sangler l'aurochs.

Devant l'énorme cadavre, Ayla se demanda si la charge ne serait pas trop lourde, même pour une jument aussi puissante que Whinney. Jondalar l'aida à tirer l'aurochs sur le travois. La paillasse était trop courte, mais en liant l'aurochs directement aux perches ils réussirent à l'empêcher de traîner au sol. Vu les efforts qu'ils avaient déployés pour hisser la bête sur le travois, Ayla s'inquiéta pour Whinney et faillit renoncer à lui demander de tirer la charge. Jondalar avait déjà vidé l'aurochs de ses entrailles et Ayla pensa l'écorcher et le découper en morceaux plus transportables. Mais le travois était chargé, elle décida de laisser Whinney tenter sa chance.

Si Ayla fut surprise de voir la jument tirer la lourde charge sur le sol inégal, Jondalar le fut encore davantage.

L'aurochs était plus gros et plus lourd que Whinney, mais tout le poids était réparti sur la section des perches reposant sur le sol et, bien que nécessitant un effort considérable, l'entreprise était réalisable. Ce fut plus pénible dans la côte, mais la puissante jument en vint aussi à bout. Le travois constituait un excellent moyen de transport, quel que fût le terrain.

L'invention était d'Ayla, fruit d'une nécessité, d'une opportunité et d'une intuition perspicace. Vivant seule, sans aide de personne, elle s'était souvent trouvée confrontée à des charges trop lourdes pour elle — un animal adulte à rapporter à sa caverne, par exemple — et devait découper ses proies en morceaux pour les transporter. Elle avait ainsi dû imaginer une protection pour les morceaux qu'elle laissait derrière elle, sinon les charognards l'eussent dépouillée de ses proies. Sa chance avait été la jument qu'elle avait élevée et dont elle avait pu utiliser la force. Mais son principal atout résidait dans une intelligence pratique, prompte à saisir toutes les opportunités et à imaginer des astuces pour compenser ses limites physiques.

Arrivés au Camp, Jondalar et Ayla détachèrent l'aurochs et, après force caresses et remerciements, repartirent avec la méritante jument chercher les entrailles. Lorsqu'ils atteignirent la clairière, Jondalar ramassa sa sagaie. La partie supérieure de la hampe brisée net était restée fichée dans la carcasse, mais la partie inférieure était intacte. Il la garda, pensant qu'elle pourrait encore lui servir.

De retour au Camp, ils débarrassèrent Whinney de son harnais. Loup, qui raffolait des intestins, rôdait autour des entrailles. Ayla hésita. Les boyaux avaient de multiples utilités, poches à graisse, membranes imperméables, mais ils en possédaient déjà plus qu'il ne fallait.

Pourquoi fallait-il que leurs besoins augmentent parce que les chevaux leur permettaient de transporter davantage de charge ? se demandait Ayla. Elle se souvint qu'en quittant le Clan, tout ce dont elle avait besoin tenait dans un panier qu'elle portait sur le dos. Bien sûr, leur tente était plus confortable que l'abri en peau qu'elle utilisait à l'époque, et ils avaient des vêtements de rechange, de la nourriture, des ustensiles, et... elle découvrit avec stupeur qu'elle serait incapable de porter ne serait-ce que le quart de leur matériel dans un simple panier.

Elle jeta à Loup les intestins dont elle n'avait pas l'usage, et aida Jondalar à dépecer l'aurochs. Après avoir pratiqué des entailles à quelques endroits précis, ils commencèrent à tirer la peau, procédé plus efficace qu'un dépeçage au couteau. Ils n'utilisèrent un outil tranchant que pour sectionner les quelques points d'attache. La membrane qui protégeait les muscles se sépara proprement sans trop d'efforts et ils obtinrent une peau parfaite, seulement trouée par l'impact des deux sagaies. Ils la roulèrent pour qu'elle ne sèche pas trop vite et la rangèrent à l'écart. La langue et la cervelle feraient un plat riche et tendre qu'ils projetaient de manger le soir même. Ils décidèrent d'offrir le crâne et ses larges cornes au Camp. Quelqu'un s'en servirait certainement comme emblème, et sinon, on pouvait le garder pour de multiples usages.

Ayla alla laver l'estomac et la vessie au ruisseau qui alimentait le Camp en eau potable, et Jondalar descendit à la rivière chercher du bois souple pour fabriquer l'armature du futur bateau. Ensuite, ils ramenèrent du bois mort. Il leur faudrait allumer plusieurs feux pour éloigner les insectes et les animaux de la viande, et chauffer l'abri.

Ils travaillèrent jusqu'à la tombée de la nuit, découpant la viande en longues lamelles qu'ils étendaient sur des égouttoirs de fortune faits de branchages, mais ils n'avaient pas encore terminé. Ils rentrèrent les égouttoirs pour la nuit. Leur tente était encore humide, mais ils la plièrent et la rentrèrent aussi. Ils la remettraient à sécher le lendemain, en même temps que la viande.

Le lendemain matin, après avoir fini de découper la viande, Jondalar s'attela à la construction du bateau. En trempant le bois dans l'eau bouillante et en l'exposant à la vapeur, il l'assouplissait jusqu'à lui donner la courbure voulue. Ayla l'observait avec grand intérêt et lui demanda où il avait appris sa technique.

— C'est mon frère, Thonolan, qui me l'a enseignée. Il fabriquait des sagaies, expliqua Jondalar en recourbant un petit arbre pendant qu'Ayla l'attachait avec des tendons récupérés sur l'arrière-train de l'aurochs.

— Quel rapport avec la construction d'un bateau ?

— Thonolan pouvait obtenir un manche de sagaie parfaitement droit. Et pour redresser le bois, il faut commencer par apprendre à le tordre, ce qu'il réussissait à merveille. Il était bien meilleur que moi. Il avait un fameux coup de main. Il faisait mieux que fabriquer des sagaies, il façonnait le bois. Il fabriquait les meilleures raquettes pour marcher dans la neige, et pour ça, il faut courber une branche jusqu'à obtenir un cercle complet. C'est sans doute pour ça qu'il se sentait si bien chez les Sharamudoï, qui travaillaient habilement le bois. Avec de l'eau chaude et de la vapeur, ils donnent à leurs pirogues la forme qu'ils veulent.

— Une pirogue ? Qu'est-ce que c'est ?

— C'est un bateau creusé dans un arbre entier. Le devant et l'arrière sont effilés et ça glisse sur l'eau en douceur. Comme si on fendait l'eau avec un couteau tranchant. Celui que nous construisons ne soutient pas la comparaison, mais les arbres ne sont pas assez grands par ici. Tu verras leurs pirogues quand on sera chez les Sharamudoï, elles sont splendides.

— On y sera dans combien de temps ?

— Il reste encore du chemin. C'est au-delà des montagnes que tu vois, dit-il en désignant les hauts pics perdus dans la brume estivale.

— Oh ! fit-elle, déçue. J'espérais que ce ne serait pas si loin. J'aimerais tant voir des humains. Si seulement les habitants de ce Camp n'étaient pas partis ! Peut-être reviendront-ils avant notre départ, soupira-t-elle d'un ton dans lequel Jondalar décela une pointe de nostalgie.

— La solitude te pèse ? demanda-t-il. Tu es pourtant

restée longtemps seule dans ta vallée. J'aurais cru que tu y étais habituée.

— Justement, j'ai été seule trop longtemps. J'aime la solitude, à condition qu'elle ne dure pas, et il y a si longtemps qu'on n'a vu personne... j'ai envie de parler à quelqu'un. Heureusement que tu es là, Jondalar, ajouta-t-elle vivement. Ce serait tellement triste, sinon.

— Moi aussi, je suis content que tu sois là, Ayla. Tu ne peux pas savoir à quel point je suis heureux que tu sois venue avec moi. Mais moi aussi, j'ai envie de voir du monde. Quand on atteindra la Grande Rivière Mère, on devrait en rencontrer. Nous avons surtout voyagé à travers la plaine, or les gens vivent aux alentours des rivières ou des lacs.

Ayla approuva d'un signe de tête, puis empoigna un jeune arbre au tronc souple qu'ils avaient mis à chauffer au-dessus des pierres brûlantes. Jondalar le ploya avec précaution jusqu'à obtenir un cercle qu'Ayla noua avec les autres. A voir la forme qui prenait corps, Ayla comprit qu'il leur faudrait toute la peau de l'aurochs pour recouvrir la charpente. Il ne resterait plus guère que quelques chutes, insuffisantes pour fabriquer un sac pour garder la nourriture en remplacement de celui qu'elle avait perdu dans l'inondation. Mais le bateau était prioritaire. Elle pensa alors utiliser un panier au tissage très serré, légèrement oblong, plat, et muni d'un couvercle. Il y avait des massettes, des roseaux, des saules, les matériaux ne manquaient pas, mais est-ce qu'un panier ferait l'affaire ?

Transporter de la viande fraîche comportait une difficulté majeure : le sang continuait à couler et même un panier soigneusement tressé finissait par fuir. C'est pourquoi on préférait les cuirs bruts et rigides. Ils absorbaient lentement le sang, ne fuyaient jamais, et après un certain temps, on pouvait les laver et les refaire sécher. C'était un matériau dans ce genre-là qu'il lui fallait. Elle y réfléchirait.

Le remplacement du parflèche la préoccupait, et lorsqu'ils eurent terminé l'armature qu'ils laissèrent reposer pour que les tendons finissent de sécher et durcissent, Ayla descendit à la rivière pour ramasser les meilleurs matériaux disponibles. Jondalar l'escorta jusqu'au bois de bouleaux. Pendant qu'il s'occupait du façonnage du bois, il décida de fabriquer de nouvelles sagaies, en remplacement de celles perdues ou brisées.

Avant de partir, Wymez lui avait offert de bons silex dégrossis et préformés en pointes. A la Réunion d'Eté, Jondalar avait montré comment son peuple taillait l'os pour construire des flèches, mais il avait appris comment les Mamutoï fabriquaient les leurs en silex, et étant lui-même tailleur de silex, il y passait moins de temps qu'à modeler, polir et affûter les os.

Dans l'après-midi, Ayla s'attaqua à la confection de son nouveau sac à viande fraîche. Lorsqu'elle vivait dans sa vallée, pendant les longues soirées d'hiver, elle trompait sa solitude en tressant des tapis ou des paniers, et elle y avait acquis une certaine dextérité. Elle pouvait presque travailler dans le noir, et son nouveau panier à viande fut terminé avant la nuit. Il était très réussi, d'une forme et d'une taille parfaites, mais elle n'en était pas satisfaite.

Elle sortit dans la pénombre du crépuscule pour changer sa protection de laine absorbante qu'elle lava dans le ruisseau. Elle l'étendit à sécher près du feu, hors de la vue de Jondalar, et alla s'allonger dans son sac de fourrure sans oser le regarder. On apprenait aux femmes du Clan à éviter les hommes pendant leurs saignements, et à ne jamais les regarder en face. Les hommes du Clan n'aimaient pas approcher les femmes dans ces moments-là, ils devenaient nerveux. L'attitude sereine de Jondalar avait toujours surpris Ayla, mais elle n'arrivait pas à se départir de sa gêne et continuait à procéder à sa toilette intime dans la plus stricte discrétion.

Jondalar avait appris à respecter son embarras pendant ses périodes lunaires, mais lorsqu'elle se fut mise au lit, il se pencha pour l'embrasser. Les yeux clos, elle lui rendit son baiser. Il s'allongea ensuite sur le dos, et côte à côte, contemplant les ombres que le feu projetait sur les murs et le plafond, ils bavardèrent. Ayla évitait toujours soigneusement de le regarder.

— Il faudrait que j'enduise la peau quand on l'aura montée sur l'armature, expliqua Jondalar. Si je fais bouillir les sabots et les chutes de peau avec des os, ça fera un bouillon épais et collant qui durcira en séchant. Dans quoi pourrais-je cuire mon mélange ?

— Oh, on trouvera bien. Ça doit bouillir longtemps ?

— Oui. Il faut le faire réduire pour qu'il s'épaississe.

— Dans ce cas, il faudra qu'il chauffe directement sur le feu, comme une soupe... un récipient en cuir ferait l'affaire. Il faudra le surveiller, et l'humecter de temps en temps... attends, j'ai une idée. Pourquoi pas l'estomac de l'aurochs ? Il m'a servi d'outre pour l'eau, il ne risque pas de sécher. Je pensais l'utiliser pour la cuisine, mais ça fera un bon récipient.

— Ce n'est pas sûr, objecta Jondalar. Il ne faut pas ajouter d'eau. Au contraire, il faut que le liquide s'épaississe.

— Alors, utilise donc un panier étanche et des pierres chaudes. J'en fabriquerai un demain matin.

Elle ne réussit pas à trouver le sommeil. Elle ne cessait de penser au meilleur moyen de cuire la mixture dont Jondalar avait besoin, et elle ne trouvait pas de solution. Elle allait s'endormir quand une idée lui vint.

— Ça y est, Jondalar ! Je m'en souviens.

Jondalar qui sommeillait se réveilla en sursaut.

— Hein ? qu'y a-t-il ?

— Tout va bien. Je viens de me rappeler comment Nezzie faisait fondre la graisse, et je crois que ce serait le meilleur moyen pour cuire ton mélange. Tu creuses un trou dans le sol, de la forme d'un bol, et tu le calfeutres de peau — il reste assez de peau d'aurochs. Tu broies des os en petits morceaux et tu en garnis le fond, tu verses l'eau, les sabots et tout ce que tu veux. Tu laisses bouillir le temps que tu veux, tu n'as qu'à rajouter des pierres chaudes, et les morceaux d'os empêchent les pierres de toucher la peau et de la brûler.

— Excellent. C'est ce qu'on fera, approuva Jondalar, à demi endormi.

Il se retourna et ne tarda pas à ronfler.

Mais Ayla était toujours soucieuse. Elle avait projeté de laisser l'estomac d'aurochs aux habitants du Camp, afin qu'il leur serve d'outre. Mais pour cela, il fallait l'arroser constamment, lui conserver son humidité. Une fois sec, il durcissait et perdait ses qualités de souplesse et d'étanchéité. Il finirait par devenir poreux et l'eau s'évaporerait. D'autant qu'elle ignorait quand les occupants reviendraient.

Soudain, elle trouva. Elle faillit crier, mais se retint à temps. Elle ne voulait pas réveiller Jondalar. Elle ferait sécher l'estomac pour doubler son nouveau sac à viande fraîche, en le moulant pendant qu'il était encore humide. Elle s'endormit apaisée. Elle avait enfin découvert le moyen de remplacer le précieux parflèche.

Les jours suivants, pendant que la viande séchait, ils furent tous deux très occupés. Ils terminèrent la coquille de noix qui devait leur servir d'embarcation, l'enduisirent de la colle que Jondalar avait fabriquée en cuisant les sabots, les os et les chutes de peau. En attendant qu'elle sèche, Ayla confectionna des paniers, pour la viande qu'ils comptaient offrir aux habitants du Camp, et pour remplacer ceux qu'elle avait perdus. Elle ramassait chaque jour des légumineuses et des herbes médicinales, et en mettait de côté une partie pour le Voyage.

Un jour, Jondalar l'accompagna. Il cherchait de quoi fabriquer des pagaies. Ils venaient de se mettre en route quand il eut la chance de trouver le crâne d'un cerf géant, mort avant de perdre ses andouillers palmés. Bien qu'il fût encore tôt, il passa le reste de la matinée avec Ayla afin d'apprendre à reconnaître certaines plantes. Il découvrait peu à peu toute l'étendue du savoir de sa compagne. Sa connaissance des plantes et de leurs vertus était tout simplement prodigieuse. De retour au Camp, Jondalar tailla les larges andouillers, les attacha à de courts manches en bois assez solides pour faire de bonnes pagaies.

Le lendemain, il décida d'utiliser l'équipement qui lui avait servi à assouplir le bois de l'armature du bateau, pour fabriquer des hampes de sagaie bien rectilignes. Même avec ses outils spéciaux, soigneusement rangés dans un étui de cuir, il lui fallut deux jours pour les façonner et les polir. Chaque fois qu'il passait à l'endroit où il avait jeté la pointe de sagaie brisée, il s'assombrissait. Quel dommage, se disait-il, qu'on ne pût pas la réparer, à moins d'en raccourcir le manche, ce qui donnerait une sagaie mal équilibrée. Les sagaies étaient longues à fabriquer, et si fragiles.

Après avoir vérifié le parfait équilibre de ses sagaies, avec un autre outil, une étroite lame de silex biseautée emmanchée à un andouiller, il creusa une profonde entaille à l'extrémité des hampes. Il choisit ensuite quelques-uns des nodules de silex qui lui restaient, et les tailla à coups secs, obtenant les lames qu'il colla aux hampes avec la glu qui avait servi à enduire le bateau, et qu'il attacha avec des tendons frais. Les tendons rétrécissaient en séchant, resserrant étroitement les nœuds. Pour terminer, il fixa à chaque sagaie deux longues plumes, qu'il avait trouvées près de la rivière. Plumes d'aigles, faucons ou milans noirs qui vivaient dans ces régions, profitant de l'abondance des tamias ou autres rongeurs.

Ils avaient fabriqué une cible avec une épaisse paillasse que le blaireau avait éventrée et rendue inutilisable. Recouverte de peau d'aurochs, elle absorbait la violence des jets sans endommager les sagaies. Ils s'entraînèrent tour à tour, Ayla pour se perfectionner, Jondalar pour tester différentes longueurs de manches, ou différentes tailles de pointes.

Lorsque les nouvelles sagaies furent prêtes, ils les essayèrent avec le propulseur, et choisirent chacun celles qui leur convenaient le mieux. Tous deux étaient d'habiles lanceurs, mais certaines sagaies rataient tout de même la cible et se plantaient dans le sol sans dommage. Or Jondalar lança une nouvelle sagaie avec tant de force que non seulement elle manqua la cible, mais elle frappa un énorme os de mammouth qui servait de siège. Il jura en entendant le craquement sec, annonciateur de casse. La hampe s'était fendue à une trentaine de centimètres de la pointe.

Il vint l'examiner. Le fragile silex s'était lui aussi brisé, et un large éclat manquait, rendant la pointe inutilisable. Furieux d'avoir gâché une sagaie qui lui avait demandé tant de travail, il brisa la hampe sur son genou et la jeta.

Il s'aperçut qu'Ayla l'observait et rougit de s'être laissé emporter. Il ramassa les morceaux en espérant s'en débarrasser discrètement. Ayla s'apprêta à lancer une autre sagaie comme si elle n'avait rien remarqué. Jondalar retourna à l'abri et laissa tomber la sagaie brisée près de la hampe cassée lors de la chasse à l'aurochs. Toujours sous le choc, il porta son regard sur les armes inutilisables. Il se sentit ridicule de s'emporter pour si peu.

Oui, mais c'est si long à fabriquer, se dit-il, en considérant la longue hampe sectionnée, et à côté le fragment de sagaie avec son silex brisé. Dommage qu'on ne puisse assembler ces deux bouts !

Tout en contemplant les sagaies d'un œil vide, il échafaudait des solutions. Décidé à tenter sa chance, il ramassa les morceaux de hampes et examina les deux extrémités avec soin. Il les mit bout à bout, et les deux hampes restèrent soudées un instant avant de se détacher à nouveau. En étudiant la longue hampe, il s'arrêta à la profonde entaille qu'il y avait creusée pour l'adapter au crochet du propulseur.

Si je creuse davantage le bout de cette hampe, se dit-il, et que je taille l'autre en fuseau, peut-être pourrais-je les emboîter ? Plein d'espoir, Jondalar rentra dans l'abri, s'empara fébrilement de sa trousse à outils et se précipita dehors mettre son projet à exécution. Il s'assit par terre, déroula la pièce de cuir qui enveloppait ses outils de silex, et choisit un ciseau. Il empoigna la hampe brisée, détacha le couteau qu'il portait à la ceinture et commença à tailler la cassure déchiquetée.

Ayla avait cessé son entraînement et rangé son propulseur et ses sagaies dans l'étui qu'elle portait maintenant en bandoulière, comme Jondalar. Elle rentrait au Camp chargée des plantes cueillies en route quand elle aperçut Jondalar venant au-devant d'elle, le visage éclairé d'un large sourire.

— Regarde, Ayla ! s'écria-t-il en brandissant une sagaie. J'ai recollé les morceaux. Je vais voir si ça marche.

Elle le suivit et le regarda disposer son arme sur le propulseur, viser et projeter la sagaie d'un geste puissant. L'arme frappa la cible et rebondit. Jondalar alla vérifier et découvrit que la pointe brisée, soudée au manche fuselé, s'était enfoncée profondément dans la cible. Sous l'impact, la hampe s'était détachée et était retombée au sol. Il l'inspecta, mais ne trouva aucun dommage : l'astuce avait fonctionné !

— Ayla ! jubila-t-il en criant presque. Te rends-tu compte de ce que ça signifie ?

— Non, je ne comprends pas, avoua-t-elle.

— Regarde. En se plantant dans la cible, la pointe s'est détachée de la hampe sans se casser. Résultat, je n'ai plus qu'à fabriquer une nouvelle pointe et à l'attacher sur un petit manche, comme ça. Plus la peine de façonner une hampe entière. Je peux fabriquer une ou deux pointes, plusieurs même, emmanchées à de courtes hampes, et seulement quelques hampes longues. Ça veut dire aussi que nous pourrons transporter plus de petites hampes, que nous aurons davantage de munitions, et qu'elles seront plus faciles à remplacer. Tiens, essaie ! fit-il en arrachant la pointe de la cible.

— Je ne sais pas fabriquer d'aussi belles sagaies que toi, dit Ayla en examinant l'arme qu'il lui tendait. Et mes pointes de silex sont moins réussies que les tiennes. Mais des manches comme ça, je pourrais en fabriquer, conclut-elle, aussi enthousiaste que lui.

La veille de leur départ, ils vérifièrent les réparations, disposèrent la peau du blaireau bien en vue pour qu'on sache qu'il était le responsable des dégâts, et étalèrent leurs cadeaux. Le panier rempli de viande séchée fut pendu à un chevron en os de mammouth, hors de portée des rôdeurs et des charognards. Ayla disposa plusieurs paniers, et suspendit des bouquets d'herbes médicinales ou nutritives, surtout celles qu'utilisaient les Mamutoï. Jondalar laissa en cadeau à son hôte une sagaie particulièrement réussie.

Devant l'abri, ils empalèrent sur une perche, hors d'atteinte des charognards, le crâne à moitié sec de l'aurochs, avec ses énormes cornes. Les cornes ainsi que certaines parties du crâne pouvaient servir à de multiples usages, et c'était aussi un moyen d'indiquer quelle viande se trouvait dans les paniers.

Le louveteau et les chevaux avaient senti un changement imminent. Loup, tout excité, courait et sautait dans tous les sens, les chevaux étaient nerveux, et Rapide, fidèle à son nom, s'ébattait dans de brèves mais vives pointes de vitesse. Whinney restait près du Camp, surveillant Ayla et hennissant dès qu'elle l'apercevait.

Avant d'aller se coucher, ils rangèrent tout leur matériel, exception faite de leurs fourrures de couchage et du déjeuner du matin. La tente, bien que raidie et plus encombrante qu'auparavant, fut pliée et tassée dans un panier. Les peaux avaient été fumées avant d'être cousues, de sorte que, même après l'inondation qu'elle avait subie, la tente gardait une certaine souplesse. En revanche, l'auvent s'était rigidifié, et ne s'assouplirait qu'à l'usage.

Profitant de sa dernière nuit confortable, Ayla contemplait les flammes du feu mourant dont les ombres dansaient sur les murs, et son esprit reflétait le même jeu d'ombres et de lumières. Elle avait hâte de reprendre la route, mais regrettait déjà le Camp où elle avait fini par se sentir chez elle. Les derniers jours, elle s'était surprise à observer les crêtes, guettant l'arrivée des habitants du Camp.

Bien qu'elle souhaitât toujours leur venue inopinée, elle avait abandonné tout espoir, et était impatiente d'atteindre la Grande Rivière Mère. Peut-être auraient-ils la chance de rencontrer quelqu'un en cours de route. Elle adorait Jondalar, mais les autres lui manquaient, les femmes, les enfants, les rires, les bavardages, et tout ce que les êtres humains aimaient échanger et partager. Elle évitait de trop penser au-delà du prochain jour, ou du prochain camp. Elle refusait de prévoir l'accueil que lui réserverait le peuple de Jondalar, ou la durée du Voyage, et elle ne voulait pas non plus penser à la façon dont ils franchiraient le large fleuve au courant rapide dans leur frêle embarcation.

Jondalar ne dormait pas non plus. Le Voyage le rendait soucieux, et le départ fébrile. Il avait lui aussi hâte de partir, même s'il avait trouvé leurs quelques jours de repos bien utiles. Leur tente était sèche, leurs provisions abondantes, l'équipement perdu ou endommagé remplacé, et il se réjouissait de l'amélioration qu'il avait apportée à la confection des sagaies. Il était content d'avoir son bateau, mais la traversée du fleuve l'inquiétait. Il était large et le courant rapide. Sans doute approchaient-ils de la mer, et il ne fallait pas espérer trouver un gué plus étroit. Aucun danger ne pouvait être écarté et il serait soulagé quand ils atteindraient l'autre rive.

10

Ayla se réveilla souvent cette nuit-là, et ses yeux étaient grands ouverts quand les faibles lueurs matinales filtrèrent par l'orifice d'évacuation de la fumée. Les pâles rayons lumineux chassaient les ténèbres des moindres recoins, dévoilant formes et volumes. Ayla avait ouvert les yeux avant la première clarté. Il lui fut impossible de se rendormir.

Elle se glissa dehors sans bruit. La froidure de la nuit enveloppa sa peau nue, et le fond de l'air rafraîchi par les épaisses couches de glace du nord lui donna la chair de poule. Au-delà de la vallée brumeuse, elle distinguait de vagues reliefs encore dans l'ombre, et qui se découpaient sur le ciel embrasé. Elle souhaita y être déjà.

Elle sentit contre sa jambe la caresse d'une fourrure chaude et drue, et flatta d'une main distraite le cou de Loup qui venait de la rejoindre. Il renifla l'air et, reconnaissant sans doute une odeur attirante, se précipita vers le bas de la ravine. Ayla chercha les chevaux et discerna la robe louvette de la jument qui paissait dans un pré jouxtant la rivière. L'étalon était hors de sa vue, mais elle le devinait près de sa mère.

Enjambant l'herbe humide de rosée, elle marcha en

frissonnant vers la petite crique et sentit le soleil réchauffer l'air glacial. Elle contempla le ciel passer du grisâtre au bleu pastel, et où quelques rares nuages roses témoignaient de la splendeur de l'astre encore caché derrière la crête.

Ayla eut envie de monter sur la colline assister au lever du soleil, mais des éclats aveuglants attirèrent son attention dans l'autre direction. Bien que les ravines menant à la rivière fussent toujours nimbées d'une brume grisâtre, à l'ouest, les montagnes baignant dans la lumière chaude du matin se détachaient avec tant de netteté à l'horizon qu'Ayla crut pouvoir les toucher. Une tiare scintillant de mille feux couronnait les pics enneigés de la chaîne méridionale. Tant de beauté lui coupa le souffle.

Lorsqu'elle atteignit le petit cours d'eau qui dévalait la pente, la fraîcheur matinale s'était déjà dissipée. Elle posa l'outre qu'elle avait apportée de l'abri, vérifia sa protection de laine et s'aperçut avec joie que ses périodes lunaires étaient terminées. Elle défit les lanières qui retenaient la garniture, ôta son amulette et entra dans un étroit bassin qu'avait formé le cours d'eau. Une fois lavée, elle remplit l'outre à la petite cascade dont l'eau remplissait le bassin et s'essuya à main nue. Elle remit son amulette, ramassa sa protection nettoyée et ses lanières et se dépêcha de rentrer.

Lorsqu'elle pénétra dans l'habitation semi-souterraine, elle trouva Jondalar en train de ficeler les fourrures de couchage qu'il avait roulées. Il s'aperçut qu'elle ne portait plus ses lanières et lui décocha un sourire suggestif.

— Ah, si j'avais su, je n'aurais pas roulé les fourrures, soupira-t-il.

Elle rougit, puis elle le regarda droit dans les yeux. Elle y vit une lueur taquine, mêlée d'amour et de désir ardent.

— Tu n'auras qu'à recommencer, répliqua-t-elle en souriant à son tour.

— Et voilà comment s'envole l'espoir d'un départ rapide ! s'exclama-t-il en défaisant le nœud qui retenait les fourrures de couchage.

Il les déroula, se redressa et lui ouvrit les bras.

Après leur repas, ils finirent d'empaqueter leurs affaires et, suivis de leurs compagnons à quatre pattes, descendirent à la rivière en portant l'embarcation. Mais décider du meilleur endroit pour traverser se révéla autrement plus ardu. L'eau défilait sous leurs yeux effarés. Le fleuve était si large qu'ils distinguaient à peine la rive opposée. Le fort courant agité de vagues dessinait de multiples tourbillons et le sourd grondement qui leur parvenait aux oreilles confirmait sa puissance impressionnante.

Lorsqu'il avait conçu son embarcation circulaire, Jondalar n'avait cessé de s'interroger sur la nature du fleuve et sur le moyen de le franchir. C'était la première fois qu'il fabriquait un bateau, et il avait peu navigué. Lorsqu'il vivait parmi les Sharamudoï, il était devenu assez adroit à manœuvrer leurs bateaux effilés aux lignes pures, mais quand il avait essayé de diriger les barques rondes des Mamutoï, il les avait trouvées très peu maniables. Elles flottaient bien, ne se retournaient pas facilement, mais elles étaient difficiles à contrôler.

Les deux peuples n'avaient pas seulement différents types de matériau à leur disposition, ils utilisaient aussi leurs canots dans des buts différents. Pour les Mamutoï, chasseurs des steppes, la pêche ne représentait qu'une activité annexe. Leurs bateaux n'étaient conçus que pour les transporter d'une rive à l'autre de petits affluents, ou de rivières plus larges qui descendaient des montagnes, au nord, et traversaient presque un continent avant de se jeter dans la mer intérieure méridionale.

Les Ramudoï, Peuple de la Rivière, et moitié jumelle des Sharamudoï, pêchaient sur la Grande Rivière Mère — à vrai dire, quand ils partaient capturer les énormes esturgeons de neuf mètres, ils appelaient cela chasser. Alors que l'autre moitié, les Shamudoï, chassaient le chamois et les animaux sur les pentes escarpées des falaises et des montagnes dominant la rivière qui coulait au fond d'une gorge profonde près de leur Camp. Pendant la saison chaude, les Ramudoï vivaient sur l'eau, profitant de toutes les ressources de la rivière. Ils abattaient les grands chênes blancs qui bordaient ses rives pour fabriquer leurs superbes pirogues si maniables.

— Eh bien, embarquons d'abord le matériel, décida Jondalar en soulevant un de ses sacs. (Il le reposa et en choisit un autre.) Il vaut mieux mettre les plus lourds dans le fond, je pense. Celui-ci contient mes silex et tous mes outils.

Ayla approuva d'un air grave. Elle aussi avait longuement réfléchi aux difficultés de leur future traversée en rassemblant ses souvenirs des sorties en bateau avec ceux du Camp du Lion.

— On devrait s'installer face à face, suggéra-t-elle. Ça maintiendra l'équilibre. Je garderai une place à côté de moi pour Loup.

Jondalar s'interrogeait sur le comportement du louveteau dans la frêle embarcation, mais s'abstint de tout commentaire. Ayla, qui avait remarqué son inquiétude, garda son calme.

— Tiens, fit Jondalar, prends cette pagaie. Il vaut mieux que nous en ayons une chacun.

— Avec tout ce chargement, j'espère qu'il va nous rester de la place, remarqua-t-elle en casant la tente sur laquelle elle prévoyait de s'asseoir.

Ils réussirent à tout faire entrer dans le bateau, excepté les perches.

— Tant pis, soupira Jondalar. Abandonnons-les !

Alors qu'ils venaient de remplacer celles qu'ils avaient perdues dans l'ouragan.

— Oh, non, certainement pas ! s'écria Ayla en brandissant une corde qu'elle avait réservée. Elles flotteront. Je vais les attacher au bateau pour les empêcher de dériver.

L'idée déplaisait à Jondalar et il allait formuler une objection quand une question d'Ayla bouscula ses pensées.

— Et les chevaux ? fit-elle. Qu'allons-nous en faire ?

— Les chevaux ? Mais ils savent nager, non ?

— Oui, mais tu sais bien comme ils sont nerveux, surtout quand il s'agit d'une nouvelle expérience. Que ferons-nous si quelque chose les effraye et qu'ils décident de faire demi-tour ? Jamais ils ne retraverseront seuls. Ils ne s'apercevront même pas que nous sommes sur l'autre rive, et il faudra retourner les chercher. Autant les guider.

Elle a raison, se dit Jondalar. La peur peut pousser les chevaux à rebrousser chemin.

— Et comment les guider puisqu'on sera dans le bateau ? demanda-t-il.

La situation se compliquait. C'était déjà assez difficile de conduire un bateau sans avoir à s'occuper de chevaux paniqués. Son inquiétude grandissait.

— On va leur mettre les harnais avec des longes qu'on attachera au bateau, suggéra Ayla.

— Tu crois ?... Ce n'est peut-être pas la meilleure solution. Réfléchissons encore.

— Mais c'est tout réfléchi, répliqua Ayla en enroulant une corde autour des trois perches avant de l'attacher au bateau avec un peu de mou. Ecoute, c'est toi qui étais pressé, ajouta-t-elle en harnachant Whinney. (Elle passa une corde dans le harnais et la fixa au bateau, à l'opposé des perches.) Voilà, je suis prête ! annonça-t-elle, debout près du bateau, l'amarre à la main.

— Bon, d'accord, finit-il par déclarer après une longue hésitation.

Il appela Rapide. Le jeune étalon dressa la tête et hennit quand l'homme tenta de glisser le harnais par-dessus l'encolure. Mais Jondalar lui parla avec douceur tout en le flattant et en le caressant. Rapide se calma et se laissa faire. Jondalar put alors amarrer la corde au bateau.

— Allons-y ! décida-t-il.

Ayla fit signe à Loup de venir près d'elle. Alors, tenant les longes pour entraîner les chevaux, ils poussèrent le bateau dans le fleuve et se hissèrent à bord.

Les ennuis ne tardèrent pas. Le courant emporta la frêle

embarcation mais les chevaux n'étaient pas encore prêts à entrer dans l'eau. Ils ruèrent et se cabrèrent, secouant violemment la barque et manquant la renverser. Loup dut lutter pour garder l'équilibre, et considéra la situation d'un air affolé. Sous le poids de la charge, le bateau se remit d'aplomb, bien qu'il s'enfonçât dangereusement. Les perches, emportées par le courant, flottaient devant eux.

Les encouragements angoissés d'Ayla et de Jondalar, et le courant qui entraînait le bateau, lequel entraînait à son tour les chevaux, décidèrent enfin les deux bêtes réticentes. La première, Whinney mit un sabot dans l'eau, bientôt imitée par Rapide, et ils s'élancèrent. Ils perdirent vite pied et se mirent à nager. Jondalar et Ayla n'avaient d'autre choix que de se laisser guider par le courant jusqu'à ce que l'ensemble hétéroclite formé par les trois perches enchevêtrées, suivies par une coquille de noix lourdement chargée dans laquelle se tenaient un homme, une femme et un loup affolé, et tirant derrière elle deux chevaux, se fût enfin stabilisé. Jondalar et Ayla abandonnèrent alors les longes et empoignèrent les pagaies pour tenter de remonter le courant.

Peu habituée, Ayla pagayait gauchement face à la rive opposée. Tout en essayant d'éloigner l'embarcation du rivage, Jondalar lui criait des conseils. Après quelques essais infructueux, elle finit par prendre le coup de main et put enfin aider Jondalar à diriger le bateau. Mais même à deux, ils n'avançaient pas vite, gênés par les longues perches qui les précédaient et par les chevaux qui les tiraient involontairement en sens contraire en roulant des yeux effrayés.

Emportés par le courant, ils approchaient tout de même de l'autre rive, mais le fleuve, épousant le relief qui descendait vers la mer, décrivait une courbe à angle aigu en prenant de la vitesse. Un fort reflux formait un tourbillon dans lequel les perches virevoltèrent et furent projetées à l'avant du bateau avec une telle violence que Jondalar crut qu'elles avaient troué la coque. Le choc secoua les occupants, fit tournoyer la coquille de noix et se répercuta sur les longes qui retenaient les chevaux. Paniqués, ils se mirent à hennir, avalant de pleines gorgées d'eau, et tentèrent de s'éloigner, mais le courant entraînait inexorablement dans la direction opposée l'embarcation à laquelle ils étaient attachés.

Leurs efforts désespérés eurent pourtant un effet certain. Le frêle canot se mit à tourner dans l'autre sens, tirant les perches d'un coup sec, lesquelles cognèrent de nouveau la coque avec force. La violence du courant ajoutée aux secousses contraires agita en tous sens le bateau surchargé. Il embarqua de l'eau, s'alourdit, menaça de couler.

La queue entre les pattes, le loup terrorisé s'était recroquevillé sur la tente à côté d'Ayla. Celle-ci s'efforçait désespérément de maintenir le bateau à l'aide d'une pagaie qu'elle ne savait pas utiliser, tentant d'appliquer les instructions de Jondalar sans les comprendre. En entendant les hennissements affolés des chevaux, elle saisit soudain qu'elle devait les détacher. Abandonnant sa pagaie, elle empoigna le couteau qu'elle portait à la ceinture et trancha la longe de Rapide qu'elle savait le plus nerveux des deux.

La libération de l'étalon fit ballotter et tournoyer la barque de plus belle, et Loup n'y tint plus. Il sauta par-dessus bord. Ayla le regarda s'éloigner en nageant frénétiquement, coupa la longe de Whinney, et plongea à son tour pour rattraper Loup.

— Ayla ! cria Jondalar.

Le bateau soudain allégé, tournant comme une toupie, fut précipité sur les perches et, lorsqu'il put lever les yeux, il vit Ayla encourager Loup qui nageait vers elle. Rapide, suivi de Whinney, fonçait vers la rive opposée, et le courant entraînait Jondalar à toute vitesse loin d'Ayla, en aval.

Ayla jeta un coup d'œil vers Jondalar, et l'aperçut avec horreur disparaître derrière le méandre. Le cœur serré, elle crut qu'elle ne le reverrait plus jamais. L'espace d'un instant, elle se reprocha d'avoir abandonné l'embarcation, mais les événements se précipitaient et elle n'eut pas le

loisir de se morigéner plus longtemps. Luttant farouchement contre le courant, Loup nageait à sa rencontre. En
quelques brasses, elle fut près de lui, mais emporté par sa
fougue, il essaya de poser ses pattes sur les épaules de sa
maîtresse, lui lécha le visage, et l'enfonça sous l'eau. Elle
refit surface en toussant, l'empoigna d'une main et chercha
les chevaux.

La jument approchait du rivage. Ayla reprit son souffle
et siffla Whinney de toutes ses forces. Cette dernière dressa
les oreilles, cherchant d'où venait le son. Ayla siffla de
nouveau, et la jument changea de direction, nagea vers
elle, pendant qu'Ayla allait à sa rencontre à longues brasses
puissantes. C'était une excellente nageuse. Coupant en
diagonale dans le sens du courant, il lui fallut néanmoins de
gros efforts pour atteindre la jument. Lorsqu'Ayla put
enfin agripper la crinière de Whinney, elle poussa un cri de
soulagement. Le loup les rejoignit peu après, mais ne
s'arrêta pas.

Ayla se reposa sur l'encolure de Whinney, et remarqua
seulement à quel point l'eau était froide. Elle vit la longe
attachée au harnais, et comprit le danger qui guettait le
cheval si la corde se prenait dans quelque débris flottant.
Elle essaya de la dénouer, mais ses doigts raidis par le froid
échouèrent à défaire le nœud. Elle décida donc de repartir
à la nage pour ne pas ajouter au fardeau de Whinney et
espérant que l'exercice la réchaufferait.

Quand elle atteignit enfin la rive, Ayla sortit de l'eau en
titubant, épuisée, et se laissa tomber sur la grève, frissonnante de froid. Les chevaux et Loup n'étaient guère plus
reluisants. Ils s'ébrouèrent, aspergeant Ayla, et Loup
s'écroula, haletant. La robe épaisse de Whinney était
lourde, elle l'eût été encore plus en hiver, augmentée du
poids de son double pelage. Jambes écartées, tête baissée,
oreilles couchées, elle reprenait son souffle, le corps
parcouru de frissons.

Mais le soleil à son zénith avait réchauffé l'atmosphère et,
une fois reposée, Ayla cessa de frissonner. Elle se releva,

cherchant l'étalon des yeux, persuadée que Rapide avait pu vaincre les flots tourbillonnants. Elle siffla Whinney, sachant que l'étalon répondait toujours lorsqu'elle appelait sa mère, puis elle imita le sifflement de Jondalar. En pensant à lui, elle éprouva une vive inquiétude. Avait-il réussi à traverser le fleuve sur son frêle esquif ? Et si oui, où était-il ? Elle siffla de nouveau en espérant que Jondalar l'entendrait aussi. Mais ce fut l'étalon seul qui parut enfin, traînant toujours sa longe derrière lui.

— Rapide ! cria-t-elle. Tu as réussi, je le savais !

Whinney l'accueillit par un doux hennissement et Loup poussa des jappements enthousiastes. Rapide répondit en s'ébrouant avec tant de vigueur qu'Ayla en conclut qu'il n'était pas fâché de retrouver ses amis. Rapide frotta ses naseaux contre le museau de Loup, et vint ensuite poser sa tête sur l'encolure de sa mère, cherchant auprès d'elle un réconfort après la terreur de la traversée.

Ayla s'approcha à son tour, l'étreignit, puis lui flatta l'encolure avant de le débarrasser de son harnais. Il était habitué à le porter au point qu'il ne le gênait même pas pour paître, mais Ayla préféra le lui ôter à cause de la longe qui traînait. Elle-même n'aurait pas supporté d'être encombrée de la sorte. Elle ôta ensuite celui de Whinney et glissa les deux harnais sous sa ceinture. Elle pensa changer ses vêtements trempés, mais rien ne pressait. D'ailleurs ils séchaient déjà sur elle.

— Maintenant qu'on a retrouvé Rapide, cherchons Jondalar ! déclara-t-elle à voix haute.

Loup la regarda, dans l'expectative.

— Viens, Loup, cherchons Jondalar !

Elle enfourcha Whinney et la guida vers l'aval.

Après avoir été ballotté en tous sens, le petit canot tendu de peau avait retrouvé son équilibre, grâce à Jondalar, et descendait tranquillement le courant, traînant les trois perches dans son sillage. Alors, Jondalar se mit à pagayer vigoureusement en direction de la berge. Il s'aperçut avec soulagement que les trois perches stabilisaient la barque en l'empêchant de tournoyer et rendaient son contrôle plus aisé.

Il se reprochait de ne pas avoir plongé en même temps qu'Ayla. Mais tout s'était passé si vite ! Avant qu'il ait pu réagir, elle avait déjà sauté et le courant l'emportait au loin. Il était trop tard pour la suivre, il n'aurait pas pu la rattraper avec le courant contraire. En outre, ils auraient perdu le bateau et tout leur matériel.

Il essayait de se rassurer en se disant qu'Ayla était une bonne nageuse, mais l'inquiétude décuplait son énergie. Enfin, après un laps de temps qui lui parut interminable, il sentit le fond rocailleux racler la barque. Il soupira, épuisé. Il descendit de l'embarcation surchargée, la tira sur la berge et s'effondra. Puis, sans s'attarder, il décida de remonter la rivière à pied à la recherche d'Ayla.

Il ne voulait pas s'éloigner du rivage, et lorsqu'il rencontra un petit affluent qui venait grossir le fleuve, il le traversa à pied. Mais il trouva bientôt sur sa route une rivière plus large qui le fit hésiter. Trop profonde pour être franchie à pied, trop rapide pour qu'il s'y aventurât à la nage sans risquer d'être entraîné vers le fleuve tout proche, il décida de la remonter pour trouver un gué praticable.

Chevauchant Whinney, Ayla atteignit le même cours d'eau peu de temps après, et remonta le courant elle aussi. Avec l'avantage du cheval, elle n'eut pas à chercher aussi loin pour traverser. Suivie par Rapide et par Loup, elle atteignit bientôt l'autre rive qu'elle entreprit de suivre jusqu'au fleuve. C'est alors qu'en se retournant elle vit Loup partir dans l'autre direction.

— Loup, viens par ici ! cria-t-elle.

Agacée, elle le siffla et incita Whinney à poursuivre sa route. Le louveteau hésita, fit quelques pas vers elle,

220

retourna en arrière et décida finalement de la suivre. Arrivée au bord du fleuve, Ayla poussa sa jument au galop.

Son cœur se mit à battre quand elle aperçut le petit bateau échoué sur une plage rocailleuse.

— Jondalar ! Jondalar ! cria-t-elle en demandant à Whinney de forcer l'allure.

Sans attendre que sa jument s'arrête, elle sauta à terre et se rua vers le bateau. Elle fouilla la barque, puis les environs, rien. Tout était en ordre, les perches étaient toujours là, mais pas de Jondalar.

— Voilà le bateau, mais où est Jondalar ? dit-elle à voix haute. (Loup jappa comme pour lui répondre.) Oh, pourquoi ? Où est-il ? Le bateau s'est-il échoué tout seul ? Jondalar a-t-il réussi à traverser ?

Soudain, elle comprit. Il est parti à ma recherche. Mais s'il remontait pendant que je descendais, pourquoi nous sommes-nous manqués ?...

— Le cours d'eau ! s'écria-t-elle.

Loup jappa en remuant la queue. Elle se souvint alors de son refus de la suivre.

— Oh, mon Loup ! appela-t-elle.

L'animal accourut et sauta sur Ayla, labourant les épaules de ses grosses pattes. Elle empoigna la fourrure drue de son cou, plongea son regard dans ses yeux pétillants d'intelligence, et revit le jeune garçon maladif qui lui avait tant rappelé son propre fils. Un jour, Rydag avait envoyé Loup à sa recherche, et il avait couvert une longue distance pour la retrouver. Maintenant, elle savait qu'il retrouverait Jondalar. Si seulement elle pouvait lui faire comprendre !

— Loup, trouve Jondalar ! dit-elle.

Aussitôt, il ôta ses pattes de ses épaules, commença à renifler le sol autour du bateau, et fila soudain dans la direction qu'ils venaient d'emprunter.

Engagé dans l'eau jusqu'à la taille, Jondalar avançait en tâtonnant quand il crut entendre un sifflement familier... et

221

impatient. Il s'arrêta, perplexe, ferma les yeux pour mieux le situer puis, croyant avoir rêvé, poursuivit sa traversée. Arrivé sur l'autre rive, il longea la rivière vers l'embouchure du fleuve. Préoccupé par le sort d'Ayla, il n'en continuait pas moins à être tracassé par le curieux sifflement.

Il marchait depuis longtemps avec ses vêtements trempés, sachant qu'Ayla devait subir le même désagrément. Il songea qu'il aurait sans doute dû emporter la tente, ou un quelconque abri. Le jour déclinait. Il était peut-être arrivé quelque chose à Ayla, peut-être était-elle blessée ? Il se mit à surveiller la berge et la végétation avec plus de soin.

C'est alors qu'il entendit de nouveau siffler, cette fois plus fort et plus près, suivi d'un yip, yip, yip et d'un hurlement de loup, accompagnés de bruits de sabots. Il se retourna et son visage s'éclaira en apercevant Loup courant à sa rencontre, Rapide à ses trousses. Mais sa joie fut à son comble quand il vit arriver Ayla sur le dos de Whinney.

Loup bondit sur lui et, les pattes sur sa poitrine, se mit à lui lécher la figure. Jondalar empoigna sa fourrure, comme il avait vu faire Ayla, et étreignit le louveteau. Il le repoussa en voyant Ayla sauter de cheval et accourir vers lui.

— Jondalar ! Oh, Jondalar ! soupira-t-elle comme il la serrait dans ses bras.

— Ayla ! Ayla, mon amour ! murmura-t-il en la pressant contre sa poitrine.

Le loup bondit sur le couple, et les gratifia de coups de langue exubérants. Cette fois-ci, personne ne le repoussa.

Le fleuve qu'ils venaient de traverser se jetait dans l'étendue d'eau saumâtre que les Sharamudoï appelaient mer de Beran, légèrement au nord de l'immense delta de la Grande Rivière Mère. Et plus les voyageurs approchaient de l'embouchure du fleuve qui avait traversé un continent sur plus de trois mille kilomètres, plus la déclivité du relief s'adoucissait.

La plaine sous leurs yeux les émerveillait par sa végétation riche et inhabituelle pour une saison aussi avancée. L'orage accompagné de fortes pluies, aussi soudain que violent, avait favorisé cette prospérité tardive. Les herbacées connaissaient un deuxième printemps, mais aussi les fleurs : iris nains pourpres et jaunes, pivoines rouge sombre, lis roses tachetés, vesces de diverses couleurs allant du jaune au pourpre en passant par l'orange et le rouge.

Des cris et des sifflements sonores attirèrent l'attention d'Ayla. Des oiseaux noir et rose volaient en criaillant, piquaient, se rassemblaient en vaste volée et s'éparpillaient tour à tour dans une activité incessante et brouillonne. La bruyante concentration de martins roses troubla Ayla. Ces passereaux nichaient en colonie, chassaient en volée et perchaient ensemble le soir, mais elle n'en avait jamais vu autant à la fois.

Des crécerelles ainsi que d'autres espèces d'oiseaux se rassemblaient également. Le bruit s'amplifiait, accompagné d'un bourdonnement strident. Alertée, Ayla remarqua alors un grand nuage sombre sur un ciel étrangement dégagé. Poussé par le vent, il semblait se rapprocher. Soudain, la volée de martins s'agita avec frénésie.

— Jondalar ! cria Ayla à l'homme qui chevauchait quelques pas devant. Tu as vu ce drôle de nuage ?

L'homme regarda, et arrêta sa monture. Ayla le rejoignit et, côte à côte, ils observèrent le nuage qui grossissait, ou bien se rapprochait, à vue d'œil.

— Ça ne ressemble pas à un nuage de pluie, nota Jondalar.

— Non, en effet. Mais qu'est-ce que ça peut être ? demanda Ayla, anxieuse tout à coup. Tu crois qu'on devrait planter la tente et attendre qu'il soit passé ?

— Non, continuons à avancer. Si on se dépêche, on peut le distancer.

Ils poussèrent leurs montures à vive allure à travers la verte prairie, mais les oiseaux, tout comme l'étrange nuage, les dépassèrent. Le bruit devint encore plus strident, couvrant même le cri rauque des passereaux. Subitement, Ayla sentit quelque chose lui piquer le bras.

— Qu'est-ce que c'est ? s'inquiéta-t-elle.

Mais avant d'avoir fini sa phrase, elle fut de nouveau piquée, et encore, et encore. Un objet atterrit sur Whinney, rebondit, d'autres s'abattirent. Ayla jeta un coup d'œil à Jondalar, et elle vit une quantité des mêmes objets volants et sauteurs. Elle en attrapa un avant qu'il ne pût s'échapper et l'examina attentivement. C'était un insecte, grand comme son majeur, au corps charnu et aux longues pattes arrière. On aurait dit une grande sauterelle, mais pas de ce vert terne des sauterelles des prairies arides, qui se fondait facilement dans l'herbe. Celle-ci était striée de couleurs éclatantes, noires, jaunes et orange.

La pluie était responsable de cette curieuse mutation. Sous ce climat plutôt sec d'habitude, les sauterelles, créatures solitaires et farouches, ne supportaient leurs semblables que le temps nécessaire à la reproduction. Mais après un violent orage, et l'éclosion de jeunes pousses fraîches, les femelles profitaient de l'abondance de nourriture pour pondre davantage d'œufs. Une multitude de larves survivaient et à mesure que leur population s'accroissait, les sauterelles se transformaient radicalement : les jeunes développaient des couleurs étonnantes, et recherchaient la compagnie des autres. Ils étaient devenus des criquets.

Bientôt, des bandes de criquets s'assemblaient, et après avoir dévasté les ressources de la région, s'envolaient en masse, en quête de nouvelles récoltes. Un essaim de cinq milliards, ce qui n'était pas rare, couvrait sans peine cent kilomètres carrés et ingurgitait quatre-vingt mille tonnes de nourriture en une seule nuit.

Ayla et Jondalar furent submergés par les premières vagues d'insectes qui tombaient comme de la grêle. Ils n'eurent aucun mal à pousser leur monture au galop ; les retenir eût été impossible. Ayla, noyée sous le déluge de criquets, tenta de repérer Loup, mais elle était aveuglée par les nuées d'insectes volant, sautant, ricochant en tous sens. Elle siffla le plus fort qu'elle put, espérant que Loup l'entendrait par-dessus le vacarme des stridulations.

Un martin rose, qui plongeait en piqué pour happer un criquet, faillit la heurter de plein fouet. Elle comprit alors la raison de leur rassemblement. Les passereaux avaient été attirés par l'immense festin, dont les couleurs éclatantes facilitaient le repérage. Les couleurs contrastées qui attiraient les oiseaux permettaient aussi aux criquets de localiser leurs semblables quand il leur fallait s'envoler vers de nouvelles récoltes, et les innombrables volées de passereaux entamaient à peine l'essaim des criquets. C'était seulement après les pluies diluviennes, lorsque les prairies retournaient à leur condition aride et ne pouvaient plus nourrir que de petites quantités de criquets, que ces derniers se transformaient de nouveau en sauterelles inoffensives, assurant leur survie grâce à leur mimétisme retrouvé.

Peu après qu'ils eurent semé l'essaim de criquets, Loup les rejoignit. Les insectes ravageurs s'étaient abattus sur la prairie pour la nuit, et Ayla et Jondalar avaient établi leur campement à distance respectable. Le lendemain matin, ils se dirigèrent au nord-est vers une colline d'où ils pourraient observer la vaste plaine et juger du trajet qui les séparait encore de la Grande Rivière Mère. Ils découvrirent une végétation dévastée par le nuage de criquets, que les vents violents poussaient maintenant vers la mer. L'ampleur du désastre les consterna.

Il ne restait plus rien du merveilleux paysage verdoyant émaillé de fleurs éclatantes. Tout avait été rasé. Ce n'était que désolation à perte de vue. Pas une feuille, pas un brin d'herbe, pas une trace de verdure. Seuls quelques martins roses à la recherche de criquets retardataires témoignaient que la vie avait existé dans ce paysage d'apocalypse. La terre dévastée exposait son indécente nudité. Mais l'indignité que ses propres créatures lui avaient infligée serait bientôt lavée, et des racines, cachées dans ses entrailles, ou des graines, apportées par les vents, recouvriraient bientôt son corps dénudé d'un manteau de verdure.

A l'opposé de ce sinistre spectacle, Ayla et Jondalar découvrirent un panorama qui les transporta. A l'est s'étendait une vaste surface d'eau scintillant au soleil : la mer de Beran.

Stupéfaite, Ayla reconnut la mer de son enfance. La caverne où elle avait vécu avec le clan de Brun devait se trouver à la pointe sud de la péninsule qui s'avançait dans la grande étendue d'eau. Elle n'avait pas eu une enfance facile, mais elle gardait de bons souvenirs de cette période. Toutefois, à la pensée du fils qu'elle avait dû abandonner, un voile de tristesse obscurcit son plaisir. Jamais elle n'approcherait de si près cet enfant qu'elle ne reverrait plus, et elle le savait.

D'ailleurs, il était mieux avec le Clan. Uba, sa mère adoptive, et le vieux Brun qui lui apprendrait à chasser avec un épieu, un lacet ou une fronde, sauraient l'entourer d'affection et Durc serait mieux accepté que Rydag, qui avait été la proie d'insultes et de moqueries. Mais elle ne pouvait s'empêcher de penser à lui. Son clan vivait-il toujours dans la péninsule, ou s'était-il rapproché des autres clans, à l'intérieur des terres ou sur les hautes montagnes de l'Est ?

— Ayla ! s'écria Jondalar avec fièvre. Regarde, là-bas ! Ça, c'est le delta, et là, tu peux apercevoir la Grande Rivière Mère. Et tu vois cette eau boueuse, de l'autre côté de la grande île ? Ce doit être le bras principal. Voilà, c'est là l'embouchure de la Grande Rivière Mère !

Des souvenirs mêlés de tristesse lui revenaient. La dernière fois qu'il avait vu cette rivière, son frère Thonolan l'accompagnait, son frère qui était maintenant retourné dans le monde des esprits. Soudain, il se souvint de la pierre opaline qu'il avait récupérée à l'endroit où Ayla avait enseveli son frère. Elle lui avait dit qu'elle contenait l'essence de l'esprit de Thonolan, et il l'avait conservée pour la donner à sa mère et à Zelandoni. Il la gardait dans

226

son panier personnel. Il pensa que dorénavant il la porterait sur lui.

— Oh, Jondalar ! Là, près de la rivière, on dirait de la fumée. Crois-tu que ce soit habité ? s'enquit Ayla, pleine d'espoir.

— Oui, c'est possible.

— Alors, dépêchons-nous, fit-elle en commençant à descendre la colline, suivie de Jondalar. Qui cela peut-il être ? Des gens que tu connais ?

— Peut-être. Les Sharamudoï viennent parfois jusque-là en bateau pour faire du troc. C'est comme ça que Markeno a rencontré Tholie. Elle accompagnait un Camp de Mamutoï venu chercher du sel et des coquillages.

Il s'arrêta pour examiner le delta et l'île qui s'élevait au milieu d'un étroit bras d'eau. Ensuite il étudia avec soin la bande de terre qui longeait la rivière.

— Je crois que nous ne sommes pas très loin de l'endroit où Brecie avait établi le Camp du Saule... l'été dernier. Etait-ce seulement l'été dernier ? Elle nous y avait emmenés, Thonolan et moi, après que son Camp nous eut tirés des sables mouvants...

Jondalar ferma les yeux, mais ne put dissimuler sa douleur.

— Ce sont les derniers à avoir vu mon frère en vie... à part moi. Nous avions repris notre Voyage et j'espérais toujours qu'il l'oublierait. Hélas, il refusait de vivre sans Jetamio. Il voulait que la Mère l'emporte.... Et puis, nous avons rencontré Bébé.

Jondalar regarda Ayla et elle le vit changer d'expression. La douleur embuait ses yeux. Cependant, elle y reconnut la lueur si particulière qu'allumait parfois l'amour qu'il lui portait. Elle-même se sentit défaillir, mais elle lut encore autre chose dans ses yeux... et ce quelque chose l'inquiéta.

— Je ne comprenais pas pourquoi Thonolan voulait mourir... à l'époque. (Il détourna les yeux et poussa Rapide à accélérer l'allure.) Dépêche-toi, Ayla. Je croyais que tu avais hâte d'arriver.

227

Ayla pressa Whinney et suivit Rapide qui descendait vers la rivière au grand galop. La chevauchée les stimula et leur fit oublier leur tristesse. Galvanisé par la galopade rapide, le loup suivait de près, et quand ils atteignirent enfin le bord de l'eau et s'y arrêtèrent, il tendit le cou et fit entendre un long et mélodieux hurlement. Ayla et Jondalar se regardèrent en souriant. L'hommage du louveteau leur semblait tout à fait approprié aux circonstances : ils avaient atteint la rivière qui les accompagnerait une grande partie du reste de leur Voyage.

— Alors c'est elle ? C'est la Grande Rivière Mère ? demanda Ayla, l'œil pétillant.

— Oui, nous y sommes.

Il scruta l'ouest, vers le haut de la rivière. Il ne voulait pas refroidir l'enthousiasme d'Ayla, mais il savait combien leur chemin serait long.

Ils devraient traverser le continent dans toute sa largeur, jusqu'au plateau de glace qui recouvrait les montagnes, près de la source du fleuve. Et même au-delà, presque jusqu'à la Grande Eau, à l'ouest, là où la terre s'arrêtait. Sur trois mille kilomètres de méandres, la rivière de Doni, la Grande Rivière Mère des Zelandonii, se gonflait des eaux de plus de trois cents affluents descendant de deux chaînes de montagnes couvertes de glaciers, et charriait des monceaux de sédiments.

Les multiples bras du fleuve immense transportaient à travers les plaines une prodigieuse accumulation de limon. Mais avant d'atteindre le but de son long voyage, il se ramifiait en une sorte d'éventail, le sable se déposait, formant des îles marécageuses, des berges entourées de lacs et de cours d'eau zigzaguant, comme si la Grande Mère des rivières, épuisée par son long voyage, avait déposé son lourd fardeau de sédiments avant d'atteindre son but, et rejoignait la mer en titubant.

Le vaste delta où ils se trouvaient, deux fois plus long que large, commençait à des kilomètres de la mer. La rivière, trop grosse pour être maintenue dans son lit en arrivant dans la vaste plaine qui s'étendait, de l'est, entre l'ancien massif jusqu'à l'ouest, où les collines descendaient des montagnes en pente douce, se partageait en quatre bras dans quatre directions différentes. Des cours d'eau coupaient les quatre bras, créant un labyrinthe de rivières sinueuses qui s'écoulaient en formant de multiples lacs et lagunes. Les parcelles de terre, simples îlots de sable ou grandes îles couvertes de forêts et de steppes, peuplées d'aurochs, de cerfs et de leurs prédateurs, étaient entourées d'une ceinture de roseaux.

— D'où pouvait bien provenir cette fumée ? demanda Ayla. Il doit y avoir un Camp près d'ici.

— A mon avis, elle venait de la grande île que nous avons aperçue, de l'autre côté de cette rivière, déclara Jondalar, d'un geste large.

Ayla regarda dans la direction qu'il indiquait mais ne vit qu'un mur de phragmites dont les épillets violacés recouverts de poils brillants se balançaient au vent, à près de quatre mètres au-dessus du sol gorgé d'eau. En regardant de plus près, elle remarqua les feuilles argentées d'osier qui s'agitaient derrière le mur de roseaux. Mais elle fit bientôt une autre découverte troublante. D'habitude, l'osier était un arbuste poussant au bord de l'eau, et ses racines étaient souvent inondées à la saison des pluies. Il ressemblait à certains saules, mais sans jamais atteindre la taille d'un arbre. S'était-elle trompée ? Ces arbres étaient-ils des saules ? Il était rare qu'elle fît ce genre d'erreur.

Ils longèrent le bord de la rivière et, arrivés en face de l'île, ils entamèrent la traversée du chenal. Ayla se retourna pour s'assurer que les perches du travois sur lequel le bateau reposait n'étaient pas coincées par quelque obstacle. Ensuite elle vérifia que les extrémités, au-dessus du garrot de Whinney, puissent jouer librement pour permettre aux perches de flotter. Quand ils avaient récupéré leur matériel, avant de quitter la rivière, ils avaient d'abord pensé abandonner le bateau. Il avait rempli sa fonction, certes, mais après tout le travail qu'il avait nécessité, et bien que la traversée eût été plus difficile que prévu, Ayla et Jondalar rechignaient à s'en débarrasser.

C'était Ayla qui avait pensé l'attacher au travois, même si cela impliquait que Whinney gardât constamment son harnais, mais Jondalar avait décidé que le bateau leur faciliterait la traversée des cours d'eau. Leurs affaires chargées dans le bateau ne risqueraient donc plus de se mouiller. Mais plutôt que d'attacher les chevaux à l'embarcation avec une longe et leur demander de suivre, Whinney tirerait le bateau en nageant à son rythme. Lorsqu'il avait mis leur plan à exécution pour traverser le cours d'eau suivant, ils avaient découvert qu'il était préférable de lui enlever son harnais.

Toutefois, Whinney et Rapide s'étaient effrayés quand le courant les avait entraînés avec le bateau et les perches, sans qu'ils puissent contrôler leur dérive, et cela préoccupait Ayla. Elle envisagea de fabriquer un autre harnais qui se déferait d'un coup au cas où il gênerait la jument, mais Whinney encaissa sans broncher les secousses du courant. Ayla avait pris soin de la familiariser avec sa nouvelle fonction.

Par ailleurs, la coquille de noix se révéla un volume utile pour le transport du bois, du crottin de cheval, et autre combustible qu'ils ramassaient en cours de route pour allumer le feu du soir. Parfois, ils laissaient leurs paquets dans le canot après avoir traversé un cours d'eau. Ils avaient déjà franchi de multiples rivières qui rejoignaient la mer intérieure, et Jondalar savait que cela se reproduirait souvent en remontant la Grande Rivière Mère.

Comme ils s'enfonçaient dans l'eau limpide du chenal, l'étalon broncha et hennit avec nervosité. Depuis son aventure, Rapide craignait les rivières, mais Jondalar l'avait guidé avec tant de patience dans les précédents petits cours d'eau que le cheval avait surmonté sa peur, ce qui rassurait Jondalar quant à la suite du Voyage.

Le courant était faible et l'eau était si transparente qu'ils distinguaient les poissons au milieu des plantes aquatiques.

Ils se glissèrent à travers les hauts roseaux et gagnèrent l'étroite langue de terre. Loup fut le premier à mettre pied sur l'île. Il s'ébroua et s'élança sur la rive argileuse qui menait à un petit bois de saules argentés.

— Je le savais, s'écria Ayla.

— Qu'est-ce que tu savais ? s'étonna Jondalar, que l'air satisfait d'Ayla amusait.

— Ces arbres ressemblent aux buissons où nous avons dormi le soir du déluge. Je croyais que c'était des osiers, mais je n'avais jamais vu d'osier aussi haut qu'un arbre. L'osier n'est qu'un arbuste, et ces arbres-là sont certainement des saules.

Ils descendirent de leur monture et menèrent les chevaux à travers la saulaie. Ils marchaient en silence, appréciant l'ombre rafraîchissante des feuillages qui se balançaient au gré du vent et tachetaient l'herbe inondée de soleil. Ils aperçurent au loin dans la prairie des aurochs qui paissaient tranquillement. Ils avançaient vent arrière, et lorsque le troupeau renifla leur odeur, il s'éloigna rapidement. Ces animaux ont déjà été chassés par des humains, se dit Jondalar.

Tout en marchant, les chevaux broutaient de pleines brassées d'herbe. Ayla s'empressa d'ôter le harnais de Whinney.

— Pourquoi t'arrêtes-tu ? demanda Jondalar.

— Les chevaux veulent brouter. Je pensais que nous pouvions les attendre.

— Nous ferions mieux de continuer, protesta Jondalar, l'air soucieux. Je suis sûr que cette île est habitée, et j'aimerais d'abord savoir par qui.

— Oh, c'est vrai ! Tu disais que la fumée venait d'ici ! Cet endroit est tellement beau que j'avais presque oublié, dit Ayla en souriant.

Le terrain s'élevait, et des aulnes, des peupliers et des saules blancs se mêlaient maintenant, modifiant la couleur des feuillages argentés de la saulaie. Bientôt des sapins, et une ancienne race de pins, aussi vieille que les montagnes

231

elles-mêmes, enrichirent le camaïeu de vert sombre, éclairci par quelques mélèzes, et qu'illuminaient des touffes d'herbe dorée ondulant dans la brise. Des lierres grimpaient aux arbres, des lianes tombaient en cascade des branches, et, dans la vallée encaissée, de jeunes chênes pubescents et des fourrés de noisetiers participaient à ce merveilleux tableau vivant.

L'île s'élevait d'à peine huit mètres au-dessus du niveau de l'eau. Suivait un long plateau, sorte de steppe miniature, parsemé de fétuques et de stipes plumeux jaunis par le soleil. Ils parvinrent de l'autre côté de l'île. Des dunes de sable, où s'accrochaient des roseaux des sables, des panicauts et des choux marins, descendaient abruptement dans une crique étroite, presque une lagune, aux rives plantées de hauts roseaux aux épillets violacés, de massettes et de joncs, ainsi que de quantité de plantes aquatiques. Dans la crique, les nénuphars étaient si nombreux qu'on distinguait à peine l'eau, et sur les grandes feuilles rondes, perchaient un nombre incalculable de hérons.

Derrière l'île, on apercevait le vaste lit boueux du bras le plus au nord de la grande rivière. Près de l'extrémité de l'île, ils virent un cours d'eau claire se jeter dans le bras principal, et Ayla contempla avec ravissement les deux courants, l'un transparent, l'autre chargé de limon marron, s'interpénétrer sans se mélanger d'abord, jusqu'à ce que l'eau boueuse finît par étouffer la clarté de la petite rivière.

— Tu as vu ça, Jondalar ? s'écria Ayla en désignant les deux courants parallèles.

— C'est à ça qu'on reconnaît la Grande Rivière Mère, expliqua Jondalar. Ce bras te conduira droit à la mer. Oh, regarde !

Derrière un bosquet d'arbres, de l'autre côté de la crique, un filet de fumée montait vers le ciel. Ils avancèrent dans cette direction. Ayla se réjouissait déjà, mais Jondalar se méfiait. Si la fumée provenait d'un feu, pourquoi n'avaient-ils aperçu personne ? Les habitants auraient dû les voir, pourtant. Pourquoi ne venait-on pas les accueillir ?

Il raccourcit la longe de Rapide et lui flatta l'encolure pour le rassurer.

En découvrant les contours d'une tente conique, Ayla sut qu'ils approchaient d'un Camp, et elle avait hâte de connaître ceux qui y vivaient. Peut-être même étaient-ce des Mamutoï, se dit-elle en faisant signe à Whinney de rester près d'elle. Loup avait adopté son attitude défensive, et elle siffla le signal qu'elle lui avait appris. Il s'élança près d'elle et ils pénétrèrent ensemble dans le petit campement.

11

Ayla pénétra dans le Camp, suivie de près par Whinney,
et marcha jusqu'au foyer d'où s'échappaient encore des
volutes de fumée. Cinq abris étaient disposés en demi-
cercle, et devant celui du milieu on avait creusé un trou
pour y faire le feu qui brûlait encore. A l'évidence, le Camp
avait été utilisé peu auparavant, mais personne ne se
montra pour les accueillir. Ayla inspecta les lieux, jeta un
coup d'œil à l'intérieur des habitations. Personne. Surprise,
elle examina les abris et le Camp afin de recueillir des
informations sur ses habitants, et découvrir la cause de leur
départ.

Les tentes coniques ressemblaient à celles qu'utilisaient
les Mamutoï pour leur Camp d'été. Mais alors que les
Chasseurs de Mammouths se donnaient plus d'espace en
leur adjoignant des tentes semi-circulaires en peau de bête,
souvent soutenues par une perche, ce Camp-ci fabriquait
des auvents de roseaux et de joncs tressés. Certains étaient
de simples toits inclinés soutenus par des perches flexibles,
d'autres en revanche étaient clos, constructions de chaume
et de nattes reliées à l'abri principal.

Devant l'entrée de la tente la plus proche, Ayla aperçut

des racines de massettes entassées sur une natte de roseaux, et à côté, deux paniers. L'un était finement tressé et contenait une eau légèrement boueuse, l'autre était à moitié plein de racines pelées d'un blanc éclatant. Elle marcha jusqu'au panier et palpa une des racines. Elle était encore humide ; on l'avait épluchée depuis peu.

En la reposant, elle remarqua un objet étrange sur le sol. Tissé avec des feuilles de massettes, il ressemblait à un personnage, avec deux bras et deux jambes, et un morceau de cuir souple enroulé comme une tunique. Sur son visage on avait dessiné au charbon de bois deux petits traits pour marquer les yeux, et un troisième arrondi en sourire. Des touffes de stipes plumeux attachées sur la tête représentaient les cheveux.

Ceux avec qui Ayla avait grandi ne fabriquaient pas de figurines. Ils se servaient parfois de symboles, comme les cicatrices sur sa jambe, pour désigner les totems. Petite fille, elle avait été griffée par un lion des cavernes qui avait laissé quatre entailles profondes sur sa cuisse gauche. Le Clan utilisait une marque identique pour représenter le totem du lion des cavernes. C'était ce qui avait persuadé Creb que le Lion des Cavernes était bien son totem, quoiqu'il fût considéré comme un totem masculin. L'Esprit du Lion des Cavernes l'avait choisie et marquée, et était désormais son protecteur.

D'autres totems étaient symbolisés de la même manière, par de simples signes dérivés des attributs de l'animal, ou de la gestuelle du langage. La première véritable image qu'elle vit fut le rapide croquis d'un animal que Jondalar avait dessiné sur un morceau de cuir qu'il utilisait comme cible. La petite figurine sur le sol la stupéfia. Soudain elle comprit. Elle n'avait jamais eu de poupée dans son enfance, mais elle se souvint que les enfants des Mamutoï jouaient avec des objets similaires ; la figurine était donc un jouet d'enfant !

Juste avant leur arrivée, une femme était assise là, avec son enfant, Ayla en était convaincue. Elle avait dû fuir

235

précipitamment pour abandonner ainsi sa nourriture, sans même emporter le jouet de son enfant. Pourquoi une telle hâte ?

En se retournant, elle vit Jondalar, tenant toujours Rapide par le licol, agenouillé au milieu d'éclats de silex qu'il examinait attentivement.

— Cette excellente pointe a été ébréchée par un geste maladroit, déclara-t-il en se relevant. Il suffisait d'un rien pour la terminer, mais la main a été trop lourde et elle a manqué son but... on dirait que le tailleur de silex a été subitement dérangé. Ah, voilà le percuteur ! Il l'a abandonné.

L'usure profonde de la dure pierre ovale témoignait de son ancienneté, et Jondalar, en bon tailleur de silex, avait du mal à imaginer qu'on pût oublier un outil aussi précieux.

Ayla promena son regard dans le campement et aperçut des filets de pêche étendus sur un séchoir, et des poissons qui jonchaient le sol. L'un d'eux avait été éventré, et de toute évidence, celui ou celle qui le réparait avait brutalement interrompu son travail.

— Il y avait encore du monde il n'y a pas si longtemps, et ils ont fui à la hâte, remarqua Ayla. Le feu brûle encore. Où sont-ils donc passés ?

— Je n'en sais rien, mais tu as raison. Ils ont décampé à toute allure. Ils ont tout abandonné et... et ils se sont enfuis. On dirait... on dirait qu'ils avaient peur.

— Oui, mais peur de quoi ? s'étonna Ayla en regardant autour d'elle. Je ne vois rien.

Jondalar avait l'air perplexe. Il aperçut alors Loup renifler le Camp abandonné, furetant dans l'entrée des tentes et fourrant son nez sur chaque objet qui traînait. Son attention se reporta ensuite sur la jument louvette qui broutait à proximité, tirant toujours le travois surmonté du canot, étrangement indifférente aux humains et au loup. Le jeune étalon suivait docilement Jondalar. Des paniers de chaque côté de sa croupe, une couverture sur le dos, tenu par sa longe, il attendait.

— C'est précisément ce qui m'inquiète, Ayla. Nous ne savons pas d'où vient le danger.

Loup interrompit ses recherches, scruta fixement les bois, et s'élança.

— Loup ! appela Jondalar.

L'animal s'arrêta et le regarda en remuant la queue.

— Ayla, dis-lui de revenir. S'il trouve les habitants de ce Camp, il va les effrayer encore plus.

Au sifflement d'Ayla, Loup accourut. Elle lui flatta le cou en considérant Jondalar d'un air dépité.

— Tu crois qu'on leur a fait peur ? Tu crois qu'ils se sont enfuis à cause de nous ?

— Souviens-toi du Camp des Fougères, et de la manière dont ils nous ont reçus. Mets-toi à la place de ces gens qui nous voient pour la première fois. Nous voyageons avec deux chevaux et un loup, Ayla ! A la Réunion d'Eté, les Mamutoï, eux-mêmes, ont mis du temps avant de s'habituer, et pourtant, nous étions avec le Camp du Lion. Quand on y pense, Talut a été bien courageux de nous inviter dans son Camp avec nos chevaux.

— Alors, que proposes-tu ?

— Je crois que nous devrions partir. Les habitants de ce Camp se terrent probablement dans les bois en pensant que nous venons du monde des esprits. C'est ce que je croirais si je voyais débarquer des étrangers comme nous.

— Oh, Jondalar ! gémit Ayla qui ne pouvait cacher sa déception, accablée par un violent sentiment de solitude. Je me réjouissais tellement de rencontrer des humains. (Elle contempla le Camp une dernière fois, et hocha la tête d'un air grave.) Tu as raison. S'ils ont peur et qu'ils ne veulent pas nous recevoir, nous devons partir. Je regrette de ne pas avoir rencontré la femme et l'enfant qui ont laissé cette chose-jouet, j'aurais aimé leur parler. (Elle se dirigea vers Whinney qui paissait à la sortie du Camp.) Je ne veux pas qu'on ait peur de moi ! s'écria-t-elle, désolée. Aurons-nous jamais l'occasion de parler à des étrangers ?

— Pour les étrangers, je n'en suis pas sûr. Mais nous

pourrons rendre visite aux Sharamudoï. Ils seront peut-être un peu soupçonneux au début, mais ils me connaissent. Tu sais comment sont les gens, une fois la peur passée, les animaux les intriguent beaucoup plus qu'ils ne les effraient.

— Comme je regrette que nous ayons effrayé ceux-là. Si on leur laissait un cadeau, même sans avoir partagé leur hospitalité ? proposa Ayla en fouillant dans son panier. De la nourriture leur plairait, tu crois ? Oui, de la viande. Ce serait bien.

— Bonne idée. Et j'ai des pointes de rechange. Je vais remplacer celle que le tailleur de silex a gâchée. Il n'y a rien de plus décevant que de gâcher un outil qu'on était sur le point de terminer.

En sortant son étui à outils, Jondalar se remémora les étrangers qu'ils avaient rencontrés avec son frère au cours de leur Voyage. On les avait toujours bien reçus et souvent aidés. Plusieurs fois, on leur avait sauvé la vie. Mais s'ils faisaient peur aux inconnus, qu'adviendrait-il d'eux s'ils avaient besoin d'aide ?

Ils quittèrent le Camp, escaladèrent les dunes et, arrivés sur le plateau de l'étroite petite île, ils firent une halte. Ils contemplèrent la fine colonne de fumée, et la rivière boueuse qui courait vers l'étendue bleue de la mer de Beran. Sans mot dire, ils remontèrent à cheval et obliquèrent vers l'est pour avoir une meilleure et dernière vue de la vaste mer intérieure.

Arrivés à l'extrémité de l'île, ils se trouvèrent si près de la mer clapoteuse qu'ils distinguèrent les vagues qui se brisaient sur les barres sablonneuses avec des gerbes d'écume. Ayla, le regard perdu dans le lointain, crut reconnaître le paysage qu'elle apercevait à l'horizon. Elle se souvenait de l'endroit où elle avait grandi, la caverne du clan de Brun, à l'extrémité méridionale de la péninsule. C'était là qu'elle avait donné le jour au fils qu'elle avait abandonné quand elle avait été damnée.

A-t-il beaucoup grandi ? se demanda-t-elle. Je suis sûre

qu'il est plus grand que les garçons de son âge. Est-ce qu'il est fort ? En bonne santé ? Est-il heureux ? Se souvient-il seulement de moi ? Ah, j'aimerais tant savoir ! Comme j'aimerais le revoir ! C'est ma dernière chance. Après, Jondalar a l'intention de continuer par l'ouest. Plus jamais elle ne se trouverait aussi près de son clan et de Durc. Pourquoi ne pas faire un détour par l'est ? S'ils contournaient la côte, ils atteindraient la péninsule en quelques jours. Jondalar lui avait promis qu'il l'accompagnerait si elle voulait retrouver Durc.

— Oh, Ayla, regarde ! J'ignorais qu'il y avait des phoques dans la mer de Beran ! Je n'ai plus revu ces animaux depuis mon enfance, quand j'avais accompagné Willomar dans une randonnée, raconta Jondalar, la voix pleine d'excitation et de nostalgie. Il nous avait emmenés, Thonolan et moi, voir les Grandes Eaux, et le peuple qui vit au bord de la mer nous avait conduits en bateau plus au nord. As-tu déjà vu des phoques ?

A l'endroit que Jondalar lui indiquait, Ayla vit plusieurs créatures à la ligne fuselée, au poil noir brillant, au ventre gris clair, gauchement affalées sur un banc de sable, derrière des rochers à demi submergés. La plupart des phoques plongèrent bientôt à la poursuite d'un banc de poissons. Ils les virent remonter brusquement à la surface, alors que les derniers, les plus petits et les plus jeunes, plongeaient à leur tour dans la mer. Ils disparurent aussi vite qu'ils étaient venus.

— J'en avais déjà vu de loin, dit Ayla, pendant la saison froide. Ils aimaient se reposer sur les bancs de glace. Le clan de Brun ne les chassait pas. On ne pouvait pas les approcher, bien que Brun m'ait dit un jour qu'il en avait aperçu sur des rochers, près d'une grotte marine. Certains croyaient que c'étaient des esprits aquatiques. Pourtant, j'ai vu un jour des bébés phoques, et je doute que les esprits aquatiques aient des bébés. J'ignorais où ils allaient l'été, sans doute venaient-ils ici.

— Quand nous serons chez moi, je t'emmènerai aux

Grandes Eaux. Tu n'en croiras pas tes yeux, Ayla. Ici, la mer a l'air grande, bien plus qu'aucun lac, et on m'a dit qu'elle était salée, mais ce n'est rien en comparaison des Grandes Eaux. On dirait le ciel, personne n'en a jamais vu la fin.

La voix de Jondalar trahissait son impatience, et Ayla constata à quel point il avait hâte d'être de retour dans son pays. Elle savait qu'il n'hésiterait pas à l'accompagner à la recherche du clan de Brun si elle le lui demandait. Oui, il viendrait par amour pour elle. Mais elle l'aimait aussi, et elle savait qu'il serait mécontent d'être retardé. Elle contempla la vaste étendue d'eau, puis ferma les yeux pour retenir ses larmes.

De toute façon, elle ignorait où diriger ses recherches. En outre, ce n'était plus le clan de Brun, c'était celui de Broud, et on ne l'accueillerait pas à bras ouverts. Broud l'avait maudite. Pour le Clan, elle était morte désormais, elle n'était plus qu'un esprit. Si Jondalar et elle avaient terrorisé le Camp sur l'île à cause des animaux et du pouvoir apparemment surnaturel qu'ils exerçaient sur eux, qu'en serait-il pour le Clan ? Ils provoqueraient une jolie frousse, même pour Uba et Durc. A leurs yeux, elle serait une revenante du monde des esprits, et les animaux n'en seraient qu'une preuve supplémentaire. Ils croyaient que les esprits revenaient de la terre des morts pour les tourmenter.

Une fois en route pour l'ouest, ce serait la fin. Durc ne serait plus qu'un souvenir qui la hanterait jusqu'à son dernier jour, elle n'aurait plus aucune chance de le revoir. Elle devait se décider. Elle croyait avoir déjà fait ce choix, il y avait bien longtemps, et la vive douleur qu'elle ressentait ne l'en surprenait que plus. Elle détourna la tête pour que Jondalar ne vît pas ses larmes, et adressa un dernier salut muet à son fils bien-aimé. Un immense chagrin l'envahit, un chagrin qui resterait pour toujours dans son cœur comme une plaie amère, elle le savait.

Ils tournèrent le dos à la mer et avancèrent dans la steppe dont l'herbe leur arrivait à la taille, laissant aux chevaux le temps de se reposer et de brouter. Le soleil était haut dans le ciel, il faisait chaud et la grande île baignait dans la lumière. La chaleur montait du sol en vagues miroitantes, embaumant l'air de l'arôme suave de la terre et des plantes. Abrités sous leur chapeaux de paille, ils avançaient sur l'étroite bande de terre dénuée d'arbres. L'eau qui s'évaporait des bras de rivière environnants alourdissait l'air d'humidité, et la sueur perlait sur leur corps recouvert de poussière. La rare brise marine était la bienvenue, brise intermittente exhalant les riches senteurs des eaux profondes.

Ayla s'arrêta pour dénouer la fronde qui ceignait son front, et elle la glissa sous sa ceinture pour la protéger de l'humidité. Suivant l'exemple de Jondalar, elle la remplaça par une bande de cuir souple nouée sur la nuque afin d'absorber la sueur qui ruisselait sur son front.

Elle reprit sa marche et vit une sauterelle d'un vert terne sauter comme un ressort, et s'aplatir dans l'herbe, camouflée par sa couleur. Elle en aperçut une autre, et encore une. Elles jaillissaient de partout, lui rappelant le gigantesque essaim de criquets. Mais les sauterelles n'étaient qu'une des multiples variétés d'insectes pullulant dans la steppe. Des papillons dansaient parmi les épis de fétuques, fiers de leurs couleurs éclatantes, et un inoffensif faux bourdon, semblable à l'abeille, virevoltait autour d'un bouton-d'or.

Bien que l'herbe y fût plus courte, la prairie ressemblait aux steppes arides, mais lorsqu'ils arrivèrent à l'extrémité de l'île, le paysage marécageux de l'immense delta les frappa par son étrangeté. Au nord, au-delà de la ligne broussailleuse dessinée par la rivière, ils apercevaient l'arrière-pays, une prairie d'un vert pâle et doré. Mais au sud et à l'ouest, les marécages du grand fleuve s'étendaient à perte de vue, et semblaient aussi consistants que la terre ferme. Ce n'était que buissons de roseaux verts, ondulant au gré du vent comme une mer houleuse, d'où surgissaient parfois quelques arbres jetant une ombre fugitive sur la marée verte, et où des cours d'eau se frayaient un chemin en zigzaguant.

En descendant la colline à travers bois, Ayla identifia une grande variété d'oiseaux, dont certains qu'elle n'avait jamais vus. Corneilles, coucous, passereaux, tourterelles, chacun faisait entendre son cri distinctif. Une hirondelle, pourchassée par un faucon, plongea soudain dans les roseaux. Haut dans le ciel, des milans noirs et plus bas des busards guettaient les poissons crevés ou mourants. Fauvettes et gobe-mouches voletaient d'arbre en fourré, alors que de minuscules bécasseaux, des rouges-queues et des pies-grièches sautaient de branche en branche. Des mouettes planaient, portées par les vents, bougeant à peine une plume, et de lourds pélicans au vol majestueux déployaient leurs grandes ailes puissantes.

Ayla et Jondalar débouchèrent sur la rivière, près d'un massif de saules marseaux où une colonie mixte d'oiseaux des marais avaient élu domicile : hérons bihoreaux, aigrettes, hérons pourprés, cormorans, et ibis falcinelles, tous nichaient ensemble. D'une branche à l'autre du même arbre, on trouvait les nids d'espèces différentes, certains abritant plusieurs œufs ou oisillons. Les oiseaux semblaient aussi indifférents aux humains qu'à leurs voisins, mais l'endroit qui bourdonnait d'une activité incessante était bien trop irrésistible pour que le jeune louveteau l'ignore.

Il s'approcha furtivement, mais la pléthore de possibilités troubla ses intentions. Il se décida enfin, et se rua vers un petit arbuste. Des cris stridents et des battements d'ailes l'accueillirent et les plus proches oiseaux s'égaillèrent, immédiatement suivis par ceux qui comprirent le signal du danger. La réaction se fit en chaîne et bientôt le ciel fut rempli d'oiseaux des marais, de loin les plus nombreux dans le delta. Des milliers d'oiseaux effarouchés zébraient l'azur de leur vol désordonné.

Loup s'enfuit comme un bolide, la queue entre les

pattes, hurlant et grondant, effrayé par le remue-ménage qu'il avait déclenché. Pour compléter le tableau, les chevaux, nerveux et inquiets, ruèrent et hennirent à qui mieux mieux, pour finalement décamper vers la rivière.

Le travois entrava Whinney dans sa fuite. Elle était de toute façon la moins impressionnable des deux, et elle se calma rapidement. Jondalar eut plus de difficultés à rassurer l'étalon. Il courut dans l'eau après son cheval, nageant quand il n'avait plus pied, et disparut bientôt dans les roseaux. Ayla alla chercher Whinney au milieu du cours d'eau et la ramena sur la terre ferme. Après l'avoir calmée et réconfortée, elle détacha les perches et ôta le harnais de la jument pour la laisser libre de courir à sa guise. Ensuite elle siffla Loup à plusieurs reprises avant de le voir reparaître, venant du bas de la rivière, loin du fourré où nichaient les oiseaux.

Ayla troqua ses habits trempés contre des vêtements secs, puis ramassa du bois pour allumer un feu en attendant Jondalar. Il aurait, lui aussi, besoin de se changer. Heureusement ses paniers se trouvaient au sec dans le canot. Il ne revint, à cheval sur Rapide, qu'après un long moment. L'étalon avait remonté la rivière assez haut avant que Jondalar ne le rattrape.

L'homme aux cheveux blonds était en colère après Loup, ce qui n'échappa ni à Ayla ni au quadrupède penaud. Il attendit que Jondalar fût assis, une tasse d'infusion à la main, et l'approcha en rampant à ses pieds, remuant la queue comme un bébé loup qui cherche à jouer, couinant comme s'il cherchait à se faire pardonner. Lorsqu'il fut assez près, il essaya de lui lécher le visage. Jondalar commença par le repousser. Mais quand il permit à l'animal de s'approcher, celui-ci sembla si heureux que Jondalar se laissa attendrir.

— On dirait qu'il essaie de s'excuser, dit-il. Ça paraît à peine croyable. Non, c'est impossible, ce n'est qu'un animal ! Ayla, crois-tu que Loup soit conscient de sa mauvaise conduite et cherche à se faire pardonner ?

243

Cela ne surprenait pas Ayla. Elle avait été témoin de cas semblables quand, en cachette, elle avait appris à chasser, et qu'elle avait observé les carnassiers qu'elle avait choisis comme proies. L'attitude de Loup correspondait à la soumission des jeunes louveteaux à l'égard du mâle dominant de la bande.

— Je ne sais pas ce qu'il comprend, ni ce qu'il pense, répondit-elle. Je ne peux juger que d'après ses actes. Comme pour les humains ! On ne sait jamais ce que l'autre pense ou comprend, on ne peut que le déduire de ses réactions. Tu ne crois pas ?

Jondalar parut perplexe. Ayla ne doutait pas que Loup fût repentant, mais elle ne croyait pas que cela changerait grand-chose. Il s'était comporté avec elle de la même manière quand elle avait essayé de lui apprendre à ne pas toucher aux chaussures de cuir des habitants du Camp du Lion. Il lui avait fallu beaucoup de temps et de patience pour le lui faire admettre et elle ne pensait pas qu'il fût mûr pour renoncer à chasser les oiseaux.

Le soleil frôlait les pics escarpés à l'extrémité méridionale de la chaîne de montagnes, et déclinait vers l'ouest, faisant jaillir des étincelles de leur couronne de glace. La chaîne perdait de l'altitude en s'enfonçant vers le nord, et les montagnes anguleuses s'adoucissaient, formant des crêtes arrondies recouvertes de neige miroitante. Au nord-ouest, les montagnes disparaissaient derrière un rideau de nuages.

Ayla arrêta Whinney dans une clairière accueillante, au bord de la rivière. Jondalar les suivait à quelques pas. Le pré vert au milieu d'un sous-bois menait directement à une lagune d'eau dormante.

Les quatre bras du fleuve charriaient un limon boueux, mais dans le réseau de chenaux et de rivières secondaires qui serpentaient à travers les roseaux, coulait une eau pure et potable. Les chenaux débouchaient parfois sur des lacs ou des lagunes entourés de roseaux, de joncs ou autres plantes aquatiques, et souvent recouverts de nénuphars, dont les larges feuilles accueillaient une multitude de grenouilles et offraient une aire de repos à quelques hérons.

— Voilà un endroit agréable, constata Jondalar, en se laissant glisser du dos de Rapide.

Il débarrassa son cheval de ses paniers de charge, de sa couverture, et de son harnais, et Rapide se précipita vers la lagune, bientôt rejoint par Whinney.

La jument fut la première dans l'eau, et commença par s'abreuver. Puis elle se mit à frapper du devant avec vigueur, s'éclaboussant elle-même ainsi que le jeune étalon qui buvait à côté. Tête baissée, oreilles pointées, Whinney renifla l'eau, s'agenouilla sur ses antérieurs, plia les jarrets, roula sur le côté et finalement sur le dos. Maintenant la tête hors de l'eau, les jambes battant l'air, elle se frotta le dos sur le fond de la lagune en se tortillant de plaisir, puis roula sur le côté. Rapide, qui avait observé sa mère, n'attendit pas davantage. Il se rua dans l'eau peu profonde et l'imita.

— Moi qui pensais qu'ils avaient eu leur content d'eau pour la journée! s'exclama Ayla en s'approchant de Jondalar.

— Oui, mais ils adorent se rouler dans l'eau... s'ils avaient de la boue ou de la poussière, ils seraient encore plus contents. Avant de connaître Whinney et Rapide, j'ignorais que les chevaux aimaient se rouler par terre à ce point.

— Pourtant, tu sais combien ils apprécient qu'on les gratte. Eh bien, je crois que c'est leur manière à eux de se gratter. Parfois les chevaux se grattent mutuellement, et ils expliquent à l'autre où ils désirent qu'on les gratte.

— Enfin, Ayla! Comment voudrais-tu qu'ils l'expliquent? Par moments il me semble que tu les prends pour des humains.

— Non, les chevaux ne sont pas des humains, je ne les confonds pas. Mais observe-les bien, quand ils se tiennent tête-bêche, par exemple. L'un d'eux va gratter l'autre avec ses dents, et attendra d'être gratté au même endroit en retour. Tiens, je crois que je vais peigner Whinney avec la cardère sèche. Les sangles doivent lui tenir chaud et la démanger. Je me demande parfois si nous ne devrions pas abandonner le canot...

— Je suis en sueur, et ça me démange, avoua Jondalar. Je crois que je vais me plonger dans l'eau, moi aussi. Mais pas tout habillé, cette fois-ci.

— J'irai tout à l'heure, après avoir déballé mes affaires. Et je vais faire sécher mes vêtements humides sur ces buissons, fit-elle en sortant des vêtements entassés dans un de ses paniers pour les étendre sur les branches d'un aulne. Je ne regrette pas de les avoir mouillés, reprit-elle en étalant un pagne. J'ai trouvé des saponaires et je les ai lavés en t'attendant.

Jondalar l'aida à étendre les vêtements et découvrit parmi eux sa propre tunique.

— Je croyais que tu avais lavé tes vêtements en m'attendant. Et ça, qu'est-ce que c'est ?

— Je l'ai aussi lavée après que tu t'es changé. La transpiration brûle le cuir, ta tunique était toute tachée.

Whinney sortit de l'eau. Elle s'arrêta sur la berge, jambes écartées, et s'ébroua. La violente secousse se répercuta sur tout son corps jusqu'à sa queue, et éclaboussa Jondalar qui tenta de se protéger. Ayla éclata de rire. Elle courut dans la lagune et, fouettant la surface de l'eau en moulinant les bras, elle arrosa son compagnon qui la rejoignait. Dès qu'il eut de l'eau jusqu'aux genoux, il l'aspergea à son tour. A côté de lui, Rapide reçut aussi sa part de la douche, et s'esquiva prestement. Il aimait l'eau, à condition d'être maître de la situation.

Après avoir longtemps joué et s'être bien baignée, Ayla commença à penser au dîner. Des fleurs à trois pétales blancs et au cœur violet émergeaient de l'eau sur un coussin de feuilles lancéolées, et Ayla savait les tiges riches en amidon, succulentes et nourrissantes. Elle plongea ses orteils dans la vase pour en arracher, mais les tiges fragiles se cassèrent. En regagnant la rive, elle ramassa aussi du plantain d'eau qu'elle se proposait de cuire, et du cresson au goût caractéristique, à manger cru. Elle repéra des petites feuilles ouvertes qui flottaient en dessinant une figure harmonieuse autour d'un point central.

— Jondalar! Fais attention de ne pas marcher sur les châtaignes d'eau, cria-t-elle en lui montrant les graines épineuses qui jonchaient le sable du rivage.

Il en ramassa une et l'examina. Les quatre épines de la graine étaient disposées de telle manière qu'un piquant s'enfonçait dans le sol pendant que les trois autres pointaient en l'air. Perplexe, il jeta la graine qu'Ayla ramassa avec quelques autres.

— Il faut prendre garde de ne pas poser le pied dessus, expliqua-t-elle en réponse à son air interrogateur, mais elles sont comestibles.

Une fois sur la terre ferme, Ayla aperçut, à l'ombre près du rivage, une grande plante familière aux feuilles bleu-vert, et elle se mit à la recherche de feuilles larges pour se protéger les mains. Il fallait prendre des précautions pour cueillir les orties brûlantes, mais une fois cuites, elles étaient délicieuses. Au ras du rivage, poussait de l'oseille aquatique dont Ayla décida qu'elle ferait cuire les feuilles, qui atteignaient près d'un mètre. A proximité, il y avait également des pas-d'âne, et plusieurs sortes de fougères aux racines succulentes. Vraiment, la nourriture abondait dans le delta.

Au large, Ayla remarqua une île couverte de grands roseaux et entourée de massettes. Décidément, il était dit que les massettes constitueraient leur nourriture de base! Elles proliféraient, et presque tout y était comestible. Avec les vieilles racines, pilées pour séparer les fibres de l'amidon, on obtenait de la pâte, ou on épaississait les soupes ; les racines jeunes se mangeaient cuites ou crues, mélangées aux pédoncules des fleurs, sans oublier le pollen avec lequel on pouvait aussi confectionner une sorte de pain. Et tout cela était délicieux. A la floraison, les fleurs groupées en touffe à l'extrémité des hautes tiges, leur donnant l'aspect d'une queue de renard, avaient aussi beaucoup de goût.

Le reste de la plante était aussi très utile. Les feuilles servaient à tisser des paniers ou des tapis, et le duvet des fleurs, après libération des graines, fournissait une matière absorbante et un excellent amadou. Grâce à ses pierres à feu, Ayla n'utilisait plus l'amadou, mais elle savait que roulées dans les paumes, les tiges cotonneuses de l'année précédente permettaient d'allumer du feu, ou servaient de combustible.

— Jondalar, prenons le bateau et allons faire un tour sur l'île cueillir des massettes, proposa Ayla. Il y a aussi des tas d'autres bonnes choses à manger dans la lagune. Tiens, les cosses et les racines des nénuphars, par exemple ! Et les racines des roseaux ! Bien sûr, il faut plonger pour les arracher, mais puisque nous sommes déjà mouillés, profitons-en ! Nous chargerons tout dans le bateau.

— Tu n'es jamais venue par ici, comment peux-tu savoir que ces plantes sont comestibles ? s'étonna Jondalar en détachant le travois.

— Il y avait beaucoup d'endroits semblables près de notre caverne, sur la péninsule. Ils n'étaient pas aussi étendus mais il y faisait chaud en été, comme ici. Iza connaissait les plantes et savait où les trouver. Les autres, c'est Nezzie qui m'en a parlé.

— J'ai l'impression que tu connais toutes les plantes !

— Oh, j'en connais beaucoup, mais pas toutes. Surtout dans cette région. J'aimerais tant que quelqu'un me conseille. Tiens, la femme sur l'île, celle qui s'est enfuie alors qu'elle épluchait les racines. Elle aurait pu m'apprendre beaucoup de choses. Quel dommage que nous n'ayons pu rester !

Sa déception n'était pas feinte, et Jondalar se rendait compte qu'elle se languissait de ses semblables. La société des humains lui manquait aussi, et il aurait bien voulu rester sur l'île.

Ils mirent le bateau à l'eau et embarquèrent. Le courant semblait faible, mais ils n'en durent pas moins pagayer vigoureusement pour ne pas se laisser entraîner en aval. Loin du rivage et de la vase que leurs ébats avaient soulevée, l'eau était si limpide qu'ils pouvaient voir les poissons agglutinés autour des plantes immergées, certains pointant fugitivement leur tête hors de l'eau. En voyant leur taille, Ayla se promit d'en pêcher plus tard.

Une concentration de nénuphars les arrêta, si dense qu'on ne distinguait plus la surface de la lagune. Quand Ayla se glissa dans l'eau, Jondalar éprouva d'énormes difficultés à maintenir le bateau en place, qui avait tendance à tourner sur lui-même s'il essayait de pagayer. Mais Ayla reprit bientôt pied et elle stabilisa l'embarcation. En se guidant des tiges, elle tenta d'atteindre les racines avec ses orteils pour les décoller du fond vaseux. Les nénuphars se détachèrent dans un nuage de limon.

Ayla fit de nouveau tournoyer le canot en se hissant à bord, mais à deux, ils réussirent à l'équilibrer et ils se dirigèrent vers le massif de roseaux. En approchant, Ayla s'aperçut que les plantes qui poussaient dru sur les bords de l'île étaient des massettes auxquelles se mêlaient de grands saules marseaux.

Ils se frayèrent un chemin au milieu de la végétation, à la recherche d'une berge où accoster. Mais ils avaient beau écarter les roseaux, ils ne trouvaient pas trace de la moindre parcelle de terre, ni du plus vulgaire banc de sable, et à mesure qu'ils avançaient, le rideau de roseaux se refermait derrière eux. Ayla ressentit une certaine appréhension, et Jondalar, encerclé, eut l'étrange sensation d'être le captif d'un être invisible. Des pélicans volaient au-dessus de leur tête. Ayla et Jondalar avaient la désagréable impression que c'était en cercles de plus en plus rapprochés. Lorsqu'ils se retournèrent pour examiner le chemin qu'ils venaient de s'ouvrir, ils eurent la surprise de voir la terre ferme disparaître lentement.

— Ayla, nous bougeons ! s'écria Jondalar, comprenant

soudain que le rivage ne bougeait pas, mais que l'île, poussée par les courants, tournait sur elle-même, entraînant leur bateau avec elle.

— Allons-nous-en vite ! hurla Ayla en empoignant sa pagaie.

Les îles du delta étaient éphémères, à la merci constante des caprices de la Grande Mère des rivières. Même celles qui abritaient une abondance de roseaux risquaient d'être balayées par les flots. Parfois la végétation poussait tant et plus qu'elle s'étendait jusque dans l'eau elle-même.

Quelle qu'en fût la cause initiale, les racines de roseaux s'entremêlaient et créaient une plate-forme flottante où s'accumulaient les matières en décomposition venant d'organismes aquatiques ou végétaux, qui fertilisaient à leur tour d'autres roseaux. Avec le temps, ces plates-formes devenaient des îles flottantes qui abritaient toutes sortes de végétation. Variétés de petites massettes à feuilles étroites, joncs, fougères, buissons de saules marseaux qui atteindraient un jour la taille d'un arbre, toutes ces plantes poussaient sur les bords de l'île. Mais c'étaient les immenses roseaux, dépassant parfois trois mètres, qui avaient constitué la végétation originelle. Certains de ces bourbiers devenaient de véritables paysages flottants, à l'aspect éternel totalement illusoire.

Avec leurs petites pagaies et beaucoup de sueur, ils se forcèrent un passage hors de l'île trompeuse. Mais arrivés à la périphérie de l'instable bourbier, ils s'aperçurent que le rivage opposé avait disparu. Face à eux s'étendait un lac dont le spectacle leur coupa le souffle. Une incroyable concentration de pélicans tranchait sur un décor vert foncé. Ils étaient des milliers et des milliers d'oiseaux rassemblés sur les nids herbeux d'îles flottantes. Et dans le ciel, une myriade d'autres pélicans aux ailes d'une envergure impressionnante volaient à différentes hauteurs, comme s'ils attendaient leur tour pour se poser sur les îles surpeuplées.

Blancs teintés d'un lavis rose, des ailes aux rémiges gris

foncé, un long bec crochu, la mandibule inférieure affublée d'une poche dilatable, les grands oiseaux élevaient leurs oisillons. Les bruyants bébés pélicans, encore recouverts de duvet, sifflaient et piaillaient, et leurs parents leur répondaient par des cris rauques. Si grand était leur nombre que le vacarme en devenait assourdissant.

A demi cachés par les roseaux, Ayla et Jondalar observèrent, fascinés, la gigantesque colonie. Un appel rauque leur fit lever la tête, et ils virent un pélican d'une envergure d'au moins trois mètres volant en rase-mottes, toutes ailes déployées. Il fonça vers le milieu du lac, puis replia soudain ses ailes et tomba comme une pierre, provoquant un énorme plouf dans son amerrissage disgracieux. Près de là, un autre battait des ailes et rasait l'eau pour prendre son envol. Ayla commençait à comprendre pourquoi ils avaient élu domicile sur un lac : ils avaient besoin d'un grand espace pour décoller, bien qu'une fois en l'air leur vol fût d'une grâce surprenante.

Jondalar, d'un coup de coude, lui désigna une bande de pélicans qui nageaient en avançant lentement de front. Ayla regarda leur étrange ballet et lui sourit. Obéissant à un mystérieux signal, les pélicans soigneusement alignés plongeaient la tête et la ressortaient en chœur, l'eau dégoulinant de leur long bec. Certains, mais pas tous, avaient réussi à attraper un poisson. Ils n'en continuaient pas moins à plonger avec une synchronisation parfaite.

D'autres jeunes pélicans d'une espèce un peu différente, et déjà presque adultes, nichaient à l'écart de la colonie, mêlés à toutes sortes d'oiseaux aquatiques qui couvaient ou élevaient leurs poussins : cormorans, grèbes, nettes rousses, fuligules nyrocas, et autres canards. Le marécage grouillait d'oiseaux, nourris par des myriades de poissons.

Une abondance exubérante et débridée régnait dans le delta tout entier. La richesse de la vie s'étalait sans honte, naturelle, intacte, gouvernée par sa seule loi et soumise à son unique volonté. Et du néant d'où Elle avait surgi, la Grande Terre Mère se plaisait à créer et à maintenir la vie dans toute sa diversité prolifique. Mais, pillée par un dominateur avide, ses ressources violées, détruite par une pollution incontrôlée, souillée par l'abus et la corruption, Son pouvoir créateur et Sa capacité nourricière risqueraient d'être anéantis.

Ayla s'arracha à la contemplation des pélicans et se mit à ramasser des massettes, objets premiers de leur visite sur l'île. Leur récolte terminée, ils firent le tour des roseaux flottants en canot. Lorsqu'ils aperçurent enfin la terre ferme, ils se rendirent compte que leur camp s'était rapproché. Dès qu'il les vit, Loup leur adressa de longs hurlements de détresse. De retour de son expédition, il avait suivi leurs traces et avait facilement retrouvé le campement, mais en ne les voyant pas, il avait pris peur.

La jeune femme siffla pour le rassurer. Il courut jusqu'à la berge, tendit le cou et hurla encore une fois. Ensuite, il renifla le sol en quête de leurs odeurs, se mit à courir de long en large et finit par plonger et nager vers le canot. Il allait les rejoindre quand il fit un écart pour se diriger vers la masse de roseaux qu'il prit pour une île.

Comme Jondalar et Ayla avant lui, il essaya d'aborder le rivage inexistant, mais ne put que patauger au milieu des roseaux à la recherche de la terre ferme. Dépité, il revint au canot. Jondalar et Ayla eurent toutes les peines du monde à hisser à bord l'animal ruisselant, qui, une fois dans le canot, transporté de joie, sauta sur Ayla et lui lécha la figure pour lui témoigner son soulagement. Il fit ensuite de même avec Jondalar. Une fois calmé, il se campa au milieu de l'embarcation et poussa un long hurlement de reconnaissance.

A leur grande surprise, un loup, puis deux, lui répondirent. Et ils furent bientôt submergés par des hurlements, très proches cette fois-ci. Nus dans leur canot, Ayla et Jondalar se regardèrent, tremblants en constatant avec effarement que l'écho des loups ne provenait pas de la terre, mais de la trompeuse île flottante !

— Non, c'est impossible que des loups habitent l'île !

s'exclama Jondalar. Ce n'est même pas une île, d'ailleurs. Il n'y a pas de terre, ni même le moindre banc de sable.

Et si ce n'était pas des loups ? songea-t-il. Si c'était... si c'était... Qu'est-ce que ça peut bien être ?...

Ayla étudia attentivement les roseaux, à l'endroit d'où avait surgi le dernier hurlement, et elle surprit un éclair de fourrure et deux yeux jaunes qui la fixaient. Un léger mouvement lui fit lever la tête, et elle aperçut, perché dans un arbre et à moitié caché par la végétation, un loup qui les surveillait la langue pendante.

Pourtant, les loups ne grimpent pas aux arbres ! Du moins n'en avait-elle jamais vu, et elle connaissait bien leurs habitudes. Elle attira l'attention de Jondalar qui regarda le loup, interloqué. On aurait dit un vrai loup, mais comment était-il arrivé là ?

— Jondalar, allons-nous-en ! implora-t-elle. Je n'aime pas cette île qui n'en est pas une, ni ces loups qui grimpent aux arbres et vivent sur une terre qui n'existe pas.

Jondalar était aussi peu rassuré qu'elle et ils se mirent à pagayer avec la dernière énergie. Lorsqu'ils accostèrent près de leur camp, Loup sauta à terre. Ils gravirent la berge le plus vite possible, tirant le canot au sec, et coururent chercher leurs armes. Les chevaux, face à l'île, oreilles dressées, semblaient tendus. D'habitude, les loups étaient farouches et ne les approchaient pas, d'autant que le mélange d'odeurs émanant des humains, des chevaux et d'un autre loup les déroutait. Mais était-ce des loups ? Ou des... quelque chose de... des êtres surnaturels ?

Si leur mystérieux pouvoir sur les animaux n'avait effrayé les habitants de la grande île, ces derniers, familiarisés avec la vie des marais, auraient pu leur apprendre que les étranges loups n'étaient pas plus surnaturels qu'eux-mêmes. Les environs du delta abritaient de nombreuses espèces, y compris des loups. Ils avaient d'abord vécu sur la terre ferme, mais s'étaient si bien habitués à l'environnement marécageux au cours des derniers milliers d'années, qu'ils pouvaient parfaitement vivre sur les lits de roseaux.

Ils avaient même, dans ce pays soumis aux inondations fréquentes, appris à grimper aux arbres.

Que des loups pussent prospérer dans un milieu aquatique en disait long sur leurs capacités d'adaptation. Cette même capacité allait leur permettre d'apprendre à vivre parmi les humains, avec une telle réussite qu'au fil des ans, bien que toujours aptes à se reproduire avec leurs congénères sauvages, ils se domestiqueraient au point de sembler issus d'une race différente. Certains finiraient même par ne plus ressembler aux loups.

Sur l'île au milieu de la lagune, on distinguait maintenant plusieurs loups, dont certains perchés dans les arbres. Loup regardait Jondalar et Ayla, quêtant un ordre des chefs de sa bande. Un des loups des roseaux hurla, imité par tous les autres. Ayla en eut la chair de poule. Ces hurlements lui paraissaient différents de ceux qu'elle avait l'habitude d'entendre, sans qu'elle pût définir en quoi. Peut-être était-ce l'écho sur la surface de l'eau qui en modifiait le ton, toujours est-il que cette étrange impression accentua son malaise.

Les hurlements cessèrent soudain, et les loups disparurent, aussi furtivement qu'ils étaient venus. L'instant d'avant, le propulseur à la main, les deux voyageurs se préparaient à affronter une bande de loups qui les menaçaient depuis leur île. Les loups volatilisés, ils se retrouvèrent l'air un peu stupide, décontenancés, prêts à lancer leurs sagaies sur d'inoffensives massettes.

Une brise froide enveloppa leur corps nu, le soleil venait de disparaître derrière les montagnes du couchant, annonçant l'approche de la nuit. Ils posèrent leurs armes, coururent s'habiller, allumèrent un feu et terminèrent l'installation du campement, mais leur bonne humeur s'était envolée. Ayla se surprit plusieurs fois à chercher les chevaux des yeux, et ne fut rassurée que lorsqu'elle les vit paître dans la clairière où était plantée leur tente.

L'obscurité s'abattit sur le campement. Assis près du feu, les deux voyageurs, étonnamment silencieux, tendaient l'oreille aux bruits nocturnes incessants. Au crépuscule commencèrent les gloussements des hérons bihoreaux, suivis des grésillements des grillons. Une chouette ulula d'une voix lugubre. Ayla perçut un cri nasillard dans les bois et crut reconnaître un sanglier. Elle sursauta au rire sarcastique d'une hyène des cavernes. Plus près, un grand chat qui venait de manquer sa proie poussa un cri de dépit. Elle se demanda s'il s'agissait d'un lynx, ou d'un léopard des neiges, et s'attendait toujours à entendre les loups hurler.

Les ombres elles-mêmes se fondirent dans la nuit et de nouveaux bruits comblèrent les rares instants de silence. De chaque chenal, chaque berge, chaque lac et chaque lit de nénuphars s'éleva une sérénade de coassements adressée à un auditoire invisible. Les basses des crapauds des marais et des grenouilles vertes en constituaient le chœur, alors que les crapauds sonneurs entonnaient une mélodie de clochettes. En contrepoint, les trilles de crapauds bigarrés, mêlés aux doux fredonnements des pélobates, complétaient la symphonie, rythmée par le sonore *coa-coa-coa* des rainettes.

Quand Ayla et Jondalar s'enroulèrent dans leur fourrure, l'incessante mélodie des grenouilles leur était devenue familière. Soudain, au moment où Ayla s'y attendait le moins, les hurlements des loups éclatèrent. Elle frissonna. Loup se dressa sur son séant et répondit à leur appel.

— Je me demande si les bandes de loups lui manquent, interrogea Jondalar, en enlaçant Ayla.

Elle se blottit contre lui, rassurée par sa chaude présence.

— Je n'en sais rien, mais ça m'inquiète parfois, répondit-elle. Bébé m'a abandonnée pour s'accoupler, mais les lions mâles quittent toujours leur territoire pour se choisir une compagne dans une autre bande.

— Crois-tu que Rapide voudra nous quitter ?

— Whinney est partie vivre avec un troupeau pendant un temps. Je ne sais pas comment les autres juments l'ont accueillie, mais elle est revenue à la mort de son étalon. Les chevaux mâles ne vivent pas toujours avec un troupeau de juments. Chaque troupeau s'en choisit un, qui doit ensuite se battre avec les autres étalons. Les jeunes mâles et les plus vieux se réunissent dans une même bande, mais quand arrive la saison des Plaisirs, chacun se recherche une compagne. Rapide les imitera un jour ou l'autre, et il devra combattre l'étalon de la bande, expliqua-t-elle.

— Et si je l'attachais pendant la saison des Plaisirs ?

— Tu as le temps d'y penser, les chevaux ne partagent les Plaisirs qu'au printemps, quand les poulains les ont quittés. Les humains que nous allons rencontrer dans notre Voyage m'inquiètent davantage, je te l'avoue. Les gens n'imaginent pas que Whinney et Rapide soient différents des autres chevaux, et ils peuvent être tentés de les tuer. D'ailleurs, ils ne nous acceptent pas non plus.

Pelotonnée dans les bras de Jondalar, Ayla se demandait ce que le peuple de son compagnon penserait d'elle. Jondalar la sentit pensive. Il l'embrassa mais elle ne réagit pas avec autant d'empressement que d'habitude. Il conclut qu'elle était sans doute lasse, la journée avait été chargée. Il était lui-même fatigué. Il s'endormit, bercé par le chœur des grenouilles. Les cris d'Ayla, accompagnés de coups, le réveillèrent.

— Ayla ! Ayla ! Réveille-toi ! Tout va bien.

— Oh, Jondalar ! Jondalar ! gémit Ayla en se cramponnant à lui. Je rêvais… je rêvais du Clan. Creb essayait de me dire quelque chose, mais nous étions au fond d'une grotte et je ne voyais pas les signes qu'il me faisait.

— Tu as certainement pensé à eux aujourd'hui. Tu en parlais quand nous regardions la mer depuis la grande île. Tu avais l'air triste. Tu pensais que tu ne les reverrais plus, c'est ça ?

Elle approuva d'un signe de tête, incapable d'articuler les mots sans fondre en larmes. Elle hésita à lui avouer qu'elle s'interrogeait sur l'accueil que lui réservaient les Zelandonii. L'accepteraient-ils ? Et Loup, et les chevaux ?

Elle avait perdu le Clan, et son fils, elle ne voulait pas être aussi séparée de sa famille d'animaux s'ils arrivaient jusqu'à son peuple sains et saufs. Ah, si seulement elle avait compris le message que Creb essayait de lui faire parvenir !

Jondalar la berça avec amour, comprenant son chagrin, mais ne sachant que dire. Sa seule présence rassurait Ayla.

12

Le bras nord de la Grande Rivière Mère, avec son réseau de chenaux sinueux, dessinait la limite supérieure de l'immense delta. Arbres et buissons bordaient ses rives sur une bande étroite, mais loin de l'humidité du lit alluvial il n'y avait plus que la steppe aride. Ayla et Jondalar chevauchaient en longeant la frange boisée et coupaient à travers la prairie lorsque la rivière formait des méandres. Ils remontaient le fleuve, cap à l'ouest.

Ils se hasardaient fréquemment dans les terres marécageuses, plantant leur tente près de l'eau pour la nuit. La diversité des sites ne cessait de les surprendre. Depuis l'île, la vaste embouchure du fleuve leur avait semblé uniforme, mais en la parcourant ils y découvraient une grande variété de végétation et de paysages, allant du sable nu à la forêt profonde.

Un jour, ils traversaient champ de massettes après champ de massettes, surmontées d'épis couverts de pollen jaune. Le lendemain, ce n'étaient que massifs de phragmites, deux fois plus hauts que Jondalar. S'y mêlaient des roseaux, plus petits et plus délicats, souvent près de l'eau où ils poussaient plus dru.

Des îles formées par le dépôt de sédiments — étroites langues de terre, mélange de sable et d'argile — subissaient les assauts conflictuels du flux tumultueux du fleuve et du violent reflux des marées. Il en résultait une mosaïque bigarrée de massifs de roseaux, de plaines alluviales, de steppes, et de forêts à différents stades de développement, sujette à des changements brusques et inattendus. Les voyageurs tombèrent sans s'y attendre sur un bras mort, coupé du reste du delta par ce qui n'avait été au début que des îles sédimentaires.

La plupart des îles s'ancraient grâce à des roseaux des sables ou des élymes géantes de plus d'un mètre et dont les chevaux raffolaient. Leur forte teneur en sel attirait d'ailleurs de nombreux herbivores. Le paysage changeait si vite qu'on trouvait parfois des îles où, sur quelques dunes intérieures, des plantes des sables survivaient à côté de forêts d'arbres adultes, dont les branches s'ornaient de lianes pendantes.

Comme ils longeaient le fleuve, Ayla et Jondalar traversaient souvent de petits affluents que les chevaux franchissaient dans des gerbes d'éclaboussures, ou d'étroites rivières qui ne leur posaient pas plus de problèmes. Il en allait autrement des lits asséchés que Jondalar prenait soin de contourner. Il avait une vive conscience du danger que représentaient les boues marécageuses et les sols mous qui en recouvraient le fond depuis la malheureuse expérience qu'ils avaient vécue, son frère et lui, dans cette contrée. Mais il ne se doutait pas que c'était parfois la riche végétation qui recelait le danger.

La journée était interminable, la chaleur éprouvante. En quête d'un emplacement pour planter leur tente, Jondalar et Ayla avaient obliqué vers la rivière et semblaient avoir trouvé ce qu'ils cherchaient. Ils descendirent une pente douce qui menait vers une vallée encaissée où l'ombre de grands saules rafraîchissait un pré particulièrement verdoyant. Soudain, à l'autre bout du pré, un grand lièvre bondit. Ayla fit accélérer Whinney tout en préparant sa

259

fronde, mais la jument hésita à s'engager dans l'herbe où ses sabots s'enfonçaient.

La jeune femme se rendit compte presque immédiatement du changement d'allure de sa monture, et malgré son envie d'un bon dîner, elle se plia à la décision de sa jument. Elle s'arrêta à l'instant même où Rapide surgit à son tour. Le sol spongieux inquiéta l'étalon, mais son élan le propulsa en avant.

Ses antérieurs s'enfoncèrent dans l'épais limon boueux, et il faillit désarçonner son cavalier. Jondalar mit prestement pied à terre. L'étalon hennit et, les postérieurs solidement plantés sur la terre ferme, il parvint à grand-peine à extirper un de ses sabots antérieurs des sables mouvants qui l'aspiraient. Il recula pour assurer son équilibre et, après de violents efforts, il libéra son deuxième sabot dans un bruit de succion.

Le jeune étalon frémissait de peur et Jondalar prit le temps de l'apaiser. Ensuite, il cassa une branche d'arbuste et tâta le fond du marécage. Les sables mouvants avalèrent le bout de bois, et Jondalar utilisa la troisième perche, qui ne servait pas pour le travois, afin de vérifier la profondeur du marais. Sous le camouflage des roseaux et des laîches, la clairière était en fait un vaste champ de vase mélangée de limon et d'argile. Le réflexe des chevaux leur avait évité une catastrophe, et ils surent en tirer les leçons : ils n'abordèrent plus la Grande Rivière Mère qu'avec une infinie prudence afin de déjouer les pièges tendus par sa nature capricieuse.

Le delta était le royaume des oiseaux, hérons, aigrettes, canards, et aussi pélicans, cygnes, oies, grues, quelques cigognes noires et ibis falcinelles aux couleurs splendides. L'époque de la nidification variait selon les espèces, mais toutes se reproduisaient pendant la saison chaude. Les voyageurs ramassaient des œufs, et se composaient ainsi des repas rapides — même Loup découvrit comment casser les coquilles. Ils finirent par développer une prédilection pour les variétés d'œufs avec un arrière-goût de poisson.

Les surprises se firent plus rares à mesure qu'ils s'habituaient aux oiseaux du delta, mais un soir qu'ils chevauchaient le long d'un bois de saules argentés, ils tombèrent sur une scène étrange qui leur coupa le souffle. Les arbres débouchaient sur un vaste étang, presque aussi grand qu'un lac, qu'ils avaient d'abord pris pour une vallée car de grandes feuilles de nénuphar en couvraient la surface entière. On aurait dit que chacune de ces robustes feuilles disposées autour d'une magnifique et odorante fleur blanche portait un héron crabier au long cou en S, prêt à pêcher un poisson avec un long bec.

Captivés, ils s'attardèrent devant ce spectacle insolite, mais décidèrent tout de même de partir avant que Loup ne se rue sur les paisibles oiseaux et les chasse de leur perchoir. Ils n'étaient pas très loin de là, et installaient déjà leur campement, quand ils virent des hérons au long cou s'élever par centaines dans les cieux, leurs grandes ailes battant l'air, silhouettes noires se détachant du fond de nuages rosis par le soleil couchant. Le loup déboula dans le campement, et Ayla supposa que c'était lui qui les avait effrayés. Il ne tentait pas de les attraper pourtant. Il s'amusait tellement à chasser les volées d'oiseaux des marais qu'Ayla se demanda s'il ne les levait pas pour le simple plaisir de les voir s'envoler.

Le lendemain matin, Ayla se réveilla le corps moite. Il faisait déjà très chaud et elle n'avait pas envie de se lever. Elle aurait aimé passer une journée à se détendre. Non pas qu'elle fût fatiguée, mais elle était lasse du Voyage. Les chevaux aussi avaient besoin de repos, songea-t-elle. Elle comprenait la hâte de Jondalar, mais s'ils étaient à un jour près pour traverser le glacier dont il parlait sans cesse, alors, ils étaient déjà en retard. Pourtant, quand Jondalar se leva et commença à rassembler ses affaires, elle l'imita.

Dans la matinée, la chaleur et l'humidité devinrent oppressantes, même en pleine prairie, et lorsque Jondalar proposa un arrêt pour se baigner, Ayla s'empressa d'approuver. Ils se rapprochèrent de la rivière et découvrirent avec plaisir une petite clairière ombragée au bord de l'eau. Le lit d'un cours d'eau saisonnier, encore détrempé et jonché de feuilles pourrissantes, avait laissé un petit coin d'herbe dégagé, une poche accueillante entourée de pins et de saules, qui menait à un fossé d'eau boueuse. Un peu plus loin, à un coude du fleuve, une plage de galets avançait dans un bassin d'eau calme tacheté d'ombre et de lumière par le soleil qui filtrait à travers les branches d'un saule pleureur.

— Ah, c'est parfait ! s'exclama Ayla avec un large sourire.

— Est-ce vraiment nécessaire ? demanda Jondalar en la voyant décrocher le travois. Nous ne resterons pas longtemps.

— Les chevaux ont besoin de repos. Et peut-être ont-ils envie de se rouler dans l'eau, expliqua-t-elle en déchargeant les paniers après avoir ôté la couverture. J'aimerais aussi attendre que Loup nous rattrape, je ne l'ai pas vu de toute la matinée. Il a dû suivre une odeur alléchante.

— Bon, très bien, concéda Jondalar.

Et il commença à dénouer les sangles qui maintenaient les paniers sur le dos de Rapide, puis déposa ces derniers dans le canot et donna une tape sur la croupe de l'étalon pour lui signifier qu'il était libre.

La jeune femme se déshabilla rapidement et entra dans l'eau pendant que Jondalar urinait. Il regarda vers elle et ne put détacher ses yeux du corps souple et bronzé. Ayla était debout dans le bassin miroitant, de l'eau jusqu'aux genoux, inondée de lumière par un rai qui perçait le feuillage d'un saule et ornait ses cheveux d'un halo doré.

Jondalar, émerveillé par sa beauté, se sentit submergé par un amour débordant. Ayla se baissa pour s'éclabousser d'eau fraîche, accentuant la rondeur de son fessier et dévoilant l'intérieur velouté de ses cuisses. Cette vision troubla Jondalar et fit naître en lui un désir violent. Il baissa la tête et, apercevant le membre qu'il tenait toujours en main, il sourit et la baignade passa soudain au second plan.

Elle le regarda entrer dans l'eau, vit son sourire, remarqua la lueur irrésistible dans ses yeux, et nota le changement qui s'opérait dans sa virilité. Elle sentit une vague de désir la soulever, et l'inonder d'un calme qui lui fit prendre conscience de la tension qui l'habitait l'instant d'avant. Elle comprit qu'ils ne reprendraient pas la route aujourd'hui, pas si elle pouvait l'empêcher. Ils avaient tous deux besoin de se détendre, et une agréable diversion se présentait.

Jondalar avait bien remarqué où le regard d'Ayla s'était posé, et son changement d'attitude ne lui avait pas échappé, pas plus que sa pose engageante, bien qu'elle eût à peine bougé. L'eût-il voulu qu'il n'aurait pu cacher son désir, tant la manifestation en était évidente.

— L'eau est merveilleuse, déclara Ayla. Tu as eu une bonne idée, il commençait à faire trop chaud.

— Oui, j'ai un brusque accès de chaleur, fit-il avec un sourire ironique en s'avançant à sa rencontre. Je ne sais pas comment tu t'y prends, mais tu me fais perdre tout contrôle.

— Alors, pourquoi te contrôler ? Moi, je n'essaie même pas. Tu n'as qu'à me regarder comme tu le fais, et je suis prête.

Le sourire qu'il aimait tant éclaira le visage d'Ayla.

— Oh, femme ! soupira-t-il en la prenant dans ses bras.

Elle leva la tête pour lui offrir ses lèvres. Il les baisa doucement, les effleurant à peine, et glissa ses mains le long de ses reins chauffés par le soleil. Elle aimait ses caresses et y répondit avec une surprenante perspicacité.

Il se pencha pour embrasser les globes doux et fermes et l'attira vers lui. Elle sentit son membre dur et chaud se presser contre son ventre, mais le geste de Jondalar l'avait déséquilibrée. Elle essaya de se retenir, mais une pierre se déroba sous ses pieds et, en s'agrippant à lui, elle l'entraîna dans sa chute. Ils tombèrent à l'eau dans une gerbe d'éclaboussures, et s'assirent en éclatant de rire.

— Tu ne t'es pas fait mal ? s'inquiéta Jondalar.

— Non, rassure-toi, mais l'eau est froide et j'essayais d'y entrer petit à petit. Maintenant que je suis mouillée, je vais nager un peu. C'est pour ça qu'on s'est arrêtés, non ?

— Oui, mais on peut aussi faire autre chose.

L'eau avait atteint les aisselles d'Ayla, ses seins épanouis flottaient à la surface, et les mamelons dressés rappelaient à Jondalar les proues de deux bateaux jumeaux. Il se pencha pour en chatouiller un à petits coups de langue.

Un frisson la parcourut et son corps tout entier se cambra. Jondalar soupesa le sein lourd, puis, d'une main, l'attira plus fort contre lui. Ayla était si palpitante de désir qu'un simple frottement sur son mamelon érigé propageait dans tout son corps des vagues de jouissance. Jondalar suça son sein, ses lèvres effleurèrent la peau satinée, remontè-rent le long du cou, s'attardèrent sur son oreille où il souffla doucement, et trouvèrent enfin les lèvres d'Ayla. Elle les entrouvrit pour que la langue indiscrète de son amant s'y glissât.

— Viens, dit-il en s'écartant, la main tendue. Allons nager.

Il l'entraîna dans le bassin, et lorsqu'elle eut de l'eau jusqu'à la taille, il l'enlaça à nouveau et l'embrassa. Ayla sentit la main de Jondalar se glisser entre ses cuisses et ouvrir ses lèvres. L'eau froide rafraîchit son intimité, mais une brûlure voluptueuse irradia son ventre quand il lui caressa le petit bouton durci, siège de ses Plaisirs.

Elle se laissa envahir par cette lame de jouissance, mais décida soudain que tout allait trop vite. Elle était sur le point de succomber. Elle s'arracha à l'étreinte, recula d'un pas et l'éclaboussa en riant.

— Nageons un peu, si tu veux, proposa-t-elle, et elle fit aussitôt quelques brasses.

Fermé par un épais massif de roseaux, le bassin n'était pas bien large. Une fois qu'elle l'eût traversé, elle se retourna et sourit à Jondalar. Attirée par son magnétisme, le désir qu'elle devinait en lui, son amour ardent, elle repartit vers la plage. Il nagea à sa rencontre, puis la suivit jusqu'au rivage.

— Voilà, le bain est terminé, annonça-t-il en se relevant dès qu'il eut pied.

Il prit la main d'Ayla et la mena jusqu'à la plage de galets. Là, il l'embrassa avec une telle fougue qu'elle se sentit fondre dans ses bras, et se serra encore plus contre lui.

— Passons aux choses sérieuses, dit-il.

— Les choses sérieuses ? s'étonna-t-elle d'une voix tremblante, l'œil dilaté, la gorge serrée, esquissant avec peine un sourire mutin.

Jondalar se laissa glisser sur la couverture et lui tendit la main.

— Viens, je vais te montrer, proposa-t-il.

Elle s'assit à côté de lui. Il l'allongea sur le sol en l'embrassant, et sans plus de cérémonie, il lui écarta les jambes et fit courir sa langue sur les lèvres de son intimité, encore toutes fraîches de la baignade. Surprise, elle frissonna, emportée par des ondes de chaleur voluptueuses parcourant son ventre. Jondalar entreprit alors de sucer le siège de ses Plaisirs.

Il avait envie de la goûter, de la boire, et il la savait prête. Son excitation grandissait avec celle d'Ayla, et une douleur lancinante monta de ses reins pendant que son membre se tendait, près d'éclater. Sa langue la fouillait, l'agaçait, la pénétrait, la goûtait et la savourait. Il ne pouvait plus s'arrêter tant il aimait lui donner les Plaisirs.

La vague voluptueuse grandissait en elle, son ventre la brûlait, et elle gémit, puis cria, comme au bord d'un gouffre, quand la jouissance atteignit presque son paroxysme.

S'il ne s'était pas retenu, il aurait pu jouir même sans la pénétrer, mais il aimait tant être dans son ventre ! Elle l'attira en se cambrant pour lui ouvrir le passage et le violent orage qui couvait en elle éclata soudain dans un éclair éblouissant. Jondalar sentit la chaude humidité, et enfonça d'un grand coup sa virilité dans la fente accueillante. Son membre était si tendu qu'il ne savait pas s'il pouvait encore attendre.

Elle cria son nom, cambra les reins pour qu'il entre au plus profond d'elle. Grognant et râlant, il se retira, savourant l'exquis frottement le long de son membre, puis le replongea, envoyant dans ses reins des ondes de plaisir foudroyantes. Soudain, il ne put plus différer davantage, et pénétra au plus profond d'elle. Ils crièrent à l'unisson, emportés ensemble dans les Plaisirs.

Après quelques derniers coups de reins, il se laissa tomber, et tous deux, haletants, récupérèrent de cette violence des sens qui venait de les emporter. Après quelques instants, il releva la tête, et Ayla se hissa pour baiser sa bouche, encore pleine de sa propre odeur, et qui lui rappelait les ineffables sensations qu'il savait provoquer en elle.

— Je voulais tellement faire durer les Plaisirs, mais tu m'avais trop excitée.

— Mais ça ne veut pas dire que c'est terminé, tu sais, promit-il.

Un sourire éclaira le visage d'Ayla. Jondalar s'allongea sur le flanc, puis se redressa bien vite.

— Dis donc, c'est drôlement inconfortable ! s'exclama-t-il. Pourquoi ne pas me l'avoir dit ?

— Mais je n'avais pas remarqué, tout simplement. Maintenant que tu en parles, c'est vrai qu'il y a un caillou qui me fait mal à la hanche... et un autre me rentre dans l'épaule. On devrait chercher un meilleur endroit... pour que tu puisses t'allonger, ironisa-t-elle avec un sourire moqueur, l'œil pétillant de malice. Mais d'abord, j'ai envie de nager pour de bon. On peut peut-être trouver un chenal plus profond.

Ils entrèrent dans l'eau, et nagèrent loin du bassin, puis ils remontèrent le courant et traversèrent le massif de roseaux. De l'autre côté, l'eau leur parut soudain plus froide. Ils n'avaient plus pied et se retrouvèrent dans un chenal qui serpentait à travers les roseaux.

Ayla rattrapa, puis dépassa Jondalar, mais il força l'allure et la rejoignit. C'était tous deux d'excellents nageurs, et ils se lancèrent bientôt dans une course amicale en remontant les méandres du chenal bordé de grands roseaux. Ils se suivaient de si près que le moindre obstacle rencontré par l'un propulsait l'autre en tête. Ayla se trouvait devant Jondalar quand ils atteignirent une fourche dont chaque branche faisait un angle si aigu que lorsque Jondalar leva la tête, Ayla avait déjà disparu.

— Ayla ! Ayla ! Où es-tu ? cria-t-il.

Pas de réponse. Il l'appela encore sans résultat, et opta pour l'un des deux chenaux. Celui-ci faisait une boucle sur lui-même, et Jondalar ne voyait que des roseaux partout où il se tournait.

— Ayla ! s'écria-t-il, inquiet. Au nom de la Mère, où as-tu disparu ?

Il entendit soudain un sifflement. C'était celui qu'Ayla utilisait pour appeler Loup. Il éprouva un vif soulagement, mais l'appel semblait provenir de bien plus loin qu'il n'aurait dû. Il siffla à son tour, entendit la réponse de la jeune femme, et se mit à nager fiévreusement d'où il venait. Il arriva à la fourche, et prit l'autre branche du chenal.

Celle-ci faisait aussi une boucle et débouchait sur un autre chenal. Un fort courant l'emporta en aval. Il vit alors Ayla qui luttait pour remonter le courant, et il nagea à sa rencontre. Lorsqu'il fut à sa hauteur, il fit demi-tour et accompagna Ayla dans son effort. Ils atteignirent enfin la fourche où ils se reposèrent en barbotant.

— Ayla ! A quel jeu joues-tu ? Pourquoi ne pas avoir attendu que je puisse te suivre ? reprocha-t-il.

Elle lui sourit, comprenant que sa colère était le fruit d'une réelle inquiétude.

— Je voulais te battre ! Comment aurais-je su que le

courant était si fort ? J'ai été entraînée avant de pouvoir réagir. Pourquoi le courant est-il si fort ?

Soulagé de la voir saine et sauve, Jondalar oublia sa colère.

— Oui, c'est bizarre, admit-il. Peut-être sommes-nous près du fleuve, ou bien l'eau est-elle particulièrement profonde.

— Rentrons. L'eau est froide, j'ai envie de me chauffer au soleil.

Portés par le courant, ils retournèrent facilement vers la plage de galets. Ayla fit la planche, regardant défiler les roseaux, admirant la voûte de l'azur. Le soleil était presque au zénith.

— Tu te souviens où nous avons traversé les roseaux ? demanda Jondalar. Tout se ressemble par ici.

— Oui, il y avait trois grands pins au bord de l'eau, juste derrière des saules pleureurs, et celui du milieu était plus haut que les deux autres.

— Regarde, il y a beaucoup de pins par ici. Rejoignons la rive, on les a peut-être déjà dépassés.

— Non, je ne crois pas, déclara Ayla. L'un des deux plus petits penchait bizarrement, et je ne l'ai pas encore vu. Attends... Oui, le voilà !... Tu le vois ? demanda-t-elle en nageant vers la barrière de roseaux.

— Oui, tu as raison. C'est là que nous avons traversé. On voit encore la trace dans les roseaux.

Ils rampèrent dans l'eau affleurante, franchirent les roseaux et se retrouvèrent dans le petit bassin qui leur parut plutôt tiède. Ils atteignirent la plage de galets avec le sentiment agréable d'arriver chez eux.

— Je vais allumer du feu et préparer une infusion, annonça Ayla en s'essuyant avec les mains.

Elle essora ses cheveux et alla au campement en ramassant du petit bois en route.

— Veux-tu tes affaires ? lui cria Jondalar.

— Non, je préfère me sécher d'abord.

Les chevaux paissaient dans la steppe avoisinante, mais

elle ne vit nulle trace de Loup, ce qui l'inquiéta, bien qu'il se fût déjà absenté aussi longtemps.

— Etale la couverture sur un coin d'herbe et repose-toi pendant que je prépare l'infusion, proposa Ayla.

Ayla choisit soigneusement des herbes séchées dans sa réserve. Elle se décida pour de la luzerne à cause de ses vertus stimulantes et rafraîchissantes, et aussi des fleurs et des feuilles de bourrache aux propriétés toniques, et elle ajouta des giroflées pour leur goût suave, légèrement épicé. Elle se proposait de renforcer l'infusion de Jondalar avec des chatons d'aulne, à la belle couleur rouge vif, qu'elle avait cueillis au début du printemps. Lorsqu'elle les avait ramassés, elle était déchirée par des sentiments contradictoires : elle avait fait la Promesse à Ranec de s'unir à lui, mais c'était Jondalar qu'elle aimait. Le souvenir de ce moment pénible et de son heureux dénouement la mit en joie et elle jeta les chatons dans la coupe de son compagnon en souriant de ses anciens tourments.

L'infusion prête, elle apporta les coupes à l'endroit où Jondalar s'était installé. La couverture était à moitié à l'ombre, mais elle s'abstint de toute réflexion. Il faisait assez chaud, et elle était déjà sèche. Elle lui tendit sa coupe et s'assit à côté de lui. Ils dégustèrent leur tisane en silence, tout en observant les chevaux qui se tenaient tête-bêche et balayaient les mouches de leur queue, chacun débarrassant l'autre des insectes énervants.

Lorsqu'il eut fini de boire, Jondalar s'étendit sur le dos, mains croisées derrière la nuque. Ayla était heureuse de le voir plus détendu, et surtout moins pressé de lever le camp. Elle reposa sa coupe et s'allongea contre lui, la tête dans le creux de son épaule, un bras entourant la poitrine de l'homme. Elle ferma les yeux, s'imprégna de l'odeur de Jondalar et sentit la main de ce dernier caresser ses hanches dans un geste machinal.

Elle baisa sa peau bronzée et souffla gentiment dans son cou. Il frissonna de plaisir. Elle l'embrassa encore, puis s'accouda pour déposer dans le creux de son épaule et le long de son cou une guirlande de baisers papillonnants. Chatouillé au-delà du supportable, il se força pourtant à réprimer les frémissements qui l'agitaient.

Elle couvrit de baisers sa gorge, son visage, sa barbe de plusieurs jours, qui lui picota les lèvres. Elle mordilla sa bouche. Penchée au-dessus de lui, elle l'observa. Les yeux clos, il attendait. Lorsqu'il ouvrit enfin les yeux, Ayla le dévisageait avec ravissement, ses cheveux encore mouillés tombant en cascade de son épaule. Il eut envie de la serrer contre lui, mais se contenta de lui sourire.

Elle glissa sa langue entre ses lèvres, si doucement qu'il la sentit à peine, mais la fraîcheur de son souffle aiguillonna ses sens. Au bord de l'exaspération, il ne se contenait plus, quand elle l'embrassa soudain à pleine bouche. Avec une infinie douceur, sa langue explora ses gencives, son palais, chatouillante, énervante, et elle bécota ensuite ses lèvres, les effleurant à peine. N'en pouvant plus, il tendit le cou, l'empoigna, l'attira à lui et l'embrassa avec une ardeur libératrice.

Sa tête retomba sur le sol et il vit qu'elle l'observait, provocante, avec un sourire moqueur. Elle l'avait poussé dans ses derniers retranchements, tous deux le savaient. Elle avait l'air si contente d'elle qu'il fut heureux, lui aussi. Elle était d'humeur joueuse, et il se demandait ce qu'elle allait encore inventer pour lui plaire. Voilà qui devenait intéressant, se dit-il. Il attendit, souriant, ses bouleversants yeux bleus plongés dans le regard d'Ayla.

Elle baisa sa bouche, son cou, le creux de son épaule, sa poitrine, ses pectoraux, le bout de ses seins, et soudain, elle s'agenouilla et plongea la tête pour engloutir son organe dilaté. Son membre disparut dans sa douce bouche chaude et humide, lui arrachant un cri de plaisir. Lorsqu'elle commença à le sucer, il crut que du plus profond de ses entrailles, la source de toute volupté était ainsi aspirée. Il ferma les yeux et s'abandonna au plaisir dévastateur de cette bouche qui montait et descendait le long de sa verge.

Du bout de la langue, elle explora le gland turgescent,

traçant des cercles rapides en le picorant, et Jondalar sentit croître son désir. Elle glissa une main et caressa doucement ses bourses — il lui avait recommandé d'être toujours douce avec cette partie-là — et fit rouler les mystérieuses boules en s'interrogeant sur leur importance, certaine qu'elles avaient une utilité. Pendant que la main d'Ayla palpait ses tendres bourses, Jondalar sentit naître une sensation nouvelle. La caresse était agréable, mais mêlée d'une légère angoisse.

Ayla se redressa pour juger du résultat de son entreprise. Le visage de Jondalar grimaçait de plaisir et ses beaux yeux bleus lui souriaient. Ah, comme elle aimait lui procurer les Plaisirs ! Cela l'excitait et elle comprit pourquoi il aimait, lui aussi, les faire naître en elle. Elle l'embrassa longuement, puis se retourna, se mit à califourchon sur sa poitrine, et saisit son membre dur entre ses deux mains, l'une sur l'autre. La peau était lisse et soyeuse, et quand elle prit l'énorme lance dans sa bouche, sa douce chaleur la surprit. Elle picora de baisers le membre érigé, et se pencha pour gober tendrement les bourses et faire rouler ses deux boules bien fermes dans sa bouche.

Des aiguillons de Plaisir insoupçonné le chavirèrent. C'était presque trop bon, non seulement ses caresses buccales, mais aussi la vue de sa croupe tendue, dévoilant les tendres pétales roses, et jusqu'à sa jolie fente ouverte. Elle abandonna ses bourses pour se concentrer sur son imposante virilité qu'elle suça avidement, quand elle sentit qu'il lui prenait la taille et l'attirait à lui. Soudain, la langue de Jondalar pénétra son intimité, s'attardant sur son bouton de rose à la sensibilité exacerbée.

Il la fouillait avec ardeur, caressant, pétrissant l'onctueuse forêt, de ses mains, de sa langue, de sa bouche, tout excité du Plaisir qu'il déclenchait, et aussi par la voluptueuse succion d'Ayla, dont tout le corps participait à son exercice.

L'ouragan allait l'emporter, elle ne pouvait plus se retenir. Lui non plus, qui tentait désespérément de se contrôler pour faire encore durer l'insoutenable jouissance. Submergée par la vague des Plaisirs, elle se cambra, offrant sa croupe tendue pendant qu'il savourait le liquide qui coulait de la source touffue. Jondalar serra les dents dans un ultime effort pour retenir la jouissance sur le point de l'emporter. S'ils n'avaient pas déjà partagé les Plaisirs dans l'après-midi, il n'aurait pas pu se contrôler davantage, mais il tint bon, atteignit le dernier palier avant l'explosion et s'y maintint.

— Tourne-toi ! ordonna-t-il. Je te veux tout entière.

Elle voulait aussi le sentir au plus profond d'elle-même et se plia de bonne grâce à son désir. Elle se retourna et enfourcha son membre tendu qu'elle glissa dans son ventre brûlant. Il cria son nom en gémissant de plaisir, pendant qu'elle le chevauchait et sentait son membre dur la masser, la perforer, déclenchant des pointes d'intense volupté dans le tréfonds de son être.

Au stade qu'il avait atteint, la jouissance perdait de son urgence, et il pouvait faire durer son Plaisir. Elle se pencha sur lui pour qu'il pût saisir ses seins. Il les pétrit et les téta goulûment, conscient du trouble d'Ayla qui ressentait chaque succion comme autant de pointes de feu.

Ayla sentit une deuxième vague grandir au rythme de son ardente chevauchée. Jondalar avait dépassé son palier, et lorsqu'Ayla interrompit son mouvement, il la prit par les hanches, impulsant un nouveau rythme plus rapide. Et soudain, du plus profond de ses reins, la vague déferla et l'agita de soubresauts, lui arrachant un cri. Ayla, emportée par un long spasme voluptueux, l'accompagna dans les Plaisirs en gémissant.

Jondalar la guida dans une ultime et lente chevauchée, puis l'étreignit et couvrit ses seins de baisers. Elle frissonna une dernière fois, et s'écroula sur lui, épuisée de bonheur. Haletants, ils restèrent allongés sans bouger.

Ayla reprenait à peine son souffle quand quelque chose de mouillé lui effleura la joue. Elle crut d'abord que c'était Jondalar, mais la chose était froide et humide, et l'odeur la

272

fit sursauter. En ouvrant les yeux, elle découvrit avec stupeur le museau de Loup. Il renifla tour à tour Ayla et Jondalar.

— Loup ! Fiche le camp ! s'écria-t-elle en le repoussant.

Elle roula sur son flanc, empoigna le cou de Loup et lui caressa le poil.

— Je suis tout de même contente de te revoir. Où as-tu été traîner ? Je me suis inquiétée.

Elle s'assit, prit la gueule du louveteau entre ses mains et appuya sa tête contre son front.

— Je me demande depuis combien de temps il est là ? fit-elle à l'adresse de Jondalar.

— Heureusement que tu lui as appris à ne pas nous déranger. Je ne sais pas ce que je lui aurais fait s'il nous avait interrompus.

Il bondit sur ses pieds, l'aida à se relever et la prit dans ses bras.

— Ayla, c'était... comment dire ? Je ne trouve pas les mots.

Devant tant d'amour et d'adoration, elle dut contenir ses larmes.

— Moi aussi, Jondalar, j'aimerais avoir les mots, mais je crois que même les signes du Clan ne m'aideraient pas à exprimer ce que je ressens. Je ne sais pas s'il existe des mots pour ces choses-là.

— Ce que tu m'as fait vaut mieux qu'un long discours, assura Jondalar. Et tous les jours tu me prouves ton amour de mille manières, ajouta-t-il en la pressant contre lui, la gorge serrée. Oh, Ayla, mon Ayla ! Si jamais je te perdais...

Un frisson d'inquiétude parcourut Ayla, qui le serra encore plus fort dans ses bras.

— Jondalar, comment fais-tu pour toujours deviner ce que j'aime ? demanda Ayla.

Assis devant le feu, à la lueur des flammes, ils buvaient une infusion en admirant les étincelles qui jaillissaient des pommes de pin et éclairaient la nuit de gerbes incandescentes.

Il y avait longtemps que Jondalar ne s'était senti aussi serein et détendu. Ils avaient pêché dans l'après-midi, et Ayla lui avait montré comment chatouiller le ventre des poissons et les attraper à la main. Elle avait ensuite trouvé des saponaires avec lesquelles ils s'étaient lavé la tête. Jondalar venait de terminer un délicieux plat de poisson, accompagné d'œufs, de légumes, d'un gâteau de massettes cuit sur des pierres et de quelques baies bien sucrées.

— Je t'écoute attentivement, c'est tout, répondit-il en souriant.

— Mais, pourtant, la première fois, je croyais que je voulais faire durer le plaisir, mais tu savais mieux que moi ce que je désirais. Et la deuxième fois, tu as compris que je voulais te donner le Plaisir, et tu m'as laissée faire, jusqu'à ce que je sois encore prête à te recevoir. Tu as deviné avant même que je te le dise.

— Mais si, tu me l'as dit. Mais pas avec des mots, c'est tout. Tu m'as enseigné le langage du Clan, les signes, les gestes, les mimiques, et moi j'essaie de découvrir d'autres signes.

— Mais je ne te les ai pas appris, ceux-là. Je ne les connais pas moi-même. Et tu savais déjà me donner les Plaisirs avant de comprendre les signes du Clan, s'étonna-t-elle.

L'anxiété qu'il lisait sur son visage lui arracha un sourire.

— Oui, c'est vrai. Mais il y a aussi un langage inarticulé chez ceux qui se servent de la parole, même s'ils n'en sont pas conscients.

— Oh, j'ai remarqué, affirma Ayla en pensant à tout ce qu'elle devinait à partir des mimiques et attitudes de ses interlocuteurs à leur insu.

— Parfois, on apprend comment... comment faire certaines choses parce qu'on le désire très fort. Alors on est très attentif, précisa-t-il.

Elle l'avait observé pendant qu'il parlait, ravie de son

regard amoureux, du plaisir qu'il prenait à répondre à ses questions d'un air absent. Il semblait fixer le lointain et elle comprit qu'il pensait à quelqu'un.

— Surtout si tu tires ton savoir d'une personne qui aime te le transmettre, hasarda-t-elle. Zolena était-elle un bon maître ?

Stupéfait, il rougit et détourna les yeux, gêné.

— Tu m'as appris beaucoup, toi aussi, reprit-elle, comprenant que sa remarque l'avait troublé.

Il semblait vouloir fuir son regard.

— Ayla, comment as-tu deviné à quoi je pensais ? demanda-t-il enfin, le front soucieux. Je sais bien que tu as des Dons, c'est pour cela que Mamut t'a adoptée, mais j'ai parfois l'impression que tu lis dans mes pensées. C'est bien ce que tu as fait, n'est-ce pas ? Tu as lu dans mes pensées ?

Ayla vit dans son regard une sorte d'inquiétude mêlée d'effroi. Elle avait déjà rencontré cette crainte à la Réunion d'Eté chez certains Mamutoï qui se méfiaient de ses étranges pouvoirs, mais c'était surtout dû à un malentendu. Ils pensaient, par exemple, qu'elle possédait un pouvoir sur les animaux, alors qu'elle n'avait fait que les recueillir tout bébés et les élever comme ses propres enfants.

Mais un changement s'était opéré en elle depuis le Rassemblement du Clan. Elle n'avait pas bu exprès le breuvage de racines qu'elle avait préparé pour les mog-ur, seul le hasard l'y avait poussée. Elle n'avait pas non plus voulu s'introduire dans la grotte pour observer les mog-ur, c'était arrivé, voilà tout. Lorsqu'elle les avait vus assis en cercle, au fond de la grotte... et qu'elle avait été attirée dans un gouffre intérieur, elle avait cru être perdue à jamais. Et pourtant, Creb l'avait rejointe et lui avait parlé, là, dans l'abîme de sa mémoire. Depuis, il lui arrivait de comprendre des choses qu'elle ne pouvait expliquer. Comme la fois où Mamut l'avait entraînée dans sa Recherche à travers le temps. Mais quand elle surprit le regard craintif de Jondalar, une peur panique la submergea. La peur de le perdre.

Elle ne put affronter son regard et baissa les yeux. Il n'y avait pas de place pour le non-dit... ni pour le mensonge, entre eux. De toute façon, elle ne savait pas mentir délibérément, mais ce que le Clan autorisait de non-dit pour sauvegarder la vie privée de chacun n'était même plus possible entre eux deux. Même si elle risquait de le perdre en lui disant la vérité, elle se devait de le faire. Ensuite, elle s'efforcerait de comprendre ce qui le tourmentait. Elle le regarda droit dans les yeux et chercha ses mots.

— Non, Jondalar, je ne connais pas tes pensées, mais je peux parfois les deviner. Nous parlions justement des signes involontaires de ceux qui parlent avec des mots. Toi aussi tu te dévoiles avec de telles expressions, tu sais... je les observe, et bien souvent je découvre leur sens. C'est sans doute parce que je t'aime tant et que je veux te comprendre. Je fais attention à toutes tes paroles et à tous tes gestes. C'est ce qu'on enseigne aux femmes du Clan, ajouta-t-elle.

Elle lut un certain soulagement dans l'expression de Jondalar.

— Tu n'es pas en cause, reprit-elle. Je n'ai pas été élevée... avec mon peuple, et j'ai appris à interpréter les expressions des autres. Ça m'a aidée à comprendre ceux que j'ai rencontrés par la suite. Au début, j'étais déroutée parce que les gens qui s'expriment par des mots disent souvent une chose, alors que leur expression dit le contraire. Lorsque j'ai saisi cela, j'ai commencé à comprendre au-delà des mots. C'est pour ça que Crozie ne voulait plus parier avec moi quand nous jouions aux devinettes avec les osselets. Je découvrais toujours où était l'osselet, rien qu'à sa manière de fermer la main.

— Ah, c'était donc ça ! Je me demandais aussi... Pourtant, on disait que c'était une fameuse joueuse.

— Mais elle l'était.

— Oui, mais je ne comprends toujours pas comment...

comment tu as su que je pensais à Zolena. Tu sais qu'elle est zelandoni ? Lorsque je pense à elle, je me la figure en Zelandoni, pas avec le nom qu'elle portait quand elle était jeune.

— Je t'observais et tes yeux m'assuraient que tu m'aimais, que tu étais heureux avec moi et j'en étais contente. Mais quand tu m'as parlé du désir d'apprendre certaines choses, tu t'es mis à regarder au loin, tu ne me voyais plus. Tu m'avais déjà parlé de Zolena, cette femme qui t'a enseigné tes... tes dons... comment contenter une femme. Et nous parlions justement de ça, alors j'ai tout de suite fait le rapprochement.

— C'est extraordinaire ! Rappelle-moi de ne jamais rien te cacher. Tu ne lis peut-être pas dans les pensées, mais tu n'en es pas loin.

— Il y a autre chose que tu dois savoir.

— Quoi donc ? s'inquiéta-t-il.

— Il m'arrive de penser que j'ai... euh... un Don. J'ai connu une étrange expérience au Rassemblement du Clan, quand j'étais avec le clan de Brun et que Durc était encore bébé. J'ai fait quelque chose que je n'aurais pas dû. Ce n'était pas intentionnel, mais j'ai bu le breuvage réservé aux mog-ur et je les ai rejoints dans leur grotte, je ne sais comment. Ils étaient... (Un frisson l'empêcha de continuer.) Je... je me suis perdue dans le noir. Non, pas dans la grotte, dans le noir intérieur. J'ai cru que j'allais mourir, mais Creb m'a sauvée. Ses pensées se sont glissées dans ma tête...

— Ses pensées se sont quoi ?

— Je ne sais pas comment l'expliquer. Ses pensées se sont introduites dans ma tête, et depuis... depuis je... c'est comme si quelque chose avait changé en moi. Parfois, je me dis que c'est comme un... un Don. Des événements se produisent sans que je les comprenne. Je crois que Mamut savait, lui.

— Alors, il a bien fait de t'adopter au Foyer du Mammouth, et pas seulement pour tes talents de Femme Qui Soigne.

277

— Oui, peut-être.

— Tu savais ce que je pensais, là, juste à l'instant ?

— Non. Le Don ne fonctionne pas comme ça. C'est plutôt comme accompagner Mamut dans sa Recherche. Ou encore se plonger dans un monde souterrain, un monde lointain.

— Tu veux dire le monde des esprits ?

— Je ne sais pas.

Jondalar parut perplexe. Il considéra ce qu'impliquaient les aveux d'Ayla, et lui sourit d'un air triste.

— J'ai l'impression que la Mère se joue de moi, ricana-t-il. La première femme que j'ai aimée a été appelée à Son Service, et j'ai bien cru que je n'aimerais plus jamais. Et lorsque je rencontre une autre femme dont je m'éprends, c'est pour découvrir qu'elle aussi est destinée à Servir la Mère. Vais-je te perdre, Ayla ?

— Et pourquoi devrais-tu me perdre ? s'offusqua Ayla. Je ne sais pas si je suis vouée à La Servir. Je n'ai certes pas envie de servir quiconque. Tout ce que je désire, c'est rester avec toi, partager ton foyer, et donner naissance à tes enfants.

— Mes enfants ? s'écria Jondalar, surpris par l'usage du possessif. Comment aurais-je des enfants ? Les hommes n'ont pas d'enfants. La Grande Mère accorde des enfants aux femmes. Elle se sert peut-être de l'esprit de l'homme pour les créer, mais ils ne lui appartiennent pas. Il les nourrit, mais ce sont les enfants de son foyer, ceux que sa compagne y a apportés.

Ayla lui avait déjà fait part de sa théorie qui voulait que l'homme introduisît la vie dans le ventre de la femme. Mais il n'avait pas compris à l'époque qu'elle était vraiment une fille légitime du Foyer du Mammouth. Qu'elle pouvait visiter le monde des esprits. Et qu'elle était sans doute destinée à Servir Doni. Et si elle disait vrai ?

— Appelle mes bébés les enfants de ton foyer, si tu le souhaites, Jondalar. Je veux qu'ils soient les enfants de ton foyer, du moment que je reste avec toi pour toujours.

— C'est mon vœu le plus cher, promit Jondalar. Je le désirais déjà avant de te rencontrer. Tout ce que je souhaite, c'est que la Mère ne te donne pas d'enfants avant que nous soyons chez moi.

— Ne t'inquiète pas, je préfère attendre, moi aussi.

Ayla prit leurs coupes, les rinça, et termina les préparatifs pour qu'ils puissent partir de bonne heure le lendemain matin, pendant que Jondalar emballait tout leur matériel à l'exception des fourrures de couchage. Ensuite, ils se blottirent l'un contre l'autre dans leur fourrure, agréablement fatigués. L'homme des Zelandonii contempla la femme qui dormait dans ses bras, la respiration régulière. Le sommeil le fuyait.

Mes enfants ! songeait-il. Ayla prétend que ses bébés seront mes enfants. Avaient-ils fait naître une nouvelle vie en partageant les Plaisirs aujourd'hui ? Si une vie commençait à partir de ces Plaisirs, elle ne serait pas banale parce que ceux-ci avaient été... les meilleurs depuis longtemps...

Pourquoi ? Tout ce que j'ai fait aujourd'hui, je l'avais déjà fait souvent auparavant... mais avec Ayla tout est si différent... Je ne me lasse jamais... j'ai toujours plus envie d'elle... chaque fois que je pense à elle, je la veux... et elle croit que je sais comment lui procurer les Plaisirs !...

Si par malheur elle était enceinte ?... A moins qu'elle ne puisse pas avoir d'enfant... Il y a des femmes qui ne peuvent pas. Pourtant, elle a déjà un fils.

J'ai vécu longtemps avec Serenio. Elle n'a pas été enceinte tout le temps où je vivais avec elle, et pourtant elle avait déjà eu un enfant avant de me rencontrer. D'ailleurs, si elle en avait attendu un, je serais peut-être resté avec les Sharamudoï. Elle m'avait dit, juste avant mon départ, qu'elle croyait être enceinte. Pourquoi ne suis-je pas resté ? Elle refusait qu'on s'unisse sous prétexte que je ne l'aimais pas autant qu'elle m'aimait. Elle trouvait que j'aimais davantage mon frère que n'importe quelle femme. Elle me plaisait. Moins qu'Ayla, bien sûr, mais si j'avais insisté, je suis persuadé qu'elle aurait accepté de s'unir à moi. Alors pourquoi suis-je parti ? Parce que j'étais inquiet pour Thonolan et que j'ai préféré le suivre ? Est-ce la seule raison ?

Si Serenio était vraiment enceinte à mon départ, et si elle a eu un autre enfant, est-il le fruit de mes entrailles ? Est-il... mon... mon fils ? C'est ce que prétend Ayla. Non, c'est impossible. Les hommes n'ont pas d'enfants, à moins que la Grande Mère n'en fabrique un avec l'esprit d'un homme. Serait-il l'enfant de mon esprit ?

Lorsque nous arriverons chez les Sharamudoï, je pourrai au moins m'assurer qu'elle a bien eu cet enfant. Comment réagira Ayla, si l'enfant de Serenio est, en quelque sorte, une parcelle de moi ? Qu'est-ce que Serenio pensera d'Ayla ? Et Ayla, que pensera-t-elle de Serenio ?

13

Le lendemain, la chaleur était moins étouffante, mais Ayla avait hâte de partir. Elle fit jaillir des étincelles de son silex en espérant que le feu prendrait vite. La nourriture qu'elle avait préparée la veille et de l'eau auraient suffi pour leur déjeuner, et tout en pensant aux Plaisirs qu'elle avait partagés avec Jondalar, le remède miracle d'Iza commença à lui peser. Si elle ne buvait pas son infusion, peut-être s'apercevrait-elle qu'un bébé grandissait dans son ventre. Mais Jondalar redoutait tant qu'elle fût enceinte pendant le Voyage qu'il était préférable de prendre sa tisane.

La jeune femme ignorait comment le remède agissait. Ce qu'elle savait, c'est qu'en buvant chaque matin quelques gorgées amères de la puissante décoction de fils d'or entre ses périodes lunaires, ainsi qu'un petit bol de sauge pendant celles-ci, elle ne serait jamais enceinte.

S'occuper d'un bébé pendant le Voyage ne serait pas si difficile, mais elle avait peur d'accoucher seule. Que serait-il advenu si Iza ne l'avait pas aidée quand elle avait donné le jour à Durc ?

Ayla écrasa un moustique, et en attendant que l'eau

bouillît, elle vérifia la quantité d'herbe restante. Elle constata avec soulagement qu'il y en avait suffisamment pour attendre la sortie des marais. Ces plantes ne poussaient que sur des terrains secs, et de préférence montagneux. En palpant les différentes bourses et petits paquets de plantes médicinales, elle s'aperçut qu'il lui en restait assez en cas d'urgence, bien qu'elle eût préféré remplacer celles de la dernière récolte par de plus fraîches. Heureusement, elle n'avait pas eu à piocher dans sa réserve.

Ils venaient à peine de reprendre leur route en direction du couchant qu'ils furent arrêtés par un assez large cours d'eau. Jondalar détacha les paniers de charge accrochés aux flancs de Rapide, les entreposa dans le canot, et se mit à étudier la rivière. Elle coulait dans le même sens que la Grande Mère et s'y jetait en formant un angle aigu.

— Ayla, tu as vu comment cet affluent se jette dans la Mère ? Il fonce droit au milieu et s'y mélange sans provoquer de remous. Je suis sûr que c'est de là que vient le courant qui nous a emportés hier.

— Oui, je crois que tu as raison. Tu aimes comprendre le pourquoi des choses, n'est-ce pas ? demanda-t-elle en souriant.

— Enfin, l'eau ne se met pas à couler rapidement sans raison ! Il fallait bien trouver une explication.

— Et tu l'as trouvée.

Après qu'ils eurent traversé l'affluent, Ayla s'aperçut avec grand plaisir que Jondalar était de bonne humeur. Et elle était soulagée que Loup les suivît plutôt que de partir dans d'interminables explorations. Même les chevaux semblaient contents. Le repos leur avait fait du bien. Ayla était tonifiée et reposée, elle aussi, et, peut-être parce qu'elle venait de vérifier ses réserves de plantes médicinales, elle était très attentive à la flore qu'ils rencontraient, ainsi qu'à la faune. Les changements, aussi subtils fussent-ils, ne lui échappaient pas.

Les oiseaux constituaient toujours la forme de vie sauvage dominante, la famille du héron étant la mieux représentée. Mais les autres espèces abondaient. D'immenses volées de pélicans et de cygnes muets tournoyaient au-dessus de leur tête, ainsi que différentes sortes de rapaces, tels les milans noirs, les pygargues, les bondrées et les faucons hobereaux. Ayla vit bon nombre de petits oiseaux, sautillant, voletant, pépiant, fiers de leurs habits de lumière : rossignols et fauvettes, fauvettes à tête noire, gobe-mouches nains ou bruns, merles à tête d'or, etc.

Il y avait beaucoup de butors nains dans le delta, mais forts de leur excellent camouflage, ils chantaient à tue-tête, incognito. Leur sorte de grognements caverneux résonnaient du matin au soir, et s'intensifiaient à la tombée du jour. Mais qu'on tentât de les approcher, ils tendaient le cou à la verticale et se fondaient si bien dans les roseaux où ils nichaient qu'il eût été impossible de les distinguer des longues tiges vertes. Pourtant, Ayla en vit quelques-uns raser l'eau en quête de poissons. En vol, les butors nains étaient aisément reconnaissables. Les petites plumes du devant de l'aile et à la base de la queue étaient assez pâles, et contrastaient avec les rémiges et les pennes foncées de la queue.

Les marécages abritaient aussi un nombre surprenant d'animaux adaptés aux divers paysages. Par exemple chevreuils et sangliers dans les sous-bois, lièvres, hamsters et cerfs géants à la lisière des fourrés. Tout en chevauchant, ils rencontraient des animaux qu'ils n'avaient pas vus depuis longtemps, et se les montraient. Là, c'était un saïga qui dépassait en trombe un troupeau d'aurochs. Ailleurs un chat sauvage moucheté traquant un oiseau sous l'œil intéressé d'un léopard tapi dans un arbre. Un couple de renards avec ses petits, une paire de blaireaux grassouillets, et là-bas des putois à la fourrure marbrée blanc, jaune et marron. Ils virent aussi des loutres dans un cours d'eau, et des visons en compagnie de leurs proies favorites, les rats musqués.

Et il y avait les insectes. De grandes libellules jaunes sillonnant l'air, et de délicates demoiselles ornant les fleurs ternes des plantains de leurs étincelantes couleurs bleues et vertes. Des essaims d'insectes à la piqûre brûlante apparurent soudain. On aurait dit qu'ils avaient tous éclos le même jour. L'humidité et la chaleur qui régnaient dans les ruisseaux d'eau stagnante et les bassins fétides étaient fort propices à la couvaison des myriades d'œufs minuscules. Les premiers nuages de petits moucherons étaient apparus dans la matinée, au-dessus de l'eau uniquement. Ayla et Jondalar les avaient oubliés.

A la tombée de la nuit, il était devenu impossible de les oublier. Les moucherons s'insinuaient dans la lourde fourrure des chevaux trempés de sueur, bourdonnaient devant leurs yeux, s'enfonçaient dans leur bouche et leurs naseaux, et le pauvre Loup n'était pas mieux loti. Les animaux bataillaient contre des millions de mites. Les insupportables insectes se prenaient aussi dans les cheveux des humains. Ayla, tout comme Jondalar, en recrachait par dizaines, et s'essuyait sans cesse les yeux pour ne pas être aveuglée. Les nuées de moucherons s'épaississaient à mesure qu'on se rapprochait de l'eau et Jondalar se demanda où établir le campement.

Il aperçut une colline verdoyante sur sa droite et entreprit de l'escalader pour avoir une vue d'ensemble. Arrivés au sommet, ils virent en bas l'eau scintillante d'un bras mort. La végétation y était moins luxuriante que sur le delta — mais, loin des eaux stagnantes des marais, les insectes y seraient aussi moins abondants. Sur la rive, des buissons et quelques arbres bordaient une grande plage accueillante.

Loup dévala la colline en courant, et les chevaux le suivirent au petit trot nonchalant. Ayla et Jondalar n'eurent que le temps de leur ôter les paniers de charge et de détacher le travois avant de se ruer tous ensemble dans l'eau claire. Même Loup, d'habitude si nerveux à l'idée de traverser une rivière à la nage, fit le tour du lac en pataugeant.

— Tu crois qu'il commence à aimer l'eau ? demanda Ayla.

— Je l'espère. Il nous reste tellement de rivières à franchir.

Les chevaux plongèrent leur tête dans le lac, crachant et soufflant l'eau par leurs naseaux, puis allèrent sur la rive se rouler dans la boue en se tortillant pour se gratter. Ayla ne put s'empêcher d'éclater de rire en les voyant grimacer de plaisir. Ils se relevèrent couverts de boue. En séchant, elle les débarrasserait de leur sueur, des peaux mortes et autres œufs d'insectes, causes de leurs démangeaisons infernales.

Ils campèrent au bord du lac et partirent le lendemain matin de bonne heure, espérant trouver pour le soir un endroit aussi agréable. Une vague de moustiques suivit l'éclosion des moucherons, et leurs multiples piqûres forcèrent Ayla et Jondalar à s'emmitoufler sous de lourdes peaux qui leur tenaient affreusement chaud. Ils ne virent pas arriver les mouches. Elles étaient d'une autre espèce que celles qui accompagnaient toujours les chevaux : elles étaient petites et elles piquaient. Bien que la soirée fût chaude, ils durent vite s'enfouir sous leurs fourrures pour échapper aux hordes volantes.

Ils ne levèrent le camp que tard le lendemain matin. Ayla voulut d'abord cueillir des plantes pour calmer la brûlure des piqûres et confectionner un insectifuge. Dans un coin ombragé, elle trouva du romarin des marais aux curieuses feuilles lancéolées recouvertes de poils roux, connu pour ses propriétés cicatrisantes et calmantes, et elle en cueillit pour fabriquer une lotion. Elle découvrit du plantain et s'empressa d'en récolter les larges feuilles pour ajouter à la solution. Ces plantes possédaient des vertus calmantes pour toutes piqûres ou furoncles, et soignaient même de graves ulcères ou autres blessures. Plus tard, dans les steppes où l'humidité était moindre, elle cueillerait des fleurs d'absinthe, excellent antidote contre les poisons ou autres réactions toxiques.

Elle fut enchantée de trouver des soucis d'un jaune

étincelant, dont elle appréciait les vertus antiseptiques et le pouvoir cicatrisant immédiat, et qui, en solution concentrée, éloignaient les insectes. A la lisière d'un bois exposé au soleil, elle découvrit de l'origan vulgaire, qui était non seulement un excellent insectifuge en solution externe, mais qui, bu en infusion, donnait à la sueur une odeur épicée qui repoussait les mouches, moucherons et puces. Elle essaya même d'en faire boire aux chevaux et à Loup.

Jondalar surveillait ses préparations, la bombardant de questions, et écoutant les explications avec un grand intérêt. Ses démangeaisons soulagées, il se félicita de voyager en compagnie d'une femme aussi experte. Seul, il aurait dû supporter les cuisantes brûlures sans broncher.

Ils se mirent en route vers le milieu de la matinée, et les subtils changements qu'Ayla avait remarqués la veille s'amplifièrent soudain. On voyait moins de marais, moins d'îles et davantage d'eau. Le bras nord du delta perdit son réseau de chenaux, et sans crier gare, il s'unit à un des bras centraux et doubla de largeur. Un peu en amont, le bras méridional, qui s'était déjà joint à l'autre bras central, établit la jonction et les quatre bras ne formèrent plus qu'un seul et même fleuve immense.

La Grand Rivière Mère, après avoir traversé un continent entier, gonflée de centaines d'affluents et des eaux de fonte de deux chaînes de glaciers, se trouvait bloquée vers le sud dans son accès à la mer par le socle granitique d'anciennes montagnes érodées. Sous la pression gigantesque de ses eaux déferlantes, le fleuve avait fini par percer la roche. Etranglée dans ces gorges étroites, la Grande Mère avait repris de la puissance pour creuser un méandre aigu avant de former un vaste delta jusqu'à la mer.

C'était la première fois qu'Ayla voyait l'énorme fleuve dans toute sa splendeur, et même Jondalar, qui était pourtant passé par là, n'avait pas eu la chance de le contempler sous une telle perspective. Abasourdis, ils se laissèrent captiver par le spectacle. L'énorme étendue d'eau rappelait plus la mer qu'un simple fleuve, et la surface tumultueuse et miroitante ne trahissait qu'une infime partie du pouvoir dévastateur qu'abritaient ses profondeurs.

Ayla remarqua une branche d'arbre qui flottait vers eux, simple brindille portée par les flots, mais un curieux détail attira son attention : elle avançait trop lentement. Ayla retint son souffle. Ce qu'elle voyait passer, ce n'était pas une branche, mais un arbre tout entier ! L'arbre le plus grand qu'elle eût jamais vu.

— Voilà la Grande Rivière Mère, dit simplement Jondalar.

Il l'avait déjà suivie sur toute sa longueur, et savait quelle distance elle avait parcourue, les régions qu'elle avait traversées, et tout le chemin qu'il leur restait avant d'achever leur Voyage. Bien qu'Ayla n'en saisît pas toutes les implications, elle comprenait que la Rivière Mère, parvenue au terme de son Voyage, atteignait son apogée et ne serait plus jamais aussi Grande.

Ils remontaient le fleuve gonflé d'eau, laissant derrière eux l'embouchure et sa touffeur, et avec elle une bonne partie des insectes qui les empoisonnaient. Ils s'aperçurent bientôt qu'ils abandonnaient aussi les vastes steppes. Prairies et marécages cédaient la place à des collines boisées, entrecoupées de prés verdoyants.

A l'ombre des arbres, la température était plus fraîche. Ce changement leur procura un tel plaisir qu'arrivant à un grand lac cerné de bois, et bordé par un joli pré, ils furent tentés de planter leur campement malgré l'heure prématurée. Ils chevauchèrent le long d'un ruisseau qui menait à une plage de sable, mais en l'approchant, Loup se mit à gronder, poils hérissés, à l'arrêt. Ayla et Jondalar étudièrent les environs, à la recherche du danger qui troublait le jeune animal.

— Je ne vois rien de particulier, s'étonna Ayla. Mais Loup a senti quelque chose d'inquiétant.

— De toute façon, il est trop tôt pour camper. Allons-nous-en ! décida Jondalar après un dernier coup d'œil au lac accueillant.

Il fit faire volte-face à Rapide et se dirigea vers le fleuve. Loup s'attarda avant de les rejoindre.

Ils traversèrent des petits bois agréables et Jondalar ne regretta pas sa décision. Au cours de l'après-midi, ils rencontrèrent des lacs de toutes tailles. La région en était pleine. Il ne comprenait pas pourquoi il ne reconnaissait pas ce passage, lorsqu'il se souvint qu'avec Thonolan ils avaient descendu le fleuve dans un bateau des Ramudoï, ne s'arrêtant qu'occasionnellement sur les rives.

Pourtant, il pensait que la région se prêtait à la vie humaine. Il ne se rappelait pas si les Ramudoï lui avaient parlé d'autres Peuples du Fleuve vivant dans les parages. Il se garda bien de faire part de ses pensées à Ayla. Si l'endroit était habité, personne ne daigna se montrer. Pourtant Jondalar se demandait ce qui avait pu inquiéter Loup. Avait-il reniflé l'odeur d'humains apeurés ? Ou bien hostiles ?

Le soleil se cachait déjà derrière les montagnes qui se profilaient à l'horizon quand ils s'arrêtèrent au bord d'un lac, bassin collecteur des ruisseaux avoisinants. Un chenal conduisait au fleuve par lequel de grosses truites et des saumons avaient remonté le courant jusqu'au lac.

Depuis qu'ils suivaient le fleuve et que le poisson constituait leur aliment de base, Ayla continuait à tresser le filet qu'elle avait commencé, chaque fois qu'elle en avait l'occasion. Elle s'inspirait de ceux que le clan de Brun utilisait pour capturer les gros poissons dans la mer. Elle essaya plusieurs sortes de plantes pour fabriquer les cordages, et en particulier les plus riches en fibres. Le lin et le chanvre convenaient le mieux, bien que le chanvre fût plus rugueux.

Elle avait maintenant une surface de filet suffisante et elle entra dans l'eau avec Jondalar, chacun tenant l'une des extrémités. Parvenus à distance convenable de la rive, ils revinrent sur leurs pas en le tirant. Voyant qu'ils avaient capturé quelques jolies truites, Jondalar manifesta un intérêt accru pour le filet et essaya d'imaginer un moyen d'y attacher une sorte de manche pour qu'une seule personne puisse pêcher, et sans entrer dans l'eau. Il laissa germer son idée.

Le lendemain, ils continuèrent leur route vers les montagnes à travers des bois d'essences rares. De nombreuses variétés d'arbres à feuilles caduques et de conifères se mêlaient dans ces forêts multicolores, semées de prairies et de lacs, et de tourbières et de marécages près de la vallée alluviale. Certaines espèces poussaient en groupe, d'autres non, en fonction des microclimats, de l'altitude, de l'humidité ou de la nature du sol, lequel était soit riche en terreau, soit sablonneux, soit un mélange de sable et d'argile, ou encore une combinaison des trois.

Les arbres à feuilles persistantes se rencontraient surtout sur l'ubac et les sols sablonneux, et, selon le degré d'humidité, atteignaient des hauteurs impressionnantes. Une épaisse forêt d'épicéas géants, hauts de cinquante mètres, recouvrait le bas d'une colline. Ensuite venaient des pins qu'on aurait crus de même taille, alors qu'atteignant pourtant les quarante mètres, ils poussaient juste au-dessus. Des sapins immenses, d'un vert foncé, précédaient des massifs de grands bouleaux blancs. Les saules, eux-mêmes, dépassaient les vingt mètres.

Sur l'adret, lorsque le sol était humide et fertile, des forêts de bois dur aux larges feuilles atteignaient des hauteurs impressionnantes, elles aussi. Des bouquets de chênes géants, au tronc impeccablement droit et dépourvu de branches avant la couronne verte au sommet, montaient jusqu'à quarante mètres. Des tilleuls et des frênes gigantesques atteignaient presque la même taille, tout comme des érables magnifiques.

Au loin, les voyageurs apercevaient les feuilles argentées de peupliers blancs mêlés à des bouquets de chênes, et lorsqu'ils arrivèrent dans la forêt, ils constatèrent qu'elle fourmillait de pinsons nichés dans la moindre faille. Ayla trouva même des nids remplis d'œufs et d'oisillons, bâtis dans des nids de pies et de buses, eux-mêmes occupés par des œufs et des oisillons. Des rouges-gorges vivaient également dans ce bois, mais leurs petits avaient déjà toutes leurs plumes.

A flanc de colline, là où le dôme de verdure laissait pénétrer les rayons du soleil, les sous-bois étaient d'une richesse luxuriante, et des clématites en fleur ou des lianes pendaient souvent des plus hautes branches. Les cavaliers approchèrent d'un bouquet d'ormes et de saules blancs au tronc recouvert de vigne grimpante, et ruisselants de lianes. Ils découvrirent des nids d'aigles criards et de cigognes noires, passèrent près d'un torrent bordé de trembles et d'épaisses touffes de saules marseaux, et de haies de mûres. Une alternance de bosquets d'ormes majestueux, de bouleaux élégants et de tilleuls odorants ombrageaient une colline où ils s'arrêtèrent pour cueillir dans les fourrés tout ce qui pouvait se manger : framboises, orties, noisettes pas encore mûres, juste comme Ayla les aimait, et quelques pommes de pin pleines de pignons.

Plus loin, ils trouvèrent des futaies de charmes si serrés qu'ils empêchaient les hêtres de prospérer. Mais plus haut, les hêtres atteignaient des tailles gigantesques. L'un d'eux, abattu, était recouvert d'une couche d'agarics miellés jaune-orange. Ayla se précipita pour les ramasser. Jondalar l'aida à collecter les champignons, et ce fut lui qui découvrit l'arbre qui abritait un nid d'abeilles. Armé d'une hache et d'une torche enfumée, il grimpa à une échelle de fortune, tronc de sapin mort encore garni de branches, et brava quelques dards pour récolter des rayons de miel. Après avoir sucé goulûment les délicieuses alvéoles, ils mangèrent la cire d'abeille, avalant par la même occasion des ouvrières égarées. Ils riaient comme des enfants devant leurs visages barbouillés.

Ces régions méridionales tempérées étaient depuis longtemps le refuge d'arbres, de plantes et d'animaux chassés du reste du continent par les conditions climatiques arides et glaciales. Certaines variétés de pins étaient là depuis tant d'années qu'elles avaient vu grandir les montagnes.

Le petit groupe formé par l'homme et la femme, le loup et les chevaux poursuivait sa route vers l'occident en longeant le fleuve. Les montagnes commençaient à révéler les détails de leur contour, mais les sommets enneigés faisaient tellement partie de leur horizon quotidien, et leur progression était si lente, qu'Ayla et Jondalar remarquaient à peine qu'ils s'en approchaient. Ils poussaient de brèves incursions au nord, vers les collines boisées, parfois rocailleuses et pentues, mais la plupart du temps ils ne s'éloignaient pas de la plaine alluviale. Les terrains différaient, mais les arbres et la flore étaient peu ou prou les mêmes.

En arrivant devant un large affluent dévalant de la montagne et qui se jetait dans le fleuve, les voyageurs comprirent qu'il se produisait un changement essentiel dans la nature du fleuve. Ils traversèrent dans le canot, et ils tombèrent tout de suite sur un rapide en descendant vers le sud. En effet, la Grande Rivière Mère, incapable de franchir la montagne par le nord, avait formé un coude abrupt pour rejoindre la mer en contournant la chaîne de montagnes par le sud.

Le rapide était trop fort et ils durent le longer en amont pour traverser à un endroit moins turbulent. Là encore le canot prouva toute son utilité. D'autres petits cours d'eau se rejoignaient dans la Mère juste avant le coude. Ensuite, ils suivirent la rive gauche, d'abord vers l'ouest, ensuite vers l'est, et lorsqu'ils débouchèrent sur de vastes steppes, les montagnes n'étaient plus en face d'eux, mais sur leur droite. Leur silhouette mauve s'étendait sur l'horizon.

Ayla ne quittait pas le fleuve des yeux. Elle savait bien que l'eau des affluents, qui l'avaient grossi, descendait le courant, et que la Grande Mère était moins pleine maintenant. Cela ne se voyait pas mais Ayla le sentait pourtant. Un sentiment plus fort que le savoir, et Ayla essayait de vérifier si le débit du fleuve diminuait de façon notable.

Bientôt pourtant, l'apparence du fleuve changea. Enfoui profondément sous le lœss, ce sol fertile provenant de la poussière de roche moulue par les immenses glaciers et transportée par les vents, et sous l'argile, les sables et les graviers charriés et déposés par les eaux au cours des millénaires, se trouvait l'ancien massif. Les racines de la chaîne archaïque avaient formé un bouclier si dur que la croûte granitique poussée contre lui par les inexorables modifications de la terre s'était plissée, créant ainsi la chaîne de montagnes dont les pics glacés scintillaient sous le soleil.

Le vieux massif s'étendait sous le fleuve, mais la crête, usée par les siècles et pourtant assez haute pour boucher l'accès à la mer, avait forcé la Grande Mère à remonter au nord pour chercher une issue. Finalement, la vieille roche avait concédé un étroit passage, mais avant d'aboutir enfin à la mer, l'énorme fleuve avait creusé dans la plaine un lit parallèle à la mer, ouvrant ensuite deux bras languissants, reliés entre eux par un enchevêtrement de chenaux.

Laissant la forêt derrière eux, Ayla et Jondalar se dirigèrent au sud, vers une région de terrains plats et de coteaux envahis par des graminées, et bordant un bras marécageux de l'immense rivière. Le paysage ressemblait aux steppes du delta, mais il y faisait plus chaud, la terre était plus sèche avec des dunes de sable, ancrées par des plantes thermophiles extrêmement résistantes, et par de rares arbres. Des buissons d'absinthe, de sauge des bois et d'estragon aromatique réussissaient à percer tant bien que mal sur ce sol aride, chassant les pins rabougris et les saules qui se cramponnaient aux rives des cours d'eau.

Les marécages, terres souvent inondées comprises entre les bras de la rivière, étaient presque aussi étendus que ceux du delta, et aussi riches en roseaux, en plantes aquatiques et en population animale. Des îles aux verts pâturages, et plantées d'arbres, étaient cernées par les eaux jaunâtres de la rivière principale, ou par des canaux secondaires aux eaux limpides regorgeant de poissons, souvent de taille exceptionnelle.

Ils chevauchaient près de l'eau quand Jondalar tira sur les rênes de Rapide. Ayla fit arrêter Whinney près de lui. Devant son expression étonnée, il lui sourit et mit un doigt sur ses lèvres. Il lui désigna un bassin d'eau claire, où des plantes subaquatiques s'agitaient dans un courant invisible. Ayla ne vit d'abord rien d'anormal, puis elle aperçut une énorme carpe dorée magnifique, glissant sans effort sur le fond verdâtre. Ils avaient déjà vu dans une lagune des esturgeons de plus de neuf mètres. Le poisson géant rappela à Jondalar un incident qu'il faillit raconter à Ayla. Mais il se ravisa.

Roselières, lacs et bassins qui parsemaient les méandres de la rivière constituaient une invite aux oiseaux, et des volées de pélicans glissaient sur les courants d'air chaud, agitant à peine leurs ailes immenses. Crapauds et grenouilles vertes entonnaient leur chant nocturne, et finissaient parfois à la broche. Les deux voyageurs ignoraient les petits lézards qui fusaient sur les rives boueuses, et évitaient les serpents.

Les sangsues, qui semblaient pulluler dans ces eaux, rendaient les voyageurs prudents et les obligeaient à choisir leurs baignades avec un soin particulier. Ces créatures étranges qui se cramponnaient à eux sans qu'ils s'en rendissent compte, et leur suçaient le sang, intriguaient fortement Ayla. Mais les bestioles les plus agaçantes étaient incontestablement les plus minuscules. Avec la proximité des marais, des milliers d'insectes, plus qu'ils n'en avaient jamais vu, ne leur laissaient aucun répit et les forçaient parfois à se réfugier dans l'eau.

A l'approche de l'extrémité méridionale de la chaîne de montagnes, de vastes plaines s'ouvraient entre la Grande Mère et les pentes escarpées. Le massif enneigé se terminait en s'incurvant brusquement vers une autre chaîne de montagnes orientée sur un plan est-ouest. A la pointe sud du massif, deux sommets surplombaient tous les autres.

En poursuivant vers le sud, ils s'éloignèrent des montagnes, ce qui leur en donna une vue d'ensemble : derrière eux s'étendait un vaste panorama de pics majestueux. La glace scintillait sur les plus hauts sommets recouverts d'un manteau blanc. La neige tapissait les pics de moindre altitude, rappelant que la courte saison chaude des plaines méridionales n'était qu'un bref intermède dans un pays dominé par les glaces.

Plus ils s'éloignaient des montagnes, plus la vue se dégageait à l'ouest. Ce n'étaient qu'étendues infinies de steppes arides. Sans la variété des collines boisées pour briser le rythme monotone, et les hautes montagnes pour scander l'horizon, les jours ressemblaient aux jours le long de ce cours d'eau marécageux. A un moment où les deux bras du fleuve se rejoignaient, ils aperçurent sur l'autre rive des steppes davantage d'arbres, et sur la Grande Mère, toujours une multitude d'îles et de roselières.

Avant la fin de la journée, la Grande Mère se divisa à nouveau. Les cavaliers continuèrent à suivre la rive gauche qui obliquait légèrement vers l'ouest. A leur droite, la chaîne de montagnes mauves dont ils approchaient gagna en altitude et dévoila ses particularités. Contrairement aux pics déchiquetés de l'ubac qu'ils venaient de longer, le versant exposé au sud, aux sommets recouverts d'un manteau de neiges ou de glaces éternelles, présentait des courbes plus douces qui rappelaient les hauts plateaux.

L'influence des montagnes méridionales se faisait sentir sur le cours du fleuve. Quand les voyageurs approchaient des contreforts, ils remarquaient les changements subis par la Grande Mère, identiques à ceux qu'ils avaient observés précédemment. Des chenaux serpentaient, se rejoignaient, prenaient un cours plus rectiligne pour fournir un seul chenal large et profond qui se jetait dans le fleuve. Les roselières et les îles disparurent, et le fleuve puissant s'incurva dans un large coude.

Ayla et Jondalar suivirent la courbe intérieure qui les mena directement face au couchant où le soleil embrasait le ciel brumeux d'un rouge vif. Jondalar n'apercevait aucun nuage et il se demandait ce qui pouvait bien causer la violente couleur uniforme qui se réfléchissait sur les pics escarpés au nord, enveloppait les hauts plateaux rocailleux de la rive droite, et teintait l'eau frémissante d'une couleur de sang.

Ils continuèrent à remonter la rive gauche du fleuve, à la recherche d'un bon campement. Ayla ne laissait pas d'être intriguée par le fleuve majestueux. Plusieurs affluents, de diverse importance, s'étaient jetés dans le cours principal, venant grossir son prodigieux débit. Elle comprenait que la Grande Mère fût amoindrie, puisque tant d'affluents l'avaient grossie en aval, mais elle restait encore si large qu'on avait peine à concevoir une quelconque réduction de son débit. Pourtant, la jeune femme en était intimement convaincue.

Ayla se réveilla le lendemain avant l'aube. Elle adorait le matin et sa vivifiante fraîcheur. Elle fit chauffer sa décoction contraceptive au goût amer, et prépara une coupe d'infusion de sauge et d'estragon pour Jondalar, et aussi une autre pour elle-même qu'elle but en regardant le soleil se lever sur les montagnes septentrionales. Un soupçon de rose, préfigurant l'aube, découpa les deux pics de glace, et s'étendit lentement, nimbant l'est d'une lueur rosâtre. Avant que la glorieuse boule de feu ne dardât ses rayons au-dessus de l'horizon, le sommet des montagnes s'embrasa soudain.

Les deux voyageurs repartirent en s'attendant à voir la Mère se disperser de nouveau, et ils furent surpris de constater qu'elle restait confinée dans son lit. Quelques îlots de broussailles se formèrent au milieu du courant, mais le fleuve conservait son unité. Ils étaient si habitués à la voir serpenter et se diviser au gré de son vagabondage qu'il leur semblait étrange de suivre le cours unique du gigantesque fleuve. Mais 'dans son périple autour, ou au milieu, des montagnes qui traversaient le continent, la Grande Mère suivait invariablement la route la moins élevée, et celle-ci longeait le pied des montagnes érodées qui bordaient sa rive droite.

Sur la rive gauche, entre le fleuve et les crêtes de granit et d'ardoise, s'étendait une bande argileuse recouverte d'un manteau de lœss, terrain accidenté et rocailleux, soumis aux variations les plus extrêmes. Soufflant du sud, des vents brûlants desséchaient la terre en été ; les hautes pressions au-dessus des glaciers du nord la cinglaient de rafales glacées en hiver ; venant de la mer, des ouragans la ravageaient. Les averses occasionnelles, suivies de violents vents secs, et les brusques changements de température provoquaient des cassures dans la couche calcaire, créant des lignes de faille sur les plateaux.

Des herbes résistantes survivaient encore, mais les arbres avaient presque entièrement disparu. La seule végétation sylvestre était constituée d'arbrisseaux pouvant supporter à la fois la sécheresse brûlante et le froid glacial. Quelques rares tamaris aux branches frêles, avec leurs petites feuilles en écailles et leurs petites fleurs roses en épi, ou des nerpruns garnis de baies noires et d'épines acérées, poussaient çà et là, et même quelques cassis. On trouvait surtout différentes sortes d'armoises, y compris une grande absinthe inconnue d'Ayla.

Ses tiges noires semblaient mortes, mais quand elle en cueillit pour faire du feu, elle s'aperçut qu'elles étaient non pas sèches et cassantes, mais bien vivantes. Après quelques bourrasques de pluie, les feuilles dentelées, argentées sur l'envers, se déroulaient, les tiges se ramifiaient et de petites fleurs jaunes, semblables aux cœurs des marguerites, s'épanouissaient sur les rameaux épineux. N'eussent été ses tiges foncées, la plante ressemblait aux espèces familières plus claires qui poussaient souvent près des fétuques et des crêtes-de-coq. Puis, quand le vent et le soleil desséchaient les plaines, les tiges semblaient de nouveau mortes.

Les plaines méridionales, avec leurs multiples variétés d'herbacées et d'arbustes, nourrissaient quantité d'animaux, les mêmes que ceux qui vivaient dans les steppes du

Nord, mais en proportions réparties différemment. Les espèces qui recherchaient le froid, comme le bœuf musqué, ne s'aventuraient jamais si loin dans le Sud. En revanche, Ayla n'avait jamais tant vu de saïgas. C'était un animal qu'on trouvait un peu partout dans les plaines, mais rarement en si grand nombre.

Ayla s'arrêta pour observer un troupeau de ces étranges animaux particulièrement disgracieux. Jondalar était allé explorer un bras de rivière où des troncs d'arbres, plantés dans la rive, détonnaient. Il n'y avait pas d'arbres de ce côté du fleuve et l'assemblage semblait significatif. Lorsqu'il rejoignit Ayla, il la trouva songeuse.

— Je ne veux pas m'avancer, déclara-t-il, mais j'ai l'impression que ces troncs ont été installés par le Peuple du Fleuve. Sans doute pour y attacher un bateau. A moins que le bois n'ait été charrié par les eaux.

Ayla approuva d'un signe de tête.

— Tu as vu tous ces saïgas ? fit-elle en désignant les steppes arides.

Ces sortes d'antilopes étaient de la même couleur que la poussière et Jondalar mit du temps avant de les apercevoir. Il distingua enfin le contour de leurs cornes spiralées pointant légèrement en avant.

— Ils me font penser à Iza. Son totem était l'Esprit du Saïga, expliqua la jeune femme en souriant.

Les saïgas, avec leur long nez bombé et leur drôle de démarche, qui ne présumait pas leur étonnante rapidité, avaient toujours fait sourire Ayla. Loup adorait les chasser, mais ils couraient si vite qu'il avait rarement l'occasion de les approcher, en tout cas jamais longtemps.

Ces saïgas-là semblaient raffoler des tiges d'absinthe. En général, ils allaient par troupeau de dix ou quinze, souvent des femelles accompagnées d'un ou deux jeunes. Certaines mères n'avaient pas plus d'un an. Par ici, les troupeaux dépassaient cinquante têtes. Ayla se demanda où étaient les mâles. La seule fois qu'elle en avait vu en troupeau, c'était pendant la saison du rut, quand chacun cherchait à donner le Plaisir à un maximum de femelles, un maximum de fois. Passé le rut, on trouvait toujours des carcasses de mâles, comme s'ils s'étaient épuisés dans les Plaisirs et abandonnaient le reste de l'année la rare nourriture aux femelles et à leurs petits.

Quelques ibex et mouflons sillonnaient les plaines, préférant toutefois les abords escarpés des failles, que les chèvres sauvages et les moutons escaladaient avec facilité. Le pays était parsemé d'énormes troupeaux d'aurochs à la robe brun-rouge, parmi lesquels un nombre non négligeable de spécimens arboraient des taches blanches, parfois assez larges. Ayla et Jondalar virent également des daims finement mouchetés, des cerfs communs, des bisons et de nombreux onagres. Whinney et Rapide s'intéressaient aux mammifères herbivores, surtout aux onagres. Ils observaient les troupeaux d'ânes-chevaux et reniflaient longuement leur crottin.

Bien entendu, les pâturages abritaient les petits rongeurs habituels : sousliks, marmottes, gerboises, hamsters, lièvres et une espèce de porc-épic qu'Ayla voyait pour la première fois. Et les prédateurs aussi étaient là pour réguler la population des espèces : chats sauvages, grands lynx, lions des cavernes. Quelques hyènes perçaient le silence de leurs ricanements.

Dans les jours qui suivirent, le fleuve changea souvent de direction. Sur la rive gauche, le paysage restait le même — douces collines verdoyantes et plaines bordées de falaises et de montagnes aux cimes déchiquetées. Mais sur l'autre rive, le relief se diversifiait. Des affluents creusaient des vallées encaissées, les montagnes érodées se couvraient d'arbres, parfois jusqu'au fleuve qui serpentait en multiples méandres dans ce terrain accidenté, obligé parfois de revenir en arrière bien que son but restât le même : atteindre enfin la mer, à l'est.

Dans son cours tortueux, le fleuve qui coulait au-devant des voyageurs se divisa en plusieurs bras, sans toutefois créer une zone de marécages comme sur le delta. C'était simplement un énorme fleuve scindé en plusieurs bras parallèles et qui fécondait sur ses berges une végétation plus abondante et une herbe plus verte.

Ayla regrettait le chœur des grenouilles, pourtant assommant, même si les trilles flûtés de crapauds bigarrés résonnaient ici comme un refrain dans le pot-pourri des nuits musicales. Les lézards et les vipères avaient remplacé les batraciens, tout comme la demoiselle qui se régalait de reptiles, d'insectes et d'escargots. Ayla aimait observer l'oiseau aux longues pattes, avec son plumage gris-bleu, sa tête noire et ses deux aigrettes blanches au-dessus des yeux.

En revanche, Ayla ne regrettait pas les moustiques. Avec leur terrain de prédilection, les marécages, les insectes aux piqûres brûlantes avaient eux aussi disparu. On ne pouvait pas en dire autant des moucherons, dont les nuages poursuivaient les voyageurs, notamment ceux qui portaient fourrure.

— Regarde, Ayla ! s'écria Jondalar en montrant un assemblage de poutres et de planches au bord du fleuve. C'est un embarcadère. C'est le Peuple du Fleuve qui l'a construit.

Ayla ne savait pas ce qu'était un embarcadère, mais elle voyait bien qu'il ne s'agissait pas d'un assemblage dû au hasard. La construction trahissait une volonté humaine.

— Il y a des gens qui vivent par ici ? demanda-t-elle avec fièvre.

— Pas en ce moment, puisqu'il n'y a pas de bateau, mais ceux qui ont construit cet embarcadère ne doivent pas être loin. Pourquoi se donner tant de mal si ce n'est pas pour s'en servir ?

Jondalar examina l'ouvrage, puis regarda en amont du fleuve, et étudia enfin la rive opposée.

— J'ai l'impression que ceux qui ont construit cela vivent de l'autre côté du fleuve, et ils l'utilisent pour débarquer ici. Sans doute viennent-ils chasser, ou cueillir des racines, que sais-je ?

Ils remontèrent le fleuve sans quitter des yeux la rive d'en face. Ayla ne put s'empêcher de penser qu'ils avaient peut-être déjà croisé des humains sans le savoir. Ils n'étaient pas loin de l'embarcadère quand Jondalar surprit un mouvement en amont. Il s'arrêta pour mieux voir.

— Ayla, regarde là-bas ! C'est peut-être un bateau ramudoï.

Elle distingua vaguement quelque chose. Ils firent accélérer les chevaux, et en approchant Ayla découvrit un bateau qui ne ressemblait en rien à ce qu'elle avait déjà vu. Elle ne connaissait que les embarcations des Mamutoï, simple armature de bois arrondie recouverte de peaux de bête, comme celle qu'ils transportaient sur le travois. Le bateau qu'elle apercevait maintenant était tout en bois, avec un avant pointu. Des gens l'occupaient sur plusieurs rangs, et quand ils arrivèrent à leur hauteur, Ayla en aperçut d'autres sur la rive opposée.

— Holà ! cria Jondalar avec un salut d'amitié.

Il cria quelques mots dans un langage familier qui, aux oreilles d'Ayla, ressemblait un peu au mamutoï.

Ceux du bateau ne répondirent pas et Jondalar se demandait s'ils l'avaient entendu. En revanche, il était quasi certain qu'ils l'avaient vu. Il appela de nouveau, et cette fois, il fut sûr d'avoir été entendu, même si on ne lui répondit pas. Au contraire, les navigateurs se mirent à pagayer de toute leur force en direction de la rive opposée.

Là, un homme les avait aperçus et les désigna à ses compagnons qui s'enfuirent immédiatement. Deux ou trois attendirent que le bateau accostât et partirent avec les nouveaux arrivants.

— C'est encore à cause des chevaux, hein ? interrogea Ayla.

Jondalar crut voir une larme couler sur le visage de la jeune femme.

— De toute façon, ce n'était pas une bonne idée de

300

traverser ici, assura-t-il. La Caverne des Sharamudoï que je connais se trouve de ce côté-ci.

— Oui, peut-être. Mais eux auraient pu accoster, ou répondre au moins à ton salut.

— Ayla, pense un peu de quoi nous avons l'air, assis sur nos montures. On doit nous prendre pour des esprits bicéphales à quatre pattes. Tu ne peux pas reprocher à ces gens d'avoir peur de quelque chose d'aussi étrange.

De l'autre côté du fleuve, une vaste vallée descendait des montagnes. Il y coulait une grande rivière qui venait grossir la Grande Mère avec une telle violence qu'elle créait dans son sillage tourbillons et rapides.

Là, près du confluent, au pied d'une colline, ils découvrirent plusieurs habitations en bois et des gens rassemblés qui les contemplaient bouche bée.

— Jondalar, descendons de cheval, proposa Ayla.

— Pourquoi ?

— Pour qu'ils comprennent que nous sommes des humains et les chevaux de simples chevaux. Qu'ils cessent de nous considérer comme des monstres bicéphales à quatre pattes.

Elle se laissa glisser au sol et marcha devant la jument. A son tour, Jondalar sauta de sa monture. La jeune femme avait à peine fait quelques pas que Loup se précipita sur elle et la gratifia de ses habituelles effusions. Il posa les pattes sur ses épaules, la lécha, et mordilla gentiment sa joue. Lorsqu'il se fut calmé, un mouvement ou une odeur venant de la rive opposée lui fit prendre conscience de la présence d'étrangers. Il s'aventura jusqu'au bord du fleuve, et, tendant le cou vers le ciel, fit entendre une série d'aboiements qui se terminèrent par un long hurlement.

— Qu'est-ce qui lui prend ? demanda Jondalar.

— Je ne sais pas. Il y a longtemps qu'il n'a vu personne, et peut-être veut-il manifester sa joie ? Moi aussi j'aimerais bien les saluer, soupira Ayla. Mais traverser la Grande Mère n'est pas si simple, et je doute qu'ils viennent jusqu'à nous.

Depuis qu'ils avaient dépassé le coude du fleuve et que la Grande Mère s'orientait de nouveau vers le couchant, les voyageurs avaient emprunté une route qui tendait à dériver vers le sud. Mais au-delà de la vallée, la chaîne de montagnes s'incurvait au nord, et ils avancèrent alors résolument vers l'ouest. Ils avaient atteint l'extrême pointe sud de leur Voyage, à la saison la plus chaude de l'année.

Au cœur de l'été, un soleil torride ravageait les plaines dépourvues d'ombre. Malgré des glaciers hauts comme des montagnes sur le quart de la planète, une chaleur oppressante régnait dans les pays méridionaux. Le vent chaud et continu qui balayait la plaine jouait sur les nerfs et rendait la chaleur encore plus insupportable. L'homme et la femme, tantôt à cheval, tantôt à pied pour reposer leur monture, avaient adopté un rythme qui rendait le voyage possible, à défaut d'être agréable.

Ils se réveillaient avec les premières lueurs de l'aube qui embrasaient les cimes septentrionales, et après un rapide repas froid et une infusion, ils se mettaient en route avant qu'il fît grand jour. Le soleil, en s'élevant, frappait les steppes avec tant d'intensité que des brumes de chaleur montaient du sol. La sueur luisait sur la peau tannée des voyageurs, et inondait la fourrure des animaux. Loup tirait la langue en haletant. Il n'avait plus la force de courir en exploration ou à la chasse, et restait avec Whinney et Rapide qui avançaient d'un pas lent, la tête basse. Les cavaliers, accablés de chaleur, affaissés sur leur monture, laissaient les chevaux régler l'allure, et parlaient peu pendant les heures suffocantes de la mi-journée.

Lorsqu'ils n'y tenaient plus, ils cherchaient une petite plage, de préférence près d'un marigot, ou d'un cours d'eau limpide dépourvu de courant. Même Loup ne résistait pas à l'attrait de l'eau, bien qu'il se méfiât encore des rapides. Dès que les humains descendaient de cheval et déchargeaient les paniers, il se ruait dans l'eau en bondissant. Lorsqu'ils franchissaient un affluent, ils plongeaient dans l'eau pour se rafraîchir avant de décharger les paniers et le travois.

S'ils n'avaient rien trouvé en chemin et que leurs restes étaient épuisés, Jondalar et Ayla, revigorés par la baignade, cherchaient ensuite de quoi manger. Même dans les steppes brûlantes et poussiéreuses, la nourriture abondait. Les cours d'eau, en particulier, regorgeaient de poissons.

Grâce à la technique de Jondalar, ou à celle d'Ayla, ou encore à une combinaison des deux, ils en attrapaient toujours. Si la situation l'exigeait, ils utilisaient le long filet d'Ayla en le traînant dans la rivière, chacun à un bout. Jondalar avait équipé un filet d'un manche, obtenant une sorte d'épuisette dont il n'était pas entièrement satisfait. Il pêchait aussi avec une ligne et une gorge — pièce d'os aux deux bouts aiguisés, attachée au milieu par un cordon solide. On enfilait ensuite des appâts : morceaux de viande, de poisson, ou de vers. L'appât avalé, il suffisait de tirer d'un coup sec, et la gorge se plantait dans le gosier du poisson en ressortant de part en part.

Après avoir laissé échapper un gros poisson, Jondalar fabriqua une gaffe pour recueillir le fruit de sa pêche. Il choisit une branche fourchue qu'il coupa à la jointure, utilisa la partie la plus longue comme manche, et la partie fourchue aiguisée en forme de crochet lui servit à sortir le poisson de l'eau. On ne trouvait qu'arbrisseaux et fourrés près du fleuve, et les premières gaffes fonctionnèrent, mais les fourches n'étaient pas assez solides, et le poids du poisson qui se débattait en cassa plus d'une. Il cherchait constamment un bois plus robuste.

A la vue d'un andouiller, il se contenta d'enregistrer le fait sans y prêter une grande attention. Il se dit simplement qu'il avait été perdu par un cerf de trois ans. Mais l'image de la forme courbe continuait à le poursuivre, et soudain, il fit demi-tour. L'andouiller était extrêmement robuste, difficile à casser, et celui-ci avait la taille et la forme idéales. En l'aiguisant, il obtiendrait une excellente gaffe.

Ayla pêchait encore à la main, comme Iza le lui avait

enseigné, et Jondalar était toujours sidéré de la voir opérer. Le procédé semblait d'une simplicité enfantine, mais il n'avait jamais pu le maîtriser. Il suffisait de beaucoup d'entraînement, d'un peu d'adresse, et d'une patience... infinie. Ayla étudiait d'abord les racines, bois flottants et rochers de la rive, où certains poissons aimaient se réfugier. Ils nageaient toujours sur place, à contre-courant, remuant à peine leurs nageoires.

Lorsqu'elle apercevait une truite ou un petit saumon, elle entrait dans l'eau en aval, laissait courir sa main dans l'eau et remontait sans bruit le courant. En approchant du poisson, elle redoublait de précaution, prenant garde de ne pas troubler l'eau, ni remuer la vase. Sinon, la proie filerait sous ses doigts. Délicatement, arrivant par-derrière, elle glissait sa main sous le ventre du poisson, l'effleurant à peine, ou le chatouillant, ce qu'il ne semblait même pas remarquer. Parvenue à hauteur des branchies, elle assurait brusquement sa prise, et d'un geste vif, sortait le poisson de l'eau et le lançait sur la berge. D'habitude, Jondalar courait l'attraper avant qu'il ne retournât dans son élément.

Ayla trouva aussi des anodontes, qui ressemblaient aux moules de la mer de Beran qu'elle pêchait dans sa jeunesse. Elle chercha certaines plantes comme les pattes-d'oie, les tussilages, les pas-d'âne, riches en sel naturel, pour reconstituer leurs réserves, et aussi d'autres racines, feuilles et graines dont la saison commençait. Des volées de perdrix sillonnaient les plaines, et se perchaient dans les fourrés le long du fleuve. Ces oiseaux bien gras et faciles à chasser composaient d'excellents repas.

Après midi, à l'heure la plus chaude de la journée, ils se reposaient en attendant que leur repas cuisît. Les arbres rabougris n'offraient pas assez d'ombre, et ils installaient leur tente en auvent pour se protéger des rayons brûlants du soleil. Ils reprenaient leur route tard dans l'après-midi, quand la température fraîchissait. Chevauchant avec le soleil de face, ils portaient leur chapeau conique pour se protéger les yeux. Lorsque l'astre incandescent commençait à descendre à l'horizon, ils cherchaient un endroit pour passer la nuit et n'installaient leur tente qu'au crépuscule. Pendant la pleine lune, il leur arrivait de poursuivre leur chemin jusque tard dans la nuit.

Le repas du soir était léger, et se composait souvent des restes du midi, avec parfois quelques légumes frais, des céréales ou de la viande s'ils avaient chassé en route. Ayla préparait le déjeuner pour le lendemain, elle n'aurait plus qu'à le réchauffer. Ils nourrissaient aussi Loup. Bien qu'il chassât de son côté la nuit, il s'était mis à apprécier la viande cuite, et mangeait même volontiers des légumes et des céréales. Ils plantaient rarement la tente, mais leur fourrure de couchage n'était pas superflue. La nuit était froide et les brumes matinales fréquentes.

Parfois, de violents orages, ou des pluies diluviennes apportaient une fraîcheur aussi appréciable qu'inattendue, mais l'atmosphère était ensuite encore plus suffocante. Et Ayla détestait le tonnerre, il lui rappelait trop le fracas des tremblements de terre. Les éclairs qui déchiraient la voûte céleste et illuminaient la nuit étoilée la terrorisaient. Jondalar, lui, ne s'inquiétait que lorsque la foudre tombait à proximité. En fait, il n'aimait pas être dehors quand l'orage s'annonçait, et l'envie le démangeait de ramper sous ses fourrures, mais il refusait de l'admettre.

Avec le temps, ce qui les ennuyait le plus, à part la chaleur, c'étaient les insectes. Les papillons, les abeilles, les guêpes, et même les mouches et certains moustiques ne les dérangeaient nullement. Non, les plus agaçants étaient de loin les plus minuscules, les moucherons. Les deux voyageurs en étaient certes agacés, mais que dire des animaux ! Les créatures assommantes se fourraient partout, dans les yeux, les naseaux, la bouche, dans leur pelage touffu, et se collaient sur leur peau en sueur.

D'habitude, les chevaux des steppes émigraient au nord pendant l'été. Leur épaisse fourrure et leur corps massif étaient adaptés au froid. Quant aux loups qu'on trouvait aussi dans les plaines méridionales — c'était le prédateur le plus répandu —, beaucoup ne quittaient pas les steppes du Nord, comme la bande dont était issu Loup. Les loups qui vivaient dans le Sud avaient fini par s'adapter aux conditions climatiques, été chaud et sec, hiver aussi rigoureux que dans les steppes septentrionales mais plus neigeux. Par exemple, ils perdaient plus volontiers leur fourrure en été, et leur langue pendante les rafraîchissait plus efficacement.

Ayla apportait tous ses soins aux pauvres bêtes, mais ni les baignades quotidiennes, ni ses divers remèdes ne les débarrassaient entièrement des minuscules moucherons. La moindre blessure infectée par leurs œufs s'agrandissait en dépit des onguents qu'elle concoctait. Loup et les chevaux perdaient leurs poils par poignées, et leur fourrure épaisse ternissait.

— J'en ai assez de cette chaleur et de ces moucherons ! s'exclama Ayla en nettoyant une oreille blessée de Whinney avec une lotion calmante. Quand aurons-nous un peu de fraîcheur ?

— Je te parie que tu regretteras la chaleur avant la fin du Voyage, Ayla, rétorqua Jondalar.

Peu à peu, ils se rapprochaient des contreforts rocailleux et des immenses pics qui longeaient le fleuve au nord, alors qu'au sud les vieilles montagnes érodées gagnaient en altitude. Les tours et les détours des voyageurs les avaient fait dériver légèrement vers le nord. Ils durent obliquer alors vers le sud avant de remonter brutalement vers le nord-ouest, puis décrire une large courbe vers le nord, et ensuite vers l'est, avant de reprendre enfin la direction nord-est.

Jondalar n'aurait pas su dire pourquoi — il ne relevait d'ailleurs aucun repère — mais ce paysage lui était familier. En suivant le fleuve, ils se garantissaient d'aller vers le nord-ouest, mais il était sûr que la Grande Mère ferait d'autres détours. Pour la première fois depuis qu'ils avaient quitté le delta, il décida d'abandonner la sécurité qu'offrait le fleuve et de suivre un affluent qui montait au nord vers les contreforts des montagnes aux cimes acérées, à présent toutes proches de la Grande Rivière Mère. Ils remontèrent donc le cours d'eau qui tournait lentement vers le nord-est.

A l'horizon, les montagnes opéraient une jonction. Une chaîne partant du grand arc des sommets glacés se rapprochait des montagnes méridionales plus hautes qu'avant, plus aiguës et plus enneigées, et dont elle n'était séparée que par une gorge étroite. La muraille septentrionale avait autrefois retenu une mer intérieure. Au cours des millénaires, l'eau accumulée avait, en s'écoulant, usé le calcaire, le grès et le schiste des montagnes. Le bassin s'était peu à peu abaissé jusqu'au niveau du couloir creusé dans la roche, et la mer avait fini par s'assécher, laissant derrière elle ce qui deviendrait une mer d'herbe.

· La Grande Rivière Mère coulait à travers des précipices de granit cristallin. La roche volcanique, qui autrefois affleurait la pierre plus tendre des montagnes, s'élançait en flèche de chaque côté. C'était bien le long passage à travers les montagnes menant aux plaines méridionales et à la mer de Beran. Jondalar savait qu'il était impossible de remonter ces gorges. Il n'y avait pas d'autre solution que de les contourner.

14

Hormis l'absence du vaste fleuve, le paysage ressemblait à celui qu'ils venaient de quitter : prairies arides, arbrisseaux chétifs le long des rives — mais Ayla ressentit comme une perte. La Grande Rivière Mère avait été leur compagne pendant si longtemps qu'elle était déconcertée de ne plus avoir à leur côté sa présence réconfortante qui leur traçait la route. A mesure qu'ils montaient vers les contreforts, les broussailles se densifiaient, devenant plus hautes et plus feuillues, et elles gagnèrent sur la plaine.

Jondalar regrettait le fleuve, lui aussi. Lorsqu'ils longeaient ses eaux fertiles, les jours avaient succédé aux jours dans une monotonie rassurante. Sa générosité et son abondance jamais démenties l'avaient bercé dans une sorte d'euphorie, avaient émoussé sa vigilance et endormi l'anxiété due à l'exigence de mener Ayla à bon port. Après qu'ils eurent tourné le dos à la Mère des rivières si féconde, son inquiétude le reprit, et le paysage changeant l'obligea à anticiper sur celui qui se profilait. Il se mit à surveiller leurs provisions, craignant de manquer de nourriture. Il ne faisait pas confiance au petit cours d'eau pour les fournir en poisson, et encore moins aux forêts pour leur procurer du gibier.

Jondalar connaissait mal les forêts. Les animaux des plaines se regroupaient en troupeaux visibles de loin, mais la faune des forêts était plus solitaire, et se dissimulait facilement derrière les arbres ou les buissons. Lors de son passage chez les Sharamudoï, il chassait toujours en compagnie d'un guide.

Ceux du groupe shamudoï escaladaient les buttes rocheuses pour chasser le chamois, et ils connaissaient les coutumes des ours, des sangliers, des bisons des forêts, et autres proies insaisissables. Jondalar se souvint que Thonolan avait développé un goût particulier pour la chasse en montagne. En revanche, le groupe ramudoï préférait le fleuve et ses créatures, surtout l'esturgeon géant. Contrairement à son frère, Jondalar s'était intéressé à la construction des bateaux, et à l'art de la navigation. A l'occasion, il avait suivi les chasseurs de chamois, mais il n'aimait pas l'altitude outre-mesure.

Repérant un petit troupeau de cerfs, Jondalar y vit l'opportunité de constituer des réserves de viande en attendant de rejoindre les Sharamudoï, et peut-être même d'en partager les surplus avec eux. L'idée enthousiasma Ayla. Elle adorait chasser et, à part les perdrix et autres petits gibiers qu'elle avait abattus avec sa fronde, les occasions n'avaient pas été si fréquentes ces derniers temps. La Grande Rivière Mère avait pourvu généreusement à leurs besoins.

Ils plantèrent leur campement au bord de la rivière, déchargèrent leurs paniers et le travois et, armés de leur propulseur, partirent à cheval sur la piste des cerfs. Loup ne tenait pas en place. A la vue des propulseurs, il avait compris ce qui se préparait. Whinney et Rapide étaient fringants, ne serait-ce qu'à cause de l'allégement de leur charge.

C'était un groupe de mâles, et leur ramure était recouverte d'un velours épais. A l'automne, à la saison du rut, quand les andouillers auraient atteint leur apogée, les vaisseaux sanguins se dessécheraient et la douce pellicule pubescente pèlerait, aidée en cela par les cerfs qui fraieraient leurs bois aux arbres et aux rochers.

Ayla et Jondalar s'arrêtèrent pour étudier la situation. Loup s'agitait, couinant et faisant mine d'attaquer. De peur qu'il ne s'élançât et dispersât le troupeau, Ayla lui ordonna de rester tranquille. Une pointe d'admiration brilla dans les yeux de Jondalar en voyant le loup obéir. Il était soulagé qu'Ayla ait réussi à le dresser. Il se concentra sur sa chasse, conscient que, juché sur le dos de Rapide, il possédait une vision d'ensemble qu'il n'aurait jamais eue à pied. Plusieurs cerfs broutaient, avertis de la présence des nouveaux arrivants, mais rassurés par les chevaux. D'habitude, ils toléraient, ou ignoraient ces cousins herbivores, si ceux-ci ne manifestaient pas de crainte. Même les deux humains et le loup ne les inquiétaient pas assez pour les inciter à fuir.

Jondalar fut tenté par un vieux cerf magnifique à la tête couronnée, qui semblait le toiser avec défi. S'il avait chassé en groupe pour nourrir une Caverne entière, et qu'il avait voulu faire une prouesse, il se serait peut-être décidé pour le cerf majestueux. Mais Jondalar savait que lorsque l'automne apporterait la saison des Plaisirs, nombreuses seraient les femelles impatientes de rejoindre un troupeau conduit par un tel mâle. Jondalar ne pouvait se résoudre à tuer un animal si fier et si magnifique alors qu'ils n'avaient pas besoin de tant de viande. Il choisit donc un autre cerf.

— Ayla, tu vois celui qui est près du grand buisson ? Là-bas, un peu à l'écart des autres ? (La jeune femme acquiesça d'un signe de tête.) Je crois que nous pouvons l'isoler facilement. Essayons.

Ils se concertèrent avant d'adopter une stratégie, puis se séparèrent. Loup ne quittait pas Ayla des yeux et, à son signal, il bondit vers le cerf qu'elle lui indiquait, suivi de Whinney et sa cavalière. Jondalar arrivait d'en face, une sagaie engagée dans le propulseur.

Les cerfs avaient senti le danger et ils bondirent dans toutes les directions. Celui que les chasseurs avaient repéré s'enfuit devant la femme et le loup qui le chargeaient et fonça droit sur Jondalar. Il arriva si près que Rapide pila net.

Jondalar était prêt à utiliser son propulseur, mais le jeune étalon le déséquilibra. Le cerf bifurqua pour fuir l'homme et le cheval qui lui barraient le chemin, et tomba sur l'énorme loup. Terrorisé, il fit volte-face et s'élança pour passer entre Ayla et Jondalar.

Ayla exerça une légère pression sur les flancs de Whinney tout en visant l'animal en fuite. La jument obtempéra et poursuivit le cerf pendant que Jondalar, revenu de ses émotions, déclenchait son arme au même moment qu'Ayla.

Les deux sagaies le transpercèrent presque simultanément, et le cerf s'arrêta par saccades. Il tenta de fuir une dernière fois, mais c'était trop tard. Les sagaies avaient atteint leur cible et la bête chancela, puis s'écroula.

La plaine s'était vidée. Le troupeau s'était dispersé, mais les deux chasseurs sautèrent de cheval sans y prêter attention. Jondalar sortit son couteau à manche d'os, empoigna les andouillers veloutés, tira la tête du cerf en arrière, et lui trancha la gorge. Ils contemplèrent en silence la mare de sang qui se formait autour de la tête de l'animal. La terre assoiffée but le liquide gluant.

— Quand tu retourneras près de la Grande Terre Mère, remercie-La de notre part, demanda Jondalar au cerf mort à ses pieds.

Ayla approuva d'un signe de tête. Elle était habituée à ce rituel. Jondalar prononçait ces paroles chaque fois qu'ils tuaient un animal, même un petit, et ce n'était jamais machinal. Il parlait avec chaleur et respect, et ses remerciements étaient sincères.

Les pentes des collines s'accentuèrent et des bouleaux se mêlèrent aux arbustes, puis des charmes, des hêtres et quelques chênes. A basse altitude, la région ressemblait aux collines boisées du delta. Mais à mesure qu'ils montaient, ils commencèrent à voir des sapins, des épicéas, des pins et quelques mélèzes parmi les immenses arbres à feuilles caduques.

Ils parvinrent dans une clairière, sorte de mamelon surplombant les bois. Jondalar s'arrêta pour s'orienter et Ayla en profita pour admirer la vue. Ils étaient plus hauts qu'elle ne l'avait cru. Par-dessus les forêts, elle apercevait à l'ouest la Grande Rivière Mère. Tous ses chenaux s'étaient rejoints et le fleuve serpentait entre des murailles rocheuses. A présent, elle comprenait pourquoi Jondalar avait tenu à contourner les gorges.

— J'ai déjà franchi ce passage en bateau, expliqua-t-il. On l'appelle la Porte.

— La Porte ? s'étonna Ayla. Comme la porte d'un enclos ? Ce qui ferme l'ouverture et empêche les animaux de sortir ?

— Je ne sais pas pourquoi on l'appelle comme ça. Peut-être le nom vient-il de là. Pourtant, cela ressemble davantage aux barrières qui bordent le chemin menant à la porte. Le passage est assez long, j'aimerais t'y emmener un jour en bateau. Tiens, c'est une idée, ajouta-t-il en souriant.

Ils descendirent le mamelon et reprirent leur ascension de la montagne. Un mur d'arbres gigantesques se dressa devant eux, première ligne d'une forêt mixte de bois durs et d'arbres à feuilles persistantes. A peine avaient-ils pénétré sous la sombre voûte feuillue qu'ils se retrouvèrent dans un univers nouveau. Ils mirent du temps avant de s'accoutumer à la pénombre de la forêt primitive. La fraîcheur de l'humidité et sa riche odeur de moisissure les enveloppèrent aussitôt.

Une mousse verte recouvrait le sol d'un épais tapis qui s'étendait aux rochers, habillait indifféremment les arbres tombés depuis longtemps et les troncs d'arbres morts ou les vivants. Le loup, qui courait devant, sauta sur une souche moussue que le pourrissement désintégrait lentement. Elle se brisa, dévoilant des milliers de vers blancs grouillants, surpris par la soudaine lumière du jour. Les deux cavaliers ne tardèrent pas à descendre de leur monture pour trouver plus facilement leur chemin à travers le sous-bois jonché de restes en putréfaction et d'où jaillissait à nouveau la vie.

Des rejets surgissaient des souches pourries et perçaient la couche de mousse. Là où un arbre foudroyé s'était abattu, encroué à ceux qu'il avait entraînés dans sa chute, de jeunes pousses se disputaient déjà une place au soleil. Des mouches bourdonnaient autour des pointes fleuries de rose d'un gaulthérie éclairé par un rayon de soleil qui avait réussi à trouer la voûte feuillue. Il régnait un silence inquiétant où le moindre son était amplifié. Ayla et Jondalar murmuraient sans raison.

Les champignons foisonnaient de tous côtés sur des racines putréfiées. Partout croissaient des herbacées dépourvues de feuilles, comme l'orobanche, la lavande, la dentaire, ainsi que diverses petites orchidées aux couleurs éclatantes, elles aussi souvent dépourvues de feuilles. Dès qu'Ayla aperçut des petites tiges pâles et cireuses, à la tête frémissante, elle se précipita pour en cueillir.

— Cela soulagera les yeux de Loup et des chevaux, expliqua-t-elle avec un sourire triste qui n'échappa pas à Jondalar. C'est la plante qu'Iza utilisait pour mes yeux, quand je pleurais.

Elle ramassa aussi quelques champignons qu'elle savait comestibles. Prudente, Ayla ne prenait aucun risque dans sa cueillette. De nombreuses variétés étaient succulentes, d'autres avaient peu de goût mais ne présentaient aucun danger, certaines donnaient de bons remèdes, d'autres pouvaient rendre assez malade, un petit nombre était utilisé pour voyager dans le monde des esprits, et quelques-unes étaient mortelles. Mais surtout, certaines espèces vénéneuses se confondaient facilement avec des espèces comestibles.

A cause de ses longues perches écartées, le travois les gênait dans leur progression. Il s'accrochait aux troncs d'arbres serrés les uns contre les autres. Lorsque Ayla avait inventé cette méthode, simple mais efficace, pour profiter pleinement de la force de Whinney, elle avait placé les perches en parallèles rapprochées pour que la jument pût monter le sentier exigu qui menait à leur grotte. Mais pour y installer le bateau, ils avaient dû écarter les perches, et Whinney avait peine à tirer le travois en contournant les obstacles. Le traîneau était très efficace en terrain accidenté, il ne se bloquait pas dans les trous ou les fossés, mais il lui fallait de l'espace.

Ils bataillèrent pendant tout l'après-midi, et finalement Jondalar détacha le bateau et le tira lui-même. Ils envisageaient sérieusement de s'en séparer. Le bateau leur avait été on ne peut plus utile pour traverser nombre de rivières et d'affluents qui se jetaient dans la Grande Mère, mais ils se demandaient s'il valait la peine de s'encombrer d'un tel fardeau dans une forêt aussi dense. A supposer qu'il restât d'autres rivières à franchir, avaient-ils vraiment besoin d'un bateau qui retardait leur progression ?

La nuit les surprit dans la forêt. Ayla et Jondalar s'y sentaient mal à l'aise et plus exposés au danger que dans les vastes steppes où, à ciel ouvert, ils voyaient même dans l'obscurité : étoiles ou nuages, silhouettes mouvantes. Ici, les énormes troncs des arbres gigantesques pouvaient cacher n'importe quoi, y compris des créatures de grande taille. C'était le noir absolu. Le profond silence qui les avait tant inquiétés quand ils avaient pénétré dans l'univers sylvestre, devenait, avec la nuit, vraiment terrifiant, même s'ils s'efforçaient de ne rien montrer de leur angoisse.

Les chevaux, nerveux eux aussi, se rapprochèrent du feu. Même Loup resta au camp, ce qui ravit Ayla qui lui donna leurs restes à manger. Pour une fois, Jondalar était content de sa présence. Un grand loup amical à ses côtés le rassurait. Le jeune animal pouvait renifler ou percevoir un danger qui échappait aux humains.

La nuit était froide dans les bois, où régnait une humidité si dense qu'elle s'abattait sur eux comme de la pluie. De bonne heure, ils se glissèrent dans leur fourrure, et bien que fatigués, ils discutèrent longtemps, trop inquiets pour s'endormir.

— Abandonnons le bateau, proposa Jondalar. Les chevaux peuvent traverser les petits cours d'eau sans mouiller le matériel. Et dans les rivières plus profondes, nous remonterons les paniers sur leur dos, au lieu de les laisser pendre sur leurs flancs.

— Un jour, je venais d'être chassée du Clan et j'étais à la recherche des miens quand j'ai dû franchir une grande rivière qui me barrait le chemin. Alors j'ai attaché mes affaires sur une souche et j'ai nagé en la poussant devant moi.

— Ça ne devait pas être facile, remarqua Jondalar. Nager sans les mains, c'est sûrement dangereux.

— C'est vrai, mais je n'avais pas le choix.

Elle s'absorba dans une profonde méditation, et Jondalar crut qu'elle s'était endormie. Elle lui livra enfin le fond de ses pensées.

— Jondalar, j'ai l'impression que nous avons parcouru plus de chemin que lorsque j'ai quitté le Clan. Qu'en dis-tu ?

— Oui, nous avons bien avancé, répondit-il avec prudence en s'accoudant pour mieux la voir. Mais il nous reste une longue route avant d'arriver chez moi. Es-tu fatiguée de voyager ?

— Oui, un peu. J'aimerais me reposer un moment avant de continuer. Tant que je suis avec toi, peu m'importe de voyager loin, mais je n'imaginais pas que le monde était si vaste. Ne finit-il jamais ?

— A l'ouest de mon pays, la terre s'arrête aux Grandes Eaux. Personne ne sait ce qu'il y a au-delà. Je connais un homme qui a voyagé très loin et qui prétend avoir vu de grandes eaux dans l'est, mais rares sont ceux qui le croient. Beaucoup voyagent mais jamais très loin, et ils ont peine à croire aux récits des longs Voyages. Ils ont besoin de voir pour être convaincus. Mais certains ont traversé de nombreux pays... et je n'aurais jamais imaginé devenir l'un

315

d'eux, ajouta-t-il avec un petit rire ironique. Wymez avait exploré les alentours de la mer du Sud et il affirmait qu'il y avait encore des terres plus au sud.

— Il a trouvé la mère de Ranec et il l'a ramenée. On est bien obligé de le croire. As-tu jamais vu une peau aussi noire que celle de Ranec ? Wymez a dû aller loin pour trouver une femme comme ça.

Jondalar contempla le visage d'Ayla éclairé par le feu de bois, et se sentit fondre d'amour pour elle. Et dévoré de soucis. Parler du Voyage lui rappelait le long chemin qu'il leur restait à parcourir.

— Au nord, la terre se termine dans le glacier, reprit Ayla. Personne ne peut aller au-delà.

— Si, par bateau. Mais on dit que ce ne sont que glaces et neiges à perte de vue, et que les esprits des ours y habitent. On dit aussi qu'on y trouve des poissons plus gros que les mammouths. Des gens de l'Ouest prétendent que des chamans sont assez puissants pour les attirer, et qu'une fois sur le rivage, ils ne peuvent plus repartir, mais...

Un fracas retentit soudain dans les arbres. Les deux voyageurs sursautèrent, puis restèrent ensuite cloués sur leur couche sans dire un mot, osant à peine respirer. Loup émit un grognement sourd, et Ayla le retint de crainte qu'il ne se rue dehors. Les échos d'un combat furieux leur parvinrent, puis ce fut de nouveau le silence, et bientôt Loup cessa de gronder. Jondalar se demandait s'il allait pouvoir s'endormir. Il finit par se lever et rajouta une bûche dans le feu, en se félicitant d'avoir trouvé de grosses branches qu'il avait fendues avec sa hache de silex à manche d'ivoire.

— Le glacier que nous devons traverser n'est pas au nord, n'est-ce pas ? demanda Ayla quand il revint se coucher.

— Par rapport à l'endroit où nous sommes, si. Mais il est au sud du mur de glace. A l'ouest, il y a une autre chaîne de montagnes, c'est celle que tu as aperçue aujourd'hui. Le glacier que nous traverserons se trouve sur des hauts plateaux, au nord de ces montagnes.

— Est-ce vraiment difficile de traverser un glacier ?

— Eh bien, il y fait très froid, et le blizzard y souffle souvent. Au printemps et en été, la glace fond, des crevasses énormes s'ouvrent, et si tu tombes dedans tu ne peux plus en ressortir. L'hiver, les crevasses se remplissent de neige et de glace, mais ça reste dangereux.

Ayla frissonna.

— Oui, mais tu disais qu'on pouvait contourner le glacier. Pourquoi devrait-on le traverser alors ?

— Parce que c'est le seul moyen d'éviter le territoire des Têtes... euh... du Clan.

— Tu allais dire le territoire des Têtes Plates.

— Eh oui, c'est comme cela qu'on les a toujours appelés, s'excusa Jondalar. Il va falloir t'habituer, Ayla, tout le monde les appelle ainsi.

— Mais pourquoi les éviter ?

— Il y a eu des accrochages, expliqua Jondalar d'un air soucieux. Je ne sais même pas si les Têtes Plates du Nord sont les mêmes que ceux de ton Clan... En tout cas, ce ne sont pas eux qui ont commencé. A l'aller, j'ai entendu dire qu'une bande de jeunes hommes les... les harcelait. C'étaient des Losadunaï, ils appartenaient au peuple qui vit près du glacier.

— Et pour quelles raisons les Losadunaï cherchent-ils des ennuis au Clan ? s'étonna Ayla.

— Ce ne sont pas tous des Losadunaï, Ayla. Les Losadunaï ne veulent d'ennuis avec personne. C'est seulement cette bande d'excités. Ils doivent trouver ça drôle, je ne sais pas... Au début, en tout cas, ce n'était qu'un jeu.

Ayla n'avait certainement pas du jeu la même conception qu'eux, mais elle s'inquiétait surtout de la durée de leur Voyage et du chemin qu'il leur restait à parcourir. A entendre Jondalar, ils n'étaient pas près de toucher au but. Elle décida de ne plus penser au-delà du lendemain, et de chasser le reste de son esprit.

Allongée sur sa couche, elle regrettait de ne pas voir le ciel à travers la voûte de feuillage.

— Oh, regarde, Jondalar ! On dirait qu'on aperçoit des étoiles. Tu les vois ?

— Non, où ça ?

— Là-bas. Presque au-dessus de nous, un peu en arrière. Tu les vois ?

— Ah, oui... oui, je crois. Bien sûr ce n'est pas le sillon de lait de la Mère, mais je vois quelques étoiles, tu as raison.

— Le sillon de lait de la Mère, qu'est-ce que c'est ?

— C'est encore une des légendes sur la Mère et Son Enfant.

— Oh, raconte-moi !

— Attends que je m'en souvienne... Ah, oui, ça commence comme ça...

Il se mit à fredonner la mélodie, puis commença au milieu d'un vers :

Son sang se figea et sécha en terre d'une ocre rougeur,
Mais l'enfant lumineux fit fructifier son labeur.

Pour la Mère un immense bonheur.
Un enfant brillant d'une telle lueur.

Des montagnes s'élevèrent en crachant leur fournaise,
Elle donna à Son fils Ses mamelons montagneux.
Il téta si fort, et si loin jaillirent les braises,
Que le lait chaud de la Mère traça un sillon dans les cieux.

— Et voilà ! Zelandoni serait contente que je m'en souvienne.

— Oh, Jondalar, comme c'est beau ! J'aime la mélodie, et les paroles sont émouvantes.

Elle ferma les yeux et récita les vers plusieurs fois. En l'écoutant, Jondalar fut de nouveau impressionné par sa mémoire prodigieuse. Elle ne les avait entendus qu'une fois, et pourtant elle s'en souvenait déjà. Il enviait sa mémoire, et son don pour les langues.

— Ce n'est qu'une légende, n'est-ce pas ? Ce n'est pas la réalité ?

— Qu'est-ce qui n'est pas la réalité ? demanda Jondalar.

— Les étoiles ne sont pas le lait de la Mère ?

— Les étoiles ne sont peut-être pas du lait, mais il y a du vrai dans cette légende.

— Que signifie-t-elle ?

— Elle raconte le commencement des choses, et d'où nous venons. La légende explique que la Grande Terre Mère nous a créés, que nous sommes issus de Son corps, qu'Elle habite avec le soleil et la lune, dont Elle est la Grande Mère comme Elle est la nôtre. Elle dit aussi que les étoiles font partie de Son univers.

— Oui, il y a peut-être du vrai dans tout ça, admit Ayla.

Elle aimait les légendes et elle fut impatiente de rencontrer cette Zelandoni pour qu'elle lui raconte toutes celles de son peuple.

— Creb m'a dit que les étoiles étaient les foyers de ceux qui vivent dans le monde des esprits, de tous ceux qui s'en sont allés, et de tous ceux à venir, reprit Ayla. Elles abritent aussi les esprits des totems.

— Oui, il y a peut-être du vrai là-dedans aussi, concéda Jondalar en songeant que les Têtes Plates avaient décidément beaucoup en commun avec les humains. Comment pouvait-on les prendre pour des bêtes ?

— Un jour, poursuivit Ayla, Creb m'a montré où était le foyer de mon totem, le Grand Lion des Cavernes.

Elle étouffa un bâillement et se tourna sur le côté.

Ayla s'efforçait de voir où elle se dirigeait, mais les énormes troncs d'arbres moussus lui bouchaient la vue. Elle continua son ascension sans savoir où elle allait, et ne souhaitant qu'une chose : s'arrêter et se reposer. Ah, si seulement elle pouvait s'asseoir ! A ses pieds, une bûche accueillante semblait n'attendre qu'elle. Ah, si elle pouvait l'atteindre, mais la bûche semblait reculer à mesure qu'Ayla avançait. L'instant d'après, elle était assise dessus, mais la bûche se désintégra en poussière grouillante de vers. Ayla tomba dans un gouffre, s'accrochant désespérément à la terre pour remonter à la surface.

Elle n'était plus dans la forêt épaisse. Elle grimpait un sentier escarpé et familier à travers un petit bois. En haut, à flanc de montagne, une famille de cerfs paissaient dans une prairie bordée de buissons de noisetiers. Ayla avait peur. Les buissons dissimulaient un abri, mais elle n'en trouvait pas l'entrée. Les noisetiers poussaient, poussaient, atteignant la taille d'arbres immenses, recouverts de mousse. Elle essaya de se repérer, mais elle ne voyait que des arbres, et encore des arbres, et l'obscurité tombait. Elle tremblait de peur, mais elle aperçut alors quelqu'un bouger au loin.

C'était Creb, devant l'entrée d'une petite grotte, et il l'empêchait de passer en lui faisant signe de partir. Ce n'était pas sa grotte, et elle devait se trouver un endroit à elle. Il lui indiqua son chemin, mais il faisait trop sombre pour qu'elle comprît ses gestes. Elle savait seulement qu'elle devait partir. Alors, de sa main valide, Creb lui désigna la voie.

Lorsqu'elle releva la tête, les arbres avaient disparu. Elle reprit son ascension vers la grotte. Elle ne l'avait jamais vue, et pourtant c'était une grotte étrangement familière, et au-dessus, elle apercevait la forme d'un rocher en équilibre. Lorsqu'elle se retourna, Creb s'en allait. Elle l'appela, le supplia :

— *Creb ! Creb ! Oh, Creb, reste !*

— Ayla ! Réveille-toi ! Ayla, tu rêves ! disait Jondalar en la secouant gentiment.

Ayla ouvrit les yeux, mais le feu s'était éteint, et elle ne vit que l'obscurité. Elle s'accrocha à Jondalar.

— Oh, Jondalar, c'était Creb. Il m'empêchait de passer, il ne voulait pas que je rentre, il ne voulait pas que je reste. Il me disait quelque chose, mais il faisait trop noir pour que je voie ses signes. Il me montrait une grotte qui m'était familière, mais il ne voulait pas rester.

Jondalar la prit dans ses bras et la rassura. Elle tremblait.

— La grotte ! s'écria-t-elle soudain en se redressant. Celle dont il bouchait l'entrée, c'était ma grotte. C'est là que je suis allée après la naissance de Durc, quand j'ai eu peur qu'ils m'empêchent de le garder.

— Les rêves sont souvent confus, tu sais. Une zelandoni arrive à les interpréter, de temps en temps. C'est peut-être parce que tu regrettes d'avoir abandonné ton fils.

— Oui, peut-être.

Elle ne regrettait rien, mais si c'était vraiment le sens de son rêve, pourquoi le faire maintenant ? Pourquoi pas après qu'ils eurent contemplé la mer de Beran, quand elle avait adressé un dernier adieu à Durc ? Quelque chose lui suggérait que son rêve signifiait davantage que cela. Lorsqu'elle se réveilla pour la deuxième fois, il faisait jour. L'épais feuillage de la forêt tamisait la lumière du soleil.

Au matin, Ayla et Jondalar repartirent à pied vers le nord. Ils nouèrent les perches ensemble, attachèrent le canot au milieu, et portant chacun une extrémité des perches, ils purent contourner les obstacles plus facilement que la jument. Les chevaux, chargés seulement des paniers, purent ainsi se reposer. Mais Rapide, livré à lui-même, avait tendance à s'arrêter pour picoter les feuilles des jeunes rejets, à défaut de pâturage. Reniflant l'herbe tendre d'une petite clairière qu'une tornade avait créée en couchant les arbres, permettant ainsi au soleil de percer, il fit même un large détour.

Jondalar, fatigué de lui courir après, essaya de tenir là longe de l'étalon en même temps que les perches, mais il avait du mal à tout surveiller en même temps : les changements de direction d'Ayla, l'endroit où il mettait les pieds, et faire attention à ne pas entraîner Rapide dans un trou, ou pire encore. Il aurait tant voulu que l'étalon, à l'instar de Whinney, le suive sans longe ni harnais. Finalement, quand par mégarde il heurta assez violemment Ayla avec les perches, elle lui fit une suggestion.

— Pourquoi ne pas attacher Rapide à Whinney? proposa-t-elle. Elle a l'habitude de me suivre, elle fait attention où elle passe et elle guidera Rapide. Il la suit partout. Comme ça, tu n'auras pas à t'occuper de lui et tu pourras te concentrer sur les perches.

Jondalar parut perplexe. Puis son visage s'éclaira.

— Pourquoi n'y ai-je pas pensé plus tôt! s'exclama-t-il, ravi.

Ils grimpaient depuis longtemps. La pente devint soudain plus raide et la forêt changea brutalement. Les bois s'éclaircirent et on ne vit plus de grands caducifoliés. Les sapins et les épicéas formaient la base de la nouvelle sylve. S'y mêlaient quelques rares bois durs, plus petits que leurs cousins d'en bas.

Ils atteignirent le haut d'une crête d'où ils dominèrent un vaste plateau qui descendait en pente douce avant de se stabiliser. En haut du plateau, s'étendait une forêt de conifères, sapins, épicéas et pins, dont le vert foncé était rehaussé par la présence de quelques mélèzes aux aiguilles virant sur le jaune doré. Le paysage était illuminé par l'or des prairies éclaboussées du bleu du ciel et du blanc des nuages qui se reflétaient dans de petits lacs. Un rapide cours d'eau partageait l'espace, alimenté par des torrents qui tombaient en cascades de la montagne au loin. Et au-delà, montait jusqu'au ciel un pic couronné de blanc que les nuages masquaient en partie. C'était un spectacle à couper le souffle.

Il paraissait si proche qu'Ayla avait l'impression de pouvoir le toucher. Derrière elle, le soleil illuminait les couleurs et les reliefs de la pierre; des roches ocre saillaient de murs gris pâle; des parois presque blanches contrastaient avec le gris foncé d'étranges colonnes droites et anguleuses surgies du cœur en fusion de la terre. Et au-dessus, scintillaient les glaces bleu-vert d'un glacier auquel les neiges éternelles donnaient un écrin nacré. Soudain, comme par magie, le soleil et les nuages de pluie s'associèrent pour créer un arc-en-ciel qui enjamba la montagne.

Emerveillés par tant de beauté, les deux voyageurs buvaient littéralement des yeux ce spectacle d'une sérénité grandiose. Ayla n'était pas loin de penser que l'arc-en-ciel était un signe de bienvenue, et elle nota que l'air était délicieusement frais et pur. Elle poussa un soupir de soulagement à l'idée d'être débarrassée de la chaleur mortelle de la plaine, et des moucherons infernaux. Elle aurait volontiers mis un terme à son Voyage, tant ce haut plateau était l'endroit rêvé pour s'y installer.

Elle se tourna vers Jondalar, le visage radieux. Il fut d'abord frappé par l'intensité de son bonheur, de son ravissement et de son envie de vivre dans ce lieu merveilleux. L'émotion et la joie qui illuminaient Ayla la rendaient si belle et si désirable que Jondalar voulut la prendre sur-le-champ, et ce désir urgent transparut dans ses yeux d'un bleu profond. Ayla sentit la force de cet amour qui répondait au sien.

Chacun sur leur monture, ils se dévoraient du regard, fascinés par des sentiments aussi impérieux qu'inexplicables : leur désir commun de partager des émotions intimes ; le rayonnement de chacun offert à l'autre ; et la force de leur amour. Inconsciemment, ils tentèrent de se rapprocher l'un de l'autre. Les chevaux interprétèrent mal leur mouvement. Whinney, suivie de Rapide, commença à descendre la colline, sortant les cavaliers de leur envoûtement. Attendris et amusés par leur méprise, Ayla et Jondalar échangèrent un regard plein de promesses, et se laissèrent guider par les chevaux jusqu'au pied de la colline. Là, ils tournèrent vers le nord-ouest pour longer le plateau.

Par une fraîche matinée où les premières gelées annonçaient le prochain changement de saison, ce qu'Ayla accueillit avec soulagement, Jondalar reconnut les alentours du territoire des Sharamudoï. Les collines boisées rappelaient à Ayla les forêts de son enfance, et elle s'attendait toujours à tomber sur un paysage connu. Tout semblait familier : les arbres, les plantes, les prés, la disposition des sols. Plus elle avançait, plus elle se sentait chez elle.

A la vue de noisettes dans leur cupule verte, à peine mûres, comme elle les préférait, elle ne put s'empêcher de descendre de cheval pour en cueillir. Elle brisa quelques coquilles avec ses dents, et soudain, elle comprit pourquoi elle se sentait chez elle. La ressemblance avec la région montagneuse de la péninsule était frappante, on se serait cru près de la caverne du clan de Brun. Elle avait grandi dans un lieu quasi identique.

Jondalar, pour d'autres raisons, trouvait aussi l'endroit familier, et les traces qui menaient à un sentier longeant une falaise lui confirmèrent qu'ils approchaient du campement. Il avait peine à retenir son impatience, et quand Ayla s'arrêta près d'un monceau de ronces aux longs stolons bardés d'aiguillons, aux branches croulant de mûres tendres et juteuses, il la soupçonna de les retarder volontairement.

— Jondalar ! s'écria-t-elle en se laissant glisser du dos de Whinney. Attends, des mûres ! Regarde !

— Nous sommes presque arrivés, Ayla. Viens.

— Non, attends. Emportons-en avec nous, suggéra-t-elle, la bouche pleine. Je n'en ai pas vu d'aussi belles depuis que j'ai quitté le Clan. Goûte-les, Jondalar ! Elles sont délicieuses, non ?

A force d'en cueillir à pleines poignées et de les engloutir voracement, ses mains et sa bouche étaient devenues violettes.

— Ayla, si tu te voyais ! s'exclama-t-il en éclatant de rire. On dirait une petite fille.

La scène lui paraissait si drôle qu'il avait oublié sa rancœur. Ayla, de son côté, ne pouvait rien lui répondre. Sa bouche était trop pleine.

A son tour, il descendit cueillir des mûres, les trouva excellentes, et poursuivit sa collecte.

— Je croyais que tu voulais en rapporter, s'interrompit-il après en avoir mangé de bonnes poignées. Mais nous n'avons rien pour les mettre.

— Oh, que si ! fit-elle avec un sourire barbouillé, en ôtant son chapeau de paille conique qu'elle tapissa de feuilles. Tiens, sers-toi de ton chapeau.

Ils avaient rempli les trois quarts de leur chapeau quand Loup se mit à gronder. Ils levèrent la tête et virent arriver du sentier un grand garçon qui les contemplait bouche bée, les yeux dilatés de peur à la vue du gros loup.

— Darvo ? Darvo, c'est toi ? s'écria Jondalar en s'avançant vers le garçon. C'est moi, Jondalar ! Jondalar des Zelandonii !

Jondalar avait parlé dans une langue qu'Ayla ne connaissait pas, bien que certains mots ou sons fussent proches du mamutoï. Elle vit avec amusement le visage du jeune homme passer de la terreur à l'incrédulité, puis à la joie.

— Jondalar ! s'exclama-t-il. Que fais-tu ici ? Je croyais que je ne te reverrais jamais.

Ils tombèrent dans les bras l'un de l'autre. Jondalar se recula ensuite, saisit le nouveau venu par les épaules et l'étudia soigneusement.

— Laisse-moi t'admirer. Grande Mère, comme tu as grandi !

Ayla, frustrée de vie sociale depuis si longtemps, dévorait le garçon des yeux. Jondalar étreignit encore l'étranger, et Ayla devina leur sympathie mutuelle. Mais passées les premières embrassades, Darvo parut gêné. Il n'était plus un enfant, et autant il acceptait des retrouvailles chaleureuses, autant les démonstrations exubérantes de Jondalar lui paraissaient excessives, même venant de celui qui avait été l'homme de son foyer. Darvo regarda ensuite Ayla, puis le loup, et ses yeux s'agrandirent de peur. Il remarqua alors les chevaux quelques pas plus loin, les paniers suspendus à leurs flancs et les perches jaillissant du dos de Whinney. Il écarquilla les yeux de plus belle.

— Euh... il vaut mieux que je te présente mes... mes

amis, dit vivement Jondalar. Darvo des Sharamudoï, je te présente Ayla des Mamutoï.

Ayla reconnut le ton des présentations rituelles, et comprit quelques mots. Elle fit signe à Loup de se tenir tranquille pendant qu'elle s'avançait vers le garçon, les deux mains tendues, paumes en l'air.

— Je suis Darvo des Sharamudoï, dit le jeune homme en lui prenant les mains. (Et il ajouta dans la langue des Mamutoï :) Je te souhaite la bienvenue, Ayla des Mamutoï.

— Ça alors ! s'extasia Jondalar. Tholie t'a rudement bien appris. Tu parles le mamutoï comme si c'était ta langue maternelle. Dois-je t'appeler Darvo, ou Darvalo, maintenant ?

— Mon nom est Darvalo, Darvo était un nom d'enfant, avoua le jeune homme en rougissant. Mais tu peux continuer à m'appeler Darvo, si tu préfères. Après tout, c'est sous ce nom que tu m'as toujours connu.

— Darvalo est un beau nom, assura Jondalar. Et je suis très content que tu aies continué les leçons de mamutoï avec Tholie.

— Dolando trouvait l'idée très bonne. Il disait que j'aurais besoin de parler la langue pour faire du troc avec les Mamutoï au printemps prochain.

— Veux-tu que je te présente Loup ? demanda Ayla.

Le jeune homme sourcilla. Il n'avait jamais pensé qu'il se trouverait un jour nez à nez avec un loup, et l'avait encore moins souhaité. Mais Jondalar n'avait pas peur du redoutable carnassier, pas plus que la femme, d'ailleurs... L'accent d'Ayla le troublait, il différait de celui de Tholie. Les sons surtout étaient étranges.

— Tends ta main, qu'il puisse la sentir. Loup a besoin de s'habituer à ton odeur, expliqua Ayla.

Darvalo n'était pas sûr d'avoir envie d'approcher sa main de la gueule du loup, mais il était trop tard pour reculer. Il avança donc sa main à contrecœur. Loup la renifla, et à la grande surprise du garçon, la lécha. La langue était chaude et humide. La bête ne lui faisait aucun mal. C'était même plutôt agréable. Darvalo regarda tour à tour la femme et l'animal. Ayla avait passé un bras autour du loup et lui flattait la tête de son autre main. Caresser la tête d'un loup ! Darvalo n'en croyait pas ses yeux.

— Aimerais-tu toucher sa fourrure ? demanda Ayla.

Darvalo allait de surprise en surprise. Il approcha la main, mais Loup se recula.

— Attends, fit Ayla, qui prit la main du garçon et la posa d'un geste décidé sur la tête de Loup. Il aime bien qu'on le gratte. Regarde, comme ça, lui montra-t-elle.

Une puce dérangea le quadrupède, à moins que le grattement ne lui ait provoqué une démangeaison. Toujours est-il qu'il s'assit sur son arrière-train, et se gratta énergiquement l'oreille avec sa patte arrière, ce qui arracha un sourire à Darvalo. Il n'avait jamais vu un loup pris d'une telle frénésie.

— Tu vois, je t'avais dit qu'il aimait bien qu'on le gratte. C'est comme les chevaux, déclara Ayla en appelant Whinney.

Darvalo coula un regard furtif vers Jondalar. Il le vit sourire comme s'il trouvait normal qu'une femme caressât ou grattât des loups et des chevaux.

— Darvalo des Sharamudoï, je te présente Whinney.

— Tu parles aux chevaux ? s'étonna Darvalo, de plus en plus dérouté.

— Tout le monde peut parler à un cheval, mais il n'écoute pas n'importe qui, expliqua Ayla. Il faut d'abord l'apprivoiser. C'est parce Jondalar l'a connu tout petit que Rapide l'écoute.

Darvalo se retourna et eut un brusque mouvement de recul en voyant Jondalar perché sur le dos de Rapide.

— Mais... mais tu es assis sur cette bête ! s'exclama-t-il.

— Bien sûr que je suis assis sur Rapide ! répliqua Jondalar, amusé. Il me laisse faire parce qu'il me connaît, Darvo... euh, Darvalo. Je peux même rester sur lui quand il galope, et il va vite, je te jure.

327

Le jeune homme était sur le point de décamper... à toute vitesse, lui aussi.

— A propos de ces animaux, reprit Jondalar se laissant glisser du dos de Rapide, il faut que tu nous aides. (Le garçon le regarda pétrifié, prêt à prendre ses jambes à son cou.) Nous voyageons depuis longtemps et j'ai hâte de revoir Dolando, Roshario, et tous les autres, mais je ne veux pas qu'ils s'effraient en voyant les bêtes. Ils n'ont pas l'habitude, tu comprends. Accepterais-tu de nous accompagner, Darvalo? S'ils s'aperçoivent que tu n'as pas peur, ils seront moins inquiets. Qu'en dis-tu?

Darvalo se détendit quelque peu. Ce qu'on lui demandait ne présentait pas de difficultés. Après tout, que risquait-il? Il se réjouissait d'avance en imaginant la tête que feraient ceux du camp en le voyant accompagner Jondalar, Ayla, les deux chevaux et le loup. Dolando et Roshario en seraient ébahis...

— Ah, j'avais presque oublié, déclara Darvalo. J'avais promis à Roshario de lui rapporter des mûres. Elle ne peut plus en cueillir, alors...

— Nous en avons ramassé, dit Ayla.

— Pourquoi ne peut-elle plus en cueillir? demanda Jondalar, presque en même temps.

Le regard du garçon allait de l'un à l'autre.

— Elle est tombée de la falaise sur l'embarcadère, et elle s'est cassé le bras, expliqua-t-il. Elle ne pourra plus jamais s'en servir, il n'a pas été remis en place.

— Pourquoi? s'étonnèrent ensemble Ayla et Jondalar.

— Parce qu'il n'y avait personne pour le faire.

— Ah! Mais où est Shamud? Et ta mère, où est-elle? demanda Jondalar.

— Shamud est mort, l'hiver dernier.

— Oh, je suis désolé! s'exclama Jondalar.

— Quant à ma mère, elle est partie. Un Mamutoï est venu voir Tholie peu après ton départ. C'était un cousin à elle. Ma mère lui a plu et il l'a demandée pour compagne. Elle en a étonné plus d'un en partant avec lui vivre chez les

Mamutoï. Il m'avait demandé si je voulais venir avec eux, mais Dolando et Roshario voulaient que je reste. Alors j'ai préféré rester. Je suis un Sharamudoï, pas un Mamutoï. Euh... je... bredouilla-t-il en rougissant. Je n'ai rien contre les Mamutoï, s'empressa-t-il d'ajouter.

— Non, bien sûr que non, le rassura Jondalar. Je comprends ce que tu ressens, Darvalo. Je suis toujours Jondalar des Zelandonii, tu sais. Il y a longtemps que Roshario est tombée ?

— C'était à la lune d'été.

Ayla lança un regard interrogateur à Jondalar.

— Lorsque la dernière lune avait la même forme que maintenant, précisa Jondalar à l'adresse d'Ayla. Crois-tu qu'il soit trop tard ?

— Je ne peux rien dire avant de l'avoir examinée, répondit Ayla.

— Ayla est une Femme Qui Soigne, Darvalo. Une excellente Femme Qui Soigne. Elle pourra peut-être faire quelque chose.

— Je me demandais si elle n'était pas shamud, avoua Darvalo. Pour parler aux chevaux et caresser les loups... Elle doit certainement être experte dans l'art de soigner. Je vous accompagne pour que les autres n'aient pas peur, ajouta-t-il en bombant le torse.

Il faisait plus vieux que ses treize ans.

— Peux-tu porter ces mûres, s'il te plaît ? demanda Ayla. J'aimerais rester près de Whinney et de Loup. Ils ont peur des humains, parfois.

15

Darvalo en tête, ils descendirent à travers bois le sentier abrupt. En bas, ils prirent à droite un autre sentier moins pentu. C'était un chenal de ruissellement des eaux à la fonte des neiges et à la saison des pluies. A la fin de l'été, le revêtement rocailleux du lit asséché rendait la marche difficile.

Animaux de plaines, Whinney et Rapide n'en avaient pas moins le pied sûr. Très jeunes, ils avaient appris à négocier l'étroit sentier qui menait à sa grotte, mais Ayla avait toujours peur d'un accident et elle fut soulagée quand ils s'engagèrent dans un autre sentier plus praticable, où deux personnes pouvaient marcher de front.

Ils traversèrent un passage escarpé et ils arrivèrent bientôt devant une muraille rocheuse. Là, une pente d'éboulis donna à Ayla une impression de familiarité. Elle avait déjà vu de semblables amoncellements de rocs au pied des montagnes de son enfance. Elle reconnut même les grandes fleurs blanches malodorantes en entonnoir d'une plante aux feuilles dentelées. Ceux du Foyer du Mammouth l'appelaient le « pommier piquant » à cause de ses fruits verts protégés par de multiples aiguillons. De vieux souvenirs surgirent de la mémoire d'Ayla. C'était du datura. Creb et Iza s'en servaient, chacun dans un but différent.

Pour Jondalar aussi, l'endroit était familier. Autrefois, il avait ramassé des cailloux dans ces éboulis pour border des sentiers, ou des feux, et sachant le campement proche, il bouillait d'impatience. Il se rappelait que le sentier avait été taillé dans la muraille et tapissé d'éclats de roche. Plus loin, les arbres et les fourrés laissaient filtrer des coins de ciel bleu, et Jondalar savait qu'ils approchaient du bord de la falaise.

— Ayla, nous devrions décharger les perches et les paniers, suggéra-t-il. Le sentier qui contourne ce mur est assez étroit, nous reviendrons les chercher plus tard.

Ils entassèrent le matériel à terre et continuèrent le sentier qui débouchait à ciel ouvert. Ayla suivait Darvalo, et Jondalar fermait la marche. Il sourit lorsque Ayla atteignit le bord de la falaise, regarda en bas... et recula précipitamment jusqu'à la paroi. Prise d'un léger vertige, elle s'accrocha à la roche, puis revint près du bord, risqua un œil et resta bouche bée.

La falaise s'élevait à pic au-dessus de la Grande Rivière Mère qu'ils avaient suivie pendant si longtemps. Ayla ne l'avait jamais contemplée d'une telle hauteur. Elle avait déjà vu les multiples bras du gigantesque fleuve réunis en un seul flot, mais uniquement depuis une berge à peine plus élevée que le niveau de l'eau. Une force irrésistible attirait la jeune femme au bord de la falaise.

Le fleuve, qui avait serpenté et s'était étalé en de nombreux bras, ne formait plus qu'un seul courant comprimé entre deux parois verticales de rochers qui surgissaient de l'eau. La Grande Rivière Mère coulait, silencieuse, avec une puissance tranquille, et ondulait en vagues huileuses qui roulaient sur elles-mêmes et se brisaient à peine formées. D'autres affluents viendraient grossir le fleuve en aval et lui donneraient son ampleur définitive, mais elle avait déjà atteint un volume si impressionnant qu'on notait à peine la diminution de son débit, surtout de si haut.

Çà et là, un pic rocheux surgissait du fleuve et brisait le courant, créant des rouleaux d'écume, et Ayla vit une souche d'arbre ballottée par les flots heurter le rocher et le contourner ensuite en tournoyant. Une construction en bois, collée à la paroi, se remarquait à peine. Ayla s'arracha à la contemplation du spectacle fascinant et observa les montagnes en face. Bien qu'encore arrondies, elles étaient plus hautes et plus escarpées qu'en aval, et atteignaient presque la hauteur des cimes glacées septentrionales. Les deux chaînes de montagnes avaient autrefois été réunies jusqu'au jour où l'érosion conjuguée des eaux et du temps avait creusé ce passage.

Darvalo attendait avec patience qu'Ayla eût fini d'admirer ce site spectaculaire qui marquait l'entrée sur le territoire de son peuple. Il avait toujours vécu ici et ne prêtait plus attention à la majesté des lieux, mais il était habitué à la réaction des étrangers. Chaque fois qu'il observait leur visage émerveillé, il en ressentait une grande fierté et se surprenait à admirer le panorama à travers leur regard neuf. Lorsque Ayla détacha enfin ses yeux du spectacle, il lui sourit et ouvrit le chemin le long de la paroi rocheuse. L'étroite vire primitive avait été élargie grâce à un dur labeur. Deux hommes pouvaient l'aborder de front, ce qui permettait d'y transporter du bois, des carcasses d'animaux ou d'autres provisions indispensables. Les chevaux y trottaient à l'aise.

Lorsque Jondalar atteignit le rebord de la falaise, il reçut un coup familier au sternum, vestige d'un vertige dont il n'avait jamais réussi à se débarrasser pendant tout le temps où il avait vécu parmi les Sharamudoï. La sensation n'était pas assez violente pour l'empêcher d'apprécier la vue, ni le travail énorme qu'il avait fallu pour creuser ne serait-ce qu'une infime partie de la roche à l'aide de masses et de lourdes haches de pierre. Mais il préférait tout de même ce chemin à celui qu'on utilisait habituellement.

Whinney sur ses talons, Ayla suivait le jeune garçon tout en surveillant Loup du coin de l'œil. Ils débouchèrent sur un vaste palier en forme de fer à cheval. Longtemps auparavant, quand l'immense mer intérieure s'était vidée en se frayant une voie à travers la chaîne de montagnes, le niveau de l'eau était plus haut et une baie abritée s'était formée. La baie avait survécu, largement au-dessus du fleuve.

Une herbe verte la recouvrait jusqu'au bord du précipice. A mi-chemin entre le vide et la muraille commençaient des buissons, peu à peu remplacés par de petits arbres qui gagnaient sur la pente de la montagne. Jondalar savait qu'on pouvait escalader cette pente, bien que rares fussent ceux qui s'y risquaient. C'était une issue malcommode, utilisée seulement en cas d'urgence. Au tournant de la muraille, le sentier ouvrait sur une enclave que surplombait une large saillie de grès qui abritait des habitations en bois.

A l'autre bout du terrain, fierté et richesse du Camp, une source d'eau pure tombait des rochers en cascadant jusqu'à un petit bassin naturel creusé dans le grès. De là, l'eau ruisselait le long du mur jusqu'à la falaise, d'où elle se jetait dans la Grande Mère.

A leur arrivée, plusieurs personnes abandonnèrent leurs occupations et fixèrent le loup et les chevaux d'un air effaré.

— Darvo! cria une voix. Qui amènes-tu?

Ce fut Jondalar qui répondit par un salut dans la même langue.

Il tendit la longe de Rapide à Ayla, passa un bras sur les épaules de Darvalo et s'avança avec lui vers le chef de la Caverne.

— Dolando! C'est moi, Jondalar!

— Jondalar? C'est vraiment toi? s'inquiéta Dolando, hésitant à reconnaître le géant blond. D'où viens-tu?

— Je viens de l'est. J'ai passé l'hiver chez les Mamutoï.

— Et qui sont ceux-là? demanda Dolando.

Jondalar comprit que le chef devait être profondément troublé pour en oublier ainsi les convenances.

— C'est Ayla des Mamutoï. Les animaux voyagent avec nous et lui obéissent, tout comme à moi. Ils ne feront de mal à personne, assura Jondalar.

— Le loup non plus ? demanda Dolando.

— J'ai caressé le loup et j'ai touché sa fourrure, affirma Darvalo. Il n'a même pas essayé de me mordre.

— Tu l'as caressé ? s'étonna Dolando, incrédule.

— Oui. Ayla dit qu'il suffit d'apprendre à les connaître.

— Il a raison, Dolando. Je ne les aurais pas amenés s'ils étaient dangereux. Viens que je te présente Ayla... et les bêtes. Tu pourras juger toi-même.

Jondalar revint avec Celui Qui Ordonne au milieu du pré, et d'autres Sharamudoï les suivirent bientôt. Les chevaux, qui s'étaient mis à brouter, s'arrêtèrent à l'approche de la petite troupe. Whinney vint chercher protection auprès d'Ayla qui tenait toujours Rapide par sa longe, et qui avait posé sa main sur la tête de Loup. L'énorme loup observait avec circonspection l'arrivée des intrus, mais sans montrer les crocs.

— Comment fait-elle pour que les chevaux n'aient pas peur du loup ? interrogea Dolando.

— Oh, ils le connaissent et n'ont rien à redouter de lui. Ils l'ont vu grandir, expliqua Jondalar.

— Mais pourquoi ne s'enfuient-ils pas ? insista le chef.

— Ils ont toujours vécu parmi les humains. Moi-même, j'ai vu naître l'étalon. J'étais gravement blessé, et Ayla m'a sauvé la vie.

Dolando s'arrêta soudain, et porta sur le géant blond un regard scrutateur.

— Dis-moi, Jondalar, est-elle une shamud ?

— Elle est membre du Foyer du Mammouth.

— Si c'est une mamut, où est donc son tatouage ? intervint une petite jeune femme rondouillarde.

— Nous sommes partis avant la fin de son initiation, Tholie, expliqua Jondalar en lui souriant. (Il reconnaissait

334

bien là la jeune Mamutoï, toujours aussi franche et directe.)

— Ah, c'est bien notre chance ! soupira Dolando en hochant la tête avec dépit. Rosario s'est blessée en tombant.

— Oui, je sais. Darvo nous l'a dit. Il paraît que Shamud est mort ?

— Oui, il est retourné dans l'autre monde l'hiver dernier. Dommage que la femme ne sache pas donner les soins, nous avons envoyé un messager chez un autre Camp, mais leur shamud est en voyage. Un coureur a remonté le fleuve chercher de l'aide dans une autre Caverne, mais c'est très loin et j'ai peur qu'il soit déjà trop tard pour intervenir.

— Mais non, cette initiation-là était terminée, Ayla est une Femme Qui Soigne. Excellente, même ! Les secrets des plantes lui ont été révélés par... (Jondalar se souvint à temps des préjugés de Dolando.)... par la femme qui l'a recueillie. C'est une longue histoire, mais crois-moi, elle est très compétente.

Ils avaient rejoint les animaux et Ayla, qui écouta attentivement Jondalar pendant qu'il parlait avec Dolando. Elle distinguait des similitudes avec le mamutoï, mais ce fut surtout grâce à ses talents d'observatrice qu'elle devina que son compagnon essayait de convaincre l'autre. Jondalar se tourna vers elle.

— Ayla des Mamutoï, je te présente Dolando, Celui Qui Ordonne des Shamudoï, la moitié terrestre des Sharamudoï, annonça-t-il en mamutoï, avant de poursuivre dans la langue de son hôte : Dolando des Sharamudoï, je te présente Ayla, fille du Foyer du Mammouth des Mamutoï.

Hésitant, Dolando coula un regard vers le loup et les chevaux. Le loup, une bête superbe, se tenait aux côtés de la femme et observait le chef d'un air tranquille. Dolando était très intrigué. Il avait bien eu entre les mains quelques peaux de loup, mais il n'en avait jamais approché de vivant d'aussi près. Les Shamudoï ne chassaient pas souvent les loups, et Dolando n'en avait aperçu que fugitivement. La façon dont Loup le regardait lui fit penser que l'animal le jaugeait. Mais il ne se montrait pas menaçant et Dolando se dit qu'une femme avec un tel pouvoir sur les animaux devait être une shamud émérite, quand bien même son initiation n'aurait pas été menée à terme.

— Au nom de la Grande Mère, Mudo, sois la bienvenue, Ayla des Mamutoï.

— Au nom de Mut, la Grande Terre Mère, je te remercie de ton hospitalité, Dolando des Sharamudoï, assura Ayla en prenant les mains qu'il lui tendait.

L'étrange accent de la jeune femme étonna Dolando. Elle parle mamutoï, pensait-il, mais pas comme Tholie. Peut-être vient-elle d'une autre région ? Dolando connaissait assez le mamutoï pour le comprendre. Il avait souvent descendu le grand fleuve jusqu'à son embouchure pour faire du troc avec les Mamutoï, et il avait collaboré à la venue de Tholie, la femme mamutoï. Il devait bien à l'Homme Qui Ordonne des Ramudoï d'aider le fils de son foyer à s'unir avec la femme qu'il avait choisie. Tholie avait enseigné sa langue à tous selon les capacités de chacun, ce qui s'était révélé fort utile dans les expéditions commerciales.

Après que Dolando eut accueilli Ayla, tout le monde se sentit libre de fêter le retour de Jondalar et d'aller vers la femme qui l'accompagnait. En voyant Tholie s'avancer, Jondalar esquissa un sourire. A travers l'Union de Thonolan, des liens complexes l'apparentaient à Tholie, que par ailleurs il aimait beaucoup.

— Tholie ! s'exclama-t-il avec un grand sourire. Comme je suis heureux de te revoir.

Il lui étreignit les mains avec chaleur.

— Moi aussi, je suis heureuse de te voir, Jondalar. Je te félicite pour ton mamutoï, tu as fait d'étonnants progrès. J'avoue que j'ai parfois pensé que tu ne le parlerais jamais convenablement.

Elle retira ses mains des siennes pour le serrer dans ses

336

bras. Emporté par sa joie, Jondalar souleva de terre la petite femme. Décontenancée, elle rougit, soudain consciente de la métamorphose du beau géant, autrefois si taciturne. Elle ne l'avait jamais vu manifester ses sentiments avec autant de spontanéité. Lorsqu'il la reposa à terre, elle examina avec intérêt la femme qu'il avait amenée, sans doute pas étrangère à l'évolution de Jondalar.

— Ayla du Camp du Lion des Mamutoï, je te présente Tholie des Sharamudoï, Mamutoï d'origine.

— Au nom de Mut, ou de Mudo comme on La nomme ici, sois la bienvenue, Ayla des Mamutoï.

— Au nom de la Mère de Toutes Choses, je te remercie, Tholie des Sharamudoï. Je suis contente de faire ta connaissance, j'ai tellement entendu parler de toi. Tu as des parents au Camp du Lion, n'est-ce pas ? demanda Ayla. Un jour, Jondalar parlait de toi, et Talut a dit que vous étiez apparentés.

Elle était consciente de l'examen minutieux que la petite femme perspicace lui faisait subir. Tholie découvrirait bientôt qu'Ayla n'était pas née Mamutoï, si elle ne le savait pas déjà.

— Oui, c'est vrai, nous sommes des parents éloignés. Je viens d'un Camp plus au sud, mais je connais ceux du Camp du Lion. Je connais Talut, comme tout le monde d'ailleurs. Qui ne connaît pas Talut ? Sa sœur, Tulie, est très respectée.

Elle a un drôle d'accent, se disait Tholie, et Ayla n'est pas un nom mamutoï. En fait, ce n'est pas un accent, c'est plutôt une façon étrange d'articuler certains mots. Sinon, elle parle bien. Talut a toujours eu la manie d'accueillir tout le monde, même cette vieille grincheuse dont la fille s'était unie en dessous de sa position. Je voudrais bien en savoir plus sur cette Ayla, et sur ses animaux.

— Thonolan est resté chez les Mamutoï ? demanda-t-elle à Jondalar.

La douleur qu'elle lut dans ses yeux était éloquente.

— Thonolan est mort, annonça Jondalar, confirmant ce que Tholie avait pressenti.

— Oh, c'est terrible ! Et Markeno va être navré, lui aussi. Pourtant, cela ne me surprend pas. Il voulait vivre dans la mort auprès de Jetamio. Il faisait partie de ceux qui ne se remettent jamais d'un malheur.

Le franc-parler de Tholie plut à Ayla. Elle reconnaissait bien là une caractéristique des Mamutoï.

Tous ceux de la Caverne souhaitèrent la bienvenue à Ayla. Leur réserve, mêlée de curiosité, n'échappa pas à la jeune femme. Ils avaient accueilli Jondalar avec plus de chaleur, comme un des leurs.

Darvalo portait toujours le chapeau rempli de mûres, et il attendait la fin du cérémonial de bienvenue.

— Tiens, dit-il alors à Dolando, voici des mûres pour Roshario.

Dolando fronça les sourcils. Les Sharamudoï ne tressaient pas leurs paniers de cette façon.

— C'est Ayla qui me les a données, poursuivit le garçon. Elle en ramassait avec Jondalar quand je les ai rencontrés.

Jondalar, qui observait Darvalo, pensa soudain à la mère du jeune garçon. Le départ inattendu de Serenio l'avait déçu. D'une certaine façon, il l'avait vraiment aimée, et il se rendait compte combien il avait espéré la revoir. Attendait-elle un enfant lorsqu'elle était partie ? Etait-ce un enfant de son esprit ? Il demanderait à Roshario. Elle saurait, elle.

— Portons les mûres à Roshario, décida Dolando en adressant un signe de remerciement à Ayla. Cela lui fera plaisir. Accompagne-nous, Jondalar. Je crois qu'elle est réveillée et elle sera contente de te voir. Viens avec Ayla, je suis sûre qu'elle aimera faire sa connaissance. C'est pénible pour elle de ne pas pouvoir bouger. Elle qui est si active et toujours la première à accueillir les visiteurs.

Jondalar traduisit à Ayla qui accepta de bonne grâce. Ils laissèrent les chevaux paître dans le pré, mais Ayla ordonna à Loup de la suivre. Les Sharamudoï n'avaient pas peur des chevaux, bien que leur présence les étonnât, mais elle voyait bien que le carnassier les mettait mal à l'aise. Le loup était un chasseur dangereux et redouté.

— Jondalar, il vaudrait mieux que Loup reste auprès de moi pour l'instant. Demande à Dolando s'il accepte qu'il m'accompagne. Dis-lui bien que Loup a l'habitude d'entrer dans les abris.

Jondalar traduisit la demande d'Ayla, bien que Dolando fût familiarisé avec le mamutoï. D'ailleurs, Ayla aurait juré à son infime réaction qu'il avait déjà compris sa question. Elle le nota pour l'avenir.

Ils se dirigèrent vers le surplomb de grès, dépassèrent un foyer central qui servait certainement de lieu de rencontre, et arrivèrent devant une construction en bois qui ressemblait à une tente. Intéressée, Ayla en étudia l'architecture. Une poutre de faîte plantée en terre sur l'arrière était soutenue par une perche à l'avant. Des planches de chêne pointues à la base et taillées dans la hauteur d'un immense chêne s'appuyaient sur la poutre. Elles étaient courtes à l'arrière, et de plus en plus longues en allant vers l'avant. De plus près, Ayla remarqua que les planches étaient liées entre elles par des brins de saule enfilés dans des trous percés à cet effet.

Dolando écarta un rideau de cuir souple, et le maintint pendant que chacun entrait. Il l'attacha ensuite pour laisser le jour éclairer l'intérieur de la hutte. Par endroits, la lumière filtrait, mais des peaux de bête tapissaient les murs pour protéger des courants d'air, bien que la niche creusée dans la montagne fût déjà abritée du vent. Près de l'entrée, on avait aménagé un petit foyer, et une planche plus courte que les autres formait un orifice dans le plafond pour l'évacuation de la fumée. Il n'y avait pas de rabat, mais c'était inutile puisque la saillie de grès protégeait l'habitation de la neige et de la pluie. Dans le fond de la hutte, une large plate-forme en bois était fixée au mur et soutenue par des pieds. Rembourrée de cuir et de fourrure, elle servait de lit. Dans la semi-obscurité, Ayla distinguait à peine la femme qui y reposait.

Darvalo s'assit près du lit.

— Tiens, Roshario, voilà les mûres que je t'avais promises, déclara-t-il en présentant le chapeau. Ce n'est pas moi qui les ai cueillies, c'est Ayla.

La femme ouvrit les yeux. Elle ne dormait pas, essayant seulement de trouver un moment de repos. On ne l'avait pas prévenue de l'arrivée des visiteurs et elle n'avait pas saisi le nom que Darvalo avait prononcé.

— Qui les a cueillies, dis-tu ? articula-t-elle d'une voix faible.

Dolando se pencha au-dessus de la couche et posa sa main sur le front de la femme.

— Roshario, regarde qui est là ! Jondalar est de retour, dit-il.

— Jondalar ! s'exclama la blessée en regardant l'homme qui s'était agenouillé à côté de Darvalo.

Jondalar pâlit en voyant la souffrance tordre le visage de Roshario.

— Jondalar, c'est vraiment toi ? Parfois, je crois voir mon fils, ou Jetamio, et je m'aperçois ensuite que ce n'est qu'un rêve. Est-ce bien toi, Jondalar, ou est-ce encore une autre vision ?

— Mais non, Rosh, je t'assure que c'est lui, intervint Dolando. Et il a amené quelqu'un avec lui. Une femme mamutoï. Elle s'appelle Ayla, ajouta-t-il en faisant signe à la jeune étrangère d'avancer.

Ayla fit asseoir Loup et s'approcha du lit de Roshario. Elle souffrait beaucoup, c'était indéniable. Ses yeux vitreux étaient tellement cernés qu'ils étaient profondément enfoncés dans leurs orbites, et son visage luisait de fièvre. Même de loin, Ayla pouvait voir que l'os de son bras, caché sous une peau de bête, pointait de manière grotesque entre l'épaule et le coude.

— Ayla des Mamutoï, je te présente Roshario des

Sharamudoï, déclara Jondalar, pendant que Darvalo s'effaçait pour lui laisser la place.

— Au nom de la Mère, sois la bienvenue, Ayla des Mamutoï, dit Roshario. (Elle essaya de se redresser, mais y renonça.) Pardonne-moi de ne pas t'accueillir comme il convient.

— Au nom de la Mère, je te remercie, répondit Ayla. Je t'en prie, ne te lève pas.

Comme toujours, Jondalar servit d'interprète, mais sa traduction était superflue car Tholie avait semé les bases d'un enseignement du mamutoï qui permettaient à tous de comprendre la langue. Roshario avait saisi l'essentiel de ce que lui avait dit Ayla, et elle fit signe qu'elle avait compris.

— Jondalar, cette femme souffre trop. Je veux examiner son bras, je crois que c'est très grave, déclara Ayla en zelandonii pour éviter d'affoler Roshario. Mais sa voix trahissait son angoisse.

— Roshario, dit Jondalar, Ayla est Femme Qui Soigne, elle est fille du Foyer du Mammouth. Elle voudrait examiner ton bras, poursuivit-il en quêtant l'approbation de Dolando.

Mais le chef était prêt à tout tenter pour aider Roshario, si elle-même le souhaitait.

— Une Femme Qui Soigne ? demanda la femme dans un souffle. Une shamud ?

— Oui, c'est une sorte de shamud, confirma-t-il. Veux-tu qu'elle t'examine ?

— Oh, elle ne pourra rien faire, c'est trop tard. Enfin, si elle y tient...

Ayla ôta la fourrure qui recouvrait le bras. A l'évidence, on avait essayé de ressouder la fracture, et on avait nettoyé la plaie qui cicatrisait lentement, mais le membre restait enflé et l'os faisait une bosse affreuse. Ayla tâta le bras avec délicatesse, et lorsqu'elle le souleva pour palper l'aisselle, Roshario grimaça mais ne se plaignit pas. Ayla était consciente de lui faire mal mais elle devait vérifier l'état de l'os. Elle examina le fond de l'œil de Roshario, huma son haleine et tâta son pouls.

— L'os ne se ressoude pas comme il faut, déclara-t-elle en se rasseyant sur les talons. Même si elle guérit, elle ne retrouvera pas l'usage de son bras, ni de sa main, et elle aura toujours mal, annonça-t-elle dans le langage que tout le monde comprenait plus ou moins.

— Peux-tu faire quelque chose ? demanda Jondalar après avoir traduit.

— Oui, je crois. C'est peut-être trop tard, mais j'aimerais casser l'os à la soudure et le remettre droit. L'ennui, c'est qu'une fois ressoudé, l'os devient plus robuste, et il risque de ne pas se casser au bon endroit. Alors, elle aura deux fractures et davantage de souffrance, tout cela pour rien.

La traduction de Jondalar déboucha sur un long silence.

— Même si l'os se brise mal, ce ne pourra pas être pire que maintenant, n'est-ce pas ? déclara enfin Roshario. (C'était davantage un constat qu'une interrogation.) De toute manière, précisa-t-elle, tel qu'il est, mon bras est perdu, alors une deuxième fracture n'aggravera pas grand-chose.

Jondalar traduisit, mais Ayla saisissait déjà les sons et le rythme de la langue sharamudoï. En outre, le visage de Roshario en disait plus qu'un long discours.

— C'est vrai, mais tu risques de souffrir beaucoup, et sans amélioration de l'état de ton bras, insista Ayla, prévoyant la décision de Roshario.

— Si tu arrives à le redresser, retrouverai-je l'usage de mon bras ? demanda la femme sans attendre la traduction de Jondalar.

Ayla attendit que Jondalar lui confirme ce qu'elle avait en partie saisi.

— Tu ne pourras peut-être pas t'en servir aussi bien qu'avant, mais je crois que ton bras fonctionnera quand même. Evidemment, on ne peut rien garantir.

— Même s'il n'y a qu'une toute petite chance, je veux la tenter, déclara Roshario sans l'ombre d'une hésitation.

La douleur ne me fait pas peur, je m'en moque. Une Sharamudoï a besoin de ses deux bras pour descendre le sentier qui mène au fleuve. A quoi servirai-je si je ne peux même pas aller à l'embarcadère des Ramudoï ?

— Jondalar, dis-lui que j'essaierai de l'aider, mais ajoute bien que deux bras valides ne justifient pas à eux seuls l'importance de quiconque. J'ai connu un homme, borgne et manchot, qui n'en était pas moins respecté et aimé par tout son peuple, et qui a mené une vie d'une grande utilité. Roshario réussira aussi bien que lui, ça je peux l'affirmer. Elle n'est pas une femme à se laisser abattre. Quoi qu'il advienne, elle continuera à mener une existence utile. Elle surmontera son épreuve et sera toujours respectée et aimée.

Roshario écouta la traduction de Jondalar sans quitter Ayla des yeux. Lorsqu'il eut terminé, elle approuva, les lèvres serrées. Elle poussa un profond soupir et ferma les yeux.

Ayla se releva, préparant déjà mentalement l'opération.

— Jondalar, apporte-moi mon panier, celui de droite. Et dis à Dolando que j'aurai besoin de bois mince pour fabriquer des attelles. Il faudra aussi un bon feu, ainsi qu'un bol de grande taille. Pas un bol auquel il tient, je vais y faire cuire une potion calmante et il ne faudra plus l'utiliser pour la nourriture, par la suite.

Dans sa tête, les idées se bousculaient. Comment l'endormir ? se demandait-elle. Iza utiliserait le datura. C'est fort, mais ça calme la douleur en même temps. J'en ai des feuilles séchées, mais les fraîches sont plus efficaces... où en ai-je vu récemment ? Ah, oui, je sais !

— Jondalar, pendant que tu t'occupes de mon panier, je vais faire un saut jusqu'au pommier piquant, déclara-t-elle. Viens, Loup !

Elle était déjà au milieu du pré quand Jondalar la rattrapa.

Planté à l'entrée de la case, Dolando les regardait partir. Il n'en avait pas soufflé mot, mais la présence du loup l'inquiétait. Il s'aperçut que l'animal marchait aux côtés d'Ayla, réglant son allure sur celle de la jeune femme. Lorsque Ayla s'était approchée du lit de Roshario, les signes discrets qu'elle avait adressés au loup ne lui avaient pas échappé, et il avait vu l'animal se coucher, la tête dressée, l'oreille aux aguets, surveillant les moindres mouvements de la jeune femme. Quand elle était sortie, il avait tout de suite obéi à son signe de la suivre.

Dolando attendit qu'Ayla et son loup disparaissent derrière la falaise. Le contrôle absolu qu'elle exerçait sur l'animal le fascinait, et pour la première fois depuis l'accident de Roshario, il s'autorisa une lueur d'espoir.

Lorsque Ayla revint, chargée d'un sac et de datura qu'elle avait nettoyé dans le bassin, elle trouva préparée une boîte carrée en bois, dont elle reporta l'examen à plus tard, une autre boîte pleine d'eau, des pierres rondes et lisses chauffant dans le feu, ainsi que de petits morceaux de planches. Elle remercia Dolando d'un signe de tête, et fouilla le contenu de son sac. Elle choisit plusieurs bols et sortit sa vieille poche à remèdes en peau de loutre.

Elle mesura l'eau avec un petit bol, la versa dans la boîte de cuisson, ajouta plusieurs tiges de datura avec les feuilles, les fleurs et les racines, et vérifia la chaleur des pierres en les aspergeant d'eau. Pendant qu'elles continuaient de chauffer, elle vida le contenu de sa poche à remèdes et choisit soigneusement quelques sachets. Elle était en train de remettre les autres en place quand Jondalar entra.

— Les chevaux vont bien, annonça-t-il. Ils broutent à leur aise dans le pré. J'ai tout de même conseillé à tout le monde de rester à l'écart pour l'instant. Les étrangers les rendent nerveux et je préfère éviter tout incident, expliqua-t-il à Dolando. Nous les habituerons peu à peu.

L'Homme Qui Ordonne sembla d'accord. Qu'aurait-il pu ajouter pour l'instant ?

— Ayla, reprit Jondalar, j'ai l'impression que Loup n'est pas content d'être seul dehors, et les Sharamudoï ont l'air d'avoir peur de lui. Tu devrais le faire rentrer.

— Oui, je serais plus tranquille s'il était avec moi, mais je pensais que Roshario et Dolando préféraient qu'il m'attende à l'extérieur.

— Laisse-moi parler à Roshario, intervint Dolando dans un mélange de mamutoï et de sharamudoï qu'Ayla n'eut aucun mal à comprendre.

Jondalar dévisagea le chef d'un air étonné.

— Il faut que je prenne ses mesures pour les attelles, déclara Ayla en montrant les planches. Quand j'aurai terminé, j'aimerais que tu les polisses, Dolando, pour ôter toutes les échardes. Frotte-les avec ce morceau de grès, dit-elle en ramassant une pierre friable qu'elle avait repérée près du feu. Ah, oui, j'ai aussi besoin de peaux souples. Tu en as ?

— Tout le monde connaît la qualité de notre cuir, Ayla, répondit le chef avec un sourire un peu dur. Nous le fabriquons avec des peaux de chamois et personne ne prépare le cuir aussi bien que les Shamudoï.

Jondalar assistait, fasciné, au dialogue entre Ayla et Dolando. Chacun parlait dans un charabia approximatif, mais ils se comprenaient fort bien. Ayla savait que Dolando connaissait des rudiments de mamutoï, et elle avait déjà assimilé quelques bribes de sharamudoï. Sinon, d'où aurait-elle tenu ces mots « planche » et « grès » ?

— J'irai t'en chercher après avoir parlé avec Roshario, promit Dolando.

Ils s'approchèrent du lit de la blessée. Jondalar et Dolando lui expliquèrent qu'Ayla voyageait avec un loup — ils évitèrent de mentionner les chevaux pour l'instant — et lui transmirent son désir de le garder auprès d'elle.

— Le loup lui obéit totalement, précisa Dolando. Il ne mordra personne.

Pour la deuxième fois, Jondalar lui jeta un regard étonné. La confiance qui s'était instaurée entre Ayla et Dolando dépassait ce qu'il avait imaginé.

Roshario accepta sans hésitation. Bien que d'un naturel curieux, elle ne sembla pas surprise que le pouvoir de la

345

jeune femme s'étendît à la maîtrise d'un loup. Au contraire, cela la rassurait. A l'évidence, Jondalar avait amené une shamud d'une grande puissance et qui savait qu'elle avait besoin d'aide, tout comme leur vieux shamud avait su que le frère de Jondalar avait besoin d'aide lorsqu'un rhinocéros l'avait encorné. Elle ignorait comment Ceux Qui Servent la Mère devinaient ces choses-là, mais c'était un fait, et elle s'en contentait.

Ayla sortit appeler Loup.

— Il s'appelle Loup, dit-elle simplement à Roshario.

Etrangement, celle-ci crut lire de la compassion dans le regard de la superbe créature sauvage. Comme si le loup comprenait sa souffrance et sa vulnérabilité. Il posa d'abord une patte sur le rebord du lit. Puis, couchant les oreilles, il avança son museau, sans manifester la moindre menace, et lui lécha le visage en couinant comme si la souffrance de Roshario le peinait. Ayla se rappela aussitôt le curieux lien qui s'était établi entre Rydag, l'enfant malade, et le louveteau. Cette amitié lui avait-elle appris à comprendre les souffrances des humains ?

Le geste amical de Loup surprit tout le monde. Rosha-rio, troublée, pensa qu'elle venait d'assister à un miracle, présageant forcément une issue heureuse.

— Oh, merci, Loup, murmura-t-elle en lui flattant la tête de son bras valide.

Ayla mesura les planches au bras de Roshario, et les tendit ensuite à Dolando en lui indiquant la taille dont elle avait besoin. Après son départ, elle fit asseoir Loup dans un coin de la cabane. Elle vérifia la chaleur des pierres et, satisfaite, en ôta une du feu à l'aide de bouts de bois. Jondalar lui apporta alors un outil conçu spécialement pour cet usage, une sorte de pince en bois assez souple pour saisir les pierres et il lui montra comment s'en servir. Tout en déposant les pierres brûlantes dans la boîte en bois pour faire bouillir le datura, Ayla examina le curieux récipient.

Elle n'avait jamais rien vu de pareil. La boîte était constituée d'une seule planche à laquelle on avait imprimé une forme carrée. On avait taillé une rainure qui courait sur trois faces, et le quatrième coin était fixé par des chevilles. Une fois la forme définitive obtenue, on avait creusé une fente sur un des côtés par laquelle on avait introduit le socle en le faisant glisser dans la rainure. L'extérieur était gravé, et un couvercle muni d'une poignée fermait la boîte.

Impressionnée par les nombreux objets en bois qu'elle découvrait pour la première fois, Ayla était impatiente d'assister à leur fabrication. Dolando reparut alors, chargé de peaux d'une couleur jaunâtre.

— Cela suffira-t-il ? demanda-t-il en les lui tendant.

— Oh, mais elles sont bien trop belles ! s'exclama Ayla. Il me faut des peaux souples et absorbantes, mais je ne veux pas vous gâcher vos meilleures productions.

La réaction d'Ayla arracha un sourire à Jondalar et à Dolando.

— Ce sont loin d'être nos meilleures peaux, assura Dolando. Nous n'oserions jamais les troquer, elles ont trop de défauts. Elles servent à l'usage quotidien.

Ayla connaissait un peu le tannage et le corroyage. Elle était à même d'apprécier la souplesse et l'exquise douceur des peaux qu'on lui présentait, et elle était très curieuse de découvrir les secrets d'une fabrication si parfaite, mais ce n'était pas le moment. Avec le couteau que Jondalar lui avait confectionné, une fine lame de silex parfaitement aiguisée et montée sur un manche en ivoire taillé dans une défense de mammouth, elle découpa de larges bandes dans les peaux de chamois.

Ensuite, elle ouvrit un de ses sachets et en versa le contenu dans un petit bol. C'étaient des racines de nard, séchées et pilées, plante dont les feuilles ressemblent à celles de la digitale, mais avec des fleurs jaunes comme celles du pissenlit. Elle versa un peu d'eau chaude sur la poudre pour obtenir un cataplasme qui aiderait l'os à se ressouder. Elle se dit qu'un peu de datura ne ferait pas de mal, d'autant que ses vertus analgésiques seraient les bienvenues. Elle ajouta aussi de l'achillée mille-feuille pulvérisée, qui calme bien les douleurs externes et favorise la guérison. Elle pêcha les pierres qui avaient refroidi et les remplaça par d'autres, brûlantes, afin de maintenir le liquide à ébullition, et renifla la décoction pour vérifier sa force.

Lorsqu'elle décida que la décoction était à point, elle en puisa une bolée qu'elle laissa refroidir avant de l'apporter à Roshario à côté de qui Dolando s'était assis. Ayla demanda à Jondalar de traduire ses recommandations pour éviter tout malentendu.

— Roshario, ce breuvage soulagera la douleur et te fera dormir. Mais c'est un remède très puissant qui peut être dangereux et certains ne tolèrent pas une dose aussi forte. Il détendra tes muscles, et me permettra de palper ton bras pour sentir l'os, mais tu risques d'uriner ou de te souiller, parce que tous les muscles seront au repos. Parfois, certaines personnes arrêtent de respirer. Si cela t'arrive, tu mourras, Roshario.

Ayla attendit que Jondalar traduise ses propos, et s'assura qu'elle s'était bien fait comprendre. Dolando paraissait bouleversé.

— Faut-il vraiment que tu utilises ce remède ? s'inquiéta-t-il. Tu es sûre de ne pas pouvoir réparer la fracture autrement ?

— Non, c'est impossible. Ce serait trop douloureux, et les muscles sont trop raides. Je ne pourrais pas casser l'os au bon endroit. Non, je ne peux pas casser l'os et le remettre en place sans cette potion. Mais je ne veux pas vous cacher les risques. Tu sais, Dolando, Roshario pourra certainement survivre sans mon intervention.

— Oui, mais je serai une charge, et je souffrirai toute ma vie, protesta Roshario. Je n'appelle pas ça vivre !

— Oui, ton bras te fera toujours souffrir, mais cela ne veut pas dire que tu seras inutile. Il existe des remèdes qui apaisent la douleur, mais en contrepartie, ils risquent de rendre ton esprit confus, expliqua Ayla.

— Ah ! Je serai donc inutile ou stupide ! s'exclama

Roshario. Dis-moi, si je meurs en buvant ton remède, souffrirai-je ?

— Tu t'endormiras et tu ne te réveilleras pas, mais personne ne sait ce qu'il advient pendant les rêves. Ils seront peut-être chargés de peurs ou de souffrances. La douleur peut aussi te suivre dans l'autre monde.

— Crois-tu que les douleurs nous accompagnent dans l'autre monde, Ayla ?

— Non, je ne le crois pas, mais comment le saurais-je ?

— Est-ce que tu penses que ton remède me tuera ?

— Si je pensais que tu devais en mourir, je ne te l'aurais pas proposé, assura Ayla. Cela dit, il est possible que tu fasses des rêves étranges. Préparé d'une autre façon, ce breuvage permet de voyager dans le monde des esprits.

La traduction de Jondalar ne faisait que clarifier le dialogue des deux femmes. Elles avaient l'impression de se parler directement tant elles se comprenaient.

— Tu ne devrais pas risquer ta vie, Roshario, supplia Dolando. Je ne veux pas te perdre, toi aussi.

— La Mère rappellera à Elle l'un de nous en premier, déclara doctement Roshario. Alors, soit je te perdrai, soit c'est toi qui me perdras. Nous n'y pouvons rien. Mais si Elle décide de me laisser vivre quelque temps encore auprès de toi, mon Dolando, je ne veux pas passer le reste de ma vie dans la souffrance comme une invalide. Ah, non alors ! Autant partir tout de suite. Tu as entendu ce qu'a dit Ayla ? Il y a peu de chance que je meure. Et même si je ne retrouve pas l'usage de mon bras, j'aurai au moins la consolation d'avoir essayé. Cela m'aidera à supporter ce qui m'attend.

Dolando, assis à côté d'elle sur le lit, avait saisi sa main valide et considérait avec tendresse la femme avec qui il avait partagé une grande partie de sa vie. Il finit par se ranger à sa décision.

— Je te remercie de ta franchise, déclara-t-il alors à Ayla. A mon tour, je serai franc avec toi. Je ne te tiendrai pas responsable si tu échoues, mais si Roshario meurt, tu devras partir le plus vite possible. Je ne suis pas sûr d'être capable de te pardonner, et j'ignore comment je réagirai. Penses-y bien avant de commencer.

Tout en traduisant, Jondalar songeait à toutes les pertes que Dolando avait endurées : le fils de Roshario, fils de son foyer, l'enfant cher à son cœur, tué avant la force de l'âge ; puis Jetamio, celle que Roshario considérait comme sa propre fille et qui avait conquis le cœur de Dolando. Après la mort de sa mère, elle avait comblé le vide laissé par le fils regretté. Le combat qu'elle avait mené pour marcher, et surmonter la paralysie qui avait fait périr tant de Sharamudoï, lui avait forgé un caractère qui en avait séduit plus d'un, à commencer par Thonolan. Quelle terrible injustice que la mort l'ait emportée dans les douleurs de l'accouchement. Jondalar comprendrait que Dolando blâmât Ayla si Roshario mourait, mais cela ne l'empêcherait pas de le tuer avant qu'il ne la touche. Il se demandait si Ayla ne prenait pas une responsabilité trop lourde.

— Ayla, tu devrais peut-être revoir ta décision, suggérat-il en zelandonii.

— Non, Roshario souffre, je dois l'aider si elle le désire. Si elle accepte les risques, je dois les accepter aussi. La Mère a voulu que je sois une Femme Qui Soigne, pas plus qu'Iza, je ne puis m'y dérober.

Elle posa son regard sur la femme allongée.

— Je suis prête, Roshario. Quand tu voudras.

350

16

Son bol à la main, Ayla se pencha sur la femme allongée, trempa son doigt dans le liquide pour en tester la température, et s'assit en tailleur avec grâce en attendant que la potion refroidît.

Des souvenirs de sa vie avec le Clan resurgirent, et en particulier l'initiation prodiguée par la talentueuse guérisseuse qui l'avait élevée. Iza soignait les maladies courantes et les blessures bénignes avec art et célérité, mais quand elle était confrontée à un problème plus grave — un accident de chasse sérieux ou une maladie mortelle — elle faisait appel à Creb et à ses pouvoirs de mog-ur afin qu'il fît intervenir les forces supérieures. Iza n'était qu'une guérisseuse, mais dans le Clan, seul Creb, le sorcier, le sage, avait accès au monde des esprits.

Chez les Mamutoï et, d'après Jondalar, chez son peuple également, les fonctions de guérisseur et de mog-ur n'étaient pas nécessairement distinctes. Ceux qui possédaient l'art de guérir intercédaient souvent auprès du monde des esprits. Cependant, tous Ceux Qui Servent la Mère n'étaient point capables de la même façon dans tous les domaines. Mamut du Camp du Lion, tout comme Creb, s'intéressait surtout aux choses de l'esprit et de l'âme. Bien que connaissant certains remèdes ou techniques de soins, ses capacités thérapeutiques étaient relativement embryonnaires, et il incombait souvent à la compagne de Talut, Nezzie, de soulager les blessures et les maladies banales. Toutefois, à la Réunion d'Eté, Ayla avait eu l'occasion de rencontrer des Hommes Qui Soignent chevronnés parmi les mamuti, et avait pu comparer ses connaissances avec les leurs.

Malgré tout, le savoir d'Ayla était surtout technique. Guérisseuse comme Iza, elle se considérait comme ignorante des voies du monde des esprits, et au moment d'opérer, elle regretta amèrement de n'avoir pas un Creb à ses côtés. L'intervention de pouvoirs supérieurs lui semblait indispensable à la réussite de sa tâche. Bien que Mamut eût commencé à lui enseigner les voies du domaine spirituel de la Grande Mère, elle n'était vraiment familiarisée qu'avec le monde des esprits qui l'avait vue grandir, et en particulier avec l'esprit du Grand Lion des Cavernes, son totem.

C'était un esprit du Clan, mais elle connaissait son immense pouvoir et Mamut lui avait assuré que les esprits de tous les animaux, comme tous les esprits d'ailleurs, participaient de la Grande Terre Mère. Il avait inclus dans sa cérémonie d'adoption son totem protecteur du Lion des Cavernes. Ayla savait comment faire appel à lui. Rosario n'était pas du Clan, certes, mais peut-être l'esprit de son Lion des Cavernes accepterait-il de l'aider.

Ayla ferma les yeux et commença une merveilleuse danse gestuelle, paroles silencieuses de l'ancienne langue sacrée du Clan, connue de tous les clans, et qu'on utilisait pour communiquer avec le monde des esprits.

— Grand Lion des Cavernes, cette femme est reconnaissante d'avoir été choisie par le puissant totem. Cette femme est reconnaissante pour les Dons reçus, les enseignements qu'on lui a dispensés et le savoir qu'elle a acquis.

« Grand et Puissant Protecteur, qui choisit d'habitude

352

des mâles dignes de sa protection, mais qui a choisi cette femme et l'a marquée du signe de son totem quand elle n'était encore qu'une enfant, cette femme exprime sa gratitude.

« Cette femme ignore pourquoi l'Esprit du Grand Lion des Cavernes du Clan a choisi une fille-enfant, et du Peuple des Autres qui plus est, mais cette femme est reconnaissante qu'on l'ait choisie, cette femme est reconnaissante au puissant totem de sa protection.

« Grand Esprit du Totem, cette femme qui a déjà demandé des conseils a aujourd'hui besoin d'aide. Le Grand Lion des Cavernes a guidé cette femme dans l'enseignement des plantes et a fait d'elle une guérisseuse. Cette femme sait soigner. Cette femme connaît les remèdes pour les plaies et les maux, elle connaît les infusions, et les badigeons, et les cataplasmes, et les autres remèdes tirés des plantes, cette femme connaît les soins et les pratiques. Cette femme est reconnaissante des connaissances et du savoir guérisseur que l'Esprit du Totem daignera lui révéler. Mais cette femme ignore les voies du monde de l'esprit.

« Grand Esprit du Lion des Cavernes, qui demeure parmi les étoiles dans le monde des esprits, la femme étendue n'appartient pas au Clan. C'est une femme du Peuple des Autres, comme la femme que tu as choisie, mais elle a besoin d'aide. La femme éprouve de grandes souffrances, mais la souffrance qui est en elle est encore pire. La femme supporte la douleur, mais la femme craint d'être inutile si son bras reste invalide. Cette guérisseuse aimerait aider la femme, mais l'aide peut se révéler dangereuse. Cette femme implore l'assistance de l'Esprit du Grand Lion des Cavernes, ou de tout autre esprit que le Grand Totem choisira, pour guider cette femme, et aider celle qui est allongée devant toi.

Roshario, Dolando et Jondalar assistaient en silence aux gestes rituels d'Ayla. Des trois, seul Jondalar savait ce qu'elle était en train de faire, et il observait les deux autres en même temps qu'il regardait Ayla. Bien que sa connaissance du langage du Clan fût limitée, il avait deviné qu'elle implorait l'aide des esprits.

Jondalar ne pouvait pas saisir toutes les nuances d'un système de communication qui s'était développé sur des bases entièrement différentes du langage articulé. D'ailleurs, aucune traduction n'aurait pu en restituer toute la complexité, mais Jondalar était sous le charme des gestes gracieux d'Ayla. Il fut un temps où l'attitude d'Ayla l'eût embarrassé et le souvenir de son ancienne sottise fit sourire Jondalar qui guettait avec curiosité la réaction de Roshario et Dolando.

Dolando observait avec perplexité les gestes d'Ayla dont l'étrangeté le déconcertait. Il était inquiet pour Roshario, et tout ce mystère lui faisait peur, aussi louables en fussent les intentions. Lorsque Ayla eut terminé, il interrogea Jondalar du regard, mais celui-ci se contenta de sourire.

Affaiblie par sa blessure, Roshario n'avait pas assez de fièvre pour délirer, mais son état la rendait plus réceptive. Elle avait observé la jeune femme avec beaucoup d'intérêt et le ballet mystérieux l'avait étrangement émue. Elle n'avait aucune idée de la signification des gestes d'Ayla, mais elle en avait apprécié la beauté. Les mains d'Ayla avaient semblé danser, accompagnées dans leur mouvement gracieux par tout le corps, les bras, les épaules, prolongement d'un rythme intérieur dont le sens échappait à Roshario. Mais elle ne doutait pas que le mystérieux manège d'Ayla fût nécessaire à l'accomplissement de son devoir de shamud et c'était tout ce qui lui importait. La jeune étrangère avait accès à des connaissances inconnues du commun des mortels et le mystère qui entourait sa danse renforçait encore sa crédibilité.

Ayla ramassa le bol et s'agenouilla près du lit. Elle vérifia encore une fois la température du liquide, et adressa un sourire à Roshario.

— Puisse notre Grande Mère à Tous veiller sur toi,

Roshario, déclara Ayla avant de soulever la tête de la blessée pour lui permettre de boire plus confortablement.

Elle porta le bol aux lèvres de Roshario. La potion amère et fétide arracha une grimace à la malheureuse, mais Ayla l'encouragea jusqu'à ce qu'elle eût avalé la dernière goutte. Ayla reposa ensuite avec douceur la tête de Roshario et la rassura d'un sourire pendant qu'elle guettait les premiers signes de l'action anesthésique du breuvage.

— Préviens-moi quand le sommeil te gagnera, dit Ayla.

Cela ne ferait que confirmer les symptômes qu'elle notait déjà : dilatation des pupilles, respiration plus lourde.

La guérisseuse ne pouvait pas deviner qu'elle venait d'administrer une drogue qui inhibait le système nerveux para-sympathique et paralysait les terminaisons nerveuses, mais elle pouvait en déceler les effets, et elle avait assez d'expérience pour en connaître l'intensité. Lorsqu'elle remarqua que les paupières de Roshario s'alourdissaient, elle tâta sa poitrine et son estomac pour vérifier l'état de relaxation des muscles de l'appareil digestif, et surveiller la respiration de la blessée pour étudier la réaction de ses poumons et de ses bronches. Après s'être assurée que Roshario dormait confortablement, et que sa vie n'était pas en danger, Ayla se releva.

— Dolando, je préférerais que tu nous laisses, à présent. Jondalar m'assistera, déclara-t-elle d'une voix douce mais ferme, avec une assurance qui lui conférait une autorité renforcée par la compétence de chacun de ses gestes.

L'Homme Qui Ordonne faillit objecter, mais il se souvint que Shamud n'autorisait jamais les proches à rester pendant ses interventions, et qu'il refusait de commencer avant que ceux-ci eussent quitté la pièce. Vaincu par une exigence commune à tous les sorciers, Dolando jeta un dernier regard à sa compagne endormie, et sortit.

Jondalar avait déjà surpris Ayla dans des circonstances analogues. Elle se concentrait uniquement sur sa tâche, vouée tout entière à la personne blessée ou malade, inaccessible à tout le reste. Il ne lui venait pas à l'idée de remettre en cause son devoir de Femme Qui Soigne lorsqu'un malade requérait son aide, et n'acceptait pas davantage qu'on remît en cause son autorité.

— On ne peut pas regarder quelqu'un casser le bras de sa compagne sans réagir, même si on sait qu'elle est endormie et qu'elle ne sent rien, expliqua Ayla au géant blond qui l'aimait tant.

Jondalar approuva, et se demanda si c'était pour cette raison que Shamud ne l'avait pas autorisé à rester quand Thonolan avait été encorné. La blessure de son frère, plaie béante et boursouflée, était affreuse et Jondalar avait failli vomir en la voyant. Certes, il avait exigé d'assister à l'opération de Shamud, mais il n'aurait sans doute pas eu le cran de regarder. D'ailleurs, assister Ayla ne l'enthousiasmait pas, mais il n'y avait personne d'autre pour le faire.

— Que veux-tu que je fasse ? demanda-t-il d'une voix mal assurée.

Ayla examinait le bras de Roshario et vérifiait comment elle réagissait à ses manipulations. Roshario marmonna des sons inintelligibles en remuant la tête, mais son agitation semblait surtout due à des rêves plutôt qu'à la douleur. Ayla palpa profondément la chair, pétrissant le muscle flasque à la recherche de la position de l'os. Satisfaite de son examen, elle demanda à Jondalar d'approcher et aperçut du coin de l'œil Loup qui la surveillait dans son coin.

— Je voudrais d'abord que tu maintiennes le bras au niveau de l'épaule pendant que j'essaierai de le casser là où la fracture s'est ressoudée, expliqua Ayla. Ensuite, il faudra que je tire sur l'os pour l'allonger et le remettre en place. Ses muscles sont tellement détendus que l'os peut sauter des jointures et je risque de lui déboîter l'épaule ou le coude. Il faudra la tenir fermement, et même tirer en sens contraire.

— J'ai compris, affirma Jondalar. (Du moins le croyait-il.)

— Mets-toi à l'aise et assure ta prise. Tends bien son

bras, et soutiens son coude jusque-là environ, recommanda Ayla. Préviens-moi quand tu seras prêt.

Jondalar s'arc-bouta et empoigna le bras de Roshario.

— Voilà, je suis prêt, déclara-t-il.

Une main de chaque côté de la fracture, là où l'os dessinait un angle incongru, Ayla saisit le bras de Roshario, le palpa en différents endroits, tâta l'os brisé à travers la peau et les muscles. Elle vérifia qu'il était incomplètement ressoudé pour être sûre de pouvoir le fracturer à nouveau. Elle se positionna pour obtenir le meilleur levier possible, prit une profonde inspiration, et exerça une brusque pression des deux mains sur la courbure de l'os.

Ayla sentit l'os se briser. Jondalar entendit un craquement sinistre. Roshario, soudain agitée d'un soubresaut brutal, replongea bientôt dans un sommeil tranquille. Ayla pétrit la chair à la recherche de la nouvelle fracture. L'os n'avait pas eu le temps de se souder, sans doute à cause de sa position peu propice à la cicatrisation, et la nouvelle fracture était franche et propre. La première partie de l'opération avait réussi. D'un revers de main, Ayla essuya en soupirant son front ruisselant de sueur.

Jondalar la dévisageait bouche bée. Quelle force fallait-il pour casser un os pareil, même s'il n'était qu'à moitié ressoudé ! Il admira encore une fois l'étonnante puissance physique qu'il avait déjà eu l'occasion d'observer chez Ayla, quand ils habitaient dans sa vallée. Certes, survivre seule dans un monde hostile avait nécessité une force physique peu commune, et l'obligation de tout faire elle-même avait développé ses muscles, mais il n'avait jamais vraiment mesuré sa vigueur avant cet instant.

Toutefois, la force d'Ayla n'était pas uniquement due à la nécessité de survivre, elle provenait de son éducation dans le Clan, où l'on exigeait d'elle autant que des autres femmes. Et pour accomplir sa tâche aussi bien que n'importe quelle femme du Clan, elle avait dû acquérir une force exceptionnelle d'après les critères des Autres.

— C'était parfait, Jondalar. Maintenant, maintiens son

bras au niveau de l'épaule. Comme ça, dit Ayla en lui montrant. Ne lâche surtout pas, et si tu sens que la prise t'échappe, préviens-moi tout de suite.

Ayla s'aperçut que, si l'os s'était mal ressoudé, les muscles et les tendons, eux, s'étaient cicatrisés.

— Je vais avoir du mal à remettre le bras en place, expliqua-t-elle. Certains muscles vont se déchirer comme au moment où l'os s'est fracturé, et je vais devoir étirer les tendons. Roshario souffrira au réveil, mais il n'y a pas d'autre solution. Fais-moi signe dès que tu seras prêt.

— Mais comment sais-tu tout cela ?

— Iza me l'a appris.

— Oui, je sais qu'Iza t'a initiée, mais comment sais-tu cela ? Où as-tu appris à casser un os déjà ressoudé ?

— Une fois, Brun avait emmené ses hommes chasser loin de la caverne. Ils sont partis très longtemps. Un des chasseurs s'est cassé le bras au début de la chasse et il a refusé de rentrer. Il a attaché son bras à son corps et il a chassé d'une main. A son retour, Iza lui a remis le bras en place.

— Mais comment a-t-il fait ? s'étonna Jondalar. Comment a-t-il pu continuer la chasse avec un bras cassé ? Il n'avait donc pas mal ?

— Bien sûr que si, mais il n'en a rien montré. Les hommes du Clan préfèrent mourir plutôt que d'avouer leur souffrance. On les élève comme ça. Bon, tu es prêt maintenant ?

Jondalar aurait voulu en savoir davantage, mais ce n'était pas le moment.

— Oui, je suis prêt, se contenta-t-il de dire.

Ayla empoigna fermement le bras de Roshario juste au-dessus du coude, pendant que Jondalar le maintenait en dessous de l'épaule. Avec fermeté, Ayla commença à tirer progressivement tout en évitant que les os ne frottassent l'un contre l'autre, ce qui aurait pu les broyer, et en empêchant les ligaments de se déchirer. Il fallut étirer le bras au-delà de sa longueur initiale pour remettre l'os en place.

Jondalar faillit lâcher prise et se demanda où Ayla trouvait les ressources nécessaires pour tendre le bras de Roshario avec tant de force. Ayla, le visage crispé par l'effort et ruisselant de sueur, maintenait le bras étiré. Progressivement, elle s'appliqua à mettre vis-à-vis les aspérités des deux sections de l'os qui se remit soudain en place, presque tout seul. Ayla s'assura que les deux parties de l'os s'emboîtaient parfaitement, et reposa enfin délicatement le bras sur le lit.

Lorsque Jondalar releva la tête, il la vit trembler, les yeux clos, le souffle court. Le plus difficile avait été de garder sa lucidité malgré la tension physique qu'exigeait l'opération et elle cherchait maintenant à reprendre le contrôle de ses muscles.

— Je crois que tu as réussi, Ayla ! s'exclama Jondalar.

Ayla reprit sa respiration et sourit à Jondalar, l'œil brillant.

— Oui, je le crois aussi, déclara-t-elle d'un air victorieux. Il ne reste plus qu'à fixer les attelles.

Elle palpa l'os une dernière fois.

— S'il se ressoude bien, si je n'ai pas causé trop de dégâts sur les muscles, elle pourra se servir à nouveau de son bras. Mais la chair est meurtrie et le bras va d'abord enfler.

Dehors, Jondalar fut accueilli par des visages anxieux. Tous les habitants de la Caverne, Shamudoï et Ramudoï réunis, avaient rejoint Dolando pour monter la garde devant la case.

— Dolando, Ayla a besoin des attelles, déclara Jondalar.

— Alors ? demanda le chef des Shamudoï en lui tendant les planches polies.

Préférant attendre qu'Ayla annonçât la nouvelle elle-même, Jondalar se contenta de sourire. Dolando ferma les yeux et soupira de soulagement.

Ayla plaça les attelles et les enveloppa de bandes de peaux de chamois. Le bras enflerait et il faudrait renouveler

359

le pansement. Les attelles maintiendraient le bras de façon qu'aucun mouvement de Roshario ne le déplace. Plus tard, quand les chairs enflées se seraient résorbées, Ayla appliquerait autour du bras l'écorce de bouleau préalablement trempée dans l'eau chaude. En séchant, l'écorce formerait un moule rigide qui permettrait à Roshario de bouger son bras sans risque.

Ayla écouta la respiration de la malade, tâta son pouls au cou et au poignet, mit l'oreille contre sa poitrine, souleva ses paupières, et, rassurée, sortit sur le pas de la porte.

— Dolando, tu peux venir, maintenant, annonça-t-elle.

— Comment va-t-elle ? s'enquit l'homme d'une voix inquiète.

— Entre, tu jugeras par toi-même.

L'homme s'avança timidement, s'agenouilla près du lit, et examina sa compagne avec anxiété. Il regarda sa poitrine se soulever à un rythme régulier, et soulagé de la voir respirer, porta enfin son regard sur le bras cassé. A travers le pansement, il put constater qu'il paraissait normal.

— Mais... mais, on dirait qu'il est parfaitement remis ! s'exclama-t-il. Crois-tu qu'elle pourra s'en servir ?

— J'ai fait ce que j'ai pu. Avec l'aide des esprits et de la Grande Terre Mère, oui, Roshario devrait retrouver l'usage de son bras. Peut-être pas comme avant, mais son bras sera valide. Maintenant, il faut la laisser dormir.

— Je reste avec elle, décida Dolando, essayant d'impressionner Ayla par son autorité, mais prêt à partir si elle l'ordonnait.

— J'étais sûre que tu voudrais rester. Mais maintenant que c'est terminé, j'ai une faveur à te demander.

— Tu n'as qu'à demander. Je te donnerai tout ce que tu voudras, assura Dolando sans hésiter.

— Je voudrais me laver. Peut-on nager et se laver dans le bassin ?

Dolando s'attendait à tout sauf à cela, et il mit du temps avant de revenir de sa surprise. Alors seulement il s'aperçut que le visage d'Ayla était barbouillé de mûres, ses bras couverts d'écorchures, ses habits sales et déchirés, ses cheveux en désordre.

— Roshario ne me pardonnerait jamais un tel manque d'hospitalité, s'excusa-t-il alors en souriant d'un air piteux. On ne t'a même pas offert d'eau à boire ! Tu dois être épuisée après un si long voyage. Je vais appeler Tholie. Demande-moi ce que tu veux. Tout ce que nous avons t'appartient.

Ayla frotta entre ses mains mouillées les fleurs riches en saponine jusqu'à en obtenir une écume onctueuse. Ensuite, elle s'en frictionna la tête. L'écume de céanothe n'était pas aussi riche que la mousse de saponaire, mais pour un dernier lavage, les pétales bleu pâle suffisaient et répandaient en outre un parfum agréable. Le paysage et les plantes étaient si familiers qu'Ayla était sûre de trouver de quoi se laver mais elle fut agréablement surprise de découvrir des saponaires et des céanothes en retournant avec Jondalar chercher les paniers, le travois et le bateau. Ils s'étaient arrêtés près des chevaux et Ayla s'était promis de revenir peigner Whinney, à la fois pour vérifier l'état de sa robe et pour la rassurer.

— Reste-t-il des fleurs moussantes ? demanda Jondalar.

— Oui, là-bas, sur le rocher, près de Loup. Mais ce sont les dernières. La prochaine fois nous en cueillerons davantage, et je les ferai sécher pour la route, déclara-t-elle avant de se plonger dans l'eau pour se rincer.

— Tiens, sèche-toi avec les peaux de chamois, proposa Tholie qui approchait du bassin les bras chargés de douces peaux jaunes.

Ayla ne l'avait pas entendue venir. La femme mamutoï avait décrit un large demi-cercle pour éviter Loup autant que possible. Une petite fille de trois ou quatre ans l'avait suivie, et s'accrochait maintenant à la jambe de sa mère. Elle observait les étrangers de ses grands yeux en suçant son pouce.

— Je t'ai préparé quelque chose à manger dans la hutte, annonça Tholie en déposant les serviettes en peaux.

Tholie et Markeno avaient offert un lit à Jondalar et à Ayla dans la hutte qu'ils occupaient pendant leur séjour à terre. C'était la même que Thonolan et Jetamio avaient partagée avec eux, et Jondalar éprouva quelques moments pénibles la première fois qu'il y entra, assailli par les souvenirs des événements qui avaient précipité le départ de son frère, et l'avaient conduit au-devant de la mort.

— Mais garde assez d'appétit pour ce soir, reprit Tholie. Nous organisons une fête en l'honneur de Jondalar.

Elle se garda bien d'ajouter que c'était aussi pour remercier Ayla d'avoir aidé Roshario. La femme dormait encore, et personne ne voulait tenter le destin en se réjouissant trop vite.

— Ah, merci, Tholie. Merci pour tout, déclara Jondalar.

Il adressa un sourire à la petite fille qui baissa aussitôt la tête et se réfugia derrière sa mère, tout en continuant d'observer le grand Zelandonii.

— On dirait que la brûlure de Shamio s'est bien cicatrisée, reprit Jondalar. Je n'en vois plus de trace.

Tholie souleva la petite fille et la présenta à Jondalar pour lui montrer son visage.

— En regardant bien, on peut deviner où elle a été brûlée, mais c'est vrai, c'est à peine visible. La Mère a été bonne avec elle, je Lui rends grâce.

— C'est une belle enfant, remarqua Ayla en regardant la petite avec une envie mêlée de nostalgie. Tu as de la chance ! J'aimerais tant avoir un jour une petite fille comme elle. (Ayla sortit lentement de l'eau, rafraîchissante mais trop froide pour s'y attarder.) Elle s'appelle Shamio, n'est-ce pas ?

— Oui, et je remercie la Mère de me l'avoir donnée, répondit Tholie en reposant sa fille.

Le compliment d'Ayla était allé droit au cœur de Tholie qui adressa un sourire chaleureux à la grande et belle jeune femme blonde, bien qu'elle continuât de penser qu'Ayla lui cachait sa véritable identité. Tholie avait décidé de garder une certaine réserve en attendant d'en savoir davantage.

Ayla ramassa une peau et entreprit de se frictionner.

— Oh, comme c'est doux ! s'exclama-t-elle. C'est vraiment agréable.

Une fois sèche, elle enroula la peau autour de sa taille puis en saisit une autre pour se sécher les cheveux avant de la nouer sur sa tête. Elle s'était aperçue que Shamio, toujours cramponnée à sa mère, observait Loup avec une évidente curiosité. Loup, toujours assis à l'endroit qu'Ayla lui avait indiqué, s'intéressait aussi à la petite fille, et frétillait d'impatience. Ayla lui fit signe d'approcher, et s'agenouilla pour l'enlacer.

— Shamio veut-elle que je lui présente Loup ? demanda Ayla à l'enfant, et devant sa réponse positive, guetta l'approbation de la mère.

Tholie considérait les crocs du jeune fauve avec appréhension.

— Ne t'inquiète pas, Tholie. Il ne lui fera pas de mal. Loup adore les enfants. Il a grandi au milieu d'eux, au Camp du Lion.

Fascinée par la bête qui la dévorait des yeux, Shamio avait déjà lâché sa mère et s'avançait vers l'animal d'un pas hésitant. L'enfant regardait Loup d'un air grave et solennel tandis que le quadrupède couinait de plaisir. Shamio fit un ultime pas et put enfin plonger les deux mains dans la fourrure de Loup. Le cri d'effroi de Tholie fut noyé dans les éclats de rire et les gargouillis de sa fille, que Loup léchait à grands coups de langue. Shamio repoussa son museau, agrippa sa fourrure à pleines mains, et perdant l'équilibre, s'étala sur l'animal. Le loup attendit patiemment que la petite se relevât, et lui lécha encore le visage, déclenchant une nouvelle cascade d'éclats de rire.

— Viens, 'ti Loup, dit la petite fille en tirant sur la fourrure de Loup.

Elle le considérait déjà comme son jouet vivant, et

363

Loup glapit comme un bébé pour attirer l'attention d'Ayla et obtenir sa permission.

— Allez, Loup, va jouer avec Shamio, dit enfin Ayla, libérant l'animal.

Loup jeta à sa maîtresse un regard qu'on aurait pu croire plein de gratitude, et suivit la petite fille avec une joie évidente qui fit sourire jusqu'à Tholie.

Jondalar, qui sortait de l'eau en se séchant, avait suivi la scène avec beaucoup d'intérêt. Il ramassa leurs affaires et marcha avec les deux femmes vers l'abri de grès. Tholie surveillait Shamio du coin de l'œil, au cas où, mais ne pouvait s'empêcher d'être intriguée par le loup. Et elle n'était pas la seule. De nombreux Shamudoï observaient le loup et l'enfant. Un petit garçon de l'âge de Shamio s'approcha et fut à son tour accueilli par un chaleureux coup de langue. Au même moment, deux enfants sortirent d'une habitation en se disputant un objet en bois. Le plus jeune le jeta pour empêcher l'autre de s'en emparer, ce que Loup comprit comme le signal de son jeu favori. Il courut après le bout de bois sculpté, le rapporta et le déposa devant le garçon, en remuant la queue, la langue pendante, l'œil brillant de plaisir. Le garçon ramassa l'objet et le lança.

— Mais... tu as raison, il joue avec eux, s'étonna Tholie. Il doit aimer les enfants, mais comment peut-il jouer ? Ce n'est qu'un loup !

— Les loups et les humains ont beaucoup de points communs, assura Ayla. Les loups adorent jouer. Dès leur plus jeune âge, les louveteaux d'une même portée s'amusent beaucoup entre eux. Leurs aînés et leurs parents jouent aussi avec eux. Lorsque j'ai trouvé Loup, il était le dernier survivant de sa portée. Il n'avait pas encore les yeux ouverts. Il a grandi parmi les humains, en jouant avec les enfants.

— Oui, mais regarde-le. Il est d'une patience ! Je suis sûre que Shamio lui fait mal en lui tirant les poils. Pourquoi ne bronche-t-il pas ? s'enquit Tholie.

— Je n'ai eu aucun mal à le lui apprendre, les loups sont toujours tolérants envers les plus petits de leur bande. Loup fait preuve d'une patience infinie avec les bébés et les tout petits. Lorsque les enfants deviennent trop brutaux, il s'éloigne, tout simplement, et il revient plus tard. Il n'en accepte pas tant des plus grands, et on dirait qu'il fait la différence entre ceux qui lui font mal accidentellement, et ceux qui le font exprès. Il n'a jamais mordu personne, mais il peut faire semblant, il attrape le fautif entre ses dents, sans serrer les mâchoires, pour rappeler qu'il y a des limites. Par exemple, on ne peut pas lui tirer la queue sans conséquence.

— On a du mal à imaginer quiconque, et surtout un enfant, en train de tirer la queue d'un loup... enfin, jusqu'à aujourd'hui, soupira Tholie. Si on m'avait dit un jour que Shamio jouerait avec un loup... Tu... tu nous obliges à réfléchir, Ayla... Ayla des Mamutoï.

Tholie avait d'autres questions à poser, mais elle voulait éviter d'accuser Ayla de mensonge, pas après ce qu'elle avait fait pour Roshario... ou du moins, ce qu'elle semblait avoir fait. On n'était encore sûr de rien.

Ayla avait deviné les réserves de Tholie, et cela la chagrinait. Elle aimait la petite Mamutoï potelée, et n'en regrettait que davantage sa suspicion inavouée. Elles marchèrent sans rien dire, observant Loup qui jouait avec Shamio et les autres enfants. Ayla espérait avoir une fille la prochaine fois... une fille aussi jolie que Shamio. Elle portait si bien son nom !

— Je trouve que Shamio est un très joli nom, Tholie. Très joli et peu courant. On dirait un nom à la fois sharamudoï et mamutoï, déclara Ayla.

— Oui, c'est vrai, admit Tholie en souriant malgré elle. Je l'ai choisi pour cela, mais peu de gens l'ont aussi bien compris que toi. Si elle avait été mamutoï, on l'aurait appelée Shamie, bien que ce nom n'existe dans aucun Camp puisqu'il vient du sharamudoï. Elle a donc un peu de chaque peuple en elle. Je suis une Sharamudoï aujourd'hui, mais je suis née dans le Foyer du Cerf, d'une haute lignée. Ma mère a insisté pour obtenir un bon Prix d'Union du peuple de Markeno, même s'il n'était pas mamutoï. Shamio peut être fière de ses origines mamutoï comme de son héritage sharamudoï. Je voulais que son nom reflète sa double appartenance. Ayla aussi est un nom inhabituel, ajouta-t-elle comme frappée d'une idée subite. Dans quel Foyer es-tu née ? demanda-t-elle, en se disant : « Je serais curieuse de connaître ton explication. »

— Je ne suis pas née chez les Mamutoï, Tholie. J'ai été adoptée par le Foyer du Mammouth, avoua Ayla, soulagée que la petite femme soulevât la question qui manifestement la travaillait.

— Le Foyer du Mammouth n'adopte personne, rétorqua Tholie, certaine d'avoir pris Ayla en flagrant délit de mensonge. C'est un Foyer de mamuti. Si on choisit la voie des esprits, on peut être accepté par le Foyer du Mammouth, mais il n'adopte personne.

— C'est vrai, intervint Jondalar. Mais Ayla a tout de même été adoptée. J'y étais. Talut voulait adopter Ayla dans son Foyer du Lion, mais, le jour de la cérémonie, Mamut a surpris tout le monde en l'adoptant dans le Foyer du Mammouth. Il lui trouvait un Don, c'est pourquoi il avait entrepris de l'initier. Il prétendait qu'elle appartenait au Foyer du Mammouth, même si elle n'était pas une Mamutoï.

— Adoptée par le Foyer du Mammouth ? Une étrangère ? s'exclama Tholie au comble de la surprise.

Elle connaissait bien Jondalar avec qui, en outre, elle était apparentée, et ne pouvait mettre ses paroles en doute. Ce qui ne faisait qu'exciter davantage sa curiosité. Débarrassée de sa retenue prudente obligée, elle pouvait enfin donner libre cours à son naturel indiscret.

— Où es-tu née, Ayla ? demanda-t-elle alors.

— Je ne sais pas. Mon peuple est mort dans un tremblement de terre quand je n'étais pas plus grande que Shamio. J'ai été élevée par le Clan, expliqua Ayla.

Tholie n'avait jamais entendu parler du Clan. Elle pensa que c'était une des tribus de l'Est, ce qui expliquait bien des choses. A commencer par son accent, bien qu'elle parlât plutôt bien le mamutoï pour une étrangère. Mamut du Camp du Lion était âgé, sage et rusé. On l'avait toujours connu vieux, pensa Tholie. Même dans mon enfance, personne ne l'avait connu jeune et on n'aurait jamais douté de ses intuitions.

L'instinct maternel poussa Tholie à vérifier ce que faisait sa fille. Apercevant Loup, elle songea qu'il était étrange qu'un animal préférât la compagnie des humains. Plus loin, les chevaux broutaient paisiblement dans le pré qui touchait l'aire de réunion des Shamudoï. L'emprise d'Ayla sur les animaux était surprenante, d'autant que leur obéissance paraissait consentie. Loup lui vouait une véritable adoration.

Et que dire de Jondalar ? A l'évidence, il était sous le charme de cette femme blonde et, d'après Tholie, la seule beauté d'Ayla n'expliquait pas cette fascination. Serenio aussi était belle, et d'innombrables femmes avaient tout tenté pour s'attacher la fidélité du géant blond. Mais il était trop proche de son frère, et Tholie se souvint s'être demandé si une femme arriverait jamais à toucher son cœur. Ayla avait donc réussi là où toutes les autres avaient échoué. En dehors de ses dons de Femme Qui Soigne, elle semblait posséder des qualités exceptionnelles. Le vieux Mamut ne s'était pas trompé, cette femme étrange était sûrement destinée au Foyer du Mammouth.

A l'intérieur de la hutte, Ayla se peigna, attacha ses cheveux avec une lanière de cuir souple, passa la tunique propre et les culottes courtes qu'elle gardait en prévision de ce genre de rencontre. Ensuite, elle alla prendre des nouvelles de Roshario. Elle adressa un sourire à Darvalo, nonchalamment assis devant la hutte, et salua Dolando en entrant. Elle s'approcha du lit, et examina la blessée.

— Est-il normal qu'elle dorme si longtemps ? s'inquiéta Dolando, le front soucieux.

— Elle va bien, le rassura Ayla. Elle va dormir encore un peu.

Elle aperçut sa poche à remèdes et décida que le moment était venu de collecter des plantes fraîches pour préparer une tisane revigorante qui aiderait Roshario à sortir du sommeil provoqué par le datura.

— En venant ici, j'ai aperçu un tilleul. Les fleurs font de bonnes infusions, et j'y ajouterai d'autres plantes si je les trouve. Si Roshario se réveille avant mon retour, donne-lui un peu d'eau. Elle sera certainement hébétée et la tête risque de lui tourner, mais c'est normal. Les attelles devraient maintenir son bras, mais il faut qu'elle évite le plus possible de bouger.

— Tu ne te perdras pas ? demanda Dolando. Tu ne veux pas que Darvo t'accompagne ?

Sûre de pouvoir retrouver son chemin, Ayla n'en accepta pas moins l'offre de Dolando. Roshario avait accaparé l'attention de tous, et personne ne s'était soucié de l'inquiétude du jeune garçon.

— Oui, je vais lui demander. Je te remercie, Dolando.

Darvalo avait surpris la conversation et s'était déjà levé, content de se rendre utile.

— Je sais où est le tilleul ! déclara-t-il. A cette époque de l'année, il y a toujours plein d'abeilles qui tournent autour.

— Quand les fleurs sentent le miel, c'est le meilleur moment pour les cueillir ! Sais-tu où je pourrais trouver un panier pour les rapporter ?

— Roshario les range là, répondit Darvalo en conduisant Ayla à un appentis derrière la hutte, où ils choisirent deux paniers.

Ils s'éloignaient de l'abri creusé dans le grès lorsque Ayla aperçut Loup qui la suivait des yeux. Elle l'appela, préférant ne pas le laisser seul au milieu de gens qu'il ne connaissait pas encore. Les enfants protestèrent en le voyant partir. Plus tard, quand tous seraient habitués à sa présence, elle aviserait.

Dans le pré, ils rejoignirent Jondalar qui parlait avec

deux hommes à proximité des chevaux. Ayla lui expliqua où ils allaient. Loup courut vers les chevaux, et ils assistèrent avec amusement à leur retrouvailles. Loup et Whinney se frottèrent le museau, pendant que Rapide accueillait son compagnon en hennissant. Loup se campa alors sur ses pattes de derrière et salua l'étalon de jappements de louveteau. Rapide releva la tête, hennit et piaffa pour jouer. La jument s'approcha d'Ayla et posa la tête contre l'épaule de la jeune femme, qui enlaça le cou de son amie. Elles restèrent ainsi, dans leur position préférée. Rapide s'avança et les poussa du museau, jaloux de leur intimité. Ayla flatta l'encolure de l'étalon, le caressa, consciente qu'ils avaient tous besoin de réconfort dans ce lieu rempli d'étrangers.

— Viens, Ayla, que je te présente, dit Jondalar.

Elle se retourna vers les deux hommes. L'un était presque aussi grand que Jondalar, mais plus mince, l'autre était plus petit et plus vieux, mais leur ressemblance frappa néanmoins Ayla. Le plus petit fit un pas en avant, les deux mains tendues.

— Ayla des Mamutoï, je te présente Carlono, Celui Qui Ordonne des Ramudoï des Sharamudoï, fit Jondalar.

— Au nom de Mudo, Mère de Tous sur terre comme dans l'eau, tu es la bienvenue, Ayla des Mamutoï, déclara Carlono, saisissant les mains de la jeune femme.

Il parlait mieux mamutoï que Dolando. C'était le fruit de nombreux voyages dans le delta de la Grande Rivière Mère, et de l'enseignement de Tholie.

— Au nom de Mut, je te remercie pour ton accueil, Carlono des Sharamudoï, répondit Ayla.

— Il faudra que tu viennes voir notre ponton, proposa Carlono, tout en s'étonnant de l'étrange accent de la jeune femme. (Je n'ai jamais entendu quelqu'un parler le mamutoï comme elle, se disait-il.) Jondalar m'a avoué qu'il t'avait promis un tour en bateau. Un vrai bateau, pas un de ces bols géants comme en fabriquent les Mamutoï.

— J'en serais enchantée, assura Ayla avec son plus charmant sourire.

La beauté de la jeune femme effaça l'impression que lui avait procurée son accent, et Carlono conclut qu'elle convenait bien à Jondalar.

— Jondalar m'a beaucoup parlé de vos bateaux et de vos chasses à l'esturgeon, continua Ayla.

Les deux hommes éclatèrent de rire et regardèrent Jondalar qui souriait en rougissant un peu.

— Il ne t'a jamais raconté comment il avait chassé un demi-esturgeon ? demanda le plus jeune.

— Ayla des Mamutoï, intervint Jondalar, je te présente Markeno des Ramudoï, fils du Foyer de Carlono, et le compagnon de Tholie.

— Bienvenue à toi, Ayla des Mamutoï, déclara Markeno sans cérémonie, sachant qu'elle avait déjà été saluée dans les règles rituelles plusieurs fois. As-tu déjà rencontré Tholie ? Elle sera contente de te voir, les Mamutoï lui manquent, parfois.

Markeno maîtrisait parfaitement la langue de sa compagne.

— Oui, je l'ai rencontrée, et Shamio aussi. C'est une très jolie petite fille.

— C'est ce que je trouve, moi aussi, bien qu'on ne parle pas ainsi de la fille de son propre foyer, avoua Markeno avec un sourire épanoui. Darvo, comment va Roshario ?

— Ayla lui a remis le bras en place, c'est une Femme Qui Soigne, expliqua le jeune garçon.

— Oui, Jondalar nous a raconté qu'elle avait réduit la fracture, déclara Carlono, prudent.

Il préférait attendre de voir comment le bras se ressouderait. Ayla nota les réticences du chef des Ramudoï, et vu les circonstances, elle les comprit. Ils avaient beau aimer Jondalar, elle n'était, après tout, qu'une étrangère.

— Jondalar, Darvalo m'accompagne cueillir des plantes que j'ai vues en venant, annonça Ayla. Roshario dort toujours et j'aimerais lui préparer une potion pour son réveil. Dolando est resté auprès d'elle. Je n'ai pas le temps maintenant, mais il faudra que je cherche les fleurs blanches pour Rapide. Je n'aime pas beaucoup la couleur de ses yeux. En attendant, essaye de les laver avec de l'eau pure, conseilla-t-elle.

Puis elle leur sourit, appela Loup, fit signe à Darvalo et tous trois se mirent en route.

Du sentier qui longeait la muraille rocheuse, la vue était toujours magnifique. Haletante, Ayla ne put résister à l'envie de se pencher au bord du précipice. Elle laissa Darvalo passer devant. Il lui montra un raccourci qu'elle emprunta avec soulagement. Intrigué par une abondance d'odeurs nouvelles, le loup s'écartait souvent du sentier, avant de les rejoindre en courant. Les premières fois que Loup débula soudainement, Darvalo sursauta, mais il finit par s'habituer.

Un riche parfum au relent de miel et un bourdonnement d'abeilles leur signalèrent la présence du vieux tilleul avant qu'il soit à portée de vue. L'arbre, d'une taille imposante, se dressa devant eux au sortir d'un tournant. Pendant de bractées oblongues, des petites fleurs jaunes odoriférantes dansaient et les abeilles étaient si occupées à butiner qu'elles ignorèrent les importuns. Ayla dut secouer les rameaux qu'elle venait de couper pour en chasser des abeilles qui retournèrent simplement dans l'arbre reprendre leurs activités.

— En quoi est-ce particulièrement bon pour Roshario ? demanda Darvalo. Tout le monde fait de l'infusion de tilleul.

— Oui, ça a bon goût, hein ? Mais je l'utilise pour ses vertus multiples. Si tu es troublé, nerveux ou même en colère, une infusion de tilleul t'apaisera. Si tu es fatigué, ça te réveillera et te donnera du tonus. Le tilleul soulage aussi les maux de tête et les douleurs d'estomac. Roshario connaîtra tous ces petits troubles à son réveil, à cause de la potion que je lui ai fait boire pour l'endormir.

— J'ignorais que le tilleul avait tant de pouvoirs, avoua

le jeune garçon en contemplant l'arbre familier d'un regard neuf.

— Il y a autre chose que j'aimerais trouver, mais je n'en connais pas le nom mamutoï. C'est un arbuste, qui pousse parfois en buisson. Il est protégé par des épines et ses feuilles vont par cinq comme les doigts de la main. Des grappes de fleurs blanches fleurissent au début de l'été, et il doit avoir des baies rouges, maintenant.

— Ce ne serait pas l'églantier ?

— Non, mais ils se ressemblent. Celui que je cherche est plus grand qu'un églantier, mais ses fleurs sont plus petites et ses feuilles sont différentes.

Darvalo se concentra, le front plissé. Soudain, son visage s'éclaira.

— Je crois que j'ai deviné. Si c'est bien ce que je pense, il y en a pas loin d'ici. Au printemps, quand on se promène par là, on cueille les bourgeons pour les manger.

— Oui, c'est peut-être ça. Tu peux m'y conduire ?

Ne voyant pas Loup, Ayla le siffla. Il accourut presque immédiatement, regardant sa maîtresse en frétillant. Elle lui fit signe de les suivre, et ils marchèrent quelque temps jusqu'à un buisson d'aubépine.

— Bravo, c'est exactement ce que je cherchais ! s'exclama Ayla. Je n'étais pourtant pas sûre de mes explications.

— Quels pouvoirs ont ces fruits ? demanda Darvalo en aidant Ayla à cueillir les baies.

— Ils fortifient et stimulent le cœur. Mais ceux qui ont le cœur fragile ont besoin d'une drogue plus forte, dit Ayla en cherchant ses mots pour tenter de faire partager au jeune garçon ce qu'elle avait appris par l'expérience et l'observation.

L'enseignement d'Iza, dispensé dans une langue inarticulée et avec des méthodes si particulières, était difficile à traduire.

— Mélangés à d'autres médecines, ils décuplent leur effet.

372

La collecte avec Ayla commençait à plaire à Darvalo. Elle connaissait tant de choses que les autres ignoraient. En outre, elle lui faisait volontiers part de son savoir. Sur le chemin du retour, ils s'arrêtèrent sur un bas-côté ensoleillé et cueillirent les fleurs bleues et odorantes de l'hysope.

— A quoi ça sert ? demanda Darvalo.

— A dégager la poitrine pour faciliter la respiration. Et ça, désigna Ayla en cueillant les douces feuilles duveteuses d'une épervière aux tiges velues qui poussait à côté, c'est bon pour tout. C'est fort, et j'en ajouterai à peine, parce que le goût n'est pas agréable. J'aurais aimé préparer pour Roshario une boisson délicieuse, mais au moins ces feuilles lui éclairciront l'esprit et lui rendront des forces.

En rentrant, Ayla s'arrêta une fois encore pour cueillir un gros bouquet d'œillets roses. Avide d'approfondir ses connaissances médicinales, Darvalo interrogea Ayla sur les vertus de la jolie plante.

— Oh, je les cueille simplement parce qu'elles sentent bon, et qu'elles donnent un goût épicé, agréable et sucré. J'en jetterai quelques têtes dans l'infusion et j'en ferai tremper dans de l'eau au pied du lit de Roshario. Cela lui fera plaisir. Les femmes aiment les choses qui sentent bon, Darvalo, surtout quand elles sont malades.

Darvalo décida qu'il aimait comme Ayla les choses qui sentaient bon. Il lui était aussi reconnaissant de l'appeler Darvalo, et non Darvo comme tout le monde. Non qu'il fût vexé que Dolando ou Jondalar utilisassent son nom d'enfant, mais il appréciait qu'Ayla l'appelât de son nom d'adulte. Sa voix aussi lui plaisait, même si certains sons lui paraissaient étranges. On était obligé de tendre l'oreille, et finalement de se rendre compte qu'elle avait une bien jolie voix.

Il y avait eu une époque où il avait souhaité plus que tout que Jondalar s'unît à sa mère et demeurât parmi les Sharamudoï. Le compagnon de sa mère était mort quand il était petit, et aucun homme n'avait vécu auprès d'eux avant l'arrivée du géant blond. Jondalar l'avait traité comme le fils de son foyer — il avait même commencé à lui enseigner la taille du silex — et Darvalo avait souffert de son départ.

Il avait longtemps attendu son retour, sans jamais y croire vraiment. Lorsque sa mère était partie avec Gulec, le Mamutoï, il avait compris que Jondalar n'aurait plus de raison de rester s'il revenait un jour. Mais maintenant qu'il était de retour, et avec une autre compagne, peu importait que sa mère fût partie ou non. Tout le monde aimait Jondalar, et d'autre part, on avait besoin d'une Femme Qui Soigne. On en parlait beaucoup, surtout depuis l'accident de Roshario. Darvalo ne doutait pas des pouvoirs d'Ayla. Alors, se disait-il, pourquoi ne resteraient-ils pas avec nous ?

— Elle s'est réveillée une fois, s'empressa de dire Dolando, dès qu'Ayla fut entrée dans la hutte. Du moins, c'est ce que j'ai cru. Mais elle se débattait peut-être dans son sommeil. Elle s'est calmée et elle dort tranquillement, maintenant.

Il essayait de le cacher, mais on voyait bien que le retour d'Ayla le rassurait. Talut avait été d'entrée franc et amical. Il appuyait son pouvoir sur sa force de caractère, sa qualité d'écoute, sa tolérance, son art du compromis... et sur une grosse voix, capable d'attirer l'attention d'un groupe en proie à d'âpres discussions. Dolando, en revanche, lui rappelait Brun. Il était plus réservé, et bien que sachant lui aussi écouter et peser chaque situation, il préférait cacher ses sentiments. Mais Ayla avait l'habitude de lire dans le cœur de ce genre d'homme.

Loup entra avec Ayla et alla directement se coucher dans son coin, sans attendre son signal. Ayla déposa son panier et examina Roshario.

— Elle va bientôt se réveiller, assura-t-elle à l'homme, dévoré d'inquiétude. J'ai encore le temps de lui préparer une potion spéciale.

Dolando avait senti le parfum des fleurs à l'arrivée d'Ayla, et l'eau qu'elle fit chauffer avec les plantes

374

odorantes lui chatouilla agréablement les narines. Ayla apporta deux bols et en tendit un à Dolando.

— Qu'est-ce que c'est ? demanda-t-il.

— C'est pour aider Roshario à se réveiller, mais cela te fera du bien aussi.

Il en but une gorgée, s'attendant à un simple liquide parfumé, et fut surpris par le goût sucré, légèrement corsé, enrichi de délicates saveurs.

— Hmm, c'est délicieux ! s'exclama-t-il. Qu'as-tu mis dedans ?

— Demande à Darvalo, répondit Ayla. Je parie qu'il sera heureux de te renseigner.

L'homme comprit immédiatement la discrète allusion.

— Je devrais m'occuper davantage de lui, bougonna-t-il. Je m'inquiétais tellement pour Roshario que je n'avais la tête à rien d'autre. Je suis pourtant sûr qu'il s'inquiétait autant que moi.

Ayla esquissa un sourire indulgent. Elle commençait à mieux comprendre les qualités qui avaient fait de Dolando le chef de ce groupe. Elle appréciait sa vivacité d'esprit et commençait à l'aimer. Un râle de Roshario accapara soudain son attention.

— Dolando ? gémissait la voix faible.

— Je suis là, répondit l'homme avec une tendresse qui serra la gorge d'Ayla. Comment te sens-tu ?

— Je suis tout étourdie, et j'ai fait un rêve bien étrange.

— Je t'ai préparé une infusion, dit Ayla. (Roshario fit la grimace en se rappelant la dernière qu'elle avait bue.) Mais celle-là te plaira davantage. Tiens, sens.

Elle approcha le bol pour que la blessée pût humer le parfum délicat. La grimace de Roshario s'effaça et Ayla lui souleva la tête pour lui permettre de boire.

— C'est très bon, admit Roshario après quelques gorgées.

Elle vida le bol et s'allongea de nouveau, les paupières closes.

— Mon bras! s'exclama-t-elle bien vite en rouvrant les yeux. Comment est mon bras?

— Est-ce qu'il te fait mal? demanda Ayla.

— Oh, un peu, mais pas autant qu'avant, et pas de la même façon. Attends...

Elle tendit le cou pour examiner son bras, et tenta de s'asseoir.

— Laisse-moi t'aider, s'empressa Ayla.

— Oh, il est redressé! Mon bras est redressé! s'écria-t-elle, les larmes aux yeux. Tu as réussi! Je ne serai plus une vieille femme inutile, soupira-t-elle en se recouchant.

— Tu ne pourras peut-être pas t'en servir comme avant, prévint Ayla, mais la fracture est propre et elle a des chances de se ressouder normalement.

— Dolando, tu te rends compte? Tout ira bien maintenant, oh oui, tout ira bien, hoqueta Roshario.

Mais cette fois, elle pleurait des larmes de joie et de soulagement.

17

— Vas-y doucement, recommanda Ayla en aidant Roshario à s'installer entre Jondalar et Markeno, tous deux penchés à chaque extrémité du lit. La bande soutiendra ton bras et le maintiendra en place, mais serre-le bien contre ton corps.

— Tu crois vraiment qu'elle peut déjà se lever? s'inquiéta Dolando.

— Bien sûr que je peux! s'exclama Roshario. J'ai assez traîné au lit comme ça, et je ne veux pas manquer la cérémonie de bienvenue en l'honneur de Jondalar.

— Tant qu'elle ne se fatigue pas, cela ne peut que lui faire du bien de prendre l'air et de voir du monde, assura Ayla. Mais ne t'attarde pas trop, conseilla-t-elle à Roshario. Le repos est encore le meilleur remède.

— J'ai envie de voir les gens se réjouir pour une fois. Mes visiteurs n'exhibaient que des visages affligés. Je veux les rassurer, leur montrer que je vais mieux, dit la femme en se calant dans les bras des deux jeunes hommes.

Markeno et Jondalar se redressèrent en soulevant la blessée. Ils étaient presque de même taille et la portaient sans peine. Jondalar était certes plus musclé, mais

Markeno dégageait une impression de puissance. Son corps mince et souple cachait une force considérable, entretenue par la pratique de la rame et le transport des énormes esturgeons.

— Comment te sens-tu ? demanda Ayla.

— Oh, je me sens des ailes, répondit Roshario en adressant des sourires à ses porteurs. D'en haut, la vue est agréable.

— Tu es prête ?

— Attendez. Comment me trouves-tu, Ayla ?

— Très bien. Tholie t'a parfaitement coiffée, tu es superbe, affirma Ayla.

— Je me sens revivre depuis que vous m'avez fait ma toilette. Je ne prenais même plus la peine de me peigner, ni de me laver. Cela prouve bien que je vais mieux.

— C'est en partie dû à la potion calmante, mais l'effet va se dissiper. N'hésite pas à me prévenir dès que la douleur reviendra. Ne cherche pas à faire la brave. Si tu te sens fatiguée, dis-le-moi tout de suite, recommanda Ayla.

— Oui, oui. Allons-y, je suis prête, déclara Roshario, impatiente.

Des cris de surprise les accueillirent à la sortie de la hutte.

— Regardez qui arrive !

— Roshario !

— Comme elle va mieux !

— Déposez-la ici, dit Tholie. On lui a réservé une place.

Longtemps auparavant, un gros morceau de grès s'était détaché du surplomb et avait roulé près de l'aire de réunion. Tholie y avait adossé un banc qu'elle avait recouvert de fourrures. Les deux hommes y déposèrent Roshario avec précaution.

— Es-tu bien installée ? demanda Markeno.

— Oui, oui, on ne peut mieux, affirma Roshario, peu habituée à un tel luxe d'attention.

Le loup les avait suivis et, dès que Roshario se fut installée, il s'allongea près d'elle. La convalescente ne cacha pas sa surprise, mais à la façon qu'il avait de la regarder, et de surveiller quiconque approchait, elle eut l'étrange mais ferme conviction que le carnassier voulait la protéger.

— Ayla, pourquoi ce loup tourne-t-il autour de Rosario ? Tu devrais lui dire de la laisser tranquille, conseilla Dolando, inquiet de voir l'animal rôder autour de sa compagne, sachant que les bandes de loups s'attaquaient de préférence aux membres les plus vieux et les plus faibles d'un troupeau.

— Non, je ne veux pas qu'il s'en aille, s'écria Rosario en caressant la tête du loup de sa main valide. Il ne me veut pas de mal, Dolando. Je crois qu'il cherche à me protéger.

— Tu as raison, approuva Ayla. Au Camp du Lion, il y avait un jeune garçon maladif que Loup avait pris en affection et il le défendait. Oui, il a compris que tu es blessée et il veut te protéger.

— C'était Rydag, n'est-ce pas ? s'enquit Tholie. Celui que Nezzie avait adopté, celui qui était un... (Elle s'interrompit brusquement, se rappelant à temps les violents préjugés de Dolando.)... un étranger.

L'hésitation de Tholie n'échappa pas à Ayla.

— Vit-il toujours avec eux ? poursuivit Tholie, en essayant de cacher un trouble qu'on n'attendait pas chez cette femme franche et directe.

— Non, il est mort pendant la Réunion d'Eté, répondit Ayla d'une voix qui trahissait le chagrin qu'elle éprouvait encore.

La bienséance livrait en Tholie un dur combat contre la curiosité. Elle aurait aimé poser d'autres questions sur l'enfant, mais le moment était mal choisi.

— Qui a faim ? lança-t-elle à la cantonade. Je propose qu'on commence à manger.

Après que tous furent rassasiés, même Rosario qui mangea peu mais avec appétit, ils se rassemblèrent autour du feu, buvant une infusion ou du vin de pissenlit légèrement fermenté. C'était l'heure des histoires et des récits d'aventures. Autrement dit, c'était l'occasion d'en apprendre davantage sur les visiteurs et leurs étranges compagnons de voyage.

Hormis quelques hommes partis à la chasse, tous les membres des deux groupes sharamudoï étaient présents : les Shamudoï qui vivaient toute l'année sur le haut plateau, et les Ramudoï qui habitaient sur le fleuve. Pendant la saison chaude, le Peuple du Fleuve vivait sur un ponton flottant amarré au pied du précipice mais, l'hiver venu, il déménageait sur le plateau et partageait les huttes de ses cousins. Chaque couple ramudoï choisissait un couple shamudoï avec lequel il s'unissait au cours d'une cérémonie. Les deux couples formaient un même foyer et chacun traitait la progéniture de l'autre comme la sienne propre.

Jamais au cours de son long périple, Jondalar n'avait rencontré une telle organisation, fondée sur des liens familiaux particuliers et les bénéfices mutuels que chacun en tirait. Les liens rituels et les échanges étaient multiples, mais à l'origine les Shamudoï fournissaient les produits de la terre et un abri pour l'hiver, alors que les Ramudoï apportaient le fruit de leur pêche et leur art de la navigation.

Les Sharamudoï considéraient Jondalar comme l'un des leurs bien qu'il ne leur fût apparenté qu'à travers son frère. Quand Thonolan s'était épris d'une Shamudoï, il avait appris leurs coutumes et avait décidé d'accepter leur adoption. Jondalar avait vécu parmi eux aussi longtemps que son frère et il les considérait également comme sa propre famille. Il avait appris et accepté leur façon de vivre, mais n'avait pas été jusqu'à l'Union rituelle. Au plus profond de son cœur, il ne pouvait renier l'identité qui le rattachait à son peuple, ni se décider à s'établir pour toujours loin de chez lui. Son frère était devenu un vrai Sharamudoï, mais Jondalar était resté un Zelandonii.

Bien entendu, les premières questions concernèrent son frère.

— Que s'est-il passé après votre départ ? demanda Markeno.

Quelle que fût la douleur que la narration des événements tragiques réveillerait, Jondalar admettait que Markeno avait le droit de savoir. Markeno et Tholie avaient eu des liens privilégiés avec Thonolan et Jetamio, ce qui conférait à Markeno un degré de parenté avec Thonolan. Il raconta brièvement comment il avait descendu le fleuve sur le bateau que Carlono leur avait donné, parla des quelques visites qu'ils avaient faites, et décrivit leur rencontre avec Brecie, la Femme Qui Ordonne du Camp du Saule.

— Nous sommes parentes ! s'écria Tholie. C'est une cousine proche.

— Oui, je l'ai appris plus tard, quand nous avons vécu au Camp du Lion. Mais elle nous a très bien accueillis, même avant de savoir que nous étions parents. C'est ce qui a décidé Thonolan à poursuivre vers le nord et à rendre visite à d'autres Camps de Mamutoï. Il voulait chasser le mammouth avec eux. J'ai essayé de l'en empêcher et de le convaincre de rentrer chez nous avec moi. Nous avons été jusqu'à l'embouchure de la Grande Rivière Mère, puisqu'il avait toujours rêvé d'y aller.

Le géant blond ferma les yeux et hocha la tête, comme s'il essayait de refuser la réalité des faits. Tout le monde retint son souffle, partageant sa peine.

— Mais les Mamutoï n'étaient qu'un prétexte, reprit Jondalar. La vérité, c'est qu'il n'arrivait pas à oublier Jetamio, et il cherchait par tous les moyens à la rejoindre dans l'autre monde. Il m'a dit qu'il voyagerait jusqu'à ce que la Mère le prenne. Il affirmait qu'il était prêt, mais c'était plus que cela. Il voulait tant partir qu'il prenait tous les risques. Et il en est mort. Il ne prenait aucune précaution et j'ai été assez stupide pour le suivre quand il a pourchassé la lionne qui lui avait volé sa chasse. Sans Ayla, je serais mort, moi aussi.

381

Cet aveu piqua la curiosité des auditeurs, mais personne n'osa le questionner de crainte de raviver de douloureux souvenirs. Finalement, Tholie brisa le silence.

— Comment as-tu rencontré Ayla ? Tu étais près du Camp du Lion ?

Jondalar leva les yeux vers Tholie, puis regarda Ayla. Il s'était exprimé en sharamudoï et il n'était pas sûr qu'elle eût tout compris. Il regretta qu'elle ne pût faire le récit elle-même. Expliquer les circonstances de sa rencontre avec la jeune femme n'allait pas être facile, et encore moins plausible. Avec le recul, l'histoire lui paraissait invraisemblable, mais il l'acceptait plus facilement quand Ayla racontait sa version des événements.

— Non, nous ne connaissions pas le Camp du Lion, à l'époque, déclara Jondalar. Ayla vivait seule dans une vallée, à plusieurs jours de marche du Camp du Lion.

— Toute seule ? s'étonna Roshario.

— Euh... enfin, pas exactement. Elle partageait une petite grotte avec deux animaux.

— Ah, elle possédait un autre loup ? demanda la blessée en caressant l'animal.

— Non. Elle ne connaissait pas encore Loup. Elle l'a découvert quand nous habitions au Camp du Lion. Mais elle vivait avec Whinney.

— Whinney ? Qu'est-ce que c'est ?

— C'est une jument, Roshario.

— Une jument ? Alors, Ayla possède aussi une jument ?

— Oui. Regarde, c'est elle, là-bas, dit Jondalar en montrant les deux chevaux dont les silhouettes se détachaient sur le ciel rougeoyant.

Les yeux écarquillés, Roshario regarda les chevaux, ce qui arracha un sourire aux autres. Ils s'étaient déjà remis de leur choc initial, mais la vieille femme voyait les deux quadrupèdes pour la première fois.

— Ayla... Ayla vivait donc avec ces deux chevaux ? s'étonna-t-elle.

— Non, pas exactement. J'étais là quand l'étalon est né,

précisa Jondalar. Auparavant, elle ne vivait qu'avec Whinney... et un lion des cavernes, conclut-il dans un souffle.

— Et un quoi ? Ayla, raconte-nous, toi ! demanda Rosharioé dans la langue mamutoï qu'elle maîtrisait mal. J'ai l'impression que Jondalar embrouille tout. Tholie traduira.

Ayla avait saisi des bribes de la conversation, mais elle interrogea Jondalar du regard pour plus de précisions. Il avait l'air visiblement soulagé.

— Je crains de ne pas avoir été clair, Ayla. Roshario voudrait entendre l'histoire de ta bouche. Explique-leur comment tu vivais dans ta grotte avec Whinney, et Bébé, et comment tu m'as rencontré, proposa-t-il.

— Oui, raconte-nous. Et dis-nous pourquoi tu vivais seule dans une vallée, ajouta Tholie.

— Oh, c'est une longue histoire, répondit Ayla en rassemblant ses esprits.

Les Sharamudoï s'installèrent confortablement. On allait leur raconter une longue histoire, pleine de mystère. Ils étaient ravis. Ayla but une gorgée d'infusion, en se demandant par où commencer.

— J'ai déjà dit à Tholie que je ne me souvenais pas d'où venaient mes parents. Je les ai perdus dans un tremblement de terre quand j'étais toute petite, et j'ai été recueillie et élevée par le Clan. Iza, la femme qui m'a trouvée, était guérisseuse, une Femme Qui Soigne, et elle a commencé à m'enseigner son savoir quand je n'étais encore qu'une petite fille.

Ah, voilà qui explique ses talents, se dit Dolando en écoutant la traduction de Tholie.

— Je vivais avec Iza dont le compagnon était mort dans le même tremblement de terre, reprit Ayla, et son frère Creb. Creb tenait la place de l'homme du foyer, et il l'a aidée à m'élever. Iza est morte il y a quelques années, mais avant de mourir, elle m'a bien recommandé de partir et de rechercher mon peuple. Je ne voulais pas partir... je ne pouvais pas... (Elle hésita, se demandant ce qu'elle devait révéler, ce qu'il valait mieux cacher.)... Plus tard... à la mort de Creb... j'ai dû m'en aller.

Ayla marqua une pause et avala une autre gorgée d'infusion pendant que Tholie résumait son récit, butant sur les noms à la sonorité étrange. La narration avait fait resurgir un passé oublié et douloureux. Et Ayla avait besoin de reprendre ses esprits.

— J'ai suivi les conseils d'Iza, et j'ai essayé de retrouver mon peuple, poursuivit-elle, mais je ne savais pas dans quelle direction chercher. J'ai erré du printemps jusque tard dans l'été sans rencontrer personne. Je commençais à me demander si ma quête n'était pas inutile, et j'étais fatiguée de voyager. J'ai découvert au beau milieu des steppes une petite vallée verdoyante arrosée par un cours d'eau. J'ai même trouvé une agréable petite grotte. La nourriture était abondante, l'endroit était plaisant... mais désert. Je ne savais toujours pas où trouver des humains, l'hiver approchait et je devais m'y préparer si je voulais survivre. J'ai donc décidé de rester dans la vallée jusqu'au printemps suivant.

Les Sharamudoï, pris par son récit, commentaient à voix haute sa décision en gesticulant. Ils conclurent qu'elle avait eu raison de s'arrêter dans sa vallée, que c'était la seule chose à faire. Ayla expliqua comment elle avait piégé un cheval dans une trappe, comment elle avait découvert qu'il s'agissait d'une jument en état d'allaiter, et comment elle avait ensuite vu une bande de hyènes encercler son jeune poulain.

— Je n'ai pas hésité, dit Ayla. C'était un bébé sans défense, j'ai chassé les hyènes à coups de fronde et j'ai ramené le poulain dans ma grotte. Et je ne le regrette pas. Whinney a partagé ma solitude et l'a rendue supportable. Elle est devenue mon amie.

Les femmes, au moins, comprenaient qu'on pût se laisser attendrir par un bébé sans défense, fût-il un bébé cheval. Et Ayla relatait les événements avec tant de cœur qu'on finissait par trouver parfaitement normal d'adopter un animal, même si on n'avait jamais vu cela. Mais les femmes n'étaient pas les seules que le récit captivait. Jondalar surveillait l'auditoire et nota que tous étaient pendus aux lèvres d'Ayla, hommes et femmes confondus. Il admira les talents de conteuse de sa compagne, s'apercevant qu'il était lui aussi emporté par l'histoire, qu'il connaissait pourtant. Il l'observa plus attentivement, essayant de comprendre ce qui rendait sa narration si passionnante, et remarqua qu'elle ponctuait son récit de gestes imperceptibles.

Ayla n'agissait pas de la sorte consciemment, encore moins pour rechercher un effet quelconque. Elle avait grandi dans un univers où la communication était surtout gestuelle, et les mouvements de ses bras accompagnaient naturellement chaque mot. Mais quand elle imita les cris d'oiseaux et les hennissements des chevaux, son auditoire ne cacha pas sa surprise. Seule dans sa vallée, avec les animaux pour toute compagnie, elle avait appris à reproduire leurs cris avec une étonnante fidélité. Passé le premier choc, l'utilisation de cris d'animaux colora son récit et lui ajouta une dimension qui enthousiasma l'auditoire.

Le public était en haleine, notamment au moment de l'épisode du dressage de la jument, et Tholie, impatiente de connaître la suite, avait du mal à traduire jusqu'au bout. La jeune Mamutoï parlait couramment les deux langues, mais ne pouvait évidemment pas reproduire le hennissement d'un cheval ou l'appel d'un oiseau. C'était d'ailleurs inutile. L'auditoire saisissait le sens des paroles d'Ayla, d'abord parce que les deux langues étaient proches, et surtout grâce aux gestes expressifs qui rythmaient le récit de la jeune étrangère. Ils attendaient la traduction de Tholie pour confirmer ce qu'ils avaient deviné, ou comprendre ce qu'ils avaient manqué.

Comme eux, Ayla anticipait les phrases de Tholie, mais pour des raisons différentes. Jondalar avait déjà constaté avec stupeur la vitesse avec laquelle elle apprenait les langues, et il en était toujours à s'interroger sur son don étonnant. Il ne pouvait pas comprendre que cette faculté provenait d'un extraordinaire concours de circonstances.

Pour trouver sa place parmi des gens qui tenaient leur savoir des mémoires de leurs ancêtres accumulées dès leur naissance dans des cerveaux énormes, telle une forme évoluée et consciente d'un instinct, la fille des Autres avait été obligée de développer ses propres capacités mnésiques. Elle s'était entraînée à mémoriser rapidement afin de ne pas passer pour une demeurée au yeux du Clan.

Avant d'être adoptée, Ayla avait connu une enfance normale, parlant comme toutes les petites filles, et bien qu'elle eût perdu la plupart de ses facultés d'expression orale en apprenant le langage inarticulé du Clan, les fondations existaient encore. Son désir impérieux de communiquer avec Jondalar n'avait fait qu'accélérer la redécouverte d'une capacité oubliée. Une fois ce processus inconscient enclenché, elle n'eut qu'à le développer quand elle dut apprendre une nouvelle langue en arrivant dans le Camp du Lion. Il lui suffisait d'entendre un mot une fois pour le retenir. La syntaxe et la grammaire exigeaient un peu plus de temps. Mais la langue des Mamutoï et celle des Sharamudoï possédaient une structure proche et de nombreux mots se ressemblaient. Ayla écoutait attentivement la traduction de Tholie pour perfectionner son vocabulaire.

Le récit de l'adoption du bébé cheval avait fasciné tout le monde, mais, arrivée à l'épisode du lion des cavernes blessé, Tholie dut demander à Ayla de répéter son histoire. Qu'on pût, poussé par la solitude, vivre avec un herbivore, passe encore, mais avec un gigantesque carnassier ? Un lion des cavernes parvenu à l'âge adulte atteignait presque la taille des petits chevaux des steppes, mais il était autrement plus massif et plus puissant. Tholie voulait savoir comment Ayla avait pu ne serait-ce qu'envisager d'adopter un bébé lion.

— Il n'était pas bien gros quand je l'ai découvert, plus petit qu'un jeune loup, et ce n'était qu'un bébé... et... et il était blessé, expliqua Ayla.

Pour justifier son acte, Ayla avait comparé le lion à un louveteau, mais tous les regards se dirigèrent sur l'énorme bête allongée près de Roshario. Loup venait du nord, et il était de grande taille pour ceux de sa race, déjà imposante. En fait, c'était le plus grand loup qu'eussent jamais vu les Sharamudoï. La simple idée de vivre avec un lion de cette taille en effrayait plus d'un.

— Elle l'appelait d'un mot qui signifie « bébé », et ce nom lui est resté. C'est le plus gros Bébé que j'aie jamais rencontré, avoua Jondalar, déclenchant l'hilarité générale. Moi aussi, j'ai ri. Mais bien plus tard. Sur le moment je vous assure qu'il n'y avait rien de drôle. Bébé était le lion qui avait tué Thonolan, et qui m'avait à moitié tué, moi aussi.

Dolando jeta un regard inquiet au loup qui était toujours à côté de sa compagne.

— C'était notre faute, reprit Jondalar. On ne pénètre pas impunément sur le territoire d'un lion. Nous avions vu sa femelle quitter son antre et nous ignorions que Bébé s'y trouvait. Mais j'avoue que c'était stupide de notre part. J'ai eu de la chance.

— De la chance ? C'est-à-dire ? intervint Markeno.

— J'étais gravement blessé et je m'étais évanoui, mais Ayla a pu arrêter le lion avant qu'il m'achève.

Tous les regards se tournèrent vers la jeune femme.

— Et comment a-t-elle pu arrêter un lion des cavernes ? s'étonna Tholie.

— De la même façon qu'elle contrôle Whinney et Loup, répondit Jondalar. Elle lui a ordonné de s'arrêter, et il a obéi.

Un murmure d'incrédulité accueillit son explication.

— Comment sais-tu ce qu'elle a fait ? Tu disais que tu étais inconscient, cria une voix.

Jondalar dévisagea celui qui venait de parler. C'était un jeune homme du Fleuve qu'il avait vaguement connu.

— Justement, Rondo, elle a recommencé plus tard, précisa-t-il. Pendant ma convalescence, Bébé est venu la voir. Il savait que j'étais un étranger et il se souvenait peut-être que j'avais pénétré dans son antre avec Thonolan.

Toujours est-il qu'il n'a pas apprécié de me retrouver près de la grotte d'Ayla, et qu'il a immédiatement bondi sur moi. C'est alors qu'Ayla s'est interposée et lui a ordonné d'arrêter. Et il a obéi ! Je n'avais pas le cœur à rire, mais il faut avouer qu'il était drôle. Si vous l'aviez vu se contorsionner en plein milieu d'un bond pour m'éviter !

— Et où est-il maintenant ? s'enquit Dolando.

Il surveillait Loup en se demandant si le lion n'avait pas aussi suivi Ayla. Il n'avait nulle envie qu'un lion des cavernes vînt lui rendre visite, qu'on pût le contrôler ou pas.

— Il a fait sa vie, déclara Ayla. Il est resté avec moi tant qu'il était jeune. Ensuite, comme beaucoup d'enfants, il est parti se chercher une compagne. Il en a probablement plusieurs à présent. Whinney aussi m'a quittée pendant quelque temps, mais elle est revenue quand elle était grosse.

— Et le loup ? demanda Tholie. Tu crois qu'il s'en ira un jour ?

Ayla avala sa salive. C'était une question qu'elle avait toujours refusé d'envisager. Elle y avait souvent pensé, mais s'était débrouillée pour la chasser de son esprit, et avait fini par l'oublier complètement. Maintenant, la question lui était posée en public, et exigeait une réponse.

— Loup était très jeune quand je l'ai trouvé, et il a grandi en croyant que le Camp du Lion était sa bande, déclara-t-elle. En général, les loups restent avec leur bande, mais certains la quittent et deviennent des solitaires jusqu'à ce qu'ils trouvent une femelle solitaire avec qui s'accoupler. Une nouvelle bande se forme alors. Loup est encore jeune, ce n'est qu'un louveteau malgré sa taille. Je ne sais vraiment pas ce qu'il fera, Tholie, et je ne me le demande jamais sans un pincement de cœur. Je ne veux pas le perdre.

— Oui, c'est toujours difficile, pour ceux qui partent, comme pour ceux qui restent, approuva Tholie, en repensant à sa décision déchirante de quitter les Mamutoï pour vivre avec Markeno. J'ai connu cela. Et toi, ne disais-tu pas que tu avais quitté ceux qui t'ont élevée ? Comment les appelles-tu déjà ? Ah, oui, le Clan. Je n'en ai jamais entendu parler. Où vivent-ils ?

Ayla jeta un coup d'œil à Jondalar. Elle le vit pâlir, immobile, le visage tendu. Il semblait gêné, et elle se demanda soudain s'il avait toujours honte de son passé et de ceux qui l'avait élevée. Pourtant, elle l'avait cru débarrassé de ce genre de préjugés. Elle n'avait pas honte du Clan. En dépit de Broud et des tourments qu'il lui avait infligés, on avait pris soin d'elle, on l'avait aimée malgré sa différence, et elle avait aimé en retour. Une bouffée de colère l'envahit, et autant par défi que par fierté, elle décida de ne pas renier ceux qui lui avaient prouvé leur amour.

— Ils vivent sur la péninsule de la mer de Beran, annonça-t-elle.

— La péninsule ? Je ne savais pas qu'elle était habitée. C'est le territoire des Têtes Plates...

Tholie s'interrompit. Etait-ce possible ?

Tholie n'avait pas été la seule à deviner. Roshario avait blêmi et observait Dolando à la dérobée, essayant, sans en avoir l'air, de découvrir s'il avait fait le rapprochement. Les noms étranges qu'Ayla avait mentionnés, si difficiles à prononcer, étaient-ce des noms qu'elle avait donnés à des animaux ? Pourtant, elle prétendait que la femme qui l'avait élevée lui avait enseigné l'art de guérir. Une autre femme vivait-elle parmi eux ? Mais une femme, experte dans les soins de surcroît, aurait-elle choisi librement de vivre parmi ces bêtes ? Un shamud vivrait-il au milieu des Têtes Plates ?

Ayla remarquait les étranges réactions de certains Shara-mudoï, mais le regard que lui jeta Dolando la fit trembler. Ce n'était plus le chef qui maîtrisait si bien ses émotions, celui qui s'inquiétait pour sa compagne avec tant de tendresse. Rien dans son regard ne témoignait d'une quelconque reconnaissance pour les soins qu'elle avait prodigués avec tant d'éclat, ni même de l'accueil prudent qu'il lui avait réservé à son arrivée. Non, Ayla ne décela qu'une douleur enfouie. Une sourde colère ravageait son visage et recouvrait ses yeux d'un voile de haine.

— Les Têtes Plates! explosa-t-il. Tu as vécu chez ces bêtes immondes! Ah, si je pouvais tous les tuer de mes propres mains! Comment as-tu pu vivre avec eux? Quelle est la femme qui accepterait de vivre au milieu de monstres pareils?

Les poings serrés, il marcha sur Ayla. Jondalar et Markeno bondirent sur lui pour le retenir. Protégeant Roshario, Loup grognait en montrant les crocs. Shamio se mit à pleurer, et Tholie la prit dans ses bras et la serra contre son cœur. Dans d'autres circonstances, elle n'aurait pas eu peur de la savoir près de Dolando. Mais l'évocation des Têtes Plates le rendait fou furieux, et dans ces moments-là, il était capable de tout.

— Jondalar! Comment as-tu osé amener cette femme ici? hurla Dolando en essayant de se libérer de l'étreinte du géant.

— Dolando! Est-ce que tu te rends compte de ce que tu dis? intervint Roshario en voulant se lever. Elle m'a aidée! Qu'est-ce que ça peut te faire où elle a grandi? Elle m'a aidée, tu m'entends!

Tous ceux qui s'étaient réunis pour fêter le retour de Jondalar assistaient à la scène bouche bée, abasourdis. Ils ne savaient que faire. Carlono se leva pour aider Jondalar et Markeno à maîtriser Dolando.

Ayla n'en revenait pas. La violence du chef la laissait interdite. Elle vit Roshario tenter de se lever et repousser le loup qui lui barrait la route, menaçant quiconque oserait approcher la blessée. Lui non plus ne comprenait pas la cause de cette agitation soudaine, mais il était déterminé à protéger la femme dont il estimait avoir la responsabilité. Ayla se dit qu'il n'était pas prudent que Roshario se levât, et elle se précipita vers elle.

— Ecarte-toi de ma femme ! s'écria Dolando. Ne la touche pas avec tes sales mains.

Il luttait pour se libérer, mais les autres le retenaient solidement. Ayla se figea, partagée entre le désir d'aider Roshario et la crainte de décupler la rage de Dolando. Qu'est-ce qui lui prend ? s'étonnait-elle. Elle remarqua alors que Loup allait passer à l'attaque et elle lui fit signe de venir. Il ne manquerait plus qu'il blessât quelqu'un ! Loup était en proie à un dilemme déchirant. Il voulait à la fois défendre sa protégée et foncer dans la bagarre. Mais la situation était bien trop confuse. Ayla lui fit de nouveau signe en même temps qu'elle le sifflait. Et c'est le sifflet qui le décida. Il courut vers Ayla, et se posta devant elle en montrant les crocs.

Comme Dolando s'était exprimé en sharamudoï, Ayla avait compris qu'il avait parlé des Têtes Plates et l'avait injuriée, mais le sens lui avait partiellement échappé. Assise près de Loup, elle comprit soudain ce qui avait provoqué la haine de Dolando, et cette découverte la mit dans une colère outragée. Non, les membres du Clan n'étaient pas des monstres. Pourquoi la simple évocation de leur nom le mettait dans un tel état ?

Roshario avait réussi à se lever, et elle s'approchait des hommes en lutte. Tholie confia Shamio à une voisine et accourut l'aider.

— Dolando ! Dolando ! Arrête ! implora Roshario.

La voix de sa compagne sembla le calmer et il cessa de se débattre, mais les trois hommes se gardèrent de relâcher leur prise. Dolando dévisagea Jondalar d'un œil mauvais.

— Pourquoi l'as-tu amenée ici ? répéta-t-il.

— Dolando, qu'est-ce qui te prend ? Regarde-moi ! exigea Roshario. Pourquoi ne l'aurait-il pas amenée ? Ce n'est pas elle qui a tué Doraldo.

Dolando la regarda et sembla remarquer pour la première fois la présence de la femme au bras en écharpe. Elle avait les traits tirés et paraissait bien faible. Il tressaillit, et comme une outre qui se vide, sa fureur le quitta.

— Roshario, tu n'aurais pas dû te lever, reprocha-t-il doucement en essayant de l'enlacer, empêché par l'étreinte des trois hommes. Ça va, tu peux me lâcher, Jondalar, dit-il d'un ton froid.

Le Zelandonii desserra sa prise, mais Markeno et Carlono attendirent d'être sûrs que Dolando fût définitivement calmé pour imiter Jondalar. Et ils restèrent à proximité.

— Dolando, tu n'as aucune raison d'en vouloir à Jondalar, insista Roshario. Il a amenée Ayla parce que j'avais besoin d'elle. Tout le monde est bouleversé, Dolando. Allez, viens t'asseoir et montre-leur que tu t'es calmé.

Le regard têtu, Dolando vint s'asseoir sur le banc, à côté de Roshario. Une femme leur apporta à boire un peu d'infusion et se dirigea ensuite vers l'endroit où se tenaient Jondalar, Markeno, Carlono et Ayla, que Loup ne quittait pas.

— Voulez-vous de l'infusion, ou un peu de vin ? demanda-t-elle.

— Aurais-tu par hasard de ce délicieux vin de myrtille, Carolio ? s'enquit Jondalar.

Ayla nota la ressemblance de la femme avec Carlono et Markeno.

— Le nouveau vin n'est pas encore prêt mais il en reste peut-être de l'année dernière. Tu en voudras aussi, Ayla ?

— Oui, si Jondalar le permet, j'aimerais bien y goûter. Je ne crois pas t'avoir déjà rencontrée, ajouta-t-elle.

— Non, en effet, confirma la femme, pendant que Jondalar s'apprêtait à faire les présentations. Mais inutile de recourir à ces formalités, nous savons tous qui tu es, Ayla. Moi, je suis Carolio, la sœur de celui-ci, précisa-t-elle en montrant Carlono du doigt.

— Oui, vous vous... ressemblez, déclara Ayla en cherchant ses mots.

Jondalar s'aperçut avec surprise qu'elle parlait en sharamudoï. Comment avait-elle pu apprendre si vite ?

— J'espère que tu pardonneras à Dolando, dit Carolio.

392

Le fils de son foyer, le garçon de Roshario, a été tué par les Têtes Plates, et depuis, il les hait. Doraldo était un jeune homme débordant de vie, à peine plus âgé que Darvo. Dolando ne s'en est jamais tout à fait remis.

Ayla comprenait, mais quelque chose la troublait. Ceux du Clan n'avaient pas l'habitude de tuer les Autres. Qu'avait donc pu faire ce garçon ? Elle s'aperçut que Roshario lui faisait signe, et malgré l'air revêche de Dolando, elle se hâta de la rejoindre.

— Tu n'es pas fatiguée ? demanda-t-elle. Il est peut-être temps d'aller te coucher. Tu n'as pas mal ?

— Si, un peu, mais ça va. Tu as raison, je ne vais pas tarder à me coucher. Je tiens à te dire combien je suis désolée de ce qui vient de se passer. Je... j'avais un fils...

— Oui, Carolio me l'a dit. Il a été tué.

— Les Têtes Plates... marmonna Dolando.

— Nous avons peut-être tiré des conclusions trop rapidement. Tu disais avoir vécu avec... avec des gens de la péninsule ? questionna Roshario au milieu d'un silence pesant.

— Oui, admit Ayla. — Elle jeta un coup d'œil à Dolando et se lança. — J'ai vécu avec le Clan. Ceux que vous nommez les Têtes Plates s'appellent en réalité le Clan.

— Comment est-ce possible ? Ils ne parlent pas, intervint une jeune femme.

Jondalar reconnut la femme assise à côté de Chalono, mais ne put mettre un nom sur son visage. Ayla avait deviné ce qu'elle n'avait osé dire, et rétorqua :

— Non, ce ne sont pas des bêtes. Ce sont des humains, et ils parlent. Ils utilisent peu de mots articulés, car leur langage est fait de signes.

— Ah, c'est donc ça que je t'ai vue faire avant de m'endormir ? s'écria Roshario. Je croyais que c'était une sorte de danse.

— Je m'adressais au monde des esprits, expliqua Ayla en souriant. J'implorais l'aide de l'esprit de mon totem.

— Pff, le monde des esprits ! Parler avec ses mains ! C'est absurde, oui ! cracha Dolando.

— Dolando ! gronda Roshario, en lui prenant la main.

— Ayla dit la vérité, Dolando, intervint Jondalar. Tous ceux du Camp du Lion ont appris ce langage, et moi aussi. Ayla nous l'a enseigné pour que nous puissions communiquer avec Rydag. Et j'avoue que tout le monde a été surpris de constater que l'enfant pouvait parler, même s'il prononçait mal les mots. Ils ont alors compris qu'ils n'avaient pas affaire à un animal.

— Tu parles de l'enfant que Nezzie avait adopté ?

— L'espèce de monstre d'esprit mêlé que cette folle de Mamutoï avait recueilli ? Un enfant, ça ? hurla Dolando en s'étouffant de rage.

Ayla sentit la colère monter. Elle redressa fièrement la tête pour riposter :

— Rydag était un enfant. Il provenait peut-être d'esprits mêlés, mais comment oses-tu blâmer un enfant pour ses origines ? Il n'a pas choisi de naître comme ça. Ne dit-on pas que c'est la Mère qui choisit les esprits ? Rydag était un enfant de la Mère comme n'importe qui d'entre nous. De quel droit oses-tu le traiter de monstre ?

Ayla défiait Dolando du regard. Tous les observaient, ébahis par la colère d'Ayla, et attendaient avec curiosité la réaction de Dolando, qui n'était pas le moins surpris.

— Quant à Nezzie, elle n'est pas folle, reprit Ayla. C'est une femme sensible et généreuse qui a adopté un orphelin en se moquant pas mal de ce qu'on dirait. C'est une femme courageuse. Iza, celle qui m'a recueillie malgré ma différence, quand j'étais seule au monde, était comme elle. Elle m'a acceptée bien que je sois une Autre.

— Les Têtes Plates ont tué l'enfant de mon foyer ! hurla Dolando.

— Peut-être, mais ce n'est pas dans leurs habitudes. Le Clan préfère éviter les Autres — c'est comme ça qu'ils nous appellent... Je sais, Dolando, c'est dur de perdre un enfant, poursuivit Ayla en regardant avec compassion l'homme dont la rancœur ne s'était jamais éteinte. Mais laisse-moi te parler de quelqu'un que j'ai connu. C'est une femme que j'ai rencontrée au Rassemblement du Clan, l'équivalent de la Réunion d'Eté, sauf que c'est moins fréquent. Elle collectait des fruits avec d'autres femmes quand des Autres sont arrivés. L'un d'eux l'a attrapée, et l'a forcée à partager les Plaisirs.

La stupeur se lut sur de nombreux visages. Ayla abordait un sujet qu'on préférait généralement éviter, mais que tous, sauf les plus jeunes, connaissaient au moins par ouï-dire. Certaines mères hésitèrent à éloigner leurs enfants, mais tout le monde voulait rester pour connaître la suite.

— Les femmes du Clan ont l'habitude de se plier aux exigences des hommes, il n'est donc pas nécessaire de les forcer, mais l'homme était impatient. Il n'attendit pas qu'elle ait posé son bébé. Il l'empoigna avec une telle violence que le bébé tomba. L'homme ne s'en aperçut même pas. Lorsqu'il autorisa enfin la femme à se relever, elle découvrit que son bébé avait heurté une pierre en tombant. Il était mort.

Certains ne purent retenir leurs larmes.

— Oui, cela arrive parfois, renchérit Jondalar. J'ai entendu parler de jeunes qui vivent loin vers l'ouest et qui pratiquent ces jeux avec les Têtes Plates. Ils se mettent à plusieurs pour forcer une femme du Clan.

— Cela arrive par ici aussi, admit Chalono.

Les femmes le dévisagèrent avec étonnement, alors que la plupart des hommes évitaient de regarder dans sa direction. Pourtant, Rondo le considérait avec mépris, comme s'il n'était qu'une ignoble vermine.

— Mais tous les jeunes en parlent ! se justifia Chalono. C'est vrai que ça ne se pratique plus beaucoup, surtout depuis ce qui est arrivé à Doral...

Il s'interrompit brusquement, jeta des regards furtifs à la ronde, et baissa les yeux, honteux d'en avoir trop dit.

Le silence de mort qui suivit fut brisé par Tholie.

— Roshario, tu as l'air bien fatiguée. Tu ne crois pas que tu devrais aller te coucher?

— Oui, c'est ce que je vais faire, admit Roshario.

Jondalar et Markeno se précipitèrent à son aide, et chacun en profita pour s'esquiver. La soirée était terminée, personne n'avait plus le cœur à la fête. Les deux hommes transportèrent Roshario dans sa hutte, suivis par un Dolando qui traînait les pieds, accablé.

— Je te remercie, Tholie, mais il vaut mieux que je dorme près de Roshario, dit Ayla. J'espère que Dolando ne s'y opposera pas. J'ai peur qu'elle passe une nuit agitée. D'ailleurs, il faut s'attendre à ce que les prochains jours soient pénibles. Son bras enfle déjà et la douleur va se réveiller. Elle n'aurait pas dû se lever ce soir, mais elle insistait tellement que je n'ai pas eu le cœur de l'en empêcher. Elle soutenait qu'elle allait bien, mais c'était dû à la potion que je lui avais fait boire pour dormir et atténuer la douleur. Je lui ai donné quelque chose d'autre mais l'effet va s'estomper pendant la nuit, et je préfère être là quand elle se réveillera.

Ayla profita des dernières lueurs du soleil couchant pour étriller et peigner Whinney, et se dirigea ensuite vers la hutte de Roshario. Chaque fois qu'elle était soucieuse ou tendue, la présence de la jument la réconfortait. Jondalar l'avait accompagnée avant de comprendre qu'elle préférait rester seule. Après avoir flatté et cajolé Rapide, il s'était rapidement retiré.

— Prends Darvo avec toi, suggéra-t-il à Markeno. Il n'aime pas voir souffrir Roshario. Il dormira mieux dans ta hutte.

— Oh, mais bien sûr! Je vais le lui proposer. Si seulement je pouvais convaincre Dolando de venir aussi un jour ou deux! Mais cela m'étonnerait qu'il accepte, surtout après ce qui s'est passé ce soir. C'est la première fois qu'il entendait l'histoire complète de la mort de Doraldo.

— Ce n'est peut-être pas plus mal, estima Tholie. Cela lui permettra enfin de s'en débarrasser. Dolando nourrissait une haine viscérale pour les Têtes Plates depuis ce jour-là. On n'y prêtait pas attention, personne ne se souciait d'eux... je suis désolée, Ayla, mais c'est la vérité.

— Je sais, soupira Ayla, je sais.

— De plus, nous avons peu de contact avec eux. Dolando est un bon chef, à tous les points de vue, poursuivit Tholie, sauf quand il s'agit des Têtes Plates. Et c'est facile d'exciter les gens contre eux. Mais une telle haine ne pouvait que lui nuire. Je pense que la haine se retourne souvent contre celui qui l'éprouve.

— Bon, il est temps d'aller se reposer, proposa Markeno. Tu dois être éreintée, Ayla.

Jondalar, Markeno et Ayla franchirent ensemble les quelques pas qui les séparaient de la hutte voisine, Loup sur leurs talons. Markeno gratta au rabat de peau qui fermait l'entrée, et attendit. Plutôt que de leur crier d'entrer, Dolando préféra sortir sur le pas de la porte, en maintenant ouvert le rabat d'une main.

— Dolando, dit Ayla, j'ai peur que Roshario ne passe une nuit agitée. J'aimerais rester auprès d'elle.

L'homme baissa la tête, puis jeta un coup d'œil vers sa compagne qui reposait à l'intérieur.

— Entre, bougonna-t-il.

— Je veux rester avec Ayla, déclara Jondalar, refusant de la laisser seule avec celui qui l'avait injuriée et menacée, même s'il semblait s'être calmé.

Dolando approuva d'un signe de tête et s'écarta pour qu'il entre à son tour.

— Je suis venu proposer à Darvo de dormir chez nous, expliqua Markeno.

— Oui, tu as eu une bonne idée, admit Dolando. Darvo, prends tes affaires et va chez Markeno pour cette nuit.

Le garçon se leva, ramassa ses couvertures, et se dirigea vers la sortie. Ayla lui trouva l'air soulagé, mais triste.

Loup alla directement se coucher à sa place habituelle,

pendant qu'Ayla s'approchait de la pénombre où reposait Roshario.

— Aurais-tu une torche, Dolando? demanda Ayla. J'ai besoin d'un peu de lumière.

— Et d'autres paillasses, ajouta Jondalar. Ou bien dois-je en emprunter à Tholie?

Dolando aurait préféré rester seul dans le noir, mais si les douleurs devaient réveiller Roshario, il savait que la jeune femme la soulagerait mieux que lui. Sur une étagère, il prit un petit bol de grès qu'on avait creusé et façonné à coups de pierre.

— Les affaires de couchage sont là-bas, dit-il à Jondalar. Il y a de la graisse pour la lampe dans la boîte près de la porte, mais il faut que je rallume le feu, il s'est éteint.

— Je m'en occupe, proposa Ayla. Dis-moi où se trouvent l'amadou et le petit bois.

Il lui remit les instruments qu'elle lui demandait, auxquels il ajouta une baguette de bois dont une extrémité était noircie et un morceau de bois plat que des brûlures avaient troué. Mais Ayla ne les utilisa pas et tira à la place deux pierres de la bourse attachée à sa ceinture. Dolando l'observa avec curiosité entasser des copeaux bien secs, et frotter les deux pierres l'une contre l'autre. A sa grande surprise, une large étincelle jaillit et atterrit sur l'amadou qui s'enfuma immédiatement. Ayla se pencha et souffla sur les copeaux qui s'enflammèrent.

— Comment as-tu fait? s'étonna Dolando, légèrement inquiet.

Tout ce qui était nouveau engendrait la peur, et Dolando se demandait avec anxiété où s'arrêteraient les pouvoirs magiques de la femme shamud.

— C'est grâce à la pierre à feu, expliqua Ayla en rajoutant des copeaux pour alimenter la flamme.

— Ayla l'a découverte quand elle habitait dans sa vallée, intervint Jondalar. On en trouvait partout sur les berges rocailleuses, et j'en ai ramassé beaucoup. Demain, je te montrerai comment s'en servir, et je t'en donnerai une. Tu en trouveras peut-être dans la région. Comme tu l'as constaté, le feu démarre beaucoup plus vite avec ces pierres.

— Où as-tu dit que je trouverais la graisse ? demanda Ayla.

— Dans la boîte, près de l'entrée. Je vais la chercher, je rapporterai aussi les mèches.

Il déposa un gros morceau de suif — de la graisse fondue dans l'eau bouillante, et écumée après refroidissement — dans le bol en grès, y enfonça une fibre de lichen torsadé qu'il alluma avec une brindille enflammée. La mèche grésilla, et de l'huile coula dans le fond du bol. L'huile, bientôt absorbée par le lichen, nourrit la flamme qui répandit une lumière égale dans la hutte en bois.

Ayla fit chauffer des pierres dans le feu, et vérifia le niveau d'eau dans le récipient en bois. Elle allait sortir le remplir quand Dolando le lui prit des mains et s'en chargea. Pendant son absence, Jondalar et Ayla installèrent leur paillasse sur une plate-forme. Ayla choisit ensuite des sachets d'herbes séchées pour préparer une infusion apaisante, et dans un de ses bols, elle versa d'autres ingrédients destinés à Roshario si elle se réveillait. Peu après le retour de Dolando, l'infusion était prête, et elle en versa un bol à chacun.

Ils s'assirent, et burent en silence le liquide chaud. Dolando était soulagé. Il n'était pas d'humeur à faire la conversation. Pour Ayla, ce n'était pas une question d'humeur. Elle ne savait tout simplement pas quoi dire. N'eût été la blessure de Roshario, elle ne serait certainement pas restée. La perspective de passer la nuit dans la hutte d'un homme qui l'avait menacée n'avait rien de réjouissant, et elle était reconnaissante à Jondalar d'avoir décidé de rester avec elle. Jondalar attendait avec angoisse que quelqu'un parle le premier. Mais comme personne ne s'y aventura, ils burent en silence, ce qui, finalement, était la meilleure solution.

Avec un heureux à-propos, Roshario s'agita et gémit à

l'instant même où ils avaient terminé leur infusion. Ayla saisit la lampe et s'avança à son chevet. Elle déplaça un vase tressé, rempli de giroflées à l'arôme épicé, et posa la lampe sur le banc qui faisait office de table. Le bras de Roshario était enflé et brûlant au toucher, même à travers le bandage serré. L'examen d'Ayla et la lumière de la lampe réveillèrent la femme. Elle ouvrit un œil vitreux, reconnut la guérisseuse, et esquissa un pauvre sourire pâle.

— Je suis contente que tu sois réveillée, dit Ayla. Il faut que je desserre les bandages et les attelles. Tu t'agitais dans ton sommeil et je préférerais que tu évites de bouger ton bras. Je vais changer ton emplâtre, cela aidera ton bras à désenfler. Mais d'abord, laisse-moi te préparer quelque chose contre la douleur. Je peux te laisser un instant ?

— Oui, fais ce que tu as à faire, Dolando restera auprès de moi, assura Roshario en regardant par-dessus l'épaule d'Ayla. Jondalar, aide donc Ayla au lieu de rester à ne rien faire.

Jondalar s'exécuta, comprenant qu'elle l'éloignait pour parler en tête à tête avec Dolando. En outre, il n'était pas fâché de les laisser seuls. Il sortit chercher du bois pour le feu, puis de l'eau, et rapporta aussi d'autres galets pour la cuisson. L'une des pierres s'était fendue quand on l'avait sortie du feu et qu'on l'avait plongée dans l'eau froide que Dolando avait été puiser. Pendant qu'il surveillait Ayla qui préparait ses remèdes, des murmures lui parvenaient du fond de la hutte, et il était soulagé de ne pas entendre les secrets des deux Sharamudoï. Après qu'Ayla eut terminé les pansements de Roshario, tous étaient fatigués, et ils sombrèrent dans le sommeil.

Le lendemain matin, Ayla fut réveillée par les rires joyeux des enfants, et par le museau froid de Loup. Lorsqu'il la vit ouvrir les yeux, il regarda vers la sortie, d'où provenaient les rires et les cris, puis il quêta son approbation en couinant.

— Tu veux aller jouer avec les enfants, hein ?

Loup couina de plus belle, et sa queue balaya le sol avec frénésie.

Ayla rejeta les couvertures et s'assit. A côté d'elle, Jondalar était affalé de tout son long, et dormait profondément. Elle s'étira, se frotta les yeux, et jeta un coup d'œil vers Roshario. La femme dormait toujours. Elle avait du sommeil à rattraper. Enroulé dans une couverture de fourrure, Dolando dormait à même le sol, à côté du lit de sa compagne. Lui non plus n'avait pas beaucoup dormi ces derniers temps.

Lorsque Ayla se leva, Loup bondit vers la porte et l'attendit, frétillant d'impatience. Elle souleva le rabat et sortit en ordonnant à Loup de rester à l'intérieur. Elle ne voulait pas qu'il effraie quelqu'un en se ruant dehors sans prévenir. Elle aperçut plusieurs enfants et leurs mères se baignant dans le bassin où se jetait la cascade. Elle s'y rendit suivie de près par Loup. Shamio poussa un cri de joie en le voyant.

— Viens, 'ti Loup ! Viens prendre un bain ! s'écria-t-elle.

Loup aboya en regardant Ayla.

— Tholie, tu crois que Loup peut se baigner avec eux ? demanda-t-elle. J'ai l'impression que cela ferait plaisir à Shamio.

— J'allais partir, dit la jeune femme. Mais Shamio peut rester et jouer avec le loup, si les autres veulent bien.

Devant l'absence d'objection, Ayla accorda son autorisation à Loup qui n'attendait que ce signal. Il plongea dans le bassin au milieu d'une gerbe d'éclaboussures, et fonça vers Shamio.

Une femme, qui sortait de l'eau en même temps que Tholie, ne put réprimer un sourire.

— Ah, si mes enfants étaient aussi obéissants que ce loup ! s'exclama-t-elle. Comment fais-tu, Ayla ?

— Cela prend du temps. Il faut de la patience, répéter chaque chose, et c'est parfois difficile de lui faire comprendre ce que tu veux. Mais une fois qu'il a compris, il n'oublie plus. Il est très intelligent. Pendant le Voyage, chaque jour je lui apprenais quelque chose.

— C'est comme avec un enfant, alors ? s'étonna Tholie. J'ignorais qu'on pût leur apprendre quoi que ce soit, mais pourquoi l'as-tu fait pour ce loup ?

— Parce que je savais qu'il pouvait effrayer les étrangers, et c'est justement ce que je voulais éviter, expliqua Ayla.

Ce fut seulement en voyant Tholie sortir du bassin qu'elle remarqua que la Mamutoï était enceinte. Oh, pas depuis longtemps, et ses rondeurs naturelles cachaient son état lorsqu'elle était vêtue, mais il n'y avait aucun doute.

— J'ai bien envie de me baigner aussi, dit Ayla. Mais il faut d'abord que j'urine.

— Si tu suis le sentier, tu trouveras une tranchée, expliqua Tholie.

Ayla faillit appeler Loup, mais se ravisa. Comme d'habitude, il avait levé la patte contre un buisson — elle lui avait appris à ne pas faire ses besoins à l'intérieur des habitations, mais pas encore à utiliser des endroits spéciaux. A le voir jouer avec les enfants, elle devina qu'il préférerait rester avec eux, mais elle hésitait. Elle savait qu'il n'arriverait rien, mais elle ne pouvait jurer de la réaction des mères.

— Laisse-le ici, Ayla, dit Tholie. Je l'ai bien observé, il ne fera pas de mal aux enfants. Tu avais raison. Ils seraient très déçus si tu l'emmenais.

— Oh, merci, dit Ayla en souriant à la jeune femme. Je reviens tout de suite.

Elle s'engagea sur le sentier qui montait en diagonale la paroi rocheuse la plus abrupte. Elle escalada ensuite le sommet à l'aide des marches, poutres en bois maintenues par des piquets, et scellées par des pierres mêlées de terre.

La tranchée, ainsi que la surface qui la prolongeait, plantée de souches d'arbres sur lesquelles on s'asseyait, avait été creusée à même le versant opposé de la muraille.

On devinait son usage à l'odeur et au bourdonnement des mouches, mais les rayons du soleil qui filtraient à travers les feuillages et les chants d'oiseaux rendaient l'endroit agréable, et ce fut avec plaisir qu'Ayla s'y installa pour soulager ses intestins. Elle aperçut un tas de mousse séchée dont elle devina l'utilité, et en apprécia la douceur ainsi que les propriétés absorbantes. Lorsqu'elle eut terminé, elle remarqua que les excréments avaient été ratissés dans le fond de la tranchée.

Elle décida de continuer à suivre le sentier qui descendait la colline. Elle constata avec surprise que la végétation ressemblait à celle qui poussait près de la caverne où elle avait grandi, et elle avait l'étrange impression d'être déjà venue par ici. Elle ne cessait de tomber sur tel rocher connu, une avancée au sommet d'une crête, des plantes familières. Elle s'arrêta pour cueillir quelques noisettes à un buisson qui poussait contre un mur de roche, et elle se surprit à dégager les branchages pour vérifier si la petite grotte s'y trouvait toujours.

Elle découvrit un autre buisson de mûres défendu par ses épines, et dont les rameaux courbaient sous le poids des fruits juteux. Elle s'en gava tout en se demandant ce qu'étaient devenues les baies qu'elle avait récoltées la veille. Elle se souvint alors d'en avoir mangé à la cérémonie de bienvenue. Elle décida de revenir plus tard en cueillir pour Roshario. Elle se rendit alors compte qu'elle devait rentrer. Peut-être la femme était-elle réveillée et avait besoin d'elle. Les bois étaient si familiers qu'elle en avait perdu toute notion du temps, et se croyait revenue des années en arrière. Elle avait erré dans les collines comme la petite fille de son enfance, en faisant semblant de chercher des plantes médicinales pour Iza afin de prolonger son exploration.

Etait-ce à cause de sa seconde nature, ou parce qu'elle cherchait les plantes qui serviraient d'excuse à son retard, toujours est-il qu'au retour, Ayla prêta davantage d'attention à la végétation. Elle faillit crier de joie et de soulagement, à la vue de la fine plante grimpante aux feuilles minuscules et aux tiges entortillées autour d'autres végétaux morts et desséchés, étouffés par les fils d'or de la plante parasite.

Enfin ! se dit-elle. Voilà les fils d'or, la plante magique d'Iza ! Voilà ce qu'il me faut pour mon infusion matinale, et empêcher un bébé de grandir dans mon ventre. Il y en a en quantité, moi qui avais peur de ne pas en avoir assez pour le reste du Voyage ! Je me demande s'il y a aussi de la sauge dans les parages. Oh, certainement. Il faudra que je revienne jeter un coup d'œil.

Elle cueillit de grandes feuilles qu'elle tressa avec des brindilles pour confectionner un récipient de fortune, et collecta un maximum de fils d'or, en prenant soin de ne pas tous les ramasser. Iza lui avait souvent recommandé d'en laisser afin de garantir la récolte de l'année suivante.

Sur le chemin du retour, elle fit un détour par un sentier qui traversait la forêt dans sa partie la plus épaisse et la plus sombre, espérant découvrir la plante blanche et cireuse qui apaisait les yeux des chevaux. Elle fouilla les sous-bois avec soin, certaine d'en trouver dans ce lieu si familier. Mais quand elle tomba sur les feuilles vertes d'une plante particulière, elle poussa un cri et se sentit parcourue d'un frisson glacé.

18

Ayla se laissa choir sur le sol humide et contempla les plantes, enivrée par l'air chargé des senteurs de la forêt, submergée de souvenirs. A l'intérieur même du Clan, le secret de cette racine était jalousement gardé. Ce savoir appartenait à la lignée d'Iza, et seuls ceux de cette lignée connaissaient le procédé complexe de fabrication de la drogue. Ayla se souvint d'Iza lui expliquant la méthode inhabituelle de séchage de la plante pour que ses propriétés pussent se concentrer dans les racines qu'il fallait conserver longtemps à l'abri de la lumière afin d'en augmenter l'effet.

Iza lui avait maintes fois répété comment fabriquer le breuvage à partir des racines, mais elle avait toujours refusé qu'Ayla en préparât avant le jour où elle se rendrait au Rassemblement du Clan. Le rituel était indispensable à la fabrication, Iza avait insisté là-dessus. C'était une drogue sacrée qu'on ne gaspillait pas. C'était précisément pour cette raison qu'Ayla, sachant pourtant que c'était rigoureusement interdit aux femmes, avait bu la lie restée dans le fond de la coupe antique d'Iza, après qu'elle eut fabriqué le breuvage pour les mog-ur. Certes elle n'avait pas toute sa tête à ce moment-là. Tant d'événements s'étaient produits, d'autres drogues avaient obscurci son esprit, et la décoction de racines était si puissante que le peu qu'elle avait avalé en la fabriquant avait suffi à lui tourner la tête.

Elle avait alors erré dans un labyrinthe de galeries étroites creusé à l'intérieur d'une caverne profonde, et lorsqu'elle était tombée sur Creb et les autres mog-ur, elle n'avait pas pu faire demi-tour quand bien même elle l'eût voulu. Tout avait commencé là. Creb s'était rendu compte de sa présence, et il l'avait entraînée avec eux dans le voyage à travers la mémoire. Il le fallait, sinon elle aurait continué d'errer pour toujours dans le trou noir du néant. Mais après cette nuit-là, Creb ne fut plus jamais le même. Il cessa d'être le puissant Mog-ur, il n'avait plus le cœur à cela, excepté le dernier jour.

Lorsqu'elle avait quitté le Clan, il lui restait encore des racines. Elle les conservait dans sa bourse sacrée de cuir rouge, et Mamut s'était montré très intéressé quand elle lui en avait parlé. Mais il n'avait pas autant de pouvoirs que le mog-ur. Ou bien les Autres réagissaient différemment à la plante. Mamut et Ayla s'étaient retrouvés dans le trou noir du néant et avaient failli s'y perdre pour toujours.

Assise sur le sol moussu, Ayla, assaillie de souvenirs, contemplait la plante en apparence inoffensive, et qui produisait pourtant une drogue redoutable. Un nuage passa au-dessus de sa tête. Soudain, elle frissonna. Elle plongea dans l'obscurité et se mit à revivre l'étrange Voyage qu'elle avait fait avec Mamut. La verte forêt s'estompa et Ayla se sentit happée par le souvenir de la caverne obscure. Sa bouche s'emplit d'un arrière-goût d'humus et de moisissure provenant des forêts vierges primitives. Elle tombait à une vitesse vertigineuse vers les mondes étranges qu'elle avait visités avec Mamut, et la terreur du trou noir l'envahit.

C'est alors qu'elle perçut dans le lointain la voix vibrante d'inquiétude et d'amour de Jondalar. Il l'appelait. Par la seule force de son amour, il réussit à les tirer du néant, Mamut et elle. Tout à coup, elle revint sur terre, transie jusqu'à l'os malgré la douceur d'une fin d'été ensoleillée.

— C'est Jondalar qui nous a fait revenir ! s'écria-t-elle.

A l'époque elle n'en avait pas été consciente. C'était lui qu'elle avait vu en ouvrant les yeux, mais il avait subitement disparu, remplacé par Ranec lui offrant un bol d'infusion chaude. Mamut lui avait affirmé que quelqu'un les avait aidés à revenir, mais elle n'avait pas compris qu'il s'agissait de Jondalar. Et soudain elle comprenait, comme si maintenant il était important qu'elle l'apprît.

Le vieil homme s'était juré de ne plus jamais utiliser la racine. Il avait mis Ayla en garde, mais il lui avait aussi conseillé de s'assurer que quelqu'un l'assistât si elle devait en reprendre un jour. Quelqu'un qui pourrait l'aider à revenir. Il avait affirmé que la racine était plus dangereuse que la mort. Elle risquait de lui voler son esprit, et Ayla tomberait pour toujours dans le trou noir du néant, incapable à jamais de revenir vers la Grande Terre Mère. Cela n'avait plus tant d'importance puisqu'elle n'avait plus de racine. Mais voilà que la plante sacrée se trouvait à ses pieds.

Rien ne l'obligeait à la cueillir, songea-t-elle, et elle n'aurait donc pas à se soucier de perdre ou non l'esprit. En outre, cette drogue lui était interdite. Elle était réservée aux mog-ur pour communiquer avec le monde des esprits, et les guérisseuses se contentaient de la leur préparer. Oui, mais elle en avait déjà bu deux fois. Et Broud l'avait damnée. Pour le Clan, elle était morte. Qui d'autre lui interdirait d'en boire, maintenant ?

Machinalement, Ayla cassa une branche morte et s'en servit pour creuser la terre et extraire soigneusement plusieurs pieds de la plante en prenant garde de ne pas abîmer les racines. Comment aurait-elle renoncé, elle était l'une des rares au monde à connaître leur propriété et à savoir les préparer. Non qu'elle eût une envie particulière d'en consommer. Elle possédait des tas de préparations d'herbe qu'elle n'utiliserait sans doute jamais. Certes, c'était différent. Il s'agissait d'herbes médicinales comme les fils d'or, le remède magique d'Iza pour lutter contre l'essence de l'homme. En application externe, elles soulageaient les piqûres d'insecte. La plante qu'elle avait devant les yeux n'avait aucune vertu curative. Sa magie était purement spirituelle.

— Enfin, te voilà ! On commençait à s'inquiéter, déclara Tholie en voyant Ayla revenir par le sentier. Jondalar était sur le point d'envoyer Loup à ta recherche.

— Ayla, pourquoi es-tu partie si longtemps ? demanda Jondalar. Tholie nous a dit que tu revenais tout de suite.

Sans s'en rendre compte, il avait parlé en zelandonii, ce qui prouvait son inquiétude.

— Le sentier continuait, et j'ai eu envie de voir où il menait. Ensuite j'ai trouvé ce que je cherchais, expliqua Ayla en montrant sa collecte. Cette région ressemble beaucoup à celle où j'ai passé mon enfance. Il y a des plantes que je n'avais jamais revues depuis.

— Etait-ce si urgent ? A quoi sert celle-là par exemple ? demanda Jondalar en montrant les fils d'or.

Ayla le connaissait assez pour comprendre que sa colère était le fruit de son inquiétude, mais sa question la prit au dépourvu.

— C'est... c'est pour... c'est contre les piqûres, bredouilla-t-elle, gênée.

Elle avait le sentiment de mentir, même si sa réponse était parfaitement exacte. Incomplète, mais exacte. Ayla avait été élevée comme une femme du Clan, et les femmes du Clan n'avaient pas le droit de refuser de répondre à une question, surtout venant d'un homme. D'un autre côté, Iza avait bien insisté pour qu'elle ne dévoilât jamais le pouvoir des minces fils dorés, et surtout pas à un homme. Même Iza n'aurait pas pu refuser de répondre à la question de Jondalar, mais elle n'aurait jamais eu à affronter un tel dilemme. Aucun homme du Clan n'aurait posé une question sur les plantes à une guérisseuse, et encore moins sur son art. Dans l'esprit d'Iza, Ayla devait s'abstenir de fournir des informations avant d'en avoir été priée.

Il était permis de ne pas tout dire, mais uniquement par courtoisie, ou pour préserver la vie privée d'autrui, et Ayla était bien consciente d'avoir outrepassé cette restriction. Elle avait délibérément dissimulé une information. Elle avait le droit d'administrer la drogue si elle le jugeait nécessaire, mais Iza l'avait prévenue du risque qu'elle encourait si on découvrait qu'elle connaissait le moyen de vaincre le plus puissant des esprits et d'empêcher ainsi toute grossesse. Le danger était encore plus grand si un homme apprenait son secret, qui devait rester l'apanage des seules guérisseuses.

Une pensée lui traversa l'esprit. Si la drogue magique d'Iza était capable de L'empêcher de répandre Sa bénédiction dans le corps d'une femme, était-elle donc plus forte que la Mère ? Etait-ce concevable ? Pourtant, puisqu'Elle avait créé toutes les plantes, Elle avait aussi créé celle-là ! On était obligé d'en déduire qu'Elle avait voulu aider les femmes pour qui une grossesse représenterait un danger. Mais alors, pourquoi si peu de femmes connaissaient-elles ce secret ? Et s'il y en avait plus qu'elle ne le croyait ? Peut-être les femmes sharamudoï utilisaient-elles cette plante puisqu'elle poussait dans leur région. Si elle le leur demandait, lui répondraient-elles ? D'un autre côté, si elles ignoraient son usage, comment leur demander sans dévoiler le secret ? Mais puisque la Mère l'avait créée pour aider les femmes, n'était-il pas légitime de les renseigner ? Ayla était assaillie de questions dont elle ne connaissait pas les réponses.

— Quel besoin urgent avais-tu de cueillir des plantes pour les piqûres d'insectes ? demanda Jondalar dont l'anxiété ne s'était pas dissipée.

— Je ne pensais pas que tu t'inquiéterais, répondit Ayla en lui souriant. Mais le coin m'était si familier. Je me croyais revenue au pays de mon enfance, et j'ai voulu l'explorer davantage.

— Et je parie que tu as trouvé des mûres pour ton petit déjeuner! s'exclama Jondalar en retrouvant sa bonne humeur. Ah, je commence à comprendre ce qui t'a retenue si longtemps! Je n'ai jamais rencontré personne qui raffolait de mûres autant que toi.

Il avait remarqué la gêne d'Ayla ainsi que sa réticence à avouer le véritable but de sa promenade, et il se réjouissait d'avoir deviné ce qu'il croyait en être la cause.

— Euh... c'est vrai, j'en ai mangé. Nous pourrions retourner en cueillir pour tout le monde. Elles sont délicieuses. J'en profiterais pour chercher certaines plantes.

— Ah, Ayla! Avec toi je suis sûr de ne jamais manquer de mûres, plaisanta Jondalar en déposant un baiser sur sa bouche barbouillée.

Il était tellement soulagé de la savoir saine et sauve, et si fier d'avoir découvert sa prétendue faiblesse pour les mûres qu'Ayla se contenta de sourire en se gardant bien de le détromper. Bien sûr, elle adorait les mûres, mais sa véritable faiblesse, c'était lui. Elle défaillit de tendresse. Soudain elle voulut être seule avec lui, pouvoir le toucher, le caresser, lui procurer les Plaisirs, et s'abandonner aux Plaisirs qu'il savait si bien lui prodiguer.

Son regard trahit ses pensées, et les extraordinaires yeux bleus de Jondalar brillèrent d'un éclat particulier, prouvant qu'il avait compris. Un violent désir fit chavirer Ayla, et elle dut se détourner pour recouvrer ses esprits.

— Comment va Roshario? demanda-t-elle ensuite. Est-elle réveillée?

— Oui, et elle dit qu'elle a faim. Carolio est revenue du ponton et nous prépare quelque chose, mais nous avons préféré t'attendre avant de la faire manger.

— Je vais voir comment elle va, et après, j'aimerais bien aller nager.

410

Elle se dirigeait vers la hutte quand Dolando souleva le rabat et parut. Loup surgit de l'abri comme un bolide et sauta sur Ayla, posa ses pattes avant sur ses épaules, et lui lécha le visage à grands coups de langue.

— Loup, descends ! Tu vois bien que je suis chargée.

— On dirait qu'il est content de te voir, déclara Dolando... Moi aussi, ajouta-t-il après une longue hésitation. Roshario a besoin de toi.

Cela pouvait passer pour un aveu de reconnaissance, ou au moins pour une acceptation des soins qu'Ayla prodiguait à sa compagne. Ce qui était déjà un progrès, après le scandale qu'il avait déclenché la veille. Elle l'avait déjà obtenu puisqu'il l'avait autorisée à dormir dans sa hutte, mais il ne l'avait pas dit expressément.

— As-tu besoin de quelque chose ? demanda Dolando, remarquant qu'elle était chargée.

— Oui, il me faut un séchoir pour étendre ces plantes. Je pourrais en fabriquer un, à condition d'avoir du bois ainsi que des lanières ou des tendons pour les fixations.

— Je crois que j'ai mieux que ça. Shamud séchait ses plantes lui-même, et je sais où il rangeait ses séchoirs. En veux-tu un ?

— Oui, ce serait parfait.

Il hocha la tête et partit le chercher pendant qu'Ayla entrait. Elle sourit en voyant Roshario assise sur sa couche, puis déposa les plantes et s'avança.

— J'ignorais que Loup était revenu, dit-elle. J'espère qu'il ne t'a pas ennuyée ?

— Penses-tu ! Il montait la garde. Il est rentré — il a compris comment soulever le rabat — et il est venu directement me voir. Je l'ai caressé et il est parti s'installer dans le coin, là-bas. C'est sa place, maintenant.

— Tu as bien dormi ? demanda Ayla en arrangeant les fourrures et les coussins pour que Roshario pût s'adosser confortablement.

— Oh oui, surtout après la longue explication que j'ai eue avec Dolando. Cela faisait longtemps que je n'avais pas si bien dormi, assura Roshario.

Elle dévisagea l'étrangère que Jondalar lui avait amenée, qui avait bouleversé leur vie et précipité tant de changements en si peu de temps.

— Tu sais, Ayla, il ne pensait pas tout ce qu'il t'a dit. La mort de Doraldo lui a pesé pendant des années, il n'a jamais réussi à s'en remettre. Et jusqu'à hier soir, il ignorait dans quelles circonstances c'était arrivé. Il a toujours considéré les Têtes Plates comme des bêtes cruelles, et aujourd'hui il est obligé de réviser son jugement, en partie grâce à toi, Ayla. Ah, des années de haine à effacer !

— Oui, mais toi, Roshario ? C'était ton fils.

— Moi aussi, je les détestais. Et puis, la mère de Jetamio est morte, et nous avons recueilli la petite. Elle n'a pas tout à fait pris la place de Doraldo, mais elle était si malade et elle avait tellement besoin que je m'occupe d'elle que j'ai peu à peu oublié la mort de mon fils. Plus je la considérais comme ma fille, moins la perte de Doraldo me pesait. Dolando s'est mis à aimer Jetamio, mais les garçons comptent davantage pour les hommes. Surtout les garçons nés dans leur foyer. Il n'a jamais accepté que Doraldo disparaisse si jeune, à l'aube de sa vie, affirma Roshario, les yeux brillants de larmes. Maintenant, Jetamio aussi s'en est allée. J'ai longtemps hésité avant de recueillir Darvo. J'avais peur qu'il ne meure jeune, lui aussi.

— C'est toujours dur de perdre un enfant, déclara Ayla.

Roshario crut apercevoir une ombre de douleur assombrir le visage d'Ayla quand elle se leva pour aller préparer les remèdes. Elle revint chargée de bols dans lesquels elle mettait ses herbes. Roshario n'en avait jamais vu de pareils. Les Shamudoï gravaient ou peignaient tous leurs outils, ustensiles et récipients, et ceux de Shamud étaient à la fois peints et sculptés. Les bols d'Ayla étaient délicatement poncés et d'une forme agréable, mais ils étaient nus. Le grain du bois constituait leur seule décoration.

— As-tu encore mal ? demanda Ayla en aidant Roshario à s'allonger.

— Un peu, mais de moins en moins, assura la femme pendant qu'Ayla ôtait ses bandages.

— On dirait que c'est désenflé, remarqua Ayla qui examinait le bras de Roshario. C'est bon signe. Je vais remettre les attelles et la bandoulière de peau au cas où tu voudrais te lever. Ce soir, je t'appliquerai un emplâtre. Lorsque l'enflure sera complètement résorbée, je t'envelopperai le bras dans de l'écorce de bouleau que tu garderas jusqu'à ce que l'os se ressoude. Au moins pendant une lune et demie, expliqua-t-elle en ôtant délicatement la peau de chamois humide pour examiner l'ecchymose causée par ses manipulations de la veille.

— De l'écorce de bouleau ? s'étonna Roshario.

— Oui. Trempée dans l'eau chaude, elle se ramollit et épouse la forme qu'on lui donne. Comme elle durcit en séchant, elle maintiendra bien ton bras pour empêcher l'os de bouger. Cela te permettra d'aller et venir sans danger.

— Je ne serai plus obligée de rester couchée à ne rien faire ? Je vais donc pouvoir me lever et me rendre utile ? s'exclama Roshario, l'air ravi.

— Tu ne pourras te servir que d'un bras, mais rien ne t'empêchera d'aller sur tes deux jambes. C'est la douleur qui te clouait au lit.

— Oui, c'est vrai.

— Je voudrais faire une petite expérience avant de remettre tes bandages. Essaie de bouger les doigts, si tu peux. Vas-y doucement, tu risques d'avoir un peu mal.

Ayla s'efforça de prendre un ton détaché. Si quelque lésion interne empêchait Roshario de bouger les doigts, cela voudrait dire qu'elle ne retrouverait pas l'usage complet de son bras. Les deux femmes observaient la main

413

de Roshario, le visage tendu. Elles sourirent en même temps avec soulagement quand Roshario leva son majeur, puis tous les autres doigts.

— Bravo ! s'exclama Ayla. Voyons si tu peux les plier maintenant.

— Oh, ça tire ! gémit Roshario.

— Essaie de serrer le poing si ce n'est pas trop douloureux.

— Si, ça fait mal, mais j'y arrive.

— Très bien. Montre jusqu'où tu peux bouger ta main. Peux-tu la plier vers ton poignet ?

Roshario grimaça et souffla, mais elle réussit à plier la main.

— Bon, ça suffit, décréta Ayla.

Loup émit une sorte de toux rauque pour annoncer l'arrivée de Jondalar. Les deux femmes se retournèrent et sourirent en le voyant entrer.

— Je viens voir si je peux me rendre utile. Veux-tu que je t'aide à porter Roshario dehors ? demanda Jondalar.

Apercevant le bras meurtri de Roshario, il détourna rapidement les yeux. La chose enflée, la peau décolorée ne l'inspiraient guère.

— Non, je n'ai pas besoin de toi pour l'instant. Mais d'ici un jour ou deux, il me faudra des bandes d'écorce fraîche. Si tu passes devant un bouleau de bonne taille, essaie de te souvenir où tu l'as vu pour m'y emmener plus tard. J'aurai besoin de l'écorce pour maintenir son bras, précisa Ayla en fixant les attelles.

— Pourquoi voulais-tu me faire remuer les doigts, Ayla ?

— Eh bien, je voulais simplement vérifier l'état de ton bras. Avec un peu de chance, tu pourras bientôt t'en servir comme si de rien n'était... ou presque.

— Voilà une excellente nouvelle, lança Dolando.

Il venait d'entrer. Darvalo l'aidait à porter le séchoir, et l'Homme Qui Ordonne avait entendu le diagnostic d'Ayla.

— Ça conviendra ? lui demanda-t-il.

— Oui, merci de l'avoir rentré. Certaines plantes doivent sécher à l'abri de la lumière.

— Carolio me charge de vous prévenir que votre repas est prêt, déclara le jeune garçon. Elle aimerait savoir si vous préférez manger dehors. Il fait tellement beau.

— Oh oui, j'aimerais bien... enfin, si tu penses que c'est raisonnable, dit Roshario en interrogeant Ayla.

— Attends que je t'aie remis la bandoulière et tu pourras marcher, à condition que Dolando te soutienne.

Pour une fois, un large sourire éclaira le visage du chef taciturne des Shamudoï.

— Si personne n'y voit d'inconvénient, j'aimerais bien aller nager avant de manger, reprit Ayla.

— Un bateau, ça? s'exclama Markeno en aidant Jondalar à appuyer la chose ronde recouverte de peau contre le mur, à côté des longues perches. Comment fais-tu pour le gouverner?

— Ah, ce n'est pas aussi facile qu'avec les vôtres, mais nous l'utilisons surtout pour traverser les cours d'eau et les pagaies sont largement suffisantes. Et puis, nous amarrons le bateau aux perches et Whinney nous tire. C'est plus facile, expliqua Jondalar.

De l'autre côté du pré, Ayla étrillait Whinney sous le regard de Rapide. Elle avait soigné auparavant les yeux des deux chevaux, et maintenant qu'ils bénéficiaient d'un climat plus frais, que les moucherons avaient disparu, leur état s'améliorait de jour en jour.

— Ce qui me surprend le plus, ce sont les chevaux, dit Markeno. Jamais je n'aurais imaginé qu'ils acceptent la compagnie des humains. Ceux-là ont même l'air de l'apprécier. Pourtant, au début, j'avoue que c'est le loup qui m'a sidéré.

— Oui, mais tu t'y es habitué. Ayla le garde toujours près d'elle parce qu'elle pensait qu'il effraierait les gens davantage que les chevaux.

415

Ils aperçurent Tholie avec Shamio, et Loup gambadant autour d'elle, aller rejoindre Ayla.

— Shamio est folle de lui. Regarde-la, dit Markeno. Je devrais être inquiet, ce monstre n'en ferait qu'une bouchée. Mais, non, il n'est pas menaçant, il joue avec elle.

— Les chevaux aussi aiment jouer, mais le plus agréable, c'est de les chevaucher. Tu devrais essayer! Evidemment, par ici, ça manque d'espace pour galoper.

— Tant pis! Je crois que je m'en tiendrai aux promenades en bateau, dit Markeno. Tiens, voilà Carlono! ajouta-il en voyant une tête apparaître au bord de la falaise. Eh bien, Ayla va pouvoir faire un tour en bateau.

Ils se retrouvèrent tous à hauteur des chevaux, et repartirent ensemble à l'endroit où le petit cours d'eau se déversait de la falaise dans la Grande Rivière Mère.

— Crois-tu vraiment qu'elle doive descendre le long de la falaise? demanda Jondalar. C'est tellement haut, et ça peut faire peur. Moi-même je ne suis pas très à l'aise, j'ai perdu l'habitude.

— C'est toi qui voulais qu'elle fasse un tour dans un vrai bateau, Jondalar. Et elle a peut-être envie de voir notre ponton.

— Oh, ce n'est pas si difficile! protesta Tholie. On se tient à la corde et il y a des prises où poser les pieds. Je vais lui montrer.

— Elle n'est pas obligée de descendre la falaise de cette façon, intervint Carlono. On peut utiliser le panier. Rappelle-toi, Jondalar, c'est comme ça qu'on vous avait hissés, ton frère et toi, la première fois.

— Oui, je crois que cela vaut mieux, approuva Jondalar.

— Descends avec moi, nous leur enverrons le panier.

Ayla avait tendu l'oreille tout en contemplant le fleuve, en bas. Elle examina le sentier précaire qu'on utilisait — celui-là même où était tombée Roshario, qui le connaissait pourtant bien. Elle vit la grosse corde à nœuds, maintenue par des pieux en bois enfoncés dans des fissures de la roche, et qui partait du sommet où ils se trouvaient. Une grande partie de la descente était balayée par la chute d'eau qui cascadait de rochers en saillies.

Elle regarda Carlono franchir le rebord de la falaise avec aisance, empoigner la corde d'une main pendant que son pied trouvait la première prise. Elle vit Jondalar pâlir légèrement, prendre sa respiration, et suivre le Ramudoï, avec tout de même davantage de lenteur et de précaution. Pendant ce temps-là, Markeno, que Shamio voulait aider, attrapa un rouleau de grosse corde. Il passa une boucle tressée à une extrémité dans un gros pieu fiché à mi-chemin entre les deux lourds poteaux entre les deux murailles rocheuses, au bord de la falaise, et fit pendre le reste de la corde dans le vide. C'étaient les cordages les plus solides qu'Ayla eût jamais vus, et elle était curieuse de connaître la nature des fibres qui les composaient.

Peu après, Carlono reparut. Il remontait l'autre extré-mité de la corde. Il alla jusqu'à un deuxième pieu, proche du premier, et commença à tirer sur la corde qu'il enroulait habilement au fur et à mesure. Un grand panier apparut au bord de la falaise, entre les deux pieux. Poussée par la curiosité, Ayla s'avança pour l'examiner de plus près.

Le panier était aussi extrêmement solide. De forme ovale, il avait un fond tressé et renforcé de planches en bois, des bords rigides qui constituaient une sorte de clôture basse, et il était assez grand pour contenir une personne allongée, ou un esturgeon de taille moyenne dont la tête et la queue dépasseraient. Les plus grands esturgeons, une des deux espèces vivant en eau douce, atteignaient jusqu'à neuf mètres, pesaient près de deux tonnes et on devait les découper avant de les hisser dans le panier.

Le panier se balançait à deux cordes enfilées sur quatre anneaux en fibres, deux sur chaque largeur. Chaque corde passait par deux anneaux disposés en diagonale, de sorte que les deux cordes se croisaient sous la base du panier. Les extrémités des cordes étaient tressées ensemble, formant au-dessus du panier une large boucle dans laquelle on avait glissé la corde qu'on avait lancée par-dessus le bord de la falaise.

— Vas-y, Ayla ! Nous allons te descendre doucement, dit Markeno qui enfila une paire de moufles en cuir avant d'enrouler la section longue de la corde autour du deuxième poteau pour préparer la descente.

— Si tu préfères descendre toute seule, je vais te montrer comment on fait, proposa Tholie en la voyant hésiter. Je te comprends, je n'aime pas non plus voyager dans ce panier.

Ayla jeta encore un coup d'œil à la paroi abrupte. Aucun des deux moyens ne la tentait vraiment.

— Je vais plutôt essayer le panier, décida-t-elle à regret.

Le sentier, taillé dans la muraille, descendait en pente abrupte, mais assez inclinée pour qu'on pût tout juste l'emprunter. Là où on avait planté les pieux, le haut de la falaise formait un encorbellement qui saillait au-dessus de l'à-pic.

Elle monta dans le panier, et s'assit en se cramponnant au rebord de toutes ses forces.

— Tu es prête ? demanda Carlono.

Ayla acquiesça d'un signe de tête sans relâcher sa prise, les jointures blanchies à force de crispation.

— Vas-y, Markeno, descends-la, ordonna Carlono.

Le jeune Ramudoï laissa glisser la corde, et Carlono guida le panier au-dessus du rebord de la falaise. Markeno laissa filer la corde entre ses mains protégées par les moufles, contrôlant la vitesse de la descente grâce à la corde enroulée au pieu. Suspendue dans le vide, à la verticale du ponton, Ayla descendait lentement.

Cette invention, simple mais efficace, permettait de hisser les marchandises, ou les gens, de l'embarcadère au camp des Shamudoï. Grâce à la relative légèreté du panier, pourtant solide, une personne pouvait à elle seule monter des charges assez lourdes. A plusieurs, on en transportait de beaucoup plus lourdes encore.

Quand elle bascula par-dessus la falaise, Ayla ferma les yeux et s'accrocha au panier, le cœur battant. Puis, constatant qu'elle descendait en douceur, elle ouvrit un œil et s'émerveilla d'un panorama unique.

Suspendue au-dessus de la Grande Rivière Mère, glissant le long de la muraille rocheuse, Ayla avait l'impression de flotter dans l'air. Sur l'autre rive, la muraille distante de près de deux kilomètres paraissait pourtant plus proche. En d'autres points de la Porte, les deux murailles étaient vraiment plus proches. A cet endroit, le fleuve coulait presque en ligne droite, offrant à Ayla une vue dégagée sur ses eaux puissantes et tumultueuses, à l'est comme à l'ouest. Lorsqu'elle approcha de l'embarcadère, elle aperçut en levant la tête un nuage blanc qui s'envolait lentement du bord de la falaise, ainsi que deux silhouettes — dont l'une minuscule — et Loup qui se penchaient pour l'observer. Elle leur fit un petit signe. Le léger choc de l'atterrissage la surprit.

— Oh, Jondalar, c'était fantastique ! s'exclama Ayla en voyant son compagnon s'approcher.

— Et spectaculaire, non ? renchérit-il en l'aidant à sauter du panier.

Une foule attendait Ayla, mais l'endroit l'intéressait plus que les gens. Elle posa le pied sur le sol en bois, et sentit le ponton bouger, comprenant soudain qu'il flottait sur le fleuve. L'embarcadère était de taille respectable, et abritait plusieurs constructions semblables à celles qui se dressaient sous la saillie de grès. On avait également aménagé des aires de réunion. Sur un bloc de grès entouré de rocs, un feu brûlait.

Plusieurs embarcations, comme celles qu'elle avait vues en aval — étroites et effilées à l'avant comme à l'arrière — étaient amarrées au ponton. Toutes étaient différentes, il y en avait de toutes les tailles, du petit canot à une place aux longs bateaux à plusieurs rangées de sièges.

Deux immenses bateaux la frappèrent particulièrement. Les proues surélevées se terminaient par une tête d'oiseau aussi étrange qu'inconnu. La coque, décorée de dessins géométriques, semblait recouverte de plumes, et on avait peint des yeux au-dessus de la ligne de flottaison. Le plus gros était pourvu d'un dais en son milieu. Elle se retourna vers Jondalar pour lui faire part de son étonnement ébloui, et le vit contempler la tête d'oiseau avec une expression de douleur et d'angoisse. Elle comprit que le bateau avait quelque chose à voir avec son frère.

Entraînés par un groupe de Ramudoï impatients de leur prouver leurs qualités de navigateurs, ils n'eurent pas le temps d'en parler. Ayla vit deux hommes escalader prestement une sorte d'échelle qui reliait le ponton au bateau, vers laquelle on la poussa aussitôt. Elle comprit ce qu'on attendait d'elle et s'engagea sur la frêle passerelle. Les Ramudoï la franchissaient d'un pas souple et chaloupé, alors que le bateau et le ponton bougeaient parfois en sens contraire, et Ayla prit avec soulagement la main secourable que lui tendait Carlono.

Elle s'installa entre Jondalar et Markeno, sur un banc où bien d'autres encore auraient pu s'asseoir, sous le dais qui s'étendait d'un bord à l'autre du bateau. D'autres s'assirent sur les bancs qui les entouraient et plusieurs d'entre eux empoignèrent des pagaies à long manche. Avant qu'elle ait pu s'en rendre compte, ils avaient largué les amarres et le bateau était déjà au milieu du fleuve.

Carolio, la sœur de Carlono, debout à l'avant du bateau, entonna un chant cadencé d'une voix forte qui couvrit l'écoulement mélodieux de la Grande Rivière Mère. Ayla observa, fascinée, les hommes ramer en cadence à contre-courant, au rythme du chant. Elle était stupéfaite par la vitesse à laquelle le bateau remontait le fleuve.

A un coude de la Grande Rivière Mère, les parois de la gorge se resserrèrent et le vacarme du courant devint assourdissant. L'air se refroidit, l'humidité les enveloppa, dégageant un parfum de fraîcheur qui monta aux narines d'Ayla. Les odeurs de la vie aquatique étaient bien différentes de la senteur pénétrante des plaines arides.

La gorge s'élargit de nouveau, et des arbres commencèrent d'apparaître sur les berges.

— Il me semble reconnaître l'endroit, déclara Jondalar. C'est là qu'on construit les bateaux, non ? On s'y arrête ?

— Non, pas cette fois. On continue et on fera demi-tour au Demi-Poisson.

— Le Demi-Poisson ? s'étonna Ayla. Qu'est-ce que c'est ?

Un homme sur le banc devant elle se retourna en souriant. Ayla reconnut le compagnon de Carolio.

— Demande-lui donc, suggéra-t-il en désignant Jondalar qui s'empourpra aussitôt. C'est là qu'il est devenu une moitié de Ramudoï. Il ne t'a pas raconté ? insista-t-il en provoquant l'hilarité générale.

— Pourquoi ne lui racontes-tu pas toi-même, Barono ? proposa Jondalar. Tu dois avoir l'habitude.

— Jondalar n'a pas tort, intervint Markeno. C'est l'une des histoires préférées de Barono. Carolio commence à être fatiguée de l'entendre, mais lui n'est pas fatigué de la raconter.

— Avoue tout de même que c'était drôle, Jondalar, dit Barono. Mais je préfère que tu la racontes.

— Oui, c'était peut-être drôle... pour les autres, admit Jondalar en souriant malgré lui sous le regard étonné d'Ayla. Voilà : j'apprenais à diriger un petit canot. J'avais un harpon — c'est une sagaie pour tuer les poissons — et je remontais le courant, quand j'aperçus un esturgeon. Je me suis dit que c'était l'occasion de tuer mon premier gros poisson, sans me demander comment je rapporterais une aussi grosse prise tout seul.

— L'esturgeon lui a offert son plus beau voyage ! ne put s'empêcher de s'exclamer Barono.

— Je n'étais même pas sûr de savoir me servir du harpon, poursuivit Jondalar. Une sagaie attachée au bout d'une corde, ce n'est pas pratique. Mais j'aurais dû réfléchir avant de viser.

— Je ne comprends pas, l'interrompit Ayla.

— C'est simple. Imagine que tu sois sur la terre ferme et que tu touches un cerf, par exemple. Même s'il n'est que blessé et que la sagaie tombe, tu peux toujours le suivre à la trace, expliqua Carlono. Mais tu ne peux pas suivre un esturgeon dans l'eau. C'est pour ça que le harpon est muni de barbillons et d'une corde solide. Quand tu harponnes un poisson, la pointe se fiche dans sa chair et grâce à la corde attachée, le poisson ne t'échappe pas. En général, on noue l'autre extrémité de la corde au bateau.

— L'esturgeon qu'il a harponné l'a entraîné à contre-courant avec son bateau, intervint encore Barono. Nous étions sur la berge, et nous l'avons vu passer comme un bolide, agrippé à la corde attachée au bateau. Je n'ai jamais vu personne filer aussi vite, c'était à mourir de rire. Jondalar croyait avoir harponné un poisson, mais c'était le contraire !

Ayla rit de bon cœur avec les autres.

— Le poisson a fini par mourir d'épuisement, exsangue, mais j'étais loin de mon point de départ, poursuivit Jondalar. Le canot était empli d'eau et j'ai dû nager jusqu'au rivage. Dans le tumulte, le bateau redescendit le courant mais l'esturgeon s'échoua dans un bras de la rivière, près de la berge, et j'ai pu le hisser à terre. Mais j'étais frigorifié, j'avais perdu mon couteau et je ne trouvais rien pour allumer du feu. Tout d'un coup, un Tête Plate... euh... un jeune du Clan surgit.

Ayla l'écoutait bouche bée. L'histoire prenait une nouvelle tournure.

— Il m'a conduit jusqu'à son feu. Une vieille femme de son camp m'a donné une peau de loup en me voyant frissonner. Une fois réchauffé, nous sommes retournés au bord du fleuve. Le Tête... le jeune voulait la moitié du poisson, et je le lui ai donné de bon cœur. Il a coupé l'esturgeon en deux dans le sens de la longueur, et il est reparti avec sa part. Ceux qui m'avaient vu emporté par l'esturgeon étaient partis à ma recherche, et il m'ont trouvé à ce moment-là. Ils avaient beau se moquer, j'étais bien content de les revoir.

— Je n'arrive toujours pas à croire qu'un Tête Plate ait pu transporter cette moitié d'esturgeon tout seul, avoua Markeno. Il a fallu qu'on se mette à trois pour déplacer la moitié restante. C'était un sacré morceau.

— Les hommes du Clan sont très forts, affirma Ayla. Mais c'est bizarre, je ne savais pas qu'ils venaient jusqu'ici. Je croyais qu'ils ne vivaient que dans la péninsule.

— Avant, il y en avait pas mal de l'autre côté du fleuve, assura Barono.

— Ah, bon ? Que sont-ils devenus ?

Les Ramudoï évitèrent son regard, l'air gêné.

— Après la mort de Doraldo, dit enfin Markeno, Dolando a réuni quelques hommes et... ils les ont chassés. Après ça, ils ont presque tous... disparu... Ils ont dû s'en aller.

— Montre-moi encore une fois, demanda Roshario, voulant essayer à tout prix.

Ayla lui avait appliqué l'écorce de bouleau le matin même. L'écorce n'était pas encore tout à fait sèche, mais le moulage, léger et résistant, était déjà assez rigide pour que Roshario pût bénéficier d'une plus grande liberté de mouvements. Mais Ayla ne voulait pas que Roshario se servît déjà de sa main.

Elles étaient assises au soleil avec Tholie, entourées d'une pile de peaux de chamois. Ayla avait sorti sa trousse de couture et leur montrait le tire-fil qu'elle avait inventé avec l'aide des femmes du Camp du Lion.

— Il faut d'abord percer des trous avec un poinçon dans les deux pièces de cuir que tu veux assembler, expliqua Ayla.

— Oui, c'est ce qu'on fait toujours, assura Tholie.

— Mais ensuite, tu te sers de ça pour passer le fil à travers les trous. Tu vois, il y a un petit trou à la base

423

de l'aiguille. Tu y glisses le fil, tu passes la pointe dans les trous du cuir, tu tires de l'autre côté et elle entraîne le fil.

Tout en faisant sa démonstration, elle pensait aux améliorations qu'elle pourrait apporter à sa découverte. Si le tire-fil était assez pointu, ne pourrait-il pas aussi percer le trou ? Cela irait plus vite, mais le cuir était parfois très dur.

— Je peux le voir ? demanda Tholie. Comment passes-tu le fil dans le trou du tire-fil ?

— Comme ça, regarde.

Après lui avoir montré, elle lui tendit le tire-fil, et Tholie fit quelques essais.

— Comme c'est facile ! s'extasia-t-elle. On pourrait presque coudre d'une seule main.

Roshario, qui ne perdait pas une miette de l'expérience, n'était pas loin de penser comme Tholie. Bien qu'elle ne pût utiliser son bras cassé, avec un tire-fil pareil, en tenant les deux pièces de cuir de sa main invalide, elle serait peut-être en mesure de coudre avec sa bonne main.

— Je n'ai jamais vu quelque chose d'aussi ingénieux, déclara-t-elle. Comment l'as-tu inventé, Ayla ?

— Je ne sais pas. Cela m'est venu un jour où j'avais du mal à coudre. Mais les autres femmes m'ont beaucoup aidée à le mettre au point. Le plus dur a été de fabriquer une pointe de silex assez petite pour creuser le trou au bout d'un tire-fil en ivoire. C'est Jondalar qui l'a réalisé avec l'aide de Wymez.

— Wymez est le tailleur de silex du Camp du Lion, expliqua Tholie à Roshario. On dit qu'il est très bon.

— Et Jondalar est très adroit, ça je le sais, remarqua Roshario. Il a apporté tellement d'améliorations aux outils qui nous servent à fabriquer les bateaux que tout le monde l'admire. Ce sont de petits détails, mais ils font une énorme différence. Avant de partir, il apprenait le métier à Darvo. C'est un bon maître, j'espère qu'il va reprendre l'enseignement de Darvo.

— Jondalar prétend que Wymez lui a beaucoup appris, déclara Ayla.

— C'est possible. En tout cas, vous me semblez tous les deux très doués pour améliorer l'outillage, dit Tholie. Ton tire-fil va simplifier la couture. Même quand on a le coup de main, c'est difficile de pousser le fil dans les trous avec un poinçon. Et le propulseur de Jondalar est une merveille. On s'est tous dit qu'on pourrait en faire autant, mais je reste persuadée que c'est pas aussi facile que ça en a l'air. Il doit falloir beaucoup d'entraînement.

Jondalar et Ayla avaient fait une démonstration de lancement de sagaies avec le propulseur. Il fallait beaucoup d'adresse et assez de patience pour approcher un chamois, et quand les chasseurs shamudoï virent la portée des jets de sagaie, il furent tous impatients d'essayer les propulseurs sur les insaisissables antilopes des montagnes. Plusieurs Ramudoï, chasseurs d'esturgeons, furent tellement enthousiastes qu'ils décidèrent d'adapter le harpon au propulseur. Dans la discussion qui suivit, Jondalar fit part de son idée de sagaie en deux parties : une longue hampe empennée de deux ou trois plumes et un bout muni d'une pointe qu'on emmanchait dessus. Le potentiel de cette découverte n'échappa à personne, et il y eut différentes tentatives des deux groupes les jours suivants.

Des éclats de voix leur parvinrent soudain de l'autre côté du champ. Les trois femmes levèrent la tête et virent qu'on hissait le panier sur le rebord de la falaise. Quelques jeunes accoururent en criant.

— Ils en ont pris un ! Ils en ont pris un avec le lance-harpon !

— C'est une femelle ! annonça fièrement Darvalo, qui faisait partie du groupe.

— Oh, allons-y ! proposa Tholie.

— Va, dit Ayla, je te rejoindrai dès que j'aurai rangé mon tire-fil.

— Je t'attends, décida Roshario.

Quand elles arrivèrent au bord de la falaise, on avait déjà déchargé la première moitié de l'esturgeon et redescendu le panier. Le poisson était trop gros pour être monté en une fois, mais on avait d'abord hissé le meilleur : près de cent kilos de petits œufs noirâtres. Que la première prise due à la nouvelle arme dérivée du propulseur de Jondalar fût une énorme femelle sembla à tous un présage favorable.

On apporta des séchoirs à poissons et tous se mirent à découper l'esturgeon en petits morceaux. Le caviar fut porté jusqu'aux habitations et la responsabilité de sa distribution échut à Roshario. Elle demanda à Ayla et à Tholie de l'aider, et leur en fit goûter.

— Hmm! Cela fait des années que je n'en avais pas mangé! s'exclama Ayla qui en reprit une bouchée. C'est encore meilleur frais, et quelle quantité!

— Heureusement, dit Tholie, sinon, on ne pourrait pas en manger.

— Ah bon, pourquoi? s'étonna Ayla.

— Mais parce que c'est avec les œufs d'esturgeon que nous assouplissons les peaux de chamois, expliqua Tholie. On gardera la majeure partie des œufs pour ça.

— Je serais curieuse de voir comment vous rendez les peaux aussi souples, dit Ayla. J'ai toujours aimé travailler le cuir, ou la fourrure. Quand je vivais avec le Camp du Lion, j'ai appris à teindre les peaux, et j'en avais réussi une rouge très jolie. Crozie m'avait également montré comment faire du cuir blanc, mais vos peaux jaunes me plaisent aussi beaucoup.

— Tiens, ça m'étonne que Crozie ait accepté de te montrer cela, remarqua Tholie en jetant un regard à Roshario. On dit que la fabrication du cuir blanc est un secret du Foyer de la Grue.

— Elle ne m'a jamais dit que c'était un secret. Sa mère lui avait appris à le faire et le travail du cuir n'intéressait pas sa fille, alors elle semblait seulement contente de transmettre son savoir.

— Evidemment, puisque vous étiez toutes deux membres du Camp du Lion, c'est comme si vous étiez de la même famille, admit Tholie sans conviction. Elle n'aurait certainement pas dévoilé son secret à une étrangère. Nous non plus, d'ailleurs. Le traitement des peaux de chamois est un secret des Sharamudoï. Nos peaux sont très appréciées et elles représentent une grande valeur d'échange. Si tout le monde savait les faire, elles perdraient de leur valeur. Alors nous gardons notre secret.

Ayla prit un air entendu, mais la déception se lisait sur son visage.

— En tout cas, elles sont très belles, et le jaune leur donne un joli brillant.

— C'est le myrte des marais qui lui donne cette couleur, mais on ne l'utilise pas pour cette raison. C'est un simple hasard. Le myrte des marais permet à la peau de rester souple, même après avoir été mouillée, déclara Roshario en veine de confidences. Si tu restes avec nous, on t'apprendra comment on obtient nos peaux de chamois.

— Si je reste ? Si je reste combien de temps ?

— Oh, le temps que tu voudras. Toute la vie, si tu veux, dit Roshario d'un air engageant. Jondalar est presque de la famille. Nous le considérons comme un des nôtres, il lui faudrait si peu pour devenir un Sharamudoï à part entière. Il a déjà participé à la construction d'un bateau. Comme vous n'avez pas encore été unis, je suis sûre qu'on trouverait sans difficulté un couple qui accepterait de s'unir avec vous, et la cérémonie pourrait avoir lieu ici. Tu sais, Ayla, tu serais la bienvenue. Depuis la mort de notre vieux Shamud, nous avons besoin d'une Femme Qui Soigne.

Bien que spontanée, la proposition de Roshario semblait tomber à un moment propice.

— Nous serions d'accord pour nous unir avec vous, proposa Tholie. Bien sûr, il faudrait que j'en parle à Markeno, mais je suis sûre qu'il accepterait. Nous n'avons trouvé personne pour remplacer Jetamio et Thonolan. Le frère de Thonolan, ce serait merveilleux, et je serais ravie de partager ma hutte avec une Mamutoï, assura-t-elle en adressant un sourire chaleureux à Ayla. Shamio serait si contente d'avoir un « Ti' Loup » pour elle toute seule.

L'offre avait pris Ayla par surprise. Quand elle en eut

compris tout le sens, elle fut bouleversée et ses yeux s'emplirent de larmes.

— Oh, Roshario, je ne sais comment te remercier. Je me sens comme chez moi depuis que je suis ici. Tholie, j'aimerais tant partager...

Les larmes l'empêchèrent de terminer sa phrase. Emues, les deux Sharamudoï durent refouler leurs propres larmes qui leur montaient aux yeux, et elles se souriaient comme deux complices venant de réussir un coup particulièrement brillant.

— Dès le retour de Jondalar et de Markeno, nous leur demanderons leur avis, dit Tholie. Markeno sera soulagé, j'en suis sûre...

— Oui, mais Jondalar... Il voulait absolument passer chez vous, c'est vrai. Il a même décidé de ne pas prendre le raccourci, uniquement pour vous voir. Pourtant, je ne sais pas s'il voudra rester, il a tellement envie de retourner chez son peuple, déclara Ayla.

— Mais nous sommes son peuple, assura Tholie.

— Non, Tholie. Même s'il est resté avec nous aussi longtemps que son frère, Jondalar est toujours un Zelandonii. Il n'arrive pas à chasser les siens de sa tête. Je l'ai toujours su, avoua Roshario. C'est pour ça qu'il n'a jamais éprouvé de sentiments assez solides pour Serenio.

— C'est la mère de Darvalo, n'est-ce pas ? demanda Ayla.

— Oui, répondit la vieille femme, qui aurait bien voulu savoir jusqu'où Jondalar s'était confié à Ayla. Mais on voit bien qu'il t'adore. Alors, peut-être avec le temps est-il moins prisonnier de son attachement aux Zelandonii. N'êtes-vous pas las de voyager ? Pourquoi poursuivre ce long Voyage puisque vous avez trouvé ici un lieu qui vous convient ?

— Sans compter que Markeno et moi devons choisir le couple avec qui nous unir... avant l'hiver... avant que... je ne t'ai pas encore annoncé la nouvelle : la

Mère m'a bénie pour la deuxième fois... Il faut qu'on s'unisse avant que le bébé arrive.

— Oui, je m'en doutais. Oh, Tholie, c'est merveilleux ! s'exclama Ayla. Un jour, peut-être, ce sera mon tour de bercer un bébé... ajouta-t-elle, l'air absent.

— Si nous nous unissons, celui que je porte t'appartiendra aussi, Ayla. Et je serais tellement plus rassurée si tu m'assistais dans la délivrance, au cas où... bien que je n'aie eu aucune difficulté à mettre Shamio au monde.

Ayla aimerait bien avoir un bébé à elle, avec Jondalar. Mais à supposer qu'elle ne puisse en avoir ? Elle avait pris son infusion chaque matin, et elle n'avait pas été enceinte, mais était-ce vraiment grâce à la drogue ? Et si elle ne pouvait plus avoir d'enfant ? Quelle consolation ce serait de partager avec Jondalar le bébé de Tholie ! En plus, la région ressemblait tant à celle de la caverne du clan de Brun. Elle s'y sentait chez elle. Les Sharamudoï étaient gentils... bien que Dolando... Serait-il d'accord pour qu'elle reste ? Et comment réagiraient les chevaux ? Elle était contente qu'ils pussent se reposer un peu, mais auraient-ils assez de fourrage pour l'hiver ? Assez d'espace pour galoper ?

Le plus important restait la décision de Jondalar. Accepterait-il de renoncer à son retour dans la terre des Zelandonii ?

19

Tholie s'avança vers le grand feu, silhouette immobile éclairée par la lueur rougeâtre des braises mourantes, sous un ciel nocturne découpé par les hautes murailles de la terrasse. Presque tous les Sharamudoï s'attardaient encore sur l'aire de réunion abritée par le surplomb rocheux, et buvaient qui son infusion favorite, qui un vin de mûres nouveau, légèrement mousseux. Le festin en l'honneur de l'esturgeon avait commencé par une seule et unique dégustation de caviar. Le reste des œufs était destiné à un usage plus pragmatique : la fabrication des peaux de chamois.

— Dolando, commença Tholie, puisque nous sommes tous rassemblés, je voudrais en profiter pour dire quelque chose. Je crois me faire l'interprète de tous, poursuivit-elle sans attendre l'assentiment du chef, en affirmant que nous sommes très heureux de la présence de Jondalar et d'Ayla.

Des murmures d'approbation ponctuèrent sa déclaration.

— Nous étions tous inquiets pour Roshario. Pas seulement à cause de ses souffrances, mais aussi parce que nous craignions qu'elle perde son bras. Ayla a changé tout cela.

Roshario affirme qu'elle n'a plus mal, et si la Mère le veut bien, elle retrouvera bientôt l'usage de son bras.

Des exclamations de gratitude accompagnées d'invocations à la Mère fusèrent de toutes parts.

— Remercions aussi notre parent, Jondalar, reprit Tholie. La première fois qu'il est venu parmi nous, les améliorations qu'il a apportées à nos outils nous ont été d'un grand secours. Cette fois-ci, il nous a fait découvrir son propulseur qui a permis ce festin.

Là encore, des murmures d'approbation s'élevèrent.

— La première fois qu'il a vécu parmi nous, il a chassé le chamois et l'esturgeon, mais il n'a jamais précisé s'il préférait l'eau ou la terre. Moi, je crois qu'il ferait un fier homme du Fleuve...

— Je suis d'accord, Tholie. Jondalar est un Ramudoï ! s'écria un homme.

— Un demi-Ramudoï, au moins ! ajouta Barono au milieu des rires.

— Non, il a appris le monde de l'eau, mais c'est la terre qu'il connaît, protesta une femme.

— C'est vrai ! Demandez-lui ! Il lançait des sagaies avant de toucher à un harpon. C'est un Shamudoï ! intervint un plus vieux.

— Il accepte même que les femmes chassent !

Ayla lança un coup d'œil à celle qui venait de parler. C'était une nommée Rakario, une jeune fille un peu plus âgée que Darvalo. Elle suivait Jondalar partout, ce qui avait le don d'agacer celui-ci. Il se plaignait de l'avoir toujours dans les jambes.

Le visage fendu d'un large sourire, Jondalar assistait à la discussion animée dont il était l'objet. Ce vacarme illustrait bien la compétition amicale à laquelle se livraient les deux moitiés du groupe, rivalité qui pimentait la vie de la famille sans jamais dépasser des limites bien comprises. Plaisanteries, fanfaronnades, et même insultes jusqu'à un certain degré, étaient tolérées. En revanche, tout ce qui risquait d'humilier gravement, ou de mettre en danger la communauté, était vite réprimé. Les deux camps joignaient alors leurs forces pour calmer les excités ou consoler les offensés.

— Comme je le disais, reprit Tholie quand chacun se fut apaisé, je pense que Jondalar ferait un bon Ramudoï. Mais Ayla est plus à l'aise sur terre, et je suis prête à encourager Jondalar à choisir les chasseurs de chamois. A condition que lui-même et les Shamudoï y consentent, bien entendu. Si Jondalar et Ayla veulent rester parmi nous et devenir des Sharamudoï, nous leur proposons de s'unir avec nous. Mais comme Markeno et moi sommes ramudoï, il faudra qu'ils deviennent shamudoï.

Les cris et les exclamations reprirent de plus belle. On lançait des encouragements aux deux couples, et même des félicitations.

— C'est une excellente idée, Tholie, approuva Carolio.

— C'est Roshario qui y a pensé la première, dit Tholie.

— Oui, mais Dolando est-il d'accord ? demanda Carolio en regardant le chef des Shamudoï dans les yeux. Accepterait-il Ayla, une femme que ceux de la péninsule ont élevée ?

Un silence pesant s'abattit sur l'assemblée. Les implications de la question n'avaient échappé à personne. Après sa violente diatribe contre Ayla, Dolando allait-il l'admettre parmi les siens ? Ayla avait espéré que son accès de rage serait oublié et elle ne comprenait pas pourquoi Carolio prenait le risque de rouvrir cette blessure. Mais Carolio ne faisait que son devoir.

Autrefois, Carlono et sa compagne avaient été unis à Dolando et Roshario. Ensemble, ils avaient fondé ce groupe si atypique de Sharamudoï, après avoir quitté avec quelques autres un camp familial surpeuplé. Selon l'usage, la position d'Homme Qui Ordonne était conférée par un consensus informel, et procédait d'un choix naturel. En pratique, la compagne du chef recevait les responsabilités de la Femme Qui Ordonne, mais la compagne de Carlono était morte quand Markeno n'était encore qu'un enfant, et le chef des Ramudoï ne s'était jamais uni par la suite. Sa sœur jumelle, Carolio, qui s'était chargée de l'enfant, avait peu à peu occupé les fonctions de compagne d'un Homme Qui Ordonne. Avec le temps, cette responsabilité était devenue acquise. C'est pourquoi son devoir exigeait qu'elle posât cette question.

Tout le monde savait que Dolando avait autorisé Ayla à prodiguer ses soins à Roshario, car celle-ci en avait vraiment besoin. Peut-être Dolando refrénait-il ses sentiments pour le bien de sa compagne. Cela ne signifiait pas qu'il supporterait la présence permanente d'Ayla. Or, Dolando était un Shamudoï. Aussi indispensable que fût la présence d'une Femme Qui Soigne dans leur société, aucun d'eux n'accepterait une étrangère susceptible de causer des problèmes à leur chef et de possibles dissensions dans le groupe.

Pendant que Dolando réfléchissait, Ayla sentit son estomac se nouer et sa gorge se serrer. Elle avait l'impression d'assister à son propre jugement. Pourtant, elle n'avait rien fait de mal. Révoltée, elle faillit se lever et partir. On ne lui reprochait pas ce qu'elle avait fait, mais ce qu'elle était. Elle avait déjà connu cette épreuve avec les Mamutoï. Etait-elle donc condamnée à toujours être jugée ainsi ? Le peuple de Jondalar réagirait-il à son tour de la même façon ? Iza, Creb, et le clan de Brun avaient pris soin d'elle, et elle refusait de renier ceux qui l'avaient aimée. Mais elle se sentait seule et vulnérable.

Quelqu'un vint se glisser à ses côtés. Elle se retourna et remercia Jondalar d'un sourire. Sa présence la réconfortait. Elle savait qu'il guettait la façon dont les choses tourneraient. Elle l'avait soigneusement observé, et connaissait sa réponse à la proposition de Tholie. Pourtant, il attendait la décision de Dolando pour formuler la sienne.

Les éclats de rire de Shamio détendirent soudain l'atmosphère. Accompagnée d'autres enfants, elle arrivait en courant, poursuivie par Loup.

— Ce loup qui joue avec les enfants ne cesse de m'étonner, déclara Roshario. Il y a seulement quelques jours, cela m'aurait inquiétée. C'est une leçon à retenir. Si on se prend à s'y intéresser, on finit par aimer une bête qu'on détestait et dont on avait peur. Mieux vaut essayer de comprendre que de se laisser aveugler par la haine.

Dolando ne savait que répondre à Carolio. Il avait examiné toutes les implications de la question, et pesé l'enjeu de sa réponse. Mais il ignorait comment formuler sa pensée et la complexité de ses sentiments. Il sourit avec gratitude à la femme qu'il aimait. Elle le connaissait si bien ! Elle avait deviné son embarras et lui indiquait l'issue qu'il cherchait.

— La haine m'a aveuglé, commença-t-il. J'ai tué ceux que je haïssais, croyant qu'ils avaient ôté la vie à celui que j'aimais. Je les prenais pour des animaux cruels, et je voulais les tuer tous. Mais cela ne m'a pas rendu Doraldo. J'ai compris maintenant qu'ils ne méritaient pas une telle haine. Animaux ou pas, on les avait provoqués. Il me faudra vivre avec cela, mais...

Il faillit accuser ceux qui en savaient plus qu'ils ne lui avaient avoué, et qui pourtant l'avaient accompagné dans sa vengeance destructrice... mais il changea d'avis.

— Cette femme, reprit-il en regardant Ayla, cette Femme Qui Soigne nous a appris qu'elle avait été élevée et initiée par ceux que je considérais comme des fauves cruels, et que je haïssais. Mais même si je devais continuer à les haïr, je ne pourrais pas haïr cette femme. Elle m'a rendu Roshario. Le temps de la compréhension est venu.

« Laissez-moi vous dire que je trouve l'idée de Tholie excellente. Je serais heureux que les Shamudoï acceptent Ayla et Jondalar.

Ayla se sentit soulagée d'un grand poids, et comprit pourquoi les Shamudoï s'étaient choisi un tel chef. A le côtoyer dans leur vie quotidienne, ils avaient pu apprécier la qualité profonde de l'homme.

— Alors, Jondalar ? questionna Roshario. Qu'en dis-tu ? Tu ne crois pas qu'il est temps de mettre un terme à ce long Voyage ? Qu'il est temps de poser ton fardeau et de fonder un foyer ? De permettre à la Mère de bénir Ayla en lui offrant un ou deux bébés ?

— Les mots me manquent pour vous exprimer toute ma gratitude, commença Jondalar. Je ne sais comment vous remercier. Pour moi, les Sharamudoï sont mon peuple, ma famille. Ce serait si simple de m'installer parmi vous, et j'avoue que ton offre me tente, Rosario. Mais je dois retourner chez les Zelandonii... ne serait-ce que pour Thonolan, ajouta-t-il après une longue hésitation.

Ayla savait qu'il refuserait, mais pas de cette façon. Elle remarqua son hochement de tête imperceptible, comme si une pensée lui traversait l'esprit. Puis, il se tourna vers elle et lui sourit.

— A sa mort, Ayla a rassuré autant qu'elle l'a pu l'esprit de Thonolan afin de lui faciliter son Voyage dans l'autre monde. Mais son esprit ne connaissait pas le repos, et je crains, j'ai le pressentiment qu'il erre en solitaire et qu'il cherche désespérément le chemin qui le ramènera à la Mère.

Cette explication surprit Ayla qui se mit à observer Jondalar avec attention.

— Je n'ai pas le droit de le laisser errer indéfiniment. Mais je ne connais qu'une personne capable de l'aider : Zelandoni, une shamud, une shamud d'un grand pouvoir qui a vu naître Thonolan. Avec l'aide de notre mère, Marthona, Zelandoni arrivera peut-être à retrouver son esprit et à le guider dans la bonne voie.

Ayla savait bien que ce n'était pas l'unique raison qui le poussait à retourner chez son peuple. Elle se rendit alors compte que, à l'instar de sa réponse quand il l'avait questionnée sur les fils d'or, Jondalar ne faisait qu'énoncer une stricte vérité. Mais une vérité partielle.

— Tu es resté absent si longtemps, Jondalar, plaida Tholie qui ne cachait pas sa déception. Qu'est-ce qui te prouve que ta mère et Zelandoni sont toujours en vie ?

— Tu as raison, Tholie, je n'en sais rien. Mais si je ne peux pas aider mon frère, Marthona et tous ses parents seraient quand même heureux d'apprendre qu'il a vécu parmi vous, avec Jetamio, Markeno, et toi, Tholie. Je suis sûr que ma mère aurait apprécié Jetamio, et je sais qu'elle t'aurait aimée, Tholie.

La femme essaya de ne pas montrer sa fierté, mais on devinait que le compliment l'avait touchée, en dépit de sa déception.

— Thonolan avait entrepris un grand Voyage, son Voyage. Je n'ai fait que le suivre pour prendre soin de lui. Et je veux raconter son périple à ses proches. Il est allé jusqu'au bout de la Grande Rivière Mère, but qu'il s'était fixé, mais plus encore, il s'est trouvé un foyer au milieu de gens qui l'aimaient. Son histoire mérite d'être contée.

— Jondalar, je crois que tu essaies encore de suivre ton frère. Tu vas même jusqu'à le rechercher dans l'autre monde, dit Roshario. Si tel est ton choix, nous te souhaitons tous bonne chance. Shamud, lui-même, t'aurait conseillé de suivre ta voie.

Le demi-mensonge de Jondalar fit réfléchir Ayla. La proposition de Tholie, reprise par tous les Sharamudoï, n'avait pas été faite à la légère. C'était une offre généreuse, et un grand honneur. La refuser sans offenser personne n'en était que plus difficile. Seul un devoir supérieur, une quête à poursuivre, pouvaient rendre son refus acceptable. Jondalar préférait ne pas avouer que, même s'il les considérait comme des proches, d'autres l'étaient bien davantage qui justifiaient sa nostalgie. Mais il avait trouvé un moyen élégant de ménager leur susceptibilité.

Dans le Clan, il était permis d'omettre certaines précisions pour ménager la vie privée dans une société où il était difficile de cacher quoi que ce soit. Les émotions et les pensées se trahissaient dans les gestes, les mimiques, et toute expression corporelle, même inconsciente. Jondalar avait choisi de manifester les égards indispensables. Ayla avait le sentiment que Roshario n'était pas dupe, et qu'elle avait accepté les prétextes de Jondalar pour les mêmes raisons qui avaient incité celui-ci à les formuler. La subtilité n'échappa pas à Ayla, mais elle avait besoin d'y réfléchir. Elle comprit toutefois qu'une offre généreuse pouvait receler plusieurs facettes.

— Combien de temps resterez-vous encore ? demanda Markeno.

— Nous avons voyagé plus vite que je ne l'aurais cru. Je ne m'attendais pas à arriver chez vous avant l'automne. Grâce aux chevaux, nos étapes sont plus longues, mais il nous reste encore beaucoup de chemin, et de nombreux obstacles à franchir. J'aimerais partir dès que possible.

— Jondalar, nous ne pouvons pas partir tout de suite ! protesta Ayla. Je veux attendre que le bras de Roshario soit guéri.

— Cela prendra combien de temps ? demanda Jondalar, l'air contrarié.

— J'ai prévenu Roshario qu'elle devra garder le moule d'écorce pendant une lune entière et la moitié de la suivante.

— Impossible. Nous ne pouvons pas attendre si longtemps !

— Combien de temps, alors ?

— Pas très longtemps.

— Mais qui lui ôtera son moule ? Et qui saura que le moment est venu de le faire ?

— Nous avons envoyé un coureur chercher un shamud, intervint Dolando. Crois-tu qu'il pourrait l'aider ?

— Oui, certainement, convint Ayla. Mais j'aimerais parler à ce shamud. Jondalar, pourquoi n'attendrions-nous pas son arrivée ?

— S'il ne tarde pas, je veux bien. Mais je te conseille tout de même d'expliquer à Tholie et à Dolando ce qu'il faudra faire.

Jondalar, qui brossait Rapide, constata que la fourrure de l'étalon poussait avec rapidité. Il songea que, le matin même, la morsure du froid l'avait surpris, et il trouvait le cheval particulièrement fringant.

— On dirait que tu as hâte de bouger, Rapide, dit-il.

Le cheval dressa les oreilles à l'appel de son nom, et Whinney s'ébroua en hennissant.

— Toi aussi tu veux partir, hein, Whinney ? Ce n'est pas un lieu pour les chevaux, ici, ça manque d'espace. Il faudra que je le rappelle à Ayla.

Il donna une dernière tape sur la croupe de Rapide et se dirigea vers l'abri de grès. Il vit Roshario assise devant le grand feu, qui cousait d'une seule main grâce au tire-fil d'Ayla. Il lui trouva meilleure mine.

— Sais-tu où est Ayla ? lui demanda-t-il.

— Elle est partie avec Tholie, Shamio et Loup. Elles ont dit qu'elles allaient à l'endroit où on construit les bateaux, mais je pense que Tholie a voulu montrer l'Arbre à Souhaits à Ayla, et y déposer une offrande pour s'assurer une heureuse délivrance, et un beau bébé. On commence à voir que Tholie a été bénie par la Mère.

Jondalar s'accroupit à côté de la vieille femme.

— Roshario, il y a quelque chose que je voulais te demander. C'est au sujet de Serenio. Je me sens coupable de l'avoir quittée comme ça. Etait-elle... euh... heureuse, quand elle est partie ?

— Au début, elle était triste et contrariée. Elle prétendait que tu lui avais offert de rester, mais qu'elle t'avait conseillé de suivre Thonolan. C'était lui qui avait besoin de toi, disait-elle. Ensuite, le cousin de Tholie est arrivé à l'improviste. Il est aussi franc qu'elle, il dit les choses comme il les pense.

— Oui, tous les Mamutoï sont comme cela, ne put s'empêcher de remarquer Jondalar, un sourire aux lèvres.

— Il lui ressemble aussi physiquement. Il a bien une tête de moins que Serenio, mais il est fort. Et il n'a pas traîné. Dès qu'il l'a vue, il a décidé qu'elle était faite pour lui — il l'appelait son « beau saule », en mamutoï. Je n'aurais jamais cru qu'il la convaincrait, et j'ai même failli lui conseiller d'y renoncer. D'ailleurs, cela ne l'aurait pas fait changer d'avis. Mais j'étais sûre qu'il perdait son temps, que personne n'aurait pu la satisfaire après toi. Et un jour, je les ai vus rire tous les deux et j'ai alors compris que je m'étais trompée. On aurait dit qu'elle se réveillait d'un long hiver. Elle était épanouie. Je ne me souviens pas de l'avoir vue aussi heureuse depuis son premier compagnon, depuis la naissance de Darvo.

— J'en suis content pour elle, assura Jondalar. Elle méritait d'être heureuse. Mais je me demandais si... quand je suis parti... elle, elle pensait que la Mère l'avait bénie. Dis-moi, Roshario, Serenio était-elle enceinte ? Mon esprit avait-il provoqué une nouvelle vie en elle ?

— Je n'en sais rien, Jondalar. Quand tu es parti, je me souviens qu'elle le pensait. Si c'était le cas, ce serait une précieuse bénédiction pour leur nouvelle union. Mais elle ne m'en a jamais parlé.

— Oui, mais toi, qu'en penses-tu, Roshario ? Etait-elle grosse ? Peut-on le voir si tôt ?

— J'aimerais être en mesure de te l'assurer, Jondalar. C'est possible, c'est tout ce que je puis dire.

Roshario l'étudia attentivement, surprise de sa curiosité. Ce n'était pas comme si l'enfant était né dans son foyer puisqu'il avait abandonné cet espoir en quittant Serenio. Pourtant, si elle était enceinte, il y avait de fortes chances pour que l'enfant fût issu de son esprit. L'image d'un fils de Serenio, devenant aussi grand que Jondalar, et né dans le foyer d'un petit Mamutoï trapu, lui arracha un sourire. Roshario pensa que le chasseur de mammouths en serait probablement très fier.

Jondalar jeta un coup d'œil à la couche en désordre et s'aperçut que la place à côté de lui était vide. Il repoussa les couvertures, s'assit sur le bord, bâilla et s'étira. Tout le monde était parti et il comprit qu'il avait dormi longtemps. La veille, devant le feu, il avait été question de chasser les chamois que quelqu'un avait aperçus descendre des rochers escarpés. La chasse à la chèvre des montagnes au pied sûr allait bientôt commencer.

439

Ayla était impatiente de chasser, mais en se couchant ils avaient longuement parlé à voix basse comme ils le faisaient toujours, et Jondalar lui avait rappelé que leur départ ne tarderait pas. Puisque les chamois descendaient des montagnes, cela signifiait que le froid gagnait les hauts plateaux, annonce du prochain changement de saison. Ils avaient un long chemin à parcourir et ils devraient bientôt se mettre en route.

Ils ne s'étaient pas vraiment querellés, mais Ayla avait laissé entendre qu'elle n'avait pas envie de partir. Elle s'était inquiétée du bras de Roshario, et Jondalar savait qu'elle aimerait chasser le chamois. En réalité, il était sûr qu'elle préférerait rester avec les Sharamudoï, et il se demandait si elle ne cherchait pas des prétextes pour retarder leur départ en espérant le faire ensuite changer d'avis. Tholie et Ayla étaient devenues de grandes amies, et tout le monde appréciait sa compagnie. Il était certes rassuré de voir la sympathie qu'elle attirait, mais il pressentait que plus ils retarderaient leur départ, plus la séparation serait difficile.

Il était resté longtemps éveillé à réfléchir. Il avait envisagé de rester pour lui faire plaisir, mais dans ce cas, ils auraient aussi bien fait de ne pas quitter les Mamutoï. Il en était arrivé à la conclusion qu'il leur faudrait partir le plus vite possible, avant un jour ou deux. Il ne savait comment l'annoncer à Ayla.

Il se leva, enfila ses jambières, et se dirigea vers la sortie. Il écarta le rabat et fut saisi par le vent froid et sec qui fouetta son torse nu. Il pensa qu'il lui faudrait des vêtements plus chauds, et se hâta vers l'endroit où les hommes avaient l'habitude d'uriner au réveil. Au lieu du nuage de papillons multicolores, dont le curieux attrait pour cet endroit à l'odeur si forte l'étonnait, il vit voleter une feuille, et remarqua que celles des arbres changeaient de couleur.

Pourquoi ne s'en était-il pas rendu compte plus tôt ? Les jours avaient passé si vite, et le temps était si doux qu'il n'avait pas fait attention au changement de saison. Il se souvint alors qu'ils se trouvaient sur le versant sud d'une chaîne méridionale. La saison était peut-être plus avancée qu'il ne le croyait, et au nord régnait déjà sans doute un froid plus intense. En retournant à la hutte, il était plus déterminé que jamais à partir au plus vite.

— Ah, tu es réveillé, dit Ayla, qui entra avec Darvalo pendant que Jondalar s'habillait. Je venais te chercher avant qu'il ne reste plus rien à manger.

— Je suis venu mettre des vêtements plus chauds. Le froid est déjà vif, je vais bientôt laisser pousser ma barbe.

Ayla devina le sous-entendu. Le temps changeait et ils devaient se mettre en route. Elle ne voulait pas aborder ce sujet.

— Nous devrions peut-être déballer nos vêtements d'hiver pour vérifier leur état. Les paniers sont-ils toujours chez Dolando ?

Il sait pertinemment qu'ils y sont, se dit Ayla. Pourquoi me le demande-t-il ? Allons, ne joue pas la naïve, se reprocha-t-elle, tu le sais très bien. Elle chercha comment dévier la conversation.

— Oui, ils y sont, confirma Darvalo, qui voulait se rendre utile.

— J'ai besoin d'une tunique plus chaude. Est-ce que tu te souviens dans quel panier se trouvent mes vêtements d'hiver, Ayla ?

Bien sûr qu'elle s'en souvenait. Et lui aussi.

— Tu n'as plus du tout les mêmes habits que la première fois que tu es venu, remarqua Darvalo.

— Non. C'est une femme mamutoï qui m'a offert ceux-là. La première fois que tu m'as vu, j'avais encore mes vêtements zelandonii.

— J'ai essayé la tunique que tu m'avais donnée. Elle est encore trop grande pour moi, mais moins qu'avant.

— Tu l'as toujours, Darvo ? J'ai presque oublié à quoi elle ressemblait.

— Tu veux la voir ?

— Oh, oui. J'aimerais bien.

Ayla ne put s'empêcher de partager sa curiosité. Ils franchirent les quelques pas qui les séparaient de la hutte en bois de Dolando. Sur une étagère, au-dessus de son lit, Darvalo saisit un paquet délicatement enveloppé. Il dénoua la cordelette, défit le souple emballage de cuir, et déplia la tunique.

Ayla la trouva peu ordinaire. Les motifs décoratifs, la longueur et la large échancrure la différenciaient des vêtements mamutoï auxquels elle était habituée. Les queues d'hermines blanches à la pointe noire, notamment, la stupéfièrent.

Jondalar lui-même ne la reconnut pas. Il avait vécu tant d'aventures depuis la dernière fois qu'il avait porté cette tunique qu'elle lui sembla désuette et, pour tout dire, démodée. Pendant les années qu'il avait vécues auprès des Sharamudoï, il avait préféré s'habiller comme tout le monde, et bien qu'il en eût fait cadeau à Darvo quelques lunes seulement auparavant, il avait le sentiment de ne pas avoir vu cet habit traditionnel de son pays depuis des lustres.

— Ça se porte large, Darvo, et avec une ceinture, expliqua-t-il. Vas-y, mets-la, je vais te montrer. As-tu quelque chose pour l'attacher ?

Le jeune garçon enfila la tunique de peau richement décorée, et tendit à Jondalar une longue lanière de cuir. Le Zelandonii demanda à Darvalo de se redresser, et noua la lanière assez bas, à hauteur des hanches environ, afin de lui donner un volume gonflant, et pour permettre aux queues d'hermines de pendre librement.

— Tu vois ? Elle n'est pas trop grande, assura Jondalar. Qu'en penses-tu, Ayla ?

— Elle est bizarre. Mais elle te va bien, Darvalo.

— Oui, elle me va, approuva le jeune garçon qui leva les bras et pencha la tête pour essayer de juger de l'effet produit. Je la porterai peut-être la prochaine fois que je rendrai visite aux Sharamudoï du fleuve. Il y a là-bas une fille que j'ai remarquée. J'espère que ma tunique lui plaira.

— Je suis content de t'avoir montré comment la porter... avant mon départ, dit Jondalar.

— Ah! Quand partez-vous? demanda Darvalo avec inquiétude.

— Demain, après-demain au plus tard, répondit Jondalar sans quitter Ayla des yeux. Dès que nous serons prêts.

— Les pluies ont peut-être déjà commencé de ce côté des montagnes, dit Dolando. Et quand la Sœur est en crue... tu te rappelles?

— J'espère que ce sera moins terrible, avoua Jondalar. Sinon, il nous faudrait un de vos gros bateaux pour la traverser.

— Si vous voulez aller en bateau jusqu'à la Sœur, nous pouvons vous y conduire, proposa Carlono.

— Nous avons justement besoin de myrte des marais, précisa Carolio. Et c'est là-bas qu'on en trouve.

— J'aimerais bien remonter le fleuve dans votre bateau, répondit Jondalar, mais que faire des chevaux?

— Tu disais qu'ils pouvaient traverser les rivières à la nage. Pourquoi ne suivraient-ils pas le bateau? Le loup monterait avec nous.

— Non, c'est impossible. Il y a plusieurs jours d'ici à la Sœur, et les chevaux ne peuvent pas nager à contre-courant aussi longtemps.

— Alors, il y a un passage par les montagnes, déclara Dolando. Vous devrez revenir sur vos pas, puis monter et contourner un des pics inférieurs. La piste est signalée, et elle vous mènera assez près de l'endroit où la Sœur se jette dans la Mère. Arrivés aux plaines occidentales, vous trouverez au sud une haute corniche d'où vous pourrez voir votre route.

— Est-ce un bon endroit pour traverser la Sœur? demanda Jondalar en se rappelant les tourbillons du courant.

— Non, peut-être pas. Mais de là, vous pourrez longer la Sœur vers le nord et trouver un meilleur gué. Mais ce n'est pas une rivière facile. Elle est nourrie par des torrents qui dévalent des montagnes, et ses courants sont plus rapides que ceux de la Mère, et plus traîtres, dit Carlono. Quelques-uns d'entre nous l'ont remontée une fois pendant presque une lune, et elle était partout aussi rapide et dangereuse.

— C'est la Mère que je veux suivre, ce qui nous oblige à traverser la Sœur, expliqua Jondalar.

— Alors je vous souhaite bonne chance.

— Vous aurez besoin de provisions, dit Roshario, et j'ai aussi quelque chose pour toi, Jondalar.

— Nous ne pouvons pas nous charger davantage.

— C'est un cadeau pour ta mère, dit Roshario. Le collier favori de Jetamio. Je l'avais gardé pour Thonolan au cas où il reviendrait. Il ne prendra pas beaucoup de place, je t'assure. Après la mort de sa mère, Jetamio a éprouvé le besoin d'appartenir à un lieu. Je lui ai conseillé de se rappeler qu'elle appartenait aux Shara- mudoï. Alors, elle a fabriqué ce collier avec les dents d'un chamois et les arêtes d'un esturgeon, symbolisant la terre et le fleuve. J'ai pensé que ta mère aimerait avoir un objet que possédait celle que son fils avait choisie.

— Tu as raison, Roshario, cela lui plaira. Et merci. Marthona y sera très sensible, j'en suis sûr.

— Où est Ayla ? demanda Roshario. J'ai aussi quel- que chose pour elle. J'espère qu'elle aura assez de place.

— Elle est à l'intérieur avec Tholie. Elle prépare ses affaires. Elle n'approuve pas notre départ, tu sais. Elle préférait attendre que ton bras soit guéri, mais c'est malheureusement impossible.

— Ne t'inquiète pas, ça ira, assura Roshario qui lui emboîta le pas comme il se dirigeait vers les huttes. Ayla m'a ôté le moule d'écorce hier, et l'a remplacé par un autre, plus léger. Mon bras va très bien, sauf qu'il a minci à force de rester inactif, mais elle préfère que je garde encore un peu ce moule léger. Elle m'a assuré que mon bras reprendrait du muscle dès que je recommencerais à m'en servir.

— Oui, j'en suis sûr.

— Le coureur devrait déjà être de retour avec le shamud, mais Ayla m'a laissé des conseils. Elle a aussi expliqué quoi faire à Dolando, à Tholie, à Carolio et à d'autres. On se débrouillera sans elle, ne t'en fais pas. J'aimerais pourtant que vous restiez tous les deux. Tu peux encore changer d'avis, tu sais...

— Je ne sais comment te remercier de ton accueil, Roshario. Je suis sincèrement touché, du fond du cœur... surtout après l'histoire de Dolando et les... euh... les origines d'Ayla...

Roshario s'arrêta pour observer le géant.

— Cela t'a beaucoup tracassé, n'est-ce pas ?

— Oui, beaucoup, admit-il en rougissant, mais plus maintenant. Quand j'ai vu que vous l'acceptiez quand même, sachant combien Dolando haïssait... C'est... c'est dur à expliquer, mais cela m'a soulagé. Je ne veux pas qu'elle en souffre, elle a déjà subi tant d'épreuves.

— Ça lui a permis de s'endurcir, dit Roshario en étudiant Jondalar, notant son front soucieux et l'inquiétude qui voilait ses étonnants yeux bleus. Tu es parti longtemps, Jondalar. Tu as rencontré beaucoup de monde, appris de nouvelles coutumes, d'autres langues. Tes proches risquent de ne pas te reconnaître — tu n'es déjà plus celui que j'ai connu à ton précédent passage. Eux-mêmes seront certainement différents de ceux dont tu te souviens. Chacun verra l'autre tel qu'il était, et non tel qu'il est devenu.

— Je m'inquiète tant pour Ayla que je n'ai pas pensé à cela. Mais tu as raison, Roshario, le temps a passé. Ayla s'adaptera peut-être mieux que moi. Ce sont des étrangers pour elle, et elle ne tardera pas à les comprendre, comme elle fait toujours...

— Toi, en revanche, tu seras peut-être déçu parce que tu en attends trop, dit Roshario en se remettant en marche.

445

Elle s'arrêta une dernière fois avant d'entrer.

— Vous serez toujours les bienvenus parmi nous, Jondalar.

— Je te remercie, mais c'est trop loin. Tu n'as pas idée à quel point c'est loin, Roshario.

— C'est vrai, je l'ignore. Mais tu connais la route et tu as l'habitude des voyages. Si jamais tu décidais de revenir, cela ne te semblerait pas si loin.

— Pour quelqu'un qui n'avait pas envie d'entreprendre un long Voyage, j'en ai déjà eu mon content, assura Jondalar. Une fois chez moi, je ne bougerai plus. Tu disais qu'il était temps que je m'installe quelque part, et tu avais raison. Mais je m'habituerai plus facilement à la vie chez les Zelandonii, puisque je peux choisir d'en partir... grâce à toi.

Lorsqu'ils écartèrent le rabat, ils trouvèrent Markeno dans la hutte.

— Où est Ayla ? demanda Jondalar.

— Elle est allée avec Tholie chercher les plantes qu'elle avait mises à sécher. Tu ne les as pas croisées, Roshario ?

— Nous sommes venus par le pré, expliqua Jondalar. Je pensais la trouver ici.

— Elle y était. Elle s'est mis dans la tête d'apprendre quelques remèdes à Tholie. Après avoir examiné ton bras, hier, et lui avoir expliqué comment te soigner, elles n'ont parlé que de plantes et de leurs vertus. Cette femme en sait long, Jondalar !

— Oh, oui ! Je me demande comment elle peut tout se rappeler.

— Tholie et Ayla sont sorties ce matin et elles ont rapporté des paniers entiers de plantes. Il y en avait de toute sorte, même des drôles de fils d'or minuscules. Maintenant, Ayla lui explique comment les préparer, dit Markeno. Dommage que vous partiez, Jondalar. Tholie va regretter Ayla. On vous regrettera tous les deux.

— Partir me fait de la peine, mais...

— Je sais. Thonolan. Ah, cela me fait penser que j'ai

quelque chose pour toi, se souvint Markeno en fouillant dans un coffret en bois rempli d'outils et d'instruments en bois, en os et en corne.

Il sortit un objet bizarre, taillé dans un andouiller dont les cors avaient été tranchés, percé d'un trou à la base de la fourche, et orné de sculptures, différentes des oiseaux et des poissons stylisés typiques des Sharamudoï. Elles représentaient des cerfs et des ibex, qu'on aurait crus vivants. Jondalar s'émerveilla. En l'examinant de plus près, il reçut un choc.

— Le redresseur de Thonolan ! s'exclama-t-il.

Combien de fois avait-il vu son frère s'en servir ? Il se souvenait même du jour où Thonolan l'avait trouvé.

— J'ai pensé que tu aimerais le conserver en souvenir de lui, et qu'il te serait utile quand tu chercheras son esprit. Et puis, quand tu... tu l'auras retrouvé et apaisé, il réclamera peut-être son redresseur.

— Merci, Markeno.

Jondalar prit le robuste outil et l'examina avec respect. Il était tellement indissociable de son frère que Jondalar fut assailli de souvenirs.

— Ce redresseur est très précieux pour moi, dit-il. Tu as raison, Markeno. Cet outil est encore tout imprégné de Thonolan, je peux presque sentir sa présence.

— Moi, j'ai un cadeau pour Ayla, dit Roshario en sortant, suivie de Jondalar. Un cadeau qui tombe à pic.

Lorsqu'ils pénétrèrent dans la hutte de Roshario, Ayla et Tholie sursautèrent, et la vieille femme eut la fugitive impression de déranger, mais des sourires accueillants dissipèrent vite sa crainte. Roshario alla prendre un paquet sur une étagère.

— Tiens, c'est pour toi, Ayla, dit-elle. En remerciement de ton aide. Je l'ai bien enveloppée pour que le voyage ne la salisse pas. Plus tard, l'emballage pourra te servir de serviette.

Enchantée mais surprise, Ayla dénoua la cordelette et ouvrit le paquet fait de peaux de chamois et découvrit une autre peau jaune, superbement décorée de perles et de plumes. Elle l'étendit devant elle et ne put réprimer un cri. C'était une tunique de toute beauté ! En dessous, soigneusement pliée, elle trouva une paire de jambières, dont le devant et le fond étaient ornés de décorations identiques à celles de la tunique.

— Oh, Roshario ! Mais c'est magnifique ! Je n'ai jamais rien vu d'aussi beau. Je ne pourrai jamais les porter, s'écria Ayla.

Elle reposa la tunique et étreignit la vieille femme.

— J'espère qu'elles t'iront. Tu ne veux pas les essayer ? demanda Roshario.

— Je peux vraiment ? fit Ayla, osant à peine y toucher.

— Il faudra bien si tu veux les porter pour la Cérémonie de l'Union.

Ayla adressa un sourire à Jondalar. La tunique et les jambières l'enchantaient, mais elle s'abstint d'avouer qu'elle possédait déjà une tunique de cérémonie, que lui avait offerte Nezzie, la compagne de Talut, le chef du Camp du Lion. Impossible bien sûr de porter les deux, mais elle se jura de trouver une occasion d'étrenner celle de Roshario.

— Moi aussi, j'ai un cadeau pour toi, dit à son tour Tholie. Ce n'est certainement pas aussi beau, mais c'est très utile.

Elle présenta à Ayla une poignée de bandes de peaux souples qu'elle avait cachées dans une bourse qui pendait à sa ceinture. Ayla, qui savait ce que c'était, les admira en évitant le regard de Jondalar.

— Comment as-tu deviné que j'avais besoin de sangles neuves pour mes périodes lunaires ? s'étonna-t-elle.

— Oh, une femme en a toujours besoin, surtout en voyage. J'ai aussi des serviettes absorbantes, si tu les veux. Roshario m'a montré ce qu'elle te réservait, et je voulais te donner quelque chose d'aussi beau, mais je craignais que tu ne puisses pas te charger davantage.

Alors j'ai essayé d'imaginer ce qui te serait le plus utile, expliqua Tholie pour justifier son cadeau.

— C'est exactement ce qu'il me fallait ! Tu penses à tout, Tholie, dit Ayla en détournant la tête pour cacher ses larmes. Oh, comme vous me manquerez !

— Allons, allons, tu n'es pas encore partie ! Nous avons encore beaucoup de temps jusqu'à demain matin, la consola Roshario en retenant ses larmes de son mieux.

Ce soir-là, Ayla déballa ses affaires et les étala avec les cadeaux qu'on lui avait offerts, cherchant comment tout emporter en y ajoutant la nourriture qu'on leur avait préparée. Jondalar en prendrait une partie, mais il manquait de place, lui aussi. Ils avaient maintes fois discuté du bateau en peau, se demandant s'il valait la peine de le garder eu égard aux difficultés qu'ils rencontreraient dans les forêts montagneuses. Ils avaient finalement, non sans réticence, décidé de le conserver en prévision des multiples cours d'eau à traverser.

— Comment comptes-tu transporter tout ça ? demanda Jondalar en contemplant d'un air effaré la pile de mystérieux ballots, soigneusement enveloppés. Tu n'as que deux paniers. Es-tu sûre d'avoir besoin de tous ces paquets ? Qu'y a-t-il dans celui-là, par exemple ?

— Ce sont mes affaires d'été. J'ai décidé de l'abandonner si je ne peux pas tout prendre, mais j'en aurai besoin l'été prochain. Encore heureux que je n'aie plus à me charger de mes vêtements d'hiver.

Jondalar se contenta de grommeler, mais l'importance du chargement l'inquiétait. Il remarqua un paquet qu'il était sûr d'avoir déjà vu. Ayla le transportait depuis leur départ, mais il ne savait toujours pas ce qu'il contenait.

— Et celui-ci, c'est quoi ? demanda-t-il.

— Jondalar, tu ne m'aides pas beaucoup, reprocha-t-elle. Prends plutôt ces rations de nourriture que Carolio nous a préparées et va voir si elles rentrent dans tes paniers.

— Ho, Rapide ! Tout doux ! fit Jondalar.

Il tira sur la longe pour maintenir le cheval. Il caressa le chanfrein de Rapide et lui flatta l'encolure afin de le calmer.

— Il s'impatiente, constata Jondalar. Il sent qu'on va partir.

— Ayla ne va pas tarder, assura Markeno. Ces deux-là ne se sont pas quittées pendant votre séjour ici. Tholie a pleuré tant et plus. Elle aimerait tant que vous restiez, et franchement, moi aussi. Nous avons parlé à plusieurs couples, mais nous n'avons trouvé personne avec qui nous unir. Et nos vœux d'engagements ne peuvent plus attendre. Tu es sûr de ne pas revenir sur ta décision ?

— Tu n'imagines pas à quel point j'ai eu du mal à la prendre, Markeno. Qui sait ce que je trouverai là-bas. Ma sœur sera grande et ne se souviendra probablement plus de moi. Je n'ai aucune idée de ce qu'est devenu mon frère aîné. J'espère seulement que ma mère sera encore en vie. Ainsi que Dalanar, l'homme de mon foyer. Ma cousine, la sœur de son second foyer, devrait être déjà mère, mais je ne sais même pas si elle s'est trouvé un compagnon. Et si elle en a un, je ne le connais certainement pas. En fait, je ne connaîtrai plus personne, alors qu'ici, vous m'êtes tous proches. Pourtant, je dois m'en aller.

Markeno fit signe qu'il comprenait. Un léger hennissement de Whinney leur fit lever la tête, et ils virent Rosharió, Ayla et Tholie, qui portait Shamio, sortir de la case. Apercevant Loup, la petite fille se débattit pour descendre des bras de sa mère.

— Je ne sais pas ce que va devenir Shamio quand le loup sera parti, soupira Markeno. Elle ne le quitte pas. Si je la laissais faire, elle dormirait avec.

— Trouve-lui un bébé loup, conseilla Carlono qui les avait rejoints.

— Tiens, je n'y avais pas pensé, dit Markeno. Ce sera difficile, mais je pourrais peut-être en dénicher un dans

450

une tanière. En tout cas, je lui promettrai d'essayer. Il faudra bien que je trouve quelque chose à lui dire.

— Prends-le très jeune, si tu te décides, dit Jondalar. Loup tétait encore sa mère quand elle est morte.

— Alors comment Ayla l'a-t-elle nourri? interrogea Carlono.

— Je me le demande, dit Jondalar. Elle prétend qu'un bébé peut avaler tout ce que mange sa mère, à condition que la nourriture soit tendre et facile à mastiquer. Elle lui préparait des bouillons, y trempait des morceaux de cuir, et lui faisait sucer. Elle lui coupait aussi de tout petits bouts de viande. Il mange la même chose que nous, maintenant, mais il continue à chasser de son côté. Il lui arrive même de nous lever du gibier. Il nous a aidés à chasser l'élan que nous avons apporté ici.

— Oui, mais comment lui apprendre à obéir? demanda Markeno.

— Ah, il faut une grande patience. Ayla a passé beaucoup de temps à lui répéter toujours la même chose jusqu'à ce qu'il l'assimile. C'est stupéfiant ce qu'il est capable d'apprendre, et il cherche tellement à lui faire plaisir.

— Ça, on l'avait remarqué! s'exclama Carlono. Mais n'importe qui pourrait-il en faire autant? Après tout, c'est une shamud.

— Je monte sur le dos de Rapide et pourtant je ne suis pas un shamud, rétorqua Jondalar.

— Oh, je n'en suis pas si sûr, plaisanta Markeno. Je me rappelle toutes ces femmes qui te tournaient autour... tu leur faisais faire ce que tu voulais.

Jondalar avait oublié ses anciens succès, et la remarque de Markeno le fit rougir. Ayla, qui arriva à ce moment-là, se demanda la raison de sa gêne. Mais Dolando les rejoignit à son tour.

— Je vous accompagne un bout de chemin pour vous montrer la piste, et le meilleur passage pour franchir les montagnes, déclara-t-il.

— Je te remercie, Dolando, cela nous aidera beaucoup, dit Jondalar.

— Je viens aussi, décida Markeno.

— Oh, puis-je vous accompagner ? demanda Darvalo, qui portait la tunique que Jondalar lui avait offerte.

— Et moi, et moi ? s'écria Rakario.

Darvalo lui jeta un coup d'œil inquiet, croyant que seul Jondalar comptait pour elle. Mais la jeune fille dévorait Darvalo d'un regard amoureux. Ayla surprit l'expression du garçon passer de la colère à l'étonnement. Comprenant avec surprise ce qui lui arrivait, il s'empourpra soudain.

Presque tous les Sharamudoï s'étaient rassemblés au milieu du pré pour fêter le départ des visiteurs, et de nombreuses voix s'élevèrent, proposant de les accompagner un bout de chemin.

— Je ne viens pas, déclara Roshario en dévisageant tour à tour Ayla et Jondalar, mais j'aimerais vraiment que vous restiez. Je vous souhaite un bon Voyage.

— Merci, Roshario, dit Jondalar en enlaçant la vieille femme. Tes souhaits ne seront pas superflus.

— Laisse-moi te remercier de m'avoir amené Ayla. Je ne veux pas imaginer ce que je serais devenue sans elle.

Elle tendit la main vers Ayla. La jeune femme s'en empara, puis saisit l'autre retenue par la bandoulière, constatant avec plaisir que Roshario avait retrouvé toute sa poigne. Elles tombèrent alors dans les bras l'une de l'autre.

D'autres adieux suivirent, mais la plupart des Sharamudoï avaient décidé d'accompagner les deux voyageurs jusqu'à la piste.

— Tu ne viens pas, Tholie ? s'étonna Markeno en emboîtant le pas à Jondalar.

— Non, répondit la Mamutoï, les yeux gonflés de larmes. Cela ne faciliterait pas les adieux. J'ai beaucoup de mal à être aimable avec toi, Jondalar, ajouta-t-elle à l'adresse du Zelandonii. Je t'ai toujours apprécié, et encore plus depuis que tu m'as fait connaître Ayla. J'aurais tant voulu que vous restiez, mais tu t'entêtes. Je comprends tes raisons, mais cela ne me console pas.

— Je suis désolé de te peiner, assura Jondalar. Si je savais comment te faire plaisir...

— Tu le sais très bien, mais tu t'obstines, rétorqua Tholie.

Une telle franchise lui ressemblait bien. C'était ce qu'il appréciait chez Tholie, on n'avait pas besoin de chercher à deviner ce qu'elle voulait dire.

— Ne m'en veux pas. Si je pouvais rester, ce serait avec plaisir. Et nous nous unirions volontiers avec Markeno et toi. Tu ne peux pas savoir à quel point j'ai été fier que tu me le demandes, ni la tristesse que j'éprouve. Mais c'est plus fort que moi, il faut que je poursuive ma route, assura Jondalar en plongeant ses étonnants yeux bleus, tristes et malheureux, dans ceux de Tholie.

— Ne me regarde pas avec ces yeux-là, soupira Tholie. Cela me donne encore plus envie que tu restes. Allons, serre-moi dans tes bras.

Il se pencha et enlaça la petite Mamutoï qui s'efforçait de retenir ses larmes. Elle se dégagea pour regarder la jeune femme blonde à côté de lui.

— Oh, Ayla, je ne veux pas que tu nous quittes, hoqueta-t-elle entre deux sanglots en tombant dans les bras de son amie.

— Moi non plus, je ne veux pas te quitter, dit Ayla. Une force que je ne comprends pas pousse Jondalar, et je dois le suivre.

A son tour, elle fondit en larmes. Soudain, la jeune mère se dégagea, ramassa Shamio et s'enfuit en courant. Loup s'apprêta à les suivre.

— Reste ici, Loup ! ordonna Ayla.

— Ti'loup ! Je veux Ti'loup, implorait l'enfant en tendant les bras vers l'animal.

Loup regardait Ayla en poussant des petits cris plaintifs.

— Reste ici, Loup. Nous partons, expliqua-t-elle.

20

La clairière ouvrait une large perspective sur les montagnes. Le cœur serré, Ayla et Jondalar regardèrent partir Dolando, Markeno, Carlono et Darvalo. Les autres avaient quitté le cortège en chemin par petits groupes. Avant de disparaître derrière un coude, les quatre derniers Sharamudoï se retournèrent et leur firent de grands signes d'adieu.

D'un geste qui voulait dire « revenir », Ayla leur renvoya leur salut, se rendant compte avec une acuité soudaine qu'elle ne les reverrait plus jamais. Pendant son court séjour, elle avait appris à les aimer. Ils l'avaient accueillie, puis l'avaient suppliée de rester, et elle aurait volontiers vécu parmi eux.

Cette séparation lui rappela son départ de la Réunion d'Eté. Les Mamutoï aussi l'avaient acceptée et beaucoup restaient dans son cœur. Elle aurait pu être heureuse avec eux, bien qu'elle eût dû composer avec la tristesse qu'elle avait causée à Ranec. Mais à ce moment-là, la joie d'accompagner chez son peuple l'homme qu'elle aimait l'avait emporté sur l'affliction du départ. Cette fois-ci, aucun malentendu pénible ne troublait ses rapports avec les

Sharamudoï, et cette nouvelle séparation lui pesait davantage. Malgré tout l'amour qu'elle portait à Jondalar, et son désir intact de le suivre, elle avait trouvé une reconnaissance chez des amis, et il était difficile d'y renoncer.

Les voyages sont faits d'adieux, se dit-elle. Elle revoyait ses adieux au fils qu'elle avait laissé dans le Clan... En restant chez les Sharamudoï, qui sait si un jour elle n'aurait pu descendre la Grande Mère en bateau jusqu'au delta. Elle aurait alors poussé jusqu'à la péninsule, et aurait cherché la nouvelle caverne du clan de Broud... Mais à quoi bon ressasser ses regrets ?

Cette fois, il n'y avait pas de retour possible, aucun espoir auquel se raccrocher. Leurs voies se séparaient, son fils partait d'un côté, et elle de l'autre. Iza le lui avait maintes fois répété : « Va et cherche ton peuple, trouve-toi un compagnon. » Son peuple l'avait acceptée, elle avait trouvé un homme qu'elle aimait, et qui lui rendait son amour. Mais que de pertes en échange. Et son fils en faisait partie. Elle devait assumer cet état de fait.

En regardant les quatre hommes s'éloigner, Jondalar se sentait tout aussi mélancolique. Il avait vécu avec eux plusieurs années, c'étaient ses amis. Ils n'étaient pas liés à sa mère, et n'étaient pas de son sang, mais il se sentait plus proche d'eux que de sa propre famille. Sa promesse de retourner parmi son peuple éloignait de lui à jamais ceux qu'il considérait comme les siens, et une grande tristesse assombrit son cœur.

Lorsque le dernier Sharamudoï eut disparu dans un tournant, Loup s'assit sur son arrière-train, leva la tête et poussa quelques cris aigus qui se transformèrent bientôt en un long hurlement plaintif qui déchira le silence de la belle matinée ensoleillée. Les quatre hommes reparurent un peu plus bas sur le sentier et comprenant l'adieu de Loup, saluèrent une dernière fois les voyageurs. Soudain, on entendit, comme en écho, le hurlement d'un autre loup. Markeno chercha des yeux l'auteur de ce deuxième adieu avant de disparaître une dernière fois dans le sentier. Ayla et Jondalar se tournèrent face à la chaîne de montagnes donc les pics glacés étincelaient de reflets bleu-vert.

Moins haute que la chaîne occidentale, celle qu'ils traversaient s'était pourtant formée à la même époque récente, toute relative vu la lenteur des mouvements de l'épaisse croûte terrestre flottant sur le magma incandescent du globe. Au cours de l'orogenèse du continent, des soulèvements et des plissements de terrain avaient dessiné des chaînes parallèles. Le relief accidenté de l'extrémité orientale de la nouvelle chaîne montagneuse où ils se trouvaient était revêtu d'un manteau de verdure.

Une ceinture de caducifoliés les séparait des plaines où perdurait la douceur de l'été, pendant qu'en altitude le froid s'installait. La forêt mixte se composait surtout de chênes, de hêtres, de charmes et d'érables. Les feuillages changeaient déjà de couleurs et adoptaient tous les tons de rouge et de jaune que rehaussait le vert profond des épicéas semper virens regroupés tout en haut. Un manteau de conifères, comprenant non seulement des épicéas, mais des ifs, des pins, des sapins et des mélèzes aux aiguilles caduques, enveloppait les rondes épaules des plus bas sommets et recouvrait les pentes abruptes des hautes cimes. Là, de subtiles variations de vert mettaient en valeur le vert tirant sur le jaune des mélèzes. Au-dessus de la ligne forestière, un collier de pâturages alpins blanchissait sous la première neige et, couronnant le tout, le casque de glace bleutée surgissait dans toute sa splendeur.

La chaleur qui balayait les plaines du souffle éphémère de l'été s'évanouissait lentement, remplacée par l'étreinte glaciale de l'hiver. Bien qu'un radoucissement ait tempéré leur effet dévastateur — sur une période interstadiaire de plusieurs milliers d'années —, les glaces se regroupaient pour un dernier assaut avant que leur retrait ne tourne en déroute des milliers d'années plus tard. Mais même pendant le répit précédant l'assaut final, les glaciers ne recouvraient pas seulement les bas sommets ou les flancs des hautes montagnes, ils emprisonnaient le continent entier dans leur étau.

Dans un tel relief accidenté, et de surcroît encombrés par le bateau, Ayla et Jondalar avançaient plus souvent à pied qu'à cheval. Ils escaladaient des pentes escarpées, franchissaient des crêtes, traversaient des éboulis, et redescendaient des ravines abruptes, creusées au printemps par la fonte des neiges et par les torrents alimentés par des pluies diluviennes, fréquentes sur les montagnes méridionales. Dans certains lits, où l'eau suintait des couches de végétation en putréfaction, les chevaux comme les humains s'embourbaient dans la glaise collante. Des filets d'eau claire ruisselaient parfois, mais bientôt, avec l'automne, les ravines déborderaient de flots impétueux.

Plus bas, dans les forêts feuillues, les broussailles gênaient leur progression, et ils devaient se frayer un chemin à travers les ronces ou contourner les halliers. Les branches rigides et les épineux couverts de mûres si délicieuses constituaient des obstacles infranchissables. Les ronces se prenaient dans les cheveux ou dans les poils, et déchiraient les vêtements et la peau des hommes comme celle des bêtes. Les épaisses toisons des chevaux des steppes, mieux adaptées aux vastes plaines glaciales, se prenaient facilement dans les épineux, et Loup, lui-même, avait son lot de bardanes et de brindilles.

Ils furent soulagés d'atteindre enfin les forêts de conifères, où l'obscurité empêchait la végétation de se développer. Mais sur les pentes abruptes, le soleil perçait la voûte moins dense, et les sous-bois se garnissaient de nouveau de broussailles. Chevaucher dans les forêts de hautes futaies était tout aussi difficile. Les montures devaient contourner les obstacles incessants, et leurs cavaliers éviter les branches basses. La première nuit, ils campèrent sur un tertre, dans une petite clairière bordée de hauts résineux aux aiguilles d'un vert profond.

Ils atteignirent la lisière de la forêt le deuxième jour, à la nuit tombante. Enfin libérés des broussailles qui les déchiraient, ils plantèrent leur tente dans un vaste pâturage, près d'un petit torrent. Déchargés de leurs paniers, les chevaux partirent brouter sans attendre. Le fourrage sec et grossier des terrains chauds de moindre altitude leur convenait, mais ils mangèrent avec délice la douce herbe grasse des verts alpages.

Ils partagèrent leur pâturage avec un troupeau de cerfs dont les mâles s'acharnaient à frayer leurs andouillers sur les branches. Le rut automnal approchait et ils devaient libérer leurs cors de la mince couche de peau appelée velours, irriguée par de minuscules vaisseaux sanguins.

— C'est bientôt leur saison des Plaisirs, remarqua Jondalar en installant le foyer. Les combats ne vont pas tarder.

— Est-ce que les combats sont des Plaisirs pour les mâles ? demanda Ayla.

— Je ne me suis jamais posé la question, mais pour certains c'est possible.

— Tu aimes te battre ?

Jondalar parut réfléchir.

— J'ai eu mon compte de combats, assura-t-il enfin. Il arrive qu'on soit entraîné dans une bagarre, pour une raison ou une autre, mais je ne peux pas dire que j'aime ça. Pas si c'est sérieux, en tout cas. Pourtant, je n'ai rien contre la lutte par exemple.

— Les hommes du Clan ne se battaient jamais entre eux, c'était interdit. Mais il y avait des concours de lutte. Les concours réservés aux femmes étaient différents.

— C'est-à-dire ?

— Les hommes s'enthousiasment davantage pour l'action, expliqua en souriant Ayla, après une longue réflexion. Les femmes, elles, s'intéressent à ce qu'elles fabriquent, les enfants notamment. C'est d'ailleurs une sorte de compétition assez subtile, dont chacune s'imagine la gagnante.

Jondalar aperçut une famille de mouflons vers le haut de la montagne.

— Tiens, voilà de vrais bagarreurs ! s'exclama-t-il en

désignant les moutons sauvages dont les cornes énormes s'enroulaient en boucle. Quand ils foncent l'un sur l'autre tête baissée, le choc résonne comme un coup de tonnerre.

— Quand les cerfs ou les béliers se battent à coups de cors ou de cornes, crois-tu que ce soit pour de vrai ? N'est-ce pas plutôt une sorte de compétition ?

— Je ne sais pas. Il arrive qu'ils se blessent, mais c'est rare. Il y en a toujours un qui abandonne avant. Parfois ils brament et paradent, mais se séparent sans s'être battus. Oui, tu as raison, c'est peut-être une compétition. Mais dis-moi, femme, ajouta Jondalar en riant, tu poses des questions très intéressantes !

Le soleil se cacha derrière les cimes et l'air frais se changea en brise glaciale. Dans la journée, une neige poudreuse, balayée par les vents, s'était abattue des sommets. Le soleil l'avait fait fondre, mais elle s'était entassée dans les recoins ombreux, présageant une nuit froide et de futures chutes de neige.

Loup disparut peu après qu'ils eurent dressé leur tente en peau de bête. Ne le voyant pas revenir à la nuit tombée, Ayla s'inquiéta.

— Tu ne crois pas que je devrais siffler pour l'appeler ? demanda-t-elle quand ils furent sur le point de se coucher.

— Enfin, Ayla ! Ce n'est pas la première fois qu'il part chasser tout seul. Chez les Sharamudoï, tu l'as gardé constamment près de toi. Tu n'es plus habituée à ses absences, voilà tout.

— J'espère qu'il sera rentré demain matin, soupira Ayla qui se leva, essayant en vain de percer la pénombre qui entourait le camp.

— Cesse donc de t'inquiéter, c'est un animal, il retrouvera son chemin. Viens t'asseoir. (Il remit une bûche dans le feu et regarda les étincelles jaillir en crépitant.) Regarde les étoiles, Ayla. En as-tu jamais vu autant ?

Ayla leva la tête.

— Oh, comme elles sont nombreuses ! s'exclama-t-elle. C'est sans doute parce que nous sommes plus près de la voûte et qu'on peut en voir davantage. Surtout les plus petites... à moins qu'elles ne soient plus petites parce qu'elles sont plus éloignées. Crois-tu que le ciel finisse jamais ?

— Je n'en sais rien. Je n'y ai jamais songé. Comment le saurais-je ?

— Est-ce que ta Zelandoni connaît la réponse ?

— C'est possible, mais je ne suis pas sûr qu'elle la révélerait. Certaines choses sont réservées à Ceux Qui Servent la Mère. Tu as vraiment le don de poser des questions bizarres ! dit Jondalar, parcouru de frissons dont le froid n'était pas le seul responsable. Ça se rafraîchit, et nous devons partir tôt. Dolando annonçait les pluies pour bientôt. Cela signifie qu'il va sans doute neiger, là-haut. J'aimerais que nous soyons redescendus avant.

— Je reviens tout de suite. Je veux m'assurer que Whinney et Rapide vont bien. Loup est peut-être avec eux.

Plus tard, Ayla vint se glisser dans ses fourrures, toujours aussi inquiète. Elle tendait l'oreille au moindre bruit qui lui signalerait le retour de Loup, et sombra d'un coup dans le sommeil.

Il faisait sombre. Trop sombre pour voir au-delà des quantités d'étoiles qui s'échappaient du feu et montaient dans le ciel nocturne, mais elle essayait tout de même. Alors, deux étoiles, deux points jaunes brillèrent dans la nuit. C'étaient des yeux. Les yeux d'un loup qui la regardait fixement. Il s'en alla, et elle comprit qu'il lui demandait de le suivre. Elle s'élança derrière lui, mais un ours énorme lui barra le chemin.

L'ours se dressa sur ses pattes arrière et poussa un profond grognement, et elle recula, effrayée. Mais en regardant mieux, elle s'aperçut que ce n'était pas un ours. C'était Creb, le mog-ur, revêtu de son manteau en peau de bête.

Elle entendit au loin son fils l'appeler. Derrière le grand sorcier, elle vit un loup. Ce n'était pas un loup ordinaire.

C'était l'esprit du loup, le totem de Durc, et il voulait qu'elle le suive. L'esprit du loup se changea alors en Durc, et ce fut son fils qui lui demanda de le suivre. Il l'appela encore, mais quand elle s'apprêta à lui emboîter le pas, Creb l'en empêcha. Il désignait un point derrière elle.

Elle se retourna et vit un sentier qui menait à une caverne. Le toit de la caverne était formé d'un surplomb de roche colorée qui saillait d'une falaise, au sommet de laquelle un étrange rocher en équilibre semblait s'être figé au moment de basculer dans le vide. Elle se retourna, Durc et Creb avaient disparu.

— Creb ! Durc ! Où êtes-vous ? s'écria Ayla en se redressant brusquement.

— Ayla, tu as encore rêvé, dit Jondalar en s'asseyant, lui aussi.

— Ils sont partis. Pourquoi ne voulait-il pas que je les accompagne ? gémit Ayla, les larmes aux yeux, un sanglot dans la voix.

— Ils sont partis, qui ça ? demanda Jondalar en l'enlaçant.

— Durc, et Creb ne voulait pas que je le suive. Il m'a empêchée de passer. Pourquoi ? Oh, pourquoi ? se lamenta-t-elle en fondant en larmes dans les bras de Jondalar.

— Ce n'était qu'un rêve, Ayla. Il a peut-être un sens, mais ce n'était qu'un rêve.

— Oui, je sais que tu as raison, mais il semblait si réel.

— Tu as pensé à ton fils, ces derniers temps ? demanda Jondalar.

— Oui, je crois. Je me suis rendu compte que je ne le reverrais plus jamais.

— C'est peut-être pour cela que tu as rêvé de lui. Zelandoni prétend qu'on doit essayer de retenir ce genre de rêves, et qu'un jour on en comprendra le sens, assura Jondalar en essayant de distinguer le visage d'Ayla dans l'obscurité. Allons, tâche de te rendormir.

Ils restèrent encore longtemps éveillés. Le lendemain matin, un ciel couvert incita Jondalar à partir au plus vite. Mais Loup n'était toujours pas rentré. Pendant qu'ils repliaient la tente et chargeaient leurs bagages, Ayla le sifflait de temps en temps, mais il ne reparut pas.

— Ayla, il faut partir. Il nous rattrapera comme d'habitude.

— Je ne partirai pas sans savoir où il est, protesta-t-elle. Pars si tu veux, moi je vais le chercher.

— Le chercher où cela ? Il peut être n'importe où.

— Il est peut-être retourné au camp, il aimait beaucoup Shamio. On devrait y aller.

— Ah, non, pas question ! On n'a pas fait tout ce chemin pour rien.

— S'il le faut, j'irai, s'entêta Ayla. Je ne partirai pas sans Loup.

En hochant la tête, Jondalar la regarda rebrousser chemin. Impossible de la faire changer d'avis. Dire qu'ils seraient déjà loin sans cette maudite bête ! S'il ne tenait qu'à lui, les Sharamudoï pouvaient bien garder Loup !

Tout en marchant, Ayla sifflait de temps en temps, et soudain, alors qu'elle pénétrait dans la forêt, elle le vit apparaître à l'autre bout de la clairière et courir à sa rencontre. Il la renversa presque en sautant sur elle, la lécha et lui mordilla la joue.

— Loup ! Enfin, te voilà ! Où étais-tu passé ? s'écria-t-elle en empoignant sa fourrure et en frottant sa tête contre la sienne, mordant ensuite sa mâchoire en retour. J'étais folle d'inquiétude, tu ne devrais pas disparaître comme ça.

— On peut y aller, maintenant ? s'impatienta Jondalar. La matinée touche à sa fin.

— Eh bien, il est revenu ! dit Ayla en enfourchant Whinney. Nous n'avons pas eu besoin de faire demi-tour. Par où allons-nous ? je suis prête !

Ils traversèrent les pâturages sans dire un mot, en colère l'un contre l'autre, et parvinrent au pied d'une crête qu'ils longèrent, à la recherche d'un chemin praticable. Ils ne rencontrèrent qu'un passage escarpé, parsemé de rocs et où les pierres glissaient sous les pas. Trouvant la montée dangereuse, Jondalar poursuivit ses recherches. Sans les chevaux, ils auraient pu gravir la pente à différents endroits, mais avec eux il ne restait que le passage caillouteux.

— Qu'en penses-tu, Ayla ? Les chevaux pourront-ils gravir ça ? A moins de redescendre et de contourner la colline ?

— Je croyais que tu ne voulais pas faire demi-tour, surtout pour un animal ?

— C'est vrai, excepté lorsque c'est indispensable. Si tu estimes que c'est trop dangereux pour les chevaux, nous ne prendrons pas de risques.

— Et si c'est trop dangereux pour Loup ? On l'abandonnera ?

Jondalar jugeait les chevaux utiles, mais Loup, qu'il aimait pourtant bien, ne valait pas la peine à ses yeux de retarder leur avance. A l'évidence, Ayla ne partageait pas son point de vue, et le conflit couvait. Sans doute son désir de rester chez les Sharamudoï renforçait sa mauvaise humeur. Jondalar espérait qu'à mesure qu'ils s'éloigneraient du camp, elle oublierait sa déception et partagerait aussi son impatience d'arriver à destination. En attendant, il ne voulait pas l'accabler davantage.

— J'étais sûr qu'il nous rejoindrait, comme il le fait toujours. Je n'avais pas l'intention d'abandonner Loup, affirma-t-il, bien qu'il eût été à deux doigts de le faire.

Ayla ne le croyait pas tout à fait, mais ne supportait pas de se fâcher avec l'homme qu'elle aimait. Son anxiété disparue avec le retour de Loup, sa colère retomba. Elle descendit donc de cheval et testa la stabilité de la pente. Elle n'était pas certaine que les chevaux pussent la gravir, mais Jondalar avait bien précisé qu'ils chercheraient un autre passage en désespoir de cause.

— Essayons, proposa-t-elle. Ça dérape moins qu'on le croit. S'ils n'y arrivent pas, nous ferons demi-tour et nous chercherons un autre endroit.

Ils entreprirent donc d'escalader la pente qui se révéla moins glissante que prévu. Il y eut bien quelques moments ardus mais l'aisance des chevaux les surprit. Contents d'avoir franchi cet obstacle, ils continuèrent de gravir la montagne et affrontèrent d'autres difficultés. Partageant la même inquiétude pour leurs montures, ils en avaient oublié leur dispute.

Pour Loup, la pente fut un jeu d'enfant. Il l'avait escaladée en courant et était déjà redescendu pendant qu'ils menaient les chevaux avec de multiples précautions. Arrivée en haut, Ayla le siffla et attendit. Jondalar, qui l'observait, se rendit compte qu'elle s'angoissait davantage qu'avant pour le quadrupède. Surpris, il fut sur le point de lui demander des explications, mais se ravisa, craignant de la froisser. Il décida malgré tout de lui poser la question.

— Ayla, est-ce que je me trompe, je te trouve plus inquiète au sujet de Loup ? Avant, tu le laissais volontiers aller à sa guise. Dis-moi ce qui te tracasse. Après tout, c'est toi qui souhaitais qu'on ne se cache rien.

Ayla ferma les yeux et prit une profonde inspiration. Elle regarda ensuite Jondalar d'un air soucieux.

— Tu as raison. Mais je ne cherche pas à te cacher quoi que ce soit, c'est moi qui ne veux pas voir les choses en face. Tu te souviens des cerfs qui frayaient leurs andouillers ?

— Oui, pourquoi ?

— Eh bien, j'ai peur que ce soit aussi la saison des Plaisirs pour les loups. Et je refuse d'y penser. C'est Tholie qui m'a mis cela dans la tête quand je racontais comment Bébé m'avait quittée. Elle m'a demandé si Loup ne risquait pas de faire pareil un jour. Jondalar, je ne veux pas que Loup me quitte. C'est comme un fils pour moi, c'est mon enfant.

— Qu'est-ce qui te fait croire qu'il s'en ira ?

464

— Eh bien, avant que Bébé ne parte pour de bon, il s'absentait de plus en plus souvent, et de plus en plus longtemps. D'abord un jour, puis plusieurs, mais il revenait toujours. Je voyais bien qu'il s'était battu et je savais qu'il se cherchait une compagne. Et il a fini par en trouver une. Maintenant, chaque fois que Loup s'en va, j'ai peur qu'il ne cherche une louve, avoua Ayla.

— C'est donc cela ! Dans ce cas, je ne vois pas ce qu'on peut y faire. Mais crois-tu vraiment qu'il ait envie de te quitter ? demanda Jondalar qui se surprit à l'espérer.

Il ne pouvait s'empêcher de maudire la conduite de Loup, qui les avait plusieurs fois retardés, ou avait provoqué des conflits entre eux. Si Loup trouvait une compagne et qu'il parte avec elle, il dut s'avouer qu'il n'en serait pas fâché.

— Je ne sais pas, murmura Ayla. Jusqu'à présent, il est toujours revenu, et il a l'air content de voyager avec nous. On dirait qu'il nous considère comme sa bande, mais tu connais les Plaisirs. C'est un Don puissant qui pousse à agir.

— C'est vrai, mais qu'y pouvons-nous ? Je suis tout de même content que tu m'en aies parlé.

Ils continuèrent de chevaucher en silence, mais leur animosité avait disparu. L'aveu d'Ayla avait soulagé Jondalar et il comprenait mieux son comportement étrange : celui d'une mère possessive qu'elle n'était pourtant pas d'habitude. Jondalar avait toujours éprouvé une certaine pitié pour les garçons auxquels leur mère interdisait de prendre des risques, comme les escalades osées, ou s'aventurer dans une caverne profonde.

— Oh, regarde Ayla ! Un ibex ! s'écria Jondalar en désignant un bel animal d'une surprenante agilité.

Perché sur une haute corniche au-dessus d'un à-pic, l'espèce de bouquetin aux longues cornes recourbées dominait l'espace.

— J'en ai déjà chassé, reprit Jondalar. Ah, là-bas, ce sont des chamois !

— C'est cela que chassent les Sharamudoï ?

Cousine de la chèvre des neiges, l'antilope aux petites

cornes dressées cabriolait sur la paroi rocheuse d'un pic inaccessible.

— Oui, et j'en ai chassé avec eux.

— Mais comment fait-on ? Comment peut-on les atteindre ?

— Il faut grimper au-dessus d'eux. Ils croient que le danger vient d'en bas. Alors, si tu grimpes assez haut, tu as des chances de t'approcher suffisamment pour les atteindre. Tu comprends maintenant tout l'avantage du propulseur, expliqua Jondalar.

— Et surtout j'apprécie encore plus l'habit que m'a offert Roshario.

Ils poursuivirent leur escalade, et arrivèrent à la limite des neiges dans l'après-midi. De chaque côté se dressaient des murailles à pic, couvertes de plaques de glace. La pente qu'ils gravissaient semblait monter vers le toit du monde. Arrivés au sommet, ils firent halte pour admirer le spectacle fabuleux.

En se retournant, ils purent apprécier le chemin qu'ils avaient parcouru depuis la lisière de la forêt qui s'étendait jusqu'au pied de la montagne, et dont le tapis vert camouflait le terrain accidenté sur lequel ils avaient tant peiné. A l'est, une vaste plaine s'étendait, agrémentée du ruban bleu d'une rivière qui coulait nonchalamment. Ayla ne reconnut pas la Grande Rivière Mère. Du haut de la montagne glacée, elle ne pouvait imaginer que ce filet d'eau fût le même qu'ils avaient longé en suffoquant de chaleur, il n'y avait pas si longtemps. De l'autre côté d'une profonde vallée plantée de flèches vertes, une autre montagne, sensiblement moins haute, se dressait devant eux. Au-dessus de leur tête, les pics de glace scintillaient de mille feux.

Chavirée par la grandeur et la beauté du spectacle, Ayla le contemplait avec un émerveillement mêlé de crainte. On la devinait haletante à la buée qui s'échappait de sa bouche dans le froid vif.

— Oh, Jondalar ! s'exclama-t-elle. C'est merveilleux, je

ne suis jamais montée aussi haut. J'ai l'impression d'être sur le toit du monde! C'est si... c'est si beau. C'est magique.

L'enthousiasme d'Ayla, son regard fasciné, son sourire ravi déteignirent sur Jondalar qui s'enflamma soudain pour elle.

— Oui, c'est sublime, approuva Jondalar.

Quelque chose dans sa voix la fit se retourner et la lueur qu'elle vit dans son regard la troubla. Ses yeux étaient si bleus qu'on aurait dit deux morceaux volés au ciel. Hypnotisée, fascinée par son charme aussi incompréhensible que la magie de son amour, elle n'essaya pas, ou ne voulut pas, lutter. Elle avait toujours vécu l'émergence du désir chez Jondalar comme le « signal ». Et sa réaction à ce signal n'était pas consciente. C'était un désir physique, aussi puissant et impératif que le sien.

Ayla se retrouva, sans savoir comment, dans les bras vigoureux de Jondalar qui baisa sa bouche avec fougue. Les Plaisirs ne la fuyaient pourtant pas et ils partageaient régulièrement le Don de la Mère avec délices, mais cette fois-ci, c'était différent. Etait-ce la majesté du lieu? Toujours est-il que toutes les sensations étaient décuplées, chaque parcelle de son corps parcouru de frissons vibrait au contact de Jondalar et elle sentait comme autant de brûlures voluptueuses ses mains caressant son dos, l'étreinte de ses bras, la pression de ses hanches. A travers l'épaisseur de leurs pelisses, elle sentit la dure protubérance virile, et aurait voulu que son baiser ne s'arrêtât jamais.

Il relâcha son étreinte pour la déshabiller, et tout le corps d'Ayla criait son désir. Elle ne pouvait plus attendre tout en souhaitant qu'il prît son temps. Lorsqu'il glissa ses mains sous sa tunique et enveloppa ses seins, elle accueillit la fraîcheur de ses caresses sur son corps en feu avec soulagement. Elle gémit quand il pressa ses mamelons érigés, provoquant des frissons au plus profond de son intimité.

La réaction d'Ayla décupla l'excitation de Jondalar et, dans son membre gonflé, le sang se mit à battre. Sentant la langue d'Ayla fouiller sa bouche, il la suça avidement, et bien que pris d'un désir soudain de goûter les plis humides et salés de sa Féminité, il ne pouvait se résoudre à interrompre le baiser. Ah, s'il pouvait la posséder toute ! Il empoigna les globes de ses seins, les caressa, les pétrit, joua avec chaque mamelon, et n'y tenant plus, souleva sa tunique pour les sucer goulûment pendant qu'elle se collait contre lui en gémissant de plaisir.

Il imagina, palpitant, sa virilité entrer en elle et alors qu'ils s'embrassaient de nouveau, Ayla sentit son propre désir croître et la submerger, avide de ses caresses, de ses mains, de son corps, de sa bouche, de son sexe.

Leurs deux bouches toujours scellées par le même baiser, il ouvrit sa pelisse et elle s'en débarrassa avec délice, abandonnant son corps brûlant aux caresses du vent glacial. Elle le laissa dénouer les lacets de ses jambières qu'il lui ôta en les tirant. Ils se retrouvèrent allongés sur la pelisse d'Ayla, et Jondalar lui caressa les hanches, le ventre, glissa sa main entre ses cuisses. Ayla s'ouvrit toute.

Il descendit lentement entre ses jambes et goûta sa chaude fente parfumée. Ayla sentit des langues de feu lui transpercer le ventre, luttant contre son désir exacerbé, presque insoutenable, et pourtant si exquis.

La réponse si violente et si spontanée n'échappa pas à Jondalar. C'était un tailleur de silex, un fabricant d'outils et d'armes de chasse. Son talent venait d'une fine intuition de la pierre, de sa faculté à reconnaître les moindres variations ou subtilités de son grain. Les femmes répondaient à ses gestes experts avec le même naturel qu'une belle pièce de silex et, comme avec la pierre, Jondalar donnait là le meilleur de lui-même. Il aimait voir sous sa main habile un outil réussi émerger d'un beau morceau de silex, ou sentir une femme atteindre la plénitude du plaisir sous ses caresses, et il avait des deux une grande expérience.

Il baisa l'intérieur de ses cuisses, fit courir sa langue,

notant au passage les tressaillements qu'il provoquait. Elle tremblait mais restait allongée, les yeux fermés, inconsciente du froid dont Jondalar voyait pourtant l'effet sur chaque parcelle de peau. Il se leva, ôta sa pelisse et l'en recouvrit, ne la laissant nue que des pieds à la taille.

La fourrure, encore imprégnée de la chaleur de Jondalar et de sa forte odeur virile, parut délicieuse à Ayla. Et le contraste avec la peau de ses cuisses, humide des baisers de Jondalar et exposée au vent, la fit frissonner de plaisir. Un chaud liquide envahit son puits d'amour pendant qu'un souffle de vent glacial l'emplissait d'une caresse brûlante. Elle se cambra dans un râle.

Des deux mains, il lui ouvrit les cuisses, admirant la fleur rose de sa Féminité, et ne put s'empêcher de réchauffer les pétales de sa langue humide, se délectant encore une fois de son agréable saveur. Soumise à l'alternance des douces brûlures du froid et du chaud, elle gémit de volupté sous l'effet de cette nouvelle sensation. Il utilisait le vent glacial des cimes montagneuses pour l'amener aux Plaisirs, et elle se surprit à admirer intérieurement son art de l'amour.

Mais elle oublia bientôt le froid ambiant. N'existaient plus pour elle que la bouche de Jondalar s'abreuvant à son puits, sa langue léchant et caressant son centre des Plaisirs, ses doigts exercés fouillant son intimité. Alors, une lame de fond qu'elle avait sentie grandir en elle l'emporta et, comme elle atteignait le paroxysme de la jouissance, elle saisit le membre durci du géant blond et le guida dans son puits impatient. Elle cambra les reins pour le recevoir entièrement.

Fermant les yeux, il plongea sa lance au plus profond, sentant la douce et humide chaleur de la fente chérie. Il resta immobile, puis retira lentement son arme, jouissant pleinement du frottement délicieux, et l'enfonça de nouveau. Chaque mouvement le rapprochait de l'extase et provoquait chez lui une tension extrême. Ayla poussa un râle profond et tendit tout son corps. Il n'y tint plus, et laissa exploser enfin les vagues successives des Plaisirs.

Le silence se fit, troublé par les seuls murmures du vent. Les chevaux attendaient, placides ; le loup avait observé la scène avec grand intérêt, mais il avait appris à refréner une curiosité plus active. Jondalar se souleva enfin, et les bras tendus, contempla la femme qu'il aimait tant.

— Et si nous avions mis en route un bébé ? s'inquiéta-t-il.

— Non, cela m'étonnerait.

Elle remercia la Mère d'avoir permis son réapprovisionnement de plantes magiques, et fut tentée de se confier à Jondalar comme elle l'avait fait avec Tholie. Mais, se souvenant de la réaction profondément choquée de son amie, elle n'osa pas avouer son secret.

— On ne peut jamais l'assurer, mais je ne crois pas que le moment soit propice à l'éclosion d'une vie dans mon ventre, dit-elle simplement.

Elle ne pouvait effectivement pas en être sûre. Iza, elle-même, avait fini par avoir une fille, bien qu'elle eût pris son infusion contraceptive pendant des années. Les plantes perdaient-elles de leur pouvoir au bout d'un certain temps, ou Iza avait-elle oublié de boire son infusion, ce qu'Ayla ne pouvait croire ? Elle se demanda ce qui se passerait si elle cessait de prendre son breuvage matinal.

Jondalar espérait qu'Ayla ne se trompait pas, même si une petite voix souhaitait le contraire. Il se demandait si un enfant naîtrait un jour dans son foyer. Un enfant né de son esprit, ou de sa propre essence, qui pouvait le savoir ?

Ils atteignirent le sommet suivant quelques jours plus tard. La montagne était moins haute que la précédente, la cime s'élevait juste au-dessus de la forêt de conifères, mais ils eurent leur premier aperçu des vastes steppes occidentales. C'était un jour frais et sec, le ciel était limpide, bien qu'il eût neigé peu auparavant, et de hautes montagnes recouvertes de glace se dessinaient au loin. En bas, dans la plaine, ils virent une rivière se jeter vers le sud dans ce qui semblait être un lac immense.

— Est-ce la Grande Rivière Mère ? demanda Ayla.

— Non, c'est la Sœur. C'est elle que nous devons franchir. J'ai bien peur que ce ne soit la traversée la plus périlleuse de tout le Voyage. Tu vois, là-bas au sud ? Ce qui ressemble à un lac ? Eh bien, c'est la Mère. Ou plutôt l'endroit où la Sœur se jette dans la Mère... enfin, où elle essaie. L'eau reflue et déborde, et les courants sont traîtres. On ne traversera pas là, mais Carlono prétend que la Sœur est partout aussi turbulente.

Le lendemain, ils se réveillèrent sous un ciel menaçant, si bas que les nuages envahissaient les creux et les vallons. L'air était chargé d'un brouillard si dense qu'on pouvait presque le toucher, et que de minuscules gouttelettes se posaient sur les fourrures et les cheveux. Dans ce paysage drapé d'un linceul immatériel, des formes indistinctes devenaient soudain rocs ou arbres à mesure qu'on avançait.

L'après-midi, le ciel se déchira dans un grondement de tonnerre inattendu, qu'un violent éclair avait à peine précédé. Ayla sursauta, et trembla de peur en voyant les zébrures d'un blanc aveuglant jouer avec les cimes des montagnes. Ce n'étaient pas les éclairs qu'elle redoutait, mais le bruit assourdissant qu'ils annonçaient.

Ayla sursautait aux grondements lointains comme aux plus proches, et il lui parut qu'à chaque coup de tonnerre la pluie redoublait d'intensité, comme si, terrorisée par le bruit, elle se précipitait hors des nuages. Pendant qu'ils essayaient tant bien que mal de descendre le versant de la montagne, d'immenses paquets d'eau, semblables à de gigantesques cascades, se déversaient du ciel. Les cours d'eau se gonflèrent et débordèrent, et les ruisseaux se transformèrent en torrents bouillonnants. Le sol devint glissant et dangereux.

Ils remercièrent les Mamutoï pour leurs capes imperméables. Celle de Jondalar était en peau de mégacéros, le cerf géant des steppes, et celle d'Ayla en peau de renne. Teintes en ocre jaune et rouge, elles se portaient sur leur tunique, ou sur leur pelisse, par temps froid. On mélangeait le colorant minéral à de la graisse, et on en imprégnait les peaux par brunissure à l'aide d'un outil spécial fabriqué avec une côte. Le mélange déposait sur le cuir un lustre brillant relativement imperméable. Même humide il offrait encore une certaine protection, mais la teinture graisseuse était impuissante devant les averses diluviennes.

Le soir, tout était gorgé d'eau, même leurs fourrures de couchage, et il était impossible d'allumer un feu. Ils rapportèrent sous la tente des branches mortes de conifères, espérant qu'elles sécheraient pendant la nuit. Au petit matin, le déluge continuait et leurs vêtements étaient toujours trempés, mais grâce à un peu d'amadou et à sa pierre à feu, Ayla parvint à allumer quelques branches, assez pour faire chauffer de l'eau. Ils burent une infusion chaude et mangèrent les galettes que Roshario leur avait données. C'était un aliment compact et nutritif dont on pouvait se nourrir exclusivement, fait de viandes séchées et hachées, mélangées dans de la graisse avec des fruits secs ou des baies, auxquels on ajoutait parfois des céréales grillées ou des racines.

Les chevaux les attendaient dehors, impassibles, tête tombante, leur longue fourrure hivernale dégoulinante. L'eau remplissait à moitié le bateau qui s'était retourné. Ils étaient prêts à l'abandonner ainsi que les longues perches. Le travois et le canot, tellement utiles, les avaient surtout encombrés dans la traversée des forêts. En terrain accidenté, ils avaient entravé leur marche, retardé leur avance, et étaient parfois dangereux dans les descentes rendues glissantes par la pluie torrentielle. Si Jondalar n'avait pas su que les plaines constitueraient l'essentiel du reste de leur Voyage, il les aurait volontiers laissés.

Ils détachèrent les perches et retournèrent le canot afin d'en vider l'eau, ce qui les amena à envisager que le canot, qui leur avait permis de flotter sur l'eau des rivières, puisse aussi bien les protéger de celle qui tombait du ciel. Même si c'était impossible en marchant, ils pourraient s'y réfugier lorsque l'averse redoublait.

Cette découverte ne résolvait pas le problème du transport. Comme mus par une même idée, ils placèrent le canot sur le dos de Whinney. A condition de trouver une façon de le faire tenir, il garderait ainsi leur tente et leurs paniers au sec. A l'aide des perches et de cordages, ils imaginèrent un moyen d'équilibrer la charge sur le dos de la docile jument. L'effet n'était pas esthétique, et ils seraient sans doute amenés à en débarrasser Whinney pour franchir certains obstacles, mais ce ne serait pas une difficulté pire qu'avant, et le canot leur serait bientôt utile de toute façon.

Ils harnachèrent et chargèrent les chevaux. Ils installèrent la tente et le tapis de sol sur le dos de Whinney et les recouvrirent du canot, maintenu par les perches croisées. Ils jetèrent sur les paniers de Rapide une lourde housse en peau de mammouth, qu'Ayla utilisait pour protéger le panier à provisions.

Avant de partir, Ayla rassura et remercia longuement Whinney en lui parlant la langue qu'elle avait inventée lorsqu'elles vivaient seules dans la vallée. Ayla ne s'était jamais demandé si Whinney la comprenait, mais le langage familier calmait la jument, et on ne pouvait nier qu'elle réagissait à certains sons.

Même Rapide dressait les oreilles, s'ébrouait et hennissait lorsque Ayla lui parlait, et Jondalar en avait conclu qu'elle communiquait avec les chevaux dans un dialecte spécial qu'il ne comprenait pas, bien qu'il en devinât une partie. Cela ajoutait au mystère qui le fascinait tant chez elle.

Ils descendirent la pente escarpée en guidant Whinney et Rapide par le licol. Loup, qui avait passé la nuit sous la tente, fut bientôt aussi ruisselant que les chevaux, si ce n'est plus. Sa fourrure, d'ordinaire épaisse et bouffante, était plaquée sur sa peau, le faisant paraître plus petit et dévoilant le dessin de ses côtes et de ses muscles. Les pelisses des voyageurs étaient suffisamment chaudes, bien que l'eau dégoulinât bientôt de la fourrure trempée des capuches dans leur cou. L'averse persistait avec le même acharnement et Ayla décida qu'elle avait horreur de la pluie.

Les jours suivants, une pluie continuelle les accompagna dans leur longue descente. Lorsqu'ils parvinrent sous les grands conifères, la voûte de verdure les protégea quelque peu, mais ils quittèrent assez vite la forêt pour s'engager sur une vaste terrasse qui dominait la plaine. Ayla commença à comprendre que la rivière qu'elle avait vue du sommet devait être beaucoup plus éloignée et beaucoup plus large qu'elle ne l'avait cru. En dépit de courts ralentissements, la pluie tombait sans discontinuer, et dès qu'ils sortaient de l'abri — bien imparfait — des arbres, l'eau les fouettait comme des misérables. Au moins pouvaient-ils maintenant chevaucher leur monture de temps en temps !

Vers l'ouest, ils traversèrent une série de terrasses de lœss qui s'étageaient à flanc de montagne. Les plus élevées étaient déchiquetées par d'innombrables ruisseaux que le déluge avait grossis. Ils pataugèrent dans la boue, franchirent plusieurs torrents et arrivèrent bientôt sur une terrasse inférieure où ils découvrirent avec étonnement un petit groupe d'habitations.

Les grossières constructions en bois, sortes d'auvents améliorés, et de toute évidence assemblées à la hâte, avaient l'air bien délabrées, mais elles offriraient au moins un semblant d'abri. Ayla et Jondalar, soulagés, mirent pied à terre à l'approche des bâtisses afin de ne pas en effrayer les habitants. Ils appelèrent et crièrent en sharamudoï, espérant qu'on les comprendrait. Mais ils n'obtinrent aucune réponse, et en arrivant devant les abris ils comprirent qu'ils étaient vides.

— Je suis persuadé que la Mère savait qu'on avait besoin d'un abri, et Doni acceptera volontiers de nous laisser entrer, déclara Jondalar en pénétrant dans l'un des abris.

A l'exception d'une lanière de cuir pendue à une cheville de bois, l'endroit était vide, et un ruisseau avait inondé le sol, transformant la poussière en boue. Ils sortirent et se dirigèrent vers l'abri le plus grand. Ayla comprit alors ce qu'il manquait au campement.

— Mais où est la donii ? demanda-t-elle. Aucune représentation de la Mère ne protège l'entrée.

— C'est certainement un camp d'été provisoire. Ils n'ont pas laissé de donii parce qu'ils n'ont pas demandé Sa protection. Ceux qui ont construit ces cabanes n'espéraient pas qu'elles résistent à l'hiver. Ils les ont abandonnées, et sont partis en emportant tout ce qu'ils possédaient. Ils ont certainement émigré vers les hauteurs au début des pluies.

Ils pénétrèrent dans la plus grande cabane, moins nue que la précédente. Les murs étaient pleins de trous et l'eau gouttait du toit mais le sol était surélevé, protégé de la boue. Il y avait même des morceaux de bois éparpillés autour d'un foyer de pierres entassées. Ils n'avaient pas vu d'endroit aussi sec et confortable depuis plusieurs jours.

Ils sortirent détacher le travois et firent entrer les chevaux. Ayla alluma du feu pendant que Jondalar retournait dans la première cabane arracher des planches sèches. A son retour, il s'aperçut qu'Ayla avait tendu des cordes entre les murs, accrochées à des chevilles de bois, et qu'elle y étendait les vêtements mouillés et les fourrures de couchage et il l'aida à déployer la tente sur une corde.

— Il faut trouver un moyen de boucher ces fuites, observa Jondalar.

— J'ai vu des massettes qui feraient l'affaire. Les feuilles sont faciles à natter, et on pourra en recouvrir les trous.

Ils allèrent cueillir les feuilles de prêles, plutôt épaisses et rigides, et en rapportèrent chacun une pleine brassée. Les feuilles, enroulées autour de la tige, longues d'environ soixante centimètres, larges de trois centimètres ou plus, se terminaient en pointe. Ayla montra à Jondalar la technique du nattage, et il se mit à confectionner à son tour des carrés nattés. Ayla le regarda faire d'un air amusé. C'était plus fort qu'elle, elle était toujours surprise de voir Jondalar exécuter un travail de femme, et sa bonne volonté l'émerveillait. A deux, ils eurent bientôt autant de nattes qu'il y avait de fuites.

Les cabanes étaient recouvertes de chaumes de roseaux attachés sur un cadre de longs troncs d'arbrisseaux liés entre eux. L'ensemble rappelait un peu les huttes des Sharamudoï, sauf que la poutre centrale n'était pas inclinée et que le toit était asymétrique. Le côté percé d'une porte, et qui ouvrait sur la rivière, était presque vertical et formait un angle aigu avec l'autre pan. Les deux extrémités étaient fermées à la base, mais pouvaient se lever, un peu comme des stores.

Ils bouchèrent les trous avec les nattes qu'ils attachèrent avec les longues feuilles filandreuses des massettes. Ils connurent quelques difficultés avec deux fuites que même Jondalar, pourtant de haute taille, eut du mal à atteindre. Ils renoncèrent à escalader le toit de crainte qu'il ne pût supporter leur poids. Ils rentrèrent dans la cabane pour réfléchir, et décidèrent de disposer des récipients sous les fuites pour récolter de l'eau potable. Jondalar réussit ensuite à atteindre un des deux trous et décida de l'obstruer de l'intérieur.

Après avoir fermé l'entrée avec la housse en peau de mammouth, Ayla examina la pièce, éclairée par la seule lueur du feu. Ils étaient enfin à l'abri de la pluie, dans un endroit sec et chaud, qui commençait toutefois à s'emplir de vapeur à mesure que les vêtements séchaient. En outre, il n'y avait pas de cheminée. Les anciens occupants laissaient la fumée s'échapper par les nombreux jours des murs et du toit, où par les portes souvent relevées à cause du climat estival. Mais les chaumes s'étaient gonflés avec l'humidité, empêchant ainsi la fumée de s'échapper facilement, et elle se condensa bientôt autour de la poutre centrale du plafond.

Les chevaux s'adaptaient aux intempéries, mais Whinney et Rapide, élevés parmi les humains, étaient habitués à partager leurs habitations, même sombres et enfumées. Ils restèrent donc près de l'entrée, à la place qu'Ayla leur avait désignée, à l'abri du déluge. Ayla déposa des pierres dans le feu, et elle aida ensuite Jondalar à frictionner les animaux pour que leur fourrure sèche plus vite.

Ils ouvrirent tous les paquets pour vérifier l'étendue des dégâts, trouvèrent des vêtements secs qu'ils enfilèrent aussitôt, et s'assirent près du feu pour boire une infusion chaude pendant que la soupe, préparée avec les galettes pressées, cuisait lentement. Quand la fumée commença à envahir tout le plafond, ils pratiquèrent au sommet des chaumes des trous qui servirent de cheminée et laissèrent entrer un peu de lumière.

Comme c'était bon de se détendre ! Ils ne s'étaient pas rendu compte à quel point ils étaient fatigués, et avant qu'il fasse nuit, ils se glissèrent dans leurs fourrures de couchage encore légèrement humides. Pourtant, Jondalar ne trouvait pas le sommeil. Les souvenirs de son dernier affrontement avec la rivière pleine de traîtrise qu'on appelait la Sœur lui revinrent en mémoire, et dans l'obscurité de la cabane il frémit de terreur à la perspective de la dangereuse traversée qui les attendait, lui et la femme qu'il aimait.

477

21

Ayla et Jondalar restèrent encore le lendemain dans le camp d'été abandonné, et le jour d'après. Au petit matin du troisième jour, la pluie tombait moins violemment. Dans l'après-midi, le soleil réussit enfin à percer la grisaille monotone, et des nuages floconneux défilèrent bientôt dans le ciel bleu. Un vent frais soufflait de timides rafales, tantôt dans une direction, tantôt dans une autre, comme s'il hésitait avant de s'engager définitivement.

La plupart de leurs vêtements étaient secs, mais ils relevèrent les extrémités de la cabane afin d'aérer leurs affaires et de laisser le vent sécher les fourrures les plus épaisses. Certains cuirs s'étaient raidis et auraient besoin d'être travaillés et étirés, bien que le simple usage pût les assouplir, mais ils n'avaient souffert aucun autre dommage. On ne pouvait pas en dire autant de leurs paniers tressés, déformés, effilochés et moisis. Ramollis par l'eau, affaissés sous le poids de leur contenu, les fibres déchirées, ils étaient tous percés.

Ayla décida d'en fabriquer de nouveaux, même si les matériaux disponibles, brûlés par le soleil estival, n'étaient pas d'une extrême robustesse. Elle fit part de sa décision à Jondalar qui souleva alors un autre problème.

— De toute façon, je ne trouve pas ces paniers très pratiques, déclara-t-il. Chaque fois que les chevaux doivent traverser une rivière à la nage, les paniers se mouillent si on ne prend pas la peine de les ôter. Avec le bateau et les chevaux, ça va encore tant que nous sommes en plaine. Il y a surtout des steppes devant nous, c'est vrai, mais nous devrons aussi traverser des bois et des terrains accidentés, et nous aurons les mêmes difficultés que dans les montagnes que nous venons de franchir. Un de ces jours, nous devrons abandonner le bateau et les perches. Mais alors, nous aurons besoin de paniers qui ne se détrempent pas dès que les chevaux se mettent à l'eau. Crois-tu pouvoir fabriquer cela ?

Ayla sembla perplexe.

— C'est vrai, ils prennent l'eau facilement, concéda-t-elle en fronçant les sourcils. Lorsque je les ai tressés, je n'avais que des petites rivières à traverser. Mais je me souviens qu'au début, je n'utilisais pas de paniers de charge. La première fois que j'ai voulu faire porter quelque chose à Whinney, j'ai fabriqué un grand panier peu profond. Je pourrais peut-être en construire de semblables. Bien sûr, si nous ne montions pas les chevaux, ce serait plus simple...

Les yeux fermés, elle essayait de visualiser son projet.

— Ah, attends... Si je pouvais fabriquer des paniers qu'on puisse remonter sur leur dos quand ils nagent, au lieu de les laisser pendre sur leurs flancs... Non, nous ne pourrions plus rester aussi, à moins que... il faudrait que je tresse des paniers que les chevaux puissent transporter sur leur croupe, derrière nous... Oui, je crois que je peux y arriver.

Ils cueillirent des roseaux et des feuilles de massette, des rejets d'osier, de longues et fines racines d'épicéa, et tous les matériaux qu'Ayla put trouver pour tresser des paniers ou des cordages. Toute la journée, Jondalar et Ayla travaillèrent à des modèles qu'ils essayèrent sur le dos de

Whinney. Vers la fin de l'après-midi, ils avaient réalisé une sorte de porte-paniers suffisamment grand pour contenir l'attirail d'Ayla, et que Whinney porterait sur sa croupe. Ils en firent immédiatement un autre pour Rapide, en beaucoup moins de temps, car ils en maîtrisaient déjà la technique.

Vers le soir, le vent nordit et balaya avec force les nuages vers le sud. A la nuit, le ciel était complètement dégagé, mais il faisait beaucoup plus froid. Ils envisageaient de partir à l'aube, et décidèrent de faire l'inventaire des affaires à abandonner, les nouveaux porte-paniers étant plus petits que leurs anciens paniers. Ils avaient essayé sans succès toutes les solutions possibles, et ils durent avec regret s'alléger. Ils disposèrent donc toutes leurs affaires par terre, afin de les trier.

— On n'a plus besoin de ça, dit Ayla en désignant le bloc d'ivoire sur lequel Talut avait tracé la carte des premières étapes de leur voyage. Le pays de Talut est loin derrière nous, reprit-elle avec une pointe de tristesse.

— Oui, tu as raison, admit Jondalar avec une grimace amère. Pourtant, cela me chagrine de le jeter. Pourquoi ne pas le garder, ne serait-ce que pour montrer le genre de carte que gravent les Mamutoï ? Et aussi en souvenir de Talut.

— Bon, si tu as de la place, prends-le, consentit Ayla, comprenant la nostalgie de son compagnon. Mais ce n'est pas un objet indispensable.

Jondalar examina l'étalage des affaires d'Ayla, et ramassa le mystérieux paquet qu'il avait déjà remarqué.

— Qu'est-ce que c'est ? demanda-t-il.

— Oh, rien. Une chose que j'ai faite l'hiver dernier, répondit Ayla en rougissant.

Elle lui prit vivement le paquet des mains et l'enfouit sous une pile d'affaires qu'elle rassemblait.

— Je laisse mes vêtements d'été. De toute façon, ils sont usés et pleins de taches. D'ailleurs, je ne porterai que ceux d'hiver, reprit-elle. Cela fera de la place.

Jondalar lui jeta un regard aigu, mais s'abstint de tout commentaire.

Au matin, ils se réveillèrent dans le froid et une fine buée sortait de leur bouche à chaque respiration. Ayla et Jondalar s'habillèrent à la hâte, et emballèrent leurs affaires, pressés de partir. Mais une fois dehors, ils restèrent interdits.

Un fin manteau de givre avait transformé les collines environnantes. Tout scintillait dans le soleil matinal avec une intensité inhabituelle. En fondant, le givre libérait des particules d'eau qui formaient autant de prismes reflétant chacun un morceau d'arc-en-ciel. Des éclats de lumière dansaient, du rouge, du vert, du bleu à l'or à mesure que les voyageurs se déplaçaient, recevant le spectre lumineux sous un angle à chaque fois différent. La beauté des diamants éphémères du givre rappelait que la saison chaude n'était qu'une touche de couleur passagère dans un univers régi par l'hiver, et confirmait que l'été éphémère venait de s'achever.

Avant de partir, Ayla contempla une dernière fois le camp d'été qui leur avait offert un refuge inespéré. Il semblait encore plus délabré après que Jondalar avait arraché des morceaux de toiture qui leur avaient servi de combustible, mais comme ces habitations ne survivraient pas à l'hiver, Ayla ne ressentait aucun remords. Elle remercia la Mère de les avoir guidés vers elles.

Ils poursuivirent leur route vers l'ouest et la Rivière Sœur, descendirent sur une terrasse inférieure, encore assez élevée pour qu'ils pussent apercevoir les vastes pâturages des steppes sur l'autre rive du fleuve tumultueux. Ils eurent ainsi une perspective de la région et une idée de l'étendue de la plaine d'inondation. Pendant la période des crues, le lit majeur était recouvert d'eau sur une quinzaine de kilomètres de large. La rive opposée subissait davantage l'inondation car de trop rares collines ou falaises n'arrêtaient la crue que par endroits, alors que les contreforts sur lesquels ils chevauchaient limitaient l'avancée des eaux.

Contrairement aux pâturages, la plaine d'inondation était une région sauvage, parsemée de marais, de petits lacs, de bois et de broussailles parmi lesquels la rivière zigzaguait. Il n'y avait pas autant de méandres, ni de canaux, mais en moins vaste, le paysage ressemblait au fantastique delta de la Grande Rivière Mère. Les marseaux et les broussailles en pleine eau témoignaient des crues dues aux pluies récentes et de l'ampleur du terrain abandonné à la rivière.

Les sabots de Whinney s'enfoncèrent alors dans le sol sableux et la jument ralentit brusquement l'allure, ramenant Ayla à une réalité plus immédiate. Les ruisseaux qui sillonnaient les terrasses supérieures avaient creusé des lits profonds entre les dunes de marne sablonneuse. Les chevaux avançaient en pataugeant, projetant à chaque foulée des gerbes de boue riche en calcaire.

En fin d'après-midi, aveuglés par le soleil couchant, Ayla et Jondalar, la main en visière, scrutaient l'horizon à la recherche d'un endroit où planter leur tente. En approchant du lit majeur, ils remarquèrent que la texture du sable fin se modifiait. Comme sur les terrasses supérieures, c'était du lœss — poussière de roche due à l'action des glaciers sur la montagne, et dispersée ensuite par les vents — mais un lœss stabilisé par le limon argileux qu'y déposaient parfois de fortes crues. Lorsqu'ils virent les premières herbes des steppes apparaître le long de la rivière, ils décidèrent de s'arrêter.

Après avoir planté la tente, ils se séparèrent afin de chasser chacun de leur côté. Ayla partit avec Loup qui la précéda en courant et leva bientôt une compagnie de lagopèdes. Il bondit sur un oiseau, et en rapporta un second qu'Ayla avait tué de sa fronde au moment où il avait réussi à s'envoler et se croyait à l'abri dans le ciel. Elle faillit laisser Loup garder celui qu'il avait tué, mais comme il refusait de lui céder sa prise, elle changea d'avis. Un seul des volatiles au corps bien gras aurait suffi pour leur repas, mais elle voulait faire comprendre à Loup que lorsqu'elle l'exigeait, il devait partager sa chasse. Ignorant ce que réservait l'avenir, elle pensait ce dressage indispensable.

Ce n'était pas délibéré. Le froid coupant venait simplement de lui faire prendre conscience qu'ils devraient voyager l'hiver dans un pays inconnu. Ni le Clan ni les Mamutoï ne s'éloignaient jamais de leur campement pendant le froid glacial. Ils se réfugiaient dans une caverne qui les protégeait des blizzards et autres intempéries, et se nourrissaient des provisions qu'ils avaient constituées à la saison chaude. La perspective de voyager en hiver rendait Ayla anxieuse.

Avec son propulseur, Jondalar avait tué un gros lièvre qu'ils décidèrent de garder pour plus tard. Ayla voulut faire cuire les volatiles à la broche, mais dans cette contrée de steppes elle ne trouva que de maigres buissons. En cherchant mieux, elle aperçut deux andouillers de taille inégale et donc perdus l'année précédente par deux animaux différents. Les cors étaient plus difficiles à casser que du bois, mais avec l'aide de Jondalar, ses couteaux de silex bien aiguisés, et la petite hache qu'il portait à la taille, ils en vinrent à bout. Ayla transperça les oiseaux avec un morceau d'andouiller, et se servit des fourches pour supporter la broche. Vu l'effort qu'ils avaient dû déployer, elle décida de conserver ces andouillers qui résistaient bien au feu.

Elle donna à Loup une part du lagopède, accompagné de racines de roseaux qu'elle avait extraites d'un fossé d'eaux stagnantes, et de champignons qu'elle savait comestibles et goûteux. Après leur repas, ils s'assirent près du feu et regardèrent la nuit tomber. Les jours raccourcissaient et les deux voyageurs n'étaient plus aussi fatigués quand venait le soir, surtout qu'il était plus facile de chevaucher dans les plaines dégagées que de se frayer un chemin au milieu des forêts montagneuses.

— Hmm ! Ces volatiles étaient délicieux, remarqua Jondalar. J'aime quand la peau croustille.

— A cette époque de l'année, ils sont bien gras, et c'est la meilleure façon de les cuire, dit Ayla. Leurs plumes changent déjà de couleur, et celles de leur ventre sont si fournies que j'ai envie d'en emporter. Les plumes de lagopède font les meilleures litières. Dommage que nous manquions de place.

— Attends l'année prochaine, les Zelandonii aussi chassent le lagopède, assura Jondalar, lui faisant miroiter des raisons d'envisager le terme du Voyage avec impatience.

— Le lagopède était le mets favori de Creb, dit-elle simplement.

Jondalar nota une certaine tristesse dans la voix d'Ayla et il continua à parler, espérant lui changer les idées.

— Au sud de notre Caverne, il y a une espèce de lagopède qui ne blanchit pas en hiver. Il garde son plumage d'été toute l'année, et il a le même goût que les autres. Ceux qui habitent cette région l'appellent coq de bruyère et ils ornent leurs coiffes et leurs habits de ses plumes. Ils ont un costume spécial pour la Cérémonie du Coq de Bruyère. Ils dansent en tapant des pieds et font un tas de mimiques, pour imiter la parade du mâle essayant de séduire une femelle. Ça fait partie du Festival de la Mère... Ils tissent des filets, poursuivit Jondalar devant le mutisme d'Ayla, et ils capturent une quantité de lagopèdes en une seule fois.

— J'en ai tué un à la fronde, et c'est Loup qui a pris l'autre, dit simplement Ayla.

Elle n'ajouta rien de plus et Jondalar comprit qu'elle n'avait pas envie de parler. Ils restèrent assis en silence à contempler le feu qu'ils avaient alimenté de broussailles et d'excréments qui, après les pluies diluviennes, avaient eu le temps de sécher suffisamment pour se consumer.

— Tu te souviens du Bâton Qui Revient de Brecie ? finit par demander Ayla. Ah, si je savais me servir d'une arme pareille ! Brecie pouvait tuer plusieurs oiseaux d'un coup.

Le froid tomba avec la nuit, et ils furent contents de se réfugier sous la tente. Contrairement à son habitude, Ayla restait silencieuse, perdue dans ses souvenirs nostalgiques, mais elle répondit de bonne grâce aux caresses de Jondalar. Le mutisme de sa compagne cessa alors de l'inquiéter.

Le matin suivant, l'air était vif et un linceul de givre blanc, condensation d'humidité, recouvrait encore la terre. L'eau du ruisseau était froide mais revigorante. Sous les braises, ils avaient enfoui le lièvre enveloppé dans sa dépouille, afin qu'il cuise pendant la nuit. Lorsqu'ils épluchèrent la peau calcinée, la riche réserve de graisse hivernale avait arrosé la viande, ordinairement maigre et filandreuse, et la lente cuisson du gibier dans son enveloppe naturelle avait rendu la chair tendre et moelleuse. C'était la meilleure saison pour chasser les animaux aux longues oreilles.

Ils chevauchèrent en silence dans les hautes herbes, sans se presser mais à bonne allure. Ils échangeaient tout de même quelques mots de temps à autre. Plus ils approchaient de la Sœur, plus le petit gibier abondait, mais les seuls gros animaux visibles étaient loin, de l'autre côté de la rivière : une petite bande de mammouths mâles qui se dirigeait vers le nord. Plus tard dans la journée, ils aperçurent un troupeau mixte de chevaux et de saïgas, toujours sur la rive opposée. Leur présence n'échappa ni à Whinney ni à Rapide.

— Le Saïga était le totem d'Iza, déclara Ayla. Pour une femme, c'est un totem puissant, plus puissant que le totem de naissance de Creb, le Chevreuil. Evidemment, par la suite Creb a été choisi par l'Ours des Cavernes. C'est devenu son second totem avant qu'il reçoive l'initiation des mog-ur.

— Mais ton totem est le Lion des Cavernes, et c'est un totem beaucoup plus puissant que le Saïga, s'étonna Jondalar.

— Oui, je sais. C'est un totem d'homme, de chasseur. C'est pourquoi ils ont eu du mal à l'admettre au début. Iza m'a affirmé que Brun s'est mis en colère contre Creb quand il a nommé mon totem à la cérémonie d'adoption. Cela explique aussi que tout le monde croyait que je n'aurais pas d'enfants : aucun homme n'avait un totem assez fort pour battre le Lion des Cavernes. Grande a été la surprise quand j'ai été enceinte de Durc ! Mais je persiste à penser que c'est Broud qui l'a fait germer en me prenant de force. En supposant que les totems jouent un rôle dans la fabrication des bébés, or celui de Broud était le Rhinocéros Laineux. Les chasseurs du Clan racontaient une histoire sur un rhinocéros qui avait tué un lion des cavernes, ce qui voudrait dire qu'il était assez puissant. Et les rhinocéros sont comme Broud, ils sont mauvais.

— Les rhinocéros laineux sont imprévisibles, et cruels, renchérit Jondalar. L'un d'eux a encorné Thonolan, non loin d'ici. Il serait mort, si les Sharamudoï ne nous avaient pas trouvés et secourus.

Le géant ferma les yeux en revoyant la pénible scène, laissant à Rapide le soin de le conduire.

— Chacun possède un totem dans le Clan ? demanda enfin Jondalar.

— Oui, bien sûr, répondit Ayla. Le totem sert de guide et de protecteur. C'est le mog-ur du clan qui découvre le totem de chaque nouveau-né, en général avant la fin de sa première année. Lors de la cérémonie du totem, il donne à l'enfant une amulette qui contient un morceau de pierre rouge. L'amulette est la maison de l'esprit du totem.

— Ah bon ! Comme une donii est l'endroit où l'esprit de la Mère trouve le repos ?

— Si tu veux, oui. Sauf qu'il ne protège que toi, pas ta maison. Mais, bien sûr, il préfère que tu habites dans un lieu qui lui est familier. Tu dois toujours conserver ton amulette sur toi, c'est comme cela que l'esprit du totem te reconnaît. Creb m'a bien prévenue que l'esprit de mon Lion des Cavernes ne me trouverait pas sans l'amulette, et que je perdrais alors sa protection. Creb prétendait que si je perdais mon amulette, je mourrais.

Auparavant, Jondalar ignorait la signification de l'amulette d'Ayla, ni pourquoi elle s'en souciait tant. Parfois, il s'était dit qu'elle allait trop loin : elle ne la quittait jamais, sauf pour se baigner ou pour nager, et encore ! Il avait cru que c'était sa façon de se raccrocher au Clan de son enfance, et il avait espéré qu'elle l'oublierait peu à peu. A présent, il comprenait. Si un homme aux grands pouvoirs magiques lui avait donné un objet en lui recommandant de ne jamais le perdre, au risque de sa vie, il aurait agi comme elle. Or, Jondalar ne doutait plus que l'homme sage du Clan qui avait élevé Ayla ait possédé d'authentiques pouvoirs qu'il détenait du monde des esprits.

— L'amulette sert aussi à interpréter les signes que ton totem t'envoie quand tu prends une décision importante, continua Ayla.

Une sourde inquiétude, qui l'avait longtemps poursuivie, s'empara d'elle avec force. Pourquoi son totem ne lui avait-il pas envoyé de signe approuvant son choix de suivre Jondalar jusque chez les siens ? Depuis qu'elle avait quitté les Mamutoï, elle n'avait pas trouvé un seul objet qu'elle aurait pu interpréter comme un signe de son totem.

— Peu de Zelandonii ont des totems personnels, déclara Jondalar. Mais certains en possèdent. On croit que cela porte chance. Willomar en a un.

— C'est le compagnon de ta mère, n'est-ce pas ?

— Oui. Thonolan et Folara sont nés dans son foyer, et il m'a toujours traité comme eux.

— Et quel est son totem ?

— C'est l'Aigle Royal. L'histoire raconte que lorsqu'il était bébé, un aigle royal a fondu sur lui, mais que sa mère l'a attrapé avant que l'aigle l'emporte. Willomar a encore les cicatrices des serres sur sa poitrine. Leur zelandoni a dit que l'aigle l'avait reconnu comme sien et venait le réclamer. Voilà comment on a su que c'était son totem. Marthona croit que c'est son totem qui l'incite à voyager. Il ne peut pas voler comme un aigle, mais il a besoin de voir du pays.

— C'est un totem très puissant, comme le Lion des Cavernes ou l'Ours des Cavernes. Creb disait toujours qu'il était difficile de vivre avec un totem puissant. C'est vrai, mais j'ai tant reçu! J'ai eu beaucoup de chance. C'est mon totem qui t'a conduit vers moi. J'espère que le Lion des Cavernes te portera chance, Jondalar. C'est aussi ton totem à présent.

— Oui, je sais. Tu me l'as déjà dit, fit Jondalar en souriant.

— Le Lion des Cavernes t'a choisi, et tes cicatrices le prouvent. Il t'a marqué, comme Willomar a été marqué par le sien.

— Tu as peut-être raison, admit Jondalar après réflexion. Je n'avais pas vu les choses comme ça.

Loup apparut soudain, de retour d'exploration. Il aboya pour attirer l'attention d'Ayla, et reprit sa place aux côtés de Whinney, langue pendante, oreilles dressées. Il semblait alerte et heureux. Il adorait courir de sa foulée infatigable parmi les herbes, mais il revenait toujours, ce qui rassurait Ayla. Et elle se sentait heureuse, elle aussi, de chevaucher de conserve avec l'homme qu'elle aimait.

— A ta façon d'en parler, j'ai l'impression que ton frère devait ressembler à l'homme de son foyer, avança Ayla, reprenant le fil de la conversation. Thonolan aimait aussi voyager, n'est-ce pas? Ressemblait-il vraiment à Willomar?

— Oui, mais pas autant que je ressemble à Dalanar. Tout le monde nous le disait. Thonolan est davantage comme Marthona, précisa Jondalar en souriant. Mais il n'a jamais été choisi par un aigle, ce qui n'explique donc pas sa passion des voyages. (Son sourire s'évanouit.) Ses seules cicatrices provenaient de ce rhinocéros imprévisible... Tiens, j'y pense, Thonolan aussi était parfois imprévisible. C'était peut-être son totem, après tout. Il ne lui a pas porté chance, même si les Sharamudoï nous ont secourus et que je ne l'aie jamais vu aussi heureux qu'après sa rencontre avec Jetamio.

— Non, je ne crois pas non plus que le Rhinocéros Laineux soit un totem qui porte bonheur, approuva Ayla.

488

Le Lion des Cavernes, si. Quand il m'a choisie, il m'a laissé la même marque que le Clan utilise pour son totem, afin que Creb sache qu'il me protégeait. Tes cicatrices ne ressemblent pas à la marque du Clan, mais elles sont indiscutables. Tu as été marqué par un Lion des Cavernes, c'est sûr.

— Ah, ça, je peux prouver que j'ai été marqué par ton lion, Ayla !

— Je suis sûre que le Lion des Cavernes t'a choisi pour que l'esprit de ton totem soit assez fort pour combattre le mien, et qu'un jour je puisse porter tes enfants, affirma Ayla.

— Tiens, tu disais pourtant que c'était l'homme qui faisait naître un bébé dans le ventre d'une femme, et non pas les esprits, s'étonna Jondalar.

— Oui, c'est un homme, mais les esprits peuvent aider. Et comme je possède un totem puissant, il en faudra un aussi puissant pour mon compagnon. Alors, la Mère a certainement décidé le Lion des Cavernes à te choisir, afin que nous puissions avoir des enfants.

Songeurs, ils chevauchèrent de nouveau en silence. Ayla essayait d'imaginer un bébé qui ressemblerait à Jondalar. Mais elle voulait que ce fût une fille. Les garçons ne lui portaient pas chance, et elle pensait garder plus facilement une fille.

Jondalar aussi pensait aux enfants. S'il se révélait que l'homme introduisait un enfant dans le ventre d'une femme avec son membre, il avait eu maintes occasions d'en faire naître un. Alors pourquoi Ayla n'était-elle pas enceinte ?

Serenio l'était-elle quand je l'ai quittée ? se demanda-t-il. Je suis heureux qu'elle ait trouvé un compagnon, mais j'aurais aimé qu'elle se confie à Rosharío avant de partir. Y a-t-il quelque part des enfants qui viennent de moi ? Jondalar s'efforça de se rappeler toutes les femmes qu'il avait connues. Il se souvint de Noria, la jeune femme du peuple Haduma avec qui il avait partagé les Premiers Rites. Noria et la vieille Haduma elle-même avaient semblé convaincues que son esprit était entré en elle et qu'une nouvelle vie avait germé. Noria devait donner naissance à un fils aux yeux bleus qui recevrait le nom de Jondal. Cela s'était-il réalisé ? se demanda-t-il. Mon esprit s'est-il mêlé à celui de Noria pour faire naître une nouvelle vie ?

Le peuple d'Haduma ne vivait pas très loin, au nord-est. Ils allaient dans la bonne direction, et pourraient leur rendre visite... mais Jondalar se rendit compte qu'il ne savait pas où les chercher exactement. Ceux d'Haduma avaient trouvé Thonolan et Jondalar à leur campement, mais il ne connaissait pas l'emplacement exact de leurs cavernes. Il savait seulement qu'elles se trouvaient à l'ouest de la Sœur, et de la Grande Rivière Mère. Il se souvenait vaguement avoir chassé avec eux dans la région comprise entre les deux rivières, ce qui ne constituait qu'un maigre indice. Il avait peu de chance de savoir un jour si Noria avait mis ce bébé au monde.

Ayla songea d'abord qu'il était nécessaire d'attendre la fin du Voyage avant de commencer un enfant, puis elle médita sur le peuple de Jondalar. Avant toute chose, l'accepteraient-ils ? Certes, sa rencontre avec les Sharamudoï l'avait rendue confiante. Elle trouverait un foyer quelque part, mais pas forcément chez les Zelandonii. Elle n'oubliait pas la violente répulsion de Jondalar découvrant qu'elle avait été élevée par le Clan, et se souvint de son comportement étrange chez les Mamutoï, l'hiver précédent.

L'une des causes en avait été Ranec. Dans le Clan, la jalousie était inconnue, et elle n'avait compris que peu avant leur départ de quel mal souffrait Jondalar. Même s'il avait éprouvé un tel sentiment à cause d'une femme, un homme du Clan ne l'aurait jamais montré. Mais le comportement étrange de Jondalar était aussi dicté par son inquiétude concernant l'accueil que son propre peuple réserverait à Ayla. Elle avait fini par comprendre que, même s'il l'aimait, il n'en avait pas moins eu honte de son enfance parmi le Clan, et surtout, surtout de l'enfant qu'elle y avait laissé. Il ne semblait plus éprouver cette honte, il la protégeait et n'avait manifesté aucune gêne quand on avait évoqué son passé devant les Sharamudoï. Mais ce qui préoccupait Ayla, c'était la cause d'une telle répulsion.

Enfin, elle l'aimait et voulait vivre avec lui. Il était trop tard pour changer d'avis, elle espérait seulement ne pas avoir fait d'erreur en le suivant. Elle invoqua encore une fois un signe favorable de son totem, le Lion des Cavernes. Mais aucun signe ne vint.

A l'approche de l'étendue d'eau bouillonnante, au confluent de la Rivière Sœur et de la Grande Rivière Mère, la marne — mélange naturel d'argile et de calcium — molle et friable des terrasses supérieures céda la place aux cailloux et au lœss des terres basses.

Pendant la saison chaude, la fonte des glaciers de montagnes nourrissait les rus et les rivières. A la fin de l'été, les pluies diluviennes, et les chutes de neige en altitude, dues aux changements de températures, transformaient les cours d'eau rapides en torrents impétueux. Sur le versant occidental des montagnes, nul lac ne retenait les eaux dans un réservoir naturel pour les redistribuer ensuite avec plus de modération, et les flots se déversaient librement sur les pentes abruptes. En cascades puissantes, l'eau creusait les grès, les calcaires et les schistes argileux des montagnes, arrachant du sable et des pierres qu'elle charriait vers le fleuve, et qui se déposaient en route sur les lits et les plaines d'inondation.

La plaine centrale, ancienne cuvette d'une mer intérieure, formait un bassin encastré entre deux chaînes de montagnes à l'est et à l'ouest, et de hauts plateaux au nord et au sud. La Sœur en crue, d'un volume devenu presque égal à celui de la Mère à mesure qu'elle s'en approchait, recevait l'écoulement des eaux d'une partie de la plaine et du versant occidental de la chaîne de montagnes qui s'incurvait en dessinant un grand arc vers le nord-est. La Rivière Sœur courait le long de la basse dépression du

491

bassin pour apporter son offrande à la Grande Mère des Rivières, mais ses eaux déferlantes étaient repoussées par celles de la Mère, déjà au maximum de sa crue. Dans un violent ressac, elle dissipait son présent dans un vortex de contre-courants et d'inondations destructrices.

Vers midi, Ayla et Jondalar approchèrent des immenses étendues marécageuses inondées, semées de broussailles à demi immergées et plantées d'arbres occasionnels. Ayla trouva de grandes similitudes avec le delta oriental, à une exception près : les courants et contre-courants des deux grandes rivières produisaient des maelströms gigantesques. Comme le climat s'était considérablement rafraîchi, les moucherons cessaient de les importuner, mais les carcasses boursouflées et à moitié dévorées de bêtes en putréfaction en attiraient une grande quantité. Au sud, un massif couvert de forêts émergeait d'un brouillard violet causé par des tourbillons impétueux.

— Ce sont certainement les Collines Boisées dont parlait Carlono, dit Ayla.

— Oui, mais ce ne sont pas de simples collines. Elles sont bien plus hautes qu'on le croit, et elles s'étendent très loin. La Grande Rivière Mère coule vers le sud jusqu'au barrage qu'elles forment. Ensuite, elle dévie vers l'est.

Ils longèrent un bassin d'eau calme, bras mort coupé de la rivière, et s'arrêtèrent légèrement en amont du confluent des deux géantes. Devant les eaux tumultueuses, Ayla commença à comprendre pourquoi Jondalar insistait tant sur la difficulté de traverser la Sœur.

Les eaux boueuses tourbillonnaient autour de troncs de saules et de bouleaux qui surgissaient d'îles immergées, et déracinaient les plus fragiles. De nombreux arbres penchaient dangereusement alors qu'un enchevêtrement de branches nues et de troncs arrachés des bois en amont tournoyait dans une danse folle, ballotté par les flots.

Ayla s'interrogeait de plus en plus sur leurs chances de réussite.

— Où allons-nous traverser ? s'inquiéta-t-elle.

Jondalar aurait bien voulu voir apparaître le grand bateau ramudoï qui les avait repêchés, son frère et lui, et les avait déposés sur l'autre rive quelques années auparavant. Le souvenir de Thonolan lui déchira le cœur, et il s'inquiéta soudain du danger que courait Ayla.

— On ne peut pas traverser ici ! Je ne m'attendais pas à ce que la Sœur soit déjà si grosse. Nous trouverons peut-être un meilleur passage plus haut. Espérons qu'il ne va pas recommencer à pleuvoir ! Encore un déluge comme celui que nous avons essuyé et la plaine entière sera inondée. Je comprends pourquoi le camp était abandonné.

— La rivière va monter tant que ça ? s'étonna Ayla, les yeux écarquillés.

— Non. Pas tout de suite, encore que... toute l'eau des montagnes terminera sa course par ici. Si la rivière qui coulait près du camp déborde d'un coup, elle peut très bien l'inonder jusqu'ici. Ça doit arriver souvent. Dépêchons-nous, Ayla, s'il se remet à pleuvoir, cet endroit sera dangereux, avertit Jondalar en regardant le ciel d'un œil anxieux.

Il poussa son cheval au galop et le maintint à une telle allure que Loup avait du mal à suivre. Ils finirent par ralentir, sans toutefois se remettre au pas.

De temps en temps, Jondalar s'arrêtait pour étudier la rivière, puis reprenait sa route vers le nord en examinant le ciel avec inquiétude. La rivière semblait s'étrécir par endroits, et s'élargir à d'autres, mais vu sa taille gigantesque, ce n'était peut-être qu'un effet d'optique. Ils chevauchèrent jusqu'au crépuscule sans trouver de passage fiable, mais Jondalar insista pour atteindre un plateau plus élevé où ils pourraient planter leur tente en sécurité. Il faisait nuit noire quand ils s'arrêtèrent enfin.

— Ayla ! Ayla ! Lève-toi ! dit Jondalar en la secouant gentiment. Il faut qu'on parte.

— Hein ? Jondalar ! Que se passe-t-il ?

D'habitude, elle était toujours la première debout et ce

brusque réveil la désorientait. En se glissant hors de sa fourrure, elle sentit une brise glaciale et remarqua alors le rabat de la tente ouvert. Les nuages menaçants diffusaient une pâle lumière grise qui éclairait à peine l'intérieur de leur abri. Elle devinait le visage inquiet de Jondalar, et se mit à trembler en pensant à ce qui les attendait.

— Il faut y aller, insista Jondalar.

Il n'avait presque pas fermé l'œil de la nuit. Quelque chose lui disait qu'ils devaient absolument traverser la rivière le plus vite possible, et cette sourde intuition lui nouait l'estomac. Il s'inquiétait surtout pour Ayla.

Elle se leva sans demander d'explications. Elle savait qu'il ne l'aurait pas réveillée pour rien. Elle s'habilla promptement, et sortit son équipement pour faire du feu.

— Nous n'avons pas le temps, l'arrêta Jondalar.

Ayla parut perplexe, mais n'insista pas et leur versa à chacun un bol d'eau froide. Ils emballèrent leur matériel tout en mangeant des galettes d'aliments pressés. Une fois prête, Ayla chercha Loup qui avait disparu.

— Où est Loup? s'alarma-t-elle.

— Oh, il doit sûrement chasser. Il nous rejoindra comme d'habitude.

— Je vais l'appeler, décida-t-elle et son sifflement transperça l'air matinal.

— Viens, Ayla. Il faut partir, insista Jondalar, sentant sourdre une irritation familière.

— Non, je ne partirai pas sans lui, s'entêta Ayla, sifflant de plus belle.

— Il faut absolument trouver un passage avant la pluie, sinon nous ne traverserons jamais.

— Et pourquoi ne pas remonter encore? La rivière finira bien par se resserrer, non?

— Dès qu'il va commencer à pleuvoir, elle grossira davantage, c'est tout ce que nous gagnerons. Et plus haut, elle sera encore plus grosse qu'ici. On n'imagine même pas les torrents qui vont dévaler la montagne. Nous risquons d'être emportés par l'inondation. Dolando disait que cela arrivait fréquemment à la saison des pluies. Et si nous tombions sur un affluent trop large, que ferions-nous ? Escalader la montagne pour le contourner ? Non, il faut traverser la Sœur le plus tôt possible.

Sur ce, il sauta sur le dos de Rapide et lança un regard courroucé à la jeune femme qui était restée à côté de Whinney. Ayla se retourna et siffla encore.

— Il faut partir, Ayla.

— Mais enfin ! Pourquoi ne pas attendre juste un peu ? Il va venir.

— Ce n'est qu'un animal, Ayla. Pour moi, ta vie est plus précieuse que la sienne.

Elle le regarda et baissa la tête, l'air contrarié. Le danger était-il aussi grand que Jondalar le prétendait ? Ou était-il seulement impatient ? Et si c'était dangereux, pourquoi s'inquiétait-elle plus pour Loup que pour lui ? L'arrivée opportune de Loup interrompit ses interrogations. Elle poussa un soupir de soulagement et enlaça l'animal qui la léchait avec fougue, ses pattes posées sur ses épaules. Elle enfourcha Whinney en s'aidant des perches du travois. Après avoir fait signe à Loup de rester près d'elle, elle suivit Jondalar et Rapide.

Il n'y eut pas de lever de soleil. La luminosité augmenta progressivement sans jamais atteindre une vive intensité. Les nuages bas donnaient au ciel un gris uniforme, et l'air était chargé d'une humidité froide. Tard dans la matinée, ils firent une halte. Ayla prépara une infusion pour les réchauffer, et aussi une soupe faite avec les galettes de voyage. Elle y ajouta des feuilles d'oseille légèrement acides et des gratte-culs dont elle avait enlevé les pépins et les poils piquants, ainsi que quelques feuilles d'églantiers qui poussaient par là. L'infusion et la soupe chaude eurent le don d'apaiser Jondalar, mais de nouveaux nuages noirs qui s'amoncelaient de manière menaçante réveillèrent son inquiétude.

Il pressa Ayla d'emballer rapidement ses affaires, et ils se remirent en route. Jondalar surveillait le ciel et notait avec anxiété les prémices de l'orage. Il observait aussi la rivière, toujours à la recherche d'un passage. Il tablait sur un ralentissement du débit à un endroit plus large ou plus profond, ou sur une île ou même un banc de sable entre les deux rives. Finalement, de crainte que l'orage n'éclatât, il décida de tenter la chance bien que la redoutable Sœur ne parût pas moins bouillonnante qu'ailleurs. Sachant que la rivière serait infranchissable sitôt que la pluie tomberait, il se dirigea vers une portion de berge qui offrait un accès relativement facile. Ils s'arrêtèrent et descendirent de cheval.

— Si on essayait de traverser à cheval ? proposa Jondalar qui jetait toujours des regards angoissés vers le ciel.

Ayla étudia le débit de l'eau et les débris qu'elle charriait. Des arbres entiers flottaient au milieu de troncs et de branchages. Elle frissonna en apercevant la grande carcasse boursouflée d'un cerf, les andouillers emmêlés dans les branches d'un arbre échoué sur le rivage. Elle pensa immédiatement aux chevaux.

— Non, les chevaux seront plus à l'aise s'ils n'ont pas à nous porter, décida-t-elle. Nous nagerons à côté d'eux.

— Oui, c'est préférable, admit Jondalar.

— Mais il nous faudra une corde pour nous accrocher à eux.

Ils sortirent donc des cordages, vérifièrent les harnais et leurs paniers pour s'assurer que la tente, la nourriture et le matériel fragile étaient bien amarrés. De crainte qu'il ne ralentisse la progression de la jument dans le courant torrentueux, Ayla détacha le travois de Whinney.

Mais ne voulant pas perdre les perches ni le canot, ils lièrent les longs piquets ensemble et Jondalar attacha un bout de la corde au bateau pendant qu'Ayla nouait l'autre au harnais qui servait à maintenir le porte-paniers sur la croupe de Whinney. Elle utilisa un nœud coulant, vite défait en cas d'urgence. Ensuite, elle attacha une corde à la sangle tressée qui retenait la couverture sur le dos de Whinney.

Jondalar fit de même avec Rapide. Il ôta ensuite ses bottes, les bandes de peau qui protégeaient ses pieds, sa cape et sa pelisse, qui, une fois trempées, pèseraient trop lourd et risqueraient de le faire couler. Il les enveloppa et les entassa sur le porte-paniers, ne conservant que sa tunique et ses jambières. Ayla l'imita.

Les bêtes sentaient la nervosité des humains et le courant rapide les inquiétait. Les chevaux s'étaient éloignés du cerf mort et caracolaient en s'ébrouant et en roulant des yeux, les oreilles dressées, aux aguets. Loup, quant à lui, s'était avancé jusqu'au bord de la rivière, et reniflait le cerf. Mais il se gardait bien de pénétrer dans l'eau.

— Tu crois que les chevaux vont s'en tirer ? demanda Jondalar alors que d'énormes gouttes commençaient à tomber.

— Ils sont nerveux, mais ça devrait aller. D'autant que nous serons avec eux. C'est pour Loup que je me fais du souci.

— Ayla, on ne peut tout de même pas le porter ! s'exclama Jondalar. Il faudra qu'il se débrouille... tu le sais très bien... Loup est un excellent nageur, ajouta-t-il en voyant la détresse de sa compagne. Il s'en sortira, ne t'en fais pas.

— Espérons-le, dit Ayla en s'agenouillant pour encourager son protégé.

— Dépêchons-nous, s'écria Jondalar en s'apercevant que les gouttes tombaient dru et fort.

La corde étant nouée plus bas sur le passage de sangles, il empoigna directement le harnais de Rapide, et ferma un instant les yeux en implorant le sort. Il pensa à Doni, la Grande Mère Terre mais ne trouva rien à Lui promettre en échange de leur vie sauve. Il fit néanmoins une requête silencieuse. Il espérait que le moment n'était pas encore venu de rejoindre la Mère, mais surtout, il ne voulait pas perdre Ayla.

L'étalon secoua la tête et tenta de ruer en comprenant que Jondalar le conduisait à la rivière.

— Là, là, tranquille ! le calma Jondalar.

L'eau était froide et tourbillonnait autour de ses pieds nus, grimpant sur ses mollets et ses cuisses. Une fois dans la rivière, Jondalar lâcha le harnais de Rapide et enroula la corde autour de sa main, confiant au robuste étalon le soin de choisir sa traversée.

Ayla fit plusieurs fois le tour de sa main avec la corde reliée au garrot de Whinney, et la serra dans son poing. Elle suivit alors le géant blond, marchant à côté de la jument. Elle tira ensuite sur la corde qui attachait les perches et le bateau, s'assurant qu'elle ne risquait pas de s'emmêler quand Whinney entrerait dans la rivière.

Ayla sentit immédiatement la morsure de l'eau froide et la force du courant qui l'entraînait. Elle jeta un dernier coup d'œil vers le rivage, et aperçut Loup qui hésitait, avançait, reculait, et poussait des petits cris affolés. Elle l'appela, l'encouragea. Il continuait d'aller et venir, regardait l'eau et s'inquiétait de la distance grandissante qui le séparait de la femme. Soudain, alors que la pluie venait de redoubler d'intensité, il s'assit et hurla. Ayla le siffla, et après quelques nouveaux faux départs, il finit par plonger et essaya de la rejoindre en barbotant. Ayla reporta alors son attention sur Whinney et sur la rive opposée.

La pluie redoublant semblait aplatir les vagues qui clapotaient au loin, mais devant Ayla les eaux tumultueuses étaient encore plus encombrées de débris qu'elle ne l'avait cru. Troncs brisés et branches arrachées, feuillues ou dénudées, tournoyaient et la percutaient. Le spectacle des carcasses d'animaux boursouflées était encore pire : souvent déchiquetés par la violence des flots qui les avaient happés dans les montagnes et entraînés ensuite dans la rivière boueuse.

Ayla aperçut plusieurs mulots et campagnols, mais eut plus de mal à reconnaître un grand rat palmiste. Sa peau marron clair avait viré au brun foncé et les longs poils ébouriffés de sa queue étaient tout aplatis. Un lemming, dont les longs poils blancs d'hiver, raides mais brillants, poussaient sous sa fourrure grise d'été qu'on aurait presque crue noire, présentait déjà une fourrure blanche à la base des pattes. Ayla se dit qu'il avait probablement été emporté depuis les sommets, là où la neige revêtait la montagne. Les gros animaux étaient davantage abîmés. Un chamois les dépassa, une corne brisée et la tête à moitié écorchée, exposant la chair sanguinolente. Lorsqu'elle vit la carcasse d'un jeune léopard des neiges, elle se retourna pour s'assurer que Loup la suivait toujours. Mais il n'était pas en vue.

Toutefois, elle remarqua que des débris s'agglutinaient aux perches et au canot que tirait la jument. Une souche aux racines protubérantes alourdissait le fardeau et ralentissait Whinney. Ayla tira par petits coups sur la corde qui se libéra soudain. Seule une petite branche fourchue resta prise. Mais ne voyant pas Loup, Ayla commença à s'inquiéter sérieusement, même si au ras de l'eau, il lui était difficile de distinguer ce qui se passait loin d'elle. Son impuissance la rongeait. Elle siffla, mais le vacarme des éléments déchaînés couvrit son appel.

Elle observa alors Whinney, se demandant si le poids de la souche ne l'avait pas épuisée, mais la jument nageait vaillamment. Ayla aperçut soudain Rapide suivi de Jondalar et en fut soulagée. Elle tenta de nager avec sa main libre afin d'éviter d'être un fardeau trop lourd pour Whinney. Mais au bout d'un moment, elle se contenta de se laisser tirer, et commença à frissonner. Elle trouvait le temps démesurément long, et la berge opposée paraissait si loin encore. D'abord, les frissons ne l'inquiétèrent pas, mais l'eau était si froide qu'ils augmentèrent tant et plus, si bien qu'elle fut incapable de les contrôler. Ses muscles se raidirent et elle claqua des dents.

Elle chercha encore Loup des yeux, mais ne le vit pas. Je devrais retourner le chercher, se dit-elle en tremblant violemment, il fait si froid. Et si je demandais à Whinney de faire demi-tour? Elle essaya de parler, mais ses mâchoires étaient si crispées et ses dents claquaient si fort

499

que pas un son ne sortit. Non, ce n'est pas à Whinney d'y aller, j'irai seule. Elle s'efforça de dénouer la corde enroulée autour de sa main, mais elle était trop serrée et elle sentait à peine sa main engourdie. Jondalar ira peut-être, pensa-t-elle pour se rassurer. Mais où est-il ? Est-il toujours dans la rivière ? Est-il à la recherche de Loup ? Ah, encore une souche prise dans la corde ! Il faut que je fasse… il faut que je tire… dénouer… dénouer la corde… trop lourd… trop lourd… Whinney…

Les frissons avaient cessé mais ses muscles étaient si crispés qu'elle ne pouvait plus bouger. Elle ferma les yeux et essaya de se reposer. C'est si bon de fermer les yeux… enfin un peu de repos…

22

A moitié inconsciente, Ayla sentit les pierres rouler sous son corps. Comprenant que Whinney la traînait sur le fond caillouteux, elle tenta maladroitement de se redresser, fit quelques pas jusqu'à la plage de galets polis et tomba. La corde, toujours enroulée autour de sa main, imprima une forte secousse qui arrêta la jument.

Jondalar, également transi, saisi par les premiers symptômes d'hypothermie, avait rejoint la rive bien avant Ayla et n'avait pas eu le temps de s'ankyloser ni d'être atteint d'incohérence. Ayla aurait pu traverser plus vite si les souches n'avaient considérablement ralenti Whinney. La jument elle-même avait commencé à souffrir du froid avant que le nœud coulant, bien que durci par l'eau, ne se détachât enfin, libérant l'animal de l'encombrant fardeau.

Malheureusement, le froid avait tout de même assez affecté Jondalar pour lui faire perdre une partie de ses esprits. Il enfila sa pelisse sur ses vêtements trempés et se mit à la recherche d'Ayla en menant Rapide par la bride, mais il s'engagea dans la mauvaise direction. La marche le réchauffa et lui remit les idées en place. Le courant les avait tous déportés en aval, mais comme la traversée d'Ayla avait duré plus longtemps, elle devait se trouver beaucoup plus bas. Il fit demi-tour et revint sur ses pas. Lorsque Rapide hennit et que Jondalar entendit Whinney lui répondre, il se mit à courir.

Il aperçut alors Ayla étendue sur le dos sur la rive caillouteuse, toujours reliée à la patiente jument par la corde enroulée autour de sa main. Il se précipita vers elle le cœur battant. Après s'être assuré qu'elle respirait toujours, il la prit dans ses bras et la serra contre lui, les yeux baignés de larmes.

— Ayla ! Ayla ! Tu es vivante ! s'écria-t-il. J'avais tellement peur que tu sois partie dans l'autre monde. Mais... mais tu es gelée !

Il fallait absolument la réchauffer. Il dénoua la corde qui la retenait à Whinney et la souleva. Ayla s'agita et ouvrit les yeux. Les muscles tétanisés, elle pouvait à peine parler. C'était pourtant ce qu'elle essayait de faire. Il approcha l'oreille.

— Loup... Trouve Loup, articula-t-elle d'une voix rauque.

— Mais Ayla, il faut que je prenne soin de toi !

— Je... t'en prie... Loup. Perdu trop d'enfants... Pas Loup... Non, pas Loup, murmura-t-elle les mâchoires serrées, le regard implorant.

Il n'eut pas le courage de refuser.

— Bon. D'accord, je vais le chercher. Mais je veux d'abord te trouver un abri.

Sous une pluie battante, il gravit la pente douce de la berge en portant Ayla, et la déposa sur une petite terrasse plantée de saules, de buissons et de laîches, bordée par quelques pins. Il chercha un emplacement à l'écart des ruisseaux et monta prestement la tente. Il recouvrit le tapis de sol de la peau de mammouth pour l'isoler de la terre gorgée d'eau et y transporta Ayla, puis les paquets, et étendit les fourrures de couchage. Il lui ôta ses vêtements trempés, se déshabilla aussi, installa Ayla entre les fourrures et se glissa contre elle.

502

Sortie de son inconscience, elle baignait à présent dans une douce torpeur. Sa peau était humide et glacée, son corps rigide. Il s'allongea alors sur elle pour tenter de la réchauffer, et poussa un soupir de soulagement en la voyant de nouveau frissonner. Elle commençait donc à se réchauffer, mais en reprenant conscience son inquiétude pour Loup se réveilla. Elle exigea, avec une énergie violente et irrationnelle, de partir à sa recherche.

— C'est ma faute, parvint-elle à marmonner entre deux claquements de dents. C'est moi qui lui ai dit de sauter à l'eau. Je l'ai sifflé et il m'a fait confiance. Il faut que je le retrouve, gémit-elle en luttant pour se lever.

— Ayla, je t'en prie, oublie Loup. Tu ne sais même pas où le chercher.

Il voulut l'obliger à rester couchée, mais tremblante, elle se débattait, criait, au bord de la crise de nerfs.

— Il faut que je le retrouve ! s'entêta-t-elle. Il faut que je le retrouve !

— Non, Ayla, j'irai. Reste ici, et je te promets que j'irai, assura-t-il, espérant la convaincre. Mais jure-moi que tu ne bougeras pas et que tu resteras bien couverte.

— Retrouve-le, je t'en supplie.

Il enfila rapidement des vêtements secs et mit sa pelisse. Il prit ensuite quelques galettes de nourriture compressée, riche en graisse et en protéines.

— J'y vais. Mange ça et couvre-toi bien.

Il allait partir quand elle lui retint la main.

— Promets-moi que tu le chercheras, supplia-t-elle en le regardant droit dans les yeux.

Elle frissonnait toujours, mais parlait plus facilement. Il plongea son regard dans ses yeux gris-bleu, inquiets et implorants, et la serra très fort dans ses bras.

— Oh, Ayla, j'ai eu si peur que tu sois morte !

Elle s'agrippa à lui, rassurée par sa force et son amour.

— Je t'aime, Jondalar. Je ne veux pas te perdre, mais retrouve Loup, je t'en supplie. Je ne supporterai pas de le perdre. C'est... c'est comme mon fils. Je ne veux pas encore perdre un fils. Non, je ne veux pas, s'écria-t-elle en sanglotant.

Il la relâcha et la regarda dans le fond des yeux.

— Je vais le chercher. Mais je ne peux pas te promettre que je le retrouverai, ni qu'il est encore en vie.

Les yeux d'Ayla s'emplirent d'horreur.

— Trouve-le, murmura-t-elle en fermant les paupières.

Il était sur le point de s'en aller quand elle se cramponna encore à lui.

La première fois qu'il avait tenté de partir, son intention n'avait pas été de chercher Loup. Il voulait trouver du bois pour allumer un feu, lui faire boire une infusion ou de la soupe bien chaude, et s'assurer de la santé des chevaux. Mais il avait promis. Rapide et Whinney se tenaient sous le taillis de saule, leur couverture et leur harnais toujours attachés, l'air tranquille.

Arrivé au bord de l'eau, il hésita puis décida finalement de descendre la rivière. Il inspecta la berge, fouillant les amas de bois morts et de débris. Il trouva une quantité de cadavres d'animaux, vit autant de carnassiers que de charognards, ailés ou quadrupèdes, faisant festin des carcasses déposées par les eaux. Il vit même une bande de loups, mais aucun ne ressemblait à celui d'Ayla.

Finalement, il fit demi-tour. Il pensa remonter un peu la Sœur, mais commençait à douter du résultat de ses recherches. Il ne s'attendait pas vraiment à retrouver le loup, et s'aperçut que cela l'attristait. Loup l'agaçait souvent mais il s'était pris d'une réelle affection pour l'intelligent animal. Loup lui manquerait sincèrement et Ayla serait inconsolable.

Il atteignit la rive caillouteuse où il avait trouvé Ayla, marcha le long de la grève, hésitant à poursuivre, surtout que les eaux montaient encore. Il décida de déplacer la tente un peu plus haut dès qu'Ayla pourrait marcher. Inquiet pour sa compagne, il faillit retourner près d'elle afin de s'assurer qu'elle n'avait besoin de rien, mais choisit malgré tout de remonter la rivière un court instant. Ayla lui demanderait sûrement s'il l'avait fait.

Il avançait en se frayant un chemin parmi un monceau de troncs et de branchages quand il aperçut la silhouette majestueuse d'un aigle impérial planant au-dessus de lui. Il s'arrêta et admira le rapace. Soudain, il le vit plier ses ailes et piquer comme une pierre vers la berge, puis remonter, un gros souslik emprisonné dans ses serres.

Un peu plus haut, là où l'oiseau avait trouvé son repas, un bel affluent, qui s'élargissait en une sorte de delta, ajoutait sa part aux eaux tumultueuses de la Sœur. Il crut voir un objet familier sur la plage, et sourit en le reconnaissant. C'était le bateau. Mais en regardant de plus près, il fronça les sourcils et se mit à courir. A côté du bateau, Ayla était assise et tenait la tête de Loup sur ses genoux. Un filet de sang s'écoulait d'une plaie au-dessus de son œil gauche.

— Ayla! Qu'est-ce que tu fais ici? Comment es-tu venue? rugit-il, rongé d'inquiétude.

— Il vit, Jondalar, s'écria-t-elle, tremblant de froid et sanglotant si fort qu'elle pouvait à peine articuler. Il est blessé, mais il est vivant.

Après avoir sauté dans la rivière, Loup avait nagé vers Ayla, mais en atteignant le travois, il s'était reposé en appuyant ses pattes sur les perches attachées au bateau. Il se laissait traîner tranquillement quand le nœud s'était dénoué, libérant perches et canoë qui commencèrent à donner sérieusement de la bande. Ballotté par les flots, et alors qu'il était presque arrivé sur l'autre rive, le canoë fut soudain projeté contre un lourd tronc d'arbre flottant entre deux eaux. Emporté par son élan, il ricocha sur la plage de sable, entraînant à moitié hors de l'eau une partie des perches sur lesquelles Loup gisait de tout son long. Le choc l'avait étourdi, et rester à demi immergé dans l'eau glacée lui faisait courir un danger encore plus grand. Même les loups étaient sujets à l'hypothermie, et risquaient d'en mourir.

— Viens, Ayla, tu trembles de froid. Viens rentrons.

Pourquoi es-tu sortie ? Je t'avais dit que je le chercherais. Allez, viens, je porterai Loup.

Il souleva l'animal et aida Ayla à se relever.

Il comprit que le retour serait difficile. Ayla pouvait à peine marcher et Loup, alourdi par sa fourrure imbibée d'eau, représentait une charge trop importante. Jondalar ne pouvait pas porter Ayla et son loup, et il savait que sa compagne l'empêcherait de laisser Loup, même s'il revenait le chercher plus tard. Ah, s'il pouvait siffler les chevaux comme elle !... Mais pourquoi ne pas essayer ? Il s'était exercé à siffler mais n'avait pas encore eu l'occasion de vérifier si Rapide comprenait son signal. Quand Ayla sifflait Whinney, l'étalon accourait toujours avec sa mère.

Que risquait-il ? Whinney répondrait peut-être à son appel. Il imita le sifflement d'Ayla, espérant être assez près des chevaux pour qu'ils l'entendent, mais déterminé à poursuivre sa marche dans le cas contraire. Loup dans ses bras, il essayait de soutenir Ayla de son mieux.

Ils n'avaient pas encore atteint le tas de bois échoué que Jondalar était déjà épuisé, et n'avançait plus qu'à force de volonté. Il avait nagé dans la rivière déchaînée, transporté Ayla en haut de la berge, planté la tente, arpenté la rive à la recherche de Loup. Il était vidé de ses forces. Un hennissement lui fit lever la tête. L'arrivée des deux chevaux le remplit de joie et de soulagement.

Il déposa Loup sur le dos de Whinney, qui l'avait déjà porté et ne se formalisa pas ; il aida ensuite Ayla à enfourcher Rapide et le conduisit à la tente. Whinney suivit son fils. La pluie redoubla encore et Ayla, grelottante dans ses habits trempés, faillit perdre l'équilibre lorsque l'étalon gravit la pente. Jondalar demanda à Rapide de ralentir l'allure et ils arrivèrent enfin au petit bois de saules.

Jondalar aida Ayla à descendre de cheval et la soutint jusqu'à la tente, mais l'hypothermie la plongea dans un nouveau délire et elle exigea de voir Loup immédiatement. Jondalar dut s'exécuter et promettre de sécher l'animal. Il fouilla les bagages à la recherche d'un objet pour brosser

Loup. Puis, Ayla voulut faire entrer l'animal dans leurs fourrures de couchage, ce que Jondalar refusa énergiquement. Mais il jeta une couverture sur le corps glacé de la bête. Il aida Ayla, prise de sanglots incontrôlables, à se déshabiller et l'enveloppa dans les fourrures.

Il sortit encore, débarrassa Rapide de son harnais, ôta les couvertures des deux chevaux, les cajola et leur exprima sa reconnaissance. Jondalar savait qu'ils n'aimaient pas la pluie et craignait pour leur santé. Il revint enfin dans la tente, ôta ses vêtements et rampa à côté d'Ayla que de violents tremblements agitaient. Elle se blottit contre Loup, pendant que Jondalar l'enveloppait de son corps. Bientôt, réchauffée par la chaleur du loup d'un côté, et celle de l'homme de l'autre, elle cessa de grelotter, et ils sombrèrent tous dans un sommeil de plomb.

Ayla fut réveillée par des coups de langue humide sur son visage. Joyeuse, elle repoussa d'abord Loup, puis l'étreignit. Elle maintint la tête de l'animal entre ses mains et examina sa blessure. La pluie avait nettoyé la plaie et le sang ne coulait plus. Il semblait aller pour le mieux mais elle envisagea tout de même de lui préparer un remède. Le coup qu'il avait pris sur la tête n'était pas bien grave, mais l'eau glacée de la rivière l'avait affaibli. Chaleur et repos avaient constitué une excellente médecine. Ayla se rendit compte que les bras de Jondalar l'entouraient, et elle resta immobile, enlaçant Loup, à écouter la pluie tambouriner sur la paroi de la tente.

Des bribes de la veille lui revinrent : sa marche trébuchante au milieu des buissons et du bois échoué, la recherche de Loup ; la vive douleur à la main, causée par la corde enroulée trop serré ; Jondalar la portant dans ses bras, ou encore plantant la tente. Elle se sentit légèrement honteuse de n'avoir pu l'aider davantage.

Loup se dégagea de son étreinte et pointa son museau dehors. Ayla entendit Whinney hennir et, transportée de joie, faillit lui répondre mais se rappela à temps que

507

Jondalar dormait toujours. Elle commença à s'inquiéter pour les chevaux trempés sous une pluie battante. Ils étaient davantage habitués au temps froid et sec, mais Ayla se souvint avoir aperçu des chevaux les jours précédents. Un épais duvet, qui restait chaud même s'il était humide, poussait sous leurs longs poils de couverture et Ayla supposa qu'ils pouvaient supporter cette pluie, à condition qu'elle ne dure pas trop longtemps.

Ayla n'aimait décidément pas les fortes pluies d'automne de cette région méridionale. Elle préférait le long printemps humide avec ses brumes de chaleur et son crachin doux. La caverne du clan de Brun se trouvait au sud, et les pluies d'automne étaient fréquentes, mais elle n'avait pas le souvenir d'un tel déluge. Les régions méridionales ne se ressemblaient donc pas toutes. Ayla pensa à se lever, mais avant de se décider elle s'était de nouveau endormie.

Lorsqu'elle se réveilla pour la deuxième fois, l'homme s'agitait à ses côtés. Elle nota une différence qu'elle n'arrivait pas à définir, et s'aperçut finalement que le bruit des gouttes avait cessé. Elle se leva et sortit. L'après-midi était déjà bien entamé et le temps s'était refroidi, lui faisant regretter de ne pas s'être couverte davantage. Elle urina près d'un buisson et se dirigea ensuite vers les chevaux qui broutaient des laîches près d'un ruisseau bordé de saules. Loup était avec eux. Dès qu'ils la virent, ils vinrent à sa rencontre, et elle resta quelque temps à les cajoler et à leur parler. Ensuite elle retourna à la tente, et se glissa dans les fourrures, à côté de Jondalar.

— Oh, femme, comme tu as froid !

— Et toi tu es bien chaud, répondit-elle en se pelotonnant contre lui.

Il l'enlaça et baisa son cou, heureux qu'elle se soit réchauffée si vite, après l'inquiétude qu'il avait eue le matin.

— Comment ai-je pu te laisser avoir froid à ce point ? Où avais-je la tête ? fit Jondalar. Nous n'aurions jamais dû traverser cette rivière.

— Mais Jondalar, que pouvions-nous faire d'autre ? Franchir un torrent grossi par la pluie ? Ç'aurait été pire !

— Si nous étions partis plus tôt de chez les Sharamudoï, nous aurions évité la pluie, et la Sœur n'aurait pas été aussi difficile à traverser, répliqua Jondalar encore repentant.

— Mais c'est ma faute si nous nous sommes attardés ! Carlono lui-même estimait que nous traverserions avant les pluies.

— Non, c'est ma faute. Je connaissais cette rivière, j'aurais dû insister pour partir plus tôt. Et si nous avions abandonné le canoë, nous aurions perdu moins de temps dans les forêts et dans les montagnes. Je me suis conduit comme un abruti !

— Jondalar ! Cesse de t'accabler de reproches ! Comment aurais-tu prévu ce qui est arrivé ? Même Ceux Qui Servent la Mère ont du mal à prévoir l'avenir. Rien n'est jamais clair. Et puis, nous avons réussi, nous sommes tous sains et saufs, même Loup. Grâce à toi ! Nous avons même gardé le bateau, et qui sait combien il nous sera utile !

— Oui, mais j'ai failli te perdre, Ayla ! s'écria-t-il en plongeant la tête dans son cou. (Il la serra si fort contre lui qu'elle manqua crier.) Comment te faire comprendre à quel point je t'aime, Ayla ? Les mots ne suffisent pas pour dire un tel amour.

Il la serra plus fort encore, comme s'il cherchait à ne faire qu'un avec elle, comme si c'était le seul moyen de ne jamais la perdre.

Elle l'enlaça à son tour, cherchant comment calmer son angoisse bouleversante. Elle souffla légèrement dans le creux de son oreille et déposa des baisers dans son cou. La réaction de Jondalar fut immédiate. Il l'embrassa avec fougue, caressa ses mains, étreignit ses seins et les suça avidement. Elle l'entoura de ses jambes, le fit basculer sur elle, offrant ses cuisses ouvertes. Il se recula, et la fourragea de son membre à la recherche de sa fente. Elle s'empara de sa virilité et la guida, aussi affamée de lui qu'il l'était d'elle.

En un instant, tous les cauchemars et les terreurs s'envolèrent, remplacés par la joie extatique que le Don du Plaisir de la Mère leur accordait. Jondalar se retira, replongea dans la fournaise, se retira encore, et bientôt Ayla accompagna ses mouvements dans un même rythme. Le balancement de ses reins renforçait la passion de Jondalar.

Il semblait si heureux qu'Ayla en oublia toutes ses inquiétudes. Leurs deux corps se mouvaient avec une telle harmonie qu'Ayla, emportée par ses sens exacerbés, s'abandonna totalement au rythme qui s'accéléra. Des pointes de feu jaillissaient dans son ventre et irradiaient son corps à chaque balancement.

Jondalar sentait monter en lui une lave en fusion, des ondes d'excitation l'emportaient, et quand il s'y attendait le moins, le volcan explosa. Il s'abandonna avec délice à l'anéantissement et après quelques dernières secousses, il goûta la volupté d'une suave lassitude.

Couvrant Ayla de son corps détendu, il reprenait son souffle. Les paupières closes, Ayla baignait dans une douce béatitude. Il roula bientôt sur le côté et se moula contre Ayla qui colla sa croupe contre lui.

— Jondalar ? murmura Ayla après un long moment.

— Hmmm ? marmonna-t-il.

Il savourait son bien-être paresseusement.

— Combien de rivières comme celle-là devrons-nous traverser ? demanda Ayla.

— Aucune, souffla-t-il au creux de son oreille.

— Aucune ?

— Oui, parce qu'il n'y a pas deux rivières comme la Sœur.

— Même pas la Grande Rivière Mère ?

— Non, même la Grande Rivière Mère n'est pas aussi rapide, ni aussi traître. Mais nous ne franchirons pas la Grande Mère. Nous resterons sur cette rive jusqu'au glacier. Une fois là-bas, j'aimerais visiter quelques personnes qui vivent de l'autre côté de la Mère. Mais c'est

510

encore loin, et d'ici là, elle ne sera pas plus large qu'un torrent, expliqua-t-il en roulant sur le dos. Oh, il nous reste plusieurs rivières de bonne taille à franchir. Tu verras, dans les plaines qui nous attendent, la Mère se sépare en multiples bras avant de redevenir une, et à ce moment-là elle aura tellement rétréci que tu ne la reconnaîtras pas.

— Diminuée des eaux de la Sœur, je ne suis déjà pas sûre de la reconnaître, avança Ayla.

— Oh, si ! La Sœur est immense, mais à l'endroit où elle rejoint la Mère, celle-ci est encore plus grande. Elle reçoit un gros affluent avant les Collines Boisées qui l'obligent à dériver vers l'est. Thonolan et moi avons rencontré des gens qui nous ont fait traverser sur des radeaux, juste à cet endroit. D'autres affluents descendent des montagnes de l'ouest, mais nous irons vers le nord et nous ne les verrons pas.

Jondalar s'assit. Cette conversation lui avait donné envie de poursuivre la route. Pourtant, ils ne partiraient pas avant le lendemain matin. Maintenant qu'il était reposé, il ne se sentait pas d'humeur à rester couché.

— Nous ne traverserons plus beaucoup de cours d'eau jusqu'aux hauts plateaux du Nord, reprit-il. Du moins est-ce ce que m'ont affirmé ceux d'Haduma. D'après eux, nous rencontrerons quelques collines mais surtout des plaines, et la plupart des rivières que nous verrons sont des chenaux de la Mère. Elle s'étend dans toutes les directions. Ce sont des territoires giboyeux, paraît-il. Le peuple d'Haduma traverse sans arrêt la Mère pour venir y chasser.

— Le peuple d'Haduma ? Oui, je crois que tu m'en as déjà parlé très vaguement, dit Ayla en se levant pour se diriger vers son porte-paniers.

— Nous ne sommes pas restés longtemps parmi eux, juste assez pour...

Jondalar hésita à lui parler des Premiers Rites qu'il avait partagés avec une jolie jeune fille appelée Noria. Ayla remarqua son changement d'expression, et son embarras soudain, mêlé de fierté.

— … pour participer à une Cérémonie, termina Jondalar.

— En l'honneur de la Grande Terre Mère ?

— Euh… oui, c'est ça. Ils m'ont demandé de… euh… ils nous ont demandé, à Thonolan et à moi, de partager cet honneur.

— Est-ce qu'on leur fera une visite ? demanda Ayla depuis l'entrée de la tente, une peau de chamois à la main en prévision du bain qu'elle voulait prendre dans la crique sous les saules.

— Ah, j'aimerais bien, mais je ne sais pas où ils habitent… Quelques-uns de leurs chasseurs avaient découvert notre campement, s'empressa d'expliquer Jondalar devant l'air médusé d'Ayla. Et ils ont envoyé chercher Haduma. C'est elle qui a décidé d'organiser les festivités, et elle a fait venir le reste de son peuple. Haduma était une femme extraordinaire. La plus vieille femme que j'aie rencontrée, elle était même plus vieille que Mamut. Haduma était la mère de six générations. (Du moins je l'espère, pensa-t-il.) Oui, j'aimerais bien la revoir, mais nous n'avons pas le temps de les rechercher. D'ailleurs, elle est peut-être morte à présent. Tamen, son fils, doit être encore en vie, et c'était le seul à parler zelandonii.

Ayla sortit. Pris d'une forte envie d'uriner, Jondalar enfila sa tunique et sortit à son tour. Sa verge d'une main, il contemplait l'arc de liquide jaunâtre et odorant arroser le sol. Il se demandait si Noria avait finalement mis ce bébé au monde, et si le membre qu'il tenait en main était responsable de cette nouvelle vie.

Il aperçut Ayla se diriger vers les saules, vêtue d'une simple peau de chamois jetée sur les épaules. Il songea à se laver, lui aussi, bien qu'il eût déjà son content d'eau froide pour la journée. Non qu'il craignît l'eau froide : s'il le fallait, pour traverser une rivière par exemple, il n'hésitait pas à y plonger, mais lorsqu'il voyageait avec son frère, se laver régulièrement dans l'eau glacée semblait moins important.

Ayla ne lui faisait aucune remarque, mais compte tenu que la température de l'eau ne l'arrêtait jamais, il se sentait obligé d'en faire autant. Il lui fallait bien admettre qu'il aimait son odeur propre et fraîche. Mais lorsqu'elle devait briser la glace pour atteindre l'eau, il s'étonnait tout de même qu'elle pût supporter une telle température.

En tout cas, elle semblait dispose. Il avait craint qu'elle dût rester couchée plusieurs jours, ou même qu'elle tombât malade. L'habitude de l'eau glacée l'avait peut-être préservée, se dit-il. Dans ce cas, un bain ne me ferait pas de mal. Il se rendit compte qu'il avait observé le derrière nu d'Ayla pointer sous la peau de chamois, et se balancer au rythme de ses pas.

Les Plaisirs l'avaient excité et satisfait au-delà de toute espérance, vu la rapidité à laquelle ils les avait atteints. Mais en voyant Ayla accrocher la peau de chamois sur une branche et plonger dans l'eau du ruisseau, un violent désir ￼prit. Mais cette fois, il se promit de lui faire connaître les ⁀irs lentement, longuement, avec amour, et en savou- ￼haque instant.

￼rent la route sous une pluie intermittente, ￼à travers les plaines alluviales cernées par la ￼Mère et l'affluent qui l'égalait presque en ￼En dépit de nombreux obstacles, ils ￼cap au nord. Les plaines centrales ￼opes orientales dont elles étaient en ￼Mais les rivières qui traversaient ￼u sud façonnaient les paysages. ￼de la Grande Rivière Mère, ￼chenaux créaient d'énormes ￼stes prairies. ￼stitués à l'intérieur de ￼rges. Les marais et les ￼nt d'innombrables ￼voyageurs à de ￼étaient plus riches et plus denses que dans les steppes orientales. On aurait dit une sorte de concentré du delta, comme s'il avait rétréci tout en restant aussi peuplé.

Entourées de montagnes et de hauts plateaux qui déversaient leurs eaux dans le bassin, les plaines centrales, surtout au sud, étaient parsemées de bois. Les buissons et les arbres qui poussaient dru aux abords des cours d'eau se développaient pleinement. Au sud-est, près du confluent turbulent, tourbières et marécages stagnaient dans les vallons et envahissaient des surfaces immenses à la saison des pluies. De petits bosquets d'aulnes, de frênes et de bouleaux attiraient les imprudents dans des bourbiers entourés de tertres couronnés de saules, auxquels s'ajoutaient parfois chênes et hêtres, alors que les pins s'enracinaient dans les sols plus sableux.

Les sols, mélange de lœss et de terreau, ou de sable et de graviers, étaient veinés d'affleurements d'anciens rochers. Les conifères croissaient sur les hauts plateaux isolés et descendaient quelquefois jusqu'en plaine. S'y abritaient toutes sortes d'espèces animales qui n'auraient pas survécu à ciel découvert. C'est aux lisières de ces bois que la vie était la plus riche. Toutefois, petites et grandes herbacées, herbes, fougères et fétuques constituaient la principal végétation et la riche steppe centrale ondulait au gré vent.

Plus Ayla et Jondalar approchaient du nord, plu saison froide semblait en avance. Le vent glacé fouettait le visage. L'extraordinaire champ de glac s'étendait sur d'immenses espaces se trouvait droit eux à une distance inférieure à celle qu'ils avaie parcourue.

Avec le changement de saison, le vent glacial de puissance. Les pluies diminuèrent et finirent raître, et des bandes de nuages blancs déchiqu violence des vents persistants remplacèrent les noirs. De furieuses bourrasques arrachaie mortes et les éparpillaient au pied des arbr

514

ocre. Puis, d'humeur changeante, elles emportaient les fragiles cadavres dans un tourbillon rageur, et lassées de ce petit jeu, les déposaient plus loin.

Malgré tout, le temps sec et froid convenait mieux aux deux voyageurs, confortablement emmitouflés dans leur pelisse à capuchon. On avait bien renseigné Jondalar : la chasse était bonne dans les plaines centrales, et les proies bien grasses après un été de gavage. C'était aussi la saison de la cueillette pour nombre de fruits, céréales, noix ou racines. Ayla n'eut pas besoin d'entamer ses provisions d'urgence, et put au contraire les reconstituer. Elle remplaça par exemple les provisions qu'elle avait utilisées quand ils s'étaient arrêtés quelques jours pour faire sécher la viande du cerf géant qu'ils avaient tué. Leur visage rayonnait de santé, et de bonheur.

Les chevaux aussi s'étaient régénérés. Ils étaient dans leur élément, dans leur lourde robe gonflée de la fourrure hivernale, dispos et fringants. Le loup, nez au vent, retrouvait les senteurs familières enfouies dans les recoins de sa mémoire instinctive. Il gambadait joyeusement, s'échappait pour de brèves explorations solitaires, et réapparaissait soudain, en affichant un air suffisant, à en croire Ayla.

La traversée des cours d'eau ne présentait plus de difficultés. La plupart coulaient du nord vers le sud, parallèlement à la Grande Rivière Mère, et ceux qu'ils durent franchir n'étaient pas profonds. Les méandres des chenaux étaient si nombreux et si larges qu'ils ne savaient jamais s'ils avaient affaire à un coude de la rivière ou à un des ruisseaux qui dévalaient des hauteurs. Certains chenaux parallèles se jetaient soudain dans un cours d'eau qui coulait vers l'ouest avant de se jeter à son tour dans un autre chenal de la Mère.

Souvent obligés de dévier de leur route à cause des coudes que formait la rivière, les voyageurs tiraient pleinement profit des chevaux. Chacune de leurs étapes quotidiennes était si longue qu'ils rattrapèrent le temps passé chez les Sharamudoï. Jondalar s'en réjouissait.

L'air pur et glacé leur offrait une vue large et claire du paysage, seulement obscurcie par les brouillards matinaux, lorsque le soleil réchauffait l'humidité condensée pendant la nuit. A l'est, ils apercevaient les montagnes qu'ils avaient longées en suivant le grand fleuve à travers les plaines méridionales brûlantes, et dont ils avaient escaladé l'extrémité sud-ouest. Les pics capuchonnés de glace scintillante se rapprochaient sensiblement tandis que la chaîne s'incurvait vers le nord-ouest.

A leur gauche se déployait la plus haute chaîne de montagnes du continent avec sa lourde couronne de glace la couvrant jusqu'à mi-flancs. Au loin les sommets luisaient d'une couleur violacée et évoquaient une présence vaguement sinistre, comme une barrière insurmontable qui séparait les voyageurs de leur destination ultime. La Grande Rivière Mère les guiderait le long du versant septentrional de la gigantesque chaîne, jusqu'à un glacier plus accessible qui recouvrait un ancien massif arrondi, au nord-est des forêts de montagne.

Plus bas et plus près, au-delà de la plaine verte que ponctuaient des futaies de pins, s'élevait un autre massif. De hauts plateaux granitiques dominaient les prairies et la Mère, et s'enfonçaient vers le nord en déclinant graduellement pour finir en collines moutonnantes aux contreforts des montagnes occidentales. Les arbres qui brisaient la platitude du paysage verdoyant se faisaient de plus en plus rares, et exhibaient les contorsions familières des arbres nains sculptés par les vents.

Ayla et Jondalar avaient traversé les trois quarts des immenses plaines centrales, du sud au nord, quand les premières rafales de neige s'abattirent.

— Regarde, Jondalar ! Il neige ! s'exclama Ayla avec un sourire radieux. C'est la première neige de l'hiver !

Elle l'avait sentie dans l'air, et se réjouissait de sa venue.

516

Les premières neiges avaient toujours eu pour elle un caractère spécial.

— Il n'y a pas de quoi s'en réjouir, commença Jondalar. (Mais la joie d'Ayla était contagieuse et il ne put s'empêcher de sourire à son tour.) Crois-moi, tu seras bientôt dégoûtée de la neige et de la glace !

— Oui, je sais, mais j'ai toujours aimé la première neige. Allons-nous camper bientôt ? demanda-t-elle plus loin.

— Nous sommes à peine au milieu du jour, s'étonna Jondalar. Pourquoi veux-tu t'arrêter si tôt ?

— Je viens de voir des lagopèdes. Ils blanchissent déjà, mais tant que le sol n'est pas recouvert de neige ils ont du mal à se cacher. Ensuite, il sera trop tard. Et puis, c'est maintenant qu'ils sont le meilleur. Surtout si je les prépare comme Creb les aimait. Mais la cuisson est longue, c'est vrai. Il faut creuser un trou dans le sol, le tapisser de pierres, et y allumer un feu. Ensuite, on y enfourne les oiseaux enveloppés dans du foin, on les couvre et on attend, expliqua-t-elle avec un débit si rapide qu'elle trébuchait sur les mots. Mais ça vaut la peine d'attendre.

— Calme-toi, Ayla ! Quelle excitation ! dit-il, amusé par l'enthousiasme de sa compagne. Eh bien, si c'est délicieux à ce point, nous ferions mieux de nous arrêter et de nous mettre en chasse.

— Oh, tu verras, tu ne seras pas déçu ! assura-t-elle avec sérieux. Mais tu en as déjà mangé cuits de cette façon. Tu sais très bien de quoi je parle.

A son air rieur, elle comprit qu'il la taquinait. Elle saisit alors la fronde qu'elle portait à la taille.

— Installe le campement, moi j'irai chasser des lagopèdes. Et si tu prépares le trou, tu auras même le droit d'en goûter un morceau, promit-elle avec un sourire moqueur en poussant Whinney au galop.

— Ayla ! cria Jondalar avant qu'elle fût trop loin. Laisse-moi les perches, Femme Qui Chasse, et je t'installerai ton camp.

— Ça alors ! s'étonna Ayla qui fit volte-face et vint arrêter Whinney devant lui. Tu te souviens du nom que m'a donné Brun quand il m'a autorisée à chasser ?

— Je n'ai peut-être pas ta mémoire du Clan, mais je me souviens encore de certaines choses... surtout quand il s'agit de la femme que j'aime, répondit Jondalar, fasciné par le sourire d'Ayla qui l'embellissait encore. D'autre part, si tu m'aides à trouver un emplacement, tu sauras où me trouver en revenant.

— Si je ne te vois pas, je te pisterai. Mais je t'accompagne, et je déposerai les perches. Whinney sera plus libre pour courir.

Ils chevauchèrent de conserve avant de trouver un endroit idéal près d'un cours d'eau, avec un terrain plat pour monter la tente, quelques arbres et surtout une plage de galets avec lesquels Ayla pourrait tapisser son four.

— Maintenant que je suis là, déclara Ayla en descendant de cheval, autant que je t'aide.

— Occupe-toi donc de tes lagopèdes. Dis-moi seulement où tu veux que je creuse le trou.

Il a raison, se dit Ayla, plus vite les oiseaux seront tués, plus vite je les ferai cuire. La cuisson est longue, et la chasse risque de l'être aussi. Elle désigna un coin qui lui parut adéquat.

— Là-bas, fit-elle. Près des galets.

Puis elle scruta la plage à la recherche de beaux galets bien ronds pour sa fronde.

Ayla fit signe à Loup, et ils suivirent les traces qu'ils avaient laissées en venant. L'œil aux aguets, elle remarqua plusieurs spécimens d'espèces proches des lagopèdes. Elle faillit se laisser tenter par une compagnie de perdrix grises qui picoraient des graines d'ivraie et de blé épautre. Elle identifia les jeunes, en nombre impressionnant, à leurs dessins moins marqués et non à leur taille. La perdrix, oiseau trapu et de taille moyenne, pouvait pondre jusqu'à vingt œufs par couvée, mais peu survivaient à la gourmandise des prédateurs.

Les perdrix grises auraient fait un excellent gibier, mais Ayla décida de poursuivre, retenant tout de même leur position au cas où elle ne retrouverait pas les lagopèdes. Elle sursauta à l'envol d'une compagnie de cailles grégaires constituée de plusieurs couvées. Les petits oiseaux replets étaient bons à manger et si elle avait su se servir d'un Bâton Qui Revient capable d'en abattre plusieurs d'un coup, elle s'y serait peut-être essayée.

Ayla retrouva les lagopèdes bien camouflés à l'endroit où elle les avait aperçus. Ils avaient encore des dessins sur le dos et les ailes, mais comme leurs plumes blanches commençaient à pousser, ils tranchaient sur le sol grisâtre et l'herbe jaune foncé. Gras et trapus, ils avaient déjà les pattes blanches jusqu'aux griffes que leurs plumes d'hiver recouvraient, à la fois pour les protéger du froid et leur permettre de marcher sur la neige. Les cailles pouvaient parcourir de grandes distances, mais les perdrix et les lagopèdes quittaient rarement la région où ils étaient nés, et ne migraient que sur de courtes distances entre les régions froides et chaudes.

Dans ce monde hivernal, qui regroupait des créatures dont les habitats auraient été dispersés à d'autres époques, chacun avait sa niche écologique. Les perdrix comme les lagopèdes restaient dans les plaines centrales pendant l'hiver. Toutefois, la perdrix préférait les vastes prairies battues par les vents, se nourrissait de graines et perchait la nuit dans les arbres près des rivières et des hauts plateaux, alors que le lagopède choisissait les régions enneigées, creusait des niches dans la neige pour se réchauffer, et se nourrissait de brindilles, de pousses, de bourgeons de buissons, variétés contenant des huiles indigestes, ou même vénéneuses pour les autres animaux.

Ayla fit signe à Loup de ne pas bouger pendant qu'elle sortait deux pierres de sa bourse et préparait sa fronde. A cheval sur Whinney, elle visa un des volatiles et lança la première pierre. Loup, prenant son geste comme un signal, se rua sur un autre oiseau. La compagnie s'envola alors dans un grand bruit d'ailes percé de gloussements rauques. Leur camouflage, qui les rendait difficilement détectables sur le sol, se transforma en vol, avec leur plumage érigé, en dessins éclatants qui permettaient aux membres de la compagnie de se repérer et de rester groupés.

Après ce brusque remue-ménage affolé, les lagopèdes ralentirent leur vol, comme épuisés. D'un imperceptible mouvement du corps, Ayla incita Whinney à suivre les volatiles pendant qu'elle préparait son deuxième lancer. La jeune femme glissa la seconde pierre dans la poche de la fronde sans en briser l'élan, et la propulsa dans le même mouvement.

Son habileté à lancer deux pierres coup sur coup nécessitait une telle adresse que si elle avait demandé comment faire, on lui aurait répondu que c'était impossible. Mais elle n'avait eu personne à qui le demander, personne pour lui conseiller d'y renoncer. Elle avait donc seule mis au point sa technique du double lancer, et l'avait perfectionnée au fil des ans au point d'être aussi précise avec les deux pierres. L'oiseau qu'elle avait visé au sol ne s'envola jamais, et pendant que le deuxième tombait du ciel, Ayla sortit promptement deux autres pierres, mais la compagnie était déjà loin.

Loup apparut, un troisième lagopède dans la gueule. Ayla descendit de cheval et, à son signal, Loup déposa l'oiseau à ses pieds.

— Cette femme apprécie ton aide, Whinney, déclarat-elle dans le langage qu'elle avait inventé, mélange de signes du Clan et de hennissements de cheval.

Whinney leva la tête, s'ébroua, et s'approcha de la jeune femme. Ayla saisit le chanfrein de la jument et souffla dans ses naseaux, échangeant avec elle des odeurs de reconnaissance et d'amitié.

Elle tordit le cou d'un volatile qui n'était pas encore mort. Puis, avec d'épaisses tiges d'herbe, elle attacha les trois oiseaux ensemble en liant leurs pattes couvertes de plumes. Elle remonta sur Whinney et les déposa en travers du porte-paniers. Sur le chemin du retour elle croisa encore les perdrix et ne put résister. Avec deux autres pierres, elle abattit deux nouvelles proies, mais en manqua une troisième. De son côté, Loup en attrapa une qu'Ayla lui permit de garder.

Elle pensa les cuire tous ensemble pour comparer leurs chairs et garder les restes pour les jours suivants. Elle se demanda ensuite avec quoi les accommoder. S'ils avaient couvé, elle se serait servie des œufs, puis elle se souvint avoir utilisé des céréales quand elle vivait chez les Mamutoï. Mais cueillir assez de grains prendrait trop de temps. Moissonner les céréales sauvages était un long travail qu'on accomplissait en groupe. Elle se rabattit alors sur les racines : des carottes sauvages et des oignons, par exemple.

Absorbée par ses projets de repas, la jeune femme ne prêtait guère attention à l'environnement, quand soudain la jument s'arrêta net. Whinney s'ébroua et hennit, puis resta immobile. Ayla sentit la tension de son amie. La jument se mit à trembler et la jeune femme comprit bientôt pourquoi.

23

En proie à une indicible appréhension, Ayla écarquilla les yeux. Elle se secoua pour chasser sa peur. Après tout, qu'avait-elle à craindre ? Une innombrable bande de chevaux lui barrait la route, que trouvait-elle là d'inquiétant ?

Ils regardaient de leur côté, et Whinney se montra fort intéressée par ses congénères. Devinant la curiosité qui démangeait Loup, Ayla lui fit signe de rester tranquille. Souvent la proie des loups, les chevaux avaient de bonnes raisons de ne pas le laisser approcher.

En y regardant de plus près, et dans l'attente de leur réaction, Ayla s'aperçut qu'il n'y avait pas une, mais deux bandes bien distinctes. La plus importante était constituée de femelles accompagnées de leurs petits, et conduite par une femelle dominante postée devant les autres dans une attitude agressive. Une bande de mâles se tenait en retrait, et parmi eux Ayla remarqua soudain le cheval le plus exceptionnel qu'elle eût jamais vu.

La plupart des chevaux étaient d'une couleur proche du louvet de Whinney. Certains tendaient vers le roux sombre, d'autres vers le marron jaunâtre. La robe marron foncé de Rapide était déjà inhabituelle, mais Ayla n'avait encore jamais vu d'étalon comme celui-là : l'animal, dans la pleine puissance de sa maturité, était d'un blanc immaculé !

Avant de remarquer Whinney, l'étalon blanc avait tenu les autres mâles à distance, leur signifiant ainsi qu'on les tolérerait s'ils n'approchaient pas trop des femelles puisqu'on n'était pas à la saison des amours, mais qu'il était le seul à avoir le droit de s'accoupler. Toutefois, l'apparition soudaine d'une étrange femelle piqua sa curiosité et attira l'attention des autres chevaux.

Les chevaux étaient des animaux sociables, aimant la compagnie des autres chevaux. Les juments surtout tendaient à nouer des relations durables. Mais contrairement aux autres bandes d'animaux, où les filles restaient avec leurs mères, les juments se regroupaient hors des liens parentaux, après avoir quitté leur bande natale en atteignant leur maturité vers l'âge de deux ans. Leur société était hiérarchisée. Les juments dominantes, ainsi que leurs petits, bénéficiaient de privilèges tels que l'accès prioritaire à l'eau, les meilleurs pâturages. Mais le groupe était cimenté par les soins mutuels comme la toilette, la chasse aux moucherons.

Poulains, ils se battaient entre eux pour jouer. Mais c'était à l'âge adulte, vers leur quatrième année, lorsqu'ils rejoignaient les étalons, que les jeunes mâles commençaient à s'entraîner pour de bon, en prévision du jour où ils devraient affronter un rival pour obtenir le droit de s'accoupler. Ils continuaient de s'entraider mais la lutte pour le pouvoir constituait leur principale activité. D'abord simples poussées, défécations rituelles ensuite reniflées, les défis s'intensifiaient, surtout pendant la saison du rut : morsures, coups de sabot dans les genoux, ruades à la tête et à la poitrine. Ce n'était qu'après plusieurs années passées de la sorte que les mâles parvenaient à enlever de jeunes femelles, ou à destituer un mâle dominant.

En tant que femelle sans attache qui venait de pénétrer sur leur territoire, Whinney excitait la curiosité de la bande de femelles comme celle des mâles célibataires. Ayla n'aimait décidément pas la façon fière et arrogante de l'étalon, prêt à réclamer son dû.

— Vas-y si tu veux, Loup ! fit-elle en le libérant d'un signe.

Elle le regarda se mettre en position. Loup croyait avoir affaire à une bande de Whinney et de Rapide, et il voulait jouer avec eux. Ayla savait qu'il ne menaçait pas les chevaux. Un loup seul n'attaquerait pas de si grosses bêtes. En bande, à la rigueur, bien que les loups attaquassent rarement un animal adulte en bonne santé.

Ayla pressa Whinney de rentrer au campement. La jument hésita, mais l'habitude d'obéir aux ordres de la jeune femme domina sa curiosité, et elle se mit lentement au pas, non sans regarder en arrière à plusieurs reprises. Alors Loup fonça dans la troupe et se régala de folles poursuites. Ayla vit avec soulagement les chevaux s'égailler. Tant qu'ils ne s'occupaient plus de Whinney… !

Au camp, tout était prêt. Jondalar venait d'installer les trois perches pour y suspendre la nourriture hors d'atteinte des rôdeurs que l'odeur risquait d'attirer. La tente était montée, le trou dans le sol creusé, et tapissé de cailloux, Jondalar avait même construit un cercle de pierres pour le feu.

— Tu as vu cette île ? demanda-t-il dès qu'Ayla fut descendue de cheval.

Il lui montra au milieu de la rivière une langue de terre faite de limon et plantée de laîches, de roseaux et d'arbres.

— J'ai vu s'y poser toute une compagnie de cigognes, des blanches, des noires, reprit-il avec un sourire béat. J'aurais voulu que tu sois là, c'était magnifique. Elles piquaient, remontaient toutes ensemble. Elles repliaient leurs ailes pour se laisser tomber, et les rouvraient d'un coup en arrivant au sol. J'ai l'impression qu'elles migrent vers le sud. Elles partiront sans doute demain matin.

Ayla observa les grands oiseaux majestueux aux longues pattes et au long bec. Ils se nourrissaient avec frénésie, marchant, courant sur l'île ou dans l'eau peu profonde, attrapant tout ce qui bougeait d'un coup de bec : poissons, lézards, grenouilles, insectes, ou vers de terre. Ils dévoraient même la charogne, à en juger par la façon dont ils se ruèrent sur la carcasse d'un bison échouée sur la rive. Les deux espèces se ressemblaient quant à la forme mais les cigognes blanches, plus nombreuses, avaient le bout des ailes noir, alors que les cigognes noires avaient le ventre blanc et pêchaient dans l'eau pour la plupart.

— Nous avons vu des chevaux en revenant, raconta Ayla en déchargeant les lagopèdes et les perdrix. Surtout des juments et quelques poulains. Une bande de mâles tournait autour. L'étalon dominant était blanc.

— Blanc ?

— Oui, aussi blanc que ces cigognes. Il n'avait même pas les jambes noires, précisa-t-elle en dénouant les sangles du porte-paniers. On ne le distinguerait pas dans la neige.

— Un cheval blanc ? C'est rare. Je n'en ai jamais vu.

D'un coup, il repensa à Noria et à la cérémonie des Premiers Rites. Il se souvint d'une peau de cheval blanche accrochée au mur, derrière la couche, et décorée avec les têtes de jeunes pics épeiches.

— Ah, si ! Un jour j'ai vu la dépouille d'un cheval blanc, rectifia-t-il.

Quelque chose dans l'intonation éveilla l'attention d'Ayla. Jondalar surprit son regard et, gêné, se tourna pour ôter le porte-paniers du dos de Whinney.

— C'était pendant... pendant la cérémonie des Hadumaï, se sentit-il obligé de préciser.

— Les Hadumaï sont-ils des chasseurs de chevaux ?

Elle plia la couverture de Whinney, ramassa les oiseaux morts et se dirigea vers la rivière.

— Oui, dit Jondalar en l'accompagnant, pourquoi ?

— Tu te souviens que Talut nous avait parlé d'une chasse au mammouth blanc ? L'animal était sacré parce que les Mamutoï sont des chasseurs de mammouths. Alors si les Hadumaï utilisent la dépouille d'un cheval blanc dans leur cérémonie, je me demande si les chevaux n'ont pas une importance particulière à leurs yeux.

— Je ne sais pas, nous ne sommes pas restés assez longtemps chez eux.

— Mais chassent-ils les chevaux ? insista Ayla en commençant à plumer les volatiles.

— Oui, c'est d'ailleurs ce qu'ils faisaient quand Thonolan les a rencontrés. Ils nous ont mal accueillis parce que nous avions effrayé la bande qu'ils pistaient. Nous l'ignorions, bien sûr.

— J'ai bien envie d'attacher Whinney près de la tente pour cette nuit. Si des chasseurs de chevaux traînent dans les parages, je préfère savoir où elle est. En plus, je n'ai pas apprécié la façon dont l'étalon blanc venait la chercher.

— Tu as peut-être raison. Je ferais mieux d'attacher Rapide aussi. Mais j'aimerais tout de même voir cet étalon blanc.

— Eh bien, moi j'aimerais autant ne pas le revoir ! Il s'intéressait un peu trop à Whinney. Mais c'est vrai qu'il est très beau. Et très rare.

Les plumes qu'Ayla arrachait aux oiseaux d'un geste rapide voletaient autour d'elle. Elle s'immobilisa soudain, comme pour mieux réfléchir.

— Le noir aussi est rare, reprit-elle. C'est Ranec qui l'affirmait, tu t'en souviens ? Il devait penser à lui en disant cela, même s'il était plus brun que noir.

Jondalar ressentit un pincement au cœur. Sa jalousie se réveilla au nom de l'homme avec qui Ayla avait failli s'unir. C'était pourtant avec lui, Jondalar, qu'elle avait choisi de partir...

— Regrettes-tu les Mamutoï ? Tu aurais peut-être préféré t'unir à Ranec ?

Elle interrompit son ouvrage et le regarda en face.

— Jondalar ! Tu sais très bien que je m'étais promise à Ranec uniquement parce que je croyais que tu ne m'aimais plus. Alors que Ranec m'aimait, lui... Mais c'est vrai que je regrette les Mamutoï. Si je ne t'avais pas rencontré, j'aurais

526

pu vivre heureuse avec eux... et avec Ranec. D'une certaine façon, je l'aimais... Mais pas autant que toi.

— Eh bien, voilà une réponse honnête !

— J'aurais aussi pu rester chez les Sharamudoï, mais je veux être toujours là où tu es. Tu veux retourner chez les tiens, alors je veux y aller aussi, poursuivit Ayla, désireuse de s'expliquer.

A la mine déconfite de Jondalar, elle comprit que ce n'était pas la réponse qu'il attendait.

— Tu m'as posé une question, Jondalar. Quand tu m'interroges, je te réponds ce que je pense. Et je veux que tu agisses de même. Que tu me dises tout, même si je ne te le demande pas. Je ne veux plus de malentendus entre nous comme l'hiver dernier. Je ne comprenais pas ce que tu voulais, et que tu refusais d'en parler. Toi, tu croyais deviner mes sentiments mais tu n'osais rien en dire. Promets-moi de toujours me dire la vérité, Jondalar.

Une telle sincérité et un si grand sérieux arrachèrent un sourire de tendresse à Jondalar.

— C'est promis. Moi non plus, je ne veux pas revivre ce cauchemar. Je ne supportais pas de te voir avec Ranec, d'autant qu'il avait beaucoup de succès auprès des femmes, tout le monde le savait. Il était drôle, sympathique, c'était un excellent tailleur de pierres, un véritable artiste. Ma mère l'aurait aimé. Les sculpteurs et les artistes lui ont toujours plu. Dans d'autres circonstances, j'en aurais volontiers fait mon ami. Il me rappelait un peu Thonolan. Il était différent des Mamutoï, mais il était sûr de lui et franc, comme eux.

— C'était un vrai Mamutoï ! déclara Ayla. Ah, comme le Camp du Lion me manque ! Les gens me manquent ! Nous n'avons guère rencontré de monde jusqu'à présent. Je ne me rendais pas compte que tu avais voyagé aussi loin. Les terres sont si vastes, et si peu habitées !

A mesure que le soleil déclinait à l'horizon, les nuages flamboyants au-dessus des montagnes à l'ouest paraissaient se rassembler joyeusement pour enlacer la sphère rougeoyante. Puis l'embrasement de l'écrin nuageux s'évanouit peu à peu, et l'obscurité enveloppa les deux voyageurs qui terminaient leur repas. Ayla se leva et mit de côté ce qu'il restait des oiseaux. Elle en avait fait cuire beaucoup trop. Jondalar replaça les pierres dans le feu en prévision de leur infusion du soir.

— C'était délicieux, affirma-t-il. Tu avais raison, ça valait la peine de s'arrêter plus tôt.

Le hasard voulut qu'Ayla regardât du côté de l'île, et ce qu'elle vit lui arracha un cri. Jondalar leva les yeux à son tour.

Des silhouettes armées de sagaies sortaient de la pénombre et apparaissaient sur la rive à la lueur du feu. Deux hommes vêtus d'une cape taillée dans une dépouille de cheval, et dont la tête était rabattue sur leur crâne comme un capuchon. Jondalar se leva. L'un des hommes rejeta la tête de cheval en arrière et s'avança vers lui.

— Zel-an-don-yee! s'écria-t-il en montrant le géant blond. Hadumaï! Jeren! fit-il ensuite en se frappant la poitrine, le visage éclairé d'un large sourire.

Surpris, Jondalar l'examina de plus près, et lui rendit son sourire.

— Jeren! Est-ce bien toi? Par la Grande Mère, je n'arrive pas à le croire!

L'homme se mit à parler dans une langue aussi incompréhensible pour Jondalar que celle de Jondalar l'était pour le visiteur. Mais les sourires amicaux se passaient de traduction.

— Ayla! dit Jondalar en lui faisant signe d'approcher. Voici Jeren. C'est le chasseur hadumaï que nous avons rencontré à l'aller.

Les deux hommes semblaient réjouis. Jeren examina Ayla et, d'un hochement de tête, fit part à Jondalar de son appréciation flatteuse.

— Jeren, voici Ayla, Ayla des Mamutoï, annonça Jondalar avec cérémonie. Ayla, voici Jeren du Peuple d'Haduma.

— Bienvenue dans notre camp, Jeren du Peuple d'Haduma, dit Ayla en tendant ses deux mains.

Le geste ne faisait pas partie de la coutume des Hadumaï, mais Jeren en comprit l'intention. Il rangea sa sagaie dans l'étui qu'il portait en bandoulière, et serra les mains d'Ayla.

— Ayla, fit-il. Jeren, ajouta-t-il en se frappant de nouveau la poitrine.

Soudain il sursauta. Il venait d'apercevoir Loup qui approchait d'Ayla. La jeune femme, voyant sa réaction, s'agenouilla et enlaça le cou de l'animal. Les yeux de Jeren s'agrandirent de stupeur.

— Jeren, dit Ayla en se relevant. Voici Loup. Loup, voici Jeren, du Peuple d'Haduma.

— Loup ? répéta Jeren, le regard inquiet.

Ayla approcha sa main du museau de la bête, comme pour lui faire respirer son odeur. Elle s'agenouilla de nouveau et enlaça le loup, témoignant ainsi de sa confiance et de sa familiarité. Elle toucha la main de Jeren, fit renifler la sienne à Loup, essayant d'inciter l'homme à l'imiter. Jeren tendit craintivement la main vers le jeune carnassier.

Loup lui toucha la main de sa truffe froide et humide, et se recula. Chez les Sharamudoï, Ayla lui avait souvent fait subir ce genre de présentations, et il savait ce qu'elle attendait de lui. Ayla leva son regard sur Jeren, lui prit la main, et lui montra comment caresser la tête du loup. Quand Jeren lui adressa un sourire et tapota la tête de l'animal, Ayla put enfin se détendre, soulagée.

— Loup ! annonça Jeren en se retournant vers ses compagnons et en désignant l'animal.

Il ajouta d'autres mots, et prononça ensuite le nom d'Ayla. Quatre hommes s'avancèrent dans la lueur du feu. Ayla leur adressa des signes de bienvenue, et les invita à s'asseoir.

Jondalar, qui l'avait observée, sourit pour marquer son approbation.

— Oui, c'est une bonne idée, Ayla.

— Crois-tu qu'ils aient faim ? Il nous reste de la nourriture.

— Alors, offres-en, on verra bien.

Dans une écuelle en ivoire de mammouth où elle avait déposé les volatiles, Ayla prit quelque chose qui ressemblait à une boule de foin, et l'ouvrit. Apparut un lagopède braisé entier qu'elle apporta à Jeren et aux autres. Il embaumait. Jeren détacha une cuisse tendre et juteuse et son sourire après qu'il l'eut goûté encouragea ses compagnons à faire de même.

Ayla servit aussi une perdrix avec la farce de racines dans des bols et de petites écuelles en ivoire, en bois ou simplement tressées. Elle laissa les hommes se partager les victuailles comme ils l'entendaient, et sortit une grande jatte en bois qu'elle avait fabriquée elle-même. Elle la remplit d'eau pour l'infusion.

Après le repas, les hommes se montrèrent beaucoup plus détendus, même lorsque Ayla amena Loup pour qu'il les reniflât. Assis autour du feu, un bol d'infusion à la main, ils tentèrent d'engager la conversation, la curiosité de chacun ne pouvant plus se satisfaire de simples sourires amicaux ou de gestes de bienvenue.

Jondalar commença.

— Haduma ? interrogea-t-il.

Jeren hocha la tête d'un air triste, et désigna le sol. Ayla devina qu'elle était retournée auprès de la Grande Terre Mère. Jondalar comprit également que la vieille femme, avec qui il s'était lié d'amitié, était partie.

— Tamen ? demanda-t-il ensuite.

Tout sourire, Jeren hocha vigoureusement la tête. Il désigna ensuite l'un de ses compagnons et prononça quelques mots, dont le nom de Tamen. Celui dont il était question, un tout jeune homme, sourit et Jondalar lui trouva une ressemblance avec l'homme qu'il avait connu.

— Tamen, ah oui ! s'exclama Jondalar d'un air entendu. C'est le fils de Tamen, ou son petit-fils. Je regrette que Tamen ne soit pas là. Il parlait un peu zelandonii, expliqua-t-il à l'adresse d'Ayla. Il avait fait le Voyage jusque là-bas quand il était jeune.

Jeren promena son regard dans le camp, puis le posa sur Jondalar d'un air interrogateur.

— Zel-an-don-yee... Ton...Thonolan ? demanda-t-il.

Ce fut au tour de Jondalar de secouer la tête avec tristesse. Il pensa alors à désigner le sol du doigt, et Jeren, d'abord surpris, prit un air grave. Il questionna ensuite Jondalar d'un mot que celui-ci ne saisit pas.

— As-tu compris sa question ? demanda Jondalar en se tournant vers Ayla.

Bien que cette langue lui fût totalement inconnue, certains sons lui paraissaient familiers. A la façon dont Jeren répéta sa question, Ayla eut une idée. La main en forme de griffe, elle imita le rugissement du lion des cavernes.

L'imitation était si parfaite que les Hadumaï sursautèrent, mais Jeren fit un signe d'assentiment. Il avait demandé comment était mort Thonolan et Ayla le lui avait expliqué. Un des hommes dit quelques mots à Jeren qui lui répondit en citant un nom que Jondalar reconnut : Noria. Celui qui avait posé la question sourit au géant blond en le montrant du doigt. Il désigna ensuite ses yeux en souriant de plus belle.

L'excitation gagna Jondalar. Avait-il voulu dire que Noria avait mis au monde un bébé aux yeux bleus comme les siens ? Ou bien le chasseur avait-il entendu dire que l'homme aux yeux bleus avait partagé les Premiers Rites avec Noria ? Jondalar était perplexe. Les autres montrèrent ses yeux en s'esclaffant. Riaient-ils d'un bébé aux yeux bleus ? Ou s'amusaient-ils des Plaisirs partagés avec un homme possédant de tels yeux ?

Il faillit prononcer le nom de Noria en faisant le geste de bercer un bébé, mais un coup d'œil vers Ayla le retint. Il ne lui avait pas parlé de Noria, ni de la prédiction d'Haduma au lendemain de la cérémonie : la jeune femme mettrait au monde un garçon aux yeux identiques aux siens et on le nommerait Jondal. Il savait trop bien qu'Ayla voulait un fils de son... ou de son esprit. Accepterait-elle que Noria en eût déjà un ? A sa place, il serait certainement jaloux.

Par gestes, Ayla proposait aux chasseurs de dormir près du feu. Plusieurs firent signe qu'ils acceptaient et partirent chercher leurs fourrures. Ils les avaient cachées près de la rivière avant d'approcher du feu dont ils avaient senti la fumée, espérant sans en être sûrs que c'était un feu ami. Lorsque Ayla les vit contourner la tente dans l'intention de s'installer là où elle avait attaché les chevaux, elle courut les en empêcher. Ils se regardèrent avec surprise en la voyant disparaître dans la nuit. Ils allaient avancer plus loin lorsque Jondalar leur fit signe d'attendre un peu. Ils acquiescèrent avec force sourires.

Mais leur sourire se figea en un rictus effaré en voyant Ayla revenir accompagnée de deux chevaux. Les tenant par la bride, elle essaya d'expliquer, à grand renfort de gestes et de mimiques du Clan à l'appui, que ces chevaux n'étaient pas comme les autres et qu'il ne fallait pas les tuer. Ni elle ni Jondalar n'étaient sûrs qu'ils eussent compris. Jondalar craignait qu'ils pussent croire qu'elle avait l'extraordinaire Don d'Appel des chevaux et leur avait apporté Whinney et Rapide pour les leur offrir comme trophée de chasse. Il proposa à Ayla de leur faire une démonstration.

Il alla chercher une sagaie dans la tente et fit mine de l'enfoncer dans les flancs de Rapide. Ayla s'interposa, croisa devant elle ses bras tendus, et secoua énergiquement la tête. Jeren se grattait la sienne, perplexe, et les autres écarquillaient les yeux d'un air ahuri. Finalement, Jeren acquiesça, sortit une sagaie, la pointa sur Rapide et la ficha ensuite en terre. Jondalar ignorait si l'homme avait compris qu'Ayla lui demandait de ne pas tuer ces deux chevaux, ou lui interdisait de chasser les chevaux en général, mais il était sûr que Jeren avait compris le principe.

Les hommes dormirent donc près du feu, et se levèrent à l'aube. Jeren dit quelque chose à Ayla que Jondalar comprit comme un remerciement pour le repas. L'homme adressa un sourire à la jeune femme quand Loup vint le renifler et se laissa ensuite caresser. Ayla voulut les inviter à partager leur repas, mais ils partirent sans manger.

— Quel dommage de ne pas parler leur langue, soupira Ayla. Leur visite m'a fait plaisir, mais comment les comprendre et nous faire comprendre ?

— Oui, je le regrette aussi, assura Jondalar qui aurait bien voulu savoir si Noria avait eu son bébé, et s'il avait les yeux bleus.

— Dans le Clan, chaque clan possédait des mots inconnus des autres, mais nous connaissions tous le langage des signes. Tous les clans pouvaient communiquer entre eux. Dommage que les Autres n'aient pas de langue commune à tous.

— Oui, ce serait utile, surtout quand on entreprend le Voyage. Mais je n'arrive pas à concevoir une langue que tout le monde parlerait. Es-tu sûre que tous ceux du Clan, où qu'ils soient, comprennent le même langage des signes ? demanda Jondalar.

— Oui, mais ce n'est pas comme s'ils devaient l'apprendre. Ils sont nés avec, Jondalar. Le langage est si ancien qu'il est incrusté dans leur mémoire, et leur mémoire remonte à la nuit des temps. Et c'est loin, tu ne peux pas imaginer comme c'est loin !

Elle frissonna en se rappelant la fois où Creb lui avait sauvé la vie, et l'avait ramenée avec lui, allant à l'encontre de toutes les traditions. La loi du Clan exigeait qu'elle mourût. Elle était d'ailleurs morte à leurs yeux. Elle découvrit soudain toute l'ironie de son histoire. La malédiction que Broud avait prononcée contre elle avait été injustifiée, alors que Creb avait d'excellentes raisons de la damner : elle avait brisé le plus puissant tabou du Clan. Il aurait dû la faire mourir, mais il ne l'avait pas fait.

Ils commencèrent à lever le camp. Avec la précision et la rapidité d'exécution nées de l'habitude, ils rangèrent la tente, les fourrures de couchage, les ustensiles de cuisine, les cordes, avec le reste de leurs affaires dans les porte-paniers. Ayla remplissait des outres d'eau à la rivière quand Jeren et ses chasseurs revinrent. Avec force sourires et de longues phrases — de remerciements, sans doute —, les hommes présentèrent à Ayla un paquet enveloppé dans une peau d'aurochs toute fraîche. Elle l'ouvrit pour trouver un morceau de bœuf bien tendre, découpé dans une bête récemment abattue.

— Que mes remerciements t'accompagnent, Jeren, déclara Ayla en lui décochant le sourire qui faisait fondre Jondalar.

Jeren parut sensible au même charme, et Jondalar sourit intérieurement en voyant son expression béate. Il fallut un moment à Jeren avant de reprendre ses esprits, puis il se tourna vers Jondalar et débita un flot de paroles, cherchant désespérément à exprimer quelque chose. Voyant qu'il ne se faisait pas comprendre, il s'adressa aux autres chasseurs, et se retourna ensuite vers Jondalar.

— Tamen, dit-il, et il se mit à marcher en direction du sud en leur faisant signe de le suivre. Tamen, insista-t-il en répétant les mêmes gestes accompagnés de mots incompréhensibles.

— Il veut que tu le suives pour rencontrer l'homme que tu connais, expliqua Ayla. Celui qui parle zelandonii.

— Tamen, Zel-an-don-yee. Hadumaï, articula Jeren en leur faisant signe de le suivre.

— Il veut que nous allions chez eux, tu ne crois pas ? demanda Jondalar.

— Oui, je pense que tu as raison. En as-tu envie ?

— Cela m'ennuie de rebrousser chemin, déclara Jondalar, d'autant que c'est peut-être loin. Si on les avait rencontrés plus au sud, on aurait pu s'arrêter en route, mais avoir parcouru tout ce chemin pour faire demi-tour...

— Alors, trouve un moyen de le lui expliquer.

— Je suis désolé, dit Jondalar à l'adresse de Jeren en joignant le geste à la parole. Nous nous dirigeons vers le nord. Le nord, répéta-t-il en montrant la direction.

Jeren parut déçu et ferma les yeux comme quelqu'un qui réfléchit. Il s'approcha d'eux et sortit un petit bâton de sa ceinture, et Jondalar en remarqua l'extrémité sculptée. Il essaya de se rappeler où il avait déjà vu un objet semblable. Jeren balaya une surface sur le sol, traça une ligne avec son bâton, puis une autre qui la croisait. Sous la première ligne, il dessina une figure ressemblant vaguement à un cheval. Au bout de l'autre qui pointait vers la Grande Rivière Mère, il traça un cercle d'où partaient plusieurs traits. Ayla s'approcha pour examiner la figure.

— Jondalar ! s'exclama-t-elle avec enthousiasme. Quand Mamut m'a montré les symboles et qu'il m'a enseigné leur sens, il y avait une figure comme celle-là. C'est le soleil.

— Et ce trait indique la direction du soleil couchant, dit Jondalar en désignant l'ouest. Là où il a dessiné le cheval, c'est donc le sud.

Et il montra la direction du sud. Jeren approuvait vigoureusement. Il montra ensuite le nord et fit la grimace. Il s'avança jusqu'à l'extrémité nord de la ligne qu'il avait tracée et leur fit face. Alors, il croisa devant lui ses bras tendus, comme Ayla l'avait fait pour lui expliquer de ne pas chasser Whinney et Rapide. Il fit ensuite non de la tête. Ayla et Jondalar se regardèrent.

— On dirait qu'il cherche à nous dire de ne pas aller vers le nord, déclara Ayla.

Jondalar commençait à comprendre ce que Jeren essayait de leur expliquer.

— Ayla, je ne crois pas qu'il veuille seulement nous inviter. Il veut nous empêcher d'aller vers le nord, il cherche à nous mettre en garde.

— Nous mettre en garde ? Contre quoi ?

— Le mur de glace, peut-être.

— Mais nous connaissons la glace. Nous avons chassé le mammouth avec les Mamutoï près des glaces. C'est vrai qu'il y fait froid, mais ce n'est pas dangereux.

— Les glaciers avancent, fit Jondalar. Cela prend des années, et ils peuvent déraciner des arbres aux changements de saison, mais ils n'avancent pas assez vite pour qu'on ne puisse les éviter.

— Je ne crois pas que ce soit la glace. En tout cas, il nous dit de ne pas aller vers le nord, et il a l'air très inquiet.

— Oui, mais je ne comprends pas ce qui pourrait être si dangereux. Parfois, ceux qui ne voyagent pas au-delà de leur territoire imaginent que tout ce qui se trouve ailleurs est dangereux, parce que c'est différent de ce qu'ils connaissent.

— Je ne crois pas que Jeren soit homme à s'effrayer facilement.

— Oui, je dois l'admettre... Ah, Jeren ! reprit Jondalar en se tournant vers lui. J'aimerais tant comprendre ce que tu nous dis !

Jeren les avait observés avec anxiété. Il lut sur leur visage qu'ils avaient compris sa mise en garde, et il attendait leur réaction.

— Crois-tu qu'on devrait l'accompagner et parler à Tamen ? demanda Ayla.

— Sans doute pas. Il faut arriver au glacier avant la fin de l'hiver. Si nous continuons, nous y serons en avance. Mais si nous nous attardons, nous risquons d'arriver pour le printemps et la fonte des glaces. Traverser deviendra dangereux.

— Alors on continue vers le nord ?

— Oui, je crois que cela vaut mieux, mais nous devrons être prudents. Si seulement je savais à quoi m'attendre ! Jeren, mon ami, je te remercie pour ton conseil, dit Jondalar à l'adresse du chasseur. Nous poursuivons notre route vers le nord, mais nous serons vigilants.

Il désigna le sud, secoua négativement la tête, puis montra le nord.

Jeren commença par protester énergiquement, mais finit par renoncer et acquiesça avec tristesse. Il avait fait ce qu'il avait pu. Il parlementa avec l'autre homme au chef orné d'une tête de cheval, et revint vers les deux voyageurs leur expliquer qu'ils allaient les quitter.

Ayla et Jondalar regardèrent partir Jeren et les chasseurs en leur adressant de grands signes d'adieu. Puis ils terminèrent leur rangement et se mirent en route, non sans une certaine appréhension.

Chevauchant à travers l'extrémité nord de la vaste plaine centrale, les voyageurs notaient les changements progressifs : le terrain plat laissait place peu à peu aux collines moutonnantes. Les hauts plateaux partiellement enfouis qui limitaient la plaine centrale correspondaient à l'aboutissement de l'énorme bloc rocheux de la faille sédimentaire qui courait à travers la plaine, du nord-est au sud-est, comme une colonne vertébrale déformée. Des éruptions volcaniques relativement récentes avaient recouvert les hauts plateaux de sols fertiles où poussaient des pins, des épicéas et des mélèzes. A leur pied croissaient des bouleaux et des saules et sur leurs flancs arides et venteux, des buissons et des herbacées.

Comme ils commençaient à gravir les collines, ils durent rebrousser chemin pour contourner de profondes crevasses et des anfractuosités qui leur barraient le passage. Ayla trouvait la terre plus stérile et se demandait si le changement de saison, avec son refroidissement brutal, n'en était pas responsable. Quelques arbres à feuilles caduques et des arbustes se dressaient, dénudés, mais la plaine centrale, recouverte du manteau d'or des foins, nourrirait encore des multitudes d'animaux pendant tout l'hiver.

Ils virent une quantité de gros herbivores, solitaires ou en troupeau. D'après Ayla, les chevaux étaient les plus nombreux, sans doute parce qu'elle s'intéressait davantage à eux, mais plus ils se rapprochaient du nord, plus les cerfs géants, les cerfs et les rennes abondaient. Les bisons, rassemblés en gigantesques troupeaux migrateurs, se dirigeaient vers le sud. Pendant une journée entière, le cortège des énormes bêtes bossues aux impressionnantes cornes noires recouvrit les collines nordiques d'un tapis ondulant. Emerveillés, Ayla et Jondalar s'arrêtèrent souvent pour les contempler. Des nuages de poussière enveloppaient d'un voile épais la masse mouvante, le martèlement des sabots faisait trembler le sol, et les meuglements et mugissements résonnaient comme les grondements du tonnerre.

Les mammouths, qui migraient d'habitude vers le nord, étaient rares, mais même de loin ils attiraient l'attention. Hors des périodes de rut, quand l'impérieuse nécessité de la reproduction était endormie, les mammouths mâles se regroupaient en petits troupeaux aux liens de parenté plutôt lâches. Il arrivait parfois qu'un mâle décidât de se joindre à un troupeau de femelles et les accompagnât un bout de chemin, mais tous les mammouths solitaires que les deux voyageurs croisaient étaient des mâles. Les femelles constituaient des troupeaux plus nombreux au sein desquels les liens de parenté étaient très étroits : une grand-mère, vieille femelle rusée, commandait à une ou deux sœurs et à la tribu de leurs filles et petites-filles. On reconnaissait un troupeau de femelles à leurs défenses légèrement plus courtes et moins incurvées, ainsi qu'à la présence des petits.

Les rhinocéros laineux étaient tout aussi impressionnants mais on en voyait rarement, et ils fuyaient la société de leurs semblables. Ils ne fondaient jamais de troupeau. Les femelles restaient en petits groupes familiaux, et les mâles étaient des célibataires endurcis, sauf à l'époque du rut. A part les jeunes et les très vieux, ni les mammouths ni les rhinocéros ne craignaient grand-chose des quadrupèdes prédateurs, y compris le lion des cavernes. Les mâles pouvaient se permettre le luxe de la solitude, mais les femelles avaient besoin de la protection du troupeau pour élever leurs petits.

Les bœufs musqués laineux, créatures rappelant la chèvre, s'assemblaient pour assurer leur protection commune. Attaqués, les adultes affrontaient l'ennemi en phalange circulaire, les plus jeunes cachés au milieu.

Avec l'altitude, Ayla et Jondalar commencèrent à apercevoir des ibex et des chamois, qui migraient vers les terres plus basses à l'approche de l'hiver.

Pendant l'hiver, les petits animaux se réfugiaient dans les trous qu'ils avaient creusés et où ils avaient pris soin de stocker des quantités de graines, noix, bulbes, racines. Les pikas empilaient dans leurs terriers du foin qu'ils avaient coupé et séché. Les lapins et les lièvres changeaient de couleur, et adoptaient une fourrure tachetée, presque blanche. Ils aperçurent aussi un castor et un écureuil. Jondalar tua le castor avec son propulseur. La grasse queue du castor rôtie à la broche était un mets riche et d'une rare délicatesse.

D'habitude, ils réservaient leur propulseur pour le gros gibier. Ils étaient tous deux d'excellents tireurs. Jondalar, plus puissant, atteignait des cibles plus éloignées. De son côté, Ayla abattait quantité de petit gibier avec sa fronde.

Ils notèrent la présence d'outres, de blaireaux, de martres et de putois, mais ne les chassaient pas. Les visons étaient aussi très nombreux. Les carnivores — renards, loups, lynx, et autres gros chats — se nourrissaient de petit gibier ou d'herbivores.

Ils pêchèrent rarement dans cette partie du Voyage, mais Jondalar savait que la rivière regorgeait de poissons, parmi lesquels des perches, des brochets, et aussi de très grosses carpes.

A l'approche de la nuit, ils aperçurent la large ouverture d'une grotte et prirent le parti de l'explorer. Les chevaux ne montrèrent aucune nervosité, ce que leurs cavaliers interprétèrent comme un présage favorable. Loup, curieux, renifla partout avec grand intérêt, mais pas un poil de son dos ne se hérissa. Ayla en déduisit que la grotte n'était pas habitée et ils décidèrent d'y passer la nuit.

Après avoir allumé un feu, ils fabriquèrent une torche pour examiner tous les recoins. Près de l'entrée, de nombreuses traces indiquaient que la grotte avait déjà été utilisée. Jondalar découvrit des éraflures sur les murs qui ressemblaient à des griffures de lion ou d'ours des cavernes. Loup renifla des excréments, trop secs et trop anciens pour donner une indication. Ils découvrirent d'énormes tibias à moitié rongés. La façon dont ils avaient été brisés et les marques de dents incitèrent Ayla à penser que c'était l'œuvre de hyènes des cavernes aux mâchoires puissantes. Cette pensée la fit frémir.

Les hyènes n'étaient pas pires que bien d'autres. Elles se nourrissaient de charognes comme beaucoup de prédateurs, y compris les loups, les lions et même les humains, et chassaient aussi en bande avec succès. Là n'était pas la question, la haine d'Ayla était totalement irrationnelle. Les hyènes représentaient à ses yeux le mal absolu.

En tout cas, la grotte n'avait pas servi récemment. Toutes les traces étaient vieilles, comme cette cavité où s'était déposé du charbon de bois provenant d'un feu allumé par quelque visiteur humain. Ayla et Jondalar pénétrèrent plus profondément dans la grotte mais elle semblait se prolonger indéfiniment, et hormis près de l'entrée, il n'y avait de signes de vie, récents ou anciens, nulle part. Les colonnes de pierres, qui semblaient pousser du sol ou descendre des plafonds et se rejoignaient parfois, étaient les seules locataires de l'espace froid et humide.

Arrivés devant un coude, ils crurent entendre de l'eau souterraine ruisseler dans le lointain et ils décidèrent de faire demi-tour. La torche n'éclairerait pas longtemps, et aucun d'eux ne souhaitait s'éloigner de la lumière pâlissante de l'entrée. Ils revinrent sur leurs pas en longeant les murs et accueillirent avec soulagement le spectacle de l'herbe jaunie et de la luminosité dorée filtrant des nuages au couchant.

Plus ils s'enfonçaient dans les hauts plateaux qui bordaient la grande plaine centrale au nord, plus le paysage changeait. Grottes, cavernes, avens, allant de la simple cuvette couverte d'herbe au précipice vertigineux. Un paysage aussi particulier n'était pas fait pour rassurer nos deux voyageurs. Alors que les cours d'eau et les lacs se faisaient rares, ils entendaient parfois le clapotis sinistre et inquiétant de rivières souterraines.

Les créatures oubliées d'anciennes mers chaudes étaient la cause de cette terre étrange aux obstacles imprévisibles. Au cours d'innombrables millénaires, des quantités de coquillages et de squelettes s'étaient déposés sur les fonds marins. Pendant les millénaires suivants, les sédiments de calcium durci, soulevés par les pressions contraires des couches géologiques, s'étaient transformés en carbonate de calcium pour donner des roches calcaires. Immenses étendues sous-jacentes, les roches calcaires se dissolvent et forment alors des grottes.

Le calcaire se dissout à peine dans l'eau pure, mais sera attaqué par une eau ne contenant qu'une infime quantité d'acide. Pendant les saisons chaudes et dans les climats humides, les nappes d'eaux souterraines chargées de l'acide carbonique des plantes et de gaz carbonique dissolvaient de grandes quantités de roches.

Les eaux souterraines, qui coulaient horizontalement et s'infiltraient dans les minuscules interstices des joints verticaux des pierres calcaires, finissaient par élargir et creuser les fissures. Charriant le calcaire dissous, elles déchiquetaient les murs des galeries, sculptaient des réseaux de gouttières, et trouvaient ensuite leur voie vers les eaux d'infiltration et les sources. Sous l'effet de la force de gravitation, les eaux acides agrandissaient les flaches souterraines jusqu'à former des cavernes qui devenaient ensuite des grottes. Les canaux souterrains, percés de puits étroits, finissaient par se rejoindre pour former un réseau d'irrigation extrêmement complexe.

L'érosion chimique avait des répercussions sur la surface des sols, et le paysage, le karst, présentait des particularités inhabituelles. En s'élargissant et à mesure que leur plafond affleurait à la surface, les grottes s'effondraient, créant des dolines aux murs abrupts. Quelques vestiges de plafond formaient des ponts naturels. Les torrents et les rivières qui couraient tranquillement sur la surface pouvaient disparaître brusquement dans des avens et poursuivre un parcours souterrain, condamnant parfois à la sécheresse les vallées qu'ils avaient autrefois irriguées.

Les voyageurs commencèrent à manquer d'eau. Les rivières plongeaient dans les cavités de la roche ou dans des marmites de géants. Même après de fortes pluies, l'eau disparaissait presque instantanément, et aucun ruisseau, aucun torrent n'irriguait le sol. Au point que Jondalar fut obligé un jour de descendre au fond d'un aven puiser le précieux liquide. Une autre fois, un grand torrent apparut soudain, courant sur une courte distance avant de disparaître tout aussi subitement.

La terre était aride et rocailleuse, et la roche affleurante. La vie animale était réduite, elle aussi. A part quelques mouflons, avec leur fourrure de laine drue encore plus épaisse en prévision de l'hiver et leurs grosses cornes en volute, les voyageurs ne virent que de rares marmottes. Les petites bêtes, vives et rusées, étaient passées maîtresses dans l'art d'échapper aux prédateurs. Que des loups, des renards polaires, des faucons ou des aigles royaux se montrassent et le cri haut perché d'une sentinelle faisait détaler les petits rongeurs qui s'évanouissaient dans les cavités rocheuses.

Loup essaya sans succès de les poursuivre. Les chevaux aux longues pattes n'étant pas perçus comme dangereux, seule Ayla réussit à en tuer quelques-uns avec sa fronde.

Les petits rongeurs poilus, engraissés pour l'hibernation, avaient le goût du lapin, mais leur taille était insuffisante pour permettre de copieux repas, et pour la première fois depuis l'été précédent, Ayla et Jondalar durent pêcher dans la Grande Rivière Mère.

Le malaise provoqué par le paysage karstique, avec ses étranges concrétions, ses trous, ses grottes, ses cavernes, avait rendu Jondalar et Ayla extrêmement prudents. Mais à force d'habitude, leur attention se relâcha. Ils mirent pied à terre pour reposer leurs montures. Jondalar menait Rapide par une longue longe mais le laissait brouter les touffes d'herbes éparses. Whinney en arrachait aussi quelques brins par-ci, par-là, et rejoignait Ayla qui n'utilisait pas de harnais.

— Je me demande si Jeren ne voulait pas nous mettre en garde contre cette terre stérile pleine de grottes et de trous, dit Ayla. Tout cela ne me plaît guère.

— A moi non plus. Je ne m'y attendais pas.

— Ah bon ? Mais je croyais que tu étais déjà passé ici ? s'étonna la jeune femme. Tu m'as dit que vous aviez longé la Grande Rivière Mère.

— Oui, mais sur l'autre rive. Nous avons traversé plus au sud. Je croyais que ce serait plus facile de revenir par cette rive-ci. Et puis, j'avais envie de la connaître. Un peu plus loin, la Mère décrit un coude assez brusque. Mon frère et moi allions vers l'est, et j'étais curieux de voir les montagnes qui forcent la Mère à obliquer au sud. Je savais qu'une occasion pareille ne se représenterait plus jamais.

— Tu aurais dû m'en parler.

— Quelle différence ? Nous suivons toujours la même rivière, non ?

— Oui, mais je croyais que tu connaissais la région, or tu ne la connais pas plus que moi.

Ayla ne s'expliquait pas sa colère, sauf qu'elle avait compté sur Jondalar pour servir de guide. Du coup, le malaise que lui inspirait le paysage augmenta.

Ils marchaient toujours, pris par leur discussion qui avait

543

tourné en reproches et en dispute, sans plus prêter attention à l'environnement. Soudain, Loup qui trottait à côté d'Ayla se mit à aboyer et frotta son museau contre ses mollets. Les deux voyageurs s'arrêtèrent net. La panique s'empara d'Ayla, et Jondalar blêmit.

24

Interdits, Ayla et Jondalar contemplaient le vide où ils avaient failli basculer. La terre devant eux avait cessé d'exister. Jondalar sentit une boule familière lui nouer l'estomac, mais il découvrit avec surprise, au fond du précipice, une petite prairie verte arrosée par un cours d'eau.

Le sol des énormes gouffres était souvent recouvert d'épaisses couches de terre. Certains se rejoignaient en s'ouvrant sur des dépressions allongées, créant de vastes prairies en dessous du niveau normal. Sur ces terres bien irriguées croissait une végétation riche et abondante, mais inaccessible. Les deux voyageurs ne voyaient pas comment descendre le long des parois abruptes.

— Jondalar, cet endroit a quelque chose d'anormal, déclara Ayla d'une voix sourde. En haut la terre est aride et stérile, rien ne peut y vivre. En bas, la terre est riche et bien irriguée, mais on ne peut y descendre. L'animal qui s'y risquerait mourrait dans la chute. En haut, c'est invivable, en bas, c'est inaccessible. C'est étrange.

— Oui, c'est étrange. Et c'est certainement ce que Jeren essayait de nous expliquer. Il n'y a pas de gibier, et c'est une région dangereuse. Je n'avais encore jamais vu d'endroit où on risque de tomber dans un gouffre à chaque pas.

Ayla s'agenouilla, empoigna la tête de Loup et appuya son front contre celui du jeune fauve.

— Merci de nous avoir prévenus, Loup, lui dit-elle, émue.

Il aboya pour exprimer son affection, et lui lécha la figure d'un grand coup de langue. Ils reculèrent sans un mot, et contournèrent le gouffre. Ayla ne se souvenait même plus des motifs de leur dispute. Elle se reprocha seulement de s'être laissé distraire.

Comme ils poursuivaient vers le nord, la rivière sur leur gauche s'engagea dans une gorge qui se creusait à mesure que les parois rocheuses s'élevaient. Jondalar hésita entre suivre le cours d'eau ou rester sur le haut plateau, mais il était soulagé qu'ils ne fussent pas obliger de traverser. Dans les régions karstiques, au lieu de suivre des vallées alluviales verdoyantes, les larges rivières se frayaient souvent une voie entre des murailles calcaires abruptes. Longer une rivière dépourvue de berge n'était pas chose aisée, mais il était encore plus difficile de la traverser.

Au souvenir des gorges de la Mère où vivaient les Sharamudoï, et où les parois tombaient à pic jusque dans l'eau, Jondalar décida de rester sur le plateau. La vue d'une cascade ruisselant sur la paroi opposée le rassura. Elle prouvait qu'il y avait parfois de l'eau sur les hauts plateaux, même si les ruisseaux s'engloutissaient d'un coup dans les fissures de la roche.

Dans cette région de grottes, les voyageurs passèrent les deux nuits suivantes sans avoir besoin de planter leur tente. Après en avoir exploré quelques-unes, ils discernèrent au premier coup d'œil celles qui leur convenaient.

Les grottes souterraines remplies d'eau allaient toujours en s'élargissant, au contraire des cavernes proches de la surface dont l'espace intérieur se rétrécissait rapidement quand le climat était humide, et à peine pendant les sécheresses. Certaines cavernes n'étaient accessibles que par temps sec, et se remplissaient d'eau quand il pleuvait. D'autres étaient sillonnées de ruisselets. Les voyageurs recherchaient les cavernes sèches, légèrement surélevées. Mais celles-ci étaient rares, l'eau ayant été, avec le calcaire, l'instrument qui les avait façonnées et sculptées.

L'eau de pluie, en s'infiltrant, absorbait le calcaire dissous. Chaque goutte d'eau calcaire, même la plus minuscule gouttelette en suspension, était saturée de carbonate de calcium qui se déposait dans la caverne. Souvent d'un blanc immaculé, le minéral en durcissant prenait parfois de superbes tons translucides, se tachetait ou s'ombrait de gris, ou encore se colorait de pâles reflets rouges ou jaunes. Des glaçons pendaient des plafonds, poussés par chaque nouvelle goutte à rejoindre leur double qui s'élevait du sol. Certains en se rejoignant formaient des colonnes resserrées à la taille, et qui s'épaississaient avec le temps et le cycle toujours renouvelé de la nature.

Les jours devenaient de plus en plus froids et le vent soufflait de plus en plus fort. Ayla et Jondalar appréciaient les cavernes qui les protégeaient des morsures du vent. Avant de s'aventurer dans un abri, ils s'assuraient qu'il n'était pas occupé par des fauves, mais ils finirent par se fier aux sens plus développés de leurs compagnons de voyage pour les avertir d'un danger éventuel. Quant à eux, d'instinct, et sans se concerter, ils guettaient la présence de fumée, les humains étant les seuls animaux à utiliser le feu, mais ils n'en virent jamais.

Leur surprise n'en fut que plus grande de tomber sur une région à la végétation bizarrement luxuriante, comparée au paysage désolé et rocailleux qu'ils venaient de traverser. Le calcaire y était différent, en ce sens qu'il se dissolvait plus facilement, mais aussi par sa proportion de résidu insoluble. Comme conséquence, des prairies et des arbres poussaient par plaques au bord de rivières qui coulaient en surface, et les dépressions, les grottes et les rivières souterraines se faisaient plus rares.

Lorsqu'ils aperçurent une bande de rennes paissant dans un champ de foin qui avait séché sur pied, Jondalar sourit à Ayla, et sortit son propulseur. Elle lui fit un signe d'assentiment et incita Whinney à suivre l'homme sur son étalon. Avec comme seul gibier des petits rongeurs en piètre quantité, la chasse avait été mauvaise, et comme la rivière coulait loin en contrebas dans la gorge, ils n'avaient pas pu pêcher. Ils n'avaient donc vécu que de viande séchée et sur leurs provisions de secours, qu'ils avaient même partagées avec Loup. Les chevaux étaient affamés. Les rares brins d'herbe qui réussissaient à pousser sur le sol trop mince n'étaient guère nourrissants.

Jondalar trancha la gorge de la femelle aux courts andouillers. Après l'avoir saignée ils la hissèrent dans le bateau fixé au travois, et se mirent à la recherche d'un campement. Ayla voulait faire sécher un peu de viande et faire rendre la graisse. La perspective d'un cuissot rôti et d'un bon morceau de foie bien tendre faisait saliver Jondalar. Ils envisageaient de rester un jour ou deux, pour profiter aussi de la prairie toute proche. Les chevaux avaient besoin de se restaurer. De son côté, Loup avait découvert une myriade de campagnols, pikas et lemmings, et il était en chasse, ravi de l'aubaine.

Ils aperçurent une caverne au pied d'une colline et s'y dirigèrent aussitôt. Elle était plus petite qu'espérée mais de dimensions suffisantes. Ils détachèrent d'abord le travois et déchargèrent les chevaux pour leur permettre de paître librement, déposèrent les paniers près de la caverne, tirèrent eux-mêmes le travois à l'intérieur, et se séparèrent pour aller ramasser du bois et des excréments séchés.

Impatiente de préparer un vrai repas de viande fraîche, Ayla imaginait déjà comment faire cuire le gibier. Elle récolta des céréales dans la prairie, avec une poignée de graines noires d'herbe à cochons qui poussait près d'un petit cours d'eau aux abords de la caverne. A son retour,

Jondalar avait déjà allumé le feu, et elle lui demanda d'aller remplir les outres au ruisseau.

Loup reparut avant le retour de Jondalar, mais en approchant de la caverne, il montra les dents et grogna d'un air menaçant.

— Qu'est-ce qu'il y a, Loup? murmura Ayla, aussitôt sur le qui-vive.

Elle saisit machinalement sa fronde sans penser au propulseur, pourtant à sa portée. Le loup, grondant toujours, rampa vers le fond de la caverne. Ayla baissa la tête pour le suivre sous la voûte sombre, regrettant de ne pas avoir emporté de torche. Elle n'en eut pas besoin. Son nez lui apprit ce que ses yeux ne pouvaient voir. Il y avait des années qu'elle n'avait plus senti l'odeur familière, mais elle ne l'oublierait jamais. Un vieux souvenir lui revint soudain en mémoire.

C'était au pied des montagnes, non loin du Rassemblement du Clan. Portant son fils sur sa hanche, elle marchait à la place dévolue aux guérisseuses, bien qu'elle fût encore jeune et du Peuple des Autres. Tous s'étaient arrêtés et contemplaient avec effroi le monstrueux ours des cavernes qui se grattait nonchalamment le dos contre l'écorce d'un arbre.

Bien que la gigantesque créature — deux fois la taille des ours bruns — fût le totem le plus révéré du Clan, les jeunes du clan de Brun n'avaient jamais eu l'occasion d'en voir un vivant. Ils avaient tous disparu des montagnes qui entouraient leur caverne, et seuls de vieux ossements attestaient de leur présence passée. Après le départ du monstre, Creb avait récupéré quelques touffes de poils prises dans l'écorce à cause de la puissante magie qu'ils renfermaient. L'animal n'avait laissé derrière lui que son odeur caractéristique.

Ayla fit signe à Loup de sortir de la caverne. Soudain consciente de tenir sa fronde en main, elle la rangea à sa ceinture avec un sourire désabusé. A quoi bon une fronde contre un ours des cavernes ? Elle s'estimait déjà assez heureuse de ne pas avoir réveillé le fauve plongé dans son long sommeil hivernal. Elle jeta précipitamment de la poussière dans le feu et le piétina, ramassa son porte-paniers et sortit de la caverne. Heureusement, ils n'avaient pas déballé entièrement leurs affaires. Elle revint chercher les paniers de Jondalar et tira le travois toute seule hors de la caverne. Elle venait de reprendre son porte-paniers pour le déplacer un peu plus loin, quand Jondalar reparut, transportant les outres pleines d'eau.

— Ayla, qu'est-ce que tu fais ?

— Il y a un ours des cavernes là-dedans ! Il a commencé son long sommeil, précisa-t-elle en devinant son inquiétude. Mais on ne sait jamais, ils se réveillent parfois si on les dérange. En tout cas, c'est ce qu'ils disaient.

— Qui ça ?

— Les chasseurs du clan de Brun. Je les écoutais quelquefois raconter leurs histoires de chasse... non, pas quelquefois, ajouta-t-elle avec malice, le plus souvent possible. Surtout quand j'ai commencé à m'exercer à la fronde. Les hommes ne faisaient pas attention à la petite fille qui s'activait près d'eux, et comme je savais qu'ils ne m'apprendraient jamais à chasser, je les écoutais. C'était le meilleur moyen. Je me doutais bien qu'ils n'aimeraient pas découvrir ce que je faisais, mais j'étais loin d'imaginer un châtiment si sévère...

— Si c'est eux qui le disaient, ils savaient de quoi ils parlaient. Crois-tu qu'on puisse rester par ici ?

— Je ne sais pas, mais je n'en ai pas envie.

— Alors appelle Whinney. Il n'est pas trop tard pour chercher un autre endroit.

Ils dormirent sous la tente et partirent le lendemain à l'aube, impatients de mettre quelque distance entre l'ours des cavernes et eux. Jondalar refusait de perdre du temps à sécher la viande et persuada Ayla que la température était suffisamment froide pour garantir sa conservation. Il n'avait qu'une hâte : quitter la région. Là où on trouvait un ours, il y en avait souvent d'autres.

Parvenus en haut d'une crête, ils s'arrêtèrent. Dans l'air vif, pur et clair, leurs regards se portaient sur un spectacle magnifique. A l'est, une montagne relativement peu élevée dressait son pic enneigé, et signalait la chaîne orientale qui encerclait les deux voyageurs. Les montagnes de glaciers, d'une hauteur raisonnable, culminaient devant eux au nord et leurs crêtes déchiquetées, blanches avec des reflets bleus, se découpaient sur l'azur profond du ciel.

Ces montagnes au nord formaient la ceinture extérieure de l'arc. Ayla et Jondalar se trouvaient au pied de la chaîne de montagnes sur la crête du massif qui s'étendait au nord de l'ancien bassin formant la plaine centrale. Le grand glacier, qui avait débordé du nord jusqu'à couvrir un quart du pays et se terminait par un mur montagneux, était caché par le pic le plus éloigné. A l'est, on devinait encore les hauts plateaux. La glace qui scintillait au loin diffusait une pâle lumière vacillante. A l'ouest, une gigantesque chaîne de montagnes, d'une altitude inégalée, se perdait dans les nuages.

Les montagnes qui les encerclaient étaient superbes, mais c'était à leurs pieds que la vue coupait le souffle. Dans la gorge profonde, le cours de la Grande Rivière Mère avait changé de direction, et elle coulait à présent d'ouest en est. Perchés sur leur promontoire, Ayla et Jondalar admiraient le fleuve au cours indécis et comprirent qu'ils étaient parvenus, comme lui, à un tournant.

— Le glacier que nous devons traverser est à l'ouest, expliqua Jondalar d'une voix lointaine qui reflétait son état d'esprit. Mais nous suivrons la Mère qui tourne tantôt à droite, tantôt à gauche. Le glacier n'est pas très haut et, excepté au nord-ouest, il est plat. On dirait une plaine de glace. Après l'avoir traversé, nous obliquerons légèrement au sud-est, et ensuite nous irons toujours à l'ouest jusque chez moi.

En franchissant le massif de calcaire et de roche cristalline, le fleuve, comme hésitant, serpentait en tous sens avant d'opter enfin pour le sud et la plaine.

— Est-ce la Mère ? demanda Ayla. Ce n'est pas seulement un de ses bras ?

— Non, c'est bien elle. Elle est encore large, mais moins qu'avant, évidemment.

— C'était donc elle que nous longions ? Je l'avais toujours vue tellement grosse. Je croyais que nous suivions un de ses affluents. Nous avons déjà traversé des rivières bien plus grandes, déclara Ayla avec une pointe de déception.

— N'oublie pas que nous sommes en hauteur. Elle est plus grosse que tu ne le crois. Il nous reste d'autres larges affluents à traverser et la Mère se divisera encore de temps à autre, mais elle diminuera de plus en plus, c'est un fait. (Il scruta l'ouest en silence.) Nous voici à peine au début de l'hiver, reprit-il. Nous avons largement le temps d'atteindre le glacier... A condition que rien ne vienne nous retarder.

Les voyageurs tournèrent à l'ouest. Ils continuèrent de grimper jusqu'à atteindre une corniche d'où ils voyaient le sud du coude. A l'ouest, la pente était abrupte et ils remontèrent plus au nord pour trouver un chemin moins pentu. Ils descendirent à travers des broussailles éparses jusqu'à un affluent qui contournait la montagne, et ils cherchèrent un gué. Sur l'autre rive, ils trouvèrent un relief vallonné, et ils longèrent l'affluent jusqu'à ce qu'il rejoigne la Grande Mère. De là, ils se dirigèrent vers l'ouest.

Peu d'affluents avaient grossi la Mère dans la plaine centrale, mais ils arrivaient dans une région où cours d'eau et torrents dévalaient les montagnes du nord pour apporter leur offrande à la Grande Mère des Rivières. Plus tard dans la journée, ils durent franchir un autre affluent assez large et se trempèrent jusqu'aux cuisses. L'été était terminé. La température descendait en dessous de zéro pendant la nuit, et on ne se mouillait plus avec plaisir. Frigorifiés, ils décidèrent de camper sur place pour se réchauffer et faire sécher leurs vêtements.

Ils continuèrent plein ouest et débouchèrent sur une plaine alluviale, une zone de marais différente de celle qu'ils avaient connue en aval. Ici, les sols étaient acides, plus spongieux que marécageux, et recouverts d'une lande de sphaigne qui formait par endroits des plaques de tourbe. Un jour, ils firent un feu sur cette tourbe séchée et découvrirent qu'elle brûlait. Le lendemain, ils en firent provision pour leurs prochains feux.

Parvenus à un large affluent qui se jetait dans la Mère en formant un vaste delta, ils décidèrent de le suivre à la recherche d'un passage plus facile. Ils arrivèrent à une fourche où deux rivières convergeaient, et remontèrent la branche de droite, jusqu'à une nouvelle fourche. Les chevaux traversèrent aisément la plus petite, et celle du milieu, bien que large, ne posa pas trop de problèmes. Une lande de sphaigne séparait la branche centrale de celle de gauche, le sol était spongieux et ils avançaient avec difficulté.

La dernière rivière était profonde, et ils ne purent la traverser sans se mouiller. Mais, arrivés de l'autre côté, ils dérangèrent un mégacéros couronné d'une énorme ramure palmée et décidèrent de le poursuivre. Avec ses longues pattes le cerf géant distança aisément les chevaux trapus. Toutefois, Rapide et Loup l'inquiétèrent sérieusement. Whinney, encombrée par les perches du travois, ne put les suivre. Mais l'exercice avait mis tout le monde de bonne humeur.

Jondalar, le visage rougi, la capuche rejetée en arrière, revint enthousiasmé. Ayla sentit son cœur battre en le voyant. Comme tous les hivers il laissait pousser sa pâle barbe blonde pour se protéger du froid, et c'était comme cela qu'il lui plaisait le plus. Il aimait répéter qu'elle était belle, mais c'était lui qu'elle trouvait beau.

— Il courait trop vite ! s'exclama Jondalar. As-tu vu ses andouillers ? Deux fois plus hauts que moi !

— Oui, il était superbe, magnifique, mais je suis contente qu'on l'ait raté. Il était trop gros pour nous. Nous n'aurions su que faire de tant de viande, et ç'eût été honteux de le tuer sans nécessité.

Ils retournèrent jusqu'à la Mère, et bien que leurs habits eussent un peu séché dans la course, ils ne furent pas fâchés de camper et de se changer. Ils prirent soin d'étendre leurs vêtements mouillés près du feu.

Les jours suivants, ils reprirent la route de l'ouest, mais la rivière obliqua bientôt vers le nord-ouest. Au loin, ils distinguaient une ligne de montagnes imposantes. C'était l'autre extrémité de la grande chaîne de montagnes qu'ils avaient suivie depuis le début, ou presque. Ils l'avaient d'abord aperçue à l'ouest, puis ils l'avaient contournée par le sud en longeant la Grande Mère. Ses pics enneigés les avaient accompagnés à travers la plaine centrale en décrivant à l'est un large arc de cercle, tandis qu'ils suivaient le fleuve sinueux. Et maintenant cette ligne qui épousait le cours supérieur de la Mère en constituait le dernier massif.

Ayla et Jondalar ne rencontrèrent plus aucun affluent avant d'être presque au pied du massif et ils s'aperçurent qu'ils se trouvaient encore pris entre deux bras de la Mère. La rivière qui venait de l'est pour rejoindre la Mère au pied de l'éminence rocheuse était en réalité le bras nord du grand fleuve. La Mère courait entre le massif montagneux et une haute colline, mais la plaine alluviale était assez large pour qu'on puisse y chevaucher.

De l'autre côté de la montagne, ils traversèrent un autre affluent, une rivière provenant d'une vallée qui marquait la séparation entre les deux massifs montagneux. Les hautes collines, à l'ouest, composaient en fait les contreforts orientaux de l'énorme chaîne occidentale. Ensuite, la rivière se partagea encore en trois bras. Ils suivirent la berge extérieure du bras le plus au nord, et traversèrent les steppes d'un petit bassin, prolongement de la plaine centrale.

A l'époque où le bassin central était encore une mer immense, la vallée de steppes herbeuses, la lande et les terres marécageuses de la plaine alluviale ainsi que les pâturages du nord constituaient des bras de mer gigantesques. La courbe intérieure de la chaîne orientale offrait des lignes de fragilité dans la croûte terrestre par où s'infiltrèrent les futures éruptions volcaniques. Les matières projetées, combinées au dépôt de l'ancienne mer et au lœss, produisirent un sol riche et fertile. Mais seuls les arbres squelettiques de l'hiver en témoignaient.

Les doigts osseux et les membres décharnés de quelques bouleaux s'entrechoquaient dans les cruelles rafales du vent du nord. Des broussailles desséchées, des roseaux et des fougères bordaient les rives qui se recouvraient d'une pellicule de glace. En s'épaississant, la couche de glace s'élèverait en digue déchiquetée, future banquise dérivant au printemps. Sur les versants nord et les collines moutonneuses bordant la ligne de partage des eaux de la vallée, le vent déferlait en rafales régulières sur les champs houleux de foin dressé, et des bourrasques capricieuses contournant l'adret agitaient les rameaux tremblotants des épicéas et des pins. Une neige poudreuse voletait en tourbillonnant avant de se poser délicatement sur le sol.

Le temps avait définitivement viré au froid, mais les rafales de neige n'étaient pas gênantes. Les chevaux, le loup, et même les humains étaient habitués aux hivers rigoureux des steppes nordiques, au froid sec et aux légères chutes de neige. Seule la neige entassée en couches épaisses, où les chevaux s'enfonçaient et s'épuisaient, pouvait inquiéter Ayla. Et pour l'instant, elle avait d'autres soucis. Elle venait d'apercevoir des chevaux dans le lointain. Whinney et Rapide les avaient aussi remarqués.

En se retournant par hasard, Jondalar crut voir de la fumée sur une colline, de l'autre côté de la rivière. Il y avait peut-être là le signe d'une présence humaine. Il se retourna à plusieurs reprises, mais la fumée avait disparu.

Vers le soir, ils remontèrent le cours d'un petit affluent à travers un bois clairsemé de saules et de bouleaux, remplacé bientôt par une futaie de pins de pierre. Une pellicule de glace s'était formée pendant la nuit à la surface d'un petit étang dont les bords avaient gelé, mais au milieu l'eau continuait de couler, et ils décidèrent de s'arrêter pour camper. Une neige sèche tombait, habillant l'ubac d'un manteau blanc.

Whinney était nerveuse depuis qu'elle avait senti les chevaux, et Ayla s'inquiétait. Elle décida de lui mettre un harnais pour la nuit, et elle l'attacha au tronc d'un pin avec une grande longe. Jondalar noua celle de Rapide à un arbre voisin. Ils ramassèrent des feuilles sèches, et arrachèrent les branches mortes au bas des pins. Le peuple de Jondalar appelait ça du « bois de femmes » parce qu'on n'avait pas besoin de couteau ni de hache pour le récolter. On le trouvait sur la plupart des conifères, et il était toujours sec, même par temps très humide. Ils allumèrent un feu devant l'entrée de la tente, et laissèrent le rabat ouvert afin de chauffer l'intérieur.

Un lièvre en mue, déjà presque blanc, traversa leur campement au moment même où Jondalar s'exerçait avec une nouvelle sagaie qu'il perfectionnait depuis plusieurs soirs. D'instinct, il propulsa son arme et eut l'agréable surprise de toucher l'imprudent animal. La sagaie était plus courte que celles qu'il utilisait auparavant, et l'embout était taillé dans le silex et non dans l'os. Jondalar alla ramasser le lièvre et essaya d'extirper la hampe. Voyant qu'elle ne venait pas facilement, il sortit son couteau, trancha la pointe, et constata avec plaisir que la sagaie était toujours utilisable.

— Voilà de la viande pour ce soir ! annonça-t-il en tendant le lièvre à Ayla. A croire que cet animal a choisi son moment pour me permettre d'essayer mes nouvelles sagaies. Elles sont légères et maniables, il faudra que tu les essaies.

— Je crois plutôt que nous avons planté notre camp au

milieu de son passage habituel, mais ton jet était excellent. J'aimerais bien essayer tes sagaies, mais je vais d'abord faire cuire ce lièvre et trouver de quoi l'accompagner.

Elle vida les entrailles mais ne dépouilla pas le lièvre pour ne pas perdre la graisse. Elle l'embrocha sur une branche de saule effilée et le mit à cuire au-dessus du feu sur deux fourches fichées en terre. Ensuite, et bien qu'elle dût briser la glace pour les arracher, elle collecta quelques racines de massette et de réglisse. Elle les pila ensemble avec une pierre ronde dans un récipient en bois plein d'eau afin d'extraire les dures fibres filandreuses. Elle laissa reposer la pulpe blanche pendant qu'elle fouillait dans ses réserves pour voir ce qu'il lui restait.

Quand le féculent eut reposé, elle versa avec précaution la moitié du liquide clarifié dans un bol et y ajouta des baies de sureau. Pendant que les baies gonflaient, Ayla arracha des bandes d'écorce de bouleau, gratta la couche de cambium comestible qu'elle ajouta au mélange de racines, de rhizomes et de baies. Elle ramassa des pommes de pin, et les mit sur le feu. Elles regorgeaient de pignons que la chaleur faisait éclater.

Lorsque le lièvre fut cuit, elle arracha quelques lambeaux de peau calcinée, et en frotta des pierres chaudes. Elle prit ensuite le féculent pâteux, mélangé aux baies, aux douces racines de réglisse parfumées, et à la sève de bouleau légèrement sucrée, et le versa en petits tas sur les pierres chaudes.

Jondalar observait Ayla avec intérêt. Son savoir culinaire ne cessait de l'étonner. Tout le monde, surtout les femmes, savait où trouver des plantes comestibles mais il n'avait rencontré personne d'aussi savant. Lorsque plusieurs biscuits furent cuits, Jondalar en goûta un.

— Hmm, c'est bon ! s'exclama-t-il. Tu m'étonneras toujours, Ayla. Trouver de quoi manger en plein hiver !

— Nous ne sommes pas encore en plein hiver, Jondalar. Attends qu'il gèle ! rétorqua Ayla qui retira le lièvre de la broche, pela le reste de peau carbonisée, et déposa la viande dans le plat en ivoire de mammouth.

— Je suis sûr que tu trouveras ce qu'il faut.

— Peut-être, mais pas des plantes, dit-elle en lui offrant une cuisse de lièvre.

Lorsqu'ils eurent terminé la viande et les biscuits de massette, Ayla donna les restes avec les os à Loup. Elle fit infuser des plantes en y ajoutant un peu de cambium de bouleau pour le goût, et sortit les pommes de pin de la cendre. Ils s'assirent près du feu et grignotèrent les pignons dont ils cassaient la coque avec une pierre ou avec leurs dents, tout en buvant leur infusion. Après le repas, ils préparèrent leurs affaires pour partir de bonne heure le lendemain, et allèrent voir les chevaux avant de retourner s'emmitoufler dans leurs fourrures pour la nuit.

Ayla longeait la galerie sinueuse d'une caverne, guidée par un filet de lumière qui éclairait de superbes formations calcaires. L'une d'elles ressemblait à la queue ondulante d'un cheval. Lorsqu'elle l'approcha, l'animal louvet hennit en agitant sa queue au crin sombre, comme pour lui faire signe de le suivre. Elle obéit, mais la caverne devenait de plus en plus sombre et d'innombrables stalagmites gênaient sa progression.

Elle regardait soigneusement où elle mettait les pieds, et quand elle releva la tête, elle s'aperçut qu'elle s'était trompée. Ce n'était pas un cheval qui la guidait, mais bien un homme. Elle cherchait à le reconnaître et fut très surprise de voir Creb sortir de l'obscurité. Il lui fit signe de se dépêcher de le suivre, et disparut en claudiquant.

Ayla s'apprêtait à lui emboîter le pas quand elle entendit un cheval hennir. Elle se retourna pour chercher Whinney, mais la queue marron de la jument louvette se perdait parmi celles de la même teinte d'une troupe de chevaux. Elle courut vers eux, mais ils se métamorphosèrent en un enchevêtrement de colonnes de pierre trans-

lucide. Lorsqu'elle se retourna, Creb disparaissait dans l'obscurité d'une profonde galerie.

Elle courut pour le rattraper et parvint à un embranchement, sans savoir quelle galerie Creb avait suivie. Prise de panique, elle hésita. Elle opta finalement pour celle de droite et tomba sur un homme qui bouchait le passage.

C'était Jeren ! Jambes écartées, bras tendus, croisés devant lui, secouant la tête de droite à gauche, il remplissait tout l'espace. Elle le supplia de la laisser passer, mais il ne comprenait pas. Il pointa alors un petit bâton sculpté vers le mur, derrière elle.

Elle regarda ce qu'il lui désignait et vit un cheval jaune foncé poursuivi par un homme aux cheveux blonds. Soudain, la troupe de chevaux entoura l'homme et le cacha à sa vue. L'inquiétude lui noua l'estomac. Elle se précipita vers l'homme au milieu et aperçut Creb devant l'entrée de la grotte qui la pressait de se hâter. Soudain, le martèlement de sabots s'amplifia, elle entendit hennir et reconnut, horrifiée, l'appel déchirant d'un cheval.

Ayla se réveilla en sursaut. Jondalar aussi était réveillé. Des chevaux hennissaient, des sabots martelaient le sol devant la tente. Loup qui grondait poussa soudain un cri de douleur. Ils rejetèrent leurs couvertures et se ruèrent dehors.

Le mince croissant de lune éclairait à peine la nuit, et il faisait très sombre, mais ils se rendaient compte qu'il y avait plus de deux chevaux dans le bois de pins où ils avaient attaché Whinney et Rapide. Ils ne voyaient rien, mais le bruit des sabots ne laissait aucun doute. Ayla s'élança en direction du bruit, se prit le pied dans une racine et chuta lourdement, le souffle coupé.

— Ayla ! Tu t'es fait mal ? s'écria Jondalar qui l'avait entendue tomber et la cherchait à tâtons.

— Je suis là, répondit une voix rauque et essoufflée.

Ayla prit la main que Jondalar lui tendait et, au bruit de chevaux s'enfuyant dans la nuit, elle se releva prestement et ils coururent tous deux à l'endroit où ils avaient attaché leurs montures. Whinney avait disparu !

— Elle est partie ! s'écria Ayla, qui siffla et appela sa jument.

Un hennissement lointain lui répondit.

— C'est elle ! C'est Whinney. Les chevaux l'ont emmenée. Il faut que je la ramène, il le faut ! dit Ayla qui s'élança à travers bois en trébuchant.

Jondalar la rattrapa en deux enjambées.

— Ayla, attends ! On ne peut pas y aller maintenant, il fait trop sombre. Tu ne vois même pas où tu mets les pieds.

— Enfin, Jondalar, je dois la ramener !

— Nous irons la chercher demain matin, assura-t-il en la prenant dans ses bras.

— Non, demain il sera trop tard, gémit-elle.

— Non, il fera jour, et nous pourrons voir leurs traces. Nous les suivrons, et nous la ramènerons, je te le promets.

— Oh, Jondalar. Que vais-je devenir sans elle ? Whinney est mon amie. C'est ma seule amie !

Le géant blond la berça dans ses bras, la laissant pleurer tout son saoul.

— Bon ! fit-il ensuite. Allons voir si Rapide est toujours là. Il faut aussi retrouver Loup.

Ayla se souvint brusquement avoir entendu Loup hurler de douleur, et commença à s'inquiéter pour le jeune animal et aussi pour l'étalon. Elle siffla Loup, et appela Rapide avec le cri habituel.

Un hennissement lui répondit, suivi d'un cri plaintif. Jondalar se dirigea à l'endroit où il avait attaché Rapide pendant qu'Ayla cherchait Loup, guidée par ses gémissements. Lorsqu'elle l'eut retrouvé, elle voulut le caresser et sa main rencontra un liquide poisseux.

— Loup ! Mais tu es blessé !

Elle essaya de le transporter près du feu afin d'examiner la blessure de l'animal. Elle titubait sous son poids, et Loup ne cessait de gémir. Il se débattit et glissa par terre, mais réussit à tenir sur ses pattes, et marcha jusqu'au campement au prix de douloureux efforts.

Jondalar ramena Rapide pendant qu'Ayla ranimait le feu.

— Sa longe a tenu, annonça-t-il.

Habitué aux difficultés avec Rapide, Jondalar se servait toujours de corde solide.

— Comme je suis contente qu'il soit sauf, soupira Ayla en flattant l'encolure de l'étalon.

Elle l'examina soigneusement pour s'assurer qu'il n'était pas blessé.

— Pourquoi n'ai-je pas utilisé une corde plus robuste ? se reprocha-t-elle. Si j'avais été plus prudente, Whinney serait toujours là.

Mais telle était sa relation avec la jument. Whinney était une amie qui ne lui obéissait que parce qu'elle le voulait bien, et Ayla ne la mettait à l'attache que pour l'empêcher de s'éloigner. Une corde mince avait toujours suffi.

— Ce n'est pas ta faute, Ayla, assura Jondalar. Rapide ne les intéressait pas. C'est une jument qu'il leur fallait, pas un étalon. Whinney serait restée aussi s'ils ne l'avaient pas forcée.

— Oui, mais je savais qu'ils étaient dans les parages, et j'aurais dû deviner qu'ils viendraient chercher Whinney. Maintenant, elle est partie. Et Loup est blessé.

— Est-ce grave ?

— Je ne sais pas. Je ne peux pas le toucher, il a trop mal. J'ai l'impression qu'il a une côte cassée, ou une forte contusion. Il a certainement reçu un coup de sabot. Je vais lui donner quelque chose contre la douleur, et je regarderai mieux demain... avant de partir à la recherche de Whinney. Oh, Jondalar ! s'écria-t-elle en se réfugiant dans ses bras. Suppose qu'on ne la retrouve jamais... Par la Grande Mère, que deviendrais-je ?

25

— Regarde, Ayla, dit Jondalar, qui avait mis un genou à terre pour examiner les empreintes de sabots. La bande est passée par ici la nuit dernière. La piste est claire. Je t'avais dit qu'on les retrouverait facilement dès qu'il ferait jour.

Ayla observa les empreintes, et scruta l'horizon dans la direction où elles semblaient mener. Ils se trouvaient à l'orée du petit bois et la vue sur la vaste plaine était dégagée. Mais elle eut beau se crever les yeux, elle ne vit pas l'ombre d'un cheval. Les traces étaient nettes pour l'instant, mais pourraient-ils les suivre longtemps ?

La jeune femme n'avait pas fermé l'œil de la nuit. Et à peine le ciel s'éclaira-t-il, passant de l'ébène à l'indigo, qu'elle se leva, bien qu'il fût encore trop tôt pour distinguer les contours du paysage. Elle avait attisé le feu, mis des pierres chaudes dans l'eau pour préparer leur infusion matinale, pendant que la voûte céleste pâlissait graduellement vers le bleu.

Absorbée dans ses pensées, elle s'était attardée devant le feu, et Loup, qui avait rampé près d'elle, avait dû aboyer pour attirer son attention. Elle en avait profité pour examiner sa blessure, et avait constaté avec soulagement qu'aucun os n'était brisé. Un vilain hématome était déjà assez douloureux. Jondalar s'était levé dès l'infusion prête, bien avant qu'il fît assez jour pour suivre la piste des chevaux.

— Dépêchons-nous, qu'ils ne prennent pas trop d'avance, déclara Ayla, impatiente. Nous pouvons tout entasser dans le canot et... ah, non, suis-je bête... c'est impossible.

Elle venait de se rendre compte qu'en l'absence de la jument, les préparatifs du départ n'étaient plus aussi simples.

— Rapide ne sait pas tirer le travois, nous ne pouvons donc pas prendre le bateau, poursuivit-elle. Ni même emporter le porte-paniers de Whinney.

— D'autant que si nous voulons avoir une chance de rattraper les chevaux, nous devrons monter Rapide à deux. Ce qui signifie que nous ne pourrons pas prendre non plus son porte-paniers. Nous ne devrons emporter que le strict nécessaire.

Ils s'arrêtèrent pour évaluer la nouvelle situation à laquelle les condamnait l'absence de la jument. De graves décisions s'imposaient.

— Les fourrures de couchage et le tapis de sol que nous pourrions utiliser comme tente tiendraient roulés ensemble sur le dos de Rapide, suggéra Jondalar.

— Oui, un simple abri suffira, approuva Ayla. Nous n'emportions que ça avec les chasseurs du Clan. Nous maintenions la bâche levée sur le devant avec un piquet, et calions les côtés avec de grosses pierres ou des os pour l'empêcher de s'envoler.

Elle se rappela les expéditions de chasse auxquelles participaient des femmes.

— Les femmes portaient tout, excepté les lances, et devaient marcher vite pour suivre les hommes. Alors, nous nous chargions le moins possible.

— Qu'emportiez-vous d'autre ? demanda Jondalar, piqué

par la curiosité. Comment être le moins chargé possible ?

— Nous aurons besoin de la trousse à feu et de quelques outils. Une hachette à couper le bois et briser les os des animaux pour découper la viande. Nous pourrons faire brûler des herbes et des crottes séchées, mais il nous faut un outil pour couper les tiges.

Elle se fondait aussi sur son expérience de solitaire, après son bannissement.

— Je porterai ma ceinture avec les boucles pour ranger ma hache et mon couteau à manche d'ivoire, décida Jondalar. Tu devrais aussi emporter la tienne.

— Un bâton à fouir est toujours utile, et il peut servir à supporter la bâche. Emportons des vêtements chauds au cas où il se mettrait à faire vraiment froid, et aussi des protège-pieds.

— Ça c'est une bonne idée. Des protège-pieds, et nous pourrons toujours nous envelopper dans nos couvertures de fourrure.

— Il nous faut aussi une ou deux outres...

— Attachées à la ceinture, avec une cordelette assez longue pour les serrer contre notre corps, cela empêchera l'eau de geler.

— J'ai besoin de mon sac à médecines, et peut-être de mes outils de couture, cela ne prend pas de place. Ah oui, ma fronde, bien sûr !

— N'oublie pas le propulseur et quelques sagaies, ajouta Jondalar. Crois-tu que je devrais prendre des outils pour tailler le silex, et des morceaux de silex, au cas où un couteau se casserait ?

— Quoi qu'on emporte, il faut que ça tienne sur mon dos... J'y pense ! Je n'ai même pas de panier à charger sur mon dos.

— C'est à moi de porter les charges, rétorqua Jondalar. Mais je n'ai pas de panier non plus, hélas.

— Oh, nous devrions pouvoir en fabriquer un. Mais comment pourrai-je m'asseoir derrière toi si tu portes le panier sur ton dos ?

564

— Mais c'est moi qui serai derrière ! s'exclama Jondalar.

Ils échangèrent un sourire étonné. Il leur fallait même décider comment monter l'étalon, et chacun avait envisagé sa propre solution ! Jondalar remarqua qu'Ayla venait de sourire pour la première fois de la journée.

— Tu conduis Rapide, c'est à moi de m'asseoir derrière, insista-t-elle.

— Pas du tout. Je peux le diriger avec toi devant moi, protesta le géant. Si tu t'assieds derrière, tu ne verras que mon dos, et je crois que nous ne serons pas trop de deux pour repérer les empreintes. Elles seront certainement plus difficiles à distinguer sur le sol dur, ou si elles se mêlent à d'autres traces, or tu es un excellent traqueur.

— Oui, tu as raison, admit Ayla dont le sourire s'accentua. Je ne supporterais pas de ne rien voir.

Sensible à tant de sollicitude de la part de Jondalar, Ayla se mit soudain à pleurer à chaudes larmes.

— Ne pleure pas, Ayla. Nous retrouverons Whinney.

— Ce n'est pas à cause d'elle. C'est parce que je t'aime tellement !

— Moi aussi je t'aime, dit-il, la gorge serrée.

Elle se jeta dans ses bras, et sanglota sur l'épaule de Jondalar.

— Oh, Jondalar ! Il faut que nous retrouvions Whinney.

— Nous la retrouverons, ne t'inquiète pas. Nous prendrons tout le temps qu'il faudra. Maintenant, voyons comment fixer le panier sur mon dos. Il faut que je puisse mettre aussi mon propulseur et mes sagaies sur le côté, de façon à les atteindre rapidement.

— Cela ne devrait pas poser de problèmes. Nous emporterons aussi des provisions de route, naturellement, dit Ayla en s'essuyant les yeux d'un revers de main.

— Il nous en faut beaucoup ?

— Ça dépend. Combien de temps serons-nous partis ?

La question les fit réfléchir. Combien de temps partiraient-ils ? Combien de temps faudrait-il pour retrouver Whinney et la ramener ?

— Nous devrions rejoindre la bande en peu de jours, mais comptons tout de même une demi-lune.

Ayla compta mentalement sur ses doigts.

— Cela fait plus de dix jours, jugea-t-elle. Et même, presque trois mains, c'est-à-dire quinze jours. Crois-tu vraiment que ce sera aussi long ?

— Non, mais mieux vaut prévoir large.

— Mais nous ne pouvons pas abandonner le campement si longtemps ! s'exclama Ayla. Les bêtes vont le détruire ! Les loups, les gloutons, les hyènes ou les ours... non, pas les ours, ils dorment. Ils vont déchiqueter tout ce qui est en cuir, la tente, le canot, et mangeront les réserves de nourriture. Comment protéger ce que nous laisserons ?

— Loup pourrait garder le camp, proposa Jondalar, le front plissé. Si tu le lui ordonnais, crois-tu qu'il t'obéirait ? De toute façon, il est blessé. Ce serait mieux qu'il reste tranquille ici.

— Oui, il vaudrait mieux qu'il se repose, mais il ne restera pas. Il attendra un peu et puis en ne nous voyant pas rentrer, il partira à notre recherche.

— Et si on l'attachait ?

— Ah non ! Il n'aimerait pas cela du tout ! s'exclama Ayla. Tu n'aimerais pas non plus qu'on t'oblige à rester quelque part si tu n'en as pas envie ! Et s'il se faisait attaquer, il ne pourrait pas se défendre, ni s'enfuir ! Non, cherchons une autre solution.

Ayla était soucieuse et Jondalar contrarié ; ils rentrèrent au campement en silence, chacun réfléchissant à ce qu'ils pourraient faire de leur matériel. Comme ils atteignaient la tente, Ayla se rappela quelque chose.

— J'ai une idée, déclara-t-elle. Pourquoi ne pas tout ranger dans la tente et la fermer ? Il me reste encore du baume anti-Loup que j'avais fabriqué pour l'empêcher de mâcher nos affaires. Je peux le ramollir et l'étaler sur la tente, ça maintiendrait les bêtes à l'écart. Qu'en penses-tu ?

— Oui... à condition qu'il ne pleuve pas. Mais ça

n'empêchera pas certains de creuser le sol pour entrer par en dessous. Nous pourrions regrouper tout le matériel et l'envelopper avec la tente. Là, ton anti-Loup serait utile... mais il ne faudrait pas laisser le paquet n'importe où.

— Non, il faudrait le surélever, comme la viande, acquiesça Ayla. Et si nous l'accrochions aux perches ? Nous le recouvririons avec le canot pour le protéger de la pluie.

— Ah, ça c'est une trouvaille !... Oui, reprit-il après réflexion, mais un lion des cavernes peut très bien renverser les perches. Même une bande de hyènes déterminées, ou encore des loups. (Il promena son regard autour de lui, l'air songeur, et remarqua un buisson de ronces aux tiges dénudées et plantées d'aiguillons menaçants.) Regarde, Ayla. Nous pourrions peut-être planter les trois perches au milieu de ces buissons et les attacher à mi-hauteur pour poser dessus le paquet enroulé dans la tente et le recouvrir du canot ?

Ayla sourit.

— Oui, en faisant attention, nous pourrions couper quelques tiges pour entrer dans les ronces sans nous piquer, et ensuite refermer le passage. Les petits animaux pourraient encore approcher la tente, mais ils dorment tous à cette saison ou ne quittent pas leurs terriers. Et les ronces arrêteront les plus gros. Même les lions. C'est une idée merveilleuse, Jondalar !

Le choix de ce qu'ils emporteraient demandait réflexion. Ils se décidèrent pour quelques silex de rechange et les outils indispensables à la taille, des cordages, et le plus de nourriture possible. En triant ses affaires, Ayla tomba sur la ceinture spéciale et la dague en défense de mammouth que Talut lui avait offerte à la cérémonie d'adoption, au Camp du Lion. La ceinture était tressée de boucles pour y suspendre des objets, notamment la dague, qu'on souhaitait avoir à portée de main.

Elle attacha la ceinture sur ses hanches par-dessus sa tunique de fourrure, et soupesa la dague qu'elle hésitait à emporter. La pointe était très effilée, mais c'était tout de même un objet plus rituel que pratique. Mamut s'en était servi pour inciser le bras d'Ayla et marquer la plaque d'ivoire qu'il portait autour du cou avec le sang qui avait coulé. La trace de sang permettait de compter Ayla parmi les Mamutoï.

Ayla avait déjà vu utiliser une dague semblable pour les tatouages. On gravait de fines lignes dans la peau. On déposait ensuite sur les blessures le charbon noir d'un frêne calciné. Elle ignorait que les frênes produisaient un antiseptique, et il était peu probable que Mamut, qui lui avait enseigné cette technique, sût que ce bois possédait une telle vertu. Mais on avait bien recommandé à Ayla de n'utiliser que du bois de frêne pour noircir les cicatrices des tatouages.

Ayla rangea la dague dans son étui de cuir. Elle prit ensuite un autre étui qui protégeait le silex extrêmement aiguisé d'un couteau à manche d'ivoire que Jondalar lui avait fabriqué. Elle le passa dans une boucle de sa ceinture, et enfila dans une autre boucle le manche de la hachette qu'il lui avait offerte et dont la tête en pierre était enveloppée dans un morceau de cuir qui protégeait son tranchant.

Elle y accrocha aussi son propulseur, passa sa fronde sous la lanière, et y noua la bourse où elle rangeait ses pierres de jet. Le poids l'encombrait, mais c'était malgré tout une manière pratique de porter les objets quand on voulait se charger le moins possible. Elle ajouta ses sagaies à celles que Jondalar avait déjà rangées dans le panier dorsal.

Le tri des affaires à emporter et le camouflage de la tente leur avaient fait perdre beaucoup de temps et le soleil était haut dans le ciel lorsqu'ils enfourchèrent enfin Rapide et s'éloignèrent.

Au début, Loup courait à leur hauteur, mais retardé par sa blessure, il fut vite distancé. Malgré son inquiétude, et bien qu'elle ne sût pas s'il pouvait marcher longtemps, ni à quelle vitesse, Ayla décida de le laisser suivre à son rythme en espérant qu'il les rejoindrait quand ils s'arrêteraient. Elle était déchirée par ses préoccupations pour ses deux compagnons. Mais Loup n'était pas loin, et elle était confiante en sa guérison rapide. En revanche, elle ignorait où se trouvait Whinney, et plus ils tardaient, plus les chances de la retrouver diminuaient.

La piste les entraîna d'abord vers le nord-est, mais les traces bifurquèrent bientôt inexplicablement. Ayla et Jondalar dépassèrent ce point sans le voir et crurent qu'ils avaient perdu la piste. Ils revinrent en arrière, mais ne la retrouvèrent qu'en fin d'après-midi, et arrivèrent près d'une rivière à la tombée de la nuit.

De toute évidence, les chevaux avaient traversé le cours d'eau, mais il faisait trop sombre pour distinguer les empreintes, et ils décidèrent de camper au bord de l'eau. Oui, mais sur quelle rive ? S'ils traversaient maintenant, les vêtements seraient secs le lendemain, mais Ayla craignait que Loup perdît leur trace. Afin de l'attendre, ils dressèrent donc leur campement sur la rive où ils se trouvaient.

A part les empreintes, ils n'avaient vu aucun autre indice, et Ayla commençait à croire qu'ils n'avaient pas suivi le bon troupeau. Elle s'inquiétait aussi pour Loup. Jondalar s'efforça de la rassurer, mais à l'heure où toutes les étoiles scintillaient déjà dans le ciel, le quadrupède ne s'était pas encore montré. Ayla devenait inconsolable. Elle veilla tard et quand Jondalar réussit à la convaincre de venir se coucher, elle ne put s'endormir malgré sa fatigue. Elle allait s'assoupir lorsqu'un museau froid et mouillé vint se frotter contre sa joue.

— Loup ! Enfin, te voilà ! Regarde, Jondalar, Loup est là ! s'écria Ayla en secouant son compagnon.

Soulagé, Jondalar fut content de revoir l'animal, mais il était surtout heureux pour Ayla qui put enfin trouver le sommeil après s'être relevée pour donner à Loup la portion qu'elle lui avait gardée : un ragoût de viande séchée avec des racines, et une galette.

Dans la soirée, elle avait aussi préparé une infusion d'écorce de saule qu'elle avait mise de côté, et il eut assez soif pour laper entièrement le bol de potion calmante qu'elle lui présenta. Rassasié, il vint se rouler en boule contre leurs fourrures de couchage. Ayla s'endormit en l'enlaçant, et Jondalar se colla contre elle en l'entourant de ses bras. La nuit était claire mais glaciale, et ils s'étaient couchés tout habillés, n'ayant ôté que leurs bottes et leurs fourrures. Ils n'avaient même pas pris la peine d'installer l'auvent.

Le lendemain, Ayla trouva Loup en meilleure forme, mais prit néanmoins de l'écorce de bouleau dans son sac à médecines en peau de loutre et prépara une décoction qu'elle mélangea dans sa nourriture. Il leur fallait maintenant traverser la rivière, et les conséquences d'un bain glacé sur la santé de l'animal l'inquiétaient. Allait-il prendre froid, ou l'eau glacée en décongestionnant l'hématome serait-elle bénéfique ?

L'idée de mouiller ses vêtements n'exaltait pas Ayla. Plonger dans de l'eau froide ne l'effrayait pas — elle se baignait souvent dans des rivières gelées —, ce qui la retenait, c'était d'avoir à porter par la suite des vêtements humides par ce temps glacial. Elle commença par remonter le cuir de ses jambières au-dessus de ses mollets.

— Non, je préfère les enlever, décida-t-elle soudain en délaçant ses jambières.

A la vue d'Ayla, jambes nues sous sa tunique, Jondalar ne put réprimer un sourire et l'envie le brûla de se livrer à une occupation plus agréable que traquer des chevaux. Mais il savait Ayla trop préoccupée par Whinney pour penser à folâtrer.

D'ailleurs, pour drôle que fût l'accoutrement d'Ayla, il dut admettre que l'idée était excellente. La rivière n'étant pas très large bien que le courant fût rapide, ils pourraient donc traverser à deux sur Rapide, jambes et pieds nus, et remettre leurs habits secs de l'autre côté.

— Tu as raison. Evitons de mouiller nos jambières, approuva Jondalar en se mettant jambes nues.

Il attacha le panier sur son dos et Ayla souleva les fourrures de couchage pour s'assurer qu'elles ne trempaient pas dans l'eau. Jondalar se sentit un peu ridicule en enfourchant le cheval les jambes nues, mais la peau d'Ayla collée contre ses cuisses lui fit oublier sa gêne. Si elle n'avait été aussi impatiente de retrouver Whinney, Ayla aussi aurait été tentée de s'attarder davantage, et elle se promit de remonter un jour nue à cheval avec Jondalar. Pour le plaisir.

L'étalon dut briser la couche de glace pour pénétrer dans l'eau. Le courant était vif et la rivière assez profonde. Ils eurent bientôt de l'eau jusqu'à mi-cuisse et le cheval avait toujours pied. D'abord, Ayla et Jondalar remontèrent leurs jambes pliées hors de l'eau, mais elles furent bientôt engourdies et ils ne sentirent plus le froid. Arrivés à mi-parcours, Ayla se retourna et vit que Loup était resté sur la rive. Fidèle à lui-même, l'animal marchait de long en large, hésitant à se lancer. Ayla lui siffla des encouragements. Finalement le loup plongea bravement dans l'eau.

Ils atteignirent la rive opposée sans incident, et frigorifiés. Le vent qui mordit leurs jambes mouillées à leur descente de cheval n'arrangea rien. Avec leurs mains, ils essorèrent l'eau qui dégoulinait sur leurs cuisses et se hâtèrent d'enfiler leurs jambières et leurs bottes. Elles étaient fourrées de peaux de chamois feutrées, cadeau d'adieu des Sharamudoï particulièrement appréciable dans de telles circonstances. En se réchauffant, leurs membres fourmillèrent de picotements.

Dès qu'il atteignit la rive, Loup s'ébroua, et, après l'avoir examiné, Ayla constata avec satisfaction que le bain glacé n'avait pas aggravé sa blessure.

Ils retrouvèrent facilement la trace des chevaux et remontèrent sur le dos de Rapide. Encore une fois, Loup tenta de les suivre, mais fut vite distancé. Ayla se retournait souvent et le voyait avec inquiétude rapetisser rapidement. Qu'il les eût retrouvés la nuit dernière apaisait ses craintes, et en outre, lorsque Loup partait chasser de son côté, il les rattrapait toujours. Elle n'aimait pas qu'il restât à la traîne, mais il était impératif de retrouver Whinney.

Ce ne fut que vers le milieu de l'après-midi qu'ils aperçurent enfin les chevaux dans le lointain. A mesure qu'ils se rapprochaient, Ayla se crevait les yeux à chercher sa jument. Elle crut entrevoir la robe louvette de Whinney, mais n'aurait pu l'affirmer tant cette couleur était répandue dans la bande. Le vent en tournant renseigna les chevaux sur leur présence, et ils s'enfuirent.

— Ces chevaux-là ont déjà été chassés, remarqua Jondalar.

Il se retint à temps d'ajouter ce qui lui traversa l'esprit : il y a par ici des gens qui apprécient la viande de cheval. Inutile d'affoler Ayla.

Le troupeau distança rapidement le jeune étalon et ses deux cavaliers. Ils continuèrent à le pister. C'était tout ce qu'ils pouvaient faire pour l'instant.

Pour une raison connue d'eux seuls, les chevaux obliquèrent au sud vers la Grande Rivière Mère. Le relief s'éleva, le sol devint rocailleux et l'herbe plus rare.

Ils parvinrent alors à un vaste pré surplombant le paysage. De l'eau miroitait en contrebas, et ils découvrirent qu'ils se trouvaient sur un plateau dont ils avaient contourné la base quelques jours auparavant et que la rivière qu'ils avaient traversée enserrait de ses bras avant de se jeter dans la Mère.

Voyant que les chevaux se mettaient à brouter, ils s'approchèrent.

— Regarde, Jondalar, la voilà ! s'écria Ayla

— Comment peux-tu en être aussi sûre ? Il y a tellement de chevaux de cette couleur.

C'était la vérité, mais Ayla connaissait trop bien sa jument pour avoir l'ombre d'un doute, et lorsqu'elle siffla, Whinney leva la tête.

— Tu vois, c'est elle !

Au deuxième sifflement, Whinney s'avança. Mais la femelle dominante, une puissante et élégante jument à la robe gris tourdille, s'élança pour lui barrer la route. Le mâle se précipita à la rescousse. C'était un extraordinaire cheval clair, à la crinière argentée, avec une raie grise le long de l'échine, et une queue argentée qui paraissait presque blanche lorsqu'il l'agitait. Les canons étaient également argentés. Il obligea Whinney à réintégrer la bande en lui mordillant les jarrets, sous le regard intéressé des autres femelles qui observaient la scène avec nervosité. Sa tâche accomplie, il revint au galop provoquer le jeune étalon. Il frappa du devant, rua et hennit, défiant Rapide en combat singulier.

Intimidé, le jeune étalon recula et, au grand désespoir de ses cavaliers, aucun encouragement, aucune cajolerie ne l'incitèrent à s'approcher. Parvenu à distance respectable, il appela sa mère et le hennissement familier de Whinney lui répondit. Ayla et Jondalar descendirent de cheval pour examiner la situation.

— Qu'allons-nous faire ? gémit Ayla. Ils ne la laisseront jamais partir.

— Ne t'inquiète pas, il y a un moyen. S'il le faut, nous utiliserons nos propulseurs, mais je ne crois pas que ce sera nécessaire.

Sa froide assurance calma Ayla qui n'avait même pas pensé aux propulseurs. Elle ne voulait pas tuer de chevaux, mais elle était prête à tout pour récupérer son amie.

— Tu as un plan ? s'enquit-elle.

— Oui. Je suis sûr que ces chevaux ont déjà été chassés. Ils doivent donc craindre les humains, ce qui nous donne un avantage. A mon avis, le mâle dominant pensait que Rapide voulait lui prendre une femelle et il cherchait à l'empêcher d'approcher. Nous devons donc éloigner Rapide, expliqua Jondalar. Whinney accourra quand tu la siffleras. Pendant que j'occuperai l'étalon, toi, tu éloigneras la femelle. Dès que tu seras près de Whinney, saute sur son dos. Si la femelle dominante essaie d'empêcher Whinney de te rejoindre, menace-la avec ta sagaie ou hurle lui après, elle se tiendra à distance le temps que tu t'enfuies avec Whinney.

Ayla se rassérénait.

— Ça a l'air facile, mais que faire de Rapide ?

— J'ai repéré des buissons près d'un rocher, un peu plus loin. Je vais l'attacher à une branche. Ce ne sera pas bien solide, mais je ne crois pas qu'il cherchera à se libérer. Il a l'habitude d'être attaché.

Il empoigna la bride du jeune étalon et l'emmena à grandes enjambées.

— Voilà, dit-il en arrivant au rocher. Prends ton propulseur et une ou deux sagaies. Je laisse mon panier ici, je serai plus libre de mes mouvements. (Il sortit son propulseur et quelques sagaies.) Quand tu auras récupéré Whinney, viens chercher Rapide et rejoins-moi.

Le plateau était orienté du nord-est au sud-ouest. La déclivité douce vers le nord s'accentuait vers l'est. Au sud-ouest, un précipice le bordait. A l'ouest, on pouvait rejoindre par une pente assez abrupte la rivière qu'ils avaient traversée plus tôt, mais au sud un haut précipice les séparait de la Grande Rivière Mère. Le temps était clair et le soleil encore haut. Ayla et Jondalar longèrent prudemment le flanc ouest, le moindre faux pas risquant de les précipiter dans le ravin.

Lorsqu'ils furent assez près du troupeau, ils s'arrêtèrent pour chercher Whinney. La bande, constituée de juments et de poulains, paissait au milieu d'un champ d'herbe sèche d'un mètre de haut. L'étalon dominant broutait légèrement à l'écart. Ayla crut apercevoir sa jument et la siffla. Whinney leva la tête et trotta à leur rencontre. Son propulseur armé, Jondalar s'avança lentement pour s'interposer entre l'étalon clair et le reste du troupeau. Pendant ce temps-là, Ayla avança vers les femelles, prête à enlever Whinney.

Soudain, les chevaux s'arrêtèrent de brouter et levèrent la tête. Mais ils ne regardaient pas dans sa direction, et Ayla eut la brusque impression que quelque chose n'allait pas. Elle chercha Jondalar et aperçut une mince volute de fumée, puis une autre. Le feu avait enflammé le champ desséché en plusieurs endroits. Soudain, derrière l'écran de fumée, elle aperçut des silhouettes qui couraient vers les chevaux en hurlant et en brandissant des torches ! Ils chassaient les chevaux et Whinney vers le précipice !

La panique s'empara de la bande. Tout à coup, au milieu des cris affolés des chevaux, Ayla entendit un hennissement familier qui provenait de derrière. Elle se retourna et vit Rapide qui galopait vers les chevaux, traînant sa longe après lui. Pourquoi s'était-il enfui ? Et où pouvait être Jondalar ? Ayla sentait l'odeur de peur suintant des chevaux terrorisés qui fuyaient dans la direction opposée au feu.

Les chevaux se bousculaient autour d'elle et Ayla avait perdu Whinney de vue, mais Rapide, saisi à son tour par la panique, galopait dans sa direction. Elle siffla le plus fort qu'elle put et se précipita à sa rencontre. Il ralentit et vint vers elle, les oreilles couchées, le regard fou. Elle réussit à attraper sa longe qui pendait de son harnais, et la tira d'un coup sec. Il hennit et se cabra. D'autres chevaux terrorisés le dépassaient en le frôlant. Ayla se brûla en serrant la corde qu'il faillit lui arracher des mains, mais elle tint bon et dès que ses antérieurs touchèrent le sol, elle empoigna sa crinière et l'enfourcha.

D'une nouvelle ruade, Rapide manqua désarçonner Ayla qui se rétablit de justesse. L'animal avait toujours peur, mais il avait l'habitude de porter un poids sur son dos, et la présence familière de la jeune femme le rassura. Lorsqu'il se mit à courir, Ayla eut d'abord du mal à le contrôler. Elle l'avait déjà chevauché et connaissait les signaux que Jondalar utilisait pour le guider, mais elle n'avait pas l'habitude de se servir des rênes. Rapide n'obéit pas aussitôt aux premières tentatives hésitantes d'Ayla, plus occupée à chercher Whinney qu'à maîtriser l'étalon.

Ils étaient engloutis dans la bousculade des chevaux qui galopaient en hennissant, et Ayla respirait la puissante odeur de peur. Elle poussa un long sifflement perçant, craignant que Whinney ne pût l'entendre dans ce vacarme.

575

Elle savait combien il était difficile d'arrêter un cheval dans sa fuite.

Soudain, dans le brouillard de poussière et de fumée, Ayla vit un cheval ralentir et essayer de faire demi-tour, résistant tant bien que mal à la peur que les chevaux lui communiquaient dans leur fuite éperdue. Ayla reconnut Whinney malgré la couleur poussiéreuse de son pelage. Elle siffla pour l'encourager, et vit sa jument tant aimée hésiter. L'instinct profondément ancré de fuir avec la bande luttait contre l'envie d'obéir au sifflet qui signifiait sécurité et amour. De plus, le feu ne l'effrayait pas autant que les autres chevaux. Elle avait été élevée dans les odeurs de fumée qui témoignaient pour elle de la présence rassurante d'humains.

Whinney hésitait. Des chevaux au galop la frôlaient, d'autres la bousculaient en essayant de l'éviter. Ayla talonna Rapide qui s'élança. La jument allait à leur rencontre quand un cheval clair surgit de la poussière. Le grand mâle tenta de couper la retraite de Whinney et lança à Rapide un hennissement menaçant. Même dans son affolement, il refusait d'abandonner sa nouvelle jument au jeune étalon. Mais cette fois Rapide releva le défi. Il hennit, piaffa, frappa du devant et s'avança finalement au-devant du puissant mâle, oubliant d'un coup sa jeunesse et son manque d'expérience.

Changeant brusquement d'avis, ou poussé par la panique, le grand mâle fit volte-face et détala. Whinney le suivit, et Rapide se lança à sa poursuite. Les chevaux approchaient dangereusement du précipice et de la mort certaine qui les attendait. La jument louvette et le jeune étalon qu'elle avait mis bas, portant Ayla sur son dos, étaient entraînés dans leur sillage ! Avec la détermination du désespoir, la jeune femme poussa l'étalon qu'elle fit stopper devant sa mère. Rapide hennit de terreur, et voulut rejoindre les autres, mais la femme le tenait bien et le dressage qu'il avait subi le força à obéir.

Tandis que Rapide et Whinney, immobiles, tremblaient

de peur, tous les chevaux les avaient dépassés et ils disparurent dans le précipice. Ayla frissonna en entendant des hennissements lointains, suivis d'un silence encore plus effrayant. Rapide, Whinney et elle-même n'avaient échappé que de justesse à la chute. Ayla en tremblait encore. Elle poussa un profond soupir et se mit à chercher Jondalar.

Elle ne le vit nulle part. Le vent changeait, les flammes avançaient maintenant vers l'est, mais le feu avait atteint son but. Jondalar restait introuvable. Ayla était seule avec les deux chevaux dans le champ enfumé. Sa gorge se serra. Qu'était-il arrivé à Jondalar ?

Elle mit pied à terre et, sans lâcher la longe de Rapide, enfourcha Whinney. Ils retournèrent à l'endroit où elle avait quitté Jondalar, l'examina soigneusement à la recherche de traces. Mais le sol était couvert d'empreintes de sabots. Un objet accrocha son regard. Elle se précipita le cœur battant, et ramassa le propulseur de Jondalar !

En y regardant de plus près, elle remarqua des traces de pieds. C'étaient, à n'en pas douter, des pieds humains, et elle reconnut parmi eux les empreintes plus larges des bottes usées de Jondalar. Elle les avait vues tant de fois autour de leurs campements qu'elle ne pouvait se tromper. Elle se baissa, toucha l'empreinte du doigt. Elle le retira taché de sang !

La peur lui noua la gorge. En prenant soin de ne pas piétiner les traces, elle regarda autour d'elle, essayant de reconstituer ce qui avait pu se passer. Ayla était un traqueur émérite, et son œil exercé ne tarda pas à découvrir qu'on avait blessé Jondalar et qu'on l'avait ensuite traîné. Elle suivit quelque temps les traces qui la menaient vers le nord, et nota les détails des environs pour être sûre de retrouver la piste le moment venu. Elle remonta sur Whinney, et retourna chercher leurs affaires, tenant toujours Rapide par sa longe.

Tout en chevauchant, Ayla réfléchissait, inquiète et

révoltée en même temps. On avait blessé et enlevé Jondalar, et personne n'avait le droit d'agir ainsi. Elle ne connaissait peut-être pas toutes les coutumes des Autres, mais ça, elle le savait. Elle savait autre chose encore : d'une manière ou d'une autre, elle le retrouverait.

Elle constata avec soulagement que leurs affaires étaient toujours dans le panier adossé au rocher, tel qu'ils l'avaient laissé. Elle déballa le contenu, entreprit d'installer quelques paquets sur le dos de Rapide, et réunit le reste dans le panier. Le matin, elle avait ôté sa ceinture, trop lourde, et l'avait laissée avec les autres paquets. Elle s'en empara et en examina la dague de cérémonie, toujours accrochée dans la boucle, et se piqua par mégarde. Saisie, elle regarda la goutte de sang perler, et fut sur le point d'éclater en sanglots. Elle se retrouvait seule encore une fois. Et on avait enlevé Jondalar.

D'un geste décidé, elle attacha sa ceinture autour de sa taille et y accrocha sa dague, son couteau, le propulseur et les sagaies. Jondalar ne resterait pas prisonnier longtemps ! Elle entassa la tente sur la croupe de Rapide, mais garda les fourrures de couchage en cas de mauvais temps. Elle conserva aussi une outre d'eau. Elle s'assit ensuite et mangea une galette, moins par appétit que pour emmagasiner le maximum d'énergie. Elle en aurait besoin si elle devait pister ceux qui avaient capturé Jondalar.

Son deuxième souci majeur concernait Loup. Elle ne voulait pas partir à la recherche de Jondalar avant d'avoir retrouvé son loup. D'abord parce qu'elle l'aimait, mais aussi en prévision de la traque : Loup avait un flair remarquable. Elle espérait de tout cœur qu'il réapparaîtrait avant la nuit, mais hésita à partir à sa rencontre. S'il s'était écarté de la piste pour chasser, ils risquaient de se manquer. Quelle que fût son impatience, elle décida donc de l'attendre.

Elle essaya de bâtir un plan d'action, mais son cerveau

se refusait à toute analyse. Le simple fait de blesser quelqu'un et de l'enlever lui semblait si aberrant qu'elle était incapable de réfléchir. Cela défiait toute logique !

Un gémissement suivi d'un petit jappement la sortirent de sa torpeur. Loup courait vers elle, tout content de la retrouver.

— Oh, Loup ! s'écria-t-elle, joyeuse. Tu as fait plus vite qu'hier, c'est bien. Ta blessure va mieux ?

Après les traditionnelles embrassades, elle l'examina et put vérifier qu'il n'avait rien de cassé. L'hématome se résorbait normalement.

Elle décida de partir sur-le-champ afin de repérer les traces pendant qu'il faisait encore jour. Elle attacha la longe de Rapide à la courroie qui maintenait la couverture sur le dos de Whinney, et enfourcha la jument. Elle dit à Loup de la suivre, et conduisit la jument à l'endroit où elle avait découvert les empreintes de Jondalar parmi une foule d'autres, son propulseur et la tache de sang, qui n'était plus qu'une mince traînée brunâtre. Elle descendit de cheval pour examiner attentivement les traces.

— Loup, il faut absolument retrouver Jondalar, expliqua-t-elle à l'animal qui l'observait d'un air perplexe.

Accroupie, elle étudia les empreintes en s'efforçant de les identifier pour connaître le nombre des agresseurs, et pour les graver dans sa mémoire. Assis sur son arrière-train, Loup attendait patiemment, devinant que quelque chose de nouveau et d'extraordinaire se préparait. Finalement Ayla lui montra la tache de sang.

— On a blessé Jondalar, et on l'a enlevé, annonça-t-elle. Il faut qu'on le retrouve.

Loup flaira le sang séché, remua la queue et jappa.

— Ça, c'est l'empreinte de Jondalar, expliqua Ayla en désignant une trace plus large que les autres.

Loup la renifla. Il regarda ensuite Ayla comme s'il attendait de nouvelles instructions.

— Ce sont ceux-là qui l'ont enlevé, reprit-elle en lui montrant les empreintes plus petites des autres humains.

Ayla se releva soudain et marcha sur Rapide. Elle saisit le propulseur de Jondalar et s'agenouilla pour le faire sentir à Loup.

— Loup, nous devons retrouver Jondalar. On l'a enlevé, et nous allons le reprendre !

26

Jondalar émergea lentement d'un profond sommeil, mais resta immobile. Prudent, il fit le mort en attendant de comprendre ce qui était anormal, et de toute évidence, quelque chose n'allait pas. Pour commencer, une douleur lancinante lui martelait le crâne. Il risqua un œil. L'endroit baignait dans une lumière blafarde qui lui permit à peine de voir sur quoi il gisait. Lorsqu'il voulut porter la main à son visage, où une sorte de croûte le gênait, il s'aperçut que ses mains étaient liées derrière son dos. Ses pieds étaient également entravés.

Il roula sur le côté et scruta la pénombre. Il se trouvait dans une pièce ronde construite sur une armature en bois recouverte de peaux. L'absence de vent et de courant d'air, qui auraient dû gonfler les peaux, lui donnait à penser que la petite pièce faisait partie d'un ensemble plus vaste. D'ailleurs, bien qu'il fît froid, il ne gelait pas. Il se rendit alors compte qu'il ne portait plus sa pelisse.

Comme il se tortillait pour s'asseoir, la tête lui tourna. La douleur lancinante se localisa près de sa tempe gauche, là où il avait senti la sorte de croûte. Il abandonna ses efforts en entendant des voix approcher. Deux femmes parlaient dans une langue qu'il ne connaissait pas, bien que certains sons lui eussent vaguement rappelé le mamutoï.

— Hé, vous là-bas ! Je suis réveillé, cria-t-il dans la langue des Chasseurs de Mammouths. Allez-vous me détacher ? Ces liens sont inutiles, il y a eu méprise. Je ne voulais blesser personne.

Les voix cessèrent un instant avant de reprendre leur conversation, mais personne ne lui répondit.

Etendu, le visage dans la poussière, Jondalar essayait de se rappeler comment il avait échoué ici, et ce qu'il avait bien pu faire pour mériter un tel traitement. D'après son expérience, les seules personnes qu'on attachait étaient celles qui s'étaient mal conduites et en avaient menacé d'autres. L'image d'un mur de feu lui revint, avec des chevaux galopant aveuglément vers le précipice qui bordait un champ. Il avait certainement été capturé au cours d'une chasse.

Il se souvint ensuite d'Ayla qui montait Rapide au milieu des chevaux sans parvenir à le contrôler. Il ne comprenait pas comment l'étalon s'était retrouvé au milieu de la bande de chevaux, alors qu'il l'avait attaché à un buisson.

Il avait eu très peur que Rapide, obéissant à son instinct, ne suivît les autres par-dessus bord, entraînant Ayla dans le précipice. Il se revoyait encore, son propulseur à la main, courant vers eux. Malgré toute son affection pour le bel étalon, il n'aurait pas hésité à le tuer pour l'empêcher de sauter. Ensuite, il ne se souvenait plus de rien, si ce n'est d'une vive douleur suivie d'un grand trou noir.

On a dû me frapper, se dit-il. Et il fallait que ce fût un coup violent parce que je ne me rappelle pas qu'on m'ait amené ici. Et ma tête me fait toujours mal. Ils ont certainement cru que j'avais gâché leur chasse. C'était dans des circonstances analogues qu'il avait rencontré Jeren. Thonolan et lui avaient malencontreusement fait fuir une bande de chevaux que les chasseurs poussaient dans un piège. Mais sa colère passée, Jeren avait compris que c'était involontaire, et ils étaient devenus amis. Aurais-je gâché leur chasse? s'inquiéta-t-il.

Il tenta encore de s'asseoir. Il replia les genoux en s'arc-boutant, roula sur lui-même en s'efforçant de se redresser dans la position assise. Après plusieurs tentatives, et malgré la violente douleur qui lui battait la tempe, il finit par réussir. Il ferma les yeux, espérant que la douleur s'atténuerait, mais quand elle se fit moins vive, son inquiétude pour Ayla et les chevaux s'accrut d'autant. Whinney et Rapide étaient-ils tombés dans le précipice? Rapide avait-il entraîné Ayla dans sa chute?

Etait-elle morte? Son cœur se serra soudain. Ayla et les chevaux étaient-ils partis dans l'autre monde? Et Loup, qu'était-il devenu? Quand l'animal rejoindrait enfin le pré, il ne trouverait plus personne. Jondalar l'imaginait reni-flant partout, suivant une piste, puis une autre. Que deviendrait-il? Loup était un bon chasseur, mais il était blessé. Pourrait-il chasser avec sa blessure? Il n'avait pas l'habitude de vivre seul, Ayla et sa « bande » lui manque-raient. Comment parviendrait-il à se débrouiller? Et que se passerait-il s'il tombait sur une bande de loups sauvages? Serait-il capable de se défendre?

Quelqu'un va-t-il enfin venir? J'aimerais boire un peu d'eau. On a pourtant dû m'entendre. J'ai faim, mais j'ai surtout très soif. Sa bouche devenait de plus en plus sèche, et sa soif grandissait.

— Hé, là-dedans! J'ai soif! Y a-t-il quelqu'un pour m'apporter à boire? cria-t-il. Qu'est-ce que c'est que ces manières? Qui êtes-vous donc pour attacher un homme et lui refuser à boire?

Aucune réponse. Après d'autres essais infructueux, il décida d'économiser son souffle. Il se desséchait la bouche inutilement, et sa tête lui cognait. Il pensa à s'allonger, mais après les efforts qu'il avait fournis pour s'asseoir, il y renonça.

Comme le temps passait, il devenait morose. Il était

faible, au bord du délire, et des images frappantes de réalisme défilaient dans sa tête meurtrie. Il se persuadait qu'Ayla était morte, et les deux chevaux aussi. Quant à Loup, il le voyait errant, affreusement blessé, incapable de chasser, cherchant désespérément Ayla, à la merci d'une bande de loups ou de hyènes... ce qui valait peut-être mieux que de crever de faim. Il se demandait si on allait le laisser mourir de soif, il le souhaitait même, puisque Ayla était partie. S'identifiant à la situation misérable de Loup, il songea qu'ils étaient les deux seuls survivants d'une bande de voyageurs hors du commun, sur le point de disparaître à leur tour.

Un bruit de pas le tira du désespoir. Le rabat de l'entrée s'ouvrit, et une silhouette se découpa dans la lumière d'une torche. Campée sur ses jambes écartées, mains sur les hanches, elle aboya un ordre. Deux femmes s'avancèrent alors dans la petite pièce, le soulevèrent et le traînèrent à genoux aux pieds de l'apparition. Le sang battait dans sa tempe, avivant la douleur, et il s'appuya en chancelant contre l'une des deux femmes. Elle le rejeta brutalement.

Celle qui avait lancé l'ordre abaissa son regard sur lui, et éclata d'un rire mauvais. On aurait dit le ricanement discordant d'une démente. Jondalar ne put s'empêcher de sursauter, parcouru d'un frisson de peur. La femme lui cracha quelques mots à la face. Jondalar titubait, sa vue s'embrouilla. La femme aboya d'autres ordres, tourna les talons et sortit. Les deux femmes qui le maintenaient le lâchèrent pour la suivre. D'autres les accompagnaient. Jondalar s'écroula, au bord de l'évanouissement.

On coupait les liens qui lui serraient les chevilles, et quelqu'un versait de l'eau dans sa bouche. Il faillit s'étrangler, mais s'efforça de boire quelques gouttes. La femme qui tenait l'outre proféra des paroles de dégoût et jeta la poche d'eau à un vieil homme. Celui-ci s'avança et leva l'outre au-dessus de Jondalar. Sans douceur, mais avec plus de patience, il fit couler le précieux liquide de sorte que Jondalar pût enfin étancher sa soif brûlante.

Mais avant qu'il fût rassasié, la femme éructa un son bref et l'homme emporta l'outre d'eau. Elle tira ensuite Jondalar, le fit lever, et le poussa dehors. Toujours étourdi, il avança en chancelant, et la femme le poussa parmi un groupe d'hommes. Il faisait froid mais personne ne daigna lui rendre sa pelisse, ni lui délier les poignets pour lui permettre de se réchauffer en se frottant les mains.

L'air glacial le réveilla, et il remarqua que d'autres hommes portaient comme lui les mains attachées derrière le dos. Il examina plus attentivement le groupe auquel on l'avait mêlé. Il se composait d'hommes de tous âges, du plus jeune — des enfants, même — au plus vieux. Tous étaient maigres, hirsutes, faibles et sales, vêtus d'habits disparates. Certains avaient des plaies couvertes de sang coagulé et de poussière.

Jondalar tenta d'engager la conversation en mamutoï avec son voisin, mais l'homme ne semblait pas comprendre. Jondalar essaya le sharamudoï, mais l'homme détourna la tête lorsqu'une femme menaça Jondalar d'une sagaie en hurlant un ordre qu'il ne saisit pas. Mais le geste était éloquent et Jondalar commençait à se demander si l'homme avait eu peur de lui parler, ou s'il n'avait réellement pas compris son langage.

Plusieurs femmes armées de sagaies entourèrent le groupe d'hommes. L'une d'elles aboya un ordre et la petite troupe s'ébranla. Jondalar en profita pour examiner les lieux. Le camp, composé de plusieurs habitations circulaires et semi-souterraines, lui parut familier bien qu'il ne reconnût pas le paysage. Ces abris ressemblaient en fait à ceux des Mamutoï. La construction était analogue : charpente en os de mammouth, recouverte de chaume, de mottes de gazon, et enduite d'argile.

Ils gravirent ensuite une colline d'où la vue était plus étendue. C'était une région de toundra — steppes dépourvues d'arbres, dont le sol reste gelé en profondeur une partie de l'année et se transforme en boue noire en été. Seules des herbacées naines y poussaient. Au printemps

585

elles coloraient les plaines de leurs floraisons éclatantes et nourrissaient des cohortes de bœufs musqués, de rennes, ou autres animaux capables de les digérer. Par plaques, on voyait aussi des forêts de petits conifères de hauteur si uniforme qu'on les aurait cru taillés par quelque couteau gigantesque, ce qui était d'ailleurs le cas. Le vent glacial, charriant de la neige fondue ou des particules de lœss cailloutenx, rasait impitoyablement tout rameau qui osait dépasser ses semblables.

Ils poursuivaient leur pénible ascension. Jondalar aperçut au nord un troupeau de mammouths qui paissait, et plus près, une bande de rennes. Il savait que les chevaux vivaient dans la région, et il se doutait que les bisons et les ours s'y aventuraient à la saison chaude. Ce pays était plus proche du sien que les gras pâturages des steppes, bien que la végétation dominante fût différente, de même que le mélange de bêtes.

Jondalar surprit un mouvement sur sa gauche. Un lièvre blanc s'enfuyait devant un renard polaire. Le gros lièvre changea brusquement de direction, passa devant le crâne en décomposition d'un rhinocéros laineux, et se faufila dans une orbite vide.

Là où l'on trouvait des rhinocéros et des mammouths, on trouvait aussi des lions des cavernes, et en considérant la profusion d'herbivores, probablement des hyènes et certainement des loups. Jondalar s'étonnait de l'abondance de viande, d'animaux à fourrure et de plantes. Voilà une terre riche, songea-t-il. Evaluer les ressources d'une contrée était pour lui une seconde nature, comme pour la plupart des humains. Ils vivaient de la terre et ce genre d'observation était indispensable à leur survie.

Le groupe atteignit une terrasse à flanc de colline, et s'arrêta. Jondalar constata que les chasseurs qui habitaient cette région possédaient un avantage incomparable. Non seulement ils pouvaient voir les animaux venir de loin, mais les troupeaux qui parcouraient la région étaient obligés de passer par un étroit défilé entre une paroi calcaire et la rivière. Quelles proies faciles ! Jondalar n'en était que plus surpris par la chasse aux chevaux près de la Grande Mère Rivière.

Des cris de douleur le tirèrent de sa contemplation. Une femme aux longs cheveux gris ébouriffés, soutenue par deux femmes plus jeunes, gémissait et pleurait. Elle se libéra soudain, tomba à genoux et s'allongea sur une forme étendue au sol. Jondalar s'avança pour mieux voir. Dépassant d'une bonne tête ses compagnons, il découvrit aisément la cause de cette douleur.

C'était un enterrement. Trois corps étaient étendus sur le sol. Deux d'entre eux étaient manifestement des hommes, identifiables à leur barbe. Le plus grand, les joues couvertes d'un duvet épars, semblait le plus jeune. La femme aux cheveux gris pleurait sur le corps de l'autre homme, dont la courte barbe châtain était plus fournie. Le troisième corps était assez grand et mince, et la façon dont il était étendu suggérait une certaine difformité. Jondalar ne lui vit pas de poils sur la figure et il pensa d'abord à une femme. A moins que ce ne fût un jeune homme qui se rasait la barbe. Tous trois n'avaient pas vingt ans.

Les vêtements ne fournissaient pas beaucoup d'indications. Les trois corps étaient vêtus de jambières et de larges tuniques qui ne laissaient rien deviner. Les habits semblaient neufs, mais dépourvus de décorations. Comme si on s'était efforcé de les rendre anonymes pour l'autre monde.

Les deux femmes qui l'avaient soutenue relevèrent la femme aux cheveux gris, et la traînèrent presque — mais sans brutalité — loin du corps du jeune homme. Une autre femme s'avança. Son visage était curieusement asymétrique et déformé, un côté plus petit que l'autre et légèrement en retrait, mais elle ne faisait aucun effort pour le cacher. Ses cheveux clairs, peut-être même gris, étaient tirés en arrière et retenus en chignon sur le sommet de sa tête.

D'après Jondalar, elle devait avoir le même âge que Marthona, sa mère, et bien qu'elle ne lui ressemblât pas, elle se déplaçait avec la même grâce et la même dignité.

Elle ne manquait pas de charme en dépit de sa légère difformité, et son visage commandait le respect. Lorsqu'elle croisa son regard, il se rendit compte qu'il l'avait dévisagée avec insistance, mais elle détourna précipitamment les yeux, du moins lui sembla-t-il. Elle prit la parole pour conduire la cérémonie funéraire. Jondalar pensa qu'elle devait être une mamut, une femme qui communiquait avec le monde des esprits, l'équivalent d'une zelandoni, une chamane.

Quelque chose attira son attention et lui fit tourner la tête. Il vit une femme qui ne le quittait pas des yeux. Grande, musclée, solidement charpentée, mais d'un physique agréable, avec des cheveux châtain clair et, chose curieuse, des yeux très noirs. Elle ne détourna pas son regard sous celui de Jondalar, mais le toisa au contraire sans vergogne. D'ordinaire, il aurait été attiré par une aussi belle femme, mais son sourire le mit mal à l'aise.

Alors, il remarqua qu'elle se tenait campée sur ses jambes écartées, les mains sur les hanches, et il la reconnut soudain : c'était cette femme qui lui avait ri au nez d'un air si menaçant. Il réprima l'envie de se reculer et de se cacher au milieu des autres malheureux, sachant très bien que c'était impossible. Il n'était pas seulement plus grand que les autres, il était le seul qui paraissait encore solide et en bonne santé. On le reconnaîtrait où qu'il se cachât.

La cérémonie se déroulait comme une nécessité déplaisante plutôt que dans la solennité. Sans linceul, les corps furent portés un par un dans une simple tombe peu profonde. Jondalar nota leur aspect flasque, indice de leur mort récente. Leurs membres n'avaient pas encore eu le temps de se raidir, ni l'odeur d'empuantir. On déposa le long corps mince en premier, allongé sur le dos, on saupoudra de l'ocre rouge sur son visage, et, bizarrement, sur son bassin, la puissante zone reproductrice, ce qui incita Jondalar à penser que c'était bien une femme.

Les deux autres furent disposés différemment mais de manière encore plus étrange. On allongea de profil l'homme à la barbe châtain, à la droite du premier cadavre et on posa sa main sur la région pubienne de celui-ci. On jeta presque le troisième corps dans la tombe, face contre terre, à la gauche du premier. On saupoudra ensuite de l'ocre rouge sur leurs deux têtes. D'évidence, la poudre sacrée avait un pouvoir protecteur, mais lequel ? Jondalar était perplexe.

On commençait à reboucher la tombe de terre lorsque la femme aux cheveux gris se libéra de nouveau, et courut y jeter des objets. Jondalar reconnut deux couteaux en pierre et quelques pointes de silex.

La femme aux yeux noirs s'avança, visiblement outrée. Elle désigna la tombe du doigt et éructa un ordre. L'homme à qui elle s'était adressée parut effrayé mais ne broncha pas. La chamane prit alors la parole sur un ton désapprobateur. La femme lui cria sa colère et sa frustration, mais la chamane tint bon. La femme autoritaire la gifla d'un revers de main. Tout le monde retint son souffle, mais celle qui était en colère battit en retraite, suivie d'une coterie de femmes armées de sagaies.

La chamane ignora la gifle. Pourtant, d'où il était, Jondalar pu voir sa joue s'empourprer. On combla la tombe à la hâte avec de la terre mêlée de morceaux de charbon de bois et de fragments de bois calciné. On avait dû faire de fameux feux de joie par ici, pensa Jondalar. Il jeta un coup d'œil dans le défilé en contrebas et comprit immédiatement : la position offrait un point de vue idéal pour surveiller l'approche d'animaux — ou de qui que ce soit — et les feux servaient de signaux...

Dès que les corps furent recouverts, on fit redescendre les hommes et on les conduisit dans un enclos fermé par une haute palissade construite avec des troncs d'arbres taillés et liés entre eux. Jondalar remarqua des os de mammouth curieusement empilés contre la clôture. Peut-être la soutenaient-ils ? On le sépara des autres, et on le ramena dans la bâtisse principale qu'il étudia soigneusement avant d'entrer.

La lourde charpente avait été construite avec des pieux taillés dans de jeunes arbres, la plus grosse extrémité fichée dans le sol. Leurs sommets avaient été courbés et joints. Des peaux de bêtes recouvraient la charpente, et le rabat de l'entrée se fermait de l'extérieur avec des lanières.

Puis on le poussa à l'intérieur de sa cellule nue, sans même une paillasse. On n'y tenait debout qu'au milieu, et Jondalar fit le tour de l'endroit en courbant la tête. Il remarqua que les peaux étaient vieilles et déchirées, pourries par endroits, et grossièrement reprisées à d'autres. Les coutures étaient si lâches qu'on voyait au travers et il s'accroupit pour surveiller l'entrée restée ouverte. Quelques personnes passèrent, mais personne ne s'arrêta.

Au bout d'un certain temps, il eut une forte envie d'uriner, mais ses mains liées l'empêchaient de tenir sa verge. Si personne ne venait rapidement le détacher, il serait obligé de se souiller. De plus, le frottement des liens écorchait ses poignets. Jondalar sentit la colère monter. Tout ceci était ridicule ! La plaisanterie avait assez duré !

— Ohé ! cria-t-il. Pourquoi me garde-t-on captif comme un animal pris au piège ? Je n'ai fait de mal à personne. Détachez-moi les mains ! Sinon, je vais me pisser dessus... Mais quel genre d'humains êtes-vous donc ? reprit-il après avoir vainement attendu une réponse.

Il se leva et s'appuya contre la paroi de sa cellule qui bougea légèrement. Voyant cela, il prit son élan et se rua sur la charpente, l'épaule en avant. L'ébranlement s'accentua. Il recommença et entendit le bois craquer. Il jubila. Il se reculait pour reprendre son élan quand des bruits de pas l'arrêtèrent.

— Ah, enfin ! cria-t-il. Laissez-moi sortir ! Laissez-moi sortir tout de suite !

On détachait les lanières de l'entrée. Le rabat s'ouvrit à la volée, et des femmes surgirent, leur sagaie pointée vers lui. Jondalar les ignora et se fraya un passage vers la sortie.

— Détachez-moi ! ordonna-t-il en leur tournant le dos pour leur présenter ses liens. Otez-moi ces cordes !

Le vieil homme qui l'avait fait boire s'avança.

— Zelandonii! Toi... loin... du pays, articula-t-il en cherchant ses mots.

Dans sa colère, Jondalar ne s'était pas rendu compte qu'il avait parlé dans sa langue maternelle.

— Tu parles zelandonii? s'étonna-t-il. (Mais son besoin urgent reprit vite le dessus.) Dis-leur de me détacher avant que je n'urine sur moi!

L'homme s'adressa à l'une des femmes. Elle fit un signe de refus, mais l'homme insista. Finalement, elle sortit un couteau de l'étui qu'elle portait à la ceinture, et ordonna aux guerrières d'encercler Jondalar. Puis elle s'approcha de lui et lui fit signe de se retourner. Il lui présenta son dos et attendit qu'elle coupât ses liens. Ils auraient besoin d'un bon tailleur de silex, ne put-il s'empêcher de penser, son couteau est émoussé.

Après ce qui lui parut une éternité, les cordes cédèrent enfin. Il s'empressa de délacer sa braguette et, trop pressé pour s'embarrasser de bienséance, sortit sa verge et chercha frénétiquement un endroit à l'écart où se soulager. Mais les femmes armées ne voulaient pas le laisser sortir. Fou de rage, il se retourna, et urina face à elles en poussant un profond soupir de soulagement.

Il les observait pendant que le long jet jaunâtre se répandait en fumant sur le sol gelé, exhalant une forte odeur acide. La femme qui commandait parut consternée, bien qu'elle s'efforçât de le cacher. Certaines détournèrent les yeux ou se voilèrent la face, d'autres contemplaient le membre, fascinées, comme si elles n'avaient jamais vu d'homme uriner. Le vieil homme réprimait un sourire sans parvenir à masquer sa joie.

Lorsque Jondalar eut terminé, il se rhabilla et affronta ses tortionnaires, bien décidé à ne plus se laisser attacher.

— Je suis Jondalar des Zelandonii, déclara-t-il en s'adressant au vieil homme. J'entreprends le Voyage.

— Tu voyages loin, Zelandonii. Trop loin... peut-être.

591

— J'arrive de plus loin encore, répliqua Jondalar. J'ai passé l'hiver chez les Mamutoï, et je rentre chez moi.

— Ah, j'avais bien deviné que tu avais parlé en mamutoï ! s'exclama le vieil homme, qui en profita pour répondre dans cette langue qu'il maîtrisait mieux. Ici, certains connaissent la langue des Chasseurs de Mammouths. Mais dis-moi, d'habitude les Mamutoï viennent du nord. Toi, tu viens du sud.

— Puisque tu m'as entendu parler en mamutoï, pourquoi ne t'es-tu pas déplacé plus tôt ? Je suis sûr qu'il y a eu méprise. Pourquoi m'a-t-on attaché ?

Le vieil homme hocha la tête d'un air malheureux.

— Tu le découvriras bien assez tôt, Zelandonii, soupira-t-il.

La femme qui commandait la petite troupe cracha un ordre et le vieil homme sortit en claudiquant, appuyé sur un bâton.

— Eh, attends ! Ne pars pas ! Qui es-tu ? Qui sont ces femmes ? Et celle qui leur a ordonné de m'amener ici, qui est-elle ? demanda Jondalar.

Le vieil homme s'arrêta et lui jeta un dernier regard.

— Ici, on m'appelle Ardemun. Ce peuple est le S'Armunaï. Quant à la femme dont tu parles... c'est... c'est Attaroa.

Il avait prononcé ce mot avec une intensité que Jondalar ne releva pas.

— S'Armunaï ? Attends, où ai-je déjà entendu ce nom-là ?... Ah, oui, je m'en souviens. C'est Laduni, le chef des Losadunaï...

— Laduni est devenu chef ? s'étonna Ardemun.

— Oui. Il m'a parlé des S'Armunaï quand nous voyagions vers l'est, mais mon frère n'a pas voulu s'arrêter.

— Il a bien fait. Dommage que tu sois ici, maintenant.

— Pourquoi ?

La femme qui commandait aux gardes les interrompit encore d'un cri bref.

— Autrefois, j'étais un Losadunaï, mais j'ai eu le

592

malheur d'entreprendre le Voyage, acheva Ardemun avant de sortir en clopinant.

La femme jeta quelques mots à la figure de Jondalar qui devina qu'elle voulait l'emmener quelque part, mais feignit l'incompréhension.

Elle répéta ses paroles avec colère, et le piqua de la pointe de sa sagaie.

Une fine traînée de sang coula sur le bras de Jondalar. L'œil étincelant de rage, il toucha la plaie et regarda ses doigts rougis de sang.

— Ce n'était pas la... commença-t-il.

Elle lui coupa rageusement la parole. Les autres encerclèrent Jondalar et le poussèrent à suivre la femme au-dehors. Le froid le glaça. Ils longèrent l'enclos. Sans voir ce qui se passait de l'autre côté, il sentait qu'on l'observait par les fentes de la palissade. Tout cela lui semblait complètement saugrenu. On poussait parfois des animaux dans ce genre d'enclos, c'était un moyen de les capturer. Mais pourquoi y enfermer des humains ? Et combien étaient-ils là-dedans ?

Sûrement assez peu, se dit-il, ce n'est pas très grand. Il imagina tout le travail qu'avait coûté la clôture. Les arbres étaient rares dans ces collines. Ils devaient provenir de la vallée. Il avait fallu les abattre, les élaguer de toutes leurs branches, transporter les troncs jusqu'en haut, creuser des trous assez profonds pour les faire tenir debout, fabriquer des cordes pour les attacher ensemble. Pourquoi tant d'efforts pour construire un enclos qui n'avait aucun sens ?

On l'amena près d'un ruisseau entièrement gelé, où Attaroa et plusieurs femmes surveillaient de jeunes hommes qui transportaient d'énormes os de mammouth. Les hommes semblaient à moitié morts de faim, et Jondalar se demandait où ils trouvaient l'énergie pour porter de si lourdes charges.

Attaroa le toisa, puis l'ignora. Jondalar attendit, déconcerté par le comportement de ce peuple étrange. Transi, il se mit bientôt à gesticuler et à se battre les flancs pour essayer de se réchauffer. Devant tant d'absurdité, la colère s'empara de lui. Il n'en supporterait pas davantage. Il tourna les talons et revint au campement. Là-bas, il serait au moins à l'abri du vent. Sa décision inattendue prit les gardes par surprise. Elles tentèrent de s'interposer, mais il les écarta du bras et continua sa route, poursuivi par des cris qu'il ignora.

Il regagna sa cellule et chercha comment se réchauffer. Il fit le tour de l'abri circulaire, arracha la peau tendue sur la charpente et l'enroula autour de lui. Au même moment, plusieurs femmes surgirent en brandissant leurs armes, conduites par celle qui lui avait infligé une coupure au bras. Visiblement furieuse, elle lui porta un coup de sagaie qu'il évita. Il réussit à attraper l'arme mais la bagarre qui s'ébauchait fut stoppée net par un éclat de rire sinistre.

— Zelandonii ! ricana Attaroa, ajoutant d'autres mots qu'il ne comprit pas.

— Elle veut que tu sortes, traduisit Ardemun que Jondalar n'avait pas entendu approcher. Je crois qu'elle te trouve trop audacieux et trop intelligent. Elle veut que tu sortes pour que ses gardes puissent t'encercler.

— Et si je refuse ?

— Alors elle te fera tuer où tu es, immédiatement.

Ces derniers mots avaient été prononcés en zelandonii sans une trace d'accent ! Jondalar chercha qui avait parlé. C'était la chamane !

— Si tu sors, Attaroa te laissera encore vivre un peu. Tu l'intéresses. Mais elle finira par te tuer quand même.

— Pourquoi ? Que lui ai-je fait ?

— Tu représentes une menace.

— Moi, une menace ? Mais je ne l'ai jamais menacée !

— Tu menaces son pouvoir. Elle veut que tu serves d'exemple.

L'intervention d'Attaroa mit un terme aux explications, et bien que Jondalar ne comprît pas ce qu'elle disait, il lui sembla que les paroles, lourdes de colère contenue, étaient dirigées contre la chamane. La vieille femme lui répondit d'un ton mesuré mais sans crainte puis elle se tourna vers Jondalar.

— Elle voulait savoir ce que je te disais, expliqua-t-elle. Alors je le lui ai dit.

— Dis-lui aussi que je vais sortir.

Lorsque la chamane eut traduit les mots de Jondalar, Attaroa partit d'un grand rire méprisant, ajouta quelques mots, et s'en alla d'un pas nonchalant.

— Qu'a-t-elle dit ? demanda Jondalar.

— Elle a dit qu'elle l'aurait parié, que les hommes étaient prêts à tout pour prolonger leur misérable existence.

— Peut-être pas à tout, justement, répliqua Jondalar en faisant quelques pas vers la sortie avant de se raviser. Quel est ton nom ? demanda-t-il alors à la chamane.

— On m'appelle S'Armuna.

— Je m'en doutais. Mais où as-tu appris à parler si bien ma langue ?

— J'ai vécu parmi ton peuple. Mais c'est une longue histoire, soupira-t-elle, coupant court à la curiosité de Jondalar.

Il s'était attendu à ce qu'elle lui demandât son nom en retour, mais S'Armuna lui tourna le dos.

— Je suis Jondalar de la Neuvième Caverne des Zelandonii, annonça-t-il malgré tout.

— La Neuvième Caverne ? répéta S'Armuna, les yeux agrandis d'étonnement.

— Oui...

Il allait décliner toute sa filiation mais l'expression énigmatique de la chamane l'en dissuada. S'Armuna se recomposa vivement un visage impassible et Jondalar se demanda s'il n'avait pas rêvé.

— Elle attend, annonça S'Armuna en quittant la bâtisse.

Dehors, Attaroa était assise sur un trône recouvert de fourrure, dressé sur un monticule de terre à l'entrée de la grande maison semi-souterraine, en face de l'enclos.

Jondalar sentit de nouveau des yeux l'épier à travers les fentes de la palissade.

En s'approchant, il découvrit que la fourrure du trône d'Attaroa était une peau de loup, que le capuchon de sa pelisse rejeté en arrière était aussi garni de peau de loup, et qu'elle portait autour du cou un collier composé de canines de loup et de renard polaire. Jondalar identifia aussi une dent d'ours des cavernes. Attaroa tenait un bâton sculpté semblable au Bâton Qui Parle qu'utilisait Talut pour orchestrer les discussions et garantir l'impartialité des délibérations. Celui qui tenait le bâton avait la parole, et si quelqu'un voulait intervenir, il devait d'abord demander le Bâton Qui Parle.

Le bâton d'Attaroa lui parut familier pour une autre raison qu'il n'arrivait pas à définir. Etait-ce la sculpture ? Elle représentait la forme stylisée d'une femme assise, avec des cercles concentriques figurant le ventre et les seins, une drôle de tête triangulaire dont le menton formait la pointe inférieure, et un visage aux traits énigmatiques. Cela ne ressemblait pas aux sculptures mamutoï, mais Jondalar avait le sentiment de l'avoir déjà vue quelque part.

Attaroa était entourée de plusieurs femmes, dont certaines qu'il n'avait encore jamais vues, et que quelques enfants accompagnaient. Attaroa jaugea longuement Jondalar, puis lui parla en le regardant dans les yeux. A côté, Ardemun traduisait à grand-peine. Jondalar allait lui proposer de parler en mamutoï, mais S'Armuna le devança en s'adressant à voix basse à Attaroa.

— Je vais traduire, annonça-t-elle ensuite.

Attaroa fit un commentaire méprisant qui déclencha l'hilarité générale, mais que S'Armuna s'abstint de traduire.

— Elle s'adressait à moi, dit-elle pour seule explication, le visage impassible.

Attaroa reprit la parole, toisant toujours Jondalar.

— Je parle maintenant pour Attaroa, prévint S'Armuna. Pourquoi es-tu venu ?

596

— Mais je ne suis pas venu, on m'a transporté ici pieds et poings liés, protesta Jondalar pendant que S'Armuna traduisait presque simultanément. J'entreprends le Voyage, et je ne comprends pas pourquoi on m'a ligoté. Personne n'a daigné me l'expliquer.

— D'où viens-tu ? demanda Attaroa par la bouche de S'Armuna qui avait négligé de traduire le commentaire de Jondalar.

— J'arrive de chez les Mamutoï où j'ai passé l'hiver.

— Tu mens ! Tu venais du sud.

— J'ai fait un long détour. Je voulais rendre visite à des parents près de la Grande Rivière Mère, à la pointe sud de ces montagnes.

— Tu mens encore ! Les Zelandonii vivent loin à l'ouest, et tu prétends avoir des parents à l'est ?

— Ce n'est pas un mensonge. Je voyageais avec mon frère, et contrairement aux S'Armunaï, les Sharamudoï nous ont bien accueillis. Mon frère s'est uni avec une femme de chez eux et, par lui, je leur suis maintenant apparenté.

— Ça suffit, dit la femme.

Il s'emporta. Pour une fois qu'il avait l'occasion de s'exprimer !

— Ignorez-vous que ceux du Voyage ont des droits de passage ? Tous les peuples accueillent les Voyageurs avec bienveillance. Ils échangent leurs histoires, partagent leurs biens. Partout, sauf ici ! On m'a frappé, on n'a pas soigné mes blessures, on ne m'a offert ni eau ni nourriture. On m'a volé ma pelisse, et on ne me l'a pas rendue quand il a fallu que je sorte dans le froid glacial.

Plus il parlait, plus il fulminait.

— On m'a traîné dehors pour me laisser geler ! Jamais tout au long du Voyage on ne m'a traité de cette façon ! Même les animaux des plaines partagent leur pâturage et leur eau. Quelle sorte de peuple êtes-vous donc ?

— Pourquoi as-tu essayé de voler notre viande ? l'interrompit Attaroa.

Elle enrageait, mais essayait de garder son sang-froid. Elle savait parfaitement qu'il avait raison, mais elle ne supportait pas qu'on l'accuse d'être inférieure aux autres, surtout devant son peuple.

— Je n'essayais pas de voler ta viande, protesta Jondalar avec véhémence.

La traduction de S'Armuna était si fluide et si rapide et son besoin de s'exprimer si violent, que Jondalar en oubliait l'interprète. Il avait l'impression de parler directement à Attaroa.

— Tu mens ! On t'a vu courir au milieu de la bande de chevaux avec une sagaie.

— Non, je ne mens pas ! J'essayais de secourir Ayla. Elle était sur le dos d'un de ces chevaux, et je voulais l'empêcher de tomber dans le ravin.

— Ayla ?

— Oui, tu ne l'as pas vue ? C'est la femme avec qui je voyage.

— Ainsi, tu voyages avec une femme qui monte sur le dos des chevaux ! s'esclaffa Attaroa. Si tu n'es pas un conteur errant tu as manqué ta vocation. Tout ce que tu dis est mensonge ! martela-t-elle. Tu es un menteur et un voleur.

— Je ne suis ni un menteur ni un voleur ! J'ai dit la vérité. Je n'ai rien volé ! affirma Jondalar avec force.

Pourtant, il ne pouvait pas la blâmer. A moins d'avoir vu Ayla, qui croirait qu'ils voyageaient à dos de cheval ? Il commençait à désespérer de convaincre Attaroa de sa sincérité. Comment lui faire comprendre qu'il n'avait pas prémédité de déranger leur chasse ? S'il avait pu apprécier tout ce que sa situation avait de critique, il aurait été encore plus désespéré.

Attaroa étudiait le beau géant blond à la puissante musculature, drapé dans la peau de bête qu'il avait arrachée de sa cage. Elle nota que sa barbe était un ton plus foncé que ses cheveux, et ses yeux, d'un bleu d'une incroyable intensité, envoûtants. Il l'attirait irrésistiblement, mais la violence de son trouble réveilla des souvenirs enfouis depuis longtemps, et provoqua en elle une réaction incohérente. Elle ne se laisserait séduire par aucun homme. Il était hors de question que quiconque, et surtout pas un homme, pût la dominer.

Elle lui avait enlevé sa pelisse et l'avait laissé dans le froid pour la même raison qu'elle l'avait privé de nourriture et d'eau. Tant qu'ils avaient la force de résister, mieux valait attacher les hommes. Mais le Zelandonii, drapé dans les peaux qui ne lui appartenaient pas, ne montrait aucune peur. Regardez-le ! Quelle arrogance !

Fier et sûr de lui, il avait osé la critiquer en public, devant les hommes enfermés dans l'Enclos. Il refusait de l'implorer, de s'humilier, de chercher à lui plaire, comme tous les autres. Elle se jura de l'y forcer. Elle était fermement décidée à le faire plier. Elle leur montrerait comment maîtriser ce genre de mâle ! Ensuite... il mourrait !

Avant de le briser, je vais m'amuser avec lui, se dit-elle. Il est fort, et s'il lui prend l'envie de résister, il sera difficile à soumettre. Pour l'instant, il se méfie, je dois d'abord lui faire baisser sa garde. Il faut l'affaiblir. S'Armuna connaît certainement un moyen. Attaroa fit signe à la chamane et lui murmura quelques mots à l'oreille. Elle regarda ensuite Jondalar en souriant. Et ce sourire contenait tant de perfidie que Jondalar frémit.

Jondalar ne menaçait pas seulement le pouvoir d'Attaroa. C'était le monde fragile que son esprit malade avait eu tant de mal à créer qui risquait de s'écrouler. L'homme avait ébranlé ses propres certitudes, déjà chancelantes ces derniers temps.

— Suis-moi, ordonna S'Armuna.

Jondalar obtempéra.

— Où allons-nous ? demanda-t-il, alors que deux femmes armées de sagaies lui emboîtaient le pas.

— Attaroa veut que je soigne ta blessure.

Elle conduisit Jondalar à une habitation semi-souterraine

à l'autre bout du Camp, semblable à celle devant laquelle trônait Attaroa, mais de taille plus petite avec un dôme plus prononcé. Une entrée étroite et basse ouvrait sur un couloir menant à une autre porte. Jondalar se baissa et avança courbé, puis descendit trois marches. Seul un enfant aurait pénétré aisément dans cet abri mais, une fois à l'intérieur, Jondalar put se redresser et sa tête était loin d'atteindre le plafond. Les deux femmes qui les avaient accompagnés restèrent dehors.

Une fois ses yeux habitués à la pénombre, Jondalar remarqua contre le mur du fond une plate-forme où une couche était installée. Une fourrure blanche la recouvrait... les animaux à poils blancs étaient rares et son peuple, comme la plupart de ceux qu'il avait rencontrés au cours de son long Voyage, les tenait pour sacrés. Des herbes séchées pendaient du plafond, et remplissaient des paniers et des jattes qui encombraient les étagères accrochées aux murs. N'importe quel zelandoni ou mamut se serait senti chez lui, avec une seule réserve. Chez presque tous les peuples, la caverne de Ceux Qui Servent la Mère était un lieu de cérémonie, ou adjacent à celui-ci. C'était aussi l'habitation la plus grande du Camp, celle où on recevait les visiteurs et les hôtes. Celle de S'Armuna était petite et presque secrète. Jondalar devina que la chamane vivait seule et recevait rarement.

Il la regarda ranimer le feu, ajouter des excréments séchés, quelques morceaux de bois, et verser de l'eau dans une sorte de poche noircie, faite d'un estomac de bête et attachée à un éperon en os. Elle prit ensuite une poignée d'herbes séchées dans un des paniers, la jeta dans l'outre, et quand l'eau commença à suinter, elle la plaça au-dessus des flammes. Tant qu'elle contenait du liquide, même bouillant, l'outre ne pouvait prendre feu.

Jondalar ignorait quelle recette elle préparait, mais

600

l'odeur lui parut familière. Il se sentait chez lui. Et soudain, il comprit pourquoi. C'était exactement l'odeur qui émanait du feu d'une zelandoni. Elle utilisait la même décoction pour soigner les plaies et les blessures.

— Tu parles bien notre langue, remarqua Jondalar. As-tu vécu longtemps chez les Zelandonii ?

S'Armuna le regarda et parut réfléchir.

— Plusieurs années, répondit-elle enfin.

— Alors tu connais l'hospitalité des Zelandonii. Je ne comprends pas ton peuple. Qu'ai-je fait pour mériter un tel traitement ? Toi qui as vécu chez les Zelandonii, pourquoi n'expliques-tu pas aux tiens les droits de passage, et le respect de la courtoisie ? C'est plus que de la simple courtoisie, d'ailleurs, c'est un devoir.

Pour toute réponse, S'Armuna lui lança un regard narquois.

Jondalar se rendait compte qu'il s'y prenait mal, mais ses récentes mésaventures l'avaient tellement abasourdi qu'il éprouvait le besoin infantile d'expliquer comment les choses devraient être, comme si cela suffisait à les arranger. Il décida d'adopter une autre méthode.

— Si tu as vécu là-bas si longtemps, tu as dû connaître ma mère. Je suis le fils de Marthona...

Il allait poursuivre, mais l'expression qu'il lut sur le visage de S'Armuna l'en dissuada. Son air bouleversé accentuait encore sa difformité.

— Tu es le fils de Marthona, du foyer de Joconan ? réussit-elle à articuler.

— Non, ça c'est mon frère, Joharran. Je suis né dans le foyer de Dalanar, l'homme avec qui elle s'est unie par la suite. Tu connais Joconan ?

— Oui, avoua S'Armuna en baissant les yeux.

Elle s'absorba dans la contemplation de l'outre où l'eau commençait à bouillir.

— Alors, tu as forcément rencontré ma mère ! s'exclama Jondalar avec fièvre. Puisque tu connais Marthona, tu sais que je ne suis pas un menteur. Elle n'aurait jamais accepté cela de ses enfants. J'admets que cela paraît invraisemblable — j'ai moi-même du mal à le croire — mais la femme avec qui je voyage était sur le dos d'un des chevaux que vous poussiez vers le précipice. C'est un cheval qu'elle a élevé, il n'appartenait pas à la bande. Et maintenant, je ne sais même pas si elle est encore en vie. Il faut absolument que tu expliques à Attaroa que je ne mens pas ! Il faut que je retrouve cette femme. Que je sache si elle vit toujours !

Le plaidoyer passionné de Jondalar ne provoqua aucune réaction chez la femme. Elle ne détourna même pas les yeux de l'eau en train de bouillir. Mais contrairement à Attaroa, elle ne mettait pas sa parole en doute. Et pour cause : une des chasseresses d'Attaroa lui avait rapporté une histoire de femme chevauchant parmi la bande de chevaux. Elle craignait que ce fût un esprit et voulait que la chamane la rassure. S'Armuna se demandait s'il ne s'agissait pas d'un phénomène surnaturel.

— Tu as connu Marthona, n'est-ce pas ? insista Jondalar, en s'approchant du feu pour attirer son attention.

Devant le succès de sa première évocation de Marthona, il essayait de faire réagir la chamane.

— Oui, j'ai connu Marthona, admit-elle en le regardant de son air impassible. Lorsque j'étais jeune, on m'a envoyée pour être instruite par la zelandoni de la Neuvième Caverne. Assieds-toi ici.

Elle ôta l'outre du feu et prit une peau bien douce. Il tressaillit quand elle lava sa blessure avec la solution antiseptique qu'elle avait préparée, mais il avait confiance en sa médecine. Après tout, elle la tenait de son peuple.

Après l'avoir nettoyée, S'Armuna examina la plaie.

— Tu es resté évanoui assez longtemps, mais la blessure n'est pas grave. Elle cicatrisera toute seule. Mais tu souffriras certainement de maux de tête, ajouta-t-elle en détournant les yeux. Je vais te donner quelque chose pour les calmer.

— Non, je n'en ai pas besoin maintenant, mais j'ai encore soif. Puis-je me servir ? demanda Jondalar en

602

marchant vers la grosse outre d'où S'Armuna avait puisé l'eau pour la préparation. Je te la remplirai, si tu veux. Aurais-tu un bol ?

Après avoir hésité, elle prit un bol sur une étagère et le lui tendit.

— Où puis-je remplir ton outre d'eau ? demanda-t-il après s'être abreuvé.

— Ne t'inquiète pas pour l'eau.

Comprenant qu'elle ne le laisserait pas sortir librement, même pour aller puiser de l'eau, il s'approcha d'elle et la dévisagea attentivement.

— Nous n'étions pas en train de chasser les chevaux que vous poursuiviez, assura-t-il. Et même si nous l'avions fait, Attaroa devrait savoir que nous aurions offert quelque chose en échange. De plus, avec tous les chevaux qui sont tombés dans le précipice, la viande ne doit pas manquer. Tout ce que je souhaite, c'est qu'Ayla ne soit pas tombée avec eux. S'Armuna, il faut que je la retrouve !

— Tu l'aimes, n'est-ce pas ?

— Oui, je l'aime.

Il vit son expression changer. Un éclair de triomphe teinté d'amertume passa dans ses yeux, en même temps qu'un sourire très doux éclairait son visage.

— Nous rentrions chez moi pour nous unir, reprit-il. Je dois aussi raconter à ma mère comment est mort mon jeune frère, Thonolan. Nous voyagions ensemble, mais il... il est mort. Elle aura de la peine. C'est triste de perdre un fils.

S'Armuna approuva d'un air grave, mais s'abstint de tout commentaire.

— Les funérailles de tout à l'heure... qu'est-il arrivé aux trois jeunes gens ?

— Ils étaient beaucoup plus jeunes que toi, mais assez vieux pour prendre de mauvaises décisions.

Sa gêne n'échappa pas à Jondalar.

— Comment sont-ils morts ? insista-t-il.

— Ils ont mangé quelque chose qui était mauvais.

603

Jondalar savait qu'elle lui cachait quelque chose, et il allait la questionner quand elle lui tendit sa peau de bête et le raccompagna dehors où les deux femmes montaient la garde. Elles l'emmenèrent cette fois en direction de la palissade. La porte s'ouvrit et on le poussa dans l'Enclos.

27

Ayla contemplait le paysage verdoyant. Lorsqu'elle s'était arrêtée pour permettre à Loup de se reposer, elle avait remarqué de gros rochers qui se découpaient contre le ciel, au nord-est, mais ils se fondirent bientôt dans la brume et les nuages, et elle les oublia. Elle était bien trop préoccupée par le sort de Jondalar.

Forte de son expérience de la chasse et aidée par le flair de Loup, elle avait réussi à suivre la piste laissée par les ravisseurs de Jondalar. Après être descendue du haut plateau par une pente douce au nord, elle avait bifurqué à l'ouest et rejoint la rivière qu'elle avait traversée avec Jondalar la veille. Là, la piste repartait vers le nord, laissant des empreintes faciles à repérer.

La première nuit, Ayla campa près du cours d'eau, et reprit sa traque le lendemain. Elle ne savait pas combien d'agresseurs elle poursuivait, mais elle commençait à reconnaître certaines traces laissées sur les bords boueux de la rivière. Toutefois, aucune d'elles n'appartenait à Jondalar, et elle se demanda s'il était toujours avec eux.

Elle se souvint alors avoir remarqué plusieurs fois l'empreinte d'un objet lourd qu'on avait posé sur le sol, et qui avait aplati l'herbe, ou bien laissé une marque dans la poussière, ou dans le sol humide. Et aussi que cette empreinte avait accompagné la troupe depuis le début. Ce ne pouvait pas être une carcasse de cheval, les chevaux étaient tombés au fond du ravin, or elle avait vu cette empreinte en haut du plateau. Elle en déduisit qu'on transportait Jondalar sur une sorte de litière, ce qui la soulagea sans pour autant la rassurer complètement.

S'ils le transportent, c'est qu'il ne peut pas marcher, raisonna-t-elle. Donc le sang indique une blessure grave, mais ils ne s'embarrasseraient pas d'un cadavre. Elle en conclut qu'il était vivant, mais blessé, et elle espérait qu'on l'emmenait dans un lieu où il serait soigné. Mais alors pourquoi l'avoir blessé ?

Ceux qu'elle suivait devaient marcher vite parce que les traces se refroidissaient de plus en plus, et Ayla se rendait compte qu'elle perdait du terrain. Les indices n'étaient pas toujours faciles à repérer, elle prenait du retard. Loup avait du mal à suivre. Pourtant, sans lui, elle n'aurait peut-être pas su se guider à travers les passages rocheux où les empreintes étaient quasiment inexistantes. Mais surtout, elle voulait que Loup restât avec elle pour ne pas risquer de le perdre. Cependant, elle sentait confusément que le temps pressait, et elle voyait avec soulagement la santé de Loup s'améliorer chaque jour.

Ce matin-là, elle se réveilla avec un fort pressentiment et fut heureuse de constater que Loup avait hâte de se mettre en chasse. Mais l'après-midi, il était déjà fatigué. Elle décida de s'arrêter et de préparer un bol d'infusion pendant qu'il se reposerait, et que les chevaux iraient paître.

Puis, elle repartit et parvint bientôt à une fourche de la rivière. Elle avait déjà traversé sans difficulté plusieurs petits cours d'eau qui descendaient des hauts plateaux, mais elle s'interrogeait sur l'opportunité de franchir cette rivière. Elle n'avait pas vu de traces depuis longtemps, et elle hésitait. Fallait-il suivre le bras à l'est ou traverser et longer le bras ouest ? Finalement, elle décida de suivre la rive est à la recherche d'autres empreintes. A la tombée de la nuit, elle aperçut quelque chose d'insolite qui lui indiqua clairement la route à suivre.

Dans la lumière crépusculaire, elle distingua des pieux qui émergeaient de l'eau et devina leur usage. On les avait plantés dans l'eau près de plusieurs rondins fichés dans la berge. Instruite par son séjour chez les Sharamudoï, Ayla reconnut un ponton grossier permettant à quelque embarcation d'accoster. Elle allait installer son campement à proximité du ponton, mais se ravisa. Elle ignorait tout des gens qu'elle suivait, si ce n'était qu'ils avaient emmené Jondalar après l'avoir blessé, et elle voulait éviter qu'ils la surprennent dans son sommeil. Elle choisit donc un emplacement protégé par un coude de la rivière.

Le lendemain matin, elle examina soigneusement Loup avant d'entrer dans l'eau. La rivière n'était pas très large, mais assez profonde et l'eau était froide. Loup devrait nager et ses blessures n'étaient pas cicatrisées. Pourtant, il ne tenait pas en place et semblait aussi impatient qu'elle de retrouver Jondalar.

Ayla ôta ses jambières avant de monter Whinney, pour ne pas avoir à les faire sécher plus tard. A sa grande surprise, Loup entra dans l'eau sans l'ombre d'une hésitation. Au lieu d'arpenter la rive en couinant comme à son habitude, il sauta d'un coup et se hâta de rattraper Ayla, comme s'il craignait de la perdre de vue.

Sur la rive opposée, Ayla se recula pour éviter les éclaboussures du loup qui s'ébrouait, et remit ses jambières. Elle examina de nouveau Loup pour se rassurer, mais il ne paraissait pas souffrir, et il se dégagea rapidement pour chercher la piste. Un peu plus bas, il découvrit l'embarcation que les chasseurs avaient empruntée pour traverser la rivière. Ayla ne comprit pas tout de suite à quoi servait l'étrange assemblage de rondins.

Elle s'attendait à ce que ceux qu'elle poursuivait utilisent un bateau comparable à ceux des Sharamudoï — splendides embarcations sculptées, proue et poupe effilées — ou

607

au moins un canot plus grossier, tel celui fabriqué par Jondalar. Mais ce que Loup avait découvert était une simple plate-forme de rondins, et Ayla n'avait encore jamais vu de radeau. Lorsqu'elle en eut compris le principe, elle le trouva très judicieux, malgré son aspect disgracieux. Loup se mit à renifler le radeau avec frénésie. Soudain, il s'arrêta et poussa un grognement sourd.

— Qu'est-ce que c'est, Loup ?

Ayla s'approcha et son cœur flancha en découvrant une traînée brune sur l'un des rondins. Pas de doute, c'était bien du sang séché, celui de Jondalar, probablement. Elle flatta la tête de l'animal.

— Nous le trouverons, Loup, ne t'en fais pas, promit-elle, autant pour se rassurer que pour rassurer l'animal.

Mais serait-il encore en vie ?

La piste qui les conduisit à travers des champs de hautes herbacées desséchées parsemées de buissons était beaucoup plus facile à suivre. Mais elle était tellement fréquentée qu'Ayla se demandait si elle avait été empruntée par les agresseurs de Jondalar. Loup menait le train, et Ayla eut bientôt l'occasion de s'en féliciter. Ils marchaient dans le sentier depuis peu lorsqu'il s'arrêta et grogna en montrant les crocs.

— Loup, qu'y a-t-il ? Tu as entendu quelqu'un ? s'inquiéta Ayla en conduisant Whinney à l'abri d'un fourré.

Elle fit signe à Loup de les rejoindre, descendit de la jument, attrapa la longe de Rapide qui portait tout le chargement et le guida près de sa mère. Cachée entre les deux chevaux, elle s'agenouilla, enlaça le cou de Loup afin de le calmer, et attendit.

Elle avait eu raison de se cacher. Bientôt, deux jeunes femmes apparurent, qui couraient vers la rivière. Ayla ordonna à Loup de ne pas bouger, et, comme elle avait appris à le faire en chassant les carnassiers, elle les suivit furtivement. Elle se faufila en silence dans les herbes hautes, et se blottit derrière un buisson lorsque les deux jeunes femmes s'arrêtèrent près du radeau.

Les deux étrangères se parlaient tout en tirant le radeau de sa cachette, et bien que Ayla entendît cette langue pour la première fois, elle lui trouva des similitudes avec le mamutoï. Elle ne comprenait pas ce que se disaient les deux femmes, mais elle parvint à saisir quelques mots.

Elles poussèrent le radeau dans l'eau et tirèrent deux longues perches du dessous de l'embarcation. Elles attachèrent ensuite l'extrémité d'une corde à un arbre et montèrent sur le radeau. Pendant que l'une poussait sur sa perche, l'autre déroulait la corde. Arrivées de l'autre côté, où le courant était moins fort, elles remontèrent jusqu'au ponton en appuyant sur leurs perches. Elles s'amarrèrent à l'un des pieux qui émergeaient de l'eau, et sautèrent sur le ponton. De là, elles repartirent en courant sur le sentier par où Ayla était arrivée plus tôt.

Ayla retourna à sa cachette en réfléchissant sur la conduite à adopter. Elle se doutait que les femmes reviendraient bientôt, mais bientôt pouvait aussi bien signifier aujourd'hui, que demain ou après-demain, et elle voulait retrouver Jondalar le plus vite possible. D'un autre côté, elle n'osait pas s'aventurer sur la piste des agresseurs de crainte que les deux femmes ne la rattrapassent. Elle hésitait aussi à les aborder avant d'en savoir plus sur leur compte. Elle décida finalement de les attendre dans un endroit d'où elle pourrait les voir sans être vue.

Fort heureusement, les deux femmes revinrent bientôt dans l'après-midi, accompagnées d'autres personnes qui portaient des litières croulant sous le poids de carcasses de chevaux. Elles se déplaçaient bien vite, compte tenu de leur charge. Lorsque la petite troupe approcha de la rive, Ayla s'aperçut avec étonnement que pas un homme n'en faisait partie. Les chasseurs étaient donc des femmes ! Elle les observa empiler la viande sur le radeau et le manœuvrer ensuite avec les perches en s'aidant de la corde pour le diriger. Elles dissimulèrent le radeau après l'avoir déchargé, mais laissèrent la corde en travers de la rivière, ce qui laissa Ayla perplexe.

Lorsqu'elles repartirent sur le sentier, Ayla fut de nouveau surprise par la vitesse de leurs foulées. Le groupe disparut avant même qu'elle s'en fût rendu compte. Elle lui laissa de l'avance, puis se mit en marche en prenant soin de garder une certaine distance.

Jondalar découvrit avec effroi les misérables conditions de vie à l'intérieur de l'Enclos. Les seuls abris étaient un vaste auvent grossier qui offrait une protection insuffisante contre la pluie ou la neige, et la palissade qui coupait le vent. Il y avait ni feu ni nourriture, et très peu d'eau. Tous les occupants de l'Enclos étaient de sexe masculin, et présentaient des signes de malnutrition. Ils s'avancèrent pour observer le nouvel arrivant, et Jondalar constata à quel point ils étaient maigres, sales, et mal habillés. Aucun d'eux n'avait de vêtements assez chauds pour affronter les rigueurs de l'hiver, et Jondalar comprit qu'ils devaient se blottir les uns contre les autres sous l'auvent pour ne pas mourir de froid.

Il reconnut un ou deux hommes qui avaient assisté aux funérailles, et se demanda pourquoi ils habitaient un tel endroit. Il commença à assembler un à un les différents morceaux du puzzle : l'attitude des femmes armées de sagaies, les étranges commentaires d'Ardemun, le comportement des hommes aux obsèques, la réticence de S'Armuna, les soins tardifs de ses blessures. Le mauvais traitement général auquel il était soumis n'était peut-être pas le résultat d'un malentendu qui se clarifierait dès qu'il aurait convaincu Attaroa de sa bonne foi.

Tout cela était absurde, mais bientôt la perception de la réalité implacable le frappa de plein fouet et ruina ses dernières illusions. C'était si évident qu'il se demanda pourquoi il avait mis tant de temps à comprendre. Ces hommes étaient les prisonniers des femmes !

Mais pourquoi ? Quel gâchis de garder tant d'inactifs alors qu'ils pourraient contribuer à la prospérité et au bien-être de la communauté tout entière ! Il repensa à la richesse du Camp du Lion où Talut et Tulie organisaient les activités du Camp pour le bénéfice de tous. Tous apportaient leur part de travail et il leur restait assez de temps pour s'occuper de leurs projets personnels.

Attaroa! Etait-ce elle l'instigatrice de tant d'absurdité? A l'évidence, c'était la responsable du Camp. Si elle n'était pas à l'origine de cette situation, du moins s'efforçait-elle de la maintenir.

Ces hommes devraient être en train de chasser ou de cueillir des plantes, pensait Jondalar, ou de creuser des fosses à provisions, de construire de nouveaux abris, de réparer les anciens, au lieu de s'agglutiner pour se tenir chaud. Pas étonnant qu'elles aillent chasser les chevaux si tard dans la saison. Ont-elles seulement assez de vivres pour tout l'hiver? D'ailleurs, pourquoi chasser si loin quand il y a tant de gibier à portée de main?

— C'est toi qu'on appelle le Zelandonii? demanda un homme en mamutoï.

Jondalar crut reconnaître l'un de ceux qui avaient les mains liées aux funérailles.

— Oui. Je suis Jondalar des Zelandonii.

— Je suis Ebulan des S'Armunaï, répondit l'homme, qui ajouta avec un ricanement sardonique : Au nom de Muna, la Mère de toutes les Créatures, permets-moi de t'accueillir dans cet Enclos, comme l'appelle Attaroa. Il possède bien d'autres noms : le Camp des Hommes, l'Enfer Glacial de la Mère, le Piège à Hommes d'Attaroa. Vas-y, fais ton choix.

— Je ne comprends pas. Tous les hommes... tous sont ici? s'étonna Jondalar.

— C'est une longue histoire, mais nous avons tous été piégés d'une manière ou d'une autre, expliqua Ebulan. Nous avons même été assez naïfs pour construire ce camp nous-mêmes, ou en tout cas la plus grande partie, ajouta-t-il avec une grimace ironique.

— Alors pourquoi ne pas escalader la palissade et vous enfuir?

— Pour être abattu par les sagaies d'Epadoa et de ses gardes ? intervint un autre.

— Olamun a raison. D'ailleurs, nous n'aurions même plus la force à présent, déclara Ebulan. Attaroa s'amuse à nous affaiblir... ou pire encore.

— Pire ? C'est-à-dire ?

— Montre-lui, S'Amodun, demanda Ebulan à un homme de haute taille d'une maigreur cadavérique.

Un visage rude et émacié aux arcades sourcilières saillantes, un long nez busqué, des cheveux gris hirsutes et une longue barbe presque blanche, l'homme frappait surtout par ses yeux. Ils étaient irrésistibles, aussi noirs que ceux d'Attaroa mais on y lisait toute la profondeur d'une sagesse ancestrale, le mystère et la compassion, au lieu de la cruauté. Etait-ce à cause de son port altier ou de son attitude, Jondalar était impressionné par le respect qu'imposait le personnage malgré des conditions aussi misérables.

Le vieil homme approuva d'un air grave et les précéda sous l'auvent où certains s'étaient réfugiés. Jondalar dut courber la tête pour entrer et fut aussitôt assailli par une puanteur épouvantable. Un homme était allongé sur une planche qu'on avait dû arracher du toit, et couvert d'une simple peau de bête déchirée. Le vieil homme souleva la peau, dévoilant une plaie en putréfaction.

— Pourquoi cet homme est-il ici ? demanda Jondalar, horrifié.

— Les gardes d'Epadoa lui ont infligé cette blessure, expliqua Ebulan.

— S'Armuna le sait-elle ? Elle pourrait le soigner.

— Bah, S'Armuna ! s'exclama Olamun, l'un de ceux qui les avaient suivis. Pourquoi le soignerait-elle ? Qui, crois-tu, a aidé Attaroa à devenir ce qu'elle est ?

— Mais enfin, c'est elle qui a nettoyé ma blessure ! s'étonna Jondalar.

— C'est donc qu'Attaroa a des projets pour toi, affirma Ebulan.

612

— Des projets ? Que veux-tu dire ?

— Tant que les hommes sont jeunes et forts, elle aime les faire travailler. A condition qu'elle puisse les garder sous sa coupe, expliqua Olamun.

— Et si quelqu'un refuse de travailler ? Comment peut-elle l'y obliger ?

— Oh, les moyens ne lui manquent pas ! Elle le prive d'eau, ou de nourriture. Si ça ne suffit pas, elle menace ses proches, dit Ebulan. Si tu sais qu'elle est prête à enfermer l'homme de ton foyer, ou ton frère dans la cage, sans boire et sans manger, tu cèdes vite à ses caprices.

— La cage ?

— Oui, là où tu étais. Là où tu as trouvé cette cape magnifique, déclara Ebulan avec un sourire désabusé.

Les hommes regardaient Jondalar en souriant, eux aussi. Jondalar baissa les yeux sur la peau de bête qu'il avait arrachée du revêtement de la cage et dont il s'était enveloppé.

— Félicitations ! s'exclama Olamun. Ardemun nous a raconté comment tu avais presque démoli la cage. Attaroa a dû être surprise.

— Autre fois, elle construira cage solide, dit un autre, moins familier de la langue des Chasseurs de Mammouths.

Ebulan et Olamun parlaient couramment mamutoï et Jondalar avait oublié que ce n'était pas leur langue maternelle. Mais apparemment, d'autres en maîtrisaient quelques mots, et tous pouvaient suivre la conversation.

L'homme sur la litière de fortune gémit et le vieil homme s'agenouilla près de lui pour le réconforter. Jondalar remarqua d'autres silhouettes qui s'agitaient sous l'auvent, un peu plus loin.

— Ça ne changera rien. Si elle n'a plus de cage, elle menacera de torturer tes proches pour t'obliger à faire ce qu'elle te demande. Supposons que tu aies été uni avant qu'elle devienne la Femme Qui Ordonne, et que pour ton malheur la Mère ait fait naître un garçon dans ton foyer, elle t'obligera à te soumettre, expliqua Ebulan.

613

— Pourquoi serait-ce un malheur d'avoir un garçon dans son foyer ? s'étonna Jondalar, choqué.

Ebulan interrogea le vieil homme du regard.

— Je vais leur demander s'ils acceptent de rencontrer le Zelandonii, déclara alors S'Amodun.

C'était la première fois que Jondalar entendait le vieil homme parler. Qu'une voix si profonde et si riche émanât d'un corps si maigre le surprit. Le vieil homme retourna sous l'auvent et se pencha pour parler avec deux silhouettes blotties près de l'endroit où le toit incliné s'appuyait sur le sol. On entendait sa voix grave et douce et quelques bribes de réponses provenant de voix plus jeunes. Aidée par le vieillard, l'une des silhouettes se leva et avança vers Jondalar en boitant.

— Voici Ardoban, annonça le vieil homme.

— Je suis Jondalar de la Neuvième Caverne des Zelandonii, et au nom de Doni, la Grande Terre Mère, je te salue, Ardoban, déclara Jondalar avec cérémonie, tendant ses deux mains au jeune garçon, devinant que ce dernier avait besoin d'être traité avec dignité.

Le garçon essaya de se redresser et de saisir les mains que Jondalar lui offrait, mais il grimaça de douleur. Jondalar voulut le soutenir, mais se ravisa.

— Je préfère qu'on m'appelle Jondalar, reprit-il avec un sourire forcé, essayant de détendre l'atmosphère.

— Moi, Doban. Pas aimer Ardoban. Attaroa toujours dire Ardoban. Elle veut moi appeler elle S'Attaroa. Moi plus le dire.

Jondalar prit un air perplexe.

— C'est difficile à traduire, intervint Ebulan. C'est une forme de respect qu'on utilise quand on s'adresse à quelqu'un qu'on estime.

— Et Doban ne respecte plus Attaroa ?

— Doban déteste Attaroa ! s'exclama le jeune garçon au bord des larmes, et il retourna sous l'auvent en claudiquant.

Le vieil homme aida Doban à regagner sa place.

— Que lui est-il arrivé ? interrogea Jondalar.

— On a tiré sa jambe jusqu'à ce qu'elle se déboîte de la hanche, expliqua Ebulan. C'est Attaroa qui lui a fait ça... ou plutôt, elle a demandé à Epadoa de le faire à sa place.

— Comment ! s'exclama Jondalar, incrédule. Vous prétendez qu'elle a fait exprès de déboîter la hanche de cet enfant ? Mais quel genre de monstre est-elle ?

— Elle a agi de la même manière avec l'autre garçon, le jeune Odevan.

— Comment peut-elle justifier un acte aussi abominable, ne serait-ce qu'à ses propres yeux ?

— Pour le plus jeune, c'était pour faire un exemple. La mère du garçon n'aimait pas la façon dont Attaroa nous traitait, et elle exigeait que son compagnon retourne dans son foyer. Avanoa avait même réussi à s'introduire dans l'Enclos et à passer parfois la nuit avec son compagnon. Elle nous apportait aussi à manger en cachette, et elle n'est d'ailleurs pas la seule à le faire. Mais elle montait les autres femmes contre Attaroa, et Armodan, son compagnon... il résistait, il refusait de travailler. Attaroa s'est vengée sur l'enfant. Elle prétendait qu'à sept ans on était assez grand pour quitter sa mère et vivre avec les hommes. Mais elle lui a d'abord déboîté la jambe.

— Le garçon n'avait que sept ans ? demanda Jondalar, frémissant d'horreur. Je n'ai jamais rien entendu d'aussi monstrueux.

— Odevan souffre beaucoup, et sa mère lui manque, mais l'histoire d'Ardoban est encore plus triste, assura S'Amodun qui venait de les rejoindre.

— On a du mal à imaginer pire, dit Jondalar.

— Ardoban souffre davantage de la trahison que de la douleur physique, expliqua S'Amodun. Ardoban croyait qu'Attaroa était sa mère. Sa vraie mère est morte quand il était petit et Attaroa l'a élevé. Mais il n'était qu'un jouet pour elle. Elle l'habillait en fille et l'affublait de parures ridicules, mais elle le nourrissait bien et lui donnait souvent des friandises. Parfois, elle le câlinait, et elle le laissait même dormir avec elle quand l'envie lui prenait. Mais quand elle se fatiguait de lui, elle le jetait hors du lit et l'obligeait à dormir par terre. Il y a quelques années, Attaroa s'est mis en tête qu'on cherchait à l'empoisonner.

— On dit qu'elle a elle-même empoisonné son compagnon, intervint Olamun.

— Elle obligeait Ardoban à goûter tout ce qu'elle mangeait, poursuivit le vieillard. Et quand il devint plus grand, elle l'a attaché, persuadée qu'il voulait s'enfuir. Mais il la considérait comme sa mère, et il l'aimait. Il s'efforçait de lui faire plaisir. Il traitait les autres enfants aussi mal qu'elle traitait les hommes, et il a commencé à donner des ordres aux hommes. Attaroa l'encourageait, bien sûr.

— Il était insupportable, renchérit Ebulan. On aurait cru que le Camp lui appartenait, et il persécutait les autres garçons.

— Alors qu'est-il arrivé ? demanda Jondalar.

— Il est devenu un homme, raconta S'Amodun, puis, voyant l'air surpris de Jondalar, il expliqua : la Mère lui est apparue pendant son sommeil sous la forme d'une jeune femme, et a éveillé sa virilité.

— Oui, c'est ce qui arrive à tous les garçons, dit Jondalar.

— Attaroa l'a découvert, poursuivit S'Amodun, et on aurait dit qu'il avait fait exprès de devenir un homme afin de la contrarier. Elle était blême ! Elle s'est mise à hurler, à le traiter de noms horribles, elle l'a banni et l'a expédié dans le Camp des Hommes. Mais elle lui a déboîté la hanche auparavant.

— Pour Odevan, c'était plus facile, continua Ebulan. Il était plus jeune, et je ne suis même pas sûr que c'était vraiment son intention. Elle voulait surtout punir sa mère et son compagnon en le faisant crier de douleur. Mais Attaroa a compris le parti qu'elle pouvait tirer de ce qui s'est produit. C'est un bon moyen d'affaiblir un homme, et de pouvoir ensuite le contrôler.

— C'est Ardemun qui lui a inspiré cette pratique, remarqua Olamun.

— Elle lui a aussi déboîté la jambe ?

— D'une certaine façon, oui, admit S'Amodun. En fait, c'était un accident, mais c'est arrivé alors qu'il cherchait à s'enfuir. Je crois que S'Armuna l'aurait volontiers soigné, mais Attaroa le lui a interdit.

— C'était plus difficile avec un garçon de douze ans. Il criait et se débattait, mais en pure perte, raconta Ebulan. Et je vais t'avouer une chose : après avoir entendu ses cris de douleur, personne ici n'a été capable de lui garder rancune. Il a largement payé pour ses erreurs d'enfant.

— On prétend qu'elle a dit aux femmes que tous les garçons, même ceux qui ne sont pas encore nés, auront leurs membres disloqués, déclara Olamun.

— Oui, Ardemun nous l'a confirmé, fit Ebulan.

— Comment ose-t-elle commander à la Mère ? s'indigna Jondalar. Prétend-elle la forcer à n'accorder que des filles ? Cette femme joue avec son destin.

— C'est possible, admit Ebulan. Mais seule la Mère pourra l'arrêter, j'en ai peur.

— Le Zelandonii a raison, dit S'Amodun. La Mère a déjà essayé de la prévenir. Regardez comme peu d'enfants sont nés ces dernières années. Torturer des enfants, cet ultime affront à la Mère ne restera sans doute pas impuni. Ses Enfants doivent être protégés, on n'a pas le droit de les maltraiter.

— Ayla ne tolérerait jamais ça, renchérit Jondalar... Mais est-elle seulement vivante ? s'interrogea-t-il tout haut alors que ses yeux se voilaient d'inquiétude.

Les hommes se regardèrent, gênés, hésitant à poser la question qui était sur toutes les lèvres. Finalement Ebulan osa s'aventurer.

— Est-ce la femme dont tu prétends qu'elle voyage sur le dos des chevaux ? demanda-t-il. Si c'est vrai, elle doit avoir des pouvoirs immenses.

— Elle ne dirait pas cela, répondit Jondalar avec un

sourire amusé. Pourtant, elle possède plus de « pouvoir » qu'elle ne le pense. Mais elle ne monte pas sur tous les chevaux, seulement sur la jument qu'elle a élevée, et parfois l'étalon sur lequel je monte moi-même. Mais elle a quelques difficultés à le maîtriser. C'est d'ailleurs à cause de ça que...

— Tu montes aussi sur le dos des chevaux ? s'étonna Olamun, incrédule.

— Non, sur un seul... euh... enfin, je monte aussi sur la jument, mais...

— L'histoire que tu as racontée à Attaroa serait donc vraie ? demanda Ebulan.

— Bien sûr qu'elle est vraie. Pourquoi aurais-je inventé une chose pareille ? s'offusqua-t-il devant leur scepticisme. Peut-être vaudrait-il mieux que je commence par le début. Ayla a élevé une jeune pouliche...

— Où a-t-elle trouvé une pouliche ? demanda Olamun.

— Elle avait tué sa mère en chassant.

— Mais pourquoi l'avoir élevée ? s'étonna Ebulan.

— Parce que la pouliche était seule, que la femme était seule, elle aussi... Et parce que... Ah, c'est une longue histoire ! ajouta-t-il, soucieux d'éluder la question. Disons qu'elle avait envie de compagnie et qu'elle a décidé de garder la pouliche. Quand Whinney a grandi — c'est le nom qu'elle lui a donné —, elle a mis bas un poulain. C'est à peu près à ce moment-là que nous nous sommes rencontrés, Ayla et moi. Elle m'a montré comment monter sur le poulain et elle me l'a donné pour que je le dresse. Je l'ai appelé Rapide, parce qu'il court vite. Depuis que nous sommes partis de la Réunion d'Eté des Mamutoï, nous avons voyagé sur le dos des chevaux en contournant les montagnes jusqu'ici. Nous n'avons pas de pouvoirs extraordinaires, il suffit de prendre soin des chevaux dès leur naissance, comme une mère élève ses enfants.

— Puisque tu le dis, déclara Ebulan.

— Je le dis parce que c'est vrai, répliqua Jondalar.

Il comprit toute la vanité de ses efforts, et décida de

changer de sujet. Ils ne croiraient pas son histoire avant de l'avoir vérifiée de leurs propres yeux, ce qui n'était pas près d'arriver. Ayla avait disparu, et les chevaux aussi.

Le portail s'ouvrit alors, et toutes les têtes se tournèrent. Epadoa entra, suivie par quelques-unes de ses gardes. Après ce qu'il avait appris, Jondalar étudia plus attentivement celle qui avait infligé tant de souffrance à deux jeunes enfants. Il ne savait pas laquelle était la plus monstrueuse, celle qui avait conçu l'idée ou celle qui l'avait exécutée. Il croyait Attaroa capable de torturer elle-même, elle avait quelque chose d'anormal. Un esprit maléfique s'était certainement emparé d'une parcelle vitale de son être. Mais que dire d'Epadoa ? Elle semblait saine et pourtant elle commettait des actes d'une invraisemblable cruauté. Lui manquait-il aussi une partie vitale de son être ?

A la surprise générale, Attaroa en personne pénétra à son tour dans l'Enclos.

— Que veut-elle ? Elle ne vient jamais ici, s'étonna Olamun, effrayé par cette démarche inhabituelle.

Des femmes arrivèrent ensuite, portant des plateaux de viandes cuites encore fumantes, et des paniers tressés d'où s'échappait une alléchante odeur de soupe. De la viande de cheval ! Les chasseresses seraient-elles de retour ? Jondalar était perplexe. Voilà longtemps qu'il n'avait pas mangé de viande de cheval, et bien qu'il n'en raffolât pas, le fumet lui parut délicieux. On apporta également un grand récipient d'eau et des bols.

Les hommes observaient la scène avec avidité, mais pas un ne broncha de peur qu'Attaroa ne revînt sur sa décision. Ils craignaient une nouvelle perfidie destinée à les frustrer davantage.

— Zelandonii ! cria Attaroa sur un ton impérieux.

Jondalar approcha en l'observant attentivement. Elle était presque masculine... non, pas tout à fait. Une charpente solide, des traits bien dessinés et assez fins... elle était plutôt belle, du moins aurait-elle pu l'être si la dureté de son expression ne l'enlaidissait pas. Mais un rictus cruel déformait sa bouche, et la méchanceté assombrissait son regard.

S'Armuna parut à ses côtés. Elle a dû arriver avec les porteuses, se dit Jondalar qui remarquait seulement sa présence.

— Je parle pour Attaroa, annonça-t-elle en zelandonii.

— Tu ferais mieux de parler pour toi, il faudra bien que tu t'expliques un jour, lança Jondalar, son regard bleu glacé de mépris. Comment as-tu permis tout cela ? Attaroa n'a pas toute sa raison, mais toi ? Je te tiens pour responsable de tout !

D'un ton furieux, Attaroa dit quelques mots à la chamane.

— Attaroa ne veut pas que tu me parles. Je ne suis ici que pour traduire ses paroles. Attaroa ordonne que tu la regardes quand tu t'adresses à elle, dit S'Armuna.

Jondalar dévisageait Attaroa.

— Attaroa parle maintenant : Est-ce que ton nouveau... logis te plaît ?

— Que s'imagine-t-elle ? riposta Jondalar en fixant S'Armuna qui évita son regard et traduisit pour Attaroa.

Un sourire cruel tordit le visage de la Femme Qui Ordonne.

— Tu as dû entendre beaucoup de choses sur mon compte, mais tu ne devrais pas croire tout ce qu'on raconte.

— Je crois ce que je vois, rétorqua Jondalar.

— Précisément. Tu m'as vue apporter à manger.

— Oui, mais je ne vois personne manger, et je sais que ces hommes ont faim.

Le sourire d'Attaroa s'élargit en entendant la traduction.

— Ils mangeront, je te le promets. Toi aussi, d'ailleurs. Tu auras besoin de toute ta force, s'exclama-t-elle dans un grand éclat de rire.

— Je n'en doute pas.

Après la traduction de S'Armuna, Attaroa quitta brusquement l'Enclos, entraînant ses gardes à sa suite.

— Je te tiens pour responsable ! répéta Jondalar à l'adresse de S'Armuna qui s'éloignait.

— Vous feriez mieux de manger tout de suite. Attaroa pourrait changer d'avis, déclara une des gardes dès que le portail se fut refermé.

Les hommes se ruèrent sur la nourriture.

— Sois prudent, Zelandonii, lui glissa S'Amodun. Elle te réserve un traitement spécial.

Pour Jondalar, les jours qui suivirent s'écoulèrent lentement. On apporta de l'eau, et très peu de nourriture, mais personne ne fut autorisé à sortir, même pour travailler, ce qui était très inhabituel. Les hommes étaient nerveux, d'autant qu'Ardemun était maintenant parmi eux. Sa connaissance de plusieurs langues avait d'abord fait d'Ardemun un interprète, puis le porte-parole entre Attaroa et les hommes. Son infirmité rassurait Attaroa. Il ne pouvait s'enfuir et elle le jugeait inoffensif. Il bénéficiait d'une grande liberté à l'intérieur du Camp, ce qui lui permettait de transmettre des nouvelles sur la vie hors de l'Enclos, et d'apporter parfois un peu de nourriture supplémentaire.

Les hommes passaient leur temps à jouer ou à faire des paris sur l'avenir. De petits bouts de bois, des cailloux, ou des morceaux d'os provenant de la viande qu'on leur avait servie tenaient lieu de jetons. Un fémur de cheval, soigneusement rongé et brisé afin d'en extraire la moelle, avait été mis de côté pour cet usage.

Le premier jour de son emprisonnement, Jondalar examina en détail la palissade et en testa la solidité. Il découvrit plusieurs endroits où il était possible d'entamer le bois pour se frayer une issue, et d'autres qu'il était facile d'escalader. Mais à travers les fentes il apercevait Epadoa et ses femmes monter bonne garde, et la terrible puanteur

621

qui se dégageait de l'homme à la plaie ouverte le dissuada d'employer une méthode aussi directe. Il examina ensuite le toit de l'auvent, pensant aux améliorations qui le rendraient plus efficace contre les intempéries... à condition d'avoir les outils et les matériaux nécessaires.

L'une des extrémités de l'Enclos, derrière un amas de pierres — seule particularité de l'espace dénudé, avec l'auvent —, servait au dépôt de leurs excréments. Ce fut le deuxième jour que Jondalar commença à être conscient de l'odeur nauséabonde qui imprégnait tout l'Enclos. C'était encore pire près de l'auvent où la chair en putréfaction répandait sa puanteur, mais la nuit, il n'avait pas le choix. Il devait se blottir contre les autres afin de trouver un peu de chaleur. Il partagea sa cape de fortune avec ceux qui étaient encore plus démunis.

Les jours suivants, l'odeur cessa de l'incommoder et la faim le tenailla moins, mais il résistait difficilement au froid. Il était parfois pris de vertige et il aurait volontiers mangé de l'écorce de bouleau pour calmer ses maux de tête.

Les conditions commencèrent à changer quand le blessé mourut. Ardemun demanda à parler à Epadoa ou à Attaroa pour qu'on évacuât le corps. Plusieurs hommes furent désignés pour l'enterrer, puis on leur annonça que tous les hommes valides devraient assister aux funérailles. La perspective de sortir enfin de l'Enclos réjouit Jondalar et il eut presque honte de son excitation, vu les circonstances.

Dehors, les ombres de fin d'après-midi envahissaient le sol, rehaussant les détails de la vallée qui s'étendait à ses pieds, et la beauté du paysage bouleversa Jondalar. Une vive douleur au bras le tira de sa contemplation émerveillée. Il jeta un regard courroucé à Epadoa et à ses trois gardes qui l'entouraient en le menaçant de leur sagaie, et il lui fallut une bonne dose de sang-froid pour ne pas les envoyer promener.

— Elle veut que tu mettes tes mains derrière ton dos

pour qu'on te les attache, expliqua Ardemun. Tu ne peux pas sortir sans être ligoté.

Jondalar s'exécuta de mauvaise grâce. Tout en suivant Ardemun, il pensait à sa situation précaire. Il ne savait pas où il était, ni depuis combien de temps, mais la perspective de passer un seul jour supplémentaire confiné dans cet Enclos, sans rien d'autre à voir que l'éternelle palissade, était plus qu'il ne pouvait supporter. Il fallait qu'il s'échappe d'une manière ou d'une autre, et vite. Il pouvait tenir quelques jours sans manger, mais il ne savait pas s'il résisterait très longtemps. En outre, s'il restait une chance qu'Ayla fût en vie, blessée peut-être, mais encore en vie, il devait la trouver rapidement. Il ignorait encore comment s'y prendre, mais il était décidé à ne pas s'éterniser dans ce Camp.

Après avoir marché un moment, traversé un ruisseau en se mouillant les pieds, ils parvinrent sur les lieux des funérailles. La cérémonie fut purement formelle et vite expédiée, au point que Jondalar se demandait pourquoi Attaroa s'embarrassait de l'enterrement d'un homme dont elle s'était si peu souciée de son vivant. Jondalar n'avait pas connu le défunt, il ignorait jusqu'à son nom, il ne connaissait que les souffrances — inutiles — qu'il avait endurées. A présent, il était parti, il voyageait dans l'autre monde, enfin libéré d'Attaroa. Sans doute cela valait-il mieux que de croupir à l'intérieur d'un enclos.

Pour courte que fut la cérémonie, les pieds de Jondalar étaient gelés à force de rester immobile dans des bottes trempées. Sur le chemin du retour il fit davantage attention en traversant le petit cours d'eau et chercha une pierre ou un passage sec. Mais en regardant où il mettait les pieds, il fit une découverte qui lui fit oublier ses précautions. Il vit deux pierres côte à côte au bord du ruisseau, qu'on aurait dit disposées exprès. L'une était un petit nodule de silex, l'autre une pierre de forme arrondie à la mesure exacte de sa main — la forme idéale pour un percuteur.

— Ardemun, murmura-t-il à l'homme qui le suivait. Tu

623

vois ces deux pierres ? demanda-t-il en zelandonii en les désignant de son pied. Peux-tu les ramasser pour moi ? C'est très important.

— C'est du silex ?

— Oui, et je suis un tailleur de silex.

Ardemun parut trébucher et tomba lourdement. L'invalide éprouvait quelques difficultés à se relever, et une femme armée d'une sagaie s'approcha. Elle lança un ordre à l'un des hommes qui vint aussitôt tendre la main à Ardemun. Epadoa vint voir ce qui retardait la marche du groupe. Ardemun se releva juste avant son arrivée, et se remit en route d'un air penaud sous les injures de la guerrière.

De retour dans leur prison, Jondalar et Ardemun se dirigèrent vers le fond de l'Enclos, pour uriner derrière le tas de pierres. Quand ils revinrent sous l'auvent, Ardemun avertit les hommes que les chasseresses étaient rentrées chargées de viande de cheval, et il ajouta qu'un événement s'était produit pendant que le deuxième groupe revenait au Camp. Il n'en savait pas plus mais la chose avait provoqué un grand émoi parmi les femmes.

Ce soir-là, on apporta de nouveau à manger et à boire aux hommes, mais aucune femme ne resta pour découper la viande. Sans un mot, elles déposèrent de gros morceaux de viande à moitié tranchés disposés sur des souches. Cette conduite inhabituelle alimenta la discussion pendant le repas.

— Il se passe des choses étranges, commença Ebulan, qui passa au mamutoï pour que Jondalar pût comprendre. Les femmes ont reçu l'ordre de ne pas nous adresser la parole.

— C'est ridicule, déclara Olamun. Si on apprenait quelque chose, que ferait-on de plus ?

— Tu as raison, Olamun, dit S'Amodun. C'est ridicule, mais je suis de l'avis d'Ebulan. Je crois qu'on a interdit aux femmes de nous parler.

— C'est le moment, dit Jondalar. Si les gardes d'Epadoa sont occupées à discuter, elles ne remarqueront rien.

— Elles ne remarqueront pas quoi ? demanda Olamun.

— Ardemun a réussi à ramasser un morceau de silex...

— Ah, c'était donc ça ! s'exclama Ebulan. Je me demandais ce qui avait bien pu te faire trébucher.

— A quoi bon un morceau de silex ? demanda Olamun. Encore faudrait-il des outils. J'ai vu comment travaillait le tailleur de silex avant qu'il meure.

— C'est juste, mais il a aussi ramassé une pierre pour servir de percuteur, et il y a des os dans l'Enclos. Ça suffira pour fabriquer quelques couteaux et quelques pointes. C'est un bon morceau de silex.

— Tu es tailleur de silex ? demanda Olamun.

— Oui, mais je vais avoir besoin d'aide. Il faudra du bruit pour couvrir les chocs de la pierre.

— A supposer qu'il fabrique des couteaux, à quoi cela nous servira-t-il ? remarqua Olamun. Les femmes ont des sagaies.

— Eh bien, on pourra déjà couper les liens de ceux qui ont les mains attachées, répondit Ebulan. Je suis sûr qu'on trouvera facilement un jeu très bruyant. Dommage qu'il fasse presque nuit.

— J'ai assez de lumière et je n'ai pas besoin de beaucoup de temps pour fabriquer les pointes et les outils. Demain, je travaillerai sous l'auvent où les gardes ne me verront pas. J'aurai besoin d'os et aussi de ces souches. Il me faut également une planche, mais je l'arracherai à l'auvent. Si quelqu'un avait un tendon, cela m'aiderait, mais de fines lanières de cuir feront l'affaire. Ah oui, Ardemun, tâche de me trouver des plumes quand tu seras dehors, elles me seront très utiles.

Ardemun acquiesça d'un air entendu.

— Tu as l'intention de fabriquer quelque chose qui vole ? demanda-t-il ensuite. Une sagaie de jet, peut-être ?

— Oui, quelque chose qui vole, approuva Jondalar. Ce ne sera pas facile à façonner, et ce sera long. Mais je pense pouvoir fabriquer une arme qui vous surprendra.

28

Le lendemain matin, avant de commencer à travailler le bloc de silex, Jondalar entretint S'Amodun d'une idée qu'il avait eue avant de s'endormir. Le souvenir de Darvo apprenant la taille des silex dès son plus jeune âge lui était revenu et il avait pensé que les deux jeunes invalides pourraient apprendre une technique — tailler le silex, par exemple — qui leur permettrait de mener une vie utile et indépendante.

— Avec quelqu'un comme Attaroa, crois-tu vraiment qu'on leur laissera cette chance ? demanda S'Amodun.

— Elle accorde davantage de liberté à Ardemun qu'à personne d'autre. Elle peut en arriver à considérer que les deux garçons ne constituent plus une menace et les laisser sortir de l'Enclos plus souvent. Même Attaroa est sensible à une certaine logique, elle comprendra vite l'intérêt d'avoir de bons tailleurs de silex dans son Camp. J'ai pu me rendre compte combien les armes de ses chasseresses étaient de piètre qualité. Et qui sait ? Elle ne gardera peut-être plus sa place très longtemps.

Le vieillard considéra le géant blond avec intérêt.

— Saurais-tu quelque chose que j'ignore ? interrogea-t-il. En tout cas, j'encouragerai les garçons à venir te regarder travailler.

Jondalar avait travaillé hors de l'auvent la nuit précédente, afin que les éclats de silex qui jaillissaient inévitablement au cours de la taille ne fussent pas accumulés autour de l'abri. Il s'était installé derrière un tas de pierres, près des lieux d'aisance, la partie de l'Enclos que les gardes surveillaient le moins, à cause de l'odeur.

Les lames qu'il avait rapidement détachées de la gangue de pierre étaient environ quatre fois plus longues que larges, avec un bout arrondi. Ces ébauches d'outils au tranchant comme celui d'un rasoir découpaient le cuir aussi aisément que de la graisse gelée, au point qu'il fallait parfois en émousser le fil pour éviter de se blesser en les utilisant.

Dès son réveil, Jondalar avait choisi un endroit sous l'auvent, éclairé par une fissure du plafond. Il avait ensuite découpé un morceau de cuir dans sa cape de fortune et l'avait disposé sur le sol pour recueillir les débris de silex. Entouré des deux jeunes infirmes et de plusieurs autres, il leur montra comment utiliser une pierre arrondie, ou un os, pour fabriquer des outils en silex, lesquels à leur tour serviraient à confectionner des objets en cuir, en bois ou en os. Ils prenaient soin de ne pas attirer l'attention, se levant de temps en temps pour vaquer à leurs occupations habituelles, et revenant se blottir les uns contre les autres pour se réchauffer, et cachaient ainsi Jondalar à la vue des gardes. Mais tous observaient le travail du tailleur de silex avec fascination.

Jondalar ramassa une lame et l'examina d'un œil critique. Il avait plusieurs outils en tête, et il se demandait lequel se prêtait le mieux à la forme de ce morceau de silex. L'une des arêtes était droite, l'autre quelque peu ondulée. Il commença par émousser l'arête irrégulière en la raclant avec sa masse de pierre, mais ne toucha pas à l'autre. Ensuite, avec l'extrémité effilée d'un morceau de fémur, il écailla soigneusement l'angle arrondi jusqu'à le rendre pointu. Avec un tendon, de la glu ou de la poix, et divers objets auxquels l'attacher, il aurait pu fabriquer un manche, mais tel quel, il avait obtenu un couteau convenable.

Pendant qu'on se passait le couteau de main en main et qu'on testait son tranchant sur le poil d'un bras ou sur du cuir, Jondalar prit une deuxième lame de silex. Au milieu, les deux arêtes se resserraient. Avec le bout noueux d'un morceau de fémur, il en pressa précautionneusement et à petits coups le bord le plus tranchant pour l'émousser légèrement, mais surtout le renforcer, confectionnant ainsi un racloir qui servirait à façonner des pièces de bois ou d'os. Il leur montra à quoi servait l'outil et le fit circuler.

Il prit la lame suivante, et en émoussa les deux arêtes pour qu'on pût saisir facilement l'outil. Puis, de deux coups bien appliqués sur l'extrémité arrondie, il détacha deux éclats, obtenant une pointe aiguë comme un ciseau. Pour la gouverne des spectateurs, il se livra à une petite démonstration : il creusa un sillon dans la longueur d'un os et repassa plusieurs fois dedans pour l'approfondir, enlevant par là même de petits copeaux. Il leur expliqua alors comment tailler une hampe, un manche ou une pointe, qu'on polissait ensuite.

La démonstration de Jondalar fut comme une révélation. Personne parmi les garçons, ni les hommes les plus jeunes, n'avait jamais vu de tailleur de silex à l'œuvre, et les plus vieux n'en avaient pas connu d'aussi expérimenté. La veille, dans les dernières lueurs du jour, Jondalar avait réussi à cliver une trentaine de lames dans le nodule. Le lendemain, presque tout le monde avait essayé un ou plusieurs des nouveaux outils qu'il avait fabriqués à partir de ces lames.

Il tenta ensuite de leur décrire l'arme de chasse qu'il voulait fabriquer. Certains comprirent immédiatement, même s'ils le questionnaient invariablement sur la précision et la vitesse qu'il prétendait obtenir d'une sagaie lancée à l'aide d'un propulseur. D'autres ne semblaient pas saisir le concept.

Dès qu'ils eurent entre leurs mains des outils, les hommes se sentirent enfin utiles. De plus, toute activité qui s'opposait à Attaroa et aux conditions misérables qu'elle leur imposait balayait le désespoir qui s'était abattu sur le Camp des Hommes et permettait aux captifs d'entrevoir la possibilité d'influer sur leur destin.

Epadoa sentit un changement dans l'attitude des prisonniers, et elle se douta qu'ils fomentaient quelque chose. Ils allaient d'un pas plus léger, souriaient trop souvent, mais elle eut beau les surveiller, elle ne découvrit rien de suspect. Les hommes avaient pris soin de cacher les couteaux, les racloirs, les ciseaux que Jondalar avait fabriqués, ainsi que les objets qu'ils avaient confectionnés avec, mais aussi les débris résultant de leur travail. Le moindre éclat de silex, le plus petit copeau de bois ou d'os avait été enterré sous l'auvent et recouvert d'une planche ou d'une pièce de cuir.

Mais ce fut surtout pour les deux estropiés que la vie changea. Jondalar ne leur avait pas seulement montré comment faire les outils, il leur en avait fabriqué de spéciaux et leur expliquait comment s'en servir. Ils cessèrent de se dissimuler dans l'ombre sous l'auvent et commencèrent à fréquenter d'autres garçons plus âgés. Tous deux idolâtraient Jondalar, surtout Doban, assez grand pour profiter davantage de son enseignement, même s'il s'efforçait de cacher son admiration.

Elevé par une femme privée de raison comme Attaroa, Ardoban s'était toujours senti à la merci de circonstances échappant à son contrôle et avait beaucoup souffert de cette impuissance. Profondément ancrée en lui, la peur que quelque chose de terrible pût lui arriver ne l'avait jamais quitté, et après l'atroce souffrance et le traumatisme terrifiant qu'il avait subis il restait convaincu que la vie ne lui apporterait que des malheurs. Il souhaitait souvent mourir. Mais d'avoir vu quelqu'un ramasser deux pierres dans une rivière, et à l'aide de ces deux seuls cailloux, de sa dextérité et de son savoir-faire, lui avoir offert la possibilité de changer son destin, marqua durablement Doban. Il n'osait pas encore le demander — il se méfiait toujours de tout le monde — mais son plus cher désir était d'apprendre à fabriquer des outils.

Jondalar, conscient de l'intérêt du jeune garçon, aurait aimé avoir plus de silex pour commencer à lui enseigner les rudiments du métier. Ce peuple va-t-il à un Rassemblement ou une Réunion d'Eté où l'on peut échanger des idées, des informations et des marchandises ? s'interrogeait-il. Cette région devait certainement posséder des tailleurs de silex susceptibles d'enseigner leur savoir à Doban. Il avait besoin d'une activité où être boiteux n'aurait pas d'importance.

Jondalar tailla quelques échantillons de propulseur en bois pour montrer aux hommes à quoi ressemblaient ces engins et comment les façonner. Aussitôt, plusieurs d'entre eux s'attelèrent à la tâche. Il tailla aussi des pointes de sagaie en silex, et découpa de fines lanières de cuir dans leurs peaux les plus robustes pour fixer les pointes sur les hampes. De son côté, Ardemun découvrit l'aire d'un aigle royal et rapporta d'excellentes plumes. Il ne leur manquait plus que les hampes.

Afin d'essayer d'en tailler une avec les maigres matériaux à sa disposition, Jondalar découpa une planche longue et assez mince. Il s'en servit pour enseigner aux jeunes comment fixer la pointe et attacher les plumes, et il leur montra comment tenir le propulseur et leur expliqua les techniques de jet. Mais façonner une bonne hampe à partir d'une simple planche était un travail long et fastidieux, le bois était sec et cassant, sans souplesse.

Il lui fallait de jeunes arbres bien droits, ou des branches assez longues qu'il pût redresser, encore qu'il aurait aussi besoin de les chauffer sur un feu. Son confinement lui pesait. Si seulement il pouvait aller chercher de quoi fabriquer ses hampes ! Comment persuader Attaroa de le laisser sortir ? Le soir avant de s'endormir, lorsqu'il fit part de ses sentiments à Ebulan, l'homme le regarda d'un air bizarre, hocha la tête et se retourna sur sa couche. Cette réaction étrange surprit Jondalar, mais il l'oublia vite et sombra dans le sommeil.

De son côté, Attaroa pensait beaucoup à Jondalar. Elle se réjouissait de la distraction qu'il lui offrirait pendant le long hiver. Elle s'imaginait déjà qu'elle le dominait, qu'il se pliait à ses volontés, et qu'elle étalait sa puissance aux yeux de tous, prouvant sa supériorité sur le beau géant blond. Quand elle en aurait terminé avec lui, elle avait d'autres projets. Elle se demandait s'il était mûr pour sortir et travailler. Epadoa lui avait fait part des changements qu'elle avait flairés dans l'Enclos, et de ses soupçons concernant l'étranger, mais elle n'avait apporté aucune preuve tangible. Peut-être était-ce le moment de séparer le Zelandonii des autres hommes. Elle songea à le renvoyer dans la cage. Ce serait un bon moyen de rendre les hommes nerveux et inquiets.

Dans la matinée, elle demanda à ses femmes de lui fournir une équipe de travailleurs et d'y inclure le Zelandonii. La perspective de voir autre chose que la terre nue et la palissade oppressante réjouit Jondalar. C'était la première fois qu'on l'autorisait à sortir de l'Enclos pour travailler, il n'avait aucune idée de ce qu'Attaroa lui préparait, mais il espérait trouver de jeunes arbres bien droits. Les rapporter dans l'Enclos serait une autre histoire.

Plus tard, ce même jour, Attaroa, paradant avec la pelisse de Jondalar, sortit de sa caverne accompagnée de deux de ses femmes et de S'Armuna. Les hommes avaient transporté des os de mammouth et les entassaient à l'endroit où Attaroa l'avait exigé. Il avaient travaillé depuis le matin sans manger et sans boire. Jondalar n'avait pas encore eu l'occasion de chercher ses hampes et encore moins de trouver un moyen de les couper et de les rapporter au Camp des Hommes. Il était surveillé de près, et on ne lui laissait pas le temps de se reposer. Il avait faim, il avait soif, il était déçu, épuisé et fou de rage.

Jondalar reposa le fémur qu'il portait avec Olamun, et se redressa pour affronter Attaroa qui approchait avec son escorte. Elle était grande, plus grande que bien des hommes. Elle aurait pu être séduisante. Pourquoi haïssait-elle les hommes à ce point ? se demanda-t-il. Lorsqu'elle lui adressa la parole, il nota son ton sarcastique, bien que le sens des mots lui échappât.

— Alors, Zelandonii, as-tu une autre histoire à nous raconter ? Parle, que je m'amuse, traduisit S'Armuna qui reproduisit même les intonations moqueuses.

— Je t'ai dit la vérité, assura Jondalar.

— Oui, je sais, tu voyageais avec une femme qui monte sur le dos des chevaux. Où est-elle, alors ? Si elle a le pouvoir que tu lui prêtes, pourquoi n'est-elle pas venue te réclamer ? ricana Attaroa, les mains sur les hanches, comme pour le provoquer.

— J'ignore où elle se trouve. J'ai peur qu'elle ne soit tombée dans le ravin avec les chevaux que tu chassais.

— Tu mens, Zelandonii ! Mes chasseresses n'ont pas vu de femme sur le dos d'un cheval, et on n'a retrouvé aucun cadavre de femme. Tu dois savoir que celui qui vole les S'Armunaï est puni de mort, et tu essaies de t'en tirer à bon compte.

Ainsi, on n'avait pas retrouvé le corps d'Ayla ! Jondalar ne put contenir sa joie en reprenant soudain espoir de revoir sa compagne.

— Je te parle de mourir, et tu souris ! s'exclama Attaroa. Tu ne me crois pas capable de te tuer ?

Elle pointa vers lui un index menaçant, et s'en frappa ensuite la poitrine comme pour souligner ses propos.

— Mourir ? répéta-t-il en pâlissant.

Tuait-on les gens pour les punir de chasser ? Tout à sa joie d'apprendre qu'Ayla était encore en vie, il n'avait pas écouté ce qu'Attaroa disait. Lorsqu'il comprit où elle voulait en venir, la colère le reprit.

— Les chevaux n'ont pas été accordés aux seuls S'Armunaï. Ils sont à tous les Enfants de la Terre ! Comment oses-tu appeler la chasse du vol ? Quand je chasse les chevaux, c'est pour me nourrir !

— Ah ! J'ai déjoué ton mensonge. Tu admets donc que tu chassais mes chevaux ?

— Pas du tout ! J'ai dit : « Quand je chasse... », je n'ai pas dit que je l'avais fait... Explique-lui, S'Armuna, implora-t-il, que Jondalar des Zelandonii, fils de Marthona, ancienne Femme Qui Ordonne de la Neuvième Caverne, ne ment jamais.

— Maintenant, tu prétends être le fils d'une Femme Qui Ordonne ? Ce Zelandonii est un fieffé menteur, après la Femme qui Fait des Miracles, voici la Femme Qui Ordonne !

— J'ai connu beaucoup de femmes qui gouvernaient. Tu n'es pas la seule, Attaroa. C'est très fréquent chez les Mamutoï.

— Elles ne gouvernent jamais seules ! Elles partagent le pouvoir avec un homme.

— Ma mère a gouverné pendant dix ans. Elle est devenue Femme Qui Ordonne à la mort de son compagnon, et elle n'a partagé son pouvoir avec personne. Hommes et femmes, tous la respectaient. Elle a transmis d'elle-même le pouvoir à mon frère, Joharran. Son peuple voulait qu'elle le garde.

— Respectée par les hommes comme par les femmes ? Ecoutez-moi cela ! Crois-tu donc que je ne connaisse pas les hommes, Zelandonii ? Tu t'imagines que je n'ai jamais été unie ? Suis-je donc laide au point qu'aucun homme ne veuille de moi ?

Attaroa hurlait à présent et S'Armuna traduisait presque simultanément, comme si elle devinait ce qu'elle allait dire. Jondalar en aurait oublié que la chamane ne parlait pas pour elle tant il avait l'impression d'entendre parler Attaroa, si le ton impersonnel de S'Armuna ne donnait un détachement étrange aux paroles qu'Attaroa avait proférées avec tant d'agressivité. L'amertume obscurcissait son regard, mais telle une démente, elle poursuivit sa harangue.

— Mon compagnon gouvernait ce peuple. C'était un chef puissant, un homme fort.

— Beaucoup d'hommes sont forts. La force ne suffit pas à faire un chef, répliqua Jondalar.

Attaroa ne l'entendit pas. Elle ne l'écoutait plus. Les souvenirs l'assaillaient.

— Brugar était si fort qu'il avait besoin de me battre chaque jour pour le prouver, ricana-t-elle. Quel malheur qu'il ait mangé des champignons vénéneux ! poursuivit-elle d'une voix suave. J'ai battu le fils de sa sœur dans un combat régulier pour devenir Femme Qui Ordonne. C'était une mauviette. Il est mort. Mais toi, tu n'es pas une mauviette, Zelandonii. Aimerais-tu me combattre pour sauver ta vie ?

— Je n'ai nulle envie de me battre avec toi, Attaroa. Mais s'il le faut, je me défendrai.

— Non, tu ne te battras pas, parce que tu sais que je gagnerais. Muna est avec moi. La Mère a honoré les femmes, ce sont elles qui apportent la vie. C'est à elles de commander.

— Non ! protesta Jondalar.

Ceux qui assistaient à la scène frémirent en l'entendant s'opposer aussi ouvertement à Attaroa.

— Le commandement n'appartient pas nécessairement à celui que la Mère honore, pas plus qu'à celui qui possède la force physique. Le chef des cueilleurs de baies, par exemple, sera celui qui sait où poussent les baies, quand elles sont mûres, et le meilleur moyen de les cueillir, déclara Jondalar qui improvisait son argumentation au fur et à mesure. Un chef doit être quelqu'un à qui tout le monde puisse se fier. Ceux Qui Ordonnent doivent savoir ce qu'ils font.

Attaroa l'écoutait d'un air renfrogné. Ses arguments n'avaient aucune prise sur elle, elle n'écoutait que ses propres avis, mais elle n'aimait pas le ton de sa voix. On aurait dit qu'il la réprimandait. S'imaginait-il avoir le droit de lui parler si librement ?

— C'est pareil pour tout, continua Jondalar. Le chef des chasseurs est celui qui sait où sont les animaux, à quel moment et comment les pister. C'est le chasseur le plus fin et le plus rusé. Marthona disait toujours que Ceux Qui Ordonnent devaient d'abord prendre soin de leur peuple. Ou sinon, ils ne restent pas chefs longtemps.

Emporté par sa colère, Jondalar débitait son discours sans tenir compte de la haine qui contractait le visage d'Attaroa.

— Quelle importance alors que ce soient des hommes ou des femmes ? conclut-il.

— Je ne permettrai plus que des hommes nous gouvernent, coupa Attaroa. Ici, les hommes savent que les femmes commandent, et les plus jeunes sont éduqués pour l'accepter. Ici, ce sont les femmes qui chassent. Nous n'avons pas besoin d'hommes pour nous diriger ou traquer les bêtes. Crois-tu que les femmes ne puissent pas chasser ?

— Bien sûr qu'elles peuvent. Ma mère était une chasseresse avant de devenir Femme Qui Ordonne, et la femme avec qui je voyage en remontrerait à bien des hommes. Elle aime chasser et excelle à la traque. Je lance une sagaie plus loin qu'elle, mais elle est plus précise. D'un seul jet de fronde, elle tue un oiseau en vol ou un lapin en pleine course.

— Encore des histoires ! grommela Attaroa. C'est facile de raconter des histoires sur une femme qui n'existe pas. Mes femmes ne chassaient pas, on le leur avait interdit. Quand Brugar commandait, les femmes n'avaient même pas le droit de toucher une arme. Quand j'ai pris le commandement, ça n'a pas été facile pour nous. Personne ne savait chasser, mais je leur ai appris. Tu vois ces cibles ?

Attaroa désigna une série de gros pieux fichés en terre. Jondalar les avait déjà remarqués auparavant et s'était demandé à quoi ils servaient. En haut de l'un des pieux, un morceau de carcasse de cheval, planté de quelques sagaies, pendait d'une grosse cheville en bois.

— Les femmes s'exercent chaque jour à lancer la sagaie. Les meilleures deviennent mes chasseresses. Mais avant de fabriquer les sagaies et d'apprendre à les lancer, nous chassions déjà. Il y a une falaise au nord, près de l'endroit où j'ai grandi. Au moins une fois par an, les gens y rassemblent des chevaux et les poussent dans le vide. Le plus difficile est d'attirer le troupeau, ensuite il ne reste plus qu'à l'affoler...

Attaroa couva Epadoa d'un œil plein de fierté.

— Epadoa a découvert que les chevaux adorent le sel. Elle a demandé aux femmes de conserver leurs urines et s'en est servie pour attirer les chevaux. Mes chasseresses sont mes Louves, ponctua-t-elle en lançant un sourire aux femmes armées de sagaies qui s'étaient attroupées et se rengorgeaient sous les compliments.

Jondalar n'avait pas prêté une grande attention à leurs habits, mais il se rendit soudain compte que toutes les chasseresses portaient quelque chose d'un loup. La plupart avaient ourlé leur capuche de fourrure de loup, et une dent de l'animal, parfois plus, pendait à leur cou. Certaines avaient orné les manches ou le bas de leur pelisse, ou bien les deux, d'une bande de peau de loup. La capuche d'Epadoa était entièrement en fourrure de loup, une partie de la tête de l'animal montrant les crocs couronnait le tout. Les manches et le bas de sa pelisse étaient ornés de fourrure de loup, des pattes de loup tombaient de chaque côté de son buste, et une queue touffue pendait dans son dos.

— Leurs sagaies sont leurs crocs, elles tuent en bande, et rapportent la viande, poursuivit Attaroa en scandant ses paroles dont Jondalar était sûr qu'elle les savait par cœur. Leurs jambes sont des pattes, elles courent tout le jour, et peuvent courir toujours. Epadoa est leur chef, Zelandonii. Mieux vaut ne pas t'y frotter, elle est très rusée.

— Je n'en doute pas, fit Jondalar, impressionné par le

637

nombre des « Louves », et qui ne put s'empêcher d'admirer tout ce qu'elles avaient accompli avec si peu de connaissances au départ. Je déplore le gâchis de tous ces hommes inactifs alors qu'ils pourraient chasser, eux aussi, cueillir des plantes, fabriquer des outils. Les femmes n'accompliraient plus seules les travaux pénibles. Je ne prétends pas qu'elles en sont incapables, mais pourquoi devraient-elles travailler pour elles et pour les hommes ?

Une fois encore, le rire cruel et démoniaque d'Attaroa fit frémir Jondalar.

— C'est précisément ce que je me suis demandé, dit-elle. Ce sont les femmes qui produisent la vie, à quoi bon nous encombrer des hommes ? Certaines femmes ne peuvent pas encore s'en passer, mais à quoi sont-ils bons ? Aux Plaisirs ? Ce sont eux qui obtiennent les Plaisirs, et eux seuls. Ici, on ne se soucie plus de leur procurer les Plaisirs. Plutôt que de partager un foyer avec un homme, j'ai uni les femmes ensemble. Elles partagent les tâches, élèvent ensemble leurs enfants, elles se comprennent. Quand il n'y aura plus d'hommes, la Mère ne mêlera plus que les esprits des femmes, et il ne naîtra que des filles.

Serait-ce possible ? se demanda Jondalar. S'Amodun lui avait dit que peu de bébés étaient nés ces dernières années. La théorie d'Ayla lui revint alors en mémoire. Elle disait que c'étaient les Plaisirs que partageaient un homme avec une femme qui créaient une nouvelle vie dans le ventre de la femme. Or Attaroa avait séparé les couples. Serait-ce la raison du peu de naissances ?

— Et combien d'enfants sont nés depuis ? demanda-t-il avec une curiosité feinte.

— Pas beaucoup, mais quelques-uns tout de même. Et il y en aura d'autres.

— C'étaient des filles ?

— Les hommes sont encore trop présents, cela trouble la Mère. Mais tous les hommes auront bientôt disparu. Nous verrons alors combien d'enfants naîtront.

— S'il en naît, dit Jondalar. La Grande Terre Mère a

638

conçu les hommes et les femmes, et à Son image, les femmes sont élues pour donner naissance au mâle comme à la femelle. C'est la Mère qui décide quel esprit d'homme sera mêlé à celui de la femme. Et il faut toujours un esprit de chaque. Crois-tu pouvoir modifier ce qu'Elle a ordonné ?

— Que sais-tu de ce que décidera la Mère ? Tu n'es pas une femme, Zelandonii ! lança-t-elle avec mépris. Tu n'aimes pas entendre dire combien tu es inutile, à moins que tu ne sois pas encore prêt à renoncer aux Plaisirs. C'est bien ça, n'est-ce pas ?

Elle changea subitement de ton, affectant un roucoulement langoureux.

— Veux-tu les Plaisirs, Zelandonii ? Si tu ne veux pas te battre avec moi, que donneras-tu en échange de ta liberté ? Ah, je sais ! Les Plaisirs. Pour un bel homme, fort et robuste tel que toi, Attaroa accepterait sûrement de te donner les Plaisirs. Et toi, sauras-tu les lui apporter ?

Jondalar prit soudain conscience qu'il n'entendait qu'une traduction. Prendre la voix de la Femme Qui Ordonne, à la rigueur S'Armuna le pouvait, mais pas celle d'Attaroa, la femme. S'Armuna traduisait les mots, elle ne pouvait pas épouser la personnalité de la femme. Maintenant, Jondalar distinguait leurs deux voix.

— Il est si grand, si blond, si parfait, ne pourrait-il être le compagnon de la Mère elle-même ? Regardez-le, il est plus grand qu'Attaroa, et peu d'hommes peuvent s'en vanter ! Tu as donné les Plaisirs à beaucoup de femmes, n'est-ce pas ? Un sourire du géant blond aux yeux si bleus, et les femmes se battent pour monter dans sa couche. Procures-tu les Plaisirs à toutes, Zelandonii ?

Jondalar refusa de répondre. Oui, il avait été un temps où il aimait donner les Plaisirs à de nombreuses femmes, mais à présent Ayla était la seule qui comptait. Un violent et douloureux chagrin l'envahit. Que deviendrait-il sans elle ? Vivre ou mourir, quelle différence ?

639

— Viens, Zelandonii, si tu apportes beaucoup de plaisir à Attaroa, tu seras libre. Attaroa sait que tu en es capable.

La grande et belle femme marcha sur lui d'un air séducteur.

— Tu vois ? Attaroa se donnera à toi. Montre à tout le monde comment un bel homme vigoureux procure les Plaisirs à une femme. Partage le Don de Muna, la Grande Terre Mère, avec Attaroa, Jondalar des Zelandonii.

Attaroa jeta ses bras autour de son cou et se pressa contre lui. Jondalar resta de glace. Elle essaya d'embrasser sa bouche, mais il était trop grand pour elle et il refusait de s'incliner. Elle n'était pas habituée à des hommes de si haute taille, et encore moins à ce qu'on lui résistât. Comprenant qu'elle se ridiculisait, elle entra dans une violente colère.

— Zelandonii ! Je suis prête à m'accoupler avec toi, et à t'accorder une chance de recouvrer la liberté !

— Je ne partagerai pas le Don des Plaisirs de la Mère dans ces conditions, affirma-t-il d'une voix calme qui cachait mal son indignation.

Comment osait-elle insulter la Mère à ce point ?

— Le Don de la Mère est sacré, et doit être partagé de plein gré et dans la joie. L'accouplement que tu proposes ferait injure à la Mère. Ce serait profaner Son Don et provoquer Son juste courroux, autant que de prendre une femme de force. Je choisis toujours la femme avec qui je m'accouple, et je n'ai aucune envie de partager Son Don avec toi, Attaroa.

Jondalar aurait pu répondre à l'invite d'Attaroa, mais il savait qu'elle n'était pas sincère. Il attirait la plupart des femmes, et il avait acquis assez d'expérience pour les satisfaire. Mais malgré tous ses efforts de séduction, Attaroa le laissait de glace. Même s'il avait voulu la satisfaire, il n'aurait pas pu.

En entendant la traduction, Attaroa blêmit. Plus d'un homme se serait réjoui de partager le Don des Plaisirs avec une si belle femme et de gagner ainsi sa liberté. Les visiteurs assez malchanceux pour se faire capturer sur son territoire avaient saisi l'occasion d'échapper aussi facilement aux Louves des S'Armunaï. Certains avaient hésité pourtant, craignant un piège, mais aucun n'avait rejeté son offre avec tant de hardiesse. Et ils découvraient vite qu'ils avaient eu raison de se méfier.

— Tu... tu refuses !... bégaya Attaroa, incrédule.

La traduction avait été énoncée d'un ton égal, mais on ne pouvait se méprendre sur sa réaction.

— Tu refuses Attaroa ! Comment oses-tu ? hurla-t-elle. Déshabillez-le ! ordonna-t-elle à ses Louves, et attachez-le à la cible.

Le sort de Jondalar avait été scellé depuis longtemps, mais le dénouement était plus rapide qu'Attaroa l'eût souhaité. Elle avait espéré que Jondalar la distrairait pendant l'interminable et triste hiver. Elle adorait mettre les hommes au supplice en leur faisant miroiter la liberté en échange des Plaisirs. L'ironie de la chose la réjouissait. Dès qu'ils commettaient l'erreur d'accepter, elle se délectait à les humilier et à les avilir jusqu'à ce qu'elle fût prête pour son dernier jeu. Ils allaient jusqu'à se déshabiller eux-mêmes dans leur hâte de lui plaire !

Mais aucun homme ne pouvait lui donner les Plaisirs. On avait abusé d'elle quand elle n'était qu'une enfant, et elle avait attendu avec impatience de pouvoir s'unir avec le chef d'un autre Camp. Mais ce qu'elle avait vécu auprès de l'homme qu'elle avait choisi était pire encore. Il n'atteignait les Plaisirs qu'après l'avoir battue et humiliée. Elle s'était révoltée et avait provoqué la mort de l'homme après une horrible et dégradante agonie. Elle avait bien retenu la leçon. Pervertie par les cruautés qu'elle avait subies, elle ne pouvait atteindre les Plaisirs qu'en infligeant des tortures aux autres. Partager le Don de la Mère avec des hommes, ou même des femmes, n'enthousiasmait guère Attaroa. Elle se procurait elle-même les Plaisirs en se délectant de la longue et douloureuse agonie de ses victimes.

Lorsqu'il s'écoulait trop de temps entre deux visiteurs,

Attaroa jouait avec les hommes du Camp. Mais après que les premiers eurent succombé à ses « Plaisirs », les autres refusèrent de jouer le jeu. Ils demandaient grâce, mais rien de plus. D'habitude, mais pas toujours, elle cédait à ceux dont une femme plaidait la cause. Certaines femmes se pliaient difficilement à la collaboration — c'était pourtant pour leur bien qu'Attaroa voulait éliminer les hommes — mais on pouvait heureusement les circonvenir en agissant sur les hommes auxquels elles étaient liées, si bien qu'Attaroa avait décidé de garder ceux-là en vie.

Les visiteurs arrivaient d'ordinaire pendant la saison chaude. On se déplaçait peu durant l'hiver, et ceux du Voyage séjournaient dans un Camp. Ces derniers temps, peu de Voyageurs étaient passés, et pas un seul l'été précédent. Par le plus grand des hasards, quelques hommes avaient réussi à s'échapper, et des femmes s'étaient enfuies. Ils avaient prévenu les autres. Ceux qui entendaient leurs récits les répétaient ensuite comme s'il s'agissait d'une rumeur ou d'un conte de Voyageur, mais les rumeurs qui couraient sur les Louves cruelles s'étaient amplifiées et les gens n'approchaient plus.

Attaroa s'était réjouie quand on avait ramené Jondalar, mais il s'était vite révélé plus entêté que ses propres hommes. Il refusait de jouer le jeu, et il ne lui donnait même pas la satisfaction de l'implorer. Sinon, elle l'aurait laissé vivre un peu, le temps de savourer le plaisir de le voir céder.

A son commandement, ses Louves s'emparèrent de Jondalar. Il se débattit farouchement, écartant les sagaies, distribuant des coups qui laissèrent des traces. Il se libéra presque mais le nombre vint à bout de sa résistance héroïque. Il continua à se démener pendant que les Louves coupaient les lanières qui retenaient sa tunique et ses jambières, et elles le menacèrent de lui trancher la gorge.

Après avoir arraché sa tunique et dénudé sa poitrine, elles lui lièrent les poignets et, à l'aide d'une corde passée autour de ses liens, elles l'accrochèrent à une cheville en bois fichée au sommet d'un pieu. Il donna des coups de pied, dont certains atteignirent les Louves qui ôtaient ses jambières, mais sa résistance ne servait qu'à les exciter à le frapper davantage, et personne n'était là pour les retenir.

Lorsqu'elles l'eurent ainsi pendu nu au poteau, elles se reculèrent pour jouir du spectacle en arborant des sourires narquois. Il avait beau être grand et fort, elles avaient eu raison de lui. Jondalar touchait à peine le sol du bout des pieds, et il se doutait qu'à sa place la plupart des hommes se balanceraient au bout de leur corde. De sentir le sol sous ses orteils le rassura, et il adressa une vague supplique à la Grande Terre Mère pour qu'elle le sortît de cette fâcheuse posture.

Sa cicatrice à la cuisse intrigua Attaroa. La blessure avait été bien soignée. Elle ne l'avait jamais vu boiter, ni tirer la jambe. Puisqu'il était vigoureux, il mettrait plus longtemps à mourir, se dit-elle. Il lui donnerait peut-être du Plaisir, après tout. Cette pensée la fit sourire.

Jondalar surprit le regard scrutateur d'Attaroa. Il frissonna, mais la bise glacée n'y était pour rien. Attaroa l'observait en souriant, le visage empourpré, le souffle court. Une étrange sensualité l'enveloppait. Ses Plaisirs se décuplaient toujours si l'homme était beau. Séduite à sa manière par le géant au charisme naturel, elle se promit de le faire durer le plus possible.

Jondalar regarda du côté de l'Enclos, devinant que les hommes observaient la scène par les fentes de la palissade. Il s'étonnait qu'ils ne l'eussent pas prévenu. Ce n'était à l'évidence pas la première fois qu'Attaroa se livrait à ce jeu. Cela aurait-il changé quoi que ce fût s'ils l'avaient mis en garde ? Sans doute avaient-ils estimé préférable qu'il ignorât le sort qui l'attendait.

En réalité, certains en avaient discuté entre eux. Ils aimaient tous le Zelandonii et admiraient son art de tailleur de silex. Grâce aux excellents couteaux et aux outils qu'il leur avait fabriqués, chacun espérait trouver une occasion de s'enfuir. Ils garderaient précieusement le souvenir de

Jondalar, mais, au plus profond de leur cœur, ils savaient que si aucun visiteur ne se présentait, Attaroa n'hésiterait pas à choisir ses victimes parmi eux. Quelques S'Armunaï avaient déjà subi ce triste sort, et tous savaient que leurs pitoyables supplications ne suffiraient pas à faire fléchir la cruelle Attaroa. Ils se félicitèrent secrètement du refus de Jondalar de satisfaire la Femme Qui Ordonne, mais ils craignaient que des démonstrations de joie n'incitassent Attaroa à se retourner contre eux. Ils assistaient donc en silence au déroulement de la scène par trop familière avec une compassion mêlée de peur... et d'un peu de honte.

Toutes les femmes devaient assister au supplice de Jondalar. La plupart d'entre elles détestaient ce triste spectacle, mais la crainte d'Attaroa l'emportait sur le dégoût, même chez les chasseresses. Certaines se tenaient le plus loin possible, d'autres défaillaient, mais en cas d'absence, les hommes dont elles avaient plaidé la cause risquaient d'être les prochains suppliciés. Quelques-unes avaient essayé de s'enfuir, peu avaient réussi, les autres avaient été reprises et ramenées au Camp et, pour les punir, leurs proches — compagnons, frères, fils — avaient été enfermés dans la cage, privés d'eau et de nourriture. Parfois, bien que ce fût rare, on y enfermait aussi des femmes.

Celles qui avaient un fils tremblaient davantage que les autres, surtout après ce qu'Attaroa avait infligé à Odevan et Ardoban. Mais les plus inquiètes étaient les mères des deux bébés et la femme enceinte. Elles faisaient la joie d'Attaroa qui prenait de leurs nouvelles, et les traitait avec douceur, mais chacune recelait un secret coupable qui, s'il était découvert les conduirait à finir pendues à la cible.

La Femme Qui Ordonne sortit du rang de ses chasseresses et empoigna une sagaie dont Jondalar remarqua la lourdeur et la pointe émoussée. Il ne put s'empêcher de penser combien il aurait pu l'améliorer. Mais émoussée ou pas, la pointe n'en demeurait pas moins redoutable. Il observa Attaroa viser avec soin, et nota qu'elle le visait bas. Son intention n'était pas de tuer, mais de mutiler. Il réprima une violente envie de recroqueviller les jambes pour se protéger. Il se serait alors balancé au bout de la corde, et aurait offert une cible encore plus vulnérable. D'autre part, il ne voulait pas dévoiler sa terreur.

Attaroa le surveillait, devinant sa peur et s'en délectant. Certains la suppliaient, mais elle savait que celui-là ne s'y abaisserait pas. Du moins pas encore. Elle leva son bras armé, prête au lancer. Jondalar ferma les yeux et pensa à Ayla, se demandant si elle était encore en vie. Qu'elle fût morte et la vie perdait tout son sens. Cette pensée poignarda son cœur plus sûrement qu'aucune sagaie.

Il entendit le bruit sourd de la sagaie se fichant dans la cible, mais au-dessus de lui, et non pas en bas où Attaroa avait visé. Et au lieu de la vive douleur attendue, il se retrouva à terre, les mains libres. Il regarda ses poignets, la corde avait été tranchée. Attaroa avait toujours sa sagaie en main, ce n'était donc pas la sienne qu'il avait entendue frapper la cible. Il leva la tête et vit une petite sagaie à la pointe acérée fichée dans la cheville. Les plumes de la hampe vibraient encore. La fine pointe de silex avait coupé net la corde. Il connaissait cette sagaie !

Il regarda dans la direction d'où elle venait. Il aperçut un mouvement derrière Attaroa. Son regard s'embua de larmes de soulagement. Il arrivait à peine à y croire. Etait-ce bien elle ? Etait-elle vraiment en vie ? Il cligna plusieurs fois des yeux pour effacer ses larmes et vit alors un cheval au pelage louvet portant une femme sur son dos.

— Ayla ! s'écria-t-il. Ayla, tu es vivante !

29

Attaroa fit volte-face. A l'autre bout du pré, devant l'entrée du Camp, elle vit une femme sur le dos d'un cheval qui s'avançait vers elle. La capuche de sa pelisse rejetée en arrière dévoilait une chevelure blonde de la même couleur que la robe du cheval. La créature effrayante et sa monture semblaient faites d'une même chair. La femme-cheval avait-elle lancé la sagaie ? Attaroa s'interrogeait. Mais comment pouvait-on atteindre une cible à une telle distance ? Elle s'aperçut alors que la femme avait une autre sagaie à portée de main.

Attaroa frissonna d'effroi, ses cheveux se dressèrent sur sa tête, mais la terreur glacée qui l'habitait ne provenait pas d'un objet aussi matériel qu'une sagaie. L'apparition n'était pas humaine, elle l'aurait juré. Dans un éclair de lucidité, elle comprit toute l'horreur des atrocités qu'elle avait commises et elle devina que la créature qui s'avançait à sa rencontre était une matérialisation de la Mère, une munaï, un esprit vengeur, dépêché pour son châtiment. Au fond de son cœur, Attaroa bénit Sa venue : sa vie avait été un long cauchemar dont elle n'était pas fâchée de voir arriver la fin.

Attaroa n'était pas seule à être terrifiée par l'étrange femme-cheval. Jondalar avait pourtant essayé de leur expliquer, mais personne ne l'avait cru. Personne ne pouvait concevoir qu'un humain montât sur le dos d'un cheval, et il ne suffisait pas de le voir pour le croire. L'apparition opportune d'Ayla frappa tous les esprits. Pour certains, ce n'était que la peur de la nouveauté. Pour d'autres, c'était le signe d'un pouvoir surnaturel lourd de menaces. Mais beaucoup, de la même façon qu'Attaroa, considéraient Ayla comme un instrument de vengeance contre leurs actes coupables. Encouragée ou forcée par Attaroa, plus d'une femme avait commis des brutalités épouvantables, ou les avait permises, et dans le secret de la nuit, avait ressenti une honte inavouable ou la crainte d'un châtiment futur.

Jondalar lui-même se demanda un instant si Ayla n'était pas revenue de l'autre monde pour le sauver, convaincu qu'elle l'aurait pu si elle l'avait voulu. Il la regarda approcher, se repaissant de chaque détail avec amour, affamé de l'image qu'il avait cru ne plus jamais revoir : la femme qu'il aimait chevauchant sa chère jument. Des mèches rebelles échappées de la lanière de cuir qui ceignait son front encadraient son visage rougi par le froid. L'haleine de la femme et de sa jument formaient des nuages de buée et firent prendre conscience à Jondalar qu'il grelottait.

Elle portait sa ceinture par-dessus sa pelisse, et il vit la dague en défense de mammouth, que Talut lui avait offerte, pendre à une boucle à côté du couteau de silex à manche d'ivoire qu'il lui avait fabriqué. Sa poche à médecines en peau de loutre était accrochée à une autre boucle de sa ceinture.

Chevauchant avec grâce, sûre d'elle et conquérante, elle tenait dans sa main droite la fronde dont Jondalar connaissait la précision et la rapidité. De sa main gauche, où Jondalar savait que deux pierres étaient préparées, elle maintenait son propulseur armé d'une sagaie sur le garrot de Whinney.

En s'approchant, Ayla avait surveillé le visage de la

Femme Qui Ordonne où se reflétaient des sentiments profonds. Elle y avait lu de la terreur et le brusque désespoir dû à son éclair de lucidité qui céda bientôt la place aux ombres familières de son esprit détraqué. Les yeux d'Attaroa se rétrécirent, un sourire cruel tordit sa bouche, et Ayla devina les calculs malveillants qui germaient dans sa tête.

Ayla n'avait jamais rencontré la folie, mais elle déchiffrait les expressions inconscientes d'Attaroa, et comprit qu'elle devrait se méfier de cette femme qui menaçait Jondalar : c'était une hyène. La femme-cheval avait tué de nombreux carnassiers et savait que leurs réactions étaient parfois imprévisibles, mais les hyènes étaient les seules qu'elle détestait, et Attaroa était, à n'en pas douter, une hyène, une dangereuse manifestation du mal.

Le regard furieux d'Ayla se concentra sur Attaroa, bien qu'elle surveillât l'assistance du coin de l'œil, y compris les Louves. Et bien lui en prit. Lorsque Whinney fut à quelques pas d'Attaroa, Ayla surprit un mouvement fugitif. D'un geste si vif qu'il en devenait invisible, elle glissa une pierre dans sa fronde, qu'elle fit tournoyer en l'air et le projectile fusa.

Epadoa poussa un cri de douleur et saisit son bras, lâchant sa sagaie qui cliqueta sur le sol gelé. Si elle l'avait voulu, Ayla aurait pu lui briser l'os, mais elle avait délibérément visé vers l'épaule et retenu son coup. La Louve dominante en garderait tout de même des traces.

— Femme Qui Ordonne, dis femmes-sagaies arrêter, ordonna Ayla.

Jondalar, qui avait saisi le sens du commandement, mit du temps à comprendre qu'Ayla venait de parler dans une langue étrange. Il s'aperçut alors avec stupeur qu'elle avait délivré son ordre en s'armunaï. Comment pouvait-elle connaître le s'armunaï ? Etait-il possible qu'elle l'eût entendu auparavant ?

Il n'était pas le seul surpris. Entendre une étrangère l'appeler par son nom stupéfia Attaroa, mais ce fut surtout l'accent guttural d'Ayla qui la bouleversa et fit ressurgir des émotions oubliées depuis longtemps. Des émotions complexes qui l'envahirent d'un inquiétant malaise, et renforcèrent sa conviction que l'apparition n'était pas une simple femme sur le dos d'un cheval.

Ces émotions remontaient à des années. Attaroa n'avait pas aimé les circonstances qui les avaient provoquées et elle aimait encore moins qu'on les fasse revivre. Une violente colère l'emporta. Elle voulait chasser ces souvenirs, s'en débarrasser à jamais. Mais comment faire ? Elle regarda Ayla. Tout était de la faute de l'étrangère. C'était elle qui avait fait jaillir les émotions mauvaises. Si elle disparaissait, Attaroa serait délivrée du cauchemar. Avec la vivacité coutumière de son esprit malade, Attaroa commença à échafauder les plans de la destruction projetée, et son visage s'éclaira d'un sourire sournois.

— Eh bien, on dirait que le Zelandonii n'avait pas menti, en fin de compte ! déclara-t-elle. Tu es arrivée à temps. Nous pensions qu'il était venu voler notre viande, alors que nous en manquons cruellement. Chez les S'Armunaï, le vol est puni de mort. Il nous avait conté une histoire à propos d'une femme qui voyageait à dos de cheval, mais tu comprendras que c'était difficile à croire...

Attaroa remarqua alors que ses paroles n'étaient pas traduites. Elle s'arrêta net.

— S'Armuna ! aboya-t-elle. Tu ne parles pas mes mots.

S'Armuna était perdue dans la contemplation d'Ayla. Une des chasseresses revenue avec le premier groupe qui transportait Jondalar lui avait parlé d'une vision qu'elle avait eue pendant la chasse, et dont elle voulait connaître l'interprétation. Elle avait vu une femme se tenant sur le dos d'un des chevaux qu'elles poussaient vers le précipice. La femme luttait pour maîtriser l'animal, et avait finalement réussi à lui faire rebrousser chemin. Lorsque les chasseresses qui portaient le deuxième chargement de viande parlèrent d'une femme qui s'éloignait sur le dos d'un cheval au galop, S'Armuna s'était interrogée sur le sens de ces visions étranges et répétées.

Voilà quelque temps que de nombreux faits perturbaient Celle Qui Sert la Mère. Mais quand l'homme qu'on avait rapporté sembla surgi de son passé, et qu'il lui raconta l'histoire d'une femme à cheval, elle fut bouleversée. Ce devait être un signe, mais elle n'avait pas réussi à en déceler le sens. Ce signe revenait dans les visions collectives des chasseresses, et la femme qui venait d'entrer à cheval dans le Camp en décuplait la puissance. La vision avait jeté S'Armuna dans un trouble profond. Elle en avait oublié Attaroa. Mais elle entendit le reproche de la Femme Qui Ordonne et s'empressa de traduire.

— La mort pour un chasseur coupable d'avoir chassé n'est pas un châtiment que demande la Grande Mère de Toutes les Créatures, répliqua Ayla après avoir pris connaissance de la traduction.

Ayla avait saisi l'essentiel du discours d'Attaroa. Le s'armunaï était très proche du mamutoï, et elle en avait déjà appris les rudiments, mais elle s'exprimait plus facilement en zelandonii.

— La Mère recommande à Ses enfants de partager la nourriture et d'offrir l'hospitalité aux visiteurs, reprit-elle.

Ce fut quand elle parla en zelandonii que S'Armuna remarqua l'accent d'Ayla. Son zelandonii était parfait mais il y avait un petit quelque chose... mais ce n'était pas le moment de penser à cela. Attaroa attendait.

— Précisément, c'est pour cela que nous administrons le châtiment, expliqua Attaroa d'une voix suave, bien que la rage qu'elle tentait d'étouffer n'échappât ni à Ayla ni à S'Armuna. Il décourage le vol et permet qu'il y ait assez à partager. Mais comment une femme comme toi, si adroite avec ses armes, pourrait-elle comprendre nos difficultés ? Avant moi, les femmes n'avaient pas le droit de chasser, et la nourriture était rare. Nous avons toutes beaucoup souffert.

— Mais la Grande Terre Mère n'accorde pas que de la viande à Ses Enfants. Il y a bien ici des femmes qui connaissent la nourriture qui pousse de la terre et attend d'être cueillie, repartit Ayla.

— J'ai dû l'interdire ! Si elles avaient passé leur temps à la cueillette, elles n'auraient jamais appris à chasser.

— Alors tu es responsable de la pénurie, et celles qui t'ont suivie aussi. Et cela ne justifie pas le meurtre de ceux qui ne connaissent pas vos coutumes, s'offusqua Ayla. Tu as usurpé la place de la Mère. Elle rappelle à Elle Ses enfants quand Elle le décide. Tu n'as pas à te substituer à Son autorité.

— Chaque peuple possède ses coutumes et ses traditions. Lorsque leurs lois sont transgressées, le châtiment est quelquefois la mort, proclama Attaroa.

Ce qui n'était que trop vrai, Ayla l'avait appris à ses dépens.

— Mais pourquoi vos coutumes exigent-elles la mort pour ceux qui ne cherchent qu'à se nourrir ? demanda-t-elle. Les lois de la Mère prévalent contre toutes les coutumes. Elle exige le partage de la nourriture, et l'hospitalité pour les visiteurs. Tu es... tu es discourtoise et inhospitalière, Attaroa.

Discourtoise et inhospitalière ! Jondalar lutta pour ne pas éclater de rire. Meurtrière et inhumaine, oui ! Il avait assisté à la discussion, ébahi, et l'euphémisme d'Ayla lui avait arraché un sourire appréciateur. Il se souvenait du temps où elle ne comprenait pas la plaisanterie la plus simple, et savait encore moins jouer de l'insulte subtile.

Attaroa se contenait comme elle le pouvait, mais ne réussissait pas à masquer son agacement. Elle avait senti le tranchant de la critique « courtoise » d'Ayla. On venait de la réprimander comme une fillette ! Elle préférait de loin qu'on la traitât de cruelle. Une femme puissante et cruelle inspire la peur et le respect. La douceur de l'injure rendait

Attaroa risible. Elle remarqua le sourire moqueur de Jondalar et lui jeta un regard furieux, certaine que tous ceux qui assistaient à la scène partageaient son ironie. Elle se jura de lui faire regretter son sourire, et à la femme aussi !

Ayla sembla rétablir son assiette sur Whinney, mais elle avait changé discrètement de pose pour empoigner plus solidement son propulseur.

— Je crois que Jondalar a besoin de ses vêtements, reprit-elle en soupesant négligemment sa sagaie. N'oublie pas sa pelisse, celle que tu portes. Et envoie quelqu'un dans ton foyer chercher sa ceinture, ses mitaines, son outre, son couteau et les outils qu'il avait sur lui.

Elle attendit la traduction de S'Armuna.

Attaroa serra les dents mais réussit à grimacer un sourire. Elle fit un signe à Epadoa. De sa main gauche, celle qui était valide, la femme qui commandait aux Louves d'Attaroa ramassa les vêtements qu'elles avaient arrachés au géant au prix d'une lutte acharnée, et les jeta à ses pieds avant de pénétrer dans l'habitation.

— Tu as beaucoup voyagé, déclara la Femme Qui Ordonne d'un ton qui se voulait amical, pendant qu'ils attendaient le retour d'Epadoa. Tu dois être très fatiguée... Comment t'appelles-tu ? Ayla ?

La femme à cheval acquiesça, sans même attendre la traduction. Cette Femme Qui Ordonne ne s'embarrassait pas de présentations cérémonieuses. Décidément, elle manque de finesse, se dit-elle.

— Puisque tu en fais si grand cas, permets-moi de t'offrir l'hospitalité dans mon foyer. Vous habiterez tous les deux chez moi, n'est-ce pas ?

Avant que Jondalar ou Ayla aient pu répondre, S'Armuna s'interposa :

— La coutume veut que les visiteurs demeurent chez Celle Qui Sert la Mère. Vous êtes les bienvenus dans mon foyer.

Tout en écoutant Attaroa, et la traduction de S'Armuna,

Jondalar avait enfilé ses jambières. Tant que sa vie était en danger, il n'avait pas eu conscience d'avoir froid, mais maintenant ses doigts gourds n'arrivaient pas à attacher ses lanières. Il avait retrouvé sa tunique avec plaisir, aussi déchirée fût-elle, et l'enfilait lorsque, intrigué par l'invitation inattendue de S'Armuna, il avait suspendu son geste et surpris le regard mauvais qu'Attaroa lançait à la chamane. Puis il s'était assis pour mettre à la hâte ses protège-pieds et ses bottes.

Attaroa fulminait, mais elle se contenta de répliquer :

— Dans ce cas, j'espère que tu daigneras partager mon repas, Ayla. Nous allons organiser un festin, et vous en serez, Jondalar et toi, les hôtes d'honneur. Nous avons fait une bonne chasse, et je ne veux pas te laisser partir sur une mauvaise impression.

Jondalar trouvait grotesques ses efforts d'amabilité, et n'avait aucune envie de partager son repas, ni de rester dans cet endroit un moment de plus, mais, avant qu'il ait pu exprimer son avis, Ayla avait répondu.

— Nous serons heureux d'accepter ton hospitalité, Attaroa. Quand aura lieu ce festin ? J'y apporterais volontiers ma contribution si la journée n'était pas si avancée.

— Il est tard, en effet, approuva Attaroa, et j'ai moi aussi des préparatifs à faire. Eh bien, nous festoierons demain, mais ce soir vous partagerez notre modeste repas, bien sûr.

— Non, je dois d'abord m'occuper de notre contribution au festin. Nous reviendrons demain, répondit Ayla, puis elle ajouta : Jondalar a besoin de sa pelisse. Il rendra la « cape » qu'il a empruntée, évidemment.

La femme ôta la pelisse et la tendit de mauvaise grâce au géant. Il sentit dessus son odeur avec dégoût mais il apprécia la chaleur de la fourrure. Frissonnant dans le vêtement léger qui lui restait, Attaroa grimaça un sourire démoniaque.

— Et le reste ? lui rappela Ayla.

Attaroa jeta un coup d'œil vers l'entrée de son foyer et fit signe à la femme qui s'y cachait. Epadoa sortit alors vivement et, la mine renfrognée, déposa les affaires de Jondalar à quelques pas de lui. Attaroa lui avait promis une partie du butin et Epadoa s'exécutait à contrecœur. Elle avait surtout lorgné sur le couteau, qu'elle trouvait magnifique.

Avec un sentiment de plaisir, Jondalar ceignit sa ceinture et y accrocha ses instruments. Il n'aurait jamais cru les revoir un jour. Il n'aurait jamais pensé non plus s'en tirer vivant. Ensuite, à la surprise générale, il se hissa sur le dos du cheval et s'assit en croupe derrière Ayla. Il n'était pas fâché de quitter ce Camp qu'il souhaitait ne jamais revoir. Ayla promena un regard circulaire pour s'assurer que personne n'empêcherait leur départ, et qu'aucune sagaie ne les menaçait. Satisfaite, elle fit exécuter un demi-tour à Whinney et la poussa au galop.

— Suis-les! Ramène-les-moi! Ils ne vont pas s'en tirer comme ça, hurla Attaroa à l'adresse d'Epadoa, avant de se précipiter dans son habitation, tremblante de froid et de rage.

Ayla maintint Whinney au galop, et ne ralentit l'allure qu'à une distance respectable. En arrivant dans un bois, en bas de la colline, près de la rivière, elle fit demi-tour et remonta le chemin qu'ils avaient descendu. Elle se dirigea vers son campement qui n'était en fait pas très éloigné du Camp des S'Armunaï. Une fois en lieu sûr, Jondalar prit vraiment conscience de la présence d'Ayla, et ces retrouvailles inespérées lui arrachèrent des larmes de gratitude. Il enlaça la taille de la jeune femme et la serra contre lui, ému de la caresse de ses cheveux contre sa joue, enivré par sa chaude senteur féminine.

— Tu es là! J'ai peine à y croire. J'avais si peur que tu sois partie dans l'autre monde, murmura-t-il d'une voix très douce. Quel bonheur que tu sois là, je ne sais pas quoi dire.

— Oh, Jondalar, je t'aime tant!

Elle se serra contre lui, bouleversée d'amour et de tendresse.

— J'avais découvert des traces de sang, reprit-elle, et tout le temps que je suivais votre piste, je me demandais si tu étais encore en vie. Quand j'ai compris qu'on te portait, j'ai su que tu étais vivant, mais je pensais que tu étais blessé et que tu ne pouvais pas marcher. J'étais très inquiète. La piste était difficile à suivre et je perdais du terrain. Les chasseresses d'Attaroa sont très rapides, et elles avaient l'avantage de connaître le chemin.

— Tu es arrivée à temps. Il s'en est fallu d'un souffle.

— J'étais là depuis longtemps, rectifia Ayla.

— Vraiment ? Quand es-tu arrivée ?

— J'ai suivi de peu le deuxième groupe qui portait le chargement de viande. Au début, je les précédais tous les deux, mais le premier groupe m'a rattrapée après le passage de la rivière. Par chance j'ai surpris deux femmes allant à sa rencontre et je me suis cachée. J'ai attendu qu'elles me dépassent et je les ai suivies. Le deuxième groupe était plus proche que je ne l'avais cru et j'ai dû m'enfuir avec Whinney. Peut-être les chasseresses nous ont-elles aperçues de loin. Ensuite, je les ai suivies, en faisant très attention. Je n'avais pas envie qu'un autre groupe nous surprenne.

— Ah, cela expliquerait l' « événement » dont parlait Ardemun. Il disait que l'arrivée du deuxième chargement avait rendu les femmes nerveuses. Mais si tu étais déjà là, pourquoi avoir tant tardé à me délivrer ?

— Il fallait que j'attende le moment propice pour te sortir de cet endroit... comment l'appellent-elles ? L'Enclos ?

— C'est ça, acquiesça Jondalar. Mais tu n'avais pas peur d'être découverte ?

— N'oublie pas que j'ai observé de vrais loups jusque dans leur tanière. A côté, les Louves d'Attaroa sont bien bruyantes et faciles à éviter. J'étais assez près pour les entendre parler. Il y a un monticule sur la colline, derrière les habitations. De là, on peut observer tout le Camp et on a une vue plongeante sur l'Enclos. Si tu lèves la tête, tu peux apercevoir trois gros rochers blancs alignés en haut de la colline.

— Oui, je les avais remarqués. Si j'avais su que tu étais cachée là, les regarder m'aurait redonné espoir.

— J'ai entendu des femmes les appeler les Trois Filles, à moins que ce ne soit les Trois Sœurs.

— Leur campement s'appelle le Camp des Trois Sœurs, précisa Jondalar.

— Ah, je ne comprends pas encore très bien leur langue.

— Tu en a appris plus que moi. Tu as étonné Attaroa quand tu lui as parlé en s'armunaï.

— Le s'armunaï ressemble tellement au mamutoï que je n'ai eu aucun mal à le comprendre.

— Je n'avais pas pensé à demander comment s'appelaient les rochers blancs. C'est pourtant évident qu'un point remarquable porte un nom.

— Toute cette hauteur peut servir de point de repère. On l'aperçoit de loin, on dirait un animal qui dort, même d'ici. Tu vas voir, il y a un endroit d'où on a une vue magnifique.

— La colline aussi doit avoir un nom, d'autant que c'est un bon terrain de chasse. Je n'en ai vu qu'une petite partie en allant à des funérailles. Il y a eu deux cérémonies pendant que j'étais prisonnier. A la première, ils ont enterré trois jeunes gens, raconta Jondalar en baissant la tête pour éviter une branche d'arbre.

— Je t'ai suivi à la deuxième. J'espérais en profiter pour te délivrer, mais tu étais trop surveillé. Je t'ai vu trouver le silex et montrer à tous comment se servir d'un propulseur. Mais je devais attendre le moment propice. Je suis désolée d'avoir été si longue.

— Comment as-tu su pour le silex ? Nous avons été très prudents.

— Oui, mais je t'observais tout le temps. Les Louves

656

sont incapables de surveiller qui que ce soit. Tu t'en serais aperçu si le silex ne t'avait pas distrait, et tu aurais trouvé un moyen de t'enfuir. D'ailleurs, elles ne savent pas non plus chasser.

— Si tu considères qu'elles ne connaissaient rien à la chasse, elles ne se sont pas mal débrouillées, protesta Jondalar. Attaroa prétend qu'elles ne savaient même pas utiliser une sagaie, et qu'elles étaient obligées de poursuivre leurs proies à la course.

— Elles perdent leur temps à aller jusqu'à la Grande Rivière Mère pour forcer les chevaux à sauter dans le ravin. La chasse est meilleure par ici. Les animaux qui suivent la rivière sont obligés de franchir un étroit défilé entre l'eau et la montagne. Et on peut les voir venir de loin.

— Oui, je m'en suis aperçu lors des premières funérailles. L'endroit où l'on a creusé la tombe ferait un bon poste d'observation, et j'ai d'ailleurs remarqué des traces de feux qui ont dû servir à envoyer des signaux. Mais je ne sais pas quand ce système a été abandonné. En tout cas, il restait encore beaucoup de cendres.

— Au lieu de construire un enclos pour les hommes, elles auraient pu en bâtir un autre et y pousser des animaux. Elles n'avaient pas besoin de sagaies pour forcer les bêtes à entrer dans l'enclos, assura Ayla en faisant stopper Whinney. Voilà, c'est ici, fit-elle en désignant les roches calcaires qui se découpaient à l'horizon.

— C'est vrai qu'on dirait un animal endormi, approuva Jondalar. Tiens, regarde, on distingue même les rochers blancs, les Trois Sœurs.

Ils chevauchèrent quelque temps en silence.

— Si c'est si facile de s'évader de l'Enclos, dit soudain Jondalar, pourquoi les hommes restent-ils prisonniers ?

— Je ne suis pas sûre qu'ils aient vraiment essayé, répondit Ayla. C'est peut-être pour cela que les Louves ont relâché leur surveillance. Mais elles sont nombreuses, même parmi les chasseresses, à ne plus vouloir que les hommes soient enfermés. Seulement tout le monde craint Attaroa. Voilà où j'ai campé, dit-elle en s'arrêtant.

Comme pour confirmer ses dires, Rapide, attaché à un arbre à l'orée d'une petite clairière, hennit en les entendant approcher. La nuit, Ayla déballait le minimum de matériel et rangeait tout sur le dos de Rapide au petit matin, prête à un départ précipité.

— Oh, tu as réussi à sauver les deux chevaux ! s'exclama Jondalar. Je n'osais pas te le demander. Dans la dernière vision dont je me souvienne, avant de recevoir un coup sur la tête, tu chevauchais Rapide et tu avais du mal à le maîtriser.

— Oui, j'avais besoin de m'habituer aux rênes. Le vrai problème, c'était l'autre étalon. Mais il est mort, et je ne le regrette pas. Tout de suite après, Whinney a répondu à mon sifflement.

Rapide montra sa joie de retrouver Jondalar. Il baissa la tête, puis la releva et l'agita en guise de salut. Il aurait couru à sa rencontre s'il n'avait été retenu par sa longe. Oreilles en avant, queue dressée, l'étalon hennit en voyant l'homme approcher. Jondalar lui offrit une main qu'il fouina des naseaux. Il regarda le cheval comme un ami qu'on avait cru mort, le caressa, le flatta tout en lui parlant avec affection.

Il se résolut enfin à poser la question qui lui brûlait la langue.

— Qu'est devenu Loup ?

Ayla sourit, et perça l'air d'un sifflement familier. Aussitôt, Loup accourut d'un fourré en bondissant, si content de retrouver Jondalar qu'il ne tenait pas en place. Il se précipita vers lui en remuant la queue et poussa des petits cris joyeux avant de sauter sur lui et de labourer ses épaules de ses pattes, tout en léchant son visage à grands coups de langue. Jondalar empoigna la bête par la fourrure de son cou comme il avait vu Ayla le faire si souvent, le secoua gentiment, et appuya son front contre sa tête.

— C'est la première fois qu'il fait cela avec moi, s'étonna Jondalar.

— Tu lui as manqué, assura Ayla. Je crois qu'il avait autant envie de te retrouver que moi, et sans lui, je ne suis pas sûre que j'aurais pu suivre ta piste. Nous sommes assez loin de la Grande Rivière Mère, et nous avons traversé des terrains caillouteux où les pas ne laissent pas d'empreintes. Son flair nous a sauvés, affirma-t-elle en caressant le loup.

— Il a attendu tout ce temps-là dans ce fourré sans broncher ? Ça n'a pas dû être facile de le dresser à accepter une chose pareille. Pourquoi l'as-tu fait ?

— Il a bien fallu. Quelqu'un aurait pu venir, et je ne voulais pas qu'on le découvre. N'oublie pas qu'on mange de la viande de loup par ici.

— De la viande de loup ? Mais qui ?

— Attaroa et ses chasseresses.

— Elles sont affamées à ce point ?

— Au début, peut-être. Et puis c'est devenu une sorte de rituel. Je les ai surprises une nuit. Elles accueillaient une nouvelle initiée dans leur bande de Louves, en secret des autres femmes. La cérémonie avait lieu à l'écart du Camp, dans un endroit réservé. Elles avaient enfermé un loup dans une cage, et elles l'ont tué pour l'occasion. Je les ai vues le dépecer, le faire cuire et le manger. Elles s'imaginent acquérir sa force et ses qualités de chasseur en mangeant sa chair. Elles ont encore beaucoup à apprendre !

Jondalar commençait à comprendre l'origine du mépris d'Ayla pour les Louves et leurs qualités de chasseresses. Leurs rites initiatiques représentaient une menace pour Loup.

— Alors, tu as dressé Loup à rester tapi dans les fourrés en attendant ton signal ? C'est un nouveau sifflement, non ?

— Oui, je te l'apprendrai. Il n'empêche que je me fais du souci pour lui. Pour Whinney et Rapide aussi. D'après ce que j'ai vu, les chasseresses d'Attaroa ne tuent que des loups et des chevaux, expliqua Ayla en regardant les animaux avec affection.

— Tu en as appris long sur leur compte, remarqua Jondalar.

— Il le fallait bien si je voulais te faire évader. Mais tu as raison, j'en ai peut-être trop appris.

— Trop ? Que veux-tu dire ?

— Lorsque je t'ai retrouvé, je ne pensais qu'à une chose : te sortir de cet endroit et partir au plus vite. Maintenant c'est impossible.

— Pourquoi est-ce impossible ? s'inquiéta Jondalar.

— Nous ne pouvons pas abandonner les enfants à leur sort. Les hommes non plus, d'ailleurs. Nous devons les arracher à cet Enclos.

Jondalar avait déjà vu cet air décidé, et l'entêtement d'Ayla l'inquiétait.

— Il n'est pas question de rester, c'est trop dangereux, protesta-t-il. Et pas seulement pour nous, pense aux cibles faciles que feraient Whinney et Rapide. Ils ne s'enfuient pas à l'approche des humains. Et tu n'aimerais pas voir les crocs de Loup suspendus au cou d'Attaroa, j'en suis sûr. Moi aussi, je voudrais bien aider ces gens, Ayla. J'ai vécu dans cet Enclos, et je sais de quoi je parle. Personne ne devrait vivre dans des conditions pareilles, surtout pas des enfants. Mais qu'y pouvons-nous ? Nous ne sommes que deux.

Il voulait vraiment aider les malheureux, mais il craignait qu'Attaroa ne se vengeât sur Ayla. Il avait déjà cru l'avoir perdue, il refusait le risque de la perdre pour de bon. Il chercha désespérément un argument qui la ferait changer d'avis.

— Nous ne sommes pas seuls, Jondalar. Et nous devons absolument trouver un moyen de sauver les S'Armunaï... J'ai l'impression que S'Armuna compte sur notre retour, reprit-elle après réflexion. C'est pour ça qu'elle nous a offert l'hospitalité. Demain, nous irons à leur fête.

— Méfie-toi. Attaroa a déjà utilisé le poison. Si nous retournons là-bas, nous n'en repartirons peut-être jamais plus.

660

— Je sais, mais il le faut. Pour les enfants. Nous ne mangerons que la nourriture que j'apporterai, et seulement si nous ne la perdons pas de vue. Crois-tu que nous devrions changer de campement ou non ? J'ai beaucoup à faire avant demain.

— Changer de campement ne changera rien, elles retrouveront nos traces. Nous devons partir tout de suite, supplia Jondalar en lui étreignant les mains.

Il dévisageait Ayla intensément, comme s'il voulait la persuader par la seule force de son regard. Finalement, il y renonça, sachant que sa décision était prise et qu'il serait à ses côtés pour l'aider. Au plus profond de son cœur, il avait envie de sauver ses nouveaux amis, mais il devait d'abord se convaincre qu'il ne pouvait pas empêcher Ayla de rester. Il se jura de ne laisser personne lui faire de mal.

— Très bien, concéda-t-il. J'avais dit aux hommes que tu ne tolérerais jamais qu'on traite quiconque de la sorte, mais je ne pense pas qu'ils m'aient cru. Nous aurons besoin d'aide pour les sortir de l'Enclos. J'avoue que l'invitation de S'Armuna m'a surpris. Ce ne doit pas être dans ses habitudes. Son foyer est petit et à l'écart des autres, il n'est pas prévu pour recevoir des hôtes. Qu'est-ce qui te fait croire qu'elle souhaite notre retour ?

— Parce qu'elle a interrompu Attaroa pour nous inviter, et que la Femme Qui Ordonne en a été contrariée. Est-ce que tu fais confiance à S'Armuna ?

Jondalar réfléchit.

— Je me le demande. J'ai plus confiance en elle qu'en Attaroa, mais ça ne veut rien dire. Sais-tu que S'Armuna a connu ma mère ? Elle a vécu dans la Neuvième Caverne quand elle était jeune, et elle était amie avec Marthona.

— Ah, c'est donc pour cela qu'elle parle si bien ta langue ! Mais si elle connaissait ta mère, pourquoi n'a-t-elle rien fait pour toi ?

— Je me suis posé la question. Peut-être ne le voulait-elle pas. Je pense qu'il s'est passé quelque chose entre ma mère et elle. Je ne me souviens pas que Marthona m'ait

661

parlé de quelqu'un qui serait venu vivre avec eux dans sa jeunesse. J'ai mon idée sur S'Armuna. Elle a soigné ma blessure, et bien qu'elle ne se soit jamais donné cette peine pour d'autres, j'ai le sentiment qu'elle est prête à en faire davantage. Mais Attaroa ne le permettra jamais.

Ils déchargèrent Rapide et installèrent leur campement, aussi peu tranquilles l'un que l'autre. Jondalar alluma le feu pendant qu'Ayla préparait le dîner. Jondalar devait être affamé après son séjour dans l'Enclos, et elle décida d'augmenter les portions. Dès qu'il aurait avalé quelques bouchées, l'appétit lui reviendrait.

Jondalar s'accroupit près du feu et contempla la femme qu'il chérissait. Puis il s'approcha d'elle.

— Femme, avant que tu ne sois trop occupée, dit-il en l'enlaçant, j'ai salué un cheval et un loup, mais je n'ai pas encore salué comme elle le mérite celle qui compte le plus pour moi.

Ayla lui sourit avec amour.

— Je ne suis jamais trop occupée pour toi, affirma-t-elle.

Il se pencha pour baiser ses lèvres, d'abord doucement, puis le souvenir des jours passés à craindre de l'avoir perdue lui revint.

— J'ai cru ne jamais te revoir, avoua-t-il dans un sanglot en la serrant contre son cœur. J'ai cru que tu étais morte. Aucun des supplices d'Attaroa n'aurait pu être pire que de te savoir morte.

Il la serra à l'étouffer, elle ne chercha pas à se dégager. Il baisa sa bouche, son cou et ses mains retrouvèrent vite les moindres détails de son corps qu'elles connaissaient si bien.

— Jondalar, je suis sûre qu'Epadoa est sur nos traces...

Le souffle court, il relâcha son étreinte.

— Tu as raison, ce n'est pas le moment. Si les Louves nous surprenaient, nous ferions une proie facile.

Il se reprochait son abandon et voulut se justifier.

— C'est que... tu comprends, j'ai eu si peur de te

perdre. D'être ici avec toi, c'est... c'est comme un Don de la Mère, et... et j'ai eu envie de L'honorer tout de suite.

Ayla se serra contre lui, cherchant à lui signifier qu'elle ressentait le même désir. Elle nota qu'il n'avait jamais éprouvé le besoin de justifier son désir auparavant. Mais elle ne voulait pas d'explication. Elle aussi luttait pour ne pas se laisser aller à oublier le danger qui les guettait.

— Jondalar... murmura-t-elle, vaincue par le désir. Après tout, nous avons beaucoup d'avance sur Epadoa, il lui faudra du temps pour nous retrouver... et Loup nous préviendra...

Jondalar la regarda, saisissant peu à peu l'invitation. Son visage soucieux se détendit et ses yeux bleus brillèrent de désir.

— Ayla, tu es ma femme, ma femme merveilleuse que j'aime tant ! murmura-t-il d'une voix rauque.

Aussi brefs que furent leurs ébats, l'intensité en avait été telle qu'il fallut du temps à Ayla pour s'en remettre. Lorsque Jondalar, craignant de l'écraser sous le poids de son corps, se dégagea et roula sur le côté, elle ressentit un inexplicable sentiment de perte, et regretta qu'ils ne pussent rester ainsi soudés l'un à l'autre. D'une certaine manière, il la complétait, et la vive conscience d'avoir failli le perdre, sa douloureuse absence, l'envahirent d'une émotion si poignante que ses yeux s'emplirent de larmes.

Jondalar vit une perle transparente surgir au coin de l'œil d'Ayla, et couler le long de sa joue dans l'oreille. Il s'accouda et observa la jeune femme.

— Que se passe-t-il, Ayla ? s'inquiéta-t-il.

— Rien, je suis heureuse d'être avec toi, assura-t-elle alors qu'une autre larme perlait sous sa paupière.

Jondalar effleura la goutte du bout du doigt et goûta le liquide salé.

— Si tu es heureuse, pourquoi pleures-tu ? demanda-t-il, bien qu'il devinât la réponse.

Incapable d'articuler un mot, elle secoua la tête en

silence. Il constata en souriant qu'elle partageait son bonheur d'être ensemble de nouveau. Il se pencha pour déposer un baiser sur ses yeux gonflés, sur sa joue, sur sa bouche.

— Je t'aime, moi aussi, murmura-t-il à son oreille.

Une légère secousse souleva sa verge, et il regretta de ne pouvoir recommencer une deuxième fois, mais Epadoa était sur leurs traces, et elle ne tarderait pas à les retrouver.

— Il y a un cours d'eau tout près d'ici, déclara Ayla. J'ai besoin de me laver. J'en profiterai pour remplir les outres.

— Veux-tu que je t'accompagne ? proposa l'homme, à la fois pour rester encore avec elle, mais aussi pour la protéger.

Ils ramassèrent leurs habits et leurs bottes, prirent les outres, et marchèrent jusqu'à un ruisseau assez large, où un mince filet d'eau avait échappé à l'étreinte de la glace. Le contact de l'eau gelée fit frissonner Jondalar qui ne se serait jamais lavé dans un froid pareil si Ayla n'avait pas été là. Quelle que fût la température de l'eau, elle éprouvait toujours le besoin de se laver après avoir partagé les Plaisirs. Il n'ignorait pas que cela faisait partie des rituels du Clan que sa mère adoptive lui avait enseignés, même si Ayla invoquait maintenant plus volontiers la Mère en marmonnant des phrases en mamutoï.

Ils remplirent les outres, et en rentrant au campement, Ayla se souvint de la scène qu'elle avait surprise juste avant qu'on ne coupât les lanières de vêtements de Jondalar.

— Pourquoi as-tu refusé de t'accoupler avec Attaroa ? demanda-t-elle alors. Tu as blessé sa fierté devant tout son peuple.

— J'ai ma fierté, moi aussi. Personne ne m'obligera à partager le Don de la Mère. Et d'ailleurs, ça n'aurait rien changé. Elle avait déjà l'intention de me transformer en cible avant mon refus, j'en suis sûr. Mais je crois que c'est toi qui devrais te méfier. « Discourtoise et inhospitalière »... pouffa-t-il, avant de redevenir plus sérieux. Elle te hait. Si elle en a l'occasion, elle nous tuera tous les deux.

664

30

Cette nuit-là, Ayla et Jondalar ne dormirent que d'un œil, prêts à se relever au moindre bruit. Ils avaient attaché les chevaux à proximité et Ayla garda Loup près d'elle, sachant qu'il la préviendrait à la première alerte. Mais son sommeil fut peuplé de rêves menaçants, chaotiques et sans avertissement ni message clair. Loup revenait dans chacun d'eux.

Elle se réveilla avec les premières lueurs du jour qui filtraient à travers les branches dénudées des saules et des bouleaux. Il faisait encore sombre dans le vallon encaissé, mais peu à peu l'aube naissante lui permit de distinguer les aiguilles épaisses des épicéas et celles plus longues des pins de pierre. Une neige poudreuse était tombée pendant la nuit, recouvrant les résineux, les broussailles, l'herbe et les fourrures de couchage d'une fine pellicule blanche. Ayla était bien au chaud dans la fourrure.

Elle avait presque oublié le plaisir de sentir Jondalar dormir à ses côtés, et elle traîna encore un peu dans sa couche pour profiter de sa présence. Mais ses pensées la tourmentaient. Il fallait qu'elle s'occupe de ce qu'elle apporterait à la fête. Lorsqu'elle voulut se glisser hors de la fourrure, elle sentit le bras de Jondalar la retenir.

— Pourquoi te lever si tôt ? demanda-t-il en picorant son cou de baisers légers. Il y a si longtemps que je ne t'ai pas eue près de moi, je ne veux pas que tu partes.

— Je n'ai pas envie de me lever, dit-elle en se pelotonnant contre lui. Il fait froid et j'aimerais mieux rester dans les fourrures avec toi, mais je dois préparer les mets que nous apporterons à la fête d'Attaroa, et aussi ton repas du matin. Tu n'as pas faim ?

— Si, maintenant que tu en parles, je pourrais manger un cheval entier, proclama-t-il l'œil rivé sur Whinney et Rapide.

— Oh, Jondalar ! s'exclama Ayla, choquée.

— Non, pas un des nôtres, rassure-toi. Tu sais, je ne mangeais que ça dernièrement... quand je mangeais. Il fallait que je sois affamé pour pouvoir avaler de la viande de cheval. Quand on a faim, on dévorerait n'importe quoi, et il n'y a aucun mal à ça.

— Je sais, mais tu n'as plus besoin d'en manger, maintenant.

Ils restèrent quelques instants blottis l'un contre l'autre. Puis, Ayla rejeta les fourrures et se leva.

— Le feu s'est éteint, annonça-t-elle. Si tu le rallumes, je préparerai notre infusion. Nous aurons besoin d'un bon feu aujourd'hui, et de beaucoup de bois.

La veille, pour leur repas, Ayla avait confectionné une soupe épaisse avec de la viande de bison et des racines séchées, en y ajoutant quelques pignons, mais Jondalar n'avait pas réussi à tout manger. Après avoir mis le reste de côté, elle avait pris un plein panier de petites pommes, à peine plus grosses que des cerises, qu'elle avait cueillies en pistant Jondalar. Les pommes gelées se balançaient aux branches dénudées d'un arbre nain sur le versant sud d'une colline. Elle avait coupé les petites pommes durcies en deux, les avait épépinées et bouillies avec des gratteculs, et avait laissé reposer le mélange près du feu pendant la nuit. Au petit matin, le liquide refroidi et épaissi par la pectine naturelle avait pris la consistance de la gelée, parsemée de petits morceaux de pommes caoutchouteux.

Avant de préparer l'infusion matinale, Ayla ajouta un peu d'eau dans le restant de soupe, mit des pierres à chauffer pour cuire leur repas et goûta la gelée de pommes. Le gel avait estompé l'acidité aigrelette des petites pommes et l'ajout de gratte-culs avait donné au mélange une coloration rougeâtre et une douce saveur piquante. Elle en servit un bol à Jondalar pour accompagner sa soupe.

— Je n'ai jamais rien mangé d'aussi bon ! s'exclama-t-il après la première bouchée. Qu'est-ce qui donne tant de goût ?

— La faim.

— Oui, tu as sans doute raison, marmonna-t-il la bouche pleine. J'ai de la peine pour ceux qui sont restés dans l'Enclos.

— Personne ne devrait avoir faim quand la nourriture abonde, s'enflamma Ayla. En temps de disette, c'est différent.

— Ça arrive parfois à la fin d'un hiver particulièrement rigoureux. As-tu déjà souffert de la faim ?

— Il m'est arrivé de sauter quelques repas, mais quand on sait chercher, on trouve de quoi manger... à condition d'être libre de ses mouvements.

— J'ai vu des gens mourir de faim parce qu'ils n'avaient plus de provisions et ne savaient pas où s'en procurer d'autres. Mais toi, tu sais toujours. Comment peux-tu savoir tant de choses ?

— C'est Iza qui me les a apprises, mais tout ce qui pousse m'a toujours intéressée. Je crois qu'avant d'être recueillie par Iza je suis presque morte de faim. Mais j'étais trop petite et je ne me souviens plus très bien. Iza disait qu'elle n'avait jamais connu personne qui apprenait aussi vite où trouver à manger, ajouta-t-elle avec un sourire ému. Surtout quand on considère que je n'étais pas née avec la mémoire du Clan. Elle prétendait que c'était la faim qui m'avait appris.

667

Après avoir dévoré une deuxième portion de nourriture, Jondalar regarda Ayla trier soigneusement ses réserves de provisions et commencer les préparatifs du mets qu'elle souhaitait cuisiner pour la fête. Elle s'était longuement demandé dans quel récipient elle pourrait faire cuire une quantité suffisante d'ingrédients pour le Camp des S'Armunaï tout entier. En effet, ils avaient laissé le plus gros de leur matériel dans la cachette, au milieu des épineux, et n'avaient emporté que l'essentiel.

Elle répartit le contenu de leur outre la plus grosse dans divers bols et récipients, et sépara ensuite la poche de la peau de bête qui la recouvrait, et qui avait été cousue avec la fourrure à l'intérieur. La poche elle-même provenait d'un estomac d'aurochs et n'était pas totalement étanche, mais ne suintait que très peu. Les poils de la peau absorbaient l'humidité, ce qui laissait l'extérieur relativement sec. Elle fendit le haut de la poche et la fixa sur un cadre de bois avec les tendons qu'elle conservait avec ses outils à couture. Elle remplit d'eau le récipient ainsi obtenu et attendit qu'une fine pellicule d'humidité apparût à la surface.

Le grand feu que Jondalar avait allumé plus tôt avait donné suffisamment de braises incandescentes pour qu'elle pût déposer son nouveau récipient directement dessus, gardant de l'eau à portée de la main pour compenser la perte de liquide due à l'évaporation. En attendant que l'eau bouille, Ayla commença à tisser un panier avec des rameaux de saule et des tiges d'herbe que la neige avait ramollies.

Lorsque l'eau parvint à ébullition, Ayla y émietta de la viande maigre séchée et des galettes riches en graisse. Elle ajouta dans le bouillon un mélange de céréales. Elle comptait l'enrichir de racines séchées — carottes sauvages, arachides — ainsi que de cosses de légumineuses, de groseilles et d'airelles séchées. Elle l'épiça ensuite avec un choix d'herbes, pas-d'âne, ail des ours, basilic, oseille, reine-des-prés, et ajouta une pincée du précieux sel qu'elle

668

avait réussi à garder depuis la Réunion d'Eté des Mamutoï, à l'insu de Jondalar.

Jondalar s'activait autour du campement. Il ramassait du bois, allait chercher de l'eau, cueillait des herbes et coupait des rameaux de saule pour les paniers qu'Ayla tressait. Il était si heureux d'être avec elle qu'il ne pouvait la quitter des yeux, et Ayla était heureuse de le sentir près d'elle. Mais lorsqu'il remarqua la quantité de nourriture qu'elle puisait dans leur réserve, il commença à s'inquiéter. Le jeûne forcé qu'il venait de subir avait aiguisé son angoisse de la disette.

— Ayla, tu te rends compte de tout ce que tu as utilisé ? Si tu continues, nous allons manquer de vivres !

— Je veux que tout le Camp d'Attaroa ait à manger, hommes et femmes. Qu'ils sachent les réserves qu'ils pourraient avoir s'ils travaillaient ensemble.

— Dans ce cas, je prends mon propulseur et je vais voir si je trouve de la viande, déclara-t-il.

Elle lui jeta un coup d'œil surpris. Jusqu'à présent, ils avaient surtout vécu sur la nourriture qu'ils glanaient en route, et quand ils piochaient dans leurs réserves, c'était davantage par commodité que par nécessité. En outre, la plus grosse partie des vivres était restée avec la tente, près de la rivière. Elle l'observa attentivement, et s'aperçut seulement à quel point il avait maigri. Elle commença à cerner l'explication de son comportement inhabituel.

— C'est une excellente idée, approuva-t-elle. Emmène donc Loup avec toi. Il t'aidera à débusquer le gibier, et il te préviendra s'il renifle une présence humaine. Je suis certaine qu'Epadoa et les Louves d'Attaroa nous recherchent.

— Si Loup m'accompagne, qui t'avertira ?

— Whinney. Elle sent quand un étranger approche. Ne t'absente pas trop longtemps, j'aimerais partir dès que le mets sera prêt.

— Ce sera long ? demanda-t-il d'un air tourmenté.

— Non, je ne crois pas. Mais je n'ai pas l'habitude de

cuisiner pour autant de personnes, alors je ne sais pas exactement.

— Bon, il vaut mieux que j'attende. Je chasserai plus tard.

— Comme tu voudras. Si tu restes ici, pourrais-tu me rapporter encore du bois ?

— J'y vais. Et ensuite j'emballerai le matériel pour que nous puissions partir dès que tu auras terminé.

Le mets fut plus long à préparer qu'Ayla ne l'avait pensé et, vers le milieu de la matinée, Jondalar partit finalement avec Loup en reconnaissance, davantage soucieux de s'assurer qu'Epadoa n'était pas dans les parages que de tuer du gibier. Loup le suivit avec un tel empressement... après avoir reçu l'autorisation d'Ayla, que Jondalar s'en étonna. Il avait toujours considéré l'animal comme appartenant à Ayla, et ne pensait jamais à l'emmener avec lui. Loup se révéla un bon compagnon et leva effectivement un lapin que Jondalar décida de lui abandonner.

A son retour, Ayla lui offrit une copieuse portion du délicieux brouet qu'elle avait cuisiné pour le Camp. D'habitude, ils ne prenaient jamais plus de deux repas par jour, mais dès qu'il sentit le fumet appétissant, il se rendit compte qu'il avait encore faim. Ayla se servit une petite part et en donna aussi à Loup.

A la mi-journée, ils purent enfin se mettre en route. Pendant la cuisson de son plat, Ayla avait tressé deux paniers en forme de bol, profonds et de bonne taille, l'un plus grand que l'autre. Elle avait rempli les deux récipients du brouet riche et épais, et y avait même ajouté des pignons du pin de pierre. Elle savait qu'après leur régime à base de viande maigre, ceux du Camp apprécieraient un repas riche en huile et en graisse. Elle pressentait aussi, sans en connaître les explications diététiques, que cette nourriture était la plus appropriée en hiver, pour la chaleur et l'énergie qu'elle permettait d'emmagasiner. Elle avait enrichi son brouet de céréales pour que tous fussent rassasiés et satisfaits.

Pour recouvrir les bols débordants, Ayla utilisa en guise de couvercles des paniers à fond plat renversés. Ensuite, elle hissa le tout sur le dos de Whinney, dans des sacoches qu'elle avait confectionnées à la hâte avec des rameaux de saules et des tiges d'herbe. Ils rejoignirent le Camp des S'Armunaï par un chemin différent de celui qu'ils avaient emprunté à l'aller. Tout en chevauchant de conserve, ils se demandaient où laisser les chevaux une fois arrivés.

— Nous pouvons les cacher dans les bois, près de la rivière, suggéra Jondalar. Nous les attacherons à un arbre, et nous finirons la route à pied.

— Non, je ne veux pas les attacher, protesta Ayla. Si les chasseresses d'Attaroa les trouvaient, ils feraient des cibles trop faciles. Libres, ils auraient une chance de s'enfuir, et pourraient accourir à notre appel. Je préfère les avoir près de nous, bien en vue.

— Dans ce cas, il y a le pré qui jouxte le Camp. Les chevaux sont habitués à rester là où ils ont de quoi brouter. Sans compter que si nous arrivons tous les deux à cheval, nous produirons sûrement une forte impression sur Attaroa et les S'Armunaï. Tout le monde croit qu'il faut des pouvoirs surnaturels pour maîtriser un cheval, et tant qu'ils ont peur, cela nous donne un avantage. Et nous en aurons besoin, nous ne sommes que deux.

— C'est vrai, admit Ayla à contrecœur.

Elle s'inquiétait pour les chevaux, et répugnait à profiter des peurs irrationnelles des S'Armunaï. Elle avait l'impression de tricher. Mais leur vie était en jeu, de même que celle des enfants et des hommes de l'Enclos.

La situation était délicate. Ayla devait choisir entre deux maux. Elle avait été la première à insister pour revenir au secours de ceux de l'Enclos, même au péril de leur vie, mais il lui fallait combattre son exigence de sincérité. Elle devait choisir le moindre mal et s'adapter. Sinon, ils n'auraient aucune chance de sauver les enfants et les hommes du Camp, ni eux-mêmes, de la folie d'Attaroa.

— Ayla, murmura Jondalar. Ayla ? répéta-t-il devant son silence.

— Hein... oui ?

— Je te demandais ce que tu comptais faire de Loup. Penses-tu l'emmener au Camp ?

Ayla prit le temps de réfléchir.

— Non, je ne crois pas. Elles savent pour les chevaux, mais pas pour le loup, et vu ce qu'elles font des loups, je n'ai pas envie qu'elles l'approchent de trop près. Je lui dirai de rester caché. Il m'écoutera, s'il peut m'apercevoir de temps en temps.

— Mais où ? Les environs du Camp sont à découvert.

— Loup restera là où je m'étais postée pour t'observer. On y parvient en contournant la colline. Il y a un cours d'eau bordé d'arbres et de fourrés dans la montée. Tu pourras m'y attendre avec les chevaux. Ensuite, nous ferons un détour pour arriver au Camp par une autre direction.

Personne ne vit les deux cavaliers sortir du bois. Les premières qui aperçurent l'homme et la femme à cheval traverser le pré au petit galop, eurent l'impression d'une apparition soudaine. Lorsqu'ils atteignirent l'habitation d'Attaroa, tous ceux qui pouvaient aller librement à l'intérieur du Camp s'étaient rassemblés. Les hommes, agglutinés derrière l'Enclos, les observaient par les plus petites fentes de la palissade.

Attaroa, campée sur ses jambes écartées, les mains sur les hanches, les attendait dans sa pose préférée. Bien qu'elle s'efforçât de le cacher, elle était très troublée de les revoir. Les rares fois où quelqu'un avait réussi à lui échapper, il s'était enfui sans demander son reste. Personne n'était encore revenu de son plein gré. Quel pouvoir possédaient ces deux-là pour avoir l'audace de se représenter devant elle ? Inquiète des éventuelles représailles de la Grande Mère et de Son monde des esprits, Attaroa s'interrogeait sur la signification du retour de la femme

672

énigmatique et du géant. C'est pourtant d'une voix ferme qu'elle les accueillit.

— Ainsi, vous avez décidé de revenir? fit-elle simplement en faisant signe à S'Armuna de traduire.

Jondalar crut déceler de la surprise sur le visage de la chamane, et aussi du soulagement. Avant de traduire, elle s'adressa directement aux deux cavaliers.

— Quoi qu'elle vous promette, je te conseille de ne pas rester dans son foyer, fils de Marthona. Mon invitation tient toujours pour tous les deux, ajouta-t-elle avant de leur transmettre les propos d'Attaroa.

La Femme Qui Ordonne la lorgna, persuadée qu'elle n'avait pas simplement traduit ses paroles.

— Mais pourquoi ne serions-nous pas revenus, Attaroa? N'étions-nous pas conviés à un festin donné en notre honneur? s'étonna Ayla. Nous avons d'ailleurs apporté notre contribution.

Pendant la traduction, Ayla se laissa glisser de cheval, et prit le plus gros récipient qu'elle déposa entre Attaroa et S'Armuna. Elle souleva le couvercle tressé, et aussitôt s'éleva un arôme délicieux que tout le monde huma en salivant. On avait rarement eu l'occasion d'être pareillement traité ces dernières années, et surtout en hiver. Même Attaroa en resta interdite.

— On dirait qu'il y en a pour tout le monde, fit-elle.

— Celui-ci est pour les femmes et les enfants, rectifia Ayla, avant de soulever le couvercle de l'autre récipient que Jondalar venait de déposer à côté du premier. Et celui-là est pour les hommes.

Un murmure s'éleva de l'Enclos, auquel s'ajoutèrent les cris de surprise des femmes, accourues de leurs foyers. Attaroa fulminait.

— Que veux-tu dire, pour les hommes?

— Lorsque le chef d'un Camp organise un festin en l'honneur de visiteurs, tout le monde est convié, sans doute? J'ai cru que tu commandais au Camp tout entier, et que je devais apporter assez pour tous. Ne commandes-tu pas au Camp tout entier ?

— Si, évidemment, bégaya Attaroa, prise de court.

— Si le festin n'est pas prêt, je vais mettre ces jattes à l'intérieur pour éviter qu'elles ne gèlent, déclara Ayla qui s'avança vers S'Armuna en portant la plus grande, pendant que Jondalar se chargeait de l'autre.

— Je vous ai invités dans mon foyer, l'arrêta Attaroa, qui avait recouvré ses esprits.

— Oui, mais tu es sûrement très prise par tous ces préparatifs, et je ne voudrais pas abuser de l'hospitalité de la Femme Qui Ordonne de ce Camp. Il est préférable que nous nous installions chez Celle Qui Sert la Mère.

— C'est la coutume, Attaroa, ajouta S'Armuna après lui avoir traduit les propos d'Ayla.

Ayla murmura entre ses dents :

— Jondalar, suis-moi jusqu'au foyer de S'Armuna.

En les regardant s'éloigner avec la chamane, Attaroa eut un sourire diabolique et son visage, qui aurait pu être beau, devint celui d'un monstre hideux. Ils ont fait une grave erreur en revenant, se réjouissait-elle, prête à saisir la chance inespérée qui s'offrait à elle de les abattre. Toutefois, il faudrait les prendre par surprise. En y repensant, elle ne fut pas mécontente de les avoir autorisés à rester chez S'Armuna. Au moins seraient-ils à l'écart, et elle avait besoin de réfléchir et de concocter un plan avec Epadoa, qui n'était pas encore de retour.

Pour l'instant, il fallait laisser les préparatifs se dérouler normalement. Elle héla sa favorite, la mère d'une petite fille, et lui demanda de prévenir les autres femmes de préparer le repas pour la fête.

— Qu'il y en ait pour tout le monde ! précisa-t-elle, y compris ceux de l'Enclos.

Malgré sa surprise, la femme s'exécuta avec célérité.

— J'imagine qu'une infusion chaude vous ferait plaisir, dit S'Armuna, après leur avoir montré l'endroit où ils

dormiraient, et craignant qu'Attaroa n'arrivât à l'improviste.

Ils burent sans être dérangés et la chamane se détendit.
Plus le temps passait, moins la Femme Qui Ordonne serait
susceptible de changer d'avis, et de leur interdire de dormir
chez elle.

Mais à mesure que la tension suscitée par Attaroa
diminuait, un silence embarrassé s'abattait sur les trois
personnes assises autour du foyer. Ayla étudia discrètement la Femme Qui Sert la Mère. Son visage était
bizarrement de guingois, le côté gauche plus proéminent
que le droit, et Ayla devina que S'Armuna devait souffrir
de sa mâchoire droite atrophiée lorsqu'elle mangeait. La
vieille femme n'essayait pas de cacher sa difformité, et se
tenait droite, avec dignité, les cheveux grisonnants tirés en
chignon sur le sommet de la tête. Pour des raisons
mystérieuses, Ayla se sentait attirée par la vieille femme.

Elle remarqua chez elle une hésitation comme si elle
était en proie à un dilemme. S'Armuna jetait d'incessants
coups d'œil vers Jondalar, comme si elle voulait parler mais
ne savait comment aborder un sujet délicat. Obéissant à
une intuition, Ayla se lança :

— Jondalar m'a dit que tu connaissais sa mère. Je me
demandais où tu avais appris à parler si bien sa langue.

La vieille femme la considéra avec surprise. *Sa* langue ?
N'était-ce donc pas aussi la sienne ?

Leurs regards se croisèrent mais Ayla ne détourna pas le
sien.

— Oui, j'ai connu Marthona, admit la chamane, et aussi
l'homme avec qui elle s'était unie.

On sentait qu'elle aurait aimé en dire plus, mais elle se
tut. Jondalar meubla la conversation, avide de parler de
son peuple et de sa famille.

— Joconan était-il l'Homme Qui Ordonne de la Neuvième Caverne à l'époque où tu as séjourné là-bas ?

— Non, mais je ne suis pas étonnée qu'il le soit devenu.

— On dit que Marthona le secondait un peu à la manière

675

des Femmes Qui Ordonnent mamutoï. Alors, quand Joconan est mort...

— Joconan est mort ? s'exclama S'Armuna.

Ayla devina l'émotion de la vieille femme et nota son
expression chagrinée. Mais S'Armuna se ressaisit.

— Ta mère a dû avoir beaucoup de peine, avança-t-elle.

— Oui, j'imagine. Mais elle n'a pas eu le temps d'y
penser. Tout le monde la poussait à devenir Femme Qui
Ordonne. Je ne sais pas à quel moment elle a rencontré
Dalanar, mais quand elle s'est unie à lui, elle était déjà la
Femme Qui Ordonne de la Neuvième Caverne depuis
plusieurs années. Zelandoni m'a dit que la Mère l'avait
honorée de ma future naissance quand l'Union a été
célébrée, ce qui aurait dû lui porter chance, mais ils ont
rompu le lien quand j'avais deux ou trois ans, et Dalanar a
décidé de partir. Je n'ai jamais su ce qui s'était passé, mais
de nombreuses histoires courent toujours sur leur Union
malheureuse. Cela gênait ma mère.

Sa curiosité éveillée, Ayla l'incita à poursuivre, ce qui fit
l'affaire de S'Armuna, visiblement aussi intéressée que la
jeune femme.

— Elle s'est de nouveau unie, et a eu d'autres enfants,
n'est-ce pas ? demanda la chamane. Je sais que tu as un
autre frère.

Jondalar continua son récit en s'adressant à S'Armuna.

— Mon frère Thonolan est né dans le foyer de Willomar, ma sœur Folara aussi. Je crois que cette Union a été
bénéfique pour ma mère. Elle est heureuse et Willomar a
toujours été bon pour moi. Autrefois, il voyageait beaucoup, il partait faire du troc pour le compte de ma mère.
Parfois, il m'emmenait. Il a aussi emmené Thonolan quand
il a été assez grand. J'ai longtemps cru que Willomar était
l'homme de mon foyer, jusqu'à ce que j'aille vivre avec
Dalanar et que j'apprenne à mieux le connaître. Je me sens
toujours aussi proche de Willomar. Dalanar me traitait
bien, lui aussi, et j'ai appris à l'aimer. Mais tout le monde
aime Dalanar. Il a découvert une mine de silex, et puis il a

rencontré Jerika et il a fondé sa propre Caverne. Ils ont eu une fille, Joplaya, ma proche cousine.

Ayla comprit soudain que si l'homme était responsable de la nouvelle vie qui poussait dans le ventre de la femme, autant que la femme elle-même, alors celle que Jondalar appelait « cousine » était en réalité sa sœur. Tout autant que celle qu'il nommait Folara. Proche cousine, avait-il dit ? Cela signifiait-il que ces liens étaient plus étroits que ceux unissant deux enfants dont les mères sont sœurs ? Ou dont la mère de l'un est la compagne de l'oncle de l'autre ? Jondalar en arrivait à sa conclusion, qu'Ayla en était encore à méditer sur ses liens familiaux.

— ... Alors ma mère a remis le pouvoir entre les mains de Joharran qui a insisté pour qu'elle reste afin de le conseiller, disait Jondalar. Mais dis-moi, comment as-tu rencontré ma mère ?

Le regard fixe, S'Armuna semblait comme éblouie par une vision surgissant de son passé.

— J'étais encore une enfant quand on m'a emmenée là-bas, commença-t-elle lentement. Le frère de ma mère était l'Homme Qui Ordonne de ce Camp, et j'étais sa préférée, la seule fille née de ses sœurs. Il avait entrepris le Voyage dans sa jeunesse et il avait eu vent de la renommée des zelandonia. Lorsqu'on s'est aperçu que j'avais des dons pour Servir la Mère, il a voulu que je reçoive le meilleur enseignement, et il m'a conduite à la Neuvième Caverne dont le zelandoni était à l'époque le Premier de Ceux Qui Servent la Mère.

— On dirait que c'est une tradition de la Neuvième Caverne. A mon départ, notre zelandoni venait d'être choisie comme Première.

— Connais-tu son ancien nom ? s'enquit S'Armuna avec curiosité.

Le sourire désabusé de Jondalar n'échappa pas à Ayla qui crut deviner la cause de son désenchantement.

— Oui, quand je l'ai connue elle s'appelait encore Zolena, répondit Jondalar.

677

— Zolena ? N'est-elle pas trop jeune pour être Première ? Elle n'était encore qu'une charmante petite fille quand je suis partie.

— Elle est jeune, c'est vrai, mais dévouée.

S'Armuna approuva d'un signe de tête, et reprit le fil de son histoire.

— Marthona et moi étions à peu près du même âge, et le foyer de sa mère bénéficiait d'un statut élevé. Mon oncle s'est entendu avec ta grand-mère, Jondalar, pour que j'habite avec elle. Il a veillé à mon installation et il est reparti. Marthona et moi étions comme deux sœurs, dit-elle avec un sourire lointain. Mieux même, deux jumelles. Nous avions les mêmes goûts et nous partagions tout. Elle a même décidé d'apprendre l'enseignement des zelandonia avec moi.

— Ah, je l'ignorais, fit Jondalar. C'est peut-être là qu'elle a acquis ses qualités de Femme Qui Ordonne.

— Peut-être, mais nous ne pensions pas à commander à cet âge. Nous étions inséparables, et nous avions les mêmes attirances... c'est d'ailleurs ce qui a tout gâché, avoua S'Armuna qui se tut, gênée.

— Tout gâché ? Etre trop proches gâcherait donc une amitié ? s'étonna Ayla pour l'inciter à continuer.

Elle repensait soudain à Deegie, au plaisir de l'avoir eue comme amie, ne fût-ce que quelque temps. Ah, comme elle aurait aimé avoir eu une amie pareille quand elle était enfant ! Uba avait été une sœur pour elle, mais bien qu'elle l'eût beaucoup aimée, Uba était du Clan. Elles avaient beau être très proches, trop de choses les séparaient, comme la curiosité innée d'Ayla, ou la mémoire ancestrale d'Uba.

— Oui, affirma S'Armuna qui venait à nouveau de remarquer l'accent étrange d'Ayla. Le sort a voulu que nous aimions le même homme. Je crois que Joconan nous aimait toutes les deux. Il a même envisagé une double Union, et Marthona et moi aurions accepté. Mais à la mort du vieux Zelandoni, Joconan a demandé conseil au nouveau qui lui a recommandé de choisir Marthona. A l'époque, j'ai cru que c'était à cause de la beauté de Marthona. Elle n'avait pas le visage déformé, elle. Mais à présent, je pense que mon oncle avait dû leur dire qu'il tenait à mon retour. Je ne suis pas restée pour leur Cérémonie d'Union, j'étais trop révoltée, trop amère. Je suis partie dès qu'ils m'ont eu fait part de leur projet.

— Tu es revenue ici toute seule ? s'étonna Jondalar. Tu as traversé le glacier ?

— Oui.

— Peu de femmes entreprennent un si long Voyage, surtout en solitaire. C'était dangereux, quel courage ! fit Jondalar, admiratif.

— C'était dangereux, oui. J'ai même failli tomber dans une crevasse, mais je ne suis pas sûre qu'on puisse parler de courage. La colère me donnait des forces. Mais une fois de retour, j'ai trouvé le Camp changé. J'étais restée absente des années. Ma mère et ma tante étaient parties dans le Nord, où vivent de nombreux S'Armunaï, avec mes frères et mes cousins. Ma mère mourut là-bas. Mon oncle aussi était mort, et il y avait un nouveau chef, un étranger qui s'appelait Brugar. Je n'ai jamais su d'où il venait. Il n'était pas beau, mais il avait du charme, et il pouvait être séduisant à sa manière un peu rude. Mais il était surtout cruel.

— Brugar... Brugar, hésita Jondalar, cherchant à se rappeler où il avait entendu ce nom-là. N'était-ce pas le compagnon d'Attaroa ?

S'Armuna se leva, soudain très agitée.

— Voulez-vous encore un peu d'infusion ? demanda-t-elle.

Ayla et Jondalar acceptèrent. Elle leur apporta des coupes d'infusion chaude et retourna se servir.

— Vous êtes les premiers à qui je me confie, déclara-t-elle en reprenant sa place.

— Pourquoi nous avoir choisis ? demanda Ayla.

— Pour que vous puissiez comprendre. C'est exact,

confirma ensuite S'Armuna, Brugar était le compagnon d'Attaroa. Il semble qu'il ait procédé à des changements peu après qu'il fut devenu Homme Qui Ordonne, et qu'il ait instauré la domination des hommes sur les femmes. C'étaient des détails au début. Les femmes devaient s'asseoir et attendre qu'on leur accorde la parole. Elles n'avaient plus le droit de toucher aux armes. Ça ne semblait pas grave, et les hommes s'amusaient de leur nouveau pouvoir, mais après que la première femme eut été battue à mort, pour avoir osé parler avec franchise, les choses se sont gâtées. Mais personne ne comprenait comment on en était arrivé là, ni comment revenir en arrière. Brugar faisait ressortir les pires défauts chez chacun. Il était entouré d'une bande de fidèles, et les autres avaient trop peur pour se rebeller.

— Où a-t-il bien pu trouver des idées pareilles ? s'étonna Jondalar.

— A quoi ressemblait ce Brugar ? demanda Ayla, prise d'une inspiration subite.

— Il avait les traits épais et rudes, mais il savait être séduisant quand il le fallait.

— Y a-t-il beaucoup de Têtes Plates, dans cette région ? demanda alors Ayla.

— Il y en a eu, mais il en reste peu. Plus à l'ouest, on en trouve davantage. Pourquoi ?

— Et comment sont-ils acceptés par les S'Armunaï ? En particulier ceux qui sont nés d'esprits mêlés.

— Eh bien, à l'inverse des Zelandonii nous ne les considérons pas comme des monstres. Certains hommes ont choisi des Têtes Plates pour compagnes et leurs descendants sont tolérés, mais ils n'ont de place dans aucun des deux peuples, d'après ce que j'ai compris.

— A ton avis, Brugar est-il le produit d'esprits mêlés ? demanda Ayla.

— Pourquoi toutes ces questions ?

— Parce que je ne serais pas surprise qu'il ait vécu, ou qu'il ait grandi chez ceux que vous appelez les Têtes Plates.

— Qu'est-ce qui te fait croire cela ?

— Les comportements que tu as décrits font partie des usages du Clan.

— Le Clan ?

— Oui, c'est ainsi que se nomment les Têtes Plates entre eux, expliqua Ayla, qui examina ensuite plusieurs hypothèses. Mais s'il était capable de charmer, ça voudrait dire qu'il pouvait s'exprimer facilement, il n'avait donc pas toujours vécu avec le Clan. Il n'y était certainement pas né, et on avait dû l'y envoyer plus tard. Et en tant qu'esprit mêlé, il devait y être à peine toléré. On devait même le trouver difforme. Je doute qu'il ait pu comprendre leurs coutumes, et il a dû rester à l'écart. Sa vie n'a sûrement pas été facile.

S'Armuna était déconcertée. Elle se demandait comment Ayla, une étrangère, avait pu deviner tant de choses.

— Pour quelqu'un qui n'a jamais rencontré Brugar, tu m'as l'air de bien le connaître, remarqua-t-elle.

— Il est donc né d'esprits mêlés ? intervint Jondalar.

— Oui. Attaroa m'a raconté ses origines, ou plutôt ce qu'elle en savait. Apparemment, la mère de Brugar était un mélange d'humain et de Tête Plate, et sa grand-mère était une vraie Tête Plate, commença S'Armuna.

Elle a probablement été engrossée par un Autre qui l'a forcée à partager les Plaisirs, se dit Ayla. Et elle a donné le jour à une métisse, comme l'enfant que j'ai vue au Rassemblement du Clan, et qui a été promise à Durc.

— Son enfance n'a pas été heureuse, continuait S'Armuna. Elle a quitté son peuple avant même d'être mûre. Elle est partie avec un homme de la Caverne de ceux qui vivent à l'ouest.

— Les Losadunaï ? demanda Jondalar.

— Oui, je crois bien qu'on les appelle ainsi. Toujours est-il que peu après son départ, elle a eu un enfant mâle. C'était Brugar.

— Qu'on nommait aussi Brug, j'imagine ? intervint Ayla.

— Comment l'as-tu deviné ?

— Brug était sans doute son nom du Clan.

— Je crois bien que l'homme avec qui sa mère s'est enfuie la battait souvent. Pourquoi ? Je l'ignore. Certains hommes sont ainsi.

— Les femmes du Clan apprennent à accepter ce genre de traitement, expliqua Ayla. Les hommes n'ont pas le droit de se battre, mais lorsqu'ils réprimandent une femme, il leur arrive de la frapper. Ils ne doivent pas les battre durement, mais certains le font.

S'Armuna prit un air entendu.

— Alors, j'imagine qu'au début, la mère de Brugar trouvait normal que l'homme avec qui elle vivait la batte, mais les choses ont dû empirer. Avec ce genre d'homme, il faut s'y attendre. Il s'est mis à corriger l'enfant, et c'est sans doute ce qui a décidé la mère à s'enfuir et à retourner chez son peuple.

— Si elle avait eu du mal à vivre avec le Clan, ça a dû être encore plus pénible pour son fils qui n'était même pas un esprit mêlé, remarqua Ayla.

— Oui, si les esprits se mélangent comme on le croit, Brugar devait être trois quarts humain et un quart Tête Plate, calcula S'Armuna.

Ayla pensa soudain à son fils, Durc. Broud doit lui rendre la vie difficile. Et s'il tournait comme Brugar ? Non, Durc est un vrai esprit mêlé, il a Uba pour l'aimer et Brun pour l'éduquer. Brun l'a accepté parmi le Clan quand il était encore le chef et que Durc n'était qu'un bébé. Il s'assurera que Durc connaît toutes les coutumes du Clan. Il pourrait parler si quelqu'un le lui apprenait, mais il a peut-être la mémoire ancestrale du Clan. Si c'est le cas, avec l'aide de Brun, il deviendra un membre du Clan à part entière.

Un soupçon effleura l'esprit de S'Armuna.

— Où as-tu appris à connaître si bien les Têtes Plates, Ayla ? demanda-t-elle.

Ayla fut prise au dépourvu. Elle n'était pas sur ses gardes

comme elle l'eût été avec Attaroa, et elle ne chercha pas à éluder la question.

— Ce sont eux qui m'ont élevée, avoua-t-elle tout simplement. Mon peuple est mort dans un tremblement de terre, et les Têtes Plates m'ont recueillie.

— Ton enfance a dû être encore plus pénible que celle de Brugar, murmura S'Armuna avec compassion.

— Non, au contraire. On ne me considérait pas comme une fille du Clan difforme. J'étais différente, une Autre, comme ils nous appellent. Ils n'attendaient rien de moi. Je faisais parfois des choses qui les surprenaient et ils me trouvaient un peu lente, vu la difficulté que j'avais à me souvenir. Je ne prétends pas que tout a été facile, il a fallu que j'apprenne leurs coutumes, que je me conforme à leurs usages. Ça n'a pas été simple, mais j'ai eu de la chance. Ceux qui m'ont élevée, Creb et Iza, m'aimaient beaucoup. Sans eux, je ne crois pas que j'aurais survécu.

Le récit d'Ayla intriguait fort S'Armuna, mais elle jugea que le moment n'était pas venu de lui demander des éclaircissements.

— C'est une chance que tu ne sois pas métisse, déclara-t-elle en lançant un coup d'œil significatif à Jondalar. D'autant que tu vas rencontrer les Zelandonii.

Àyla surprit son regard et crut en comprendre le sens. Elle se souvint de la réaction de Jondalar lorsqu'il avait appris d'où elle venait. Et il avait encore plus mal réagi en découvrant que son fils était le produit d'esprits mêlés.

— Qu'est-ce qui te fait croire qu'elle ne les a pas déjà rencontrés ? interrogea Jondalar.

S'Armuna prit le temps de la réflexion. Comment le savait-elle ? Elle adressa un sourire au géant.

— Tu disais que tu rentrais chez les tiens, et Ayla a dit « sa langue » et pas « notre langue », commença-t-elle.

Soudain, elle eut comme une révélation.

— Le langage ! L'accent ! C'est ça ! Je sais où je l'ai déjà entendu. Brugar avait le même accent ! Pas aussi prononcé que le tien, Ayla. Et pourtant, il parlait moins bien le s'armunaï que toi le zelandonii. Mais il avait dû développer certaines intonations... pas vraiment un accent... lorsqu'il vivait avec les Têtes Plates. Maintenant que je l'ai entendu de nouveau, je crois que je n'oublierai jamais plus cette prononciation particulière.

Ayla était vexée. Elle s'était donné beaucoup de mal pour apprendre à parler correctement, mais elle avait toujours éprouvé des difficultés à prononcer certains sons. Habituellement, elle acceptait les remarques, mais S'Armuna semblait y attacher tellement d'importance !

— Je suis désolée, Ayla, s'excusa la chamane en remarquant la mine déconfite de la jeune femme. Je ne voulais pas te vexer. D'ailleurs, tu parles très bien zelandonii, et même mieux que moi, j'ai tellement oublié. Et tu n'as pas vraiment d'accent, c'est... c'est difficile à expliquer. Je suis sûre que la plupart des gens ne le remarquent même pas. Mais tu m'as permis de cerner la personnalité de Brugar, et ça m'aide à mieux comprendre Attaroa.

— T'aider à comprendre Attaroa ? s'exclama Jondalar. Comment peut-on comprendre tant de cruauté ?

— Elle n'a pas toujours été ainsi. Lorsque je suis revenue de chez les Zelandonii, j'ai commencé par l'admirer, et je la plaignais beaucoup. Mais avec le recul, je crois maintenant que Brugar était fait pour elle.

— Comment peux-tu dire une chose pareille ?

— Elle avait été préparée à accepter sa cruauté, précisa S'Armuna. Petite fille, Attaroa a été maltraitée. Elle n'aimait pas en parler, mais je crois que sa mère la détestait. On m'a dit qu'elle l'avait abandonnée. Elle a disparu et on n'a plus jamais entendu parler d'elle. Attaroa a été recueillie par un homme dont la compagne était morte en couches avec son bébé, dans des circonstances suspectes. Les soupçons se sont confirmés quand on a appris qu'il battait Attaroa et qu'il l'avait prise avant qu'elle ne fût femme. Mais on a laissé faire parce que personne ne voulait se charger d'elle, parce qu'il y avait quelque chose de trouble dans ses origines. Attaroa a donc été livrée à la merci de la cruauté de cet homme. Il a fini par mourir et des personnes de son Camp ont arrangé son Union avec le nouveau chef de celui-ci.

— Sans son consentement ? demanda Jondalar.

— Disons qu'ils l'ont « encouragée » à accepter, et ils lui ont fait rencontrer Brugar. Comme je l'ai déjà dit, il savait charmer, et je crois qu'il l'a trouvée belle.

Jondalar parut approuver. Il s'était dit, lui aussi, qu'Attaroa aurait pu être très séduisante.

— Je pense qu'elle avait hâte de s'unir, poursuivit S'Armuna. C'était comme prendre un nouveau départ. Mais elle a vite découvert que l'homme qu'elle avait rejoint était pire que celui qu'elle avait connu. Brugar ne partageait les Plaisirs que dans les coups et les humiliations, ou pire même. A sa façon, il... je n'ose dire qu'il l'aimait, mais il avait certainement des sentiments pour elle. Il était si... si malsain. Pourtant, elle fut la seule à oser le défier, en dépit de tout ce qu'il lui faisait subir.

S'Armuna hocha la tête d'un air grave.

— Brugar était fort, reprit-elle, très fort, et il prenait plaisir à torturer les autres, surtout les femmes. Je suis sûr qu'il jouissait de les voir souffrir. Tu prétendais que les Têtes Plates mâles n'avaient pas le droit de se battre entre eux, mais qu'ils pouvaient frapper les femmes. Cela explique peut-être son comportement. Brugar aimait voir Attaroa se rebeller. Elle était beaucoup plus grande que lui, et vigoureuse. Il aimait mater ses révoltes, et il adorait qu'elle le défiât. Il y trouvait une excuse pour lui faire mal, et il semblait sortir renforcé de leurs bagarres. Cela lui donnait un sentiment de puissance.

Les malheurs d'Attaroa ressemblaient trop à une situation qu'elle avait bien connue pour laisser Ayla indifférente. Elle frissonna, et se sentit un élan de sympathie et de compassion pour la Femme Qui Ordonne.

— Il s'en vantait devant les autres hommes, et ces imbéciles l'encourageaient, poursuivit la vieille femme. Plus Attaroa résistait, plus il lui faisait payer cher, jusqu'à ce qu'elle finisse par se soumettre. Il pouvait alors la désirer. Je me suis souvent demandé ce qui se serait passé si Attaroa avait été docile les premiers temps. Se serait-il lassé d'elle ou aurait-il cessé de la battre ?

C'était aussi la question qu'Ayla s'était posée. Et lorsqu'elle ne lui avait plus résisté, Broud s'était lassé.

— Mais j'en doute, continua S'Armuna. Plus tard, quand la Mère l'a honorée et qu'elle a arrêté de le braver, il n'a pas changé pour autant. C'était sa compagne, il s'imaginait qu'il avait le droit de lui faire tout ce qui lui plaisait.

Je n'étais pas la compagne de Broud, se souvint Ayla, et Brun ne lui permettait pas de me battre. Il en avait certes le droit, mais le reste du clan de Brun n'approuvait pas la façon dont il me traitait. Tout le monde trouvait cela bizarre, et Broud avait fini par me laisser tranquille.

— Même quand Attaroa a été enceinte, Brugar continuait de la battre ? s'étonna Jondalar, choqué.

— Oui, et pourtant il avait l'air content qu'elle attende un enfant.

J'ai été enceinte, moi aussi, songea Ayla. Décidément, elle partageait beaucoup de choses avec Attaroa.

— Attaroa venait me trouver pour que je la soigne, continuait S'Armuna, hochant la tête d'un air de pitié. Ce qu'il lui faisait... c'était horrible. Je répugne à le dire. Elle pouvait s'estimer heureuse quand elle ne récoltait que des bleus.

— Mais pourquoi avoir supporté tout cela ?

— Elle n'avait nulle part où aller, ni parents ni amis. Ceux de son Camp lui avaient bien fait comprendre qu'ils ne voulaient pas d'elle, et elle était trop fière pour s'imposer à eux. Elle préférait souffrir plutôt que d'avouer comment elle était traitée. Dans un sens, je la comprends, assura S'Armuna. Personne n'a jamais levé la main sur moi, bien que Brugar ait essayé, une fois. Mais je ne suis pas partie, je croyais qu'on ne voudrait pas de moi ailleurs. J'avais pourtant de la famille, mais j'étais Celle Qui Sert la

Mère, et je refusais d'admettre à quel point la situation s'était détériorée. C'eût été avouer mon échec.

Jondalar approuva d'un signe de tête. Il avait ressenti ce sentiment d'échec, lui aussi. Il jeta un coup d'œil à Ayla, et une agréable chaleur l'envahit. Comme il l'aimait !

— Attaroa haïssait Brugar, poursuivit S'Armuna, mais je crois qu'elle l'a aussi aimé, à sa manière. Parfois, elle le provoquait exprès. Je me suis souvent demandé s'il n'attendait pas qu'elle dépasse la douleur pour la prendre et, sinon l'aimer ni lui procurer les Plaisirs, du moins lui prouver qu'elle était désirée. Il est possible que la cruauté de Brugar ait enseigné à Attaroa une sorte de Plaisir pervers. Maintenant elle atteint ses Plaisirs en torturant les autres, et en les regardant souffrir. En l'observant bien, on se rend compte à quel point cela l'excite.

— J'en arrive à la plaindre, déclara Jondalar.

— Plains-la si tu veux, mais ne lui fais jamais confiance, recommanda S'Armuna. Elle est folle. Elle est possédée par un puissant démon. Je ne suis pas sûre que vous puissiez comprendre. Avez-vous jamais haï au point d'en perdre la raison ?

Les yeux dilatés, Jondalar fut bien obligé de l'admettre. Oui, il connaissait cette haine. Un jour, il avait frappé un homme sans pouvoir s'arrêter, même lorsque l'autre gisait, inconscient.

— On dirait que cette haine maladive ne quitte jamais Attaroa, expliqua S'Armuna. Elle réussit parfois à le cacher — on peut même dire qu'elle y excelle — mais c'est la haine qui la gouverne. Elle est incapable de penser comme tout le monde. En fait, elle n'est plus humaine.

— Il doit bien lui rester des sentiments humains ? fit Jondalar.

— Te souviens-tu des funérailles qui ont suivi ton arrivée ? demanda S'Armuna.

— Oui, celles des trois jeunes gens. Il y avait deux garçons, mais je n'ai pas pu définir le sexe du troisième. Je me souviens m'être demandé de quoi ils étaient morts. Ils étaient si jeunes.

— C'est Attaroa qui est responsable de leur mort, affirma S'Armuna. Et celui dont tu n'as pu définir le sexe, c'était son propre enfant.

Un bruit soudain leur fit tourner la tête vers l'entrée du foyer de S'Armuna.

31

Une jeune femme se tenait sur le seuil, l'air très agité. Jondalar remarqua que c'était encore presque une fillette, et Ayla qu'elle était au terme de sa grossesse.

— Qu'y a-t-il, Cavoá ? demanda S'Armuna.

— Epadoa vient de rentrer avec ses Louves, et Attaroa est en train de la réprimander.

— Je te remercie de m'avoir prévenue, déclara la vieille femme, avant de se retourner vers ses invités. Les murs de ce foyer sont si épais qu'il est presque impossible d'entendre ce qui se passe dehors, leur dit-elle. Nous devrions aller voir.

Ils se précipitèrent dans l'étroit passage et la jeune femme s'effaça pour les laisser passer.

— Pas longtemps attendre, lança Ayla en s'armunaï, avec un sourire complice.

Cavoa eut un petit rire nerveux, et baissa les yeux.

Ayla se demandait ce qui effrayait la jeune femme et lui donnait cet air malheureux, alors que les futures mères étaient plutôt épanouies d'habitude, mais elle se rappela ensuite que le premier bébé était souvent attendu avec angoisse. Dès qu'ils furent dehors, les hurlements d'Attaroa leur parvinrent.

— ... que tu as trouvé leur campement. Tu as laissé passer ta chance ! Tu te prétends Louve et tu n'es pas capable de retrouver une piste ! s'égosillait-elle, ponctuant ses cris de ricanements moqueurs.

Des flammes de colère brillaient dans le regard d'Epadoa, qui serra les dents mais ne répondit pas. Une petite foule s'était rassemblée, et les observait à distance. La femme revêtue de peaux de loups remarqua alors que tous les regards convergeaient vers le foyer de S'Armuna, et découvrit avec stupeur la jeune femme blonde qui venait vers elle, suivie, ce qui la surprit encore plus, par le géant. Jamais aucun homme n'était revenu volontairement !

— Que faites-vous ici ? lâcha Epadoa.

— Je viens de te le dire. Tu as raté ta chance, ricana Attaroa. Ils sont revenus d'eux-mêmes.

— Pourquoi es-tu surprise de nous trouver là ? fit Ayla. N'étions-nous pas conviés à un festin ?

S'Armuna traduisit.

— Le festin ne sera pas prêt avant ce soir, dit Attaroa d'un ton cassant, pour signifier leur congé aux visiteurs. Viens Epadoa, j'ai à te parler.

Elle tourna le dos aux curieuses qui s'étaient attroupées, et rentra dans son habitation. Epadoa dévisagea Ayla, l'air mauvais, et rejoignit la Femme Qui Ordonne.

Après son départ, Ayla scruta le pré avec appréhension. Après tout, Epadoa et ses Louves avaient la réputation de chasser les chevaux. Ayla poussa un soupir de soulagement en voyant Whinney et Rapide au bout du pré en pente, dont l'herbe sèche et cassante les nourrirait tout de même. Elle tourna la tête du côté des bois accrochés au versant de la colline qui descendait vers le Camp, espérant apercevoir Loup et se montrer dans son champ de vision pour qu'il ne se sente pas abandonné.

En rentrant avec Ayla et S'Armuna dans le foyer de la chamane, Jondalar se souvint d'un propos de la vieille femme qui avait piqué sa curiosité.

— Comment as-tu réussi à échapper à Brugar? demanda-t-il alors. Tu disais qu'il avait essayé de lever la main sur toi. Alors, comment l'as-tu empêché de te frapper?

S'Armuna s'arrêta, et regarda tour à tour le géant et la femme qui l'accompagnait. Elle hésitait. Jusqu'où pouvait-elle se confier aux deux étrangers?

— Il me tolérait parce que je sais soigner. Il m'a toujours considérée comme une guérisseuse, mais surtout, il craignait le monde des esprits.

— Les guérisseuses possèdent un statut particulier dans le Clan, déclara Ayla, mais elles ne font que soigner. Ce sont les mog-ur qui communiquent avec les esprits.

— Oui, peut-être pour les esprits que connaissent les Têtes Plates, mais Brugar craignait la colère de la Mère. Il devait se rendre compte qu'Elle savait le mal qu'il commettait. A mon avis, il craignait Son juste châtiment. Quand je lui ai montré que je pouvais utiliser Sa force, il a cessé de m'importuner.

— Tu prétends que tu peux utiliser la force de la Mère. Comment t'y prends-tu?

S'Armuna sortit de sa tunique une petite figurine d'environ dix centimètres de haut, représentant une femme. Ayla et Jondalar avaient déjà vu des objets semblables, sculptés dans du bois, de l'os ou de l'ivoire. On en avait même montré à Jondalar patiemment taillés dans la pierre. C'étaient des figurines de la Mère, et à l'exception du Clan, tous les peuples, des Chasseurs de Mammouths à l'est jusqu'au peuple de Jondalar à l'ouest, sculptaient Ses représentations.

Certaines statuettes étaient grossièrement taillées, d'autres sculptées de manière exquise; elles étaient parfois abstraites, parfois figuratives, mais obéissaient toutes aux mêmes principes : les attributs de la maternité étaient volontairement exagérés — lourdes mamelles, ventres rebondis, hanches larges — alors que d'autres détails étaient à peine esquissés. Les bras n'étaient que suggérés,

691

les jambes n'avaient pas de pieds, mais une pointe pour qu'on pût planter la statuette en terre. Et surtout, les traits du visage n'apparaissaient jamais. Les figurines ne cherchaient pas à ressembler à une femme particulière, et de toute façon aucun artiste n'aurait pu imaginer les traits de la Mère. Le visage était souvent lisse, ou marqué de signes énigmatiques, mais on trouvait aussi des statuettes dont la chevelure élaborée cachait le visage.

Une seule statuette échappait à cette règle : le beau portrait d'Ayla que Jondalar avait sculpté quand ils vivaient seuls dans sa vallée, peu après leur rencontre. Mais Jondalar regrettait parfois de s'être autorisé une telle indiscrétion. Il n'avait pas voulu reproduire le visage de la Mère. Il avait succombé à une impulsion : sculpter le portrait de celle qu'il aimait pour capturer son esprit. Mais la figurine terminée, il avait été effrayé par le pouvoir considérable qu'elle recelait, et il eut soudain peur du danger qu'elle faisait courir à Ayla, surtout si la statuette venait à tomber entre les mains de quelqu'un qui se proposait de conquérir son esprit. Il craignait même de la détruire, de peur de détruire Ayla en même temps. Il avait finalement décidé de la lui offrir en lui recommandant de la garder précieusement. Ayla aimait beaucoup la petite sculpture, dont le visage lui ressemblait tant, parce que c'était Jondalar qui l'avait faite. Elle ne s'était jamais inquiétée de son pouvoir potentiel. Elle la trouvait merveilleuse, et cela lui suffisait.

Les statuettes de la Mère, que tout le monde s'accordait à trouver belles, ne représentaient pas des jeunes femmes nubiles répondant aux canons masculins de la beauté féminine. Elles symbolisaient la Femme, sa fécondité, sa capacité à nourrir ceux qu'elle engendrait, et par analogie, la Grande Terre Mère qui avait créé toute vie et nourrissait tous Ses enfants avec une merveilleuse générosité. Les figurines servaient aussi de réceptacles pour l'esprit de la Grande Mère de Toutes les Créatures, esprit qui pouvait s'incarner dans des formes multiples.

Mais la figurine que S'Armuna leur montra était exceptionnelle.

— Essaie donc de découvrir en quoi elle est faite, le défia la chamane en lui tendant l'objet.

Il l'examina en détail. Elle était dotée de lourdes mamelles et de hanches larges, les bras étaient à peine esquissés, les jambes sans pieds s'effilaient en pointe et le visage était lisse, encadré d'une vague chevelure. En fait, elle ressemblait à toutes celles qu'il avait vues auparavant, mais la matière, d'un noir uniforme, était nouvelle. Il essaya sans succès de la rayer d'un coup d'ongle. Elle n'était ni en bois, ni en os, ni en ivoire. Dure comme le roc, d'aspect poli, sans trace de ciselure, elle ne ressemblait à aucune pierre.

Jondalar regarda S'Armuna d'un air ébahi.

— Je n'ai jamais rien vu de pareil, avoua-t-il.

Il tendit la figurine à Ayla, qui fut parcourue d'un frisson dès qu'elle l'eut entre les mains. Elle regretta de ne pas avoir sa pelisse, tout en sachant que le froid n'était pour rien dans son frémissement.

— Cette munaï provient de la poussière de la terre, affirma S'Armuna.

— La poussière ? s'étonna Ayla. Mais cette statue est en pierre !

— Maintenant, oui. Je l'ai changée.

— Tu l'as changée en pierre ? Comment peux-tu changer de la poussière en pierre ? demanda Jondalar, incrédule.

— Si je vous le dis, reconnaîtrez-vous mon pouvoir ?

— Oui, si tu sais me convaincre, répondit Jondalar.

— Je vous le dirai, mais je ne chercherai pas à te convaincre. Ce sera à toi de décider. Voilà : j'ai commencé avec la glaise que j'ai ramassée au bord de la rivière. Une fois sèche, je l'ai pilée pour la réduire en poussière et je l'ai ensuite mélangée avec de l'eau.

S'Armuna s'interrompit, réticente à leur livrer la composition exacte du mélange. Elle décida finalement d'en garder le secret pour l'instant.

— Lorsque la consistance fut parfaite, une forme lui fut donnée. Ensuite ce sont le feu et l'air chaud qui l'ont changée en pierre.

Elle épiait leur réaction. Seraient-ils impressionnés ou dédaigneux, incrédules ou enthousiastes ?

— Je me souviens d'avoir entendu dire... commença Jondalar le visage tendu... oui, je crois que c'était un Losadunaï... il parlait de figures de la Mère faites avec de la boue.

— Oui, on peut dire que nous faisons des munaï à partir de la boue, concéda S'Armuna, satisfaite de son exposé. Nous procédons de la même façon pour fabriquer des statues d'animaux lorsque nous voulons invoquer leurs esprits. Toutes sortes d'animaux, des ours, des lions, des mammouths, des rhinocéros, des chevaux. La consistance de la boue facilite le modelage, mais une statue faite avec la poussière de la terre, même une fois durcie, redeviendra malléable si on la mouille. Et elle retournera en poussière. Mais si Son feu sacré l'éveille à la vie, la matière sera changée pour toujours. Les figurines qui traversent la chaleur incandescente de la Mère deviennent dures comme la pierre. L'esprit du feu les fortifie.

L'enthousiasme de S'Armuna se lisait dans ses yeux et Ayla se souvint d'avoir surpris la même exaltation dans le regard de Jondalar lorsqu'il mettait au point son propulseur. Elle comprit que S'Armuna revivait la fièvre de sa découverte, et cela suffit à la convaincre.

— Les statuettes se brisent facilement, encore plus que le silex, poursuivit S'Armuna. La Mère Elle-même nous a montré comment on pouvait les casser, mais l'eau ne les modifiera plus. Après avoir été caressée par Son feu vivifiant, une munaï de boue ne craint plus ni la pluie ni la neige. On ne pourra plus la ramollir, même en la plongeant dans l'eau.

— Je vois maintenant que tu maîtrises le pouvoir de la Mère, déclara Ayla, admirative.

— Voulez-vous que je vous montre ? proposa la vieille femme après avoir quelque peu hésité.

— Oh oui ! avec plaisir, s'exclamèrent-ils en chœur.

— Alors, suivez-moi.

— Puis-je d'abord aller chercher ma pelisse ? demanda Ayla.

— Bien sûr. D'ailleurs nous devrions tous nous couvrir. Mais tu verras, quand nous organiserons la Cérémonie du Feu, tu ne supporteras plus la moindre fourrure, même par un froid comme aujourd'hui. Tout est presque prêt. Nous aurions pu allumer le feu et commencer la cérémonie ce soir même, mais c'est assez long, et cela exige une grande concentration. Nous attendrons demain. Ce soir a lieu une fête importante.

S'Armuna ferma les yeux et parut réfléchir.

— Oui, c'est une fête importante, répéta-t-elle en regardant Ayla droit dans les yeux.

Se doute-t-elle du danger qui la guette ? s'interrogea la chamane. Si elle est bien celle que je crois, elle doit le savoir.

Ils quittèrent le logis de S'Armuna en prenant soin de baisser la tête, et revêtirent leur pelisse. Ayla nota que la jeune femme enceinte avait disparu. S'Armuna les conduisit ensuite à l'autre bout du camp, où plusieurs femmes s'activaient autour d'une construction banale qui ressemblait à une habitation semi-souterraine avec un toit incliné. Les femmes y rentraient du bois, des excréments séchés et des os. Du combustible pour faire un feu, conclut Ayla. Parmi les femmes, elle reconnut la future mère et lui adressa un sourire. Cavoa esquissa en retour un sourire timide.

S'Armuna dut se courber pour entrer, mais Ayla et Jondalar hésitèrent à l'imiter, ne sachant pas ce que l'on attendait d'eux. La vieille femme se retourna et leur fit signe de la suivre. Dans le foyer, des flammes chatoyantes s'élevaient des braises incandescentes, et chauffaient agréablement l'espace semi-circulaire où des piles de bois, d'excréments et d'os s'amoncelaient. Des omoplates et des os de bassin, calés sur des grosses pierres, servaient d'étagères où étaient exposés divers petits objets.

Intrigués, ils s'avancèrent et reconnurent de petites figurines de glaise qu'on avait laissées là, à sécher. Plusieurs d'entre elles représentaient des femmes, des images de la Mère, mais n'étaient pas terminées. On trouvait la partie inférieure d'un corps, un ventre reposant sur des jambes sans pieds, ou encore deux grosses mamelles. Sur d'autres étagères s'étalaient des animaux de toutes sortes, là encore incomplets : têtes de lion, d'ours, ou corps de mammouth.

On devinait que les figurines avaient été façonnées par plusieurs personnes. Certaines étaient grossières, d'autres plus sophistiquées et réalisées avec art. Ayla et Jondalar ne comprenaient pas ce qui avait incité les artisans à choisir leurs modèles, mais ils ne doutaient pas que chacun avait puisé son inspiration dans des émotions intimes ou des motifs personnels.

En face de l'entrée, une ouverture plus petite donnait dans une autre pièce creusée dans le sol de lœss d'une colline. Bien qu'il ouvrît sur le côté, l'espace rappela à Ayla les fours des Mamutoï en plus profond. Ceux-ci étaient creusés dans le sol, chauffés par des pierres brûlantes, et servaient à la cuisson des repas. Mais Ayla devinait qu'aucune nourriture n'avait jamais cuit dans ce four. Elle l'examina de plus près, et vit qu'une cheminée y était installée.

Aux morceaux calcinés qu'elle aperçut dans les cendres, Ayla comprit que le combustible était composé d'ossements, et elle chercha d'où venait l'air. Il fallait pour brûler des os un feu ardent, ce qui exigeait un tirage puissant. Les Mamutoï allumaient leur feu dans une fosse et le maintenaient par un vent constant, canalisé dans des tranchées. Après un examen minutieux, Jondalar était parvenu aux mêmes conclusions. La couleur des murs et leur dureté lui avaient appris que des feux extrêmement vifs avaient embrasé cette pièce, et il devina que les petits objets de glaise exposés sur les étagères attendaient d'y être plongés.

Il n'avait pas menti en affirmant n'avoir jamais vu d'objet comme la statuette de la Mère que S'Armuna lui avait montrée. Cette statuette n'avait pas été obtenue à partir d'un matériau naturel qu'on gravait, sculptait ou polissait. C'était de la céramique, le premier matériau jamais créé par des mains humaines, découvert par une intelligence humaine. Le chambre chaude n'était pas un four de cuisine, c'était un four à céramique.

Et ce premier four n'avait pas été inventé pour fabriquer des ustensiles étanches et utilitaires. Bien avant la poterie, des petites sculptures étaient chauffées dans ces fours pour acquérir une dureté irréversible. Les objets qu'ils avaient découverts sur les étagères ressemblaient à des animaux ou à des humains, mais les images de femmes — on ne sculptait jamais de statuettes d'hommes — ou d'autres créatures vivantes, ne se voulaient pas ressemblantes. C'étaient des symboles, des métaphores, cherchant, au-delà des formes, à évoquer les lois de la nature, à suggérer une unité spirituelle. C'étaient des œuvres d'art. L'art précédait l'utilitaire.

— C'est là que brûle le feu sacré de la Mère, dit Jondalar, autant comme une constatation que comme une interrogation.

S'Armuna approuva avec fierté, contente que Jondalar reconnût ses pouvoirs. La femme avait compris avant de voir le four ; le géant avait mis plus de temps.

Ayla fut soulagée quand S'Armuna les entraîna à l'air pur. Etait-ce la chaleur du feu qui brûlait encore dans la petite pièce, ou les figurines d'argile, ou l'espace clos, mais elle commençait à se sentir très mal à l'aise. Cet endroit ne lui disait rien qui vaille.

— Comment as-tu découvert tout cela ? demanda Jondalar avec un geste circulaire.

— La Mère m'a guidée.

— Oui, sans doute, mais comment ? insista-t-il.

La curiosité entêtée de Jondalar arracha un sourire à S'Armuna. C'était bien le fils de Marthona !

— L'idée m'est venue la première fois quand nous construisions une habitation. Sais-tu comment nous les bâtissons ?

— Oui, il me semble, répondit Jondalar. Les Mamutoï ont à peu près les mêmes, et nous avons aidé Talut et les autres à construire une extension du Camp du Lion. Ils commencent par élever une armature d'os de mammouth, attachent ensuite sur le toit une épaisseur de rameaux de saules, puis une épaisseur d'herbe, et des roseaux. Après, ils disposent une couche de gazon. Et pour finir, ils enduisent le tout de boue argileuse qui durcit en séchant.

— Oui, ça ressemble beaucoup à nos méthodes. C'est justement quand nous terminions la dernière couche de glaise que la Mère m'a révélé la première partie de Son secret. Comme nous n'avions pas fini à la nuit tombée, nous avons allumé un grand feu. La boue argileuse s'épaississait, et il en tomba par hasard dans les flammes. C'était un feu vif, nous utilisions des os comme combustible, et il brûla toute la nuit. Au petit matin, Brugar m'a demandé de nettoyer la cheminée, et c'est là que j'ai trouvé de l'argile durcie. Il y avait même un petit morceau qui ressemblait à un lion.

— Le totem protecteur d'Ayla est un lion, intervint Jondalar.

La chamane lança un regard aigu à la jeune femme, hocha ensuite la tête d'un air entendu, comme si ses intuitions se confirmaient.

— Quand j'ai découvert que la figurine de lion ne se ramollissait pas au contact de l'eau, j'ai décidé de recommencer l'expérience. Après pas mal d'échecs, et une nouvelle intervention de la Mère, j'ai finalement réussi.

— Pourquoi nous dévoiles-tu tes secrets ? demanda Ayla sans détour.

La franchise de la jeune femme désarçonna S'Armuna.

— Ne te figure pas que je vous dis tout, assura-t-elle

avec malice. Je ne vous montre que le visible. Brugar, qui croyait connaître mes secrets, a vite compris son erreur.

— Mais Brugar s'est forcément aperçu de tes expériences, dit Ayla. On ne peut pas faire un tel feu sans que tout le monde le sache. Comment as-tu réussi à préserver tes secrets?

— Au début, il ne s'intéressait pas à ce que je faisais, tant que je me procurais moi-même le combustible. Tout a changé quand il a découvert les premiers résultats. Là, il a voulu fabriquer des figurines lui-même, mais il ignorait ce que la Mère m'avait révélé, fit-elle avec un sourire de triomphe. La Mère est entrée dans une grande colère. Quand Brugar a mis ses figurines au feu, elles ont volé en éclats. La Grande Mère les a refusées avec mépris, et les a projetées avec une telle violence que les éclats ont causé des blessures douloureuses aux curieux qui s'étaient approchés de trop près. A la suite de cela, Brugar a craint mon pouvoir et il a abandonné l'idée de m'asservir.

Ayla n'aurait certainement pas aimé se retrouver dans la petite antichambre, bombardée d'éclats d'argile incandescents.

— Oui, mais cela n'explique pas pourquoi tu nous montres d'où tu tires ton pouvoir, argua-t-elle. Quelqu'un qui comprend les voies de la Mère pourrait découvrir tes secrets.

S'Armuna prit un air entendu. Elle n'en attendait pas moins de cette femme étrange, et elle avait déjà décidé d'adopter la plus grande franchise.

— Tu es perspicace, Ayla. J'ai bien sûr une raison : j'ai besoin de votre aide. La Mère m'a accordé un pouvoir magique que tous craignent, y compris Attaroa. Elle se méfie de la magie, mais elle est rusée et imprévisible. Un jour, elle surmontera sa peur, j'en suis sûre. Alors, elle me tuera. Ma mort ne compte pas, dit-elle à l'adresse de Jondalar. Mais je tremble pour mon peuple, pour ce Camp. Lorsque tu m'as raconté que Marthona avait transmis le commandement à son fils, j'ai compris à quel point la situation s'était détériorée ici. Je sais qu'Attaroa n'abandonnera jamais le pouvoir à personne, et avant qu'elle ne parte dans l'autre monde, j'ai bien peur que le Camp ne disparaisse entièrement.

— Comment peux-tu en être sûre ? Si elle est aussi imprévisible que tu le dis, on peut aussi imaginer qu'elle finira par se lasser, suggéra Jondalar.

— Non, parce qu'elle a déjà tué quelqu'un à qui elle aurait pu remettre le commandement. Elle a tué son propre enfant.

— Elle a tué son enfant ? ! s'exclama Jondalar, horrifié. Quand tu as raconté qu'elle était responsable de la mort de trois jeunes gens, j'ai pensé qu'il s'agissait d'un accident.

— Non, ce n'était pas un accident. Attaroa les a empoisonnés, bien qu'elle le nie farouchement.

— Empoisonné ! Quelle femme pourrait tuer son enfant ? s'indigna Jondalar. Et pourquoi ?

— Parce qu'il a eu le tort de vouloir aider une amie, Cavoa, la jeune femme que vous avez rencontrée. Elle était éprise d'un homme avec qui elle projetait de s'enfuir. Son frère essayait aussi de les aider. Ils ont été pris tous les quatre. Attaroa a épargné Cavoa parce qu'elle était enceinte, mais elle a juré de tuer la mère et l'enfant, si le bébé était un garçon.

— Je comprends mieux pourquoi Cavoa a l'air si malheureux et si craintif, fit Ayla.

— Je porte une lourde responsabilité, avoua S'Armuna dont le visage devint soudain blême.

— Toi ! Que reprochais-tu donc à ces jeunes ? demanda Jondalar.

— Oh, rien. L'enfant d'Attaroa était mon servant, et je le considérais presque comme le mien. J'aime Cavoa, je souffre pour elle, mais je suis responsable de la mort des trois autres aussi sûrement que si je leur avais fait avaler le poison moi-même. Sans moi, Attaroa n'aurait jamais su où trouver le poison ni comment s'en servir.

La vieille femme n'arrivait pas à cacher son désespoir.

— Tuer son propre enfant, répéta Ayla en hochant la tête comme pour chasser cette idée monstrueuse. Comment a-t-elle pu ?

— C'est un mystère, admit S'Armuna. Je vous raconterai tout ce que je sais, mais rentrons d'abord, suggéra-t-elle en jetant des regards inquiets autour d'elle.

Elle n'avait nulle envie que ses révélations pussent tomber dans des oreilles indiscrètes.

Ayla et Jondalar la suivirent, ôtèrent leur pelisse et s'approchèrent du feu pendant que la vieille femme l'alimentait et y déposait des pierres à chauffer pour préparer une infusion. Lorsqu'ils furent bien installés à déguster le breuvage brûlant, S'Armuna resta silencieuse un moment pour rassembler ses pensées.

— Je ne sais plus comment tout a commencé. Sans doute avec les premières querelles d'Attaroa et de Brugar, mais cela ne s'est pas arrêté là. Brugar a continué à battre Attaroa pendant sa grossesse. Il a refusé qu'on me prévienne quand elle a accouché. Je ne l'ai su qu'en l'entendant hurler de douleur. Je suis venue l'aider, mais il ne m'a pas laissée entrer. La délivrance fut difficile et Brugar interdisait tout ce qui aurait pu la soulager. Je suis convaincue qu'il se réjouissait de la voir souffrir. Il semble que l'enfant soit né avec une malformation. D'après moi, c'était à cause des coups qu'Attaroa recevait, et bien que ce ne fût pas flagrant à la naissance, je me suis vite aperçue que la colonne vertébrale de l'enfant était déviée et fragile. Il y avait sans doute d'autres choses, mais je ne puis l'affirmer, car on ne m'a pas autorisée à l'examiner.

— Etait-ce un garçon ou une fille ? demanda Jondalar, les explications de S'Armuna n'ayant toujours pas levé ses incertitudes.

— Je l'ignore, avoua S'Armuna.

— Je ne comprends pas. Comment peux-tu l'ignorer ? s'étonna Ayla.

— Personne ne le savait, excepté Brugar et Attaroa, et ils ont toujours gardé le secret. Contrairement aux autres, l'enfant n'avait pas le droit d'apparaître nu en public, et ils lui ont choisi un nom neutre. L'enfant s'appelait Omel.

— Et Omel n'a jamais rien dit ? demanda Ayla.

— Non, l'enfant a gardé le secret. Brugar devait le menacer de représailles horribles si jamais son sexe était découvert.

— Pourtant, certains signes ont dû se manifester avec l'âge, objecta Jondalar. Le corps que j'ai vu était celui d'un adulte.

— Omel ne se rasait pas, affirma S'Armuna, mais on ne voyait pas non plus si sa poitrine poussait. Ses vêtements étaient toujours amples pour camoufler sa silhouette. Sa colonne vertébrale déviée n'avait pas empêché l'enfant de se développer, et il était grand pour une fille, ce qui ne prouve rien étant donné la taille d'Attaroa. Etait-ce dû à sa fragilité, toujours est-il qu'Omel possédait une sensibilité qu'on trouve rarement chez les hommes.

— Mais lorsque l'enfant a grandi, tu n'as pas réussi à te faire une idée ? dit Ayla.

S'Armuna salua la sagacité d'Ayla d'un sourire admiratif.

— Au fond de moi, j'ai toujours considéré Omel comme une fille, mais peut-être souhaitais-je que cela fût. Brugar voulait persuader tout le monde que c'était un garçon.

— Cela ne m'étonne pas, dit Ayla. Dans le Clan, tous les hommes souhaitent que leur compagne ait au moins un garçon, sinon il se met à douter de sa virilité, parce que cela signifie que l'esprit de son totem est faible. Si Omel était une fille, Brugar a peut-être eu peur que cela se sache. Mais ceux du Clan ont coutume de se débarrasser des nouveau-nés difformes en les abandonnant aux charognards. Alors si le bébé est né avec une malformation, surtout si c'était un garçon et qu'il n'aurait jamais pu acquérir les qualités de chasseur que ceux du Clan attendent d'un homme, il est possible que Brugar ait voulu cacher cette tare.

— Il est difficile de spéculer sur les mobiles de Brugar, et quels qu'ils aient pu être, Attaroa était complice.

— Comment Omel et les deux garçons sont-ils morts? demanda Jondalar.

— C'est une longue histoire, commença S'Armuna, qui n'aimait pas être bousculée. Contre toute attente, Omel est devenu le favori de Brugar. L'enfant était le seul qu'il n'ait jamais battu ni menacé. Je m'en félicitais, mais je me suis souvent demandé ce que cela cachait.

— Se doutait-il que les coups infligés à Attaroa avaient pu provoquer les déformations de l'enfant? demanda Jondalar. Essayait-il de se racheter?

— C'est possible. Pourtant il en rendait Attaroa responsable. Il la traitait de bonne-à-rien et disait qu'elle était incapable de mettre au monde un enfant normal. Ensuite, il s'emportait et la battait. Mais ses coups avaient cessé d'être le prélude aux Plaisirs. Il se détourna d'elle et reporta toute son affection sur l'enfant. Omel l'imitait et se mit à traiter Attaroa aussi mal que lui. A mesure qu'elle se sentait exclue, Attaroa devint jalouse d'Omel, jalouse de l'affection que lui portait Brugar, et surtout de l'admiration d'Omel pour Brugar.

— Quelle épreuve pour elle! commenta Ayla.

— Oui. Brugar avait trouvé un nouveau supplice pour la faire souffrir. Mais elle ne fut pas la seule à en pâtir. Peu à peu, Brugar malmena toutes les femmes et les hommes l'imitèrent. Ceux qui tentèrent de s'opposer aux méthodes de Brugar furent roués de coups, ou chassés. Un jour, après une bagarre particulièrement violente au cours de laquelle Brugar lui cassa un bras et plusieurs côtes, Attaroa se rebella. Elle se promit de le tuer, et me supplia de lui fournir une recette pour parvenir à ses fins.

— Tu as accepté? demanda Jondalar, incapable de refréner sa curiosité.

— Celle Qui Sert la Mère connaît de nombreux secrets,

Jondalar, et même des secrets redoutables, surtout si elle a étudié avec les zelandonia. Mais quiconque est admis dans la Communauté de la Mère doit jurer devant les Cavernes Sacrées et les Légendes des Anciens de ne jamais dévoiler ses secrets. Celle Qui Sert la Mère abandonne son nom et son identité, et prend le nom et l'identité de son peuple. Elle devient le lien entre la Grande Terre Mère et Ses enfants, et le médium qui permet aux Enfants de la Terre de communiquer avec le monde des esprits. Servir la Mère implique de servir aussi Ses enfants.

— Je comprends, fit Jondalar.

— Mais tu ne comprends peut-être pas à quel point l'esprit de Celle Qui Sert devient soudé à son peuple. Le souci du bonheur de son peuple ne cède que devant les prérogatives de la Mère. C'est une lourde responsabilité, équivalente à celle du chef. Celle Qui Sert la Mère devient le guide, celle qui mène à la compréhension, à la découverte du sens caché de toute chose. Une partie de l'enseignement consiste à acquérir le savoir qui permettra d'interpréter les signes, les visions, les rêves que la Mère envoie à Ses enfants, ou suscite en eux. Il existe des procédés pour quêter les conseils du monde des esprits, mais en définitive tout repose sur l'interprétation de Celle Qui Sert. L'exigence de Servir du mieux possible ne m'a jamais quittée, mais l'amertume et la rancœur ont hélas obscurci mon jugement. A mon retour, je haïssais les hommes et le comportement de Brugar m'a conduite à les haïr davantage.

— Mais pourquoi t'accuses-tu de la mort des trois jeunes gens ? As-tu enseigné les poisons à Attaroa ? ne put s'empêcher de demander Jondalar.

— Je lui ai appris beaucoup, fils de Marthona, mais elle n'avait pas été initiée comme Celles Qui Servent. Cependant, elle a l'esprit vif et elle comprend toujours plus que ce qu'on veut bien lui dire... mais cela aussi, je le savais.

S'Armuna n'en dévoila pas davantage, suggérant qu'elle avait gravement transgressé les vœux de Celles Qui Servent, sans pourtant le dire clairement, laissant à chacun le soin d'en tirer ses propres conclusions.

— De toute façon, c'est moi qui ai aidé Attaroa à établir sa domination sur les hommes — sans doute voulais-je les dominer moi-même. Mais j'ai fait pis : je l'ai poussée et encouragée à prendre le pouvoir, je l'ai persuadée que c'était là le vœu le plus cher de la Grande Terre Mère, et je l'ai aidée à en convaincre les autres femmes, ou au moins une grande partie. D'ailleurs, grâce à la façon dont Brugar les traitait, ce ne fut pas difficile. Je lui ai donné quelque chose à verser dans la boisson favorite des hommes pour les plonger dans le sommeil. De la sève de bouleau fermentée.

— Les Mamutoï préparaient un breuvage similaire, commenta Jondalar, abasourdi par les aveux de la vieille femme.

— Lorsque les hommes furent endormis, les femmes les ligotèrent. Elles ne se sont pas fait prier. Cette vengeance était comme un jeu pour elles. Mais Brugar, lui, ne s'est jamais réveillé. Attaroa a voulu me faire croire qu'il avait été trop réceptif au breuvage, mais je suis persuadée qu'elle avait ajouté autre chose dans son bol. Elle avait juré de le tuer, et elle a tenu parole. Maintenant, elle prétend le contraire, mais quelle que soit la vérité, c'est moi qui l'ai convaincue que les femmes seraient plus heureuses une fois débarrassées des hommes, et que les esprits des femmes se mêleraient entre eux pour ne créer que des bébés de sexe féminin.

— Et le croyais-tu toi-même ? demanda Jondalar.

— J'avais presque réussi à m'en convaincre. Je n'avais pas énoncé cela aussi crûment — je ne voulais pas m'attirer la colère de la Mère — mais c'était suffisamment clair pour qu'Attaroa devine ma pensée. Et elle prend pour preuve la grossesse de quelques femmes du Camp.

— Elle a tort, assura Ayla.

— Oui, je sais, et je me suis lourdement trompée. La Mère n'a pas été dupe de ma ruse. Au fond de moi-même, je sais que les hommes sont là parce qu'Elle en a décidé

705

ainsi. Si Elle ne voulait pas d'hommes, Elle ne les aurait pas créés. Leurs esprits sont nécessaires. Mais si on les affaiblit, la Mère ne peut plus utiliser leurs esprits, et c'est pour cela que si peu d'enfants naissent. Fils de Marthona, tu es très vigoureux, apprécia-t-elle avec un sourire flatteur. Je suis sûre qu'Elle s'est déjà servie de ton esprit.

— Si les hommes étaient libres, tu découvrirais vite qu'ils sont bien assez vigoureux pour provoquer des grossesses, déclara Ayla. Et sans l'aide de Jondalar.

Le géant, qui avait très bien compris l'allusion même s'il ne partageait pas entièrement la théorie d'Ayla, lui décocha un coup d'œil amusé.

— Si je peux me rendre utile, ce sera avec plaisir, assura-t-il.

— C'est une bonne idée, fit Ayla. Mais je disais justement que ce n'était pas nécessaire.

Le sourire de Jondalar se figea. Il venait de se rappeler qu'il n'avait aucune preuve d'être capable d'engendrer des enfants, que la théorie d'Ayla soit ou non exacte.

S'Armuna les observa, comprenant qu'elle assistait à une scène dont elle ignorait les tenants et les aboutissants. Mais quand il devint évident que ses hôtes attendaient avec impatience la suite de son récit, elle déclara :

— Je l'avais aidée, encouragée, mais je ne savais pas qu'Attaroa deviendrait pire que Brugar. Après la mort de Brugar, le sort des femmes s'améliora, ce qui fut loin d'être le cas pour les hommes, ou pour Omel... Le frère de Cavoa était le meilleur ami d'Omel, et il comprit vite la situation, d'autant qu'Omel fut le seul à pleurer Brugar.

— C'est normal, intervint Jondalar.

— Ce n'était pas l'avis d'Attaroa, précisa S'Armuna. Persuadé que sa mère avait tué Brugar, Omel lui en voulait et la défiait. Elle s'est mise à le battre. Elle m'a avoué un jour qu'elle voulait lui faire comprendre ce que Brugar lui avait fait subir, ainsi qu'aux autres femmes. Je sais, bien qu'elle ne me l'ait pas avoué, qu'elle avait caressé l'espoir de récupérer l'affection d'Omel, une fois Brugar parti.

— Ce n'est pas avec des coups qu'on s'attire l'affection de quelqu'un, remarqua Ayla.

— Tu dis vrai, approuva la vieille femme. Jamais personne n'avait levé la main sur Omel et il détesta davantage encore Attaroa. Malgré leur parenté, on aurait dit qu'ils ne pouvaient pas vivre ensemble. C'est à ce moment que j'ai proposé à Omel de devenir mon servant.

S'Armuna fit une pause. Elle leva son bol, mais voyant qu'il était vide, elle le reposa.

— Attaroa a paru soulagée de ne plus avoir Omel dans son foyer. Mais avec le recul, je me suis rendu compte qu'elle avait reporté sa haine sur les hommes. L'aggravation de la cruauté d'Attaroa a coïncidé avec le départ d'Omel. Elle dépassa encore celle de Brugar. J'aurais dû m'en douter. Au lieu d'éloigner Omel, j'aurais mieux fait d'essayer de les réconcilier. Que va-t-elle inventer, maintenant qu'Omel est parti dans l'autre monde ? Tué de ses propres mains.

S'Armuna posa les yeux sur les flammes qui dansaient dans la cheminée, en proie à une vision ineffable.

— Oh, Grande Mère ! s'exclama-t-elle soudain. Ai-je été aveugle ! Elle avait déjà rendu Ardoban infirme et l'avait envoyé dans l'Enclos. Pourtant, elle aimait ce garçon. Dire qu'elle a tué Omel et les deux autres !

— Elle l'a rendu infirme ? s'indigna Ayla. Ainsi, ces enfants dans l'Enclos ont été estropiés volontairement ?

— Oui. Elle voulait les affaiblir, les terroriser, acquiesça S'Armuna d'un air grave. Attaroa a perdu toute raison. Je suis très inquiète.

Incapable de poursuivre, elle enfouit son visage dans ses mains.

— Comment cela finira-t-il ? gémit-elle. Toute cette souffrance est de ma faute.

— Tu n'es pas seule responsable, S'Armuna, assura Ayla. Sans doute l'as-tu permis, encouragé même, mais ne prends pas tout sur toi. La faute en revient à Attaroa, et peut-être aussi à ceux qui l'ont maltraitée. La cruauté

707

engendre la cruauté, la souffrance alimente la souffrance, et l'abus encourage l'abus.

— Et les malheurs qu'elle a infligés seront transmis à la génération suivante ! cria la vieille femme, que cette éventualité torturait.

Elle se mit à se balancer d'avant en arrière en récitant d'une voix plaintive :

— Combien de ceux, enfermés derrière cette palissade, a-t-elle condamnés à propager son funeste héritage ? Et combien de celles qui l'admiraient voudront l'imiter ? La présence de Jondalar m'a rappelé les devoirs de mon initiation. J'aurais dû être la dernière à tolérer de tels actes, voilà ma responsabilité. Oh, Mère ! Qu'ai-je fait ?

— Inutile de ressasser les fautes du passé, déclara Ayla. L'important est ce que tu comptes faire maintenant.

— Je dois les aider. Il le faut... Mais comment ?

— Pour Attaroa, c'est trop tard, mais il faut l'arrêter. Nous devons aider les enfants et les hommes de l'Enclos. Libérons-les d'abord, nous verrons ensuite comment les aider.

S'Armuna considéra la jeune femme qui semblait si confiante et décidée, et se demanda qui elle était vraiment. Les yeux de Celle Qui Sert la Mère avait été dessillés. Elle se rendait compte à quel point elle avait abusé de son pouvoir, et l'ampleur des dommages qu'elle avait causés. Elle craignait pour son propre esprit, et aussi pour la vie du Camp.

Le silence tomba dans l'habitation. Ayla se leva et prit le récipient dans lequel infusaient les herbes.

— Laisse-moi faire l'infusion, cette fois-ci, demanda-t-elle. J'ai un mélange d'herbes délicieux.

S'Armuna acquiesça sans un mot et Ayla fouilla dans sa poche à médecines.

— J'ai repensé aux deux jeunes infirmes de l'Enclos, dit Jondalar. Boiter ne les empêchera pas de devenir tailleurs de silex, si seulement ils trouvaient quelqu'un pour leur apprendre. Il doit bien exister un tailleur parmi les

S'Armunaï. Tu devrais en parler à la prochaine Réunion d'Eté.

— Nous n'allons plus aux Réunions d'Eté des S'Armunaï, déplora la vieille femme.

— Ah, pourquoi ? s'étonna Jondalar.

— Attaroa ne veut plus, expliqua S'Armuna d'une voix éteinte. Les autres n'ont jamais été très bienveillants à son égard. Son propre Camp la tolérait à peine. Lorsqu'elle a pris le pouvoir, elle a rompu avec tout le monde. Peu après son accession au rang de Femme Qui Ordonne, certains Camps ont envoyé une délégation pour nous convier chez eux. Ils avaient dû apprendre que de nombreuses femmes vivaient sans compagnon. Attaroa les a renvoyés avec des insultes, et elle s'est peu à peu aliéné tous les autres S'Armunaï. Maintenant, nous n'avons plus aucune visite, ni de parents ni d'amis. Tout le monde nous évite.

— Finir comme cible suspendu à un poteau n'est pas une perspective réjouissante, commenta Jondalar.

— Je t'ai bien dit qu'elle devenait de plus en plus cruelle. Et tu n'étais pas la première victime. Il y a quelques années, un étranger qui entreprenait le Voyage s'est présenté. En voyant tant de femmes vivre apparemment seules, il s'est montré arrogant et condescendant. Il s'est imaginé qu'on allait l'accueillir à bras ouverts. Attaroa a joué avec lui comme un lion avec sa proie, et elle a fini par le tuer. Mais le jeu lui avait tellement plu qu'elle a recommencé avec tous les visiteurs. Elle s'amusait à les avilir en leur faisant toutes sortes de promesses avant de se débarrasser d'eux. Elle avait la ferme intention de recommencer avec toi, Jondalar.

Ayla, qui versait des plantes calmantes dans l'outre où elle préparait l'infusion, frissonna en entendant S'Armuna.

— Tu as raison, fit-elle, elle n'est plus humaine. Quand Mog-ur parlait des mauvais esprits, je croyais qu'il s'agissait de légendes, d'histoires destinées à faire peur pour inculquer la bonté aux enfants. Mais Attaroa n'est pas une légende. C'est le mal en personne.

709

— Tu dis vrai. Quand les étrangers cessèrent de venir, Attaroa s'est servie des hommes de l'Enclos, poursuivit S'Armuna, incapable de s'arrêter maintenant qu'elle avait décidé de raconter ce qu'elle gardait enfoui depuis si longtemps. Elle a commencé par les plus forts, les meneurs, les rebelles. Il reste de moins en moins d'hommes, et les survivants perdent le goût de la révolte. Elle les laisse mourir de faim, les expose au froid et aux intempéries. Elle les enferme dans des cages ou les attache. Ils ne peuvent même plus se laver et beaucoup meurent de froid ou de malnutrition. Pis, peu d'enfants naissent pour remplacer les morts. Le Camp est en train de disparaître. La grossesse de Cavoa en a surpris plus d'un.

— Elle a certainement réussi à entrer dans l'Enclos pour y retrouver un compagnon, suggéra Ayla. Sans doute celui dont elle s'est éprise. Tu dois savoir cela, S'Armuna.

S'Armuna le savait, en effet, mais elle s'interrogeait sur l'étrange divination de la jeune femme.

— Certaines femmes réussissaient à se glisser dans l'Enclos pour voir les hommes, elles apportaient à manger quand elles le pouvaient. Jondalar a dû te le raconter.

— Non, je ne lui ai rien dit, assura Jondalar. Et je ne comprends pas pourquoi les femmes ont accepté que les hommes soient enfermés.

— Elles avaient peur d'Attaroa. Rares étaient celles qui l'approuvaient, et la plupart auraient bien aimé vivre avec leur compagnon. Mais maintenant, elle menace d'estropier leurs enfants.

— Dis aux femmes de libérer les hommes, ou il n'y aura plus de naissances, ordonna Ayla d'un ton qui fit frémir Jondalar et S'Armuna.

Ils la dévisageaient tous deux avec respect. Jondalar reconnut l'expression autoritaire et détachée qu'elle adoptait chaque fois qu'elle soignait un blessé ou un malade, bien qu'en la circonstance il discernait davantage qu'une volonté de venir en aide. Il notait aussi une colère froide qu'il n'avait jamais vue chez elle.

La vieille femme interpréta les propos d'Ayla comme une prophétie, ou un jugement.

Après qu'Ayla eut servi l'infusion, ils restèrent silencieux, le cœur lourd. Ayla ressentit alors un besoin urgent de respirer l'air pur et glacé. Elle voulait aussi s'assurer du sort des animaux, mais en observant S'Armuna elle décida qu'il valait mieux attendre. La vieille femme était désespérée, il fallait lui donner quelque chose à quoi se raccrocher.

Jondalar s'inquiétait pour les hommes qu'il avait laissés dans l'Enclos, et se demandait ce qu'ils pensaient. Nul doute qu'ils connaissaient son retour, mais ils ne l'avaient pas vu réapparaître dans l'Enclos. Il aurait bien aimé s'entretenir avec Ebulan et S'Amodun, rassurer Doban, mais il n'était pas rassuré lui-même. Ils s'étaient jetés dans la gueule du loup, et n'avaient pas fait grand-chose hormis parler. Jondalar était partagé entre l'envie de s'enfuir le plus vite possible et le désir d'aider les malheureux. Et s'ils devaient agir, alors que ce soit rapidement.

— Je veux faire quelque chose pour les hommes, déclara-t-il, incapable d'attendre plus longtemps. Mais comment ?

— Tu les as déjà aidés, assura S'Armuna. Quand tu as refusé les avances d'Attaroa, tu leur as redonné courage. D'ailleurs, ce n'est pas le plus important, d'autres lui ont résisté avant toi, mais tu es le premier à lui avoir échappé, et surtout à être revenu ensuite. Attaroa a perdu la face, et les hommes ont repris espoir.

— Oui, mais l'espoir ne les fera pas sortir de l'Enclos, objecta Jondalar.

— C'est exact, et Attaroa n'acceptera jamais de les libérer. S'il ne tenait qu'à elle, personne n'en sortirait vivant. Autre chose : rares sont les femmes qui entreprennent le Voyage. Tu es la première à t'aventurer par ici, Ayla.

— Attaroa irait-elle jusqu'à tuer une femme ? s'inquiéta Jondalar en se rapprochant machinalement de celle qu'il aimait, comme pour la protéger.

— Ce serait difficile à justifier, autant que d'enfermer une femme dans l'Enclos. Certaines sont séquestrées dans une cage invisible, pourtant. Elles n'osent s'en aller, car Attaroa menace de s'en prendre à ceux qu'elles aiment, à leurs enfants, à leur compagnon. Toi, Ayla, tu n'as pas de lien ici, elle n'a aucun pouvoir sur toi. Mais si elle te tue, elle pourra ensuite supprimer plus facilement les femmes qui la gênent. Je ne te dis pas cela uniquement pour te mettre en garde, mais parce que le Camp tout entier est en danger. Il est encore temps de partir, et c'est sans doute ce que vous avez de mieux à faire.

— Non, il n'en est pas question, affirma Ayla. Comment pourrais-je abandonner ces enfants? Ces hommes? Les femmes auront également besoin d'aide. Brugar te qualifiait de guérisseuse, S'Armuna, j'ignore si tu comprends ce que cela implique, mais sache que je suis une guérisseuse du Clan.

— Tu es une guérisseuse? J'aurais dû m'en douter.

Elle ne savait pas exactement ce qu'était une guérisseuse, mais Brugar lui avait témoigné un tel respect après l'avoir classée dans cette catégorie qu'elle en avait déduit qu'il s'agissait là d'une position prestigieuse.

— C'est pour cela que je n'ai pas le droit de partir, poursuivit Ayla. Ce n'est pas un choix, c'est le devoir de toute guérisseuse. Cela fait partie d'elle. Une parcelle de mon esprit est déjà dans l'autre monde, précisa-t-elle en portant la main à son amulette. C'est le gage de mon obligation morale envers ceux qui ont besoin de mon aide. Je ne peux l'expliquer davantage, mais je n'ai pas le droit de laisser Attaroa abuser de ces malheureux plus longtemps, et le Camp aura besoin de mon aide quand ceux de l'Enclos seront libres. Je resterai le temps qu'il faudra.

D'un signe de tête, S'Armuna montra qu'elle comprenait. Le concept était difficile à définir. Elle mettait sur le même plan la compassion d'Ayla et sa volonté d'aider autrui avec sa propre pulsion à vouloir Servir la Mère, et elle s'identifia à la jeune femme.

— Nous resterons le temps que nous pourrons, rectifia Jondalar qui n'oubliait pas le glacier à traverser. La question est : comment persuader Attaroa de libérer les hommes ?

— Elle te craint, Ayla, affirma la chamane, tout comme nombre de ses Louves. Et celles qui n'ont pas peur t'admirent. Les S'Armunaï sont des chasseurs de chevaux. Nous chassons aussi d'autres animaux, y compris les mammouths, mais ce sont les chevaux que nous connaissons le mieux. Au nord, il y a une falaise où nous les précipitons depuis des générations. Tu ne peux nier le pouvoir magique que tu exerces sur les chevaux, Ayla. On a peine à croire à un tel mystère, même en le voyant.

— Il n'y a rien de mystérieux là-dedans, grogna Ayla. J'ai adopté la jument quand elle n'était qu'un jeune poulain. Je vivais seule à l'époque et elle était mon unique amie. Whinney fait ce que je lui demande parce qu'elle le veut bien, parce que nous sommes amies, essaya-t-elle d'expliquer.

Elle avait nommé Whinney en émettant un léger hennissement. Habituée à voyager seule avec Jondalar et les animaux, elle avait inconsciemment repris l'ancienne prononciation. Le son qui sortit de la bouche de la jeune femme troubla S'Armuna, et l'idée qu'on pût être amie avec un cheval lui semblait au-delà de la compréhension. Mais bien qu'Ayla eût dénié toute magie, elle n'avait fait que renforcer la conviction de S'Armuna.

— Sans doute, concéda la chamane.

Mais elle pensait : tu as beau essayer de faire croire que c'est naturel, tu n'empêcheras pas qu'on se demande d'où tu viens et ce que tu fais ici.

— Les femmes pensent... et espèrent que tu es venue pour les aider, reprit-elle. Elles ont peur d'Attaroa, mais grâce à toi, et à Jondalar, elles auront le courage de se révolter et de libérer les hommes. Elles ne se laisseront peut-être plus intimider aussi facilement.

Ayla, oppressée, éprouvait un besoin urgent de respirer l'air pur.

— J'ai bu trop d'infusion, déclara-t-elle en se levant. Il faut que je sorte uriner. Indique-moi où je puis aller, S'Armuna. Nous en profiterons pour rendre visite aux chevaux, ajouta-t-elle après avoir écouté les explications de la chamane. Peut-on laisser les jattes ici en attendant ? Ça refroidit vite, constata-t-elle en soulevant un des couvercles. Dommage, ce serait meilleur chaud.

— Bien sûr, laisse-les ici, dit S'Armuna qui but les dernières gorgées d'infusion en regardant les deux étrangers sortir.

Peut-être qu'Ayla n'était pas une incarnation de la Grande Mère, et que Jondalar était vraiment le fils de Marthona, mais la certitude que la Mère exigerait un jour Son dû tourmentait gravement Celle Qui Sert la Mère. Elle était S'Armuna, elle avait troqué son identité contre le pouvoir du monde des esprits et elle avait la charge de ce Camp, hommes et femmes confondus. La Mère lui avait confié le soin de veiller au bien-être spirituel de ce Camp, et la garde de Ses enfants. S'Armuna n'ignorait pas que vu de l'extérieur, par les yeux de celui qui avait servi à lui rappeler son vœu, comme par ceux de la femme aux pouvoirs étranges, elle avait lamentablement échoué. Elle espérait seulement qu'Elle lui accorderait la possibilité de se racheter et d'aider son Camp à retrouver une vie saine et normale.

32

Du seuil, S'Armuna regarda les deux étrangers s'éloigner. Elle vit Attaroa et Epadoa, postées devant l'habitation de la Femme Qui Ordonne, se retourner pour les observer. La chamane allait rentrer quand elle remarqua qu'Ayla changeait brusquement de direction, et se dirigeait vers la palissade. La manœuvre n'avait pas échappé à Attaroa et à sa Louve qui s'avancèrent à grandes enjambées pour couper la route de la jeune femme. Elles atteignirent l'Enclos presque en même temps, bientôt rejointes par la vieille femme.

Par les fentes de la palissade, Ayla regarda les visages et les yeux qui l'observaient en silence derrière les énormes pieux. Ce qu'elle vit la bouleversa. Les hommes étaient sales, hirsutes, et déguenillés, mais le pire était encore la puanteur qui se dégageait de l'Enclos. Au-delà des effluves nauséabonds, l'odorat aguerri d'Ayla perçut le caractère infectieux de la pestilence. D'habitude, les odeurs corporelles ne l'incommodaient pas, ni même une quantité normale de déjection, mais l'haleine fétide due à la malnutrition, la saleté repoussante des excréments évacués par des ventres malades, les relents d'infection, de blessures purulentes et même de gangrène, tout choquait ses sens et provoquait en elle une furieuse colère.

Epadoa se dressa devant Ayla et fit écran de son corps, mais la jeune femme en avait assez vu. Elle fit volte-face et affronta Attaroa.

— Pourquoi ces hommes sont-ils parqués comme des bêtes ?

En entendant la traduction de S'Armuna, les hommes derrière la palissade retinrent leur souffle, attendant la réaction d'Attaroa. Personne n'avait encore osé lui poser la question.

La Femme Qui Ordonne foudroya Ayla du regard, mais la jeune femme indignée ne broncha pas. Presque de même taille, bien que la femme aux yeux noirs fût légèrement plus grande, elles étaient toutes deux athlétiques. L'hérédité d'Attaroa lui avait légué une charpente plus lourde, alors qu'Ayla, à force d'exercices, avait développé une musculature fine et nerveuse. La Femme Qui Ordonne était plus âgée que l'étrangère, plus expérimentée, plus rusée et totalement imprévisible ; la visiteuse, experte à la traque et chasseresse émérite, était une redoutable observatrice, prompte à noter le moindre indice et à en tirer rapidement profit.

Soudain Attaroa éclata de son rire démoniaque, et Jondalar, qui avait rejoint les quatre femmes, en eut la chair de poule.

— Ils l'ont mérité ! déclara-t-elle enfin.

— Personne ne mérite un tel traitement, riposta Ayla sans attendre les explications de S'Armuna, qui se contenta de traduire les paroles de la jeune femme pour Attaroa.

— Qu'en sais-tu ? Tu n'étais pas là ! Comment pourrais-tu imaginer la façon dont ils nous traitaient ? lança la femme aux yeux noirs.

— Vous obligeaient-ils à rester dehors dans le froid ? Ne vous fournissaient-ils ni habits ni nourriture ?

Quelques femmes s'étaient approchées et assistaient à la scène d'un air gêné.

— Vous ne valez pas mieux si vos sévices sont pires que les leurs, poursuivit Ayla.

Attaroa ne daigna pas répondre à l'accusation que S'Armuna traduisit. Elle se contenta de grimacer un sourire cruel.

Ayla remarqua une agitation derrière la palissade, et vit les hommes s'écarter pour permettre à deux garçons de clopiner jusqu'au premier rang. A la vue des deux jeunes invalides et d'autres enfants transis et affamés, la fureur d'Ayla redoubla. Elle se rendit compte alors que des Louves avaient pénétré dans l'Enclos armées de sagaies. Incapable de se contenir plus longtemps, elle les apostropha :

— Et ces enfants, vous ont-ils aussi maltraitées ? Qu'ont-ils fait pour justifier ce châtiment ?

S'Armuna s'assura que tout le monde pût comprendre les propos d'Ayla.

— Où sont les mères de ces enfants ? demanda Ayla à Epadoa.

Celle qui commandait aux Louves lança un regard interrogateur à Attaroa après avoir entendu la question dans sa langue, mais la Femme Qui Ordonne dévisageait Ayla avec, aux lèvres, son sourire cruel, comme si elle se délectait d'avance de la réponse d'Epadoa.

— Certaines sont mortes, expliqua la Louve.

— Abattues alors qu'elles tentaient de s'enfuir avec leurs enfants, précisa une des femmes qui s'étaient attroupées. Les autres n'osent plus réagir de peur qu'on torture leurs enfants.

Ayla chercha d'où venait la voix, et aperçut une vieille femme, celle-là même que Jondalar avait vue se lamenter si bruyamment aux funérailles des trois jeunes gens. Epadoa la foudroya du regard.

— Que peux-tu de plus contre moi, Epadoa ? fit la femme en s'avançant courageusement. Tu as déjà pris mon fils, et ma fille ne tardera pas à le suivre. Je suis trop vieille et je me moque bien de la vie, maintenant.

— Ils nous avaient trahies, répliqua Epadoa. Que cela serve de leçon à ceux qui voudraient encore s'enfuir.

Attaroa restait imperturbable et on ignorait si elle approuvait ou non les justifications d'Epadoa, qu'elle fixa d'un regard las avant de tourner les talons, laissant Epadoa et ses Louves monter la garde devant l'Enclos. Mais un sifflement aigu et puissant l'arrêta sur le seuil de sa caverne. Son sourire narquois se figea et ce fut avec effroi qu'elle vit arriver les deux chevaux au triple galop depuis l'autre bout du pré. Elle pénétra vivement dans son logis, sans demander son reste.

Des murmures incrédules s'élevèrent de toutes parts quand la jeune femme blonde et le géant aux cheveux encore plus clairs enfourchèrent leur monture et disparurent au galop. Nombreux furent ceux qui rêvaient de décamper aussi facilement, et beaucoup se demandaient s'ils reverraient un jour les deux étrangers.

— Si seulement nous pouvions continuer notre route ! s'exclama Jondalar, après qu'ils eurent ralenti l'allure.

— Oui, cela me soulagerait, avoua Ayla. Ce qui se passe dans ce Camp est insoutenable, c'est révoltant. Je plains S'Armuna et je comprends ses remords, mais je lui en veux d'avoir toléré cette situation si longtemps. Comment allons-nous agir ?

— Il faudra décider d'un plan avec S'Armuna. Il est évident que la majorité des femmes en ont assez, et qu'elles seraient prêtes à nous aider. S'Armuna doit savoir sur qui nous pouvons compter.

Ils avaient rejoint les sous-bois, et chevauchaient à l'abri des arbres parfois clairsemés. Ils descendirent jusqu'à la rivière, et remontèrent à l'endroit où ils avaient laissé Loup. En approchant, Ayla émit un petit sifflement et le loup déboula pour les accueillir en frétillant joyeusement. Il était resté sagement où Ayla le lui avait ordonné, et ils le félicitèrent tous deux pour sa patience. Ayla remarqua pourtant les restes d'une proie, ce qui supposait qu'il avait quitté sa cachette pour chasser et elle s'en inquiéta. Si près du Camp, elle craignait qu'il ne tombât entre les mains d'Attaroa et de ses Louves, mais elle n'osa pas le gronder. Sa détermination à quitter au plus vite un Camp où on mangeait de la chair de loup s'en trouva renforcée.

Ils menèrent sans bruit les chevaux près de la rivière, à hauteur du buisson où ils avaient caché leurs affaires. Ayla sortit une de leurs dernières galettes, la cassa en deux, et offrit le plus gros morceau à Jondalar. Ils s'assirent au milieu des broussailles, contents de respirer un air différent de celui du Camp des S'Armunaï.

Un brusque grondement de Loup fit sursauter Ayla.

— Quelqu'un vient, murmura Jondalar, alarmé.

Tous leurs sens en éveil, ils scrutèrent les environs, confiants dans les capacités de Loup à détecter le danger. Ayla, cherchant dans la direction où Loup reniflait, aperçut deux femmes approcher dans les broussailles. Elle aurait juré que l'une d'elles était Epadoa. Elle tapota le bras de Jondalar et lui désigna les intruses. Il acquiesça en silence.

— Toi attends, calme chevaux, recommanda-t-elle en utilisant le langage gestuel du Clan. Moi cache Loup. Moi éloigne femmes.

— Non, moi, répondit Jondalar dans la même langue.

— Femmes écoutent mieux femmes, rétorqua Ayla.

Jondalar accepta à contrecœur.

— Moi reste ici avec propulseur, signala-t-il. Toi, prends propulseur.

— Fronde aussi, ajouta-t-elle d'un geste.

Sans un bruit, Ayla se faufila dans les broussailles et décrivit un arc de cercle pour couper la route des deux femmes. Elle les entendit approcher.

— Je suis sûre qu'ils sont venus ici en quittant leur campement hier soir, Unavoa, disait celle qui commandait aux Louves.

— Oui, mais pourquoi les chercher au même endroit ?

— Ils reviendront peut-être. Et sinon, nous trouverons bien une piste.

719

— Certaines prétendent qu'ils disparaissent, ou qu'ils se changent en oiseaux, ou en chevaux, avança la plus jeune.

— Ne sois pas stupide, fit Epadoa. Nous avons trouvé leur campement, non ? Pourquoi installeraient-ils un campement s'ils se changeaient en animaux ?

Elle raisonne bien, pensa Ayla. Au moins se sert-elle de sa tête, et elle n'est pas si mauvaise à la traque. Elle chasse sûrement bien. Dommage qu'elle soit si proche d'Attaroa.

Cachée derrière un buisson d'arbrisseaux au feuillage clairsemé, tapie dans les herbes jaunâtres qui lui montaient aux genoux, Ayla regardait les deux femmes approcher. Lorsqu'elles furent à sa hauteur, elle se releva d'un bond, le propulseur armé à la main.

Epadoa sursauta et Unavoa laissa échapper un cri de terreur en reculant d'un pas.

— Vous me cherchez ? demanda Ayla en s'armunaï. Me voici !

Unavoa était prête à décamper, et Epadoa n'en menait pas large.

— Nous... nous chassions, bredouilla-t-elle.

— Ici, pas chevaux pour pousser dans ravin, dit Ayla.

— Nous ne chassions pas de chevaux, se défendit Epadoa.

— Je sais. Vous chassez Ayla et Jondalar.

Son apparition soudaine et la façon étrange dont elle parlait le s'armunaï donnaient l'impression qu'Ayla venait d'un pays lointain, peut-être même d'un autre monde. Effarées, les deux Louves ne songeaient qu'à s'enfuir loin de cette femme dont les qualités dépassaient par trop celles des humains.

— Ces deux chasseresses devraient rejoindre leur Camp, ou elles risquent de manquer le grand festin de ce soir.

La voix venue des bois avait prononcé ces mots en mamutoï, langage que les deux femmes comprenaient, et elles reconnurent l'accent de Jondalar. Elles se retournèrent et virent le géant, nonchalamment appuyé contre un

720

gros bouleau blanc, une sagaie engagée dans son propulseur.

— Oui, tu as raison. Nous ne devons pas manquer le festin, acquiesça Epadoa, et poussant sa compagne muette d'émotion, elle se hâta de décamper.

Lorsqu'elles eurent disparu, Jondalar ne put réprimer un large sourire.

Le soleil déclinait à l'horizon quand Jondalar et Ayla, juchés sur leurs montures, revinrent dans le Camp des S'Armunaï. Ils avaient changé la cachette de Loup, qui était à présent beaucoup plus près des habitations. Comme il allait bientôt faire nuit, et que les gens ne se hasardaient pas dans l'obscurité loin de la sécurité du feu, Ayla, bien qu'inquiète, l'avait autorisé à rester plus près d'elle.

S'Armuna allait quitter son logis quand les deux cavaliers descendirent de cheval à l'entrée du pré. Elle poussa un soupir de soulagement en les voyant. Malgré leur promesse, elle s'était demandé s'ils reviendraient. Pourquoi des étrangers mettraient-ils leur vie en danger pour aider des gens qu'ils ne connaissaient pas ? Leurs propres parents ne s'étaient-ils pas désintéressés de leur sort ? Il faut dire que parents et amis avaient été fort mal accueillis lors de leurs dernières visites.

Jondalar ôta le harnais de Rapide pour qu'il pût fuir sans entrave le cas échéant. Ils donnèrent chacun une tape amicale sur la croupe de leurs montures pour les inciter à s'éloigner du Camp. S'Armuna s'avança à leur rencontre.

— Nous terminons les préparatifs pour la Cérémonie du Feu de demain, expliqua-t-elle. Nous allumons toujours un feu la veille pour chauffer le four, voulez-vous venir en profiter ?

— Pff ! Il fait froid ! s'exclama Jondalar.

En compagnie de S'Armuna, ils se dirigèrent vers l'autre extrémité du Camp.

— J'ai découvert un moyen de réchauffer les mets que

721

tu as préparés, Ayla. Ça sent bon, déclara la vieille femme avec un sourire gourmand.

— Comment peux-tu faire chauffer un brouet aussi épais dans des paniers ? demanda Ayla, surprise.

— Je te montrerai, dit la chamane qui pénétra en se baissant dans l'antichambre de la petite construction.

Ayla la suivit, précédant Jondalar. Le feu n'était pas allumé dans la petite pièce dont la température était pourtant très douce. S'Armuna se dirigea directement vers la deuxième pièce et déplaça l'omoplate de mammouth qui en fermait l'accès. A l'intérieur, l'air était brûlant, suffisamment pour faire cuire de la nourriture, remarqua Ayla. Elle jeta un coup d'œil. Un feu avait été allumé dans la chambre, et à quelques pas du feu, on avait déposé ses deux jattes.

— Hmm ! Ça sent bon ! fit Jondalar.

— Vous ne pouvez pas imaginer combien de personnes m'ont questionnée pour savoir quand la fête commencerait, assura S'Armuna. On sent le fumet depuis l'Enclos. Ardemun est venu me trouver et m'a demandé s'il était vrai que les hommes auraient leur part. Et ce n'est pas tout. Attaroa a ordonné aux femmes de préparer assez de viande pour tout le monde, hommes compris. Je n'arrive pas à me souvenir quand a eu lieu notre dernière fête... il est vrai que nous n'avons pas eu d'événement à célébrer. Je me demande d'ailleurs ce que nous fêtons ce soir.

— Mais, des hôtes, dit Ayla. Vous honorez des hôtes.

— Oui, c'est cela, des hôtes, bougonna la vieille femme. N'oubliez pas que c'est le prétexte qu'a trouvé Attaroa pour vous faire revenir. Je dois vous mettre en garde. Ne buvez ni ne mangez rien qu'elle n'ait goûté avant vous. Attaroa connaît de nombreux poisons qu'on peut camoufler en mets succulents. S'il le faut, ne mangez que ce que vous avez apporté. J'ai surveillé vos plats avec soin.

— Ici aussi ? s'inquiéta Jondalar.

— Personne n'ose s'aventurer ici sans mon autorisation, assura Celle Qui Sert la Mère. Mais dès que les paniers sortiront de cette pièce, tenez-les à l'œil. Attaroa et Epadoa n'ont cessé de comploter toute la journée. Elles mijotent quelque chose.

— Et toutes les Louves sont à leurs côtés, renchérit Jondalar. Et nous, sur qui pouvons-nous compter ?

— Presque tout le monde souhaite un changement, assura S'Armuna.

— Oui, mais qui nous aidera ?

— Nous pouvons compter sur Cavoa.

— Mais elle est enceinte ! s'exclama Jondalar.

— Raison de plus, rétorqua la vieille femme. Tout laisse penser qu'elle donnera le jour à un garçon. Elle défendra la vie de son bébé en même temps que la sienne. Et même si elle avait une fille, il y a peu de chance qu'Attaroa la garde en vie une fois que le bébé sera sevré. Cavoa le sait.

— Que penses-tu de la femme qui est intervenue aujourd'hui ? demanda Ayla.

— C'était Esadoa, la mère de Cavoa. Elle nous sera fidèle, mais elle me reproche la mort de son fils autant qu'à Attaroa.

— Je l'ai vue aux funérailles, dit Jondalar. Elle avait jeté des objets dans la tombe, et cela avait déplu à Attaroa.

— Oui, c'étaient des outils pour l'autre monde. Attaroa avait interdit qu'on leur donne quoi que ce soit pour les aider dans le monde des esprits.

— Je t'ai vue prendre la défense de cette femme, assura Jondalar.

S'Armuna balaya son affirmation d'un geste éloquent.

— J'ai dit à Attaroa qu'une fois les objets donnés, on ne pouvait plus les reprendre. Et elle n'a pas osé les récupérer.

Jondalar hocha la tête.

— Les hommes de l'Enclos seraient ravis de nous aider, déclara-t-il.

— Oui, mais il faut d'abord les libérer, dit S'Armuna. Les gardes les surveillent étroitement. Je doute que quiconque puisse se glisser derrière la palissade sans être vu. Dans quelques jours, peut-être. Cela nous laissera le temps de regrouper les femmes. Quand nous saurons combien nous sommes, nous pourrons étudier un plan pour renverser Attaroa et ses Louves. Il faudra se battre, j'en ai peur. C'est la seule manière de délivrer les hommes.

— Je suis de ton avis, approuva Jondalar d'un air sombre.

Ayla hocha la tête avec gravité. Le Camp en avait déjà assez enduré, et elle n'envisageait pas le combat, avec son cortège de souffrances, de gaieté de cœur.

— Tu as dit que tu avais donné une boisson à Attaroa pour endormir les hommes. Pourquoi ne verserais-tu pas des herbes dans l'infusion d'Attaroa et de ses Louves pour les faire dormir? proposa-t-elle.

— Attaroa se méfie. On ne lui fera rien avaler qui n'ait pas été goûté auparavant. C'était le rôle de Doban. Maintenant, elle désignera n'importe lequel des enfants pour remplir cette fonction, expliqua S'Armuna en jetant un coup d'œil dehors. Il fait presque nuit, annonça-t-elle. Si vous êtes prêts, je crois que la fête va commencer.

Ayla et Jondalar prirent chacun un récipient dans la pièce intérieure, et Celle Qui Sert la Mère replaça l'omoplate de mammouth derrière eux. Dehors, ils virent qu'on avait allumé un grand feu de joie devant l'habitation d'Attaroa.

— Je croyais qu'elle nous inviterait chez elle, déclara S'Armuna, mais on dirait que la fête aura lieu dehors, malgré le froid.

En les voyant approcher chargés de leurs récipients, Attaroa les accueillit par ces mots :

— Puisque vous vouliez partager ce festin avec les hommes, j'ai décidé que la fête se déroulerait dehors, afin que vous puissiez les voir.

S'Armuna traduisit, bien qu'Ayla eût très bien compris et Jondalar également.

— On ne les voit guère dans le noir, remarqua Ayla. Il faudrait construire un autre feu de leur côté.

Attaroa étudia la proposition, puis éclata de rire sans esquisser un geste pour accéder à cette requête.

Le festin se composait d'un nombre extravagant de plats, consistant surtout en viandes maigres, avec de rares légumineuses, céréales ou racines ; pas de fruits secs, pas l'ombre d'une sucrerie, pas même d'écorces tendres. On avait préparé le breuvage légèrement fermenté, à la sève de bouleau, mais Ayla s'abstint d'en boire et constata avec soulagement qu'une femme servait des coupes d'infusion chaude à celles qui ne prenaient pas de sève. Depuis son expérience précédente chez les Mamutoï, Ayla avait remarqué que ce breuvage lui obscurcissait l'esprit, et ce soir, elle avait besoin de toute sa tête.

Tout compte fait, c'est un bien maigre festin, constata Ayla. C'était un repas de fin d'hiver, quand tous les vivres étaient épuisés. Quelques fourrures avaient été disposées autour du siège surélevé d'Attaroa, près du grand feu. Les autres femmes avaient apporté les leurs.

S'Armuna conduisit Ayla et Jondalar au pied du trône et ils attendirent qu'Attaroa gagne sa place. Elle avait revêtu ses plus belles peaux fourrées, et portait des colliers de dents, d'os, d'ivoire et de coquillages, décorés de plumes et de touffes de fourrure. Mais Ayla remarqua surtout le bâton qu'elle tenait, sculpté dans une défense de mammouth.

Attaroa fit commencer le service, et avec un regard appuyé en direction d'Ayla ordonna qu'on apportât la part des hommes dans l'Enclos, sans oublier le mets qu'Ayla et Jondalar avaient offerts. Elle s'installa ensuite sur son trône. ce que chacun comprit comme l'autorisation de s'asseoir. Ayla observait la Femme Qui Ordonne qui, de sa place, dominait tout le monde. Ayla se souvint qu'on se perchait ainsi sur des souches ou sur des rochers lorsqu'on voulait haranguer un groupe de personnes. Mais jamais personne n'avait choisi systématiquement cette position.

Attaroa avait astucieusement renforcé son pouvoir. Ayla s'en aperçut en observant les gestes et les attitudes inconscientes des femmes. Chacune adoptait envers Attaroa la posture déférente d'une femme du Clan lorsqu'elle s'asseyait en silence aux pieds d'un homme, attendant qu'il lui touchât l'épaule pour l'autoriser à exposer ses pensées. Il y avait toutefois une différence, difficile à définir. Dans le Clan, Ayla n'avait jamais noté chez les femmes l'amertume qu'elle discernait ici, ni un manque de respect de la part des hommes. C'était simplement comme cela que les choses se passaient, un comportement naturel, qui présentait l'avantage d'assurer à chacune des parties l'attention de l'autre, puisque les gestes composaient l'essentiel du langage du Clan.

En attendant d'être servie, Ayla examina attentivement le bâton de la Femme Qui Ordonne. Il ressemblait au Bâton Qui Parle qu'utilisait Talut au Camp du Lion, mais les sculptures en étaient très différentes, bien que vaguement familières. Ayla se souvint que Talut employait son Bâton Qui Parle à l'occasion de cérémonies, mais surtout au cours de débats et s'il y avait dispute.

Le Bâton Qui Parle investissait celui qui le tenait du droit de parole, et permettait à chacun d'exprimer son point de vue sans être interrompu. Celui ou celle qui désirait faire un commentaire sur ce qu'avait dit l'orateur devait demander le bâton. En principe, seul celui qui tenait le Bâton Qui Parle avait le droit de s'exprimer, mais au Camp du Lion, on n'attendait pas toujours sagement son tour. Toutefois avec quelques rappels à l'ordre, Talut s'arrangeait finalement pour donner à chacun une chance de s'exprimer.

— Ton Bâton Qui Parle est très beau et très exceptionnel, observa Ayla. Puis-je le voir ?

Attaroa sourit en entendant la traduction de S'Armuna. Elle tendit le bâton pour qu'Ayla l'examine à la lueur du feu, tout en se gardant de le lui confier. Il était évident qu'elle n'avait nulle intention de s'en séparer, et Ayla devina qu'elle utilisait le Bâton Qui Parle pour asseoir davantage son pouvoir. Tant qu'Attaroa le conservait, quiconque voulait prendre la parole devait lui en demander l'autorisation. Et cela avait fini par s'étendre aux autres actions — à quel moment servir, quand commencer à manger, par exemple. Comme le trône, c'était un nouveau moyen de dominer et d'assujettir chacun à son pouvoir. Toutes ces observations incitèrent Ayla à la réflexion.

Le dessin gravé dans la défense de mammouth était une représentation abstraite de la Grande Terre Mère. Des cercles concentriques figuraient les lourdes mamelles, le ventre rond et les larges hanches. Le cercle symbolisait le tout, le monde connu et les mondes obscurs, et la Grande Mère de Toutes les Créatures. Les cercles concentriques qui suggéraient les attributs de la fécondité renforçaient le symbolisme.

La tête était représentée par un triangle renversé, la pointe formant le menton, et la base légèrement incurvée le sommet du crâne. Le triangle renversé était le symbole universel de la femme, à l'image extérieure de son organe reproducteur, et représentait donc la fécondité et la Grande Mère de Toutes les Créatures. Le visage était strié de deux traits parallèles horizontaux que rejoignaient deux lignes latérales allant de la pointe du menton à la hauteur des yeux. Trois rangées de doubles lignes reliaient la base incurvée à l'endroit où auraient dû se trouver les yeux.

Les dessins géométriques ne représentaient pas un visage. Le triangle renversé semblait suggérer une tête, mais les traits gravés ne pouvaient pas figurer un visage. Aucun humain n'aurait pu contempler celui de la Grande Mère. Son pouvoir était si gigantesque qu'on eût été détruit à La contempler en face. Le symbolisme abstrait du Bâton Qui Parle d'Attaroa communiquait cette impression de puissance avec art et élégance.

Ayla avait commencé à être initiée par Mamut au sens profond des symboles. Elle se rappela que les trois côtés du triangle — Trois était Son nombre premier — représentaient les trois saisons principales, le printemps, l'été et l'hiver, auxquelles on pouvait adjoindre deux saisons mineures, l'automne et la mi-hiver, qui préfiguraient les saisons à venir. Ce qui donnait cinq. Cinq, comme l'avait appris Ayla, était Son nombre secret. Mais même les non-initiés connaissaient la figure inversée à trois côtés.

Ayla se souvint des formes triangulaires de la femme-oiseau, représentant la Mère transcendantale, qu'avait sculptée Ranec... Ranec... Ayla se rappela d'un coup où elle avait vu le dessin du Bâton Qui Parle d'Attaroa. Sur la tunique de Ranec! La magnifique tunique de cuir souple, d'un beige splendide qu'il portait à la cérémonie d'adoption. Elle l'avait frappée par son aspect inhabituel, buste ajusté et larges manches, mais aussi à cause de la couleur qui allait si bien à sa peau brune. Pourtant, c'étaient les motifs qui avaient particulièrement marqué Ayla.

La figure abstraite de la Mère, brodée de piquants de porc-épic aux teintes vives et de fils de tendons, était une copie exacte de celle gravée sur le bâton d'Attaroa ; mêmes cercles concentriques, même tête triangulaire. Ayla en conclut que les S'Armunaï devaient être de lointains parents des Mamutoï chez qui Ranec s'était procuré sa tunique. S'ils avaient emprunté la route que leur avait suggérée Talut, Jondalar et elle seraient passés par ce Camp.

A leur départ, Danug, le fils de Nezzie, portrait vivant de Talut, lui avait dit qu'il comptait entreprendre un jour le Voyage, et se rendre chez les Zelandonii pour voir Jondalar. Et si dans quelques années, Danug décidait réellement de faire ce Voyage et qu'il vienne à passer par le Camp des S'Armunaï? Si Danug, ou un autre Mamutoï, venait à tomber entre les mains d'Attaroa? Cette seule pensée la renforça dans son désir d'aider ce peuple à mettre un terme à la domination abusive d'Attaroa.

La Femme Qui Ordonne ôta le bâton de la vue d'Ayla et lui présenta une écuelle en bois.

— Puisque tu es mon invitée d'honneur, et que tu as fourni pour ce festin un mets qui recueille tant de compliments, dit Attaroa d'un ton lourd de sarcasmes, permets-moi de t'offrir la spécialité d'une des nôtres.

L'écuelle était remplie de champignons cuits et coupés en morceaux. Ayla n'avait aucun moyen de les identifier.

Après avoir traduit, S'Armuna la supplia de se méfier. Mais la jeune femme n'avait besoin ni de traduction ni de mise en garde.

— Non, merci. Je n'ai pas envie de champignons pour le moment, déclara-t-elle.

Attaroa éclata de rire quand S'Armuna lui traduisit la réponse.

— Dommage ! dit-elle, comme si elle s'était attendue à ce refus, et elle plongea sa main dans l'écuelle.

Elle en mangea une pleine poignée d'un air ravi.

— Hmm ! Ils sont délicieux ! fit-elle.

Elle se resservit copieusement, passa l'écuelle à Epadoa avec un sourire complice, et vida une coupe du breuvage fermenté.

Pendant le repas, elle avala plusieurs coupes de sève de bouleau, et commença bientôt à montrer des signes d'ivresse ; elle parlait fort et crachait des insultes et des grossièretés. L'une des Louves qui gardaient l'Enclos — elles se relayaient pour que chacune pût se régaler du festin — s'approcha d'Epadoa, et vint ensuite murmurer quelques mots à l'oreille d'Attaroa.

— Il paraît qu'Ardemun tient à venir présenter les remerciements des hommes pour ce festin, dit Attaroa avec un ricanement moqueur. Je me doute bien que ce n'est pas moi qu'on veut remercier, mais notre hôte d'honneur. Fais venir le vieux, dit-elle à Epadoa.

La Louve revint avec Ardemun qui s'avança vers le feu en boitant. Jondalar était heureux de le revoir, il n'avait rencontré aucun de ceux de l'Enclos depuis son retour.

— Ainsi, les hommes veulent me remercier pour le festin ? s'étonna Attaroa.

— Oui, Attaroa. Ils m'ont chargé de venir te remercier de vive voix.

— Dis-moi, vieil homme, comment expliques-tu que j'aie tant de mal à te croire ?

Ardemun se garda bien de répondre. Il resta debout, les yeux rivés au sol, comme s'il souhaitait s'y enfoncer et disparaître.

— Vieil impotent! incapable! éructa Attaroa avec mépris. Tu n'as même plus le courage de te rebeller! Ils sont tous pareils, stériles et veules! Pourquoi t'encombres-tu de ce poids inutile? demanda-t-elle à Ayla en désignant Jondalar. N'es-tu pas assez forte pour te libérer?

Ayla attendit patiemment la traduction de S'Armuna pour se donner le temps de la réflexion.

— J'ai choisi de vivre avec lui, répondit-elle alors. J'ai vécu seule assez longtemps.

— A quoi te servira-t-il quand il deviendra vieux et faible comme Ardemun? demanda Attaroa en dardant un regard méprisant sur le vieillard. Quand son outil sera trop mou pour te procurer les Plaisirs, il sera aussi inutile que tous ces incapables.

Là encore, Ayla attendit l'intervention de S'Armuna, bien qu'elle eût compris ce qu'avait dit la Femme Qui Ordonne.

— Personne ne reste jeune indéfiniment, et un homme ne vaut pas que par son outil, rétorqua-t-elle.

— Tu devrais tout de même te débarrasser de celui-là. Il ne durera pas longtemps, affirma-t-elle en désignant le géant. Il a l'air robuste, mais en réalité il n'a rien dans le ventre. Il a refusé de prendre Attaroa... à moins qu'il n'ait eu peur, s'esclaffa-t-elle avant de vider une nouvelle coupe. Allons! Avoue que tu as eu peur de moi! cracha-t-elle au visage de Jondalar. C'est pour ça que tu as refusé.

Jondalar, qui l'avait très bien comprise, devint rouge de colère.

— Il y a une différence entre la peur et l'absence de désir, Attaroa, riposta-t-il. Tu ne peux forcer personne à te désirer. Je n'ai pas partagé le Don de la Mère avec toi parce que je n'en avais pas envie, voilà tout.

S'Armuna regarda Attaroa d'un air craintif avant de commencer la traduction, et dut se faire violence pour ne pas déformer les propos de Jondalar.

— C'est un mensonge ! hurla Attaroa, déchaînée, qui se leva et vint rôder autour de lui. Tu avais peur de moi, Zelandonii. Je l'ai bien vu ! Je me suis déjà battue avec des hommes, mais toi, tu avais peur de te mesurer à moi.

Jondalar se leva à son tour, imité par Ayla. Plusieurs femmes les entourèrent.

— Ces gens sont nos hôtes, protesta S'Armuna en se levant elle aussi. Nous les avons invités à partager notre festin. As-tu déjà oublié comment recevoir des hôtes ?

— Ah oui, bien sûr ! Nos hôtes ! fit Attaroa avec dédain. Il faut être courtois et hospitalier avec les visiteurs, sinon la femme pensera du mal de nous. Eh bien, je vais vous montrer combien je me soucie de ce qu'elle pense. Vous êtes tous deux partis sans ma permission. Savez-vous comment nous punissons ceux qui veulent s'enfuir ? Nous les tuons ! Et je vais vous tuer, hurla la Femme Qui Ordonne en brandissant sur Ayla une dague taillée dans un péroné de cheval, une arme au tranchant redoutable.

Jondalar tenta de s'interposer, mais les Louves d'Attaroa l'encerclèrent et le repoussèrent du bout de leurs sagaies avec tant de force que les pointes s'enfoncèrent dans son dos, sa poitrine et son ventre, et que son sang coula. Avant de pouvoir réagir, on lui avait déjà attaché les mains dans le dos, alors qu'Attaroa avait renversé Ayla, et appuyant son genou sur sa poitrine pour la maintenir au sol, elle la menaçait de sa dague. L'ivresse qu'elle affichait l'instant d'avant avait disparu.

Elle a tout combiné, comprit alors Jondalar. Pendant que nous discutions et que nous essayions de contrecarrer son pouvoir, elle se préparait à nous tuer. Ah, j'aurais dû m'en douter ! Il s'était juré de protéger Ayla, et voilà qu'il assistait, impuissant, à sa mise à mort. C'était ce qui rendait Attaroa si dangereuse, elle tuait sans remords et sans hésitation.

Ayla avait été complètement déroutée. Elle n'avait pas eu le temps de sortir son couteau, ni sa fronde, et elle n'avait pas l'habitude de combattre des humains. C'était la première fois qu'elle devait défendre sa vie contre eux. Elle saisit le poignet d'Attaroa et tenta de la repousser. Ayla était forte, mais Attaroa, d'une force égale, possédait de surcroît une fourberie dont Ayla était dépourvue. Inexorablement, la dague se rapprochait de la gorge d'Ayla.

Au dernier moment, Ayla roula instinctivement sur le côté, mais la lame l'avait effleurée avant de se ficher dans la terre, et une traînée de sang marquait son cou. Et la femme, dont la rage démentielle décuplait les forces, maintenait toujours Ayla au sol. Attaroa extirpa la dague d'un coup sec, assomma Ayla, s'assit sur elle et leva son arme, bien décidée à la plonger dans le cou de la jeune femme.

33

Ayla partie, sa vie n'avait plus de sens... Jondalar ferma les yeux. On avait lié ses mains, certes, mais il pouvait encore marcher. Rien ne l'empêchait de se ruer sur Attaroa et de...

Au moment où il se lançait contre les pointes acérées, un bruit retentit près du portail de l'Enclos. Distraites, les gardes relâchèrent leur surveillance et il en profita pour repousser leurs sagaies et se jeter vers les deux femmes à terre.

Soudain, une masse noire fondit sur le groupe, frôla la jambe de Jondalar et bondit sur Attaroa. La violence du choc fit reculer la Femme Qui Ordonne et des crocs pointus s'enfoncèrent dans sa gorge, déchirant la peau. Attaroa se retrouva sur le dos, se débattant désespérément contre la bête qui la labourait de ses crocs en poussant de furieux grognements. Elle plongea sa dague dans l'épaisse fourrure, mais ne réussit qu'à provoquer un regain de fureur chez son agresseur. L'étau des mâchoires se referma sur son cou, et l'étouffa.

Attaroa essaya de pousser un dernier cri avant de sombrer dans un épais brouillard, mais au même moment les terribles crocs sectionnèrent une artère, et il ne sortit de sa gorge qu'un gargouillis horrible. La femme cessa de se débattre et s'affaissa.

— Loup! s'écria Ayla en reprenant conscience. Oh, mon Loup!

Lorsque le carnassier relâcha sa prise, le sang gicla de l'artère et l'éclaboussa. Il rampa vers Ayla, la queue entre les pattes, et poussa des petits couinements plaintifs, quêtant son pardon. La femme lui avait ordonné de rester dans sa cachette, et il savait bien qu'il avait désobéi. Lorsqu'il avait vu l'attaque et avait compris qu'Ayla courait un grand danger, il avait volé à son secours. Et à présent, il se demandait comment elle réagirait à son indiscipline. Il redoutait plus que tout les réprimandes de cette femme.

Ayla s'avança en lui tendant les bras. Loup, comprenant tout de suite qu'il avait agi correctement et qu'il était pardonné, se rua sur elle en frétillant. Elle le caressa et enfouit sa tête dans la fourrure de l'animal, tout en versant des larmes de joie.

— Oh, Loup, tu m'as sauvé la vie, sanglota-t-elle.

Il la lécha, inondant son visage du sang encore chaud qui mouillait son museau.

Celles du Camp se reculèrent, effrayées, contemplant sans comprendre la femme blonde dont les bras enserraient l'énorme loup qui venait de terrasser leur Femme Qui Ordonne dans un assaut d'une rare cruauté. Ayla avait appelé l'animal du même nom mamutoï, *loup*, qu'elles employaient pour désigner le chasseur-carnassier, et elles s'aperçurent avec stupeur qu'Ayla ne parlait pas seulement avec les chevaux, mais aussi avec les loups... et qu'ils lui obéissaient !

Pas étonnant que cette étrangère n'ait pas craint Attaroa. Sa magie était tellement puissante !

L'homme ne semblait pas terrorisé, lui non plus, et il venait de tomber aux pieds de la jeune femme, et du loup. Il ne se souciait plus des sagaies des Louves, qui s'étaient prudemment reculées et observaient la scène, bouche bée.

Un homme se glissa alors derrière Jondalar, tenant un couteau à la main ! D'où venait ce couteau ?

— Laisse-moi couper ces cordes, Jondalar, fit Ebulan en tranchant les liens qui retenaient les poignets du géant.

Jondalar tourna la tête et vit d'autres hommes mêlés à la foule, et il en arrivait encore.

— Qui vous a libérés ? s'étonna Jondalar.

— Toi, fit Ebulan.

— Que veux-tu dire ? J'avais les mains liées.

— Oui, mais tu nous as fourni les couteaux... et le courage de les utiliser. Ardemun s'est glissé derrière celle qui montait la garde et l'a assommée avec son bâton. Nous avons ensuite tranché la corde qui fermait le portail. Nous regardions le combat, et le loup est arrivé... acheva Ebulan d'une voix blanche en considérant avec effroi la femme et le loup enlacés.

Trop préoccupé, Jondalar ne remarqua pas l'effarement qui empêchait l'homme de poursuivre son récit.

— Ayla, tu vas bien ? Es-tu blessée ? demanda-t-il en serrant la femme et le loup dans ses bras.

L'animal l'accueillit d'un joyeux coup de langue.

— Je n'ai rien, qu'une égratignure au cou, répondit-elle. Je crois que Loup a reçu un coup de dague, mais ça n'a pas l'air de le gêner.

— Si j'avais su qu'elle voulait te tuer, je ne t'aurais jamais laissée venir à cette fête. J'ai été stupide de ne pas comprendre !

— Mais non, fit Ayla. Je ne me suis pas méfiée, moi non plus. Je n'avais pas pensé qu'elle m'attaquerait aussi directement. Si Loup n'avait pas été là... soupira-t-elle en jetant un regard de gratitude à l'animal.

— J'avoue qu'au cours de ce Voyage, j'ai voulu plus d'une fois abandonner Loup. Quand j'ai découvert que tu étais partie à sa recherche après avoir failli te noyer dans la Sœur, j'étais furieux. Penser que tu risquais ta vie pour cet animal m'exaspérait.

735

Jondalar prit la tête de Loup dans ses mains et le regarda dans les yeux.

— Loup, je te promets que je ne t'abandonnerai jamais. Je suis prêt à risquer ma vie pour toi, magnifique animal.

Il empoigna sa fourrure et gratta le loup derrière l'oreille. Loup lui lécha le visage et, posant ses pattes sur les épaules du géant, il saisit sa gorge entre ses mâchoires, et le mordilla gentiment pour lui prouver son affection. Loup éprouvait envers Jondalar presque les mêmes sentiments qu'à l'égard d'Ayla. Voyant que les deux êtres qui comptaient le plus pour lui lui témoignaient attention et approbation, il manifesta sa joie en grognant de plaisir.

Les témoins de la scène poussèrent des cris d'effroi et de surprise en voyant l'homme offrir son cou vulnérable aux crocs du fauve redoutable. Ils avaient vu le même loup déchiqueter la gorge d'Attaroa, et l'assurance de Jondalar relevait pour eux de la pure magie. Comment pouvait-on exercer un tel pouvoir sur l'esprit des animaux ?

Avec quelque nervosité, tous regardèrent Ayla et Jondalar se relever, inquiets de la tournure que prenaient les événements. Plusieurs d'entre eux jetaient des coups d'œil interrogateur à S'Armuna. La chamane s'avança au-devant des invités tout en surveillant le loup avec prudence.

— Nous sommes enfin débarrassés d'elle, fit-elle.

Ayla, comprenant l'anxiété de la vieille femme, lui adressa un sourire rassurant.

— Loup ne te fera aucun mal, certifia-t-elle. Il n'a attaqué que pour me protéger.

S'Armuna remarqua qu'Ayla n'avait pas traduit le nom du fauve en zelandonii, et en déduisit que Loup était le nom qu'on lui attribuait.

— Il revenait à un loup de mettre un terme à sa vie, annonça-t-elle. Je savais bien que tu n'étais pas ici par hasard. Nous sommes délivrés de ses griffes, et de sa folie. Mais que nous réserve l'avenir ?

La question était de pure rhétorique, et s'adressait autant à elle-même qu'à son auditoire.

Ayla baissa les yeux sur le corps inerte de la femme, débordant de vitalité malfaisante l'instant d'avant, et s'interrogea sur la fragilité de la vie. Sans Loup, elle serait morte à la place de la Femme Qui Ordonne.

— Il faut emporter cette femme et préparer son enterrement, suggéra-t-elle en mamutoï afin d'être comprise du plus grand nombre.

— Mérite-t-elle une sépulture ? Pourquoi ne pas abandonner son corps aux mangeurs de charogne ? proposa une voix d'homme.

— Qui a parlé ? interrogea Ayla.

Jondalar reconnut celui qui s'avança d'un pas quelque peu hésitant.

— Je m'appelle Olamun, dit l'homme.

— Je comprends ta colère, Olamun, répondit Ayla. Mais c'est la violence qu'elle a subie qui a encouragé la violence d'Attaroa. Le démon qui l'habitait brûle de poursuivre ses méfaits, et de vous léguer un héritage de violence. Refusez ! Ne vous abandonnez pas à votre juste courroux, ne tombez pas dans le piège que son esprit torturé a tissé. Il est grand temps de rompre le charme. Attaroa était un être humain. Enterrez-la avec la dignité qu'elle a été incapable de trouver dans ce monde, et laissez aller son esprit en paix.

La réponse d'Ayla surprit Jondalar. C'était le genre de propos, sages et mesurés, qu'aurait tenus un zelandoni.

Olamun acquiesça d'un signe de tête.

— Qui l'enterrera ? fit-il. Qui la préparera ? Elle n'avait pas de parent.

— C'est la responsabilité de Celle Qui Sert la Mère, intervint S'Armuna.

— Celles qui l'ont suivie dans cette vie t'aideront, suggéra Ayla, sachant que le corps était trop lourd pour la vieille femme.

Tous les regards convergèrent vers Epadoa et ses Louves, qui semblaient se serrer ensemble pour se donner du courage.

— Et elles pourront aussi l'accompagner dans l'autre monde ! lança une autre voix d'homme.

Des cris d'approbation accueillirent la proposition, et la foule s'avança vers les chasseresses. Epadoa fit front, la sagaie menaçante.

Une jeune Louve sortit alors du groupe.

— Je n'ai pas demandé à devenir une Louve, dit-elle. Je voulais apprendre à chasser pour ne pas mourir de faim.

Epadoa lui jeta un regard mauvais, mais la jeune femme la fixa d'un air de défi.

— Qu'Epadoa apprenne ce qu'est la faim ! proposa la même voix mâle. Privons-la de vivres jusqu'à ce qu'elle parte dans l'autre monde. Là, son esprit connaîtra la faim, lui aussi.

La foule cerna Epadoa, et Ayla par la même occasion. Loup fit alors entendre un grognement menaçant. Jondalar s'agenouilla vivement et calma le fauve, mais sa réaction eut pour effet d'affoler davantage les assaillants. Ils se reculèrent et examinèrent les étrangers d'un œil craintif.

Cette fois, Ayla ne demanda pas qui avait parlé.

— L'esprit d'Attaroa rôde toujours parmi nous, affirmat-elle. Il encourage la violence et le désir de revanche.

— Mais enfin, Epadoa doit payer pour le mal qu'elle a fait !

Ayla vit la mère de Cavoa s'avancer. Derrière elle, sa fille enceinte l'assurait de son soutien moral.

Jondalar se releva et vint se poster aux côtés d'Ayla. Il ne pouvait s'empêcher de penser que la femme avait le droit de réclamer un châtiment pour la mort de son fils. Il dévisagea S'Armuna. C'est à Celle Qui Sert la Mère de répondre, se dit-il, mais celle-ci attendait l'avis d'Ayla.

— Celle qui a tué ton fils est déjà dans l'autre monde, dit Ayla. Epadoa paiera pour le mal qu'elle a commis.

— Elle a davantage à se reprocher, intervint Ebulan. Souvenez-vous de ce qu'elle a infligé à ces garçons.

Il se recula afin qu'Ayla pût voir les deux jeunes gens, appuyés sur l'épaule d'un vieillard cadavérique.

Ayla sursauta. L'espace d'un instant, elle avait cru voir Creb! Il était grand et mince, alors que le vénéré sage du Clan était petit et trapu, mais son visage anguleux et ses yeux noirs reflétaient la même compassion et la même dignité. Tout en lui commandait le respect.

La première réaction d'Ayla fut de lui offrir le geste de respect en vigueur dans le Clan en s'asseyant à ses pieds et en attendant qu'il lui donnât une tape sur l'épaule, mais elle devina que son geste serait mal interprété. Elle décida donc de lui présenter ses respects sous la forme conventionnelle.

— Jondalar, dit-elle, je ne peux m'adresser à cet homme sans avoir été convenablement présentée.

Jondalar avait éprouvé le même respect envers le vieillard, et il comprit tout de suite sa réticence. Il prit la main d'Ayla et la conduisit devant le vieil homme.

— S'Amodun, très respecté sage des S'Armunaï, permets-moi de te présenter Ayla, du Camp du Lion des Mamutoï, Fille du Foyer du Mammouth, Elue par l'esprit du Lion des Cavernes, et Protégée par l'Ours des Cavernes.

Ayla s'étonna que Jondalar eût ajouté cette dernière précision. Personne n'avait encore désigné l'Ours des Cavernes comme son protecteur, mais tout bien considéré, elle trouvait cela assez juste, en tout cas, par l'intermédiaire de Creb. L'Ours des Cavernes l'avait élue — c'était le totem de Mog-ur — et Creb habitait ses rêves avec une telle constance qu'elle ne doutait pas qu'il la guidât et la protégeât, et pourquoi pas avec l'aide du Puissant Ours des Cavernes?

— S'Amodun des S'Armunaï souhaite la bienvenue à la Fille du Foyer du Mammouth, déclara le vieillard en tendant les deux mains.

Il n'était pas le seul à accorder une grande importance au Foyer du Mammouth dans la filiation d'Ayla. Pour la plupart des S'Armunaï, cela signifiait qu'elle était l'égale de S'Armuna, Celle Qui Sert la Mère.

739

Le Foyer du Mammouth, j'aurais dû m'en douter, songea S'Armuna. Mais où est donc son tatouage ? Ceux qu'on accepte au sein du Foyer du Mammouth n'étaient-ils pas tous marqués d'un tatouage ?

— Moi enchantée connaître toi, Très Respecté S'Amodun, déclara Ayla en s'armunaï, ce qui fit sourire le vieil homme.

— Tu as vite appris notre langue, remarqua-t-il. Mais tu viens de dire deux fois la même chose. Mon nom est Amodun. S'Amodun signifie « Très Respecté Amodun », ou « Très Honorable ». C'est un titre décerné par la seule volonté du Camp et je me demande ce que j'ai fait pour le mériter.

Ayla le savait bien, elle.

— Merci, S'Amodun, dit-elle en baissant les yeux.

De près, il lui rappelait encore davantage Creb, avec ses yeux sombres et profonds, son nez proéminent, ses arcades sourcilières marquées et ses traits puissants. Elle devait se faire violence pour le regarder en face — on exigeait d'une femme du Clan qu'elle gardât les yeux baissés en présence d'un homme.

— J'aimerais te poser une question, dit-elle en mamutoï, dont elle maîtrisait mieux la langue.

— J'y répondrai volontiers, si je le puis, fit-il.

— Ceux de ce Camp souhaitent qu'Epadoa paie pour tout le mal qu'elle a commis, commença-t-elle en jetant un coup d'œil aux deux garçons qui encadraient le vieillard. Ces deux-là, surtout, ont beaucoup souffert par sa faute. Demain, je verrai comment je peux les soulager, mais quel châtiment Epadoa mérite-t-elle pour avoir exécuté les ordres de son chef ?

Involontairement, tous les regards se reportèrent sur le corps d'Attaroa, toujours étendu où le loup l'avait laissé, et convergèrent ensuite sur Epadoa. Droite et stoïque, la femme se tenait prête à accepter son châtiment. Au fond d'elle-même, elle avait toujours su qu'elle devrait payer un jour.

Jondalar observa Ayla avec une sorte d'admiration teintée de respect. Il considérait que la jeune femme avait fait le juste choix. Quelle qu'eût pu être sa décision, et la conviction avec laquelle elle l'eût exprimée, les paroles d'une étrangère auraient été moins bien acceptées que le jugement de S'Amodun.

— Epadoa devra payer pour ses actes, commença le vieillard, à la satisfaction générale et particulièrement de Cavoa et de sa mère. Mais dans ce monde et non dans l'autre. Tu avais raison de dire qu'il était temps de rompre le charme, Ayla. Il y a eu trop de violence et de mal dans ce Camp depuis trop longtemps. Les hommes ont beaucoup souffert ces dernières années, mais ce sont eux qui avaient commencé à maltraiter les femmes. Cela doit cesser.

— Alors quel sera le châtiment d'Epadoa ? demanda la mère affligée. Quelle sera sa punition ?

— Il n'y aura pas punition, Esadoa, mais restitution. Elle devra rendre ce qu'elle a pris, et même davantage. Elle commencera avec Doban. Quoi que la Fille du Foyer du Mammouth puisse faire pour lui, il est peu probable que Doban se rétablisse entièrement. Il souffrira toute sa vie des mauvais traitements qu'il a subis. Odevan aussi souffrira, mais il a une mère, des parents. Doban n'a pas cette chance, personne ne prendra soin de lui, personne ne s'inquiétera de lui trouver un homme capable de lui enseigner son art. J'aimerais confier cette responsabilité à Epadoa. Elle devra veiller sur lui comme si elle était sa mère. Elle ne l'aimera peut-être jamais, et il est possible qu'il la haïsse, mais quoi qu'il lui arrive, elle en sera tenue pour responsable.

Certains témoignèrent leur assentiment. Tout le monde n'approuvait pas, mais tous admettaient que quelqu'un dût prendre soin de Doban. Tout le monde avait été témoin de son malheur, mais il était détesté lorsqu'il vivait avec Attaroa, et personne ne souhaitait s'occuper de lui. La plupart craignaient qu'en affichant leur désaccord, il leur soit demandé de lui ouvrir leur foyer.

Ayla sourit en connaisseuse. La solution lui semblait parfaite. Même s'il devait y avoir de la haine et un manque de confiance au début, les deux exclus apprendraient peut-être à s'apprécier. Ayla avait deviné que S'Amodun ferait preuve de sagesse. La restitution était plus efficace qu'un châtiment, ce qui lui donna une idée.

— J'aimerais faire une autre suggestion, déclara-t-elle. Ce Camp manque de réserves pour l'hiver, et je crains qu'au printemps on y souffre de la faim. Les hommes sont faibles, et ils n'ont pas chassé depuis des années. Beaucoup ont perdu leur adresse. Epadoa et les femmes qu'elle a formées sont les plus aptes de ce Camp pour l'instant. Je crois qu'il serait sage qu'elles continuent à chasser, à condition qu'elles partagent leur gibier avec tout le monde.

Cette proposition souleva de nombreuses approbations. La perspective d'affronter la famine n'était guère réjouissante.

— Dès que les hommes auront récupéré, et souhaiteront chasser, Epadoa devra les aider et chasser avec eux. Il n'y a qu'un moyen d'éviter la disette lorsque viendra le printemps : les hommes et les femmes doivent collaborer. Tous les Camps ont besoin de la contribution de chacun pour prospérer. Celles qui ne chassent pas, les vieillards et les malades devraient conjuguer leurs forces pour la cueillette.

— Mais c'est l'hiver ! s'exclama une jeune Louve. Il n'y a plus rien à cueillir.

— La nourriture est rare en hiver, c'est vrai. Et ce qui pousse exige une cueillette longue et délicate. Mais on peut trouver de quoi manger, assura Ayla.

— Elle dit vrai, intervint Jondalar. Je l'ai vue à l'œuvre, et j'ai mangé de la nourriture qu'Ayla avait dénichée, même en hiver. Vous en avez d'ailleurs mangé ce soir même. Elle a ramassé les pignons qu'on trouve dans les pommes de pin.

— Et les lichens que mangent les rennes sont comestibles, renchérit une vieille femme. Il suffit de savoir les cuire.

742

— Il y a aussi le blé, et le millet. D'autres herbes portent encore leurs graines, dit Esadoa, et on peut les collecter.

— Oui, mais il faut faire attention à l'ivraie, conseilla Ayla. Elle favorise parfois la croissance de parasites qui risquent d'être dangereux, et même mortels. Si un épi sent mauvais et qu'il est mal formé, c'est qu'il peut être plein d'ergot, et il ne faut pas le cueillir. Il y a des baies comestibles et des fruits sur certains buissons qu'on rencontre tout l'hiver. J'ai même trouvé un arbre qui avait encore quelques pommes. Et l'écorce intérieure de la plupart des troncs est comestible.

— Il nous faudrait des couteaux pour la découper, dit Esadoa. Ceux que nous possédons sont émoussés.

— Je vous en fabriquerai, promit Jondalar.

— Tu m'apprendras à tailler des lames de silex, Zelandon ? demanda vivement Doban.

— Oui, promit Jondalar, heureux qu'il lui posât la question. Je te montrerai comment fabriquer des couteaux, et aussi d'autres outils.

— Moi aussi, j'aimerais en apprendre davantage, avoua Ebulan. Nous aurons besoin d'armes pour chasser.

— Je montrerai à qui le désire. Je vous enseignerai les rudiments de la technique, promit Jondalar, mais il vous faudra plusieurs années pour acquérir le coup de main. L'année prochaine, si vous allez à la Réunion d'Eté des S'Armunaï, vous rencontrerez peut-être quelqu'un pour poursuivre mon enseignement.

Le sourire de Doban se changea en grimace. Il venait de comprendre que le géant ne resterait pas.

— Mais je vous aiderai de mon mieux, reprit Jondalar. Nous avons dû fabriquer beaucoup d'armes de chasse pour entreprendre ce Voyage.

— Et pour le… le bâton qui envoie les sagaies… celui qu'elle a utilisé pour te libérer ?

La question venait d'Epadoa, et tous les regards se tournèrent vers elle. Celle qui commandait aux Louves n'avait pas encore ouvert la bouche, mais ce qu'elle venait

743

de dire rappela à tout le monde le long jet précis de la sagaie qui avait tranché les liens de Jondalar lorsqu'il était suspendu au poteau. Le jet avait paru si miraculeux que personne ne pensait qu'une telle adresse pût s'acquérir.

— Ah, le propulseur ? Oui, je montrerai comment s'en servir à ceux qui le veulent.

— Même aux femmes ? demanda Epadoa.

— Oui, même aux femmes. Lorsque vous saurez vous servir de bonnes armes, vous n'aurez plus besoin de descendre jusqu'à la Grande Rivière Mère pour précipiter les chevaux du haut de la falaise. Vous avez la chance de posséder le meilleur terrain de chasse que j'aie jamais vu. Ici même, près de la rivière.

— Tu dis vrai, admit Ebulan. Je me souviens encore des chasses au mammouth. Quand j'étais jeune, on postait une sentinelle qui allumait des feux pour signaler l'arrivée du gibier.

— Ah, je m'en doutais, fit Jondalar.

— Le charme est en train de se rompre, constata Ayla avec un sourire satisfait en caressant Loup. Je n'entends plus l'esprit d'Attaroa. Epadoa, quand j'ai commencé à chasser, je traquais les prédateurs à quatre pattes, notamment les loups. Leurs peaux sont chaudes et font de bonnes capuches. J'admets qu'un loup menaçant doive être tué, mais tu apprendrais davantage en les observant qu'en les capturant pour manger leur chair.

Les Louves se jetèrent des regards inquiets avec des airs coupables. Comment avait-elle deviné ? La viande de loup était interdite chez les S'Armunaï, surtout pour les femmes.

Celle qui commandait aux Louves dévisagea la jeune étrangère d'un air perplexe. Maintenant qu'Attaroa était morte, et qu'elle savait qu'on ne la tuerait pas pour ses mauvaises actions, Epadoa se détendait. Elle était soulagée que tout fût terminé. Fascinée par la Femme Qui Ordonne, elle avait, pour lui plaire, commis des actes dont elle n'était pas fière. Sur le moment non plus, elle n'exécutait pas tous les ordres de gaieté de cœur, même si elle refusait de se l'avouer. Lorsqu'elle avait aperçu le géant pendant la chasse aux chevaux, elle avait espéré qu'en l'offrant à Attaroa, elle obtiendrait en échange la vie sauve pour un des hommes de l'Enclos.

Elle n'avait jamais eu l'intention de faire du mal à Doban, mais elle avait craint qu'Attaroa le tue, comme elle avait tué son propre enfant, si elle refusait de l'estropier selon ses ordres. Pourquoi la Fille du Foyer du Mammouth avait-elle choisi S'Amodun plutôt qu'Esadoa pour décider de son châtiment ? Ce choix lui avait sauvé la vie. La vie dans ce Camp ne serait, certes, pas facile. On la haïssait, mais elle aurait au moins une chance de s'amender. Oui, elle s'occuperait de Doban, même s'il la détestait. Elle lui devait bien cela.

Mais qui était donc cette Ayla ? Etait-elle venue pour libérer le Camp du joug d'Attaroa comme beaucoup semblaient le penser ? Et son compagnon ? Par quelle magie les sagaies l'épargnaient-elles ? Et où ceux de l'Enclos avaient-ils trouvé leurs couteaux ? L'homme y était-il pour quelque chose ? Montaient-ils sur des chevaux parce que c'était l'animal que les Louves préféraient chasser, alors que le reste des S'Armunaï, tout comme leurs parents les Mamutoï, chassaient plutôt le mammouth ? Le loup était-il un esprit de loup, venu venger les siens ? Epadoa se jura de ne plus jamais manger la chair de cette bête, et décida de cesser de se faire appeler Louve.

Ayla retourna à l'endroit où gisait le corps d'Attaroa et croisa le regard de S'Armuna. Celle Qui Sert la Mère avait beaucoup écouté mais peu parlé, et Ayla se souvenait de son angoisse et de ses remords. Elle s'adressa à elle en termes mesurés et amicaux.

— S'Armuna, dit-elle, l'esprit d'Attaroa laissera ce Camp en paix, mais les habitudes ne changeront pas toutes seules. Les hommes ont réussi à s'échapper de l'Enclos — tant mieux, ils y ont gagné une fierté méritée — mais ils n'oublieront pas facilement Attaroa ni les années qu'ils ont

745

passées enfermés comme des bêtes. Toi seule peux les aider, mais ce sera une lourde tâche.

La vieille femme acquiesça d'un air entendu, prête à saisir la chance de réhabiliter les pouvoirs de la Mère qu'elle avait dévoyés. Elle n'en espérait pas tant. La première chose à faire serait d'enterrer Attaroa et d'en finir avec ce passé honteux. Elle s'adressa alors à la foule.

— Il reste encore à manger, annonça-t-elle. Je vous propose de terminer ce festin tous ensemble. Il est temps de détruire les barrières qui se sont dressées entre les hommes et les femmes de ce Camp. Il est temps de partager la nourriture, le feu, la chaleur amicale de la communauté. Il est temps de reformer un peuple uni où personne n'aura plus de droits qu'un autre. Chacun apportera son talent, ses dons, et si nous contribuons tous à l'effort commun, ce Camp prospérera.

Des murmures d'approbation saluèrent son discours. Des couples longtemps séparés se retrouvaient ; les autres se regroupaient pour partager la nourriture et le feu, et savourer la convivialité renaissante.

— Epadoa ! Il est temps d'emporter le corps d'Attaroa et de préparer ses funérailles, dit S'Armuna lorsque la Louve se fut approchée.

— Où doit-on la porter ? demanda la chasseresse.

S'Armuna s'accorda le temps de la réflexion.

— Emporte-la dans l'Enclos et dépose-la sous l'auvent. Que les hommes profitent du confort de son foyer pour cette nuit. Il y a de nombreux malades, nous aurons besoin de cette habitation pendant quelque temps. Sais-tu où dormir ?

— Oui. Quand je pouvais m'échapper, j'allais au foyer d'Unavoa.

— Eh bien, considère que tu as déménagé, si cela vous convient à toutes deux.

— Oui, cela nous plairait, acquiesça Epadoa.

— Plus tard, nous envisagerons une solution pour Doban.

— Oui, nous envisagerons une solution.

Jondalar regarda avec fierté Ayla s'éloigner en compagnie d'Epadoa et de quelques chasseresses qui portaient le cadavre d'Attaroa. Il s'étonnait de la compétence dont sa compagne venait de faire preuve. Zelandoni, elle-même, n'aurait pu montrer plus de sagesse. Il avait déjà vu Ayla prendre en main une situation, mais c'était devant un blessé ou un malade. En analysant mieux la question, il s'aperçut que les S'Armunaï étaient des blessés, eux aussi. Pas étonnant qu'Ayla ait su prendre les bonnes décisions et parler avec tant de sagesse, après tout.

Le lendemain matin, Jondalar partit avec les chevaux récupérer le matériel qu'ils avaient mis à l'abri avant de se lancer à la recherche de Whinney. Cela lui semblait si loin qu'il prit conscience du temps qui avait passé. L'hiver était bien entamé et le chemin était encore long jusqu'au glacier.

Le Camp avait besoin de leur soutien, et il savait qu'Ayla ne partirait pas avant d'avoir terminé sa tâche. Il avait aussi promis d'aider les S'Armunaï et il était impatient d'enseigner la technique du silex à Doban et aux autres, et d'apprendre à ceux qui le désiraient le principe du propulseur, mais il sentait une sourde angoisse monter. Ils devaient absolument parvenir au glacier avant que la fonte du printemps ne rendît sa traversée périlleuse. Et pour cela, il ne fallait plus tarder.

S'Armuna et Ayla joignirent leurs efforts et leurs compétences afin de soigner les garçons et les hommes. Elles arrivèrent trop tard pour l'un d'eux. L'homme mourut la première nuit des suites d'une gangrène si avancée que ses deux jambes étaient déjà condamnées. Tous les autres, ou presque, avaient besoin de soins pour diverses maladies ou blessures, et tous souffraient de malnutrition. La puanteur de l'Enclos imprégnait toujours les corps et les hommes étaient d'une saleté insupportable.

S'Armuna décida de repousser la Cérémonie du Feu. Le temps lui manquait, et le moment n'était pas propice aux cérémonies, mais elle regrettait le pouvoir bienfaisant de ce rituel. A la place, ils utilisèrent la pièce intérieure du four pour chauffer l'eau nécessaire aux bains et à la désinfection des plaies, mais le meilleur des remèdes était le repos, une nourriture saine et abondante, et la chaleur. Après les premiers soins, on fit déménager les malades les moins touchés et qui avaient encore soit une mère, soit une compagne, ou un parent chez qui habiter.

Ayla était scandalisée par l'état des plus jeunes. S'Armuna elle-même était choquée. Elle n'avait pas voulu voir la dureté de leur condition.

Ce soir-là, après le repas pris de nouveau en commun, Ayla et S'Armuna exposèrent les problèmes qu'elles avaient rencontrés, dressèrent un tableau général des besoins de première nécessité et répondirent aux questions. Mais la journée avait été longue et Ayla, fatiguée, se levait pour aller se reposer lorsqu'on lui posa une dernière question à propos de l'un des jeunes gens. Une femme ajouta un commentaire sur la Femme Qui Ordonne, l'accablant de tous les torts en se déchargeant de toute responsabilité. Ayla alors s'emporta et donna libre cours à la colère qu'elle avait accumulée pendant cette journée éprouvante.

— Attaroa était autoritaire et implacable, mais aussi forte fût-elle, elle n'aurait pu lutter seule contre deux, cinq ou dix adversaires. Si vous aviez réellement voulu l'en empêcher, elle n'aurait jamais osé aller si loin. Vous êtes tous, hommes et femmes, responsables des souffrances de ces enfants. Et voilà ce que j'ai à vous dire : tous ces jeunes, ou même ces hommes, qui ont souffert si longtemps de... de cette abomination, dénonça-t-elle en essayant de se contenir, tous doivent être pris en charge par le Camp tout entier. Vous serez responsables d'eux pour le restant de leurs jours. Ils ont souffert, et par leurs souffrances, ils sont devenus les élus de Muna. Quiconque leur refusera son aide devra en répondre devant Elle.

Sur ce, elle tourna les talons et s'en fut, suivie par

Jondalar. Mais ses menaces portèrent plus qu'elle ne l'avait imaginé. Beaucoup pensaient qu'elle n'était pas une Voyageuse ordinaire, et certains voyaient en elle une incarnation de la Grande Mère Elle-même ; une munaï vivante ayant pris forme humaine, venue chercher Attaroa et libérer les hommes. Sinon, comment expliquer que les chevaux accourent à son signal ? Ou qu'un loup, énorme pour sa race, la suive partout et s'asseye à sa demande ? N'était-ce pas la Grande Terre Mère qui avait créé les incarnations des esprits des animaux ?

D'après les légendes, la Mère avait créé l'homme et la femme dans un but précis, et Elle leur avait offert le Don des Plaisirs pour qu'ils L'honorassent. Les esprits des hommes comme ceux des femmes étaient indispensables pour fabriquer une nouvelle vie, et Muna venait de leur faire comprendre qu'Elle considérait comme un monstre quiconque tenterait de créer Ses enfants d'une autre manière. N'avait-Elle pas pris soin de se faire accompagner par le Zelandonii pour montrer Sa voie ? Un homme qui était l'incarnation de Son amant et compagnon ? Plus beau et plus grand que n'importe quel homme, avec des cheveux couleur de lune ! Jondalar remarqua que le comportement du Camp à son égard changeait et que cela lui pesait. A vrai dire, il n'aimait pas cela.

Trop occupée, Ayla avait dû remettre à plus tard la manipulation qu'elle voulait tenter sur les infirmes. De son côté, S'Armuna avait reporté l'enterrement d'Attaroa. Le lendemain matin, on choisit un emplacement et la tombe fut creusée. Une cérémonie simple, conduite par Celle Qui Sert la Mère, permit à la défunte Femme Qui Ordonne de rejoindre le sein de la Grande Terre Mère.

Certains éprouvèrent du chagrin. Epadoa, par exemple, qui ne s'y attendait pourtant pas. Consciente du sentiment de la majorité, elle essayait de le cacher, mais Ayla le devinait à son maintien et à son expression. Le comportement de Doban était étrange, et Ayla comprit qu'il luttait contre des émotions contradictoires. Attaroa avait été la seule mère qu'il eût connue. Il s'était senti trahi quand elle s'en était prise à lui, mais elle avait toujours été capricieuse, et il ressentait encore une certaine affection pour cette mère terrible.

Il fallait que le chagrin s'exprime. Ayla le savait, qui avait eu l'expérience de nombreux deuils. Elle avait projeté de soigner l'enfant après l'enterrement, mais elle reconsidéra la question. Le jour n'était-il pas mal choisi ? D'un autre côté, il était peut-être bon qu'il pût se concentrer sur autre chose. De retour au Camp, elle en informa Epadoa.

— Je vais essayer de remettre la jambe de Doban, et j'aurai besoin d'aide, commença-t-elle.

— Est-ce qu'il va souffrir ? s'inquiéta Epadoa.

Elle se souvenait des cris du garçon quand elle lui avait disloqué la hanche, et sa nouvelle fonction exigeait qu'elle le protégeât. Certes, Doban n'était pas son fils, mais elle prenait son rôle très à cœur. Elle savait que sa propre vie en dépendait.

— Rassure-toi, je l'endormirai avant, expliqua Ayla. Il ne sentira rien, mais il aura un peu mal au réveil. Pendant quelque temps, il devra éviter les efforts et s'abstenir de marcher.

— Eh bien, je le porterai, déclara Epadoa.

De retour auprès de l'enfant, Ayla lui expliqua qu'elle allait guérir sa jambe. Effrayé, il se recula, et sa peur tourna à la panique lorsqu'il vit paraître Epadoa.

— Non, pas elle ! hurla-t-il. Elle va me faire mal !

S'il avait pu s'enfuir, il n'aurait pas hésité. Debout à côté du lit de Doban, Epadoa se raidit.

— Je te promets que je ne te ferai aucun mal, affirmat-elle. Plus jamais. Et je ne laisserai personne te faire du mal. Pas même cette femme-là.

Le garçon lui jeta un coup d'œil inquiet, mais préféra la croire. Il voulait désespérément la croire.

— S'Armuna, assure-toi qu'il comprenne bien ce que je

vais lui dire, fit Ayla qui se pencha et plongea son regard dans celui, terrorisé, de Doban.

— Doban, je vais te donner une coupe à boire. Ce sera un peu amer, mais je veux que tu la boives jusqu'au bout. Tu auras vite sommeil. Alors, tu t'allongeras ici. Dès que tu dormiras, je redresserai ta jambe comme elle était avant. Comme tu seras endormi, tu ne sentiras rien. En te réveillant, tu auras un peu mal, mais tu te sentiras peut-être aussi un peu mieux. Si tu as trop mal, dis-le à S'Armuna, ou à Epadoa — il y aura toujours quelqu'un près de toi — et on te fera boire une potion qui apaisera la douleur. Tu as bien compris ?

— Est-ce que Zelandon peut venir ?

— Oui, je vais le chercher.

— Et S'Amodun aussi ?

— Oui, tous les deux, si tu veux.

— Et tu ne la laisseras pas me faire du mal ? demanda Doban en désignant Epadoa.

— Non, c'est promis. Je ne laisserai personne te faire du mal.

Doban regarda tour à tour S'Armuna et Ayla.

— Donne-moi la coupe, dit-il alors.

Remettre l'articulation de Doban n'était pas sans rappeler la réduction de la fracture de Roshario. Le breuvage avait endormi le jeune garçon et détendu ses muscles. Ce ne fut qu'une simple question de force physique. Ils perçurent tous le moment où la tête du fémur glissa dans la cavité de la hanche. Ayla constata des ruptures de ligaments, et pensa que Doban boiterait encore, mais il pourrait marcher.

Comme la plupart des hommes et des enfants étaient retournés vivre avec leur compagne et leur mère, Epadoa s'installa dans la grande habitation et resta auprès de Doban. Ayla remarqua leurs tentatives d'approche réciproques et comprit que c'était le but qu'avait recherché S'Amodun.

Elle s'occupa ensuite d'Odevan, mais craignait que sa

751

guérison fût plus difficile et que sa hanche se disloquât à nouveau un jour ou l'autre.

S'Armuna était très impressionnée par Ayla. Elle éprouvait pour elle une sorte de crainte révérencieuse, et se demandait si les rumeurs n'avaient pas quelque fondement. Ayla ressemblait à toutes les femmes, parlait, mangeait, partageait les Plaisirs avec le géant blond, comme toutes les femmes, et pourtant sa connaissance des plantes, et de leurs propriétés curatives en particulier, était phénoménale. Tout le monde en parlait. S'Armuna bénéficia d'un peu de son prestige en retour. La vieille femme avait appris à surmonter sa peur de Loup, mais on ne pouvait pas le voir suivre Ayla partout sans croire qu'elle contrôlait son esprit. Et lorsqu'il ne la suivait pas, il ne la quittait pas des yeux.

S'Armuna se souciait moins des chevaux, ils restaient à l'écart, et broutaient assez loin la plupart du temps. Et la vieille femme voyait bien que les deux étrangers les chevauchaient de temps en temps. Le géant montait l'étalon avec aisance, mais à voir la jeune femme sur le dos de la jument, on ne pouvait s'empêcher de penser qu'elles étaient faites d'une même chair.

Tout de même, Celle Qui Sert la Mère restait sceptique. Initiée elle-même, elle savait qu'on encourageait ce genre de croyance. Elle avait appris les moyens d'induire les gens en erreur et de leur faire croire ce qu'on voulait qu'ils crussent, et elle s'en était souvent servie. Elle n'avait pas conscience de tricher — personne n'était aussi convaincu du bien-fondé de ses intentions — mais elle utilisait les moyens à sa portée pour adoucir la voie qui menait les hommes à suivre les préceptes qu'elle jugeait profitables à tous. On pouvait souvent aider les gens en les trompant, surtout ceux dont la maladie ne semblait avoir d'autre cause qu'un mauvais sort jeté par un ennemi puissant.

Pourtant, S'Armuna ne décourageait pas les rumeurs. Ceux du Camp voulaient croire que les paroles d'Ayla et de Jondalar leur étaient inspirées par la Mère, et S'Armuna utilisait leur crédulité pour instaurer les changements

752

nécessaires. Par exemple, Ayla fit allusion au Conseil des Sœurs et à celui des Frères qui existaient chez les Mamutoï, S'Armuna encouragea le Camp à organiser des Conseils similaires. Quand Jondalar parla de trouver un tailleur de silex pour poursuivre son enseignement, elle suscita le projet d'envoyer une délégation dans plusieurs Camps de S'Armunaï afin de renouer des liens avec des parents et rétablir des relations amicales.

Par une nuit glaciale où les étoiles illuminaient le firmament, un groupe s'était rassemblé devant l'ancienne habitation d'Attaroa qui était en train de devenir le lieu de réunions, après avoir servi de lieu de soins et de repos. On parlait des mystérieuses lumières qui scintillaient dans le ciel pur, et S'Armuna répondait aux questions, offrait ses interprétations. Elle passait là beaucoup de temps — soignant avec des plantes ou des incantations, organisant des discussions — et elle avait commencé à y apporter une partie de ses affaires, laissant souvent Ayla et Jondalar seuls dans son propre logis. Le foyer de Celle Qui Sert la Mère se déplaçait peu à peu dans l'habitation principale, et cette organisation nouvelle commençait à ressembler à ce que Jondalar et Ayla avaient l'habitude de rencontrer dans les autres Camps ou Cavernes.

Lorsque Ayla et Jondalar furent partis dans le foyer de S'Armuna, Loup sur leurs talons, quelqu'un posa une question sur ce loup qui suivait Ayla partout. Celle Qui Sert la Mère désigna l'une des plus brillantes étoiles et répondit simplement :

— Voici l'Etoile du Loup.

Les jours passaient. A mesure que les hommes et les enfants se rétablissaient et pouvaient se passer de son art, Ayla commença à accompagner ceux qui cueillaient les rares plantes hivernales. Jondalar était très occupé à enseigner sa technique de tailleur de silex, montrer comment fabriquer un propulseur, et comment chasser avec. Le Camp accumulait des réserves de nourriture faciles à conserver grâce aux conditions climatiques rigoureuses. Il y eut bien quelques difficultés au début. Les femmes ne s'habituaient guère à la présence des hommes dans des cavernes qu'elles considéraient comme les leurs, mais elles s'accoutumèrent bientôt.

S'Armuna sentait le moment venu de cuire les figurines dans le four, et elle parlait d'organiser une Cérémonie du Feu en l'honneur des deux visiteurs. Ils l'aidaient à rassembler les combustibles qu'elle avait ramassés pendant les derniers mois en prévision de ses feux, des soins à donner, et de son usage personnel. Elle expliqua alors qu'il faudrait encore en ramasser davantage, ce qui exigerait beaucoup de travail.

— Peux-tu nous fabriquer des outils pour couper le bois, Jondalar ? demanda-t-elle.

— Je serai très content de fabriquer des haches, des maillets et des coins, mais le bois vert se consume mal.

— J'utiliserai aussi des os de mammouth, mais il faut d'abord faire partir le feu et le laisser brûler longtemps. La Cérémonie du Feu dévore beaucoup de combustible.

En sortant de la petite bâtisse, le regard d'Ayla tomba sur l'Enclos. On avait arraché quelques planches, mais l'essentiel de la palissade était encore debout. Ayla avait émis l'idée d'utiliser les pieux pour construire un corral où piéger les animaux en les pourchassant, et depuis, personne n'y avait plus touché. Maintenant, tout le monde s'était si bien habitué à voir ces pieux qu'on n'y prêtait plus attention.

— Inutile de couper des arbres ! s'exclama soudain Ayla. Jondalar vous fabriquera des outils pour découper les pieux de l'Enclos.

Les S'Armunaï considérèrent la palissade d'un œil nouveau, mais la chamane vit encore plus loin. Le contenu de sa cérémonie se précisait.

— C'est parfait ! déclara-t-elle. La destruction de l'Enclos fournira les matériaux pour une cérémonie d'apaisement ! Tout le monde y participera ! Cela marquera la fin d'une époque et le commencement d'une ère nouvelle. Et vous serez là pour y assister !

— Oh, je n'en suis pas sûr, fit Jondalar. Quand prévois-tu la cérémonie ?

— Il ne faut pas précipiter les choses. C'est trop important.

— Oui, c'est ce que je craignais. Nous allons devoir partir bientôt.

— Alors que nous entrons dans la partie la plus froide de l'hiver ! objecta S'Armuna.

— Oui, mais tout de suite après c'est le printemps et la fonte des glaces. Tu as traversé ce glacier, S'Armuna, et tu sais très bien que ce n'est possible qu'en hiver. D'ailleurs, j'ai promis aux Losadunaï de les visiter à mon retour. Nous n'y resterons pas longtemps, mais ce sera une halte propice aux préparatifs de la traversée.

— Dans ce cas, dit S'Armuna d'un air grave, j'utiliserai la Cérémonie du Feu pour atténuer la déception que causera votre départ. Beaucoup d'entre nous souhaitent que vous restiez, et votre absence nous peinera tous.

— J'aurais aimé assister à la Cérémonie du Feu, dit Ayla. Et à la naissance du bébé de Cavoa. Mais Jondalar a raison, il est temps que nous partions.

Jondalar commença sans tarder la fabrication des outils. Il avait localisé une réserve de silex et partit avec deux ou trois aides ramasser de quoi tailler des haches et des outils de coupe. Pendant ce temps-là, Ayla se mit à trier leurs affaires et vérifier ce dont ils avaient besoin. Elle examinait ce qu'elle avait disposé par terre quand elle entendit un bruit à l'entrée. Elle leva la tête et vit Cavoa s'avancer.

— Est-ce que je te dérange, Ayla ? demanda la future mère.

— Non, entre.

La jeune femme vint s'asseoir sur le rebord de l'estrade qui servait de couche.

— S'Armuna m'a prévenue que vous partiez.

— Oui, dans un ou deux jours.

— Je pensais que vous resteriez pour la Cérémonie.

— J'aurais bien voulu, mais Jondalar a hâte de reprendre la route. Il dit que nous devons traverser le glacier avant le printemps.

— J'ai fait quelque chose que je voulais t'offrir après la cérémonie, dit Cavoa en sortant un petit paquet de cuir de sa tunique. J'aimerais te le donner, mais s'il se mouille, il sera détruit.

Ayla prit le paquet que la jeune femme lui tendait et l'ouvrit. C'était une petite tête de lion, modelée avec art dans de la glaise.

— Oh, mais c'est magnifique, Cavoa ! s'exclama Ayla. C'est tout à fait une lionne des cavernes. Je ne savais pas que tu étais si douée.

— Elle te plaît ? demanda Cavoa avec un sourire ravi.

— J'ai connu un homme, un Mamutoï, qui sculptait de l'ivoire. C'était un grand artiste. Il m'a appris à aimer les sculptures et les peintures. Il aurait beaucoup apprécié ta figurine.

— Je sculpte aussi le bois, l'ivoire ou la corne. Je l'ai toujours fait. C'est pour cela que S'Armuna m'a demandé de l'assister. Elle a été si bonne avec moi. Elle essayait de nous aider... Avec Omel aussi, elle a été bonne. Elle l'a laissé garder le secret sans jamais rien lui demander comme d'autres l'auraient fait. Les gens sont si curieux, fit-elle en baissant la tête, retenant ses larmes avec peine.

— Tes amis te manquent, dit Ayla avec douceur. Ce dut être difficile pour Omel de conserver un tel secret.

— Il le fallait.

— A cause de Brugar ? S'Armuna disait qu'il l'avait menacé.

— Non. Ce n'était pas à cause de Brugar, ni d'Attaroa. Je n'aimais pas Brugar. J'étais petite, mais je crois qu'il avait davantage peur d'Omel qu'Omel de lui. Et Attaroa savait pourquoi.

Ayla devina ce qui troublait la jeune femme.

— Et tu le savais aussi, n'est-ce pas ?

— Oui, souffla Cavoa. J'aurais voulu que tu sois là quand le moment viendra, ajouta-t-elle en regardant Ayla dans les yeux. Je veux que tout se passe bien pour mon bébé, pas comme...

Point n'était besoin d'en dire plus. Cavoa craignait que son bébé naquît avec une infirmité, et d'en parler risquait de provoquer la malformation.

— Je ne suis pas encore partie, et qui sait ? fit Ayla. D'après moi, tu peux accoucher d'un instant à l'autre. Peut-être serons-nous encore là.

— Je l'espère, soupira Cavoa. Tu as tant fait pour nous. Je regrette seulement que tu ne sois pas venue avant qu'Omel et les autres... ajouta-t-elle, les yeux brillants de larmes.

— Oui, je comprends que tes amis te manquent, mais tu auras bientôt un enfant à toi. Ça t'aidera, tu verras. As-tu déjà pensé à un nom ?

— J'ai évité d'y penser pendant longtemps. Je savais qu'il était inutile de choisir un nom de garçon. Et pour une fille, je n'étais pas sûre d'avoir le droit de la nommer moi-même. Maintenant, si c'est un garçon, j'hésite entre le nom de mon frère... ou celui d'un homme que j'ai connu. Mais si c'était une fille, je lui donnerais le nom de S'Armuna. Elle m'a aidée à... à le voir, une fois...

Les sanglots l'empêchèrent d'en dire plus.

Ayla prit la jeune femme dans ses bras. Il fallait que le chagrin s'exprimât. Pleurer était le meilleur soulagement. Le Camp était toujours rongé par un immense chagrin. Ayla espérait que la cérémonie de S'Armuna aiderait à le libérer. Lorsque ses pleurs se calmèrent, Cavoa se dégagea et essuya ses yeux d'un revers de main. Ayla chercha quelque chose pour sécher ses larmes et défit un paquet qu'elle portait depuis des années pour que la jeune femme utilisât le cuir souple qui servait d'emballage. Mais quand Cavoa vit ce qui était à l'intérieur, elle écarquilla les yeux d'un air incrédule. C'était une munaï, une petite figurine de femme sculptée dans l'ivoire. Mais cette munaï-là avait un visage... celui d'Ayla !

Elle détourna vivement la tête, comme si elle venait de voir quelque chose d'interdit, sécha ses yeux et sortit précipitamment. Songeuse, Ayla enveloppa de nouveau la sculpture que Jondalar avait ciselée. Elle savait ce qui avait effrayé Cavoa.

Tout en empaquetant leurs affaires, elle s'efforça de ne plus y penser. Elle ramassa la bourse qui renfermait leurs pierres à feu et la vida pour compter les morceaux de pyrite de fer grisâtres qu'il leur restait. Elle se proposait d'en offrir une à S'Armuna, mais elle ignorait si on en trouvait dans la région des Zelandonii, et elle voulait en garder pour les parents de Jondalar.

Ayla se dirigea vers la grande habitation. Elle croisa Cavoa qui en sortait, et adressa un sourire à la jeune femme qui lui renvoya un rictus gêné. Ayla entra et il lui sembla que S'Armuna la regardait d'un air bizarre. La sculpture de Jondalar avait fait naître une réelle inquiétude. Ayla attendit d'être seule avec S'Armuna.

— Avant de partir, je voudrais te donner quelque chose. J'ai découvert cela quand je vivais dans ma vallée, dit Ayla en ouvrant sa main. J'ai pensé que tu pourrais l'utiliser dans ta Cérémonie du Feu.

S'Armuna regarda l'objet et jeta un coup d'œil interrogateur à Ayla.

— Regarde. Cette pierre contient du feu, dit Ayla. Je vais te montrer.

Elle marcha jusqu'au foyer, prit un peu d'amadou, et rassembla quelques copeaux de bois autour d'une botte de massettes séchées. Elle prépara du petit bois, se baissa et frappa la pyrite de fer avec un silex. Une grande étincelle jaillit et tomba sur l'amadou. Ayla souffla dessus et une petite flamme s'éleva comme par miracle. Ayla ajouta des brindilles pour faire démarrer le feu, et se releva pour découvrir une S'Armuna ébahie.

— Cavoa m'a soutenu avoir vu une munaï qui avait ton visage, et voilà que tu fais naître du feu. Serais-tu... serais-tu celle qu'on prétend ?

— Jondalar a sculpté cette figurine parce qu'il m'aimait, répondit Ayla avec un sourire tranquille. Il voulait capturer mon esprit, mais il m'en a ensuite fait cadeau. Ce n'est ni une donii ni une munaï. C'est une preuve de son amour. Et pour ce qui est du feu, je n'y suis pour rien, c'est la pierre à feu qui fait tout. Veux-tu apprendre à l'utiliser ?

— Est-ce que je vous dérange ? dit une voix près de l'entrée.

Les deux femmes se retournèrent et aperçurent Cavoa.

— Je suis venue chercher les mitaines que j'avais oubliées, expliqua-t-elle.

S'Armuna et Ayla échangèrent un coup d'œil.

— Pourquoi pas ? fit Ayla.

— Cavoa m'assiste, précisa S'Armuna.

— Alors, je vais vous montrer à toutes les deux comment marchent les pierres, décida Ayla.

Elle recommença l'expérience. Lorsque les deux femmes eurent essayé à leur tour, elles se détendirent un peu, émerveillées par les propriétés de la pierre étrange. Cavoa osa même poser une question sur la munaï.

— Cette figurine que j'ai vue...

— C'est Jondalar qui l'a sculptée, peu après notre rencontre. C'était pour prouver qu'il m'aimait, assura Ayla.

— Alors, si je veux montrer à une personne combien elle est importante pour moi, je pourrai sculpter son visage ? demanda Cavoa.

— Bien sûr, dit Ayla. Quand tu fabriques une munaï, tu ressens une émotion particulière, n'est-ce pas ?

— Oui, et il y a aussi des rituels à respecter.

— Je crois que c'est l'émotion que tu transmets à la figurine qui fait toute la différence.

— Tu crois que je pourrais sculpter un visage à condition de ressentir des émotions bénéfiques ?

— Oui, il n'y aurait aucun mal à ça. Tu es une excellente artiste, Cavoa.

— Sans doute vaudrait-il mieux t'abstenir de sculpter la figurine en entier, intervint S'Armuna. Fais seulement la tête, et il n'y aura pas de confusion possible.

Cavoa acquiesça d'un signe de tête et les deux femmes quêtèrent ensuite l'approbation d'Ayla. Au plus profond d'elles-mêmes, elles continuaient de s'interroger sur la véritable identité de la visiteuse.

Le lendemain matin, Jondalar et Ayla se réveillèrent avec la ferme intention de partir, mais la neige tombait si fort qu'on voyait à peine au-delà des habitations.

— Avec un blizzard qui se prépare, ça m'étonnerait que nous partions aujourd'hui, remarqua Jondalar que le moindre retard contrariait. J'espère que la tempête ne va pas durer.

Ayla s'avança jusqu'au pré et siffla les chevaux. Ils apparurent aussitôt, et elle les conduisit dans un pré abrité du vent. Elle revint, préoccupée par le chemin du retour vers la Grande Rivière Mère, chemin qu'elle était la seule à connaître. Elle ne réagit pas tout de suite à l'appel de son nom.

— Ayla !

Cette fois l'appel était net. Elle se retourna et vit Cavoa qui, du seuil de son logis, lui faisait signe en prenant soin de ne pas se montrer.

— Qu'y a-t-il, Cavoa ?

— J'ai quelque chose à te montrer. J'aimerais avoir ton avis.

Ayla s'approcha. La jeune femme ôta ses mitaines et dévoila le petit objet rond en ivoire caché dans sa main. Elle le remit délicatement à Ayla.

— Je viens de le terminer.

Emerveillée, Ayla examina la sculpture qui représentait le visage de S'Armuna.

— Oh, Cavoa ! Je savais que ton art était grand, mais pas à ce point ! s'exclama-t-elle.

C'était à peine un buste, le cou n'était même pas esquissé, mais on ne pouvait se méprendre sur l'identité de celle qui l'avait inspiré. Les cheveux noués en chignon sur le haut de la tête, le visage légèrement de guingois, un côté plus petit que l'autre, l'ensemble dégageait pourtant une sorte de beauté et de dignité qui rappelait irrésistiblement S'Armuna.

— Est-ce qu'elle te plaît ? Crois-tu qu'elle l'aimera ? demanda Cavoa avec anxiété. Je voulais lui offrir quelque chose de rare.

— Je l'aime beaucoup, assura Ayla. Ta sculpture exprime très bien tes sentiments. Tu as un don merveilleux, Cavoa, fais attention de bien t'en servir. Tes figurines peuvent posséder un grand pouvoir. S'Armuna a été sage de te choisir pour l'assister.

Vers le soir, le blizzard hurlait de fureur. Il était dangereux de s'aventurer dehors, même pour quelques pas. S'Armuna décrocha un bouquet d'herbes séchées qui pendait d'un râtelier près de l'entrée, et qu'elle voulait ajouter au breuvage qu'elle préparait pour la Cérémonie du Feu. Dans le foyer, les flammes dansaient doucement, et Ayla et Jondalar venaient de se coucher. La chamane pensait les imiter après avoir terminé sa mixture.

Soudain, le lourd rabat de l'entrée se souleva, laissant filtrer dans l'antichambre un courant d'air glacial accompagné de quelques flocons. Esadoa souleva le deuxième pan et apparut, en pleine détresse.

— S'Armuna ! Dépêche-toi, c'est Cavoa ! Le travail a commencé.

D'un bond, Ayla se leva sans laisser à S'Armuna le temps de répondre.

— Elle a bien choisi sa nuit ! s'exclama la chamane en essayant de garder son calme pour ne pas inquiéter la future grand-mère. Tout va bien, Esadoa, elle n'accouchera pas dans la minute.

— Elle n'est pas chez moi. Elle a insisté pour sortir dans

cette tempête. Elle est dans la grande habitation. Elle tenait à ce que son bébé y naisse, je me demande pourquoi. Elle veut qu'Ayla vienne, pour être sûre que tout se passe bien pour le bébé.

— Il n'y a personne là-bas, s'inquiéta S'Armuna. Elle n'aurait jamais dû sortir par ce temps-là.

— Je n'ai pas pu l'en empêcher, gémit Esadoa qui s'empressa de retourner auprès de sa fille.

— Attends-nous ! cria S'Armuna. Autant partir ensemble. On risquerait de se perdre dans cette tempête.

— Loup nous montrera le chemin, dit Ayla en faisant signe à l'animal qui dormait en boule au pied du lit.

— Ça vous dérangerait que je vienne ? demanda Jondalar.

Il n'était pas vraiment désireux d'assister à la naissance, mais il ne voulait pas laisser Ayla sortir dans ce blizzard sans lui. S'Armuna lança un coup d'œil interrogateur à Esadoa.

— Ça ne me dérange pas, dit la vieille femme, mais la présence d'un homme est-elle nécessaire ?

— Rien ne l'interdit, fit S'Armuna, et Cavoa aimera peut-être avoir un homme près d'elle. Elle n'a pas de compagnon.

Ils bravèrent tous les quatre les morsures du vent et affrontèrent ensemble les bourrasques de neige. En arrivant, ils trouvèrent la jeune femme recroquevillée près du feu éteint, le corps crispé de douleur, les yeux agrandis par la peur. Elle poussa un profond soupir en voyant sa mère accompagnée des trois autres. En un clin d'œil, Ayla avait déjà allumé le feu — à la grande surprise d'Esadoa — et Jondalar était ressorti chercher de la neige qu'il se proposait de faire fondre. Esadoa prépara le lit sur la plate-forme et S'Armuna choisit des herbes dans la réserve qu'elle avait rapportée la veille de son foyer.

Ayla installa la jeune femme confortablement, afin qu'elle pût se coucher ou s'asseoir à son gré. Ensuite, elle

762

attendit S'Armuna, et elle l'examinèrent ensemble. Après avoir rassuré Cavoa qu'elles laissèrent en compagnie de sa mère, les deux femmes marchèrent jusqu'à la cheminée pour discuter discrètement.

— Tu as remarqué ? demanda S'Armuna.

— Oui. Tu sais ce que ça signifie ?

Jondalar, qui s'était tenu volontairement à l'écart, s'approcha lentement des deux femmes et crut déceler sur leur visage une légère inquiétude qui l'emplit d'appréhension. Il s'assit sur le rebord d'une couche et caressa Loup d'une main distraite.

Jondalar trompait l'attente en arpentant les lieux de long en large. Loup le regardait sans comprendre. Le géant trouvait que le temps ne passait pas assez vite, regrettait que la tempête ne se calmât pas, et se rongeait les sangs à ne rien faire. Il essaya de parler à Cavoa, cherchant des mots d'encouragement, lui souriait, mais il se sentait surtout inutile. Que pouvait-il faire ? Finalement, comme la nuit avançait, il s'endormit sur une couche, alors que les échos de la tempête résonnaient comme un contrepoint à l'attente exaspérante éclairée par une lumière blafarde, ponctuée de halètements périodiques de plus en plus rapprochés.

Un soudain regain d'activité mêlé de voix précipitées le réveilla. Le jour pointait par les fentes qui entouraient le trou d'évacuation de la fumée. Il se leva, s'étira et se frotta les yeux. Totalement ignoré par les trois femmes, il sortit uriner. Il remarqua avec joie que la tempête s'était calmée, et que de rares flocons tourbillonnaient encore.

Alors qu'il s'apprêtait à rentrer, il entendit les premiers cris d'un nouveau-né. Il sourit, mais resta dehors de peur d'importuner. A sa grande surprise, un deuxième cri perça le silence, et bientôt un étrange duo s'époumona. Il y en a deux ! s'exclama Jondalar. Incapable de résister, il entra dans la caverne.

Ayla sourit en voyant arriver Jondalar et brandit un bébé emmailloté.

— C'est un garçon ! s'écria-t-elle.

S'Armuna tenait dans ses bras un second bébé et s'apprêtait à couper le cordon ombilical.

— Et ça, c'est une fille, dit-elle. Des jumeaux ! C'est un signe favorable. Peu de bébés naissaient à l'époque d'Attaroa, mais je crois que cela va changer. Je crois que la Mère nous fait comprendre que le Camp des Trois Sœurs va de nouveau prospérer.

— Est-ce que tu reviendras ? demanda Doban à Jondalar.

Il marchait déjà mieux, mais s'aidait encore des béquilles que le géant lui avait fabriquées.

— Non, Doban, je ne crois pas. Un Voyage me suffit. Il est temps que je m'arrête quelque part et que je fonde un foyer.

— J'aimerais bien que tu t'installes près d'ici, Zelandon.

— Moi aussi, affirma Jondalar. Tu vas devenir un bon tailleur de silex, et j'aimerais t'apprendre encore beaucoup de choses. Ah, à propos, tu peux m'appeler Jondalar, tu sais.

— Non, tu es Zelandon.

— Tu veux sans doute dire Zelandonii ?

— Non. Zelandon.

— Oui, c'est bien ce qu'il veut dire, expliqua S'Amodun qui assistait à la scène en souriant. Il t'appelle Elandon, mais il y ajoute le titre de respect : S'Elandon.

Bien qu'un peu gêné, Jondalar rosit de plaisir.

— Je te remercie, Doban. Permets-moi donc de t'appeler S'Ardoban.

— Oh, non ! C'est trop tôt. Quand je saurai travailler le silex aussi bien que toi, tu pourras m'appeler S'Ardoban. Pas avant.

Jondalar étreignit le jeune garçon, donna quelques accolades aux S'Armunaï qui s'étaient réunis, et discuta encore un moment avec eux. Les chevaux étaient chargés, et patientaient à quelques pas de là. Loup s'était allongé, et observait Jondalar. Il se releva en apercevant Ayla qui sortait de l'habitation avec S'Armuna. Jondalar se réjouit de les voir enfin arriver.

— ... c'est beau, disait la vieille femme, et cette preuve d'amitié m'émeut énormément, mais... tu ne crois pas que ce soit dangereux ?

— Tant que tu la gardes précieusement, comment une simple figurine serait-elle dangereuse ? Elle te rapprochera de la Mère, assura Ayla, et te permettra de mieux La comprendre.

Elles s'étreignirent avec chaleur, et S'Armuna serra fort Jondalar dans ses bras. Elle se recula quand ils appelèrent les chevaux, puis s'avança de nouveau et retint la main du géant.

— Quand tu verras Marthona, dis-lui que S'Armu... non, dis-lui que Bodoa lui envoie toute son amitié.

— Je n'y manquerai pas. Je suis sûr que ça lui fera plaisir, dit Jondalar en enfourchant l'étalon.

Ils se retournèrent et saluèrent une dernière fois. Jondalar était soulagé de partir. Il garderait toujours de ce Camp des souvenirs mitigés.

Comme ils s'éloignaient du Camp des Trois Sœurs, la neige se remit à tomber. Ceux du Camp leur faisaient de grands signes d'adieu.

— Bon Voyage, S'Elandon ! criait Doban.

— Que la paix t'accompagne, Ayla ! disait un autre.

En les regardant s'enfoncer dans le brouillard de flocons, rares étaient ceux qui ne croyaient pas — ou ne voulaient pas croire — que Jondalar et Ayla leur avaient été envoyés pour les débarrasser d'Attaroa et pour libérer les hommes. Ils ne doutaient pas que dès que le couple de cavaliers aurait disparu, ils reprendraient la forme de la Grande Terre Mère et de Son Compagnon Céleste, et qu'ils rejoindraient les cieux en chevauchant le vent, suivis par leur fidèle protecteur, l'Etoile du Loup.

765

34

Ayla ouvrant la marche, ils repartirent vers la Grande Rivière Mère en suivant le chemin qu'elle avait emprunté lorsqu'elle traquait les Louves. Ils franchirent le petit affluent et bifurquèrent ensuite vers le sud-ouest à travers les plaines venteuses de l'ancien bassin qui séparait les deux principales chaînes de montagnes.

Bien qu'il neigeât peu, d'incessantes rafales de vent les obligeaient souvent à s'abriter. Dans ce froid intense, les flocons tournoyaient au gré du vent et se transformaient en gravillons gelés en se mêlant aux particules de lœss broyées par les glaciers en marche. Les bourrasques cinglaient leurs joues nues. L'herbe jaunie s'était aplatie depuis longtemps, mais grâce au vent qui empêchait la neige de s'accumuler, sauf dans quelques poches abritées, il en restait assez pour que les chevaux pussent brouter.

Le chemin parut court à Ayla, débarrassée du souci de suivre une piste en terrain difficile, mais Jondalar était surpris par la distance qui les séparait de la rivière. Il ne s'était pas rendu compte qu'ils étaient si haut vers le nord. Il en déduisit que le Camp des S'Armunaï était sûrement proche du Grand Glacier.

Il n'avait pas tort. S'ils étaient montés plus haut, ils auraient atteint le gigantesque mur de glace en une poignée de jours de marche. Au début de l'été, juste avant d'entamer leur Voyage, ils avaient chassé le mammouth à l'orée de ce même glacier, mais beaucoup plus à l'est. Depuis, ils avaient contourné l'immense arc de cercle de la chaîne de montagnes par le sud et étaient remontés par le flanc ouest, atteignant presque la colossale étendue glacée.

En arrivant à la Grande Rivière Mère, ils laissèrent derrière eux les derniers massifs détachés et les contreforts détritiques des monts qui avaient dominé leurs premières étapes, et ils obliquèrent vers l'ouest en direction d'une nouvelle chaîne montagneuse plus importante et plus haute.

Ils revinrent sur leurs pas à la recherche de l'endroit où ils avaient caché leur tente et leur équipement après que Whinney avait été enlevée par la troupe de chevaux sauvages.

— Il me semble reconnaître le paysage... ce doit être par ici, dit Jondalar.

— Oui, c'est aussi mon impression. Je me rappelle ce promontoire, mais le reste a tellement changé ! fit Ayla avec désarroi.

Les rives gelées, les congères et les tertres de neige empêchaient de voir où commençait le fleuve. Les rafales de vent et la glace qui s'était déposée sur les branches dans une alternance de gel et de redoux avaient couché plusieurs arbres. Des arbrisseaux et des ronciers ployaient sous le poids de la glace et de la neige ; les voyageurs, les prenant pour des rochers, s'empêtraient dans leurs branches quand ils tentaient de les escalader.

L'homme et la femme s'arrêtèrent près d'un bosquet et scrutèrent les environs en quête d'un indice qui les guiderait jusqu'au fourré où ils avaient caché leur tente et leur réserve de vivres.

— Nous ne sommes pas loin. Je sais que c'est par ici,

mais tout est si différent ! s'exclama Ayla. L'apparence est souvent trompeuse, tu ne trouves pas ?

— C'est vrai, tout change en hiver, dit Jondalar en la regardant sans comprendre.

— Je ne parle pas seulement du paysage. C'est difficile à expliquer. Regarde S'Armuna, par exemple. Lorsque nous sommes partis, elle t'a demandé de transmettre son bonjour à ta mère. Mais elle a spécifié de la part de Bodoa. C'est sous ce nom que ta mère la connaît, n'est-ce pas ?

— Oui, certainement. Dans sa jeunesse, elle devait s'appeler Bodoa.

— Et elle a abandonné son nom pour devenir S'Armuna. C'est comme la zelandoni dont tu parles si souvent, celle qui s'appelait Zolena.

— Oui, on abandonne son nom volontairement en devenant Celle Qui Sert la Mère.

— Oui, je sais, dit Ayla. Creb faisait pareil quand il revêtait l'habit de Mog-ur. Il ne renonçait pas à son nom, mais il était un autre homme quand il dirigeait la cérémonie en tant que Mog-ur. Creb ressemblait à son totem de naissance, le Chevreuil, timide et tranquille. Il parlait peu, comme s'il épiait les autres de sa cachette. Mais lorsqu'il était Mog-ur, il prenait la puissance et l'autorité de son totem, l'Ours des Cavernes. Il n'était jamais complètement ce qu'il paraissait être.

— Toi aussi, tu es comme cela, Ayla. La plupart du temps tu préfères écouter, mais avec un malade ou un blessé, tu changes. Tu prends l'initiative, tu ordonnes et on t'obéit.

— Je n'avais jamais envisagé les choses sous cet angle. Je ne cherche qu'à aider.

— Oui, je sais. Mais cela va plus loin. Les gens sentent que tu sais ce que tu fais, et je crois que c'est pour cela qu'ils t'obéissent. Si tu le voulais, tu pourrais devenir Celle Qui Sert la Mère.

Ayla se rembrunit.

— Je ne crois pas. Je veux garder mon nom. C'est tout

ce qui me reste de ma mère, dit la jeune femme, qui désigna soudain un tas de neige étrangement symétrique. Regarde, Jondalar !

L'homme examina le tertre sans comprendre, mais peu à peu le dessin régulier du monticule lui évoqua quelque chose de familier.

— Serait-ce... ? interrogea-t-il en éperonnant Rapide.

Le monticule était cerné par un enchevêtrement de ronces, ce qui augmenta leur excitation. Ils descendirent de cheval et Jondalar, muni d'une grosse branche, se fraya un chemin parmi les piquants. Au centre du fourré il frappa le tertre de son bâton, et la neige s'effondra, dénudant le canot retourné.

— Le voilà ! s'écria Ayla.

Ils aplatirent les longs rameaux épineux à grands coups de pied pour atteindre le canot et les paquets soigneusement enveloppés qu'il recouvrait.

L'agitation de Loup leur fit comprendre que la cachette n'avait pas été totalement efficace, et en découvrant des excréments de loup, ils comprirent son émoi. Les loups avaient saccagé leurs affaires et réussi à déchiqueter certains paquets pourtant bien camouflés. Même la tente était déchirée mais ils s'attendaient à pire.

— L'anti-Loup ! s'exclama Jondalar. C'est sûrement grâce à ça qu'ils n'ont pas saccagé toutes nos affaires.

La mixture qu'avait inventée Ayla pour décourager Loup de mâchouiller leurs peaux avait sauvé une partie de leur équipement.

— Et dire que j'ai longtemps cru que Loup nous créait des ennuis ! s'exclama Jondalar. Sans lui, nous n'aurions probablement plus de tente. Viens ici, Loup, dit-il en se frappant la poitrine pour inviter l'animal à y poser ses pattes.

Ayla l'observa en souriant fourrager dans le pelage de Loup et lui caresser le cou. Le changement d'attitude de Jondalar envers le fauve lui faisait plaisir. Non qu'il l'eût jamais malmené, mais c'était la première fois qu'elle le voyait manifester autant d'affection. D'évidence, Loup acceptait avec joie ces démonstrations.

Sans l'anti-Loup, il y aurait eu beaucoup plus de dégâts, mais les bêtes avaient tout de même dévoré leurs vivres de secours. Les ravages étaient désastreux. Il ne restait quasiment plus de viande séchée ni de galettes, et de nombreux paquets de fruits secs, légumineuses et céréales avaient été déchiquetés ou manquaient. D'autres animaux les avaient sans doute emportés après le passage des loups.

— Nous aurions dû prendre davantage des vivres que les S'Armunaï nous offraient, déclara Ayla, mais ils en avaient si peu eux-mêmes. Nous pourrions retourner là-bas, proposa-t-elle.

— Non, je ne préfère pas. Nous chasserons, cela nous suffira jusqu'à notre arrivée chez les Losadunaï. Thonolan et moi en avions rencontré et nous avions passé la nuit avec eux. Ils nous avaient conviés à rester quelque temps parmi eux à notre retour.

— Crois-tu qu'ils nous donneraient des vivres pour le Voyage ?

— Oui, j'en suis même sûr, répondit-il avec un sourire malicieux. J'ai un Droit à Venir sur eux.

— Un droit ? s'étonna Ayla. Te sont-ils apparentés comme l'étaient les Sharamudoï ?

— Non, mais ils sont amicaux et ils font souvent du troc avec les Zelandonii. Certains connaissent ma langue.

— Oui, tu m'as déjà parlé d'eux, mais je ne suis pas sûre de comprendre ce qu'est un Droit à Venir.

— C'est une promesse de rendre, dans un avenir plus ou moins proche, quelque chose qu'on t'a donné, ou que tu as gagné. En paiement d'une dette de jeu trop importante pour le perdant, par exemple, ou d'autre chose.

— D'autre chose ? s'étonna Ayla dont la curiosité s'éveillait.

— Oui, lorsque la valeur à rembourser est difficile à définir. Il n'y a pas de limite à un Droit à Venir, on peut exiger n'importe quoi, mais en général personne ne demande l'impossible. Accepter un Droit à Venir prouve simplement sa bonne foi et sa confiance. C'est souvent un moyen d'offrir son amitié.

Ayla prit un air entendu, sachant que Jondalar ne lui disait pas tout.

— J'ai un Droit à Venir sur Laduni, poursuivit-il. Ce n'est pas un droit majeur, mais il est tout de même tenu de me donner tout ce que je lui demanderai. Et j'ai le droit de demander n'importe quoi. Il sera soulagé que je n'exige que de la nourriture. D'ailleurs, il nous en aurait probablement proposé de lui-même.

— Les Losadunaï habitent-ils loin ?

— Oui, assez. Ils vivent à la pointe ouest de ces montagnes, et nous sommes complètement à l'est. Mais en suivant le fleuve, la route est facile. Il faudra traverser la Grande Mère plus haut.

Ils décidèrent de camper là pour la nuit, et en profitèrent pour faire un inventaire de leur matériel. Les pertes concernaient surtout la nourriture. Ils rassemblèrent ce qu'il leur restait et constatèrent que le tas n'était pas important, mais les dégâts auraient pu être pires. Ils devraient vivre de chasse et de cueillette, mais la plupart de leurs affaires étaient intactes ou facilement réparables, exception faite de la poche à viande qui avait été mise en lambeaux. Le bateau avait au moins protégé leurs affaires des intempéries, à défaut de la voracité des loups. Au petit matin, ils eurent une décision importante à prendre : fallait-il continuer de traîner le bateau, ou l'abandonner ?

— Nous arrivons dans une région montagneuse, déclara Jondalar. Il va nous gêner.

Ayla vérifiait l'état des perches. L'une des trois avait été brisée, mais deux suffisaient pour tirer le travois.

— Gardons-le encore, proposa-t-elle. Il sera toujours temps de l'abandonner.

Ils laissèrent rapidement le bassin venteux derrière eux. Vers l'ouest, le lit de la Grande Rivière Mère marquait la frontière d'un violent combat entre les deux plus importantes forces de la terre, qui s'était déroulé dans l'extrême lenteur du temps géologique. Au sud, apparaissaient les contreforts des hautes montagnes occidentales dont les plus hauts sommets n'étaient jamais adoucis par la chaleur de l'été. Année après année, les pics immenses accumulaient neige et glace, et la crête des sommets scintillait au loin dans l'air pur et limpide.

Les hauts plateaux rocheux du Nord étaient les vestiges d'anciennes montagnes érodées par les siècles. La roche cristalline, enracinée dans le soubassement le plus profond, s'était soulevée à l'aube de l'humanité. Luttant contre cette fondation inflexible, la force irrésistible des continents qui dérivaient inexorablement vers le nord avait brisé et plié la croûte terrestre, soulevant de gigantesques massifs montagneux sur des espaces immenses.

L'ancien massif restait marqué par le déploiement de force qui créa les hautes cimes. Les inclinaisons, les failles, les brisures de la roche qu'on devinait dans les ruptures de sa structure cristalline racontaient la violence des pressions extraordinaires qu'elle avait subies. A cette époque, la haute chaîne occidentale et une autre plus à l'ouest n'avaient pas été les seules à être créées par la dérive des continents. La longue chaîne incurvée que les deux voyageurs avaient contournée, et la série de massifs à l'est d'où jaillissaient les cimes les plus hautes de la terre, provenaient également de ce duel impitoyable.

Plus tard, à l'Ere Glaciaire, quand les températures annuelles étaient les plus basses, les glaciers recouvraient entièrement les massifs montagneux, tout comme les sommets de moindre altitude, de leur croûte scintillante. A mesure qu'ils avançaient, les glaciers creusaient des vallées et des crevasses, et laissaient derrière leur passage des plaines de lavage, des terrasses de graviers, et sculptaient des pitons rocheux dans les plus jeunes sommets. Mais le glacier actuel, immense couche de glace éternelle, n'avait perduré qu'en haute altitude.

Au nord, les fondements vallonnés des montagnes érodées se découpaient en terrasses, où les cours supérieurs des rivières avaient creusé des vallées en pente douce. Au sud, hormis les torrents qui tombaient directement en cascade des hauts massifs, les rivières dévalaient des pentes plus abruptes. La riche terre fertile où la Grande Rivière Mère serpentait indiquait la démarcation entre les hauts plateaux vallonnés du Nord et les montagnes du Sud.

Ayla et Jondalar se dirigeaient presque droit à l'ouest, sur la rive nord du grand fleuve, à travers les vastes plaines alluviales. Le fleuve n'était plus cette énorme Mère de toutes les rivières au débit volumineux qu'ils avaient longée auparavant, mais elle n'en demeurait pas moins conséquente, et après quelques jours, comme à son habitude, elle se divisa en plusieurs chenaux.

Une demi-journée de marche en amont, ils tombèrent sur un nouvel affluent dont la confluence tumultueuse leur sembla périlleuse, avec un rideau de glace et des monticules de glaçons bordant chaque rive. Les affluents ne descendaient plus des massifs familiers du Nord, maintenant dépassés, mais des terres inconnues de l'Ouest. Réticent à franchir cette rivière dangereuse, et ne voulant pas en remonter le courant, Jondalar préféra revenir sur ses pas et traverser les multiples bras de la Mère.

Le choix se révéla judicieux. Certains chenaux étaient larges, pris dans les glaces le long des rives, et l'eau atteignait à peine les flancs des chevaux. Le soir, après tant d'incidents et de drames en franchissant d'autres cours d'eau, cette traversée en douceur de la Grande Rivière Mère leur parut paradoxale, mais Ayla et Jondalar ne songeaient pas à s'en plaindre.

Dans le froid glacial de l'hiver, le simple fait de voyager était suffisamment dangereux. La plupart des gens restaient dans le chaud confort de leur logis, et si quelqu'un s'attardait dehors, les parents ou les amis se précipitaient à sa recherche. Ayla et Jondalar étaient seuls. Qu'un accident survienne, et ils ne pouvaient compter que sur eux-mêmes.

A mesure qu'ils grimpaient, ils remarquaient de subtils changements dans la végétation. Les sapins et les mélèzes faisaient leur apparition parmi les épicéas et les pins, près du fleuve. La température dans les vallées était souvent plus froide qu'en altitude. La neige et la glace blanchissaient les hauts plateaux environnants, mais il neigeait rarement dans les vallées. Quelques légers flocons s'amoncelaient parfois sur le sol gelé et dans les creux ou les dépressions. Lorsque les voyageurs ne trouvaient pas de neige, ils brisaient la glace des rivières avec leur hache de pierre, et la faisaient fondre pour se désaltérer.

Ayla devint plus attentive aux animaux qui parcouraient les plaines de la vallée de la Mère. C'étaient les mêmes espèces qu'elle avait rencontrées dans les steppes, mais celles qui recherchaient le froid prédominaient. Ayla n'ignorait pas que la végétation desséchée des plaines glaciales suffisait à leur subsistance, mais elle se demandait où ils trouvaient l'eau nécessaire.

Elle devinait que les loups et les autres carnassiers tiraient le liquide indispensable du sang de leurs proies, et qu'en sillonnant de vastes étendues, ils trouvaient des poches de neige ou des morceaux de glace à sucer. Mais qu'en était-il des chevaux et autres herbivores ? Où trouvaient-ils de l'eau dans des terres qui se transformaient l'hiver en un désert gelé ? Certaines régions étaient certes recouvertes de neige, mais d'autres n'étaient que rocaille dénudée ou glace. Pourtant, desséché ou pas, partout où l'on trouvait du fourrage, on trouvait aussi des animaux.

Bien qu'ils fussent toujours rares, Ayla aperçut davantage de rhinocéros laineux que jamais, et les inévitables bœufs musqués qui les accompagnaient invariablement. Les deux espèces recherchaient les vastes étendues balayées par les vents, mais les rhinocéros préféraient l'herbe et les carex, alors que les bœufs musqués, comme les moutons à qui ils ressemblaient, se nourrissaient de lichens et de mousse. De grands rennes et des mégacéros gigantesques aux andouillers géants se partageaient aussi la plaine glaciale avec des chevaux protégés par leurs épaisses robes hivernales, mais le roi de cette vallée était incontestablement le mammouth.

Ayla ne se lassait jamais d'observer ces géants. Bien que parfois chassés par les humains, ils étaient si peu farouches qu'on aurait pu les croire apprivoisés. Ils se laissaient souvent approcher. Le risque était davantage du côté des humains. Les mammouths laineux, qui n'étaient pourtant pas les plus gigantesques de leur espèce, restaient toutefois les animaux les plus imposants que les humains eussent jamais vus, et qu'ils verraient jamais. Avec leur double fourrure d'hiver et leurs défenses énormes, ils semblaient encore plus gros que dans le souvenir d'Ayla.

Chez les petits, les défenses s'annonçaient par des incisives supérieures d'environ quatre centimètres. Elles tombaient au bout d'un an, et étaient remplacées par des défenses qui continueraient à pousser toute la vie. Bien que les défenses fussent des ornements d'apparat jouant un rôle important dans les relations entre mammouths, elles leur servaient aussi à briser la glace. Et à ce jeu-là, les capacités des mammouths étaient phénoménales.

Ayla en prit conscience un jour qu'elle observait un troupeau de femelles qui se dirigeait vers le fleuve. Certaines utilisèrent leurs défenses, plus petites et plus droites que celles des mâles, pour arracher des blocs de glace pris dans les anfractuosités de la roche. Ayla ne comprit pas tout de suite l'intérêt de leurs efforts, puis elle vit une jeune femelle saisir un morceau de glace avec sa trompe et l'enfourner dans sa bouche.

— De l'eau ! s'exclama-t-elle. C'est comme ça qu'elles s'abreuvent ! Je me demandais où elles trouvaient à boire.

— Oui, je n'y avais jamais songé, mais maintenant que tu en parles, je me souviens que Dalanar racontait des histoires là-dessus. Je connaissais beaucoup de dictons sur les mammouths, mais je n'en ai retenu qu'un : « Ne t'aventure jamais dehors quand les mammouths vont au nord. » On pourrait en dire autant avec les rhinocéros, d'ailleurs.

— Je ne comprends pas, avoua Ayla.

— Cela veut dire qu'une tempête de neige approche, expliqua Jondalar. Ces grosses créatures n'aiment pas la neige qui cache leur nourriture. Ils en déblaient une partie avec leurs défenses et leur trompe, mais quand la neige est très profonde, ils s'y enlisent. C'est dangereux pour eux surtout s'il gèle après un redoux. Ils s'allongent pour la nuit quand la neige a été ramollie par le soleil, et au matin leur fourrure gelée est prise dans le sol. Ils ne peuvent plus bouger. C'est le moment idéal pour les chasser. Mais même s'ils ne sont pas massacrés par les chasseurs et que le dégel tarde, ils restent cloués au sol et meurent lentement de faim. Les plus jeunes meurent parfois de froid.

— Quel rapport avec le fait d'aller au nord ?

— Plus tu vas vers le glacier, moins il y a de neige. Te souviens-tu du jour où nous avons chassé le mammouth avec les Mamutoï ? Il n'y avait qu'un torrent qui provenait de la fonte du glacier. Et nous étions en été. L'hiver, tout est gelé.

— Et c'est pour cela qu'il n'y a presque pas de neige par ici ?

— Oui. Dans cette région, il fait toujours froid et sec, surtout en hiver. On dit que c'est à cause de la proximité des glaciers. Ils recouvrent les montagnes du Sud, et le Grand Glacier n'est pas très loin au nord. La région limitrophe est un territoire de Têtes Plates... heu, je veux dire du Clan. Elle commence un peu plus à l'ouest, précisa Jondalar qui avait remarqué la réaction d'Ayla et se sentit gêné. Il y a un autre dicton sur les mammouths et l'eau, mais je l'ai oublié. C'est quelque chose comme : « Si tu ne trouves pas d'eau, cherche les mammouths. »

— Ah, celui-là, je le comprends, dit Ayla qui regardait au-delà de Jondalar.

Il se retourna pour voir ce qui l'intéressait. Les femelles

avaient remonté le fleuve et joignaient leurs efforts à ceux des mâles. Plusieurs d'entre elles attaquaient une étroite paroi de glace presque verticale qui s'était formée au bord du fleuve. Les plus gros mâles, parmi lesquels un vieux mammouth au poil sillonné de gris, et dont les défenses impressionnantes se croisaient devant les yeux — perdant ainsi beaucoup de leur efficacité —, creusaient la paroi et arrachaient des blocs de glace énormes. Ils les soulevaient ensuite avec leur trompe et les fracassaient en petits morceaux en les jetant violemment au sol. Le tout accompagné de mugissements, de barrissements et de piétinements assourdissants. Les bêtes énormes semblaient prendre un plaisir évident à ce petit jeu.

Cette technique pour casser la glace était connue de tous les mammouths. Même les minuscules défenses de cinq centimètres des jeunes d'à peine trois ans qui venaient juste de perdre leurs incisives étaient déjà usées à force de gratter la glace, et la pointe des défenses de cinquante centimètres des jeunes de dix ans présentaient une usure caractéristique à force de racler les parois verticales des murs de glace. Lorsqu'ils atteignaient leur vingt-cinquième année, les défenses des jeunes mammouths commençaient à s'incurver vers le haut, modifiant alors leur utilisation. La surface inférieure des défenses s'usait dans les efforts pour déblayer la glace et la neige qui recouvraient les plantes des steppes. Casser des blocs de glace représentait parfois un danger, et les défenses se brisaient souvent. Mais les pointes cassées étaient vite polies par l'acharnement des mammouths à creuser et dégager des blocs de glace afin de se désaltérer.

Ayla s'aperçut que d'autres animaux s'étaient assemblés. Les troupeaux de mammouths ne cassaient pas seulement des blocs de glace pour leur consommation personnelle, toute la communauté animale en profitait et accompagnait les mammouths dans leur migration. Les énormes créatures laineuses ne se contentaient pas de dégager des blocs de glace en hiver, ils creusaient aussi des trous dans les lits

777

asséchés des rivières en été, qui se remplissaient ensuite d'eau. Ces réservoirs profitaient aussi à ceux qui avaient la bonne idée de suivre les géants.

Ayla et Jondalar longeaient les berges de la Grande Rivière Mère, soit à cheval, soit à pied. La neige était trop rare pour camoufler la terre et la végétation dormante montrait son terne aspect hivernal. Les longues hampes des roseaux phragmites et les épis des massettes pointaient vaillamment au-dessus de leur lit marécageux, alors que les fougères mortes et les carex s'étendaient prostrés le long des rives gelées. Les lichens accrochés aux rochers ressemblaient aux croûtes d'une blessure, et la mousse racornie se réduisait en petits tapis secs et cassants.

Les longs doigts squelettiques des rameaux dénudés cliquetaient dans le vent coupant, et seul un œil averti pouvait reconnaître un bosquet de saules, de bouleaux ou d'aulnes. Les conifères au vert profond étaient faciles à différencier — épicéas, sapins ou pins — et, bien que les mélèzes eussent perdu leurs aiguilles, leur contour était facilement identifiable. Lorsque Ayla et Jondalar s'aventuraient en altitude pour y chasser, ils voyaient des mélèzes nains rampants et des pins minuscules accrochés au sol.

Le petit gibier fournissait l'essentiel de leurs repas. Les longues traques pour chasser de plus grosses proies demandaient trop de temps. Cependant ils n'hésitèrent pas à chasser le cerf quand ils en surprirent un. La viande se conservait bien, et même Loup n'eut pas besoin de chasser pendant un moment. Les lièvres, les lapins et les castors, qui abondaient dans cette région montagneuse, constituaient leur gibier principal, mais ils trouvaient aussi des animaux des steppes habitués au climat continental, tels que marmottes et hamsters géants. Ayla appréciait toujours autant les lagopèdes, gras oiseaux blancs aux pattes recouvertes de plumes blanches.

Ils préféraient économiser les sagaies pour le gros gibier et la fronde d'Ayla était souvent mise à contribution. Il était plus simple de trouver des pierres que de remplacer les sagaies endommagées ou perdues. Mais il arrivait que la chasse leur prît plus de temps que Jondalar ne le souhaitait, et chaque retard le rendait nerveux.

Ils complétaient souvent leur régime, principalement à base de viandes maigres, par des écorces de conifère ou d'autres arbres qu'Ayla faisait cuire dans un brouet de viande, et ils découvraient toujours des baies avec plaisir. Elles étaient gelées mais s'accrochaient encore aux branches. Les baies de genièvre, délicieuses avec de la viande à condition d'en utiliser peu, étaient les plus abondantes ; les gratte-cul, moins fréquents, se ramassaient par poignées quand on en trouvait et leur goût était plus doux après les gelées ; l'empêtre rampant offrait durant tout l'hiver des petites baies noires et brillantes qui se cachaient dans un feuillage persistant ; les airelles et les raisins d'ours duraient également toute la saison froide.

Ayla ajoutait aussi des graines et des céréales dans ses brouets, mais la cueillette était pénible. Certaines herbacées portaient encore des épis, mais elles étaient rares et avaient perdu leurs feuilles. Ayla, qui regrettait les légumineuses et les fruits séchés que les loups avaient dévorés, ne regrettait pourtant pas les réserves qu'elle avait laissées aux S'Armunaï.

Whinney et Rapide, mangeurs d'herbe exclusifs pendant l'été, avaient étendu leur régime aux brindilles dont ils mâchonnaient le bout, aux écorces d'arbre, ainsi qu'à une variété particulière de lichen, celle que les rennes adoraient. Ayla le remarqua et en cueillit qu'elle goûta avant d'en faire profiter Jondalar. Elle trouva le lichen âpre mais comestible, et elle testa plusieurs façons de le cuire.

Ayla et Jondalar ne mangeaient pas les petits rongeurs, lemmings, souris ou campagnols — ils laissaient cette friandise à Loup pour le remercier de l'avoir débusquée —, mais ils pillaient leurs nids. Dès qu'ils trouvaient un terrier, ils fouillaient le sol gelé avec un bâton à fouir, et découvraient les petits animaux camouflés au milieu d'une réserve de graines, de noix et de bulbes.

Et Ayla avait toujours sa poche à médecines. En songeant aux dommages causés par les loups, elle frémissait à l'idée qu'elle aurait pu la laisser avec la tente et le reste du matériel. Mais jamais elle n'abandonnerait sa poche à médecines, et la simple pensée de la perdre la rendait malade. En outre, son contenu et l'expérience accumulée au cours des siècles qui lui avait été transmise permettaient à Ayla de maintenir les deux Voyageurs en meilleure santé qu'ils ne croyaient l'être.

Elle utilisait toute la végétation disponible, comme les aiguilles de semper virens et surtout les jeunes pousses, riches en vitamines indispensables pour lutter contre le scorbut. Elle en jetait dans les infusions, d'abord parce qu'ils en appréciaient la saveur acide et poivrée, mais aussi parce qu'elle en connaissait les bienfaits. Elle avait souvent préparé des décoctions à base d'aiguilles de semper virens pour ceux dont les gencives saignaient et dont les dents se déchaussaient pendant les longs hivers où la nourriture principale était la viande maigre.

Afin d'éviter toute perte de temps, ils mangeaient peu, mais ne sautaient que rarement un repas. Leur régime sans graisse et les efforts physiques du Voyage les amaigrissaient. Ils n'en parlaient pas souvent, mais ils étaient tous deux las de chevaucher sans cesse, et chacun avait hâte d'arriver à destination. Pendant la journée, ils ne parlaient quasiment pas.

Ils chevauchaient ou marchaient en file indienne, assez près l'un de l'autre pour entendre un éventuel appel, mais trop loin pour mener une conversation. Il leur restait donc du temps pour penser, et le soir au campement chacun faisait part à l'autre du fruit de ses réflexions quotidiennes.

Ayla récapitulait ses dernières aventures. Elle avait beaucoup réfléchi aux événements du Camp des Trois Sœurs, et avait essayé de comparer les S'Armunaï et leurs deux chefs cruels, Brugar et Attaroa, avec les Mamutoï et le frère et la sœur, compréhensifs et amicaux, qui les dirigeaient. Et elle ne manquait pas de s'interroger sur les Zelandonii. Jondalar possédait tant de qualités qu'elle ne pouvait concevoir son peuple autrement que foncièrement bon, mais en réfléchissant à leurs sentiments à l'égard du Clan, elle se demandait si les Zelandonii l'accepteraient. S'Armuna avait fait des allusions à leur forte aversion pour ceux qu'ils appelaient les Têtes Plates, mais Ayla ne les imaginait tout de même pas aussi cruels que la Femme Qui Ordonne des S'Armunaï.

— Je ne comprends pas comment Attaroa a pu commettre de telles atrocités, remarqua-t-elle un soir qu'ils terminaient leur repas. Je me pose des questions.

— Quel genre de questions ?

— Des questions sur mon peuple, les Autres. Quand je t'ai rencontré, j'étais si heureuse de trouver enfin un de mes semblables. J'étais soulagée de n'être plus seule au monde. Et comme tu étais merveilleux, j'ai cru que tous ceux de ma race étaient comme toi. Ça m'a rendue très heureuse.

Elle était sur le point d'ajouter : « jusqu'à ta réaction de dégoût quand je t'ai appris que j'avais été élevée par le Clan ». Mais elle se retint en voyant Jondalar rougir de plaisir sous le compliment.

Jondalar était ému de l'entendre parler ainsi, et il l'admirait.

— Ensuite, quand nous avons rencontré les Mamutoï, Talut et ceux du Camp du Lion, poursuivit Ayla, j'ai continué à croire que tous les Autres étaient bons et généreux. Ils s'aidaient mutuellement, et chacun avait son mot à dire lorsqu'il fallait prendre une décision importante. Bien sûr, il y avait Frebec, mais il n'était pas si méchant en fin de compte. Même ceux de la Réunion d'Eté qui s'étaient ligués contre moi à cause de mon éducation chez le Clan, et certains des Sharamudoï, n'agissaient que par une peur due à l'ignorance.

Leurs intentions n'étaient pas mauvaises. Mais Attaroa était cruelle, une vraie hyène.

— Attaroa était une exception, rappela Jondalar.

— Oui, mais regarde tous ceux qu'elle a influencés. S'Armuna a été jusqu'à utiliser son savoir sacré pour l'aider à tuer et à persécuter des gens, même si elle l'a regretté par la suite. Et Epadoa était prête à lui obéir aveuglément.

— Elles avaient leurs raisons, protesta Jondalar. Les femmes avaient été maltraitées.

— Je connais les raisons. S'Armuna croyait bien faire. Epadoa adorait chasser et aimait Attaroa qui l'y autorisait. Je comprends ça. Moi aussi j'aimais chasser et j'ai transgressé les lois du Clan pour le seul plaisir de la chasse.

— Epadoa peut chasser pour tout le Camp, maintenant, et je ne crois pas qu'elle soit vraiment mauvaise. Doban m'a dit qu'elle lui avait promis de ne plus jamais lui faire de mal, et d'empêcher quiconque de lui en faire. Je crois qu'elle l'aime encore plus à cause de tout ce qu'elle lui a fait endurer. Elle tient l'occasion de se racheter, et elle ne la laissera pas passer.

— Epadoa ne voulait pas faire du mal à ces enfants. Elle a dit à S'Armuna qu'elle avait obéi à Attaroa de crainte que la Femme Qui Ordonne les tuât si elle refusait. Attaroa elle-même avait de bonnes raisons. La souffrance l'avait pervertie. Elle avait cessé d'être humaine, mais quelles qu'en soient les raisons, elles ne l'excusent pas. Même Broud, aussi cruel fût-il, n'aurait jamais commis autant de crimes, et pourtant il me détestait. Et il n'a jamais fait souffrir volontairement un enfant. Je croyais que ceux de ma race étaient bons, mais je n'en suis plus aussi sûre, ajouta Ayla, l'air triste.

— Il y a des bons et des mauvais partout, Ayla, chacun possède du bon et du moins bon en lui, avança Jondalar.

Il comprenait qu'Ayla était en train de faire l'inventaire de ses dernières expériences et qu'elle essayait de les intégrer dans sa vision du monde. C'était un moment important pour elle.

— Mais l'un dans l'autre, tout le monde est honnête et essaie d'aider son prochain, ajouta-t-il. C'est dans l'intérêt de chacun. Après tout, on ne sait jamais si on n'aura pas besoin d'aide un jour, alors autant faire preuve de civilité.

— Oui, mais il y a les détraqués, comme Attaroa, rétorqua Ayla.

— C'est vrai, concéda Jondalar. Et aussi ceux qui ne donnent qu'à contrecœur, ou pas du tout, mais ils ne sont pas mauvais pour autant.

— Oui, mais quelqu'un peut à lui seul développer chez les autres le mal que chacun porte en soi, comme Attaroa avec Epadoa.

— La seule chose que nous puissions faire est d'empêcher les êtres malfaisants de nuire. Estimons-nous heureux qu'il n'y ait pas davantage d'Attaroa. Mais je t'en prie, Ayla, ne laisse personne gâcher l'élan qui te porte vers les autres.

— Attaroa ne changera pas l'opinion que j'ai sur ceux que je connais, et je crois que tu as raison pour la majorité des humains, Jondalar. Mais Attaroa m'a rendue prudente.

— La prudence n'a jamais fait de mal à personne, mais donne une chance aux gens de montrer leur bon côté avant de les condamner.

Les hauts plateaux de la rive nord les accompagnaient dans leur avancée vers l'ouest. Sur les monts vallonnés, les arbres aux feuilles persistantes, et dont les cimes étaient sculptées par les vents glacés, se découpaient sur le ciel. Le fleuve se partageait en plusieurs chenaux qui serpentaient au fond d'un cirque. Au sud et au nord, les frontières de la vallée gardaient leurs différences caractéristiques, mais le fondement rocheux entre le lit de la rivière et les falaises calcaires des montagnes méridionales était craquelé et creusé de profondes failles. Le cours du fleuve s'inclinait vers le nord-ouest.

L'extrémité est du bassin était bordée par une autre ligne de faille causée par la dépression du cirque davantage que par le soulèvement de la roche calcaire. Vers le sud, le terrain s'étendait sur un vaste plateau avant de remonter vers les montagnes, mais le plateau granitique septentrional se rapprochait du fleuve, et descendait en pente raide sur la rive opposée.

Ils campèrent dans le cirque. Près de la rivière, les troncs grisâtres et les branches dénudées des hêtres firent une apparition parmi les épicéas, les sapins, les pins et les mélèzes. La région était assez abritée pour que croissent des arbres aux feuilles caduques. Autour des arbres, un petit troupeau de mammouths, mâles et femelles mêlés, tournait en rond dans une apparente confusion. Ayla s'approcha pour tenter de découvrir ce qui se passait.

Un mammouth, vieux géant aux défenses gigantesques, gisait au sol. Ayla se demandait si c'était le troupeau qu'ils avaient observé casser les blocs de glace. Existait-il deux mammouths aussi vieux dans la même région ? Jondalar rejoignit Ayla.

— Je crois qu'il est en train de mourir. Ah, comme j'aimerais pouvoir faire quelque chose ! s'exclama Ayla.

— Il a dû perdre ses dents, expliqua Jondalar. Dans ce cas, il n'y a rien à faire, si ce n'est rester avec lui pour lui tenir compagnie, comme ce troupeau.

— Que peut-on exiger de plus ? soupira Ayla.

Chaque mammouth adulte consommait de grandes quantités de nourriture tous les jours, principalement les tiges ligneuses des hautes herbacées ainsi que quelques petits arbustes. Avec un régime aussi rugueux, les dents des mammouths étaient donc essentielles. Si essentielles même que l'espérance de vie d'un mammouth dépendait de la solidité de sa denture.

Un mammouth laineux développait plusieurs séries de grosses molaires broyeuses pendant sa vie d'environ soixante-dix ans. Six de chaque côté des maxillaires supérieur et inférieur. Chaque dent pesait près de quatre kilos et était spécialement adaptée au broyage des robustes herbacées. La surface était faite de fines stries parallèles extrêmement dures — plaques de dentine recouvertes d'émail — et possédait des couronnes plus hautes et davantage de stries que les dents de n'importe quelle autre espèce existante ou à venir. Les mammouths étaient surtout des mangeurs d'herbe. En hiver, les lambeaux d'écorce, les pousses printanières, les feuilles ou les branches, même les petits arbustes qu'ils ajoutaient à leur menu ordinaire constitué de grossières tiges ligneuses n'étaient que des à-côtés.

Les molaires précoces, les plus petites, poussaient les premières vers l'avant des mâchoires. Les autres, à l'arrière de la mâchoire, poussaient d'une façon régulière et continue pendant tout la vie de l'animal. Une ou deux dents seulement étaient utilisées en même temps. Aussi dure que fût la surface broyeuse, les dents s'élimaient peu à peu à mesure qu'elles poussaient, et les racines finissaient par se désagréger. Enfin, les derniers fragments de dents tombaient, et de nouvelles molaires les remplaçaient. Un mammouth commençait à utiliser ses dernières dents vers cinquante ans, et quand elles étaient trop usées il devenait incapable de mâcher les herbacées rugueuses. Il pouvait encore manger des plantes plus tendres, des plantes printanières, et la faim et le désespoir l'amenaient souvent à quitter le troupeau pour chercher de meilleurs pâturages, mais il ne trouvait que la mort. Le troupeau savait quand la fin d'un des siens approchait, et il n'était pas rare qu'il l'accompagne dans ses derniers jours.

Les mammouths protégeaient les mourants avec autant de soin que les nouveau-nés. Unissant leurs efforts, ils se groupaient autour de celui qui était tombé de vieillesse et tentaient de le relever. A sa mort, ils l'enfouissaient sous des piles de détritus, de feuillage ou de neige. On racontait que des mammouths ensevelissaient aussi d'autres animaux, et même des humains !

785

En quittant la plaine alluviale et les mammouths, Ayla, Jondalar et leurs compagnons à quatre pattes s'engagèrent sur un terrain plus accidenté et plus pentu. Ils approchaient d'une gorge. Un pied de l'ancien massif septentrional s'était étendu trop au sud, et les eaux de la Mère l'avaient coupé en deux. En s'engouffrant dans le défilé, le débit s'accélérait et l'eau coulait trop vite pour geler mais elle charriait des glaces flottantes provenant des eaux plus calmes de l'amont. Après toute cette étendue de glace, les voyageurs contemplaient avec étonnement les eaux tumultueuses. Au sud s'étendaient des mesas plantées de bois de conifères dont les branches enneigées scintillaient. Les squelettes décharnés des arbres à feuilles caduques et des arbrisseaux étaient enrobés d'une coulée de glace, vestige d'une pluie glaciale, qui soulignait chaque branche et chaque brindille. Ayla était fascinée par la beauté du spectacle hivernal.

L'altitude s'élevait toujours, après chaque crête, le vallon suivant était plus haut que le précédent. L'air était froid, vif et limpide. Même lorsque le ciel se couvrait, il ne neigeait jamais. Les précipitations se faisaient plus rares à mesure que l'hiver avançait. La seule humidité provenait de la buée exhalée par les deux humains et leurs compagnons de voyage.

A l'ouest, ils rencontrèrent une autre gorge. Ils escaladèrent la crête rocheuse jusqu'à un promontoire qui dominait le paysage. Là, ils s'arrêtèrent, saisis par la majesté du panorama. Les voyageurs ne savaient pas encore qu'ils contemplaient pour la dernière fois la Grande Mère partagée en multiples chenaux. Sous leurs yeux, la vallée alluviale s'incurvait brusquement dans une gorge en un courant unique et tourbillonnant, charriant des blocs de glace et des débris de toute sorte. Après une traversée mouvementée, les flots étaient expulsés avec un formidable rugissement dans la vallée où ils gelaient de nouveau rapidement.

Ayla et Jondalar observèrent un tronc d'arbre tournoyer en s'enfonçant davantage à chaque nouvelle spirale.

— Je n'aimerais pas tomber là-dedans, avoua Ayla en frissonnant.

— Moi non plus.

L'attention d'Ayla fut alors attirée par quelque chose à l'horizon.

— D'où viennent ces nuages de vapeur, Jondalar? demanda-t-elle. Il gèle et les collines sont couvertes de neige.

— Il y a des sources d'eau chaude par là-bas. C'est le souffle de Doni Elle-même qui réchauffe l'eau. Certains humains ont peur de s'y aventurer, mais le peuple que je veux visiter habite près d'un de ces puits chauds. Les puits chauds sont sacrés pour eux, même si certains sentent très mauvais. On dit que l'eau de ces puits guérit les maladies.

— Quand arriverons-nous chez eux? demanda Ayla, impatiente d'enrichir sa culture médicale.

De plus, les réserves de nourriture déclinaient, et ils ne voulaient pas perdre de temps à chasser. Ils s'étaient même couchés plusieurs fois le ventre vide.

Après un dernier à-plat, la pente s'accentua brusquement. Ils étaient encerclés par de hauts plateaux que dominaient les pics glacés. Plus ils avançaient vers l'ouest, plus le manteau de glace s'épaississait. Au sud-ouest, deux pics se dressaient au-dessus des montagnes et faisaient penser à un couple surveillant sa nichée d'enfants.

Le terrain s'aplanit. Jondalar s'éloigna de la rivière et bifurqua vers le sud, en direction d'un nuage de vapeur qui flottait dans le lointain. Arrivés en haut d'une crête, les voyageurs embrassèrent du regard une prairie enneigée qui les séparait d'un bassin d'eau fumante, près d'une caverne.

Plusieurs personnes les avaient vus approcher et regardaient dans leur direction d'un air effaré. Ils étaient tous pétrifiés, sauf un qui pointait sa sagaie vers eux.

35

— Descendons de cheval et continuons à pied, suggéra Jondalar en voyant approcher à pas prudents des hommes et des femmes armés de sagaies. J'aurais dû me souvenir de l'effet de terreur que nous produisons. Il aurait mieux valu laisser les chevaux hors de vue des Losadunaï, et repartir les chercher après avoir démontré que nous n'étions pas des esprits malfaisants.

Ils mirent pied à terre et Jondalar eut la vision soudaine et poignante de son « petit frère », Thonolan, confiant et le sourire aux lèvres, allant vers une Caverne ou un Camp d'étrangers. Cette vision lui parut un heureux présage. Il sourit et fit de grands signes amicaux puis il ôta la capuche de sa pelisse pour qu'on le reconnût, et s'avança les deux mains tendues, paumes vers le haut, pour prouver ses intentions pacifiques.

— Je cherche Laduni des Losadunaï ! clama-t-il. C'est moi, Jondalar des Zelandonii ! Mon frère et moi sommes passés par ici il y a quelques années, et Laduni m'avait proposé de le visiter à mon retour.

— Je suis Laduni, dit un homme en zelandonii avec un léger accent.

Il marcha au-devant des deux voyageurs, la sagaie pointée sur eux, et examina attentivement l'étranger.

— Alors tu prétends être Jondalar ? Jondalar des Zelandonii ? C'est vrai, tu ressembles à l'homme que j'ai connu.

— Parce que c'est moi ! répliqua Jondalar d'un ton enjoué. Ah, je suis content de te voir, Laduni ! Je craignais de m'être trompé de chemin. Je suis allé au bout de la Grande Rivière Mère, et même au-delà, et voilà que si près de chez moi, je n'étais plus sûr de trouver ta Caverne. Ce sont les vapeurs des puits chauds qui m'ont guidé. J'ai avec moi quelqu'un que j'aimerais te présenter.

Le vieil homme dévisagea Jondalar avec circonspection. Etait-ce bien là l'homme qu'il avait connu ? Pourquoi réapparaissait-il en si étrange compagnie ? Il avait l'air plus âgé, ce qui était normal, et ressemblait davantage qu'autrefois à Dalanar. Il avait revu le vieux tailleur de silex quelques années plus tôt lorsqu'il était venu faire du troc, et aussi, du moins Laduni le pensait-il, pour découvrir ce qu'il était advenu du fils de son foyer et de son frère. Dalanar serait heureux de le savoir en vie. Laduni s'approcha de Jondalar en tenant sa sagaie d'un geste moins menaçant, mais prête malgré tout, en cas de nécessité. Il jeta un coup d'œil aux chevaux, dont l'étonnante docilité le stupéfiait, et vit seulement la jeune femme.

— Ces chevaux ne ressemblent pas à ceux qu'on voit par ici, fit Laduni. Les chevaux de l'Est seraient-ils plus dociles ? On doit les chasser plus facilement, alors.

Soudain l'homme se crispa, et leva sa sagaie en visant Ayla.

— Jondalar, ne bouge surtout pas ! s'écria-t-il.

Tout s'était passé si vite que Jondalar n'avait pas eu le temps de réagir.

— Laduni ! Que fais-tu ?

— Un loup vous a suivis. Et il a eu l'audace de s'avancer à découvert.

— Non ! hurla Ayla, en s'interposant entre le loup et la sagaie.

— Ce loup voyage avec nous. Ne le tue pas! s'exclama Jondalar en se précipitant pour protéger Ayla.

Ayla se laissa tomber près du loup et l'enlaça. Elle le maintint fermement, à la fois pour le protéger et pour l'empêcher d'attaquer l'homme à la sagaie. Les poils du fauve se hérissaient, ses babines retroussées dévoilaient des crocs menaçants tandis qu'il grondait sauvagement.

Laduni se figea. Il avait agi dans l'intérêt des visiteurs, et ils se comportaient comme s'il songeait à les blesser. Il jeta à Jondalar un regard interrogateur.

— Baisse ta sagaie, Laduni, je t'en prie! dit Jondalar. Le loup est notre compagnon, tout comme les chevaux. Il nous a sauvé la vie. Je te promets qu'il ne fera de mal à personne tant qu'on ne le menacera pas, ou qu'on n'attaquera pas la femme. Cela paraît étrange, je le sais, mais si tu me laisses le temps de t'expliquer, tu comprendras.

Laduni abaissa lentement sa sagaie sans quitter le loup des yeux. La menace éloignée, Ayla calma le fauve, se releva et s'approcha de Jondalar et de Laduni en faisant signe à Loup de rester près d'elle.

— Pardonne Loup, fit Ayla. Il aime beaucoup les humains auxquels il est habitué, mais nous venons de rencontrer des gens dangereux à l'est d'ici, et il est devenu méfiant. Maintenant il nous protège de tous les gens qu'il ne connaît pas.

Laduni remarqua qu'elle parlait parfaitement zelandonii, avec toutefois une pointe d'accent étranger. Il nota aussi... non, il n'en était pas sûr. Il avait déjà vu beaucoup de femmes blondes aux yeux bleus, mais le dessin de ses pommettes, la forme du visage... quelque chose en elle dénotait l'étrangère. Elle n'en était pas moins d'une beauté surprenante, ce qui ne faisait qu'ajouter au mystère.

Il adressa un sourire complice à Jondalar. Au souvenir de sa visite précédente, il n'était pas surpris que le géant blond revînt de son long Voyage accompagné d'une beauté exotique, mais qui aurait imaginé qu'il ramènerait des souvenirs en chair et en os comme ces chevaux et ce loup ? Il était impatient de l'entendre raconter ses aventures.

Le regard appréciateur de Laduni n'avait pas échappé à Jondalar et, en le voyant sourire, il se détendit.

— Voilà celle que je voulais te présenter, dit-il. Laduni, chasseur des Losadunaï, voici Ayla du Camp du Lion des Mamutoï, Elue par le Lion des Cavernes, Protégée par l'Ours des Cavernes, et Fille du Foyer du Mammouth.

Dès que Jondalar avait commencé les formules de politesse, Ayla avait tendu ses mains, paumes ouvertes, dans le geste traditionnel d'amitié.

— Je te salue, Laduni, Maître de Chasse des Losadunaï, déclara-t-elle.

Laduni se demanda comment elle avait deviné qu'il était le chef de chasse de son peuple, puisque Jondalar ne l'avait pas mentionné. Peut-être lui en avait-il parlé avant, mais elle venait de faire preuve d'une finesse évidente. Ce qui ne l'étonna pas. A entendre ses titres et filiations, il ne doutait pas qu'elle tînt un rang élevé parmi son peuple. Laduni n'était pas surpris que Jondalar ramenât une telle femme, sachant que sa mère et l'homme de son foyer avaient tous deux assuré les plus hautes responsabilités. Le sang de la mère et l'esprit de l'homme ne sauraient mentir.

Laduni saisit les mains qu'Ayla lui tendait.

— Au nom de Duna, la Grande Terre Mère, tu es la bienvenue, Ayla du Camp du Lion des Mamutoï, Elue par le Lion, Protégée par le Puissant Ours, et Fille du Foyer du Mammouth.

— Je te remercie de ton accueil, déclara Ayla selon la tradition. Et si tu me le permets, j'aimerais te présenter Loup, pour qu'il sache que tu es un ami.

Laduni fit la grimace. Il n'était pas si sûr de vouloir faire connaissance avec le loup, mais il n'avait, hélas ! pas le choix.

— Loup, voici Laduni des Losadunaï, dit Ayla en prenant la main de l'homme qu'elle fit sentir à l'animal. Laduni est un ami.

Après avoir reniflé la main de l'inconnu, mêlée à l'odeur d'Ayla, Loup parut comprendre que l'homme devait être accepté. En signe d'amitié, il renifla les parties intimes de Laduni, au grand dam de ce dernier.

— Suffit, Loup, gronda Ayla en lui faisant signe de reculer. Il sait maintenant que tu es un ami, ajouta-t-elle à l'adresse du chasseur, et que tu es un homme. Si tu veux lui souhaiter la bienvenue, Loup adore qu'on lui caresse la tête et qu'on le gratte derrière les oreilles.

Laduni n'était pas tout à fait rassuré, mais l'idée de caresser un loup vivant le tentait. Il avança prudemment la main et frôla la fourrure de l'animal. Enhardi, il flatta la tête de Loup et le gratta derrière les oreilles d'un air amusé. Il avait déjà touché la fourrure d'un loup... mais jamais vivant.

— Je suis désolé d'avoir menacé votre compagnon, assura-t-il. Mais c'est bien la première fois que je vois un loup accompagner des humains de son plein gré. Pareil pour les chevaux, d'ailleurs.

— Oui, je comprends, dit Ayla. Je te présenterai les chevaux plus tard. Ils sont un peu timides avec les étrangers, il leur faut du temps pour s'habituer à de nouveaux visages.

— Est-ce que tous les animaux de l'Est sont aussi amicaux ? s'étonna Laduni, son instinct de chasseur reprenant le dessus.

— Non, répondit Jondalar en souriant. Les animaux sont les mêmes partout. Ceux-ci doivent leur docilité à Ayla.

Laduni prit un air entendu, réprimant avec peine les questions qui le démangeaient. Mais ceux de la Caverne voudraient aussi profiter de leur récit.

— Je vous ai souhaité la bienvenue, et je vous invite à venir dans la Caverne pour vous réchauffer, partager notre nourriture et vous reposer. Mais laissez-moi d'abord expliquer aux autres la situation.

Sur ce, Laduni retourna vers le groupe qui s'était rassemblé devant l'entrée d'une grotte creusée dans la muraille. Il raconta comment il avait rencontré Jondalar quelques années auparavant lorsque le géant commençait son Voyage, et comment il l'avait invité à les visiter sur le chemin de son retour. Il précisa que Jondalar était apparenté à Dalanar, et insista sur la nature humaine des voyageurs. Il assura qu'ils n'étaient pas des esprits menaçants et qu'ils leur raconteraient tout sur les chevaux et le loup.

— Ils connaissent sûrement des histoires captivantes, conclut-il, sachant l'attrait qu'une telle perspective exerçait sur des gens que l'hiver avait cantonnés dans une caverne et qui commençaient à trouver le temps long.

Il ne parlait plus le zelandonii qu'il avait utilisé pour converser avec les Voyageurs, mais en l'écoutant attentivement Ayla reconnut des similarités avec la langue de Jondalar. Malgré l'intonation et la prononciation différentes, elle devina que le losadunaï dérivait du zelandonii comme le s'armunaï et le sharamudoï du mamutoï. Le losadunaï ressemblait même au s'armunaï. Elle comprenait certains mots et avait saisi l'essentiel de ses propos. Il ne lui faudrait pas longtemps pour parler avec ces gens-là.

Le don qu'elle possédait pour les langues ne l'étonnait pas. Elle ne faisait pas d'efforts particuliers pour apprendre, mais son oreille exercée et sa vivacité à comprendre les relations entre les mots facilitaient grandement son apprentissage. La perte de son propre langage en même temps que de son peuple dans les premières années de sa vie, conjuguée à la nécessité d'acquérir un autre moyen de communication, qui utilisait toutefois la même partie du cerveau que le langage verbal, avaient renforcé son don inné pour les langues. Son envie impérative de communiquer quand elle s'était rendu compte qu'elle ne savait pas parler avait développé chez elle un besoin inconscient d'apprendre toutes les langues inconnues. La combinaison de ces différents facteurs avait concouru à la rendre extrêmement réceptive à toutes les langues nouvelles.

— Losaduna est heureux de vous accueillir au foyer des

visiteurs, déclara Laduni après avoir parlementé avec les autres Losadunaï.

— Nous voulons d'abord décharger les chevaux et les faire paître, dit Jondalar. Peut-on les installer dans le pré devant votre Caverne, je vois qu'il y reste du fourrage d'hiver.

— Oui, bien sûr, répondit Laduni. Tout le monde sera ravi de voir les chevaux de si près.

Il observait Ayla du coin de l'œil, et se demandait quel sort elle avait bien pu jeter aux animaux. Nul doute qu'elle détînt des pouvoirs magiques extrêmement puissants.

— J'ai une autre faveur à te demander, fit Ayla. Loup a l'habitude de dormir près de nous. Il serait très malheureux d'être éloigné de nous. Au cas où votre Losaduna, ou votre Caverne, ne supporterait pas sa présence, nous planterions notre tente dehors.

Laduni parlementa encore avec les siens, et revint trouver les visiteurs.

— Ils veulent que vous vous installiez à l'intérieur, mais les mères sont inquiètes pour leurs enfants.

— Je comprends leur inquiétude, admit Ayla. Je te promets que Loup ne fera de mal à personne, mais si cela ne suffit pas, nous resterons dehors.

Nouveau conciliabule.

— Ils disent que vous pouvez entrer, déclara ensuite Laduni.

Laduni accompagna Ayla et Jondalar à l'endroit où ils avaient laissé les chevaux, très ému de faire connaissance avec Whinney et Rapide. Il avait souvent chassé des chevaux, mais n'avait jamais eu l'occasion d'en toucher un vivant, sauf par hasard et en pleine course. Devant son air émerveillé, Ayla décida de lui proposer plus tard un tour sur le dos de Whinney.

Comme ils revenaient à la caverne en tirant le canot chargé de toutes leurs affaires, Laduni demanda des nouvelles de Thonolan. Il devina la tragédie sur le visage de Jondalar.

— Thonolan est mort. Il a été tué par un lion des cavernes.

— Je suis navré de l'apprendre. J'aimais bien ton frère.

— Oui, tout le monde l'aimait.

— Il voulait tant suivre la Grande Rivière Mère jusqu'au bout. Y est-il parvenu ?

— Oui, il a vu la fin de la Grande Mère avant de mourir, mais il n'avait plus le cœur à l'apprécier. Il était épris d'une femme et s'était uni à elle. Mais elle est morte en couches. Ensuite, il n'a plus été le même. Il avait perdu le goût de vivre.

— Comme c'est triste, s'apitoya Laduni. Lui qui était si plein de vie. Filonia a longtemps pensé à lui après votre départ. Elle espérait qu'il reviendrait.

— Oh, Filonia ! Comment va-t-elle ? demanda Jondalar, qui n'avait pas oublié la jolie jeune fille du foyer de Laduni.

— Elle est unie à présent, et Duna lui sourit. Elle a deux enfants. Peu après votre départ, elle a découvert qu'elle était enceinte, et tous les Losadunaï en âge de s'unir ont soudain trouvé de multiples prétextes pour nous rendre visite.

— Je les comprends, assura Jondalar. Dans mon souvenir, c'était une très jolie femme. Elle avait entrepris le Voyage, si je ne me trompe ?

— Oui, avec un cousin plus âgé qu'elle.

— Et tu dis qu'elle a deux enfants ?

— Oui, confirma Laduni, l'œil pétillant de joie. Une fille de sa première bénédiction, Thonolia — Filonia était persuadée qu'elle était la fille de l'esprit de ton frère —, et elle a eu un fils il y a peu. Elle vit dans la Caverne de son compagnon. Ils y ont plus de place, et ce n'est pas trop loin. Nous voyons souvent ses enfants, précisa-t-il avec un brin de fierté dans la voix.

— Je serais très heureux si Thonolia était l'enfant de l'esprit de Thonolan, dit Jondalar. La pensée qu'une parcelle de son esprit vit toujours dans ce monde atténuerait ma peine.

Etait-il possible que cela fût arrivé si vite ? s'interrogeait-il. Thonolan n'avait passé qu'une seule nuit avec Filonia. Son esprit était-il si puissant ? Ou alors, si Ayla avait raison, Thonolan aurait donc fait naître une nouvelle vie dans le ventre de Filonia grâce à l'essence de sa virilité pendant la nuit que nous avons passée chez eux ? Il se souvint alors de la femme avec qui il avait partagé les Plaisirs.

— Et Lanalia ? demanda-t-il

— Elle va bien. Elle est allée rendre visite à des parents d'une autre Caverne. Ils essaient de lui arranger une Union. Un homme a perdu sa compagne et se retrouve seul avec trois jeunes enfants de son foyer. Lanalia n'a pas eu la chance d'être bénie, et elle aurait pourtant aimé avoir des enfants. Si l'homme lui convient, ils s'uniront et elle adoptera les trois enfants de son foyer. Ce sera un arrangement heureux et elle était très impatiente de le rencontrer.

— Je suis content pour elle, et je lui souhaite beaucoup de bonheur, dit Jondalar en cachant sa déception.

Il avait espéré qu'elle serait devenue enceinte après avoir partagé les Plaisirs avec lui. Que ce soit son esprit ou l'essence de sa virilité, Thonolan a démontré sa puissance, se disait Jondalar. Mais moi ? Mon essence ou mon esprit manqueraient-ils de force ?

En entrant, Ayla examina la caverne avec intérêt. Elle avait déjà vu beaucoup d'habitations des Autres : abris mobiles utilisés en été, ou structures plus solides capables de résister aux rigueurs de l'hiver. Certaines étaient bâties avec des os de mammouth et recouvertes de gazon et d'argile, d'autres en bois sous un surplomb de la roche ou sur un ponton flottant, mais elle n'avait jamais vu de caverne comme celle-là depuis qu'elle avait quitté le Clan. La large entrée ouvrait au sud-est, et l'intérieur était spacieux. Brun s'y serait plu, songea-t-elle.

Lorsque ses yeux se furent habitués à l'obscurité, Ayla fut surprise par l'agencement qu'elle découvrit. Elle s'était attendue à voir plusieurs foyers, un foyer par famille, en somme. Or, il y avait bien plusieurs foyers, mais chacun d'eux était à l'entrée d'une sorte de tente faite de peaux tendues sur des pieux verticaux et sans toiture. Il est vrai que la caverne suffisait à protéger des intempéries. Elle comprit que les peaux formaient un écran contre les regards. Elle se souvint alors de l'interdit du Clan : on ne devait pas porter les yeux à l'intérieur des espaces définis par des pierres qui délimitaient chaque foyer. C'était une question de tradition et de contrôle sur soi, mais le but était le même : garantir une certaine intimité.

Laduni les conduisit à l'un des foyers.

— Dites-moi, les gens dangereux dont vous parliez n'appartenaient-ils pas à une bande de vauriens, par hasard ? demanda-t-il.

— Non, pourquoi ? Vous avez eu des ennuis ? fit Jondalar. Autrefois, tu m'avais parlé d'un jeune homme à la tête d'une petite bande. Ils s'amusaient à chasser le Cl... les Têtes Plates.

Il jeta un coup d'œil à Ayla, mais savait que Laduni ne pouvait pas comprendre le mot « Clan ».

— Ils tourmentaient les hommes, et volaient les Plaisirs aux femmes, reprit-il. De jeunes excités qui créaient des ennuis à tout le monde.

En entendant parler de « Têtes Plates », Ayla tendit l'oreille, curieuse de savoir si ceux du Clan habitaient dans la région.

— Oui, ce sont les mêmes, avoua Laduni. C'est Charoli et sa bande. C'étaient peut-être de jeunes excités au début, mais ils ont été trop loin.

— J'aurais cru qu'ils seraient devenus raisonnables avec l'âge, fit Jondalar.

— C'est la faute de Charoli. Les autres, individuellement, ne sont pas de mauvais bougres, mais c'est lui qui les pousse. Losaduna dit qu'il veut prouver son courage, montrer qu'il est un homme, parce que justement il n'y avait pas d'homme dans son foyer.

— Nombreuses sont les femmes qui ont élevé seules leurs garçons, et ils sont pourtant devenus des hommes de valeur, objecta Jondalar.

Dans le feu de la discussion, ils s'étaient arrêtés et se tenaient au milieu de la caverne. Un attroupement se forma.

— Oui, c'est juste. Mais le compagnon de sa mère a disparu quand il n'était qu'un bébé et elle n'en a pas repris d'autre. Au lieu de cela, elle a reporté toute son affection sur lui et l'a choyé au-delà de l'âge nécessaire, plutôt que de lui laisser apprendre à travailler et ses devoirs d'adulte. Et maintenant, nous devons mettre un terme à ses égarements.

— Que s'est-il passé ? demanda Jondalar.

— Une fille de notre Caverne était descendue à la rivière poser des pièges. Elle était femme depuis quelques lunes, et elle n'avait pas encore connu les Rites des Premiers Plaisirs. Elle était impatiente de participer à la cérémonie lors de la prochaine Réunion. Charoli et sa bande ont découvert qu'elle était seule, et ils l'ont tous prise...

— Tous ? Ils l'ont prise de force ? s'indigna Jondalar. Avant les Premiers Rites ? Je n'arrive pas à y croire !

— Oui, tous, confirma Laduni, dont la colère froide était plus impressionnante qu'un accès de rage. Nous ne pouvons pas l'accepter ! J'ignore s'ils se sont lassés des Têtes Plates, ou l'excuse qu'ils se sont trouvée, mais ils ont dépassé les limites. Ils l'ont blessée, elle est revenue en sang. Et maintenant, elle refuse qu'un homme la touche. Elle a même refusé de subir les Rites de la Féminité.

— C'est terrible, mais on ne peut pas lui en vouloir, fit Jondalar. Ce n'est pas la meilleure manière pour une jeune fille d'être initiée au Don de Doni.

— Sa mère craint que si elle s'abstient d'honorer la Mère en n'assistant pas à la cérémonie, elle n'ait jamais d'enfants.

— Elle a peut-être raison, mais que faire ?

— Sa mère veut voir Charoli mort, et elle veut que nous réclamions le prix du sang à sa Caverne, expliqua Laduni. Elle a droit à une vengeance, mais le prix du sang pourrait détruire tout le monde. De plus, ce n'est pas la Caverne de Charoli qui est responsable de ce malheur. C'est sa bande, et certains d'entre eux ne sont même pas de la Caverne de naissance de Charoli. J'ai envoyé un messager à Tomasi, le Maître de Chasse de sa Caverne, pour lui proposer un arrangement.

— Un arrangement ? Quel est ton plan ?

— A mon avis, il revient à tous les Losadunaï d'arrêter ce Charoli et sa bande. J'espère que Tomasi m'aidera à convaincre les autres de ramener ces garnements sous l'autorité des Cavernes. J'ai même suggéré qu'il accorde une vengeance à la mère de Madenia, plutôt que de payer le prix du sang. L'ennui, c'est que Tomasi est un parent de la mère de Charoli.

— Je comprends. C'est une décision difficile à prendre, dit Jondalar qui avait remarqué qu'Ayla n'avait pas perdu une miette de leur conversation. Quelqu'un sait-il où se cachent Charoli et sa bande ? Ils ne peuvent pas être avec d'autres Losadunaï. Je ne peux pas croire qu'une Caverne accepte d'abriter de telles brutes.

— Il y a une région désertique au sud, avec des rivières souterraines et de nombreuses cavernes. On prétend qu'ils s'y cachent.

— S'il y a tant de cavernes, ils seront difficiles à dénicher.

— Oui, mais ils ne peuvent pas s'y terrer tout le temps. Il faut bien qu'ils sortent pour chercher de quoi manger, et ils laisseront des traces. Un habile traqueur pourrait retrouver leur piste plus facilement que celle d'un animal, mais il faut que toutes les Cavernes coopèrent. Si c'est le cas, nous ne tarderons pas à les débusquer.

— Que leur ferez-vous si vous les attrapez ?

Cette fois, c'était Ayla qui avait posé la question.

— Dès que ces brutes seront séparées, les liens qui les

799

unissent se relâcheront vite. Chaque Caverne peut s'occuper d'un ou deux, et les traiter à sa manière. Ça m'étonnerait qu'ils souhaitent vraiment vivre en dehors des Losadunaï, et qu'ils refusent d'appartenir à une Caverne. Un jour ou l'autre, ils voudront trouver une compagne, et je ne connais pas de femme qui accepterait de mener leur genre de vie.

— Oui, je crois que tu as raison, approuva Jondalar.

— J'ai de la peine pour cette jeune fille, déclara Ayla qui ne cachait pas son trouble. Comment s'appelle-t-elle déjà ? Madenia ?

— J'aimerais rester pour vous aider, fit Jondalar, mais si nous ne traversons pas le glacier maintenant, il nous faudra attendre l'hiver prochain.

— J'ai bien peur qu'il ne soit déjà trop tard, dit Laduni.

— Trop tard ? Mais c'est l'hiver, il fait froid. Tout est complètement gelé. Les crevasses devraient être bouchées par la neige.

— Oui. Mais l'hiver est bien avancé, et on ne sait jamais. C'est encore possible, mais si le foehn est précoce — ce qui arrive — la neige fondra vite. Le glacier est souvent traître avec les premières fontes, et étant donné ce qui se passe, il n'est pas prudent de s'aventurer dans le territoire des Têtes Plates. Ils ne sont pas très amicaux en ce moment. La bande de Charoli a éveillé leur hostilité. Les animaux eux-mêmes protègent leurs femelles et se battent pour les défendre.

— Ce ne sont pas des animaux, protesta Ayla, prompte à prendre la défense du Clan. Ce sont des humains, même s'ils sont différents.

Laduni retint sa langue. Il ne voulait pas offenser un hôte. Il se disait qu'avec son inclination pour les animaux, Ayla les prenait tous pour des êtres humains. Si un loup la protégeait et qu'elle le traitait comme une personne, il n'était pas étonnant qu'elle considérât les Têtes Plates comme des humains à part entière. Certes, ils étaient parfois intelligents, mais tout de même !

Plusieurs personnes les avaient rejoints. L'un d'eux, un petit homme maigre d'un certain âge, les cheveux en broussaille et l'air timide, prit la parole.

— Laduni, tu ne crois pas que tu devrais les laisser s'installer ?

— Je commençais à me demander si tu allais rester planté là à bavarder toute la journée ! intervint la femme qui se tenait à ses côtés.

C'était une petite femme assez boulotte à l'air engageant.

— Oui, vous avez raison, pardonnez-moi. Laissez-moi vous présenter. Losaduna, Celui Qui Sert la Mère, voici Ayla du Camp du Lion des Mamutoï, Elue par le Lion, Protégée par le Puissant Ours, et Fille du Foyer du Mammouth.

— Le Foyer du Mammouth ! Alors tu es Celle Qui Sert la Mère, toi aussi ! s'exclama l'homme avec un sourire surpris, avant même de lui souhaiter la bienvenue.

— Non, je suis Fille du Foyer du Mammouth. Mamut m'enseignait, mais il n'a pas terminé mon initiation, rectifia Ayla.

— Mais tu y es née ! Tu es donc une Elue de la Mère ! insista-t-il, visiblement ravi.

— Losaduna, tu ne l'as même pas encore saluée ! reprocha la petite boulotte.

L'homme parut un instant désarçonné.

— Oh, en effet. J'oublie toujours ces formalités. Bon, au nom de Duna, la Grande Terre Mère, sois la bienvenue, Ayla des Mamutoï, Elue par le Camp du Lion, et Fille du Foyer du Mammouth.

La petite femme rondelette hocha la tête en soupirant.

— Il a tout mélangé, mais crois-moi, si c'était une cérémonie à peine connue, ou une légende sur la Mère, il n'en oublierait pas un mot.

Ayla ne put réprimer un sourire amusé. Elle n'avait jamais rencontré un Homme Qui Sert la Mère aussi éloigné des devoirs de sa charge. Ceux qu'elle avait connus étaient toujours maîtres de leurs émotions, possédaient une forte personnalité et une présence marquante. Aucun ne ressemblait à cet étourdi embarrassé, si peu soucieux de son apparence, et à l'allure timide mais enjouée. Mais la petite femme ne semblait pas douter de ses pouvoirs, et Laduni lui montrait du respect. Losaduna devait bien cacher son jeu.

— Ce n'est pas grave, assura Ayla à l'adresse de la femme. Il ne s'est pas vraiment trompé.

C'est vrai qu'elle avait été élue par le Camp du Lion, se souvint-elle. Elle n'y était pas née, elle avait été adoptée. Elle s'adressa alors à l'homme qui avait pris ses mains et les tenait toujours.

— Je salue Celui Qui Sert la Grande Mère de Toutes les Créatures, et je te remercie pour ton accueil, Losaduna.

Il sourit en entendant l'autre nom qu'on prêtait à la Mère, pendant que Laduni prenait la parole à son tour.

— Solandia des Losadunaï, née dans la Caverne de la Rivière sur la Colline, Compagne de Losaduna, voici Ayla du Camp du Lion des Mamutoï, Elue par le Lion, Protégée par le Puissant Ours, et Fille du Foyer du Mammouth.

— Je te salue, Ayla des Mamutoï, et je t'invite dans notre foyer, déclara brièvement Solandia, les titres et filiations ayant été déjà suffisamment énoncés.

— Merci à toi, Solandia, dit Ayla.

— Losaduna, dit ensuite Laduni en regardant Jondalar, Toi Qui Sers la Mère pour la Caverne du Puits Chaud des Losadunaï, voici Jondalar, Maître Tailleur de Silex de la Neuvième Caverne des Zelandonii, fils de Marthona, ancienne Femme Qui Ordonne de la Neuvième Caverne, frère de Joharran, chef de la Neuvième Caverne, né au Foyer de Dalanar, chef et fondateur des Lanzadonii.

C'était la première fois qu'Ayla entendait tous les titres de Jondalar et elle ne cacha pas sa surprise. Elle n'en comprenait pas toute la signification, mais la liste était impressionnante. Après que Jondalar eut répété la litanie et qu'il eut été présenté dans les règles, on les accompagna enfin dans le vaste espace qui servait de lieu de cérémonie et où habitait Losaduna.

Loup, qui s'était tenu sagement aux pieds d'Ayla, fit entendre un petit jappement quand ils arrivèrent à l'entrée du foyer. Il venait d'apercevoir un enfant à l'intérieur, mais sa réaction déplut à Solandia qui se précipita pour prendre vivement le bébé dans ses bras.

— J'ai quatre enfants, annonça-t-elle avec angoisse. Je ne suis pas sûre qu'on devrait laisser entrer ce loup. Micheri ne marche pas encore, poursuivit-elle d'une voix que la peur altérait. Comment savoir s'il ne va pas l'attaquer ?

— Loup n'attaque jamais les petits, assura Ayla. Il a grandi auprès d'enfants, et il les adore. Il est plus doux avec eux qu'avec les adultes. Il ne voulait pas attaquer le bébé, il manifestait tout simplement sa joie.

Elle fit signe à Loup de rester couché. Il obéit, mais on devinait son impatience, et Solandia épiait le carnassier d'un œil vigilant. Elle n'arrivait pas à discerner si l'impatience du fauve était due à la joie ou à la faim, mais elle brûlait d'en apprendre davantage sur les hôtes, et sa curiosité l'emporta. L'un des avantages de sa position de compagne de Losaduna était justement de pouvoir parler aux rares visiteurs avant tout le monde. Et comme ils résidaient au foyer de cérémonie, elle les voyait souvent.

— J'ai déjà dit qu'il pouvait rester avec toi, déclara-t-elle à Ayla.

La jeune femme emmena Loup à l'intérieur, et le fit asseoir dans un coin reculé du foyer. Elle resta un instant avec lui, sachant qu'il lui serait difficile de tenir en place avec des enfants autour de lui. Mais il sembla se contenter de les observer.

Son attitude calma Solandia et, après avoir servi une infusion chaude à ses hôtes, elle leur présenta ses enfants et retourna s'occuper du repas. Elle en oublia la présence du loup, mais ses enfants n'avaient d'yeux que pour lui. Ayla les observa discrètement. Le plus âgé des quatre, Larogi, était un garçon d'une dizaine d'années. Il y avait aussi une fille d'environ sept ans, Dosalia, et une plus petite, Neladia, qui devait avoir quatre ans. Le bébé ne marchait pas encore, mais il était d'une activité débordante. Il se déplaçait à quatre pattes avec une agilité et une rapidité surprenantes.

Les enfants n'étaient pas rassurés par la présence de Loup, et l'aînée des filles prit le bébé dans ses bras tout en surveillant le fauve du coin de l'œil, mais voyant qu'il ne se passait rien, elle le reposa. Pendant que Jondalar discutait avec Losaduna, Ayla déballa leurs affaires. Il y avait des litières à la disposition des invités, et elle espérait avoir le temps de nettoyer leurs fourrures de couchage s'ils restaient ici.

Des gazouillis de bébé leur firent tourner la tête. Ayla retint son souffle. Un silence s'abattit sur le foyer, et tous les regards se braquèrent vers Loup. La stupeur et l'émerveillement se lurent sur tous les visages. Le bébé avait rampé jusqu'au loup et il était maintenant assis près du fauve énorme, agrippé à sa fourrure. Ayla jeta un coup d'œil à Solandia. La pauvre femme, paralysée d'horreur, regardait d'un œil hébété son précieux rejeton agacer le fauve de petites tapes et de tiraillements de poils. Mais Loup le laissait faire, et se contentait d'agiter la queue d'un air ravi.

Finalement, Ayla alla prendre l'enfant et le rapporta à sa mère.

— Tu avais raison, déclara Solandia avec surprise. Ce loup adore les enfants ! Si je ne l'avais pas vu de mes propres yeux, je ne l'aurais jamais cru.

Les autres enfants ne se firent pas prier pour se joindre aux ébats du plus jeune. Après un léger problème avec l'aîné qui poussa le jeu un peu trop loin, vite rappelé à l'ordre par Loup qui saisit la main de l'imprudent dans sa gueule en grondant, mais sans mordre, Ayla expliqua qu'il fallait traiter Loup avec respect. La réaction du fauve effraya juste assez l'enfant pour lui faire comprendre les limites à ne pas dépasser. Puis ils sortirent jouer dehors avec le loup sous le regard envieux et fasciné de tous les enfants de la communauté.

Avant la nuit, Ayla alla voir les chevaux. Dès qu'elle l'aperçut, Whinney hennit longuement, et Ayla comprit que son amie s'était inquiétée de son absence. Ayla hennit en retour, provoquant des mouvements de surprise chez les Losadunaï dont certains la regardèrent avec effarement. Rapide lui répondit à son tour. Whinney, fringante et agitant sa queue, regarda Ayla traverser le pré où la neige s'était accumulée. Lorsque Ayla fut tout près, la jument baissa la tête, et la releva soudain en décrivant un cercle avec ses naseaux. Rapide caracola et se cabra sur ses postérieurs.

Ils avaient perdu l'habitude d'être entourés de tant d'étrangers et la présence de la jeune femme les rassurait. Rapide dressa la tête et les oreilles quand il vit Jondalar apparaître à l'entrée de la caverne, et il s'avança à sa rencontre. Après avoir longuement flatté la jument, Ayla décida que, pour leur plaisir mutuel, elle la peignerait le lendemain.

Conduits par ceux de Solandia, tous les enfants s'étaient rassemblés et se dirigeaient vers les chevaux. Les étonnants visiteurs les laissèrent toucher et caresser leurs montures, et Ayla en prit tour à tour quelques-uns sur la croupe de Whinney pour une promenade, sous le regard envieux des adultes. Ayla le leur aurait volontiers proposé aussi, mais elle pensa finalement qu'il était trop tôt pour ce genre d'expérience.

Avec des pelles taillées dans de grands andouillers, Ayla et Jondalar commencèrent à déblayer la neige autour de la caverne pour que les chevaux pussent brouter. Ils furent bientôt rejoints par quelques Losadunaï et le pré fut vite nettoyé. Mais l'exercice rappela à Jondalar les inquiétudes qui l'avaient tourmenté ces derniers temps. Comment trouveraient-ils de la nourriture, du fourrage, et surtout de l'eau potable pour eux-mêmes, Loup et les deux chevaux, dans leur traversée de l'immense étendue de glace ?

Un peu plus tard, ce même soir, tout le monde se réunit dans le large espace de cérémonie pour le récit des aventures d'Ayla et Jondalar. Les animaux intriguaient tout particulièrement les Losadunaï. Solandia avait déjà confié à Loup la charge de distraire les enfants et le spectacle du fauve jouant avec les petits fascinait les adultes qui avaient du mal à en croire leurs yeux. Ayla n'entra pas dans les détails de sa vie avec le Clan, et n'insista pas sur la Malédiction qu'on lui avait lancée bien qu'elle fît part de quelques divergences qui l'avaient opposée à ceux du Clan.

Les Losadunaï pensèrent simplement que le Clan était une peuplade de l'Est, mais lorsque Ayla tenta d'expliquer comment habituer les animaux à vivre avec les humains et qu'elle prétendit ne pas avoir eu recours à des forces surnaturelles pour les dresser, personne ne la crut. L'idée que n'importe qui pût apprivoiser un loup ou un cheval était impossible à accepter. La plupart se dirent que l'époque où Ayla vivait seule dans sa vallée correspondait à une période d'épreuve imposée à ceux qui voulaient Servir la Mère, et ils considéraient que sa compétence particulière avec les animaux prouvait la justesse de son Vœu. Si elle n'était pas encore une Femme Qui Sert la Mère, ce n'était plus qu'une question de temps.

Les Losadunaï furent très peinés d'apprendre que les deux Voyageurs avaient eu des difficultés avec Attaroa et les S'Armunaï.

— Je comprends pourquoi si peu de visiteurs sont venus de l'est ces dernières années, fit Laduni. Et vous dites qu'un de leurs prisonniers était un Losadunaï ?

— Oui, j'ignore sous quel nom vous le connaissiez, mais là-bas on l'appelait Ardemun. Il était resté invalide à la suite d'une blessure. Il marchait en boitant, et comme il ne pouvait pas courir, Attaroa le laissait aller et venir dans le Camp. C'est lui qui a libéré les hommes.

— Je me souviens d'un jeune homme qui avait entrepris le Voyage, dit une vieille femme. J'ai su son nom... Comment était-ce déjà ? Il avait un surnom... Ardemun... Ardi... non, Mardi. C'est ça, il se faisait appeler Mardi !

— Ah, tu veux dire Menardi ? intervint quelqu'un. Je l'ai rencontré dans une Réunion d'Eté. On l'appelait Mardi et c'est vrai qu'il a fait le Voyage. C'est donc ce qui lui est arrivé ! Son frère serait content de le savoir encore en vie.

— Tant mieux qu'on puisse de nouveau voyager par là-bas, déclara Laduni. Tu as eu de la chance de les éviter à l'aller, Jondalar.

— Thonolan était pressé d'arriver au bout de la Grande Rivière Mère, expliqua Jondalar. Il ne voulait pas s'arrêter, et nous sommes restés sur ce côté-ci du fleuve. Nous avons eu de la chance, c'est certain.

Après la soirée, Ayla fut contente de retrouver une couche chaude dans un endroit sec à l'abri du vent. Elle s'endormit sur-le-champ.

Ayla adressa un sourire à Solandia qui nourrissait Micheri. Elle s'était levée de bon matin et cherchait la pile de bois ou d'excréments qu'on rangeait d'habitude près du foyer, mais ne vit qu'un tas de pierres brunâtres.

— J'aimerais faire une infusion, dit-elle à Solandia. Qu'est-ce que vous utilisez pour le feu ? Dis-moi où c'est et j'irai le chercher.

— Pas la peine, il y en a plein ici.

Ayla regarda autour d'elle mais ne vit aucun combustible, et se demanda si elle avait bien compris.

Devant son air déconcerté, Solandia ne put réprimer un sourire. Elle étendit le bras et ramassa une des pierres brunes.

— Nous utilisons ça, expliqua-t-elle. Des pierres qui brûlent.

Ayla prit la pierre et l'examina de près. Elle avait le grain du bois, et pourtant c'était bien une pierre. Elle n'avait jamais rien vu de pareil. C'était du lignite, un charbon brun, à mi-chemin entre la tourbe et la houille. Jondalar était réveillé et il s'approcha d'elle par-derrière. Elle lui sourit et lui tendit la pierre.

— Solandia prétend qu'ils brûlent ça pour faire le feu, dit-elle en remarquant que la pierre avait laissé une tache dans sa main.

Ce fut au tour de Jondalar d'examiner la pierre d'un air incrédule.

— Ça ressemble à du bois, mais c'est pourtant de la pierre, fit-il. Mais ce n'est pas aussi dur que du silex. Ça doit se casser facilement.

— Oui, dit Solandia. Les pierres qui brûlent cassent facilement.

— Où les trouvez-vous ? demanda Jondalar.

— Au sud, près des montagnes, il y a des champs entiers de pierres qui brûlent. Nous utilisons du bois pour commencer le feu, mais ceci brûle plus fort et dure plus que le bois.

Ayla et Jondalar se regardèrent d'un air complice.

— J'y vais, dit Jondalar.

Lorsqu'il revint, Losaduna et le fils aîné, Larogi, étaient réveillés.

— Vous avez des pierres qui brûlent, nous une pierre à feu, déclara Jondalar d'une voix triomphante. Une pierre pour faire jaillir le feu.

— Et c'est Ayla qui l'a découverte ? demanda Losaduna comme s'il connaissait déjà la réponse.

— Comment l'as-tu deviné ? s'étonna Jondalar.

— Peut-être parce que c'est lui qui a trouvé les pierres qui brûlent, intervint Solandia.

— Ça ressemblait tellement à du bois que j'ai voulu essayer, et ça a brûlé, expliqua Losaduna.

— Ayla, montre-leur, demanda Jondalar en lui tendant la pyrite de fer, le silex et de l'amadou.

Ayla arrangea l'amadou, cala la pyrite pour l'avoir bien en main, la partie usée vers l'extérieur, et prit le morceau de silex. Avec l'habitude, elle déclenchait toujours l'étincelle du premier coup. La minuscule flammèche tomba sur l'amadou et, en soufflant deux ou trois fois, Ayla fit apparaître une flamme qui provoqua des murmures d'approbation.

— C'est stupéfiant ! déclara Losaduna.

— Pas davantage que vos pierres qui brûlent, protesta Ayla. J'aimerais t'en offrir une pour ta Caverne. Nous en avons d'autres. Nous pourrons peut-être faire une démonstration à la Cérémonie.

— Oui, ce serait le moment idéal ! Et j'accepte ton présent avec joie, déclara Losaduna. Mais nous devons vous offrir quelque chose en échange.

— Laduni nous a déjà promis de nous donner ce dont nous avons besoin pour traverser le glacier, dit Jondalar. J'ai un Droit à Venir sur lui, mais il nous aurait donné de quoi manger de toute façon. Les loups nous ont volé nos vivres.

— Vous pensez traverser le glacier avec les chevaux ? demanda Losaduna.

— Bien sûr, fit Ayla.

— Comment allez-vous les nourrir ? Et l'eau ? Deux chevaux boivent davantage que deux hommes, où trouverez-vous l'eau alors qu'il n'y a que de la glace dure comme le roc ? demanda Celui Qui Sert.

Ayla lança un regard interrogateur à Jondalar.

— J'y ai pensé, dit-il, et je crois que nous allons emporter de l'herbe sèche dans le canot.

— Et pourquoi pas des pierres qui brûlent ? fit Losaduna. Vous n'aurez qu'à choisir un endroit pour faire du feu sur la glace. Peu importe qu'elles soient mouillées, et vous serez moins encombrés.

Jondalar prit le temps de la réflexion, et un sourire radieux illumina alors son visage.

— Excellente idée ! s'exclama-t-il. Nous les emporterons dans le bateau. Il glissera aussi bien sur la glace s'il est chargé, et nous prendrons aussi quelques pierres pour supporter le foyer. Je me suis longtemps creusé la tête... je ne sais comment te remercier, Losaduna, tu me soulages d'un gros souci.

En surprenant par hasard une conversation, Ayla apprit qu'elle parlait avec un accent mamutoï, bien que Solandia penchât plutôt pour un léger défaut d'élocution. Elle avait beau faire des efforts, elle n'arrivait pas à surmonter sa difficulté à prononcer certains sons. Mais personne ne semblait en faire grand cas, ce qui la rassura.

Les jours suivants, Ayla se lia avec le groupe de Losadunaï qui habitait près du Puits Chaud. Chaque groupe constituait une Caverne, même s'il ne vivait pas dans une grotte. Elle appréciait particulièrement ceux avec qui elle partageait le foyer, Solandia, Losaduna et les quatre enfants, et elle s'aperçut à quel point la compagnie d'humains amicaux lui avait manqué. La femme parlait assez bien le zelandonii qu'elle mélangeait avec des mots de losadunaï, mais Ayla et elle se comprenaient sans peine.

Ayla sympathisa davantage avec la compagne de Celui Qui Sert la Mère quand elle découvrit qu'elles partageaient des intérêts communs. Bien que Losaduna fût celui qui était censé connaître les plantes, les herbes et les remèdes, c'était surtout Solandia qui avait retenu le savoir ancestral. Le couple rappela à Ayla Iza et Creb. Comme Iza, Solandia soignait les maux de son peuple avec ses herbes médicinales, laissant l'exorcisme des esprits et autres émanations malfaisantes à son compagnon. Ayla était intriguée par la passion de Losaduna pour les contes, légendes et mythes, pour le monde des esprits — tout ce qu'elle n'avait pas le droit de connaître lorsqu'elle vivait parmi le Clan —, et elle en vint à admirer l'étendue de son savoir.

Dès qu'il découvrit l'authenticité de son intérêt pour la Grande Terre Mère et pour le monde immatériel des esprits, sa vive intelligence et sa mémoire surprenante, Losaduna s'empressa de transmettre ses connaissances à Ayla. Sans les comprendre tout à fait, elle put bientôt réciter de longs versets de légendes et de contes, ainsi que le contenu précis et l'ordre des rituels et des cérémonies. Losaduna parlait zelandonii couramment avec un fort accent et des expressions losadunaï, rendant les deux langues si proches qu'il avait réussi à conserver le rythme et les mètres des versets, ne perdant que quelques rimes. Il était passionné par les différences mineures et les grandes similitudes entre son interprétation du monde surnaturel et la sagesse du savoir que Mamut avait transmis à la jeune femme. Ayla partageait cette passion, et devant l'insistance de Losaduna à comprendre les divergences et les similitudes, elle découvrit qu'elle n'était plus seulement un servant, comme avec Mamut, mais qu'elle transmettait à son tour les traditions venues de l'est, du moins celles qu'elle connaissait.

Jondalar appréciait aussi la compagnie des Losadunaï, et découvrait combien la présence d'humains lui avait manqué. Il passait beaucoup de temps avec Laduni et les chasseurs, mais Solandia fut surprise de l'intérêt particulier qu'il portait à ses enfants. A n'en pas douter, il aimait les enfants, mais il était davantage intéressé par la façon dont Solandia s'en occupait. Lorsqu'elle prenait soin du bébé, il se mettait à regretter qu'Ayla n'en eût pas. Ah, un enfant de mon esprit ! soupirait-il, ou au moins un fils, ou une fille de mon foyer.

Micheri, le bébé de Solandia, éveillait les mêmes sentiments chez Ayla, mais elle n'en continuait pas moins à prendre tous les jours son infusion contraceptive. Les descriptions du glacier qu'ils devaient encore traverser étaient suffisamment impressionnantes pour lui ôter l'envie d'avoir un enfant dès maintenant.

Bien que soulagé qu'Ayla ne fût pas devenue enceinte pendant le Voyage, Jondalar était en proie à des sentiments contradictoires. Le refus de la Grande Terre Mère d'honorer Ayla d'un enfant commençait à l'inquiéter, et il ne pouvait s'empêcher de penser qu'il en était responsable. Un après-midi, il fit part de ses craintes à Losaduna.

— La Mère décidera quand le moment sera venu, lui assura Celui Qui Sert. Elle comprend sans doute qu'un enfant compliquerait votre Voyage. Toutefois, il est peut-être temps d'organiser une cérémonie pour L'honorer. Tu en profiteras pour Lui demander d'accorder un bébé à Ayla.

— Tu as raison, admit Jondalar. Cela ne peut pas faire de mal. (Il éclata soudain d'un rire amer.) Un jour quelqu'un m'a dit que j'étais un favori de la Mère, et qu'Elle ne me refuserait jamais rien... Ça n'a pas empêché Thonolan de mourir, remarqua-t-il avec tristesse.

— Lui as-tu expressément demandé de ne pas le laisser mourir ?

— Euh... non. Tout s'est passé tellement vite. Le lion m'a aussi attaqué, tu sais.

— Penses-y tout de même. Essaie de te souvenir si Elle t'a déjà refusé une chose que tu avais demandée... De toute façon, je vais proposer à Laduni et au Conseil d'organiser une cérémonie en l'honneur de la Mère. Je veux aider Madenia, et une Cérémonie pour Honorer la Mère serait certainement la bienvenue. Elle refuse de se lever. Elle ne s'est même pas déplacée pour écouter le récit de vos aventures. Et pourtant, elle adorait ce genre d'histoires.

— Quelle terrible épreuve elle a subie ! s'exclama Jondalar en frémissant d'horreur.

— Oui, en effet. J'avais espéré qu'elle s'en remettrait plus vite. Une purification au Puits Chaud lui ferait peut-être le plus grand bien, suggéra-t-il.

Mais il était manifeste qu'il n'attendait pas de réponse de Jondalar. Il se perdit dans ses réflexions, visiblement absorbé par la préparation du futur rituel.

— Sais-tu où est Ayla ? demanda-t-il à brûle-pourpoint. Je vais lui proposer de se joindre à la purification. Elle pourra nous être utile.

— Losaduna m'a tout expliqué, et ce rituel m'intéresse beaucoup, avoua Ayla. Mais je ne suis pas sûre de vouloir participer à la cérémonie.

— C'est une cérémonie importante, protesta Jondalar. Tout le monde l'attend avec impatience.

Devant sa réticence, il se demandait si la cérémonie lui serait bénéfique.

— Elle me plairait davantage si j'en savais un peu plus, concéda Ayla. J'ai tant à apprendre, et Losaduna ne demande pas mieux que de m'instruire. J'aimerais bien rester ici quelque temps.

— Nous devons partir bientôt. Si nous tardons, ce sera le printemps. Nous resterons jusqu'à la Cérémonie pour Honorer la Mère, et nous partirons tout de suite après.

— J'aimerais bien rester jusqu'à l'hiver prochain. Je suis lasse de voyager, avoua Ayla.

Elle se garda bien d'exprimer ce qui la tracassait : ce peuple est prêt à m'accepter, lui, mais le tien ?

— Moi aussi je suis fatigué du Voyage, admit Jondalar. Mais une fois que nous serons de l'autre côté du glacier, il nous restera peu de chemin à parcourir. Nous nous arrêterons pour visiter Dalanar, et le reste sera facile.

Ayla eut l'air d'approuver, mais elle avait l'impression que le Voyage serait encore long, et que c'était plus facile à dire qu'à faire.

36

— Que devrai-je faire ? demanda Ayla

— Je ne sais pas encore, répondit Losaduna. Mais étant donné les circonstances, j'ai l'impression que la préence d'une femme serait rassurante. Madenia sait que je suis Celui Qui Sert la Mère, mais je suis un homme, et les hommes lui font peur en ce moment. Il vaudrait mieux qu'elle puisse en parler, et il est parfois plus facile de se confier à un étranger compatissant. Les gens n'aiment pas que quelqu'un soit le dépositaire de leurs secrets douloureux, ils craignent qu'en voyant cette personne, les souvenirs resurgissent et réveillent leurs souffrances.

— Mais y a-t-il quelque chose que je devrais dire ou faire ? insista Ayla.

— Sois naturelle, laisse-toi guider par ta sensibilité, conseilla Losaduna. Tu possèdes un don rare pour les langues, je suis stupéfait par la vitesse à laquelle tu as appris le losadunaï. C'est une chance pour Madenia.

Ayla rougit sous les louanges et détourna les yeux. Elle ne se trouvait pas de dons extraordinaires.

— C'est très proche du zelandonii, assura-t-elle.

Devinant sa gêne, il n'insista pas. L'arrivée opportune de Solandia détourna la conversation.

— Tout est prêt, déclara-t-elle. J'emmènerai les enfants et vous pourrez disposer de cet endroit quand vous aurez terminé. Oh, ça me rappelle... Ayla, puis-je prendre Loup avec moi ? Le bébé s'est attaché à lui, et Loup l'occupe. Si on m'avait dit qu'un jour je demanderais à un loup de surveiller mes enfants ! s'esclaffa-t-elle.

— Oui, il vaut mieux que Loup t'accompagne, fit Ayla. Il risquerait d'effaroucher Madenia.

— Allons la chercher, proposa Losaduna.

En se rendant au foyer où demeuraient Madenia et sa mère, Ayla remarqua qu'elle était plus grande que Losaduna et se souvint de la première impression qu'elle gardait de lui. Elle l'avait trouvé petit et timide. Elle le considérait différemment maintenant. Certes, il n'avait pas une prestance considérable, mais son attitude réservée et sa dignité tranquille cachaient une profonde sensibilité et une forte personnalité.

Losaduna gratta à la peau de cuir brut tendue entre deux perches. Une vieille femme souleva le rabat et les fit entrer. Elle sourcilla en apercevant Ayla et lui jeta un regard amer. Visiblement, l'étrangère n'était pas la bienvenue.

Sans attendre, la vieille se lança avec colère dans des récriminations.

— L'a-t-on retrouvé, celui qui m'a volé mes petits-enfants avant qu'ils aient eu la chance de naître ?

— Trouver Charoli ne te rendra pas tes petits-enfants, Verdegia, riposta Losaduna, et ce n'est pas ce qui nous amène. Pour l'instant, c'est Madenia qui nous préoccupe. Comment va-t-elle ?

— Elle refuse de se lever, et elle mange à peine. Elle ne m'adresse même pas la parole. C'était une gentille petite fille, et elle était en train de devenir une belle femme. Elle n'aurait jamais eu de mal à trouver un compagnon si Charoli et ses hommes ne l'avaient abîmée.

— Qu'est-ce qui te fait dire qu'elle est abîmée? demanda Ayla.

La vieille femme la dévisagea comme si elle avait affaire à une demeurée.

— Cette femme ne sait donc pas? apostropha-t-elle Losaduna. Madenia n'avait pas encore reçu ses Premiers Rites. Elle est gâchée, abîmée. La Mère ne la bénira plus jamais.

— N'en sois pas si sûre, conseilla l'homme. La Mère n'est pas aussi impitoyable. Elle connaît Ses enfants et offre de multiples moyens pour leur venir en aide. Madenia sera purifiée et ramenée à la vie, pour qu'elle puisse recevoir les Rites des Premiers Plaisirs.

— Ça ne changera rien! Elle refuse qu'un homme la touche, même pour les Premiers Rites! glapit Verdegia. Tous mes fils sont partis vivre avec leur compagne, ils disaient qu'il n'y avait pas assez de place dans notre caverne pour de nouvelles familles. Madenia est mon dernier enfant, ma seule fille. Depuis que mon compagnon est mort, j'attends avec impatience qu'elle en trouve un. J'espérais qu'elle vivrait avec un homme qui l'aiderait à nourrir les enfants qu'elle porterait. Mes petits-enfants. Maintenant, je sais que je n'aurai jamais de petits-enfants chez moi. Et tout ça à cause de... de cet homme, cracha-t-elle. Et personne ne fait rien!

— Tu sais parfaitement que Laduni attend une réponse de Tomasi, protesta Losaduna.

— Tomasi? Pfft! A quoi servira-t-il? C'est dans sa caverne qu'a éclos cet... cet homme.

— Laisse-leur le temps. Mais pour ce qui nous concerne, nous ne les attendrons pas pour aider Madenia. Après la purification, elle changera peut-être d'avis sur les Premiers Rites. En tout cas, il faut tout essayer.

— Essayez tant que vous voulez, mais elle ne se lèvera pas.

— Nous l'aiderons, assura Losaduna. Où est-elle?

— Là, derrière, dit Verdegia en désignant un endroit près du mur de la caverne qu'une peau protégeait des regards.

Losaduna s'y dirigea, souleva le cuir, laissant le jour éclairer l'alcôve. La fille, allongée sur le lit, protégea vivement ses yeux de la lumière.

— Madenia, lève-toi, ordonna Losaduna d'une voix douce mais ferme. Ayla, aide-moi, ajouta-t-il comme la fille détournait la tête.

Ils la firent d'abord asseoir, et l'aidèrent ensuite à se mettre debout. Madenia se laissa faire de mauvaise grâce. Ils l'encadrèrent et la conduisirent hors de l'alcôve, puis à l'extérieur de la caverne. Pieds nus, la fille ne semblait pourtant pas sentir le sol recouvert de neige gelée. Ils la guidèrent vers une grande tente conique qu'Ayla n'avait pas encore remarquée. Elle était disposée sur le côté de la caverne, cachée derrière des rochers et des buissons. De la vapeur s'échappait du trou d'aération et une forte odeur de soufre imprégnait l'air.

Ils entrèrent et Losaduna ferma l'entrée avec une pièce de cuir qu'il attacha ensuite. Ils se trouvaient dans un petit passage séparé du reste de la tente par de lourdes peaux de bêtes. Des peaux de mammouth, nota Ayla. Bien que la température extérieure fût glaciale, il faisait bon dans le petit passage. Une double tente avait été disposée sur une source chaude, mais en dépit de la vapeur, les parois étaient relativement sèches. Quelques gouttes perlaient sur la paroi et roulaient jusqu'à la couverture de peau qui recouvrait le sol, mais l'essentiel de la condensation se faisait sur la surface interne de la paroi extérieure, là où le froid entrait en contact avec la vapeur chaude. L'air qui circulait entre les deux parois était plus chaud, gardant ainsi le cuir de la surface intérieure presque sec.

Losaduna enjoignit aux deux femmes de se déshabiller, et voyant que Madenia ne bougeait pas, il demanda à Ayla de lui ôter ses vêtements. La jeune fille s'agrippa à ses habits quand Ayla voulut les lui retirer, tout en regardant fixement Celui Qui Sert la Mère.

— Si elle ne se laisse pas faire, amène-la comme ça, dit Losaduna avant de se glisser derrière la lourde peau.

817

Un filet de vapeur s'échappa de l'ouverture quand il souleva la peau de mammouth. L'homme parti, Ayla réussit à déshabiller la fille, se dévêtit ensuite prestement et conduisit Madenia derrière le rabat.

Des nuages de vapeur voilaient les reliefs d'un brouillard chaud et embuaient les contours, mais Ayla devina un petit bassin tapissé de pierres jouxtant une source naturelle d'eau chaude. Le trou qui permettait à l'eau de se déverser dans le bassin était fermé par un bouchon de bois sculpté. De l'autre côté du bassin, un tronc d'arbre creusé, qui amenait de l'eau froide d'un ruisseau voisin, avait été surélevé de façon à ne pas refroidir le bassin. Les volutes de vapeur s'estompèrent juste le temps pour Ayla d'apercevoir les peintures qui décoraient l'intérieur de la tente. C'étaient des animaux, la plupart gros de futurs petits, que la vapeur avait estompés. Il y avait aussi d'énigmatiques triangles, cercles, trapèzes et autres figures géométriques.

Des laines de mouflon feutrées entouraient le bassin et la source, et leur chaude douceur caressait les pieds. Des signes dessinés sur la laine conduisaient à la partie la moins profonde du bassin. Sous l'eau, on apercevait des bancs de pierre situés à l'autre extrémité de la pièce d'eau. Au fond, sur une estrade de terre, trois lampes en pierre, sortes de bols remplis de graisse fondue au centre desquels flottait une mèche aromatique, éclairaient la statuette d'une femme dotée de formes généreuses. Ayla reconnut la représentation de la Grande Terre Mère.

En face de l'autel, un cercle de pierre d'une géométrie parfaite entourait un foyer impeccablement rond. Losaduna apparut au milieu des nuages de vapeur et prit sur l'autel un petit bâtonnet. Une goutte noire tachait l'extrémité de l'objet et Celui Qui Sert le présenta à la flamme d'une lampe. Le bâtonnet prit feu instantanément, et à l'odeur Ayla devina qu'il avait été trempé dans de la poix. Losaduna alla jusqu'au foyer en protégeant la petite flamme de sa main et alluma l'amadou. Le feu prit aussitôt en dégageant un arôme agréable qui masqua la forte odeur de soufre.

— Suivez-moi, dit Losaduna.

Plaçant son pied entre deux lignes parallèles dessinées sur la laine de mouflon, il commença à marcher autour du bassin en suivant un chemin très précis. Madenia le suivit d'un pas traînant, sans se soucier où elle posait les pieds, mais Ayla imita scrupuleusement Celui Qui Sert. Ils firent un tour complet autour de la source et du bassin, enjambant le ruisseau d'eau froide ainsi qu'une profonde tranchée. En entamant le deuxième tour, Losaduna se mit à chanter d'une voix mélodieuse, invoquant tous les noms et titres de la Mère.

— O Duna, Grande Terre Mère, Puissante et Bienfaisante Nourricière, Grande Mère de Toutes les Créatures, Mère Originelle, Mère Première, Toi Qui Bénis les femmes, Mère Très Compatissante, écoute notre prière.

Il répéta l'invocation plusieurs fois tout en accomplissant son deuxième tour.

Comme il plaçait son pied sur les lignes parallèles pour entamer le troisième tour, il répéta encore une fois : « Mère Très Compatissante, écoute notre prière », mais au lieu de recommencer depuis le début, il enchaîna :

— O Duna, Grande Terre Mère, une des Tiennes a été blessée. Une des Tiennes a été violentée. Une des Tiennes doit être purifiée pour recevoir Ta bénédiction. Puissante et Bienfaisante Nourricière, une des Tiennes a besoin de Ton aide. Elle doit être soignée. Elle doit guérir. Fais-la revivre, Grande Mère de Toutes les Créatures, et aide-la à connaître les joies de Ton Don. Aide-la, Mère Originelle, à connaître Tes Rites des Premiers Plaisirs. Aide-la, Mère Première, à recevoir Ta Bénédiction. Mère Très Compatissante, aide Madenia, fille de Verdegia, enfant des Losadunaï, Les Enfants de la Terre qui vivent près des hautes montagnes.

Ayla était émue et fascinée par les paroles et le cérémonial, et elle décela avec plaisir des signes d'intérêt chez

Madenia. Après avoir achevé le troisième tour, Losaduna les entraîna, toujours en posant soigneusement les pieds sur les marques et en poursuivant ses invocations, vers l'autel de terre où brûlaient les trois lampes qui entouraient la statuette de la Mère, la dunaï. Près d'une des lampes, Losaduna prit un objet en forme de couteau, taillé dans un os. Il était assez large, avec une double lame et une pointe légèrement arrondie. Celui Qui Sert alla ensuite près du foyer.

Ils s'assirent autour du feu, Madenia entre eux, en regardant le bassin. L'homme ajouta des pierres qui brûlent dans le feu, et dans une niche à côté de l'autel, il prit un bol. La pierre devait avoir à l'origine une forme de coupe, mais elle avait été creusée avec un maillet en pierre dure. Le dessous du bol était noirci. Losaduna le remplit d'eau qu'il puisa dans une outre rangée dans la niche, y ajouta des feuilles séchées qu'il prit dans un petit panier, et posa le bol à même les braises.

Losaduna traça ensuite un trait avec le couteau sur une partie du sol bien aplanie et entourée de coussins de laine. Ayla comprit soudain à quoi servait le couteau. Les Mamutoï en utilisaient un semblable pour dessiner des lignes, marquer le score des jeux ou garder une trace des paris, pour esquisser une tactique de chasse, ou pour illustrer un récit. En observant Losaduna, Ayla se rendit compte qu'il se servait du couteau pour illustrer une histoire dont le but n'était pas le simple divertissement. Il récitait l'histoire de sa voix mélodieuse, et dessinait des oiseaux pour souligner certains points qu'il jugeait importants. Ayla finit par comprendre que l'histoire était une allégorie de l'attaque qu'avait subie Madenia, et que les oiseaux figuraient les agresseurs.

A l'évidence, la jeune fille était prise par le récit et s'identifiait au jeune oiseau femelle dont parlait Losaduna. Et soudain, elle se mit à sangloter violemment. Du plat du couteau, Celui Qui Sert la Mère effaça la scène.

— C'est fini ! Rien ne s'est jamais passé, dit-il en

dessinant le jeune oiseau femelle. Elle est de nouveau intacte, comme au début. Avec l'aide de la Mère, c'est ce qu'il t'arrivera à toi aussi, Madenia. Tout sera oublié, comme si rien ne s'était passé.

Un arôme mentholé, mêlé d'une âcreté familière qu'Ayla ne put reconnaître, emplit alors la tente. Losaduna vérifia l'eau qui chauffait sur le feu et y puisa une coupe qu'il offrit à Madenia.

— Bois ça, ordonna-t-il.

Prise de court, la jeune fille avala le liquide sans réfléchir. Losaduna puisa une seconde coupe pour Ayla, et une autre qu'il but. Il se leva ensuite, et les conduisit au bassin.

Losaduna avança lentement dans l'eau fumante, mais sans la moindre hésitation. Madenia le suivit, et Ayla leur emboîta le pas. Mais à peine avait-elle posé le pied dans le bassin qu'elle l'ôta aussitôt. C'était brûlant ! L'eau est presque assez chaude pour y cuire, constata-t-elle avec stupeur. Il lui fallut un gros effort de volonté pour s'obliger à remettre un pied dans l'eau brûlante. Elle resta plantée, une jambe en l'air, avant de pouvoir avancer. Elle s'était souvent baignée dans l'eau froide de rivières, de torrents, de bassins, parfois même après avoir brisé la pellicule de glace qui recouvrait la surface, elle s'était lavée dans de l'eau réchauffée par le feu, mais elle n'avait jamais mis les pieds dans de l'eau aussi chaude.

Losaduna les guidait lentement pour qu'elles eussent le temps de s'habituer à la chaleur, mais Ayla fut beaucoup plus longue à atteindre les bancs en pierre. Pourtant, à mesure qu'elle progressait dans l'eau, un doux bien-être l'envahit. Lorsqu'elle se fut assise et que l'eau lui arriva au menton, elle se décontracta enfin. Ce n'est pas si mal, une fois qu'on s'habitue, décida-t-elle. En fait, la chaleur faisait du bien.

Dès qu'ils se furent habitués, Losaduna recommanda à Ayla de retenir sa respiration et de plonger la tête sous l'eau. Elle s'exécuta et lorsqu'elle refit surface, il enjoignit à Madenia de l'imiter. Puis il plongea à son tour, et les conduisit ensuite hors du bassin.

Il pénétra dans le petit passage et en rapporta un bol en bois, rempli d'une matière épaisse et jaunâtre qui ressemblait à de l'écume. Il le posa sur une aire pavée de pierres plates, prit une pleine poignée d'écume et s'en frotta le corps, ordonnant à Ayla d'enduire le corps de Madenia, et de se frictionner à son tour, sans oublier d'en passer sur les cheveux.

L'homme chantonnait en se frottant avec la chose douce et glissante, et Ayla eut l'impression qu'il ne s'agissait plus d'un rituel, mais bien de manifester sa joie. Elle se sentait elle-même assez gaie, et se demanda si la décoction qu'il leur avait fait boire n'y était pas pour quelque chose.

Lorsqu'il ne resta plus d'écume, Losaduna ramassa le bol en bois, le remplit dans le bassin, revint sur l'aire pavée et se rinça en versant l'eau sur son corps. Il recommença deux fois l'opération, remplit de nouveau le bol et rinça ensuite Madenia, puis Ayla. L'eau s'écoulait loin du bassin, entre les interstices des pierres. Alors, Celui Qui Sert la Mère les entraîna vers la pièce d'eau tout en marmonnant une chanson sans paroles.

Ils s'assirent sur le banc, flottant presque dans l'eau. Ayla était complètement détendue, et elle repensa aux bains de vapeur des Mamutoï, qui n'étaient toutefois pas aussi agréables. Lorsque Losaduna décida qu'ils en avaient eu assez, il alla à l'autre bout du bassin ôter le bouchon de bois. L'eau commença à s'écouler dans la profonde tranchée creusée dans le sol, et Losaduna se mit à hurler.

— Allez-vous-en, mauvais esprits ! Eau purificatrice de la Mère, efface les traces de l'empreinte de Charoli et de ses hommes ! Fuyez, impuretés, que l'eau vous emporte ! Lorsque l'eau sera partie, Madenia sera purifiée. Les pouvoirs de la Mère l'ont rendue aussi neuve qu'avant !

Ils sortirent alors de l'eau, et Losaduna les entraîna dehors sans même s'arrêter pour prendre leurs habits. Le vent glacial et le sol gelé rafraîchirent leurs corps brûlants.

Les rares Losadunaï présents les ignorèrent ou détournèrent la tête, ce qui rappela un souvenir pénible à Ayla. Lorsqu'elle avait été damnée, ceux du Clan l'avaient regardée fixement sans la voir, mais cette fois-ci c'était différent. Ceux qui passaient la voyaient, mais feignaient de l'ignorer par courtoisie. Ils rentrèrent alors dans la tente, bien contents de s'envelopper dans les douces couvertures sèches qui les attendaient, et de déguster une infusion de menthe brûlante.

Comme elle portait la coupe fumante à sa bouche, le regard d'Ayla tomba sur ses mains. La peau était ridée, mais d'une propreté ! En peignant ses cheveux avec un instrument dentelé, taillé dans de l'os, elle remarqua qu'ils crissaient.

— Quelle était cette douce écume ? demanda-t-elle. Elle nettoie encore mieux que la racine de saponaire.

— C'est Solandia qui la fabrique, dit Losaduna. C'est un mélange de cendre et de graisse, mais elle t'expliquera mieux que moi.

Après avoir terminé avec ses cheveux, Ayla peigna Madenia.

— Comment fais-tu pour que l'eau soit si chaude ?

— C'est un Don de la Mère aux Losadunaï, répondit l'homme en souriant. Il y a plusieurs sources chaudes dans cette région. Certaines sont utilisées par tout le monde, et d'autres sont sacrées. Nous considérons que celle-ci est au centre et à l'origine des autres sources, c'est pourquoi elle est la plus sacrée de toutes. C'est un grand honneur pour notre Caverne, et c'est pourquoi personne ne veut en partir. Mais nous commençons à manquer de place et un groupe de jeunes pensent sérieusement à fonder une nouvelle Caverne. De l'autre côté de la rivière, un peu plus bas, il y a un endroit qui leur plaît, mais c'est un territoire de Têtes Plates, et ils hésitent encore.

Ayla hocha la tête. Elle se sentait si bien, si détendue, qu'elle n'avait aucune envie de bouger. Elle remarqua que Madenia n'était plus crispée, ni sur la défensive.

— Cette eau est un Don merveilleux ! s'exclama Ayla. Que la Mère en soit remerciée !

— Il est très important d'apprécier tous les Dons de la Mère, approuva Losaduna. Et surtout Son Don des Plaisirs.

— Son Don est un mensonge ! s'écria Madenia qui s'était brusquement raidie. Ce n'est pas un plaisir, il n'apporte que la douleur !

C'était la première fois qu'elle ouvrait la bouche.

— J'avais beau les supplier, ils n'arrêtaient pas ! Plus aucun homme ne me touchera, je le jure !

— Je comprends ta colère, lui dit Ayla. Je comprends tes pleurs. Ce qu'ils t'ont fait est horrible. Je sais ce que tu ressens.

Elle se leva, et prit la jeune fille dans ses bras.

— Comment pourrais-tu comprendre ? s'exclama la jeune fille avec amertume en se dégageant.

— J'ai connu cette même douleur et cette humiliation, assura Ayla.

La jeune fille la dévisagea avec surprise, et Losaduna hocha la tête comme s'il venait de comprendre quelque chose d'important.

— Madenia, dit Ayla avec douceur, lorsque j'avais ton âge, et même un peu moins, peu après que mes périodes lunaires se sont déclarées, j'ai été forcée, moi aussi. C'était ma première fois. J'ignorais qu'on appelât cela les Plaisirs, et je ne me souviens que d'une violente douleur.

— Oui, mais par un seul homme ? fit Madenia.

— Un seul, oui. Mais il a souvent recommencé par la suite, et je détestais ça ! s'exclama Ayla, surprise par sa propre véhémence.

— Plusieurs fois ? Pourquoi ne l'a-t-on pas empêché de recommencer ? demanda Madenia.

— Tout le monde croyait que c'était son bon droit, et personne ne comprenait ma colère et ma haine, ni pourquoi je ne ressentais que de la douleur. Je commençais à m'inquiéter et je me demandais si j'étais normale. Et puis la douleur a disparu, mais je ne ressentais toujours pas les Plaisirs. D'ailleurs, il ne le faisait pas pour me les donner, il cherchait surtout à m'humilier. Un jour, j'ai cessé de le haïr, et quelque chose d'inouï s'est produit. Quand il me forçait, je pensais à autre chose, et je ne sentais plus rien. Je l'ignorais. Lorsqu'il a compris qu'il ne me faisait plus de mal, je crois qu'il s'est senti humilié. Et il n'a jamais recommencé. Mais je ne voulais plus qu'un homme me touche.

— Aucun homme ne me touchera ! s'écria Madenia.

— Tous ne sont pas comme Charoli et sa bande. Jondalar, par exemple. C'est lui qui m'a appris la joie et les Plaisirs du Don de la Mère. Et crois-moi, Madenia, c'est un Don merveilleux. Accorde-toi la chance de rencontrer un homme comme Jondalar, et tu connaîtras la joie, toi aussi.

— Non ! Non ! hurla Madenia. C'est trop horrible !

— Je sais, fit Ayla. Même les Dons les meilleurs peuvent devenir malfaisants si on les détourne de leur usage. Mais un jour, tu voudras être mère, et tu ne le deviendras jamais si tu ne partages pas le Don de la Mère avec un homme.

— Ne dis pas ça, sanglota Madenia, le visage inondé de larmes. Je ne veux pas l'entendre.

— C'est pourtant la vérité. Ne laisse pas Charoli gâter ce que tu as de bon en toi. Ne le laisse pas te priver de la joie d'être mère. Accepte les Premiers Rites, et tu t'apercevras que ce n'est pas forcément douloureux. J'ai fini par apprendre, même si je n'ai pas eu la chance de célébrer une cérémonie. La Mère a quand même trouvé un moyen de me donner cette joie. Elle m'a envoyé Jondalar. Le Don va bien au-delà des Plaisirs, Madenia. Il apporte davantage, crois-moi, s'il est partagé avec amour. Et si la douleur que j'ai ressentie la première fois était le prix à payer pour ce que j'ai découvert par la suite, je suis prête à en payer dix fois le prix pour tout l'amour que j'ai obtenu. Tu as tant souffert que la Mère t'accordera peut-être un privilège particulier... mais laisse-Lui une chance, Madenia. Penses-y, et ne dis pas non avant d'avoir bien réfléchi.

Ayla se réveilla fraîche et dispose comme jamais. Elle s'étira avec volupté et chercha Jondalar à tâtons, mais il était déjà parti. Déçue, elle se souvint alors qu'il l'avait réveillée pour lui rappeler qu'il allait chasser avec Laduni et quelques autres, et qu'il lui avait proposé de les accompagner. Elle avait décliné l'offre la veille parce qu'elle avait d'autres projets, et elle était restée couchée à paresser dans les douces fourrures chaudes.

Cette fois, elle décida qu'il était l'heure de se lever. Elle s'étira, passa les mains dans ses cheveux en se délectant de leur douceur soyeuse. Solandia lui avait promis de lui expliquer comment fabriquer la mousse qui nettoyait si bien.

Le repas était le même que les autres jours : un brouet de poissons séchés, pêchés au début de l'année dans la Grande Rivière Mère.

Jondalar lui avait dit qu'ils allaient à la chasse parce que la Caverne était à court de réserves, mais ce n'était ni la viande ni le poisson qui manquaient le plus. Ils mangeaient suffisamment mais la fin de l'hiver approchait et les mets n'étaient pas très variés. Plus personne ne supportait la viande ni le poisson séchés. De la viande fraîche serait la bienvenue, même en petite quantité. Tous se languissaient des vertes pousses des légumineuses, des fruits et des premiers produits du printemps. Ayla se livra à une petite exploration autour de la caverne, mais les Losadunaï avaient déjà ratissé les environs. Il leur restait cependant une abondante réserve de graisse, dont ils enrichissaient leurs repas.

Le festin qui se préparait en l'honneur de la Fête de la Mère serait donc limité. Ayla avait déjà prévu d'apporter sa contribution. Elle comptait offrir le sel qui lui restait, et quelques herbes pour parfumer et enrichir le repas. Solandia lui avait montré sa petite réserve de breuvage fermenté, de la bière de bouleau, qu'elle comptait servir au festin.

Solandia pensait aussi puiser dans ses provisions de

graisse pour fabriquer une fournée de savon. Ayla la supplia de ne pas gâcher un aliment aussi indispensable, mais la femme prétendit que Losaduna en avait besoin pour les cérémonies, et qu'il n'en avait plus. Pendant que la mère s'occupait de ses enfants, Ayla emmena Loup auprès de Whinney et de Rapide.

Solandia sortit prévenir Ayla qu'elle était prête, mais s'arrêta sur le seuil de la caverne et observa la jeune femme. Ayla venait de rentrer d'un galop à travers le pré, et jouait en riant avec les animaux. Solandia fut frappée des façons maternelles de la jeune femme.

Quelques jeunes observaient aussi l'étrangère. Ils appelèrent Loup, qui avait bien envie de les rejoindre, mais quêtait l'assentiment d'Ayla d'un air implorant. Ayla aperçut Solandia à l'entrée de la caverne, et se hâta de la rejoindre.

— J'aurais bien aimé que Loup occupe le bébé, dit la femme. Verdegia et Madenia viennent me donner un coup de main, mais la fabrication exige une grande concentration.

— Oh, mère ! protesta l'aînée qui avait essayé d'attirer Loup avec les autres enfants. C'est toujours le bébé qui joue avec lui.

— Bon, si tu préfères garder ton petit frère...

La fille parut déçue, mais son visage s'illumina soudain.

— Et si on le sortait ? Il n'y a pas de vent, et on le couvrira chaudement.

— Oui, si tu veux, acquiesça Solandia.

Ayla regarda Loup qui ne la quittait pas des yeux, quêtant toujours son autorisation.

— Loup, surveille le bébé, dit-elle.

Loup jappa... en signe d'assentiment, sembla-t-il.

— J'ai de la bonne graisse de mammouth que j'ai fait rendre l'année dernière, annonça Solandia en accompagnant Ayla au foyer. Les chasses ont été bonnes, et il nous reste beaucoup de graisse. C'est une chance ! Sinon, l'hiver aurait été difficile. J'ai commencé à la faire fondre.

827

En chemin, elles croisèrent les enfants qui sortaient en courant, portant le bébé.

— Ne perdez pas les mitaines de Micheri ! lança Solandia.

Elles retrouvèrent Verdegia et Madenia qui les attendaient à l'intérieur.

— J'ai apporté des cendres, déclara Verdegia.

Madenia esquissa un pâle sourire timide.

Solandia était contente de la voir enfin debout. Elle ignorait ce qui s'était passé dans la tente de la source chaude, mais le résultat était là.

— J'ai mis des pierres à chauffer dans le feu pour préparer une infusion, annonça Solandia. Veux-tu t'en occuper, Madenia ? J'utiliserai le reste pour faire réchauffer l'eau qui me sert à faire fondre la graisse.

— Où veux-tu que je dépose ces cendres ? demanda Verdegia.

— Mélange-les aux miennes. Je viens à peine de commencer à les filtrer.

— Losaduna disait que tu utilisais de la graisse et des cendres, fit Ayla.

— Et aussi de l'eau, précisa Solandia.

— Quel drôle de mélange.

— En effet.

— Qu'est-ce qui t'en a donné l'idée ?

— En fait, c'était un accident, avoua Solandia avec un petit sourire. Nous étions à la chasse et j'avais fait un feu dans un trou profond. De la viande de mammouth bien grasse grillait au-dessus, et il s'est mis à pleuvoir à torrent. J'ai attrapé la viande avec la broche et je me suis vite abritée. Quand la pluie s'est calmée, nous sommes rentrés à la caverne, mais j'avais oublié un récipient en bois, et je suis revenue le chercher le lendemain. Le trou du feu était inondé et une espèce d'écume épaisse flottait sur l'eau. Je ne m'en serais pas souciée, mais j'avais laissé tomber une louche dans le trou et j'ai voulu la récupérer. Quand je suis allée la rincer au ruisseau, elle était toute glissante, comme si elle avait été enduite de saponaire. Après, mes mains étaient d'un propre ! Et la louche était complètement dégraissée. Quand j'ai vu ça, j'ai rempli le récipient d'écume et j'en ai rapporté.

— Est-ce si facile à fabriquer ?

— Oh, non ! Ce n'est pas vraiment compliqué, mais il faut avoir l'habitude. La première fois, j'ai eu de la chance. Tous les éléments devaient être réunis. Depuis, j'essaie d'améliorer la fabrication, mais il m'arrive encore de la rater.

— Comment fabriques-tu la mousse ? Tu as bien dû trouver le bon moyen ?

— C'est facile à expliquer. Je fais fondre de la graisse. Elles conviennent toutes, mais chacune possède ses particularités. Je préfère la graisse de mammouth. Ensuite, je prends de la cendre, je la mélange avec de l'eau et je laisse tremper. Je la filtre dans un filet, ou un panier au fond troué. Le liquide que tu obtiens est très fort. Il faut faire attention, ça pique la peau, et ça peut même brûler. Si cela t'arrive, rince-toi tout de suite. Bon, tu mélanges bien la mixture dans la graisse, et si tu as de la chance, tu obtiens une écume onctueuse qui nettoie tout, même le cuir.

— Mais on n'a pas toujours de la chance, intervint Verdegia.

— Non, beaucoup de choses peuvent se produire. Par exemple, tu as beau remuer, le mélange ne prend pas. Si c'est le cas, tu peux l'améliorer en le chauffant. Parfois, les ingrédients se séparent et tu obtiens un liquide trop fort, et un autre trop gras. Il se forme parfois des grumeaux. Ou alors, c'est trop épais, mais ce n'est pas le plus grave. Cela épaissit toujours en vieillissant, de toute façon.

— Et quelquefois tout se passe bien, comme la première fois ! conclut Ayla.

— J'ai appris une chose : la graisse et les cendres liquides doivent être aussi chaudes que la peau de ton poignet, précisa Solandia. Verses-en dessus quelques gouttes, et il ne faut pas que tu les sentes. Le liquide des cendres est plus difficile à vérifier parce qu'il est fort et qu'il brûle un peu, quelle que soit la température. Il faut tout de suite te rincer à l'eau claire. Si cela brûle trop, cela signifie qu'il faut rajouter de l'eau, et il faut faire très attention de ne pas s'en mettre dans les yeux.

— Et ça pue ! intervint Madenia.

— C'est juste, avoua Solandia. Ça pue aussi. C'est pourquoi je sors fabriquer le mélange au milieu de la caverne, alors que j'ai tout préparé ici même.

— Mère ! Mère ! Viens vite ! s'écria Neladia, la deuxième fille de Solandia, en se précipitant dans la caverne, avant de repartir en courant.

— Que se passe-t-il ? Quelque chose est arrivé au bébé ? s'inquiéta Solandia, qui courut derrière sa fille.

Tout le monde se rua dehors.

— Regarde ! fit Dosalia. Le bébé marche !

Micheri s'agrippait à la fourrure de Loup, le visage éclairé d'un sourire satisfait, et il faisait quelques pas hésitants sous la conduite du fauve qui avançait avec de multiples précautions. Tous poussèrent des soupirs de soulagement, et rirent de joie.

— On dirait que le loup sourit, remarqua Solandia. Je vous assure, il a l'air si content de lui qu'il sourit !

— C'est aussi ce que je pense, acquiesça Ayla. Cela fait longtemps que je me dis qu'il sait sourire.

— Je t'assure, Ayla, ce n'est pas réservé aux cérémonies, disait Losaduna. Nous y allons parfois simplement pour nous tremper. Si tu veux y emmener Jondalar, je n'y vois aucune objection. Les Eaux Sacrées de la Mère sont comme Ses autres Dons à Ses Enfants, elles sont faites pour qu'on en profite et qu'on les apprécie. Tout comme l'infusion que tu viens de préparer et qui est excellente, ajouta-t-il en levant sa coupe.

Tous les Losadunaï qui n'étaient pas partis à la chasse s'étaient rassemblés autour d'un feu au centre de la caverne pour profiter de la présence de l'étrangère. Ils avaient consommé une soupe de viande de cerf séchée, enrichie d'une grosse portion de graisse de mammouth. Rassasiés, ils dégustaient maintenant l'infusion qu'Ayla avait préparée, après l'avoir complimentée pour ses talents culinaires.

— Quand Jondalar rentrera, je l'emmènerai se baigner avec moi dans le bassin d'eau chaude, dit alors Ayla. Je crois que cela lui plaira.

— Tu devrais la prévenir, Losaduna, conseilla une femme, avec un sourire malicieux.

On l'avait présentée comme la compagne de Laduni.

— Me prévenir ? s'étonna Ayla.

— Oui, il faut savoir choisir entre les Dons de la Mère.

— Explique-toi.

— Elle veut dire que les Eaux Sacrées sont parfois trop émollientes, intervint Solandia.

— Je ne comprends toujours pas, insista Ayla.

Le sujet semblait amuser tout le monde, et les langues allaient bon train.

— Si tu emmènes Jondalar aux bains brûlants, sa virilité risque de perdre sa puissance, expliqua Verdegia, plus directe que les autres. Et il se passera un moment avant qu'elle ne se reconstitue. Alors, n'attends rien de lui après le bain. En tout cas, pas tout de suite. Certains hommes refusent de se tremper dans les Eaux Sacrées de la Mère de peur que leur virilité ne fonde et ne revienne jamais.

— Et cela arrive-t-il ? s'inquiéta Ayla, en interrogeant Losaduna du regard.

— Pas à ma connaissance, dit l'homme. Mais le contraire, oui. Un homme montre davantage d'ardeur après les bains. A mon avis, c'est parce qu'il est détendu et se sent bien.

— C'est vrai, j'étais merveilleusement calme après le bain brûlant, reconnut Ayla. Et j'ai dormi comme jamais. Mais ce n'était pas seulement à cause de l'eau... l'infusion, peut-être ?

— C'était une cérémonie importante, fit Losaduna avec

un sourire. Et les cérémonies suffisent à provoquer certains effets.

— En tout cas, je suis prête à retourner aux Eaux Sacrées, mais je préfère attendre Jondalar. Les chasseurs vont-ils bientôt rentrer ?

— Oh, oui, fit Laronia. Laduni sait que les préparatifs pour la Fête de la Mère de demain vont être longs. Personne ne serait allé chasser aujourd'hui s'il n'avait pas voulu voir Jondalar utiliser l'engin à faire voler les sagaies. Comment l'appelez-vous ?

— Un propulseur, répondit Ayla. C'est très efficace, à condition d'avoir de l'entraînement. Nous avons eu le temps de nous exercer pendant ce Voyage.

— Tu te sers de son propulseur ? s'étonna Madenia.

— Non, j'ai le mien. J'aime chasser.

— Alors pourquoi ne les as-tu pas accompagnés ? demanda la jeune fille.

— Parce que je voulais apprendre à fabriquer la mousse à nettoyer. Et puis j'avais quelques affaires à laver et à raccommoder.

Elle se leva et allait se diriger vers le foyer de cérémonie quand elle se ravisa.

— J'ai quelque chose à vous montrer, moi aussi, fit-elle. Avez-vous déjà vu un tire-fil ?

Des yeux ébahis s'écarquillèrent et des têtes firent des signes négatifs en réponse à sa question.

— Attendez-moi ici, je vais vous montrer.

Elle reparut bientôt, portant une trousse à couture et les affaires qu'elle voulait recoudre. Tout le monde l'entoura, brûlant de connaître une autre chose étonnante apportée par les visiteurs. Ayla sortit de sa trousse un petit cylindre creux fabriqué dans un os d'oiseau, et le secoua. Deux petites tiges d'ivoire en tombèrent et Ayla en tendit une à Solandia.

La femme examina la fine tige soigneusement polie. L'une des extrémités était effilée comme un poinçon, l'autre plus épaisse était, chose surprenante, trouée de part en part. Solandia considéra l'objet avec étonnement, et comprit soudain à quoi il servait.

— Tu as bien dit que c'était un tire-fil ? demanda-t-elle en tendant l'objet à Laronia.

— Oui, et je vais te montrer comment on l'utilise.

Ayla prépara un fin morceau de tendon, en mouilla l'extrémité, l'effila entre ses doigts et la laissa sécher. Le tendon se durcit légèrement et conserva la forme qu'elle lui avait imprimée. Elle le passa à travers le trou de la tige d'ivoire, et reposa le tout. Elle prit ensuite un petit outil pointu en silex et perça des trous près du bord d'un vêtement dont les coutures avaient cédé en arrachant le cuir par endroits. Les perforations étaient légèrement en retrait de l'ancienne couture.

Ayla passa ensuite le tire-fil dans un trou, le saisit de l'autre côté du cuir, entraînant le tendon, et le tira d'un geste large.

Ceux qui l'entouraient poussèrent un « Oh » d'étonnement admiratif.

— Tu as vu ? disait une femme. Le tendon est venu tout seul.

— Je peux essayer ? demanda une autre.

Ayla passa le morceau de cuir et le tire-fil à la ronde, expliquant à l'une, corrigeant l'autre. Elle raconta comment l'idée du tire-fil lui était venue et comment toutes les femmes du Camp du Lion avaient participé à sa réalisation.

— Tu as là un poinçon très bien taillé, remarqua Solandia après l'avoir examiné.

— C'est Wymez, du Camp du Lion, qui l'a fabriqué. Il avait aussi taillé celui que nous avons utilisé pour perforer le tire-fil.

— Cela n'a pas dû être facile de tailler une pointe aussi minuscule, remarqua Losaduna avec admiration.

— Jondalar prétend que Wymez est le seul tailleur de silex qui puisse rivaliser avec Dalanar. Il dit même qu'il est peut-être meilleur.

— De sa part, c'est un beau compliment, fit Losaduna.

Tout le monde s'accorde à dire que Dalanar est un maître tailleur de pierre. Sa réputation a franchi le glacier et il est connu jusque chez les Losadunaï.

— Oui, mais Wymez est un maître, lui aussi.

Surpris, ils se retournèrent tous pour savoir qui avait parlé. C'était Jondalar qui rentrait avec Laduni et quelques autres, transportant un ibex qu'ils avaient tué.

— La chance vous a souri ! s'exclama Verdegia. Si personne n'y voit d'inconvénient, j'aimerais avoir la peau. Je voulais justement de la laine d'ibex pour préparer la couche nuptiale de Madenia.

Elle avait réussi à placer sa demande avant tout le monde.

— Mère ! s'exclama Madenia, gênée. Comment peux-tu parler de cela ?

— Madenia doit recevoir les Premiers Rites avant d'envisager une Union, rectifia Losaduna.

— Pour ma part, je lui laisse volontiers la peau, déclara Laronia. Qu'elle en fasse ce qu'elle voudra.

L'avidité de Verdegia ne lui avait pas échappé. On ne chassait pas souvent le trop rusé ibex et sa laine était très recherchée, surtout vers la fin de l'hiver, quand elle était épaisse et abondante.

— Moi aussi, ça m'est égal, dit Solandia. Verdegia peut la prendre. Réjouissons-nous d'avoir de la viande fraîche pour la Fête de la Mère. Je me moque de la peau.

D'autres approuvèrent, personne ne souleva d'objection. Verdegia sourit et essaya de ne pas trop étaler sa satisfaction. Tout s'était déroulé exactement comme elle l'avait espéré.

— La viande d'ibex sera délicieuse avec les oignons séchés que j'apporte. J'ai aussi des airelles.

Tous les regards convergèrent vers l'entrée de la caverne. Ayla aperçut une jeune femme qu'elle n'avait pas encore rencontrée, portant un bébé dans les bras et tenant une petite fille par la main. Un jeune homme la suivait.

— Filonia ! s'écrièrent plusieurs voix.

Laronia et Laduni se précipitèrent à sa rencontre, bientôt rejoints par le reste du groupe.

Après de joyeuses embrassades, Laronia prit le bébé et Laduni souleva la petite fille, qui avait couru se jeter dans ses bras, et la mit sur ses épaules. De son perchoir, l'enfant contempla tout le monde avec un sourire conquérant.

A côté d'Ayla, Jondalar regardait la scène en souriant.

— Dire que cette femme pourrait être ma sœur ! s'exclama-t-il.

— Filonia, viens voir qui est là ! dit Laduni en l'emmenant vers le couple de visiteurs.

— Jondalar, c'est bien toi ? s'étonna Filonia. Je ne croyais pas que tu reviendrais. Où est Thonolan ? Je voudrais lui présenter quelqu'un.

— Hélas, Filonia, il marche à présent dans l'autre monde, avoua Jondalar avec tristesse.

— Oh ! Cela me fait beaucoup de peine. Je voulais tant lui présenter Thonolia. Je suis persuadée qu'elle est la fille de son esprit.

— Oui, c'est vrai. Elle ressemble beaucoup à ma sœur, qui est née dans le même foyer que Thonolan. J'aimerais que ma mère puisse la voir, elle serait heureuse de savoir qu'il reste une parcelle de l'esprit de son fils dans ce monde.

— On dirait que tu n'es pas seul, remarqua Filonia en découvrant la présence d'Ayla.

— Oh, que non ! fit Laduni. Et attends de voir ses autres compagnons de voyage. Tu n'en croiras pas tes yeux !

— Tu arrives au bon moment, fit Laronia. Nous organisons une Fête de la Mère demain.

37

Les préparatifs de la Fête de la Mère enthousiasmaient le peuple de la Caverne des Sources Sacrées. L'arrivée d'Ayla et de Jondalar au plus profond du morne hiver avait provoqué une fièvre qui n'était pas près de s'éteindre grâce aux inévitables récits qu'on évoquerait pendant des années. Dès leur apparition, assis sur le dos des chevaux et suivis par le Loup Qui Aimait Les Enfants, les suppositions les plus invraisemblables avaient circulé. Les visiteurs avaient des histoires passionnantes à raconter, des idées nouvelles à partager, et des instruments fascinants, comme le propulseur et le tire-fil, à utiliser.

On murmurait qu'à l'occasion de la Fête de la Mère, la jeune femme montrerait une nouvelle magie où il serait question de pierre et de feu, comme pour leur pierre qui brûle. Losaduna, lui-même, en avait dit deux mots pendant le dîner. Les visiteurs avaient également promis de faire une démonstration de leur propulseur, devant la caverne, pour que chacun pût apprécier les immenses possibilités de l'engin, et Ayla leur enseignerait ce qu'on pouvait faire avec une fronde. Mais ce qui excitait le plus leur curiosité restait la pierre mystérieuse et le feu.

Ayla découvrit qu'il était aussi épuisant d'être constamment le centre d'intérêt d'un groupe que d'être toujours en voyage. Tout l'après-midi, elle avait été bombardée de questions et on lui demandait sans cesse son avis sur des sujets dont elle ignorait tout. A la nuit tombée, elle était si fatiguée qu'elle quitta la réunion dès qu'elle le put. Loup l'accompagna et Jondalar ne tarda pas à la suivre, laissant les papotages et les spéculations aller bon train après son départ.

On leur avait aménagé un endroit pour dormir dans le foyer de cérémonie qu'occupait Losaduna. Ils terminèrent leurs préparatifs pour la fête et se glissèrent ensuite dans leurs couches de fourrures. Jondalar prit Ayla dans ses bras et songea aux préliminaires qu'elle considérait comme son « signal » pour les Plaisirs, mais elle semblait si nerveuse et si distraite qu'il y renonça. D'autant qu'on ne savait jamais ce qui pouvait se passer dans une Fête de la Mère, et Losaduna avait suggéré qu'il serait judicieux de se réserver et d'attendre la fin du rituel exceptionnel qu'il avait préparé, avant d'honorer la Mère.

Il avait confié à Celui Qui Sert ses doutes sur ses capacités à avoir des enfants nés de son foyer. La Grande Mère jugeait-Elle son esprit inadéquat à faire naître une nouvelle vie ? Ils avaient décidé de supplier la Mère de lui accorder Son aide lors d'un rite privé précédant la Fête.

La respiration de Jondalar s'était alourdie depuis longtemps, mais Ayla était incapable de trouver le sommeil. Elle tournait et se retournait sans cesse, en prenant garde de ne pas déranger l'homme à ses côtés. Elle finit par sommeiller sans jamais s'endormir tout à fait, et ses pensées se peuplèrent de rêveries étranges à mesure qu'elle oscillait entre deux états de conscience...

La végétation printanière habillait la prairie d'un manteau vert, égayé par une abondance de fleurs de toutes les couleurs. Au loin, la façade escarpée d'une muraille rocheuse d'un blanc d'ivoire, percée de multiples cavernes et

dont les veines noires convergeaient vers de vastes sur-
plombs, miroitait sous les rayons ardents qui tombaient d'un
ciel d'azur immaculé. Le soleil se réfléchissait dans la rivière
qui courait au pied de la roche, indiquant les contours de la
falaise sans la suivre exactement.

Dans le pré qui bordait la rivière, à mi-chemin, un homme
l'observait, un homme du Clan. Il se retourna et se dirigea
vers la falaise en s'appuyant sur un bâton. Bien qu'il boitât,
il marchait à vive allure. Il ne lui avait fait aucun signe,
n'avait prononcé aucun mot, mais elle savait qu'elle devait le
suivre. Elle se hâta et lorsqu'elle arriva à sa hauteur, il la
dévisagea de son seul œil valide. Son regard pénétrant était
plein de compassion. Elle savait que son manteau en peau
d'ours cachait le moignon d'un bras qui avait été amputé au
coude lorsqu'il était enfant. Sa grand-mère, une guérisseuse
réputée, avait coupé le membre rongé par la gangrène après
qu'un ours des cavernes l'avait broyé. C'était là aussi que
Creb avait perdu son œil.

En approchant de la falaise, elle remarqua un rocher
étrange en équilibre sur le faîte en surplomb. Le roc, en
forme de colonne, plus foncé que la falaise calcaire qui le
supportait, penchait dangereusement comme pétrifié au
moment de la chute. Elle savait que le rocher, qui menaçait
de tomber à tout moment, lui signalait quelque chose de très
important. Quelque chose dont elle devrait se souvenir,
quelque chose qu'elle avait fait... ou devait faire... ou ne
devait surtout pas faire.

Elle ferma les yeux et réfléchit. Elle vit des ténèbres,
violettes, épaisses, palpables, comme seul le fond d'une
caverne pouvait en receler. Une minuscule lumière scintilla
au loin, et elle se faufila dans un passage étroit pour
l'atteindre. En approchant, elle vit Creb avec d'autres mog-
ur, et une peur panique la submergea. Elle ouvrit vivement
les yeux pour chasser ce souvenir.

Elle se retrouva sur la berge de la petite rivière au pied de
la falaise. De l'autre côté du cours d'eau, Creb gravissait
péniblement un sentier qui menait au rocher en équilibre

instable. Elle s'était laissé distancer et ne savait plus comment le rejoindre. Elle l'appela :

— Creb, excuse-moi. Je ne voulais pas te suivre dans la caverne.

Il se retourna et lui expliqua par gestes de se hâter.

— Dépêche-toi. Ne perds pas de temps ! Dépêche-toi !

La rivière s'élargissait et devenait de plus en plus profonde. La glace l'envahissait.

L'étendue de glace augmentait sans cesse et la séparait davantage de Creb.

— Attends-moi, Creb ! Ne m'abandonne pas là ! hurlat-elle.

— Ayla ! Ayla, réveille-toi ! C'est encore un de tes rêves, dit Jondalar en la secouant tendrement.

Elle ouvrit les yeux, ressentit une perte immense et une panique intense. Elle reconnut les parois tendues de peaux. Les braises encore rougeâtres dans le foyer éclairaient la silhouette de Jondalar. Elle se serra contre lui.

— Dépêchons-nous, Jondalar, il faut partir ! Il faut partir tout de suite, insista-t-elle.

— Mais oui, nous allons partir. Mais la Fête de la Mère a lieu demain, et il faut encore décider de ce que nous emporterons.

— La glace ! frissonna-t-elle. Il faut traverser la rivière de glace !

— Oui, je sais, assura-t-il en la berçant doucement. Mais nous devons d'abord trouver une solution pour Loup et les chevaux. Nous aurons besoin de nourriture, et d'eau pour nous tous. La glace est dure comme le roc, là-bas.

— Creb veut que nous fassions vite. Il faut partir !

— Nous partirons le plus tôt possible, Ayla. Je te le promets.

Une sourde inquiétude l'envahit. Il ne fallait pas tarder s'ils voulaient franchir le glacier sans encombre. Mais pouvaient-ils partir avant la Fête de la Mère ? Tout de même pas !

Bien qu'il ne réchauffât pas l'air glacial, le soleil déclinant filtrait à travers les branches des arbres. A l'ouest, l'astre étincelant descendait au milieu de nuages embrasés qui diffusaient une lueur rosâtre réfléchie par les pics glacés des montagnes. La nuit tomberait bientôt, mais Ayla et Jondalar étaient toujours dans le pré devant la caverne. Comme tous les spectateurs, Jondalar observait Ayla.

Elle prit une profonde inspiration et retint son souffle pour que la buée ne lui cachât pas la vue et l'empêchât de viser. Elle prit deux pierres et en glissa une dans la poche de la fronde qu'elle fit tournoyer une fois avant d'expédier son projectile. Elle glissa vivement sa main libre le long de la fronde, introduisit la deuxième pierre dans la poche, imprima aussitôt le même mouvement que précédemment et lança son second jet. Personne ne pouvait lancer deux pierres aussi vite.

— Oh!

— Tu as vu!

Les exclamations admiratives fusaient de partout.

— Elle a brisé les deux boules de neige à l'autre bout du pré! disait l'un.

— Je la trouvais habile avec son propulseur, mais elle est encore meilleure à la fronde! renchérissait l'autre.

— Elle a dit qu'il faudrait qu'on s'exerce longtemps avant de viser juste avec le propulseur, remarqua Larogi. Mais combien de temps lui a-t-il fallu pour lancer deux pierres aussi vite et avec autant de précision? Je préfère apprendre à me servir du lance-sagaies.

La démonstration était terminée et la nuit approchait. Laduni s'avança et annonça que le festin allait bientôt commencer.

— Il sera servi dans le foyer central, mais auparavant, Losaduna va le dédier à la Mère au Foyer de Cérémonie. Et Ayla se livrera à une expérience extraordinaire.

Un frisson de curiosité parcourut l'assemblée, et tout le monde s'achemina vers le foyer, dans l'enthousiasme et l'excitation. Ayla aperçut Madenia au milieu d'amis, et elle se réjouit de la voir sourire. De nombreuses voix s'étaient élevées pour exprimer la satisfaction de la voir réintégrer le groupe, bien qu'elle restât encore un peu timide. Ayla ne put s'empêcher de remarquer combien l'attention des autres facilitait l'apaisement des blessures. Contrairement à elle, qui avait dû supporter les caprices humiliants de Broud et l'étonnement de tous devant sa résistance et sa haine de l'accouplement, Madenia bénéficiait du soutien général. Tout le monde était de son côté. Les Losadunaï étaient en colère contre celui qui l'avait forcée, compatissaient à son épreuve et voulaient tous réparer le mal qu'elle avait subi.

Lorsque tout le monde se fut assis à l'intérieur du Foyer de Cérémonie, Celui Qui Sert la Mère sortit de l'ombre et vint se camper devant le feu encerclé de pierres rondes de taille rigoureusement identique. Il prit un bâtonnet dont l'extrémité avait été trempée dans de la poix, l'alluma et marcha ensuite jusqu'au mur de la caverne.

Le corps de Celui Qui Sert lui bouchait la vue, et Ayla ne savait pas ce qu'il faisait, mais en voyant une lueur l'entourer elle comprit qu'il venait d'allumer une flamme, probablement une lampe. Il décrivit quelques mouvements et commença à chanter une litanie familière, celle des noms de la Mère qu'il avait déjà chantée pendant la purification de Madenia. Il invoquait l'esprit de la Mère.

Lorsqu'il se recula pour faire face à l'audience, Ayla remarqua que la lueur provenait d'une lampe en pierre logée dans une niche creusée dans le mur de la caverne. La flamme projetait l'ombre, plus grande que nature, d'une petite dunaï et rehaussait le dessin magnifique de la femme aux généreux attributs maternels — lourdes mamelles et ventre rond, évoquant plutôt de copieuses réserves de graisse qu'une grossesse.

— Grande Mère Terre, Ancêtre Originelle et Créateur de Toute Vie, Tes enfants viennent Te présenter leur reconnaissance, Te remercier pour tous Tes Dons, petits et grands, et honorer Ton Nom, entonna Losaduna, et le peuple de la Caverne reprit en chœur. Pour les rocs et les pierres, les os de la terre qui font don de leur esprit pour nourrir le sol, nous honorons Ton Nom. Pour le sol qui fait don de son esprit pour nourrir les plantes, nous honorons Ton Nom. Pour les plantes qui font don de leur esprit pour nourrir les animaux, nous honorons Ton Nom. Pour les animaux qui font don de leur esprit pour nourrir les mangeurs de viande, nous honorons Ton Nom. Et pour tous ceux qui font don de leur esprit pour nourrir, habiller et protéger Tes enfants, nous honorons Ton Nom.

Tous récitaient en même temps que Celui Qui Sert. Même Jondalar, remarqua Ayla, s'était joint au chœur, bien qu'il chantât en zelandonii. Ayla se mit à chanter « nous honorons Ton Nom » avec les autres, et regrettait de ne pas connaître le reste des paroles dont l'importance ne lui échappait pas, et qu'elle n'oublierait jamais après les avoir entendues.

— Pour Ton puissant fils éblouissant qui éclaire le jour, et Ton bon compagnon qui gouverne la nuit, nous honorons Ton Nom. Pour Tes eaux vivifiantes qui emplissent les rivières et les mers, et tombent du ciel avec la pluie, nous honorons Ton Nom. Pour Ton Don de Vie et Ta Bénédiction des femmes qui font naître la vie comme Tu leur as montré, nous honorons Ton Nom. Pour les hommes que Tu as donnés aux femmes pour les aider à faire pousser de nouvelles vies, et dont Tu prends l'esprit pour que la femme puisse les créer, nous honorons Ton Nom. Et pour Ton Don des Plaisirs que les hommes et les femmes se donnent mutuellement, et qui ouvre une femme pour que la naissance se fasse, nous honorons Ton Nom. Grande Terre Mère, Tes enfants se sont réunis ce soir pour honorer Ton Nom.

A la fin des invocations, un lourd silence tomba sur la caverne. Puis un bébé se mit à pleurer, ce qui sembla à tous une manifestation de circonstance.

Losaduna recula de quelques pas et parut se fondre dans

l'ombre. Solandia se leva, prit un panier près du foyer et versa des cendres sur les flammes, étouffant le feu rituel et plongeant l'assistance dans les ténèbres. Des « Oh » et des « Ah » de surprise parcoururent les rangs et chacun attendit avec une impatience fiévreuse la suite des événements. Seule brûlait la petite lampe dans sa niche, dont la flamme vacillante faisait danser l'ombre de la dunaï qui grandit démesurément jusqu'à emplir l'espace tout entier. C'était la première fois qu'on éteignait le feu de cette façon, et l'effet qui en résulta inspira Losaduna qui se promit de l'utiliser à nouveau.

Les deux visiteurs et ceux qui vivaient dans le Foyer de Cérémonie avaient déjà répété la scène qui allait suivre et chacun connaissait son rôle. Lorsque le calme fut revenu, Ayla s'avança dans l'obscurité jusqu'à un autre foyer. Il avait été décidé que les capacités de la pierre à feu s'étaleraient avec plus de force si Ayla allumait aussitôt un nouveau feu dans un foyer froid, après l'extinction du feu de cérémonie, et que l'effet spectaculaire en serait décuplé. On avait donc disposé dans le foyer de la mousse séchée en guise d'amadou, à côté de brindilles et de morceaux de bois. Lorsque le feu aurait pris, on l'alimenterait avec des pierres qui brûlent.

En s'entraînant, ils avaient découvert que le vent aidait à attiser l'étincelle, et que le courant d'air qui soufflait lorsqu'on soulevait la porte en peau du Foyer de Cérémonie était le plus efficace. Jondalar s'était donc planté devant l'entrée, prêt à intervenir. Ayla s'agenouilla, la pyrite de fer dans une main, le morceau de silex dans l'autre, et les entrechoqua, ce qui provoqua une étincelle que tout le monde put voir. Elle recommença l'opération sous un autre angle, et l'étincelle qui jaillit retomba sur l'amadou.

C'était le signal qu'attendait Jondalar pour ouvrir la tenture de cuir. Profitant du courant d'air, Ayla souffla sur le feu qui couvait à l'intérieur de la mousse. Brusquement la mousse s'enflamma, déclenchant un chorus d'exclamations diverses. Ayla ajouta des brindilles et la flamme

843

éclaira l'obscurité d'une lueur rougeâtre qui illumina les visages.

Le silence tendu fit place à un brouhaha de commentaires extasiés et d'exclamations ravies. Ayla avait réussi à allumer le feu en peu de temps, certes, mais ils étaient prêts à jurer que tout s'était passé en un éclair.

A partir du feu d'Ayla, on en alluma un second dans le Foyer de Cérémonie. Celui Qui Sert la Mère s'avança entre les deux foyers et prit la parole.

— Ceux qui ne les ont pas vues ne croiraient jamais que des pierres puissent brûler, à moins que nous en ayons à leur montrer. La pierre qui brûle est un cadeau de la Grande Terre Mère aux Losadunaï. Elle a donné aux visiteurs une autre pierre, la pierre à feu. Une pierre qui fait jaillir une étincelle quand on la frappe avec un morceau de silex. Ayla et Jondalar nous offrent une des leurs pour que nous fassions du feu, mais aussi pour la reconnaître au cas où nous en trouverions d'autres. En échange, ils veulent que nous leur donnions assez de vivres et le matériel nécessaire pour traverser le glacier.

— Je leur ai déjà promis tout ça, fit Laduni. Jondalar possède un Droit à Venir sur moi, et c'est ce qu'il m'a réclamé. C'est peu pour un Droit, et nous leur aurions donné des vivres de toute façon.

Murmures d'approbation.

Jondalar savait bien que les Losadunaï leur auraient donné toute la nourriture dont ils avaient besoin, tout comme Ayla et lui, la pierre à feu, mais il voulait éviter que le Peuple des Sources Chaudes ne regrette plus tard d'avoir cédé de la nourriture qui les priverait de réserves si le printemps arrivait en retard. Il préférait leur laisser l'impression qu'ils avaient fait un marché avantageux et il avait une autre idée en tête.

— Nous avons donné à Losaduna une pierre à feu pour que chacun puisse s'en servir, annonça-t-il en se levant. Mais je demande plus que de la nourriture. Nous ne voyageons pas seuls. Nous avons pour compagnons deux

844

chevaux et un loup, et nous aurons besoin d'aide pour traverser le glacier. C'est vrai, nous avons besoin de nourriture pour les bêtes et pour nous. Mais plus important encore, il nous faut de l'eau. Si j'étais seul avec Ayla, nous pourrions porter une outre remplie de neige ou de glace sous nos tuniques, et la faire fondre pour notre consommation, et peut-être celle de Loup. Mais les chevaux boivent davantage. Nous n'en aurions pas suffisamment. Voici la vérité : nous cherchons un moyen de transporter assez d'eau, ou de faire fondre assez de neige pour parvenir de l'autre côté du glacier.

Un vacarme de suggestions s'éleva de toutes parts, mais Laduni réclama le silence.

— Mes amis, que chacun y réfléchisse et nous nous retrouverons demain pour comparer nos idées. Cette soirée est réservée au festin.

Jondalar et Ayla n'avaient pas été chiches de nouveauté et de mystère pour égayer les longs et mornes mois d'hiver, et leur avaient donné matière à de nombreuses histoires à raconter au cours des Réunions d'Eté. De surcroît, ils leur offraient la pierre à feu, et proposaient maintenant un défi excitant : un problème délicat à résoudre, qui leur donnait l'occasion de faire jouer les muscles de leur cerveau. Les voyageurs pouvaient compter sur leur participation ardente, ils ne ménageraient pas leurs efforts.

Madenia était venue assister à la démonstration de la pierre à feu, et Jondalar ne pouvait s'empêcher de remarquer qu'elle ne l'avait pratiquement pas quitté des yeux. Il lui avait souri plusieurs fois, ce à quoi Madenia avait répondu en rougissant et en détournant vivement la tête. Lorsque les Losadunaï quittèrent le Foyer de Cérémonie, il marcha à sa rencontre.

— Bonsoir, Madenia, lança-t-il. Est-ce que la pierre à feu t'a plu ?

Il ressentait cette même attirance que provoquaient souvent chez lui les jeunes filles avant les Premiers Rites, nerveuses et effarouchées, comme celles qu'on lui avait demandé d'initier au Don des Plaisirs de la Mère. C'était une tâche qui lui plaisait, dont il s'acquittait parfaitement, et c'était pourquoi il avait si souvent été choisi comme guide. Contrairement aux jeunes filles aux craintes puériles, la peur de Madenia était fondée, et Jondalar aurait considéré le délicat passage de la douleur au plaisir comme un défi supplémentaire à relever.

Il posa sur Madenia son regard d'un bleu étonnant en regrettant de ne pas rester assez longtemps pour participer aux rites annuels des Losadunaï. Il souhaitait sincèrement l'aider à surmonter ses peurs et son désir pour elle n'était pas feint. Le mariage de ces deux sentiments décuplait son charme viril et le rendait irrésistible. Il adressa un dernier sourire à Madenia qui la laissa sans voix.

Cette émotion était nouvelle pour Madenia. Une chaleur inonda tout son être et elle brûla bientôt d'un feu qui lui faisait perdre la tête. Elle avait envie de toucher Jondalar, d'être caressée par lui et elle ne savait pas comment exprimer ce désir nouveau. Elle esquissa un sourire intrépide, et resta ensuite bouche bée, honteuse de tant d'audace. Embarrassée, elle courut se réfugier dans son foyer. Sa mère la vit partir et la suivit. Jondalar connaissait ce genre de réaction. Souvent, les jeunes filles timides réagissaient comme Madenia, ce qui ne les rendait que plus désirables.

— Qu'as-tu fait à cette pauvre enfant, Jondalar ?

Il se retourna et sourit à celle qui venait de l'apostropher.

— Ai-je vraiment besoin de le demander ? reprit-elle. Je me souviens d'un temps où ce regard m'avait presque conquise. Mais ton frère avait son charme, lui aussi.

— Et tu en as été bénie. Tu es resplendissante, Filonia. Es-tu heureuse ?

— Oui, très. Thonolan m'a laissé une parcelle de son esprit, et j'en suis très heureuse. Et toi ? Où as-tu rencontré cette Ayla ?

— Oh, c'est une longue histoire. Elle m'a sauvé la vie. Malheureusement, il était trop tard pour Thonolan.

— Oui, j'ai entendu dire qu'un lion des cavernes l'avait tué. Cela m'a beaucoup peinée.

Une ombre de douleur assombrit le regard de Jondalar.

— Mère ? appela une petite fille.

C'était Thonolia qui arrivait main dans la main avec l'aînée de Solandia.

— Puis-je manger au foyer de « Salia » et jouer avec le loup ? Il aime les enfants, tu sais.

Filonia dévisagea Jondalar d'un air inquiet.

— Loup ne lui fera aucun mal, Filonia, assura Jondalar. C'est vrai qu'il adore les enfants. Demande à Solandia, elle le laisse jouer avec son bébé. Loup a été élevé au milieu d'enfants et Ayla l'a dressé. C'est une femme remarquable, surtout avec les bêtes.

— Alors, c'est d'accord, Thonolia, fit sa mère. Si cet homme le dit, on peut lui faire confiance. C'est de son frère que tu tiens ton nom.

Des éclats de voix leur parvinrent. Pendant que les deux petites filles s'en allaient en courant, ils s'approchèrent pour comprendre ce qui se passait.

— Quelqu'un va-t-il enfin s'occuper de ce... ce Charoli ? Faut-il qu'une mère se désespère ? se lamentait Verdegia, prenant Laduni à témoin. Si les hommes sont incapables d'agir, nous réunirons le Conseil des Mères. Il comprendrait ce que souffre un cœur de mère, et son jugement ne se ferait pas attendre.

Losaduna s'était approché de Laduni, prêt à lui apporter son concours. On ne réunissait le Conseil des Mères qu'en dernier recours. Les répercussions étaient graves et on ne faisait appel à lui que lorsque tout avait échoué.

— Pas de précipitation, Verdegia, répliqua Laduni. Le messager que nous avons envoyé à Tomasi sera là d'un moment à l'autre. Tu peux bien attendre encore un peu. D'ailleurs, Madenia va mieux. Tu ne trouves pas ?

— Ça, je n'en sais rien ! Elle s'est réfugiée au foyer, et

elle refuse de m'expliquer ce qu'elle a. Elle clame que tout va bien, et que je ne dois pas m'inquiéter, mais qu'y puis-je ?

— Moi, je pourrais le lui dire, souffla Filonia entre ses dents, mais je ne crois pas que Verdegia comprendrait. Remarque, elle a tout de même raison sur une chose. Il faut s'occuper de Charoli. Toutes les Cavernes en parlent.

— Oui, mais que peut-on faire ? demanda Ayla qui avait rejoint les deux amis.

— Je n'en sais rien, dit Filonia en adressant un sourire à la jeune femme.

Ayla était venue voir son bébé, et avait visiblement été très émue de le tenir dans ses bras.

— Je crois que le plan de Laduni est bon, reprit Filonia. Il pense que les Cavernes devraient agir ensemble et ramener à la raison les jeunes de la bande. Il croit qu'ils changeraient rapidement, une fois séparés et soustraits à l'influence de Charoli.

— L'idée me semble excellente, approuva Jondalar.

— Mais est-ce que la Caverne de Charoli, et Tomasi, qui est apparenté à la mère de cette brute, voudront se joindre aux autres ? s'inquiéta Filonia. Nous le saurons dès que le messager sera de retour, mais je comprends Verdegia. Si la même chose arrivait à Thonolia…, soupira-t-elle, incapable d'en dire plus.

— Tout le monde comprend Madenia et sa mère, assura Jondalar. Les gens sont plutôt bons de nature, mais il suffit d'un être malfaisant pour que tout change.

Ayla, qui se souvenait encore d'Attaroa, partageait son avis.

— Voilà quelqu'un ! Voilà quelqu'un !

Larogi et plusieurs de ses amis entrèrent dans la caverne en courant, annonçant la nouvelle, et Ayla se demanda ce qu'ils faisaient dehors en pleine nuit par un froid pareil. Quelques instants plus tard, un homme entre deux âges entra à son tour.

— Rendoli ! s'écria Laduni, visiblement soulagé. Tu ne

pouvais pas mieux choisir ton moment. Laisse-moi te débarrasser, et t'offrir quelque chose de chaud à boire. Tu reviens juste à temps pour la Fête de la Mère.

— C'est le messager que Laduni a envoyé à Tomasi, expliqua Filonia, surprise de le voir.

— Alors qu'a-t-il répondu ? demanda vivement Verdegia.

— Verdegia ! gronda Losaduna. Laisse-le reprendre son souffle. Il vient à peine d'arriver !

— Laisse, fit Rendoli, qui se débarrassa de son sac et accepta le bol de tisane que Solandia lui tendait. La bande de Charoli a attaqué la Caverne, près de la lande où ils se terrent. Ils ont volé des vivres et des armes et ont failli tuer une femme. Elle est gravement blessée, et ne s'en remettra peut-être pas. Les Cavernes en ont assez. Quand l'histoire de Madenia a été connue, elles ont décidé d'en finir. Malgré les liens qui l'unissent à la mère de Charoli, Tomasi est résolu à se joindre aux autres Cavernes et à corriger la bande. Il a appelé à une réunion d'urgence de toutes les Cavernes, et c'est ce qui m'a retardé. Je voulais y assister. Toutes les Cavernes proches ont envoyé une délégation. J'ai dû prendre des décisions en notre nom à tous.

— Je suis sûr que tu as bien agi, déclara Laduni, et tu as bien fait de rester. Qu'ont-ils pensé de ma suggestion ?

— Ils l'ont adoptée, Laduni. Chaque Caverne va envoyer des traqueurs à leurs trousses — certains sont déjà partis. Dès qu'on saura où se cachent ceux de Charoli, des chasseurs de chaque Caverne les encercleront et les ramèneront. Tomasi veut les capturer avant la Réunion d'Eté. Et il voudrait que tu viennes porter ton accusation et réclamer ton droit, ajouta-t-il à l'adresse de Verdegia.

La vieille femme parut se calmer, mais le refus de sa fille de participer à la cérémonie qui ferait d'elle une femme aux yeux de tous, et capable, avec l'aide de la Mère, d'engendrer ses futurs petits-enfants, continuait d'accabler Verdegia.

— Mon accusation est toute prête, et je ferai valoir mon

849

droit, assura-t-elle. Et si Madenia continue de refuser les Premiers Rites, comptez sur moi pour ne pas l'oublier.

— Je garde confiance, assura Losaduna. Elle changera d'avis avant l'été. Je constate des progrès notables depuis la purification. Elle recommence à parler avec le groupe. Je crois qu'Ayla l'a beaucoup aidée.

Lorsque Rendoli retourna dans son foyer, Losaduna croisa le regard de Jondalar et lui fit signe. Jondalar s'excusa, et alla rejoindre Celui Qui Sert au Foyer de Cérémonie. Ayla les aurait bien suivis, mais elle devina qu'ils avaient besoin d'être seuls.

— Je me demande ce qu'ils préparent ? fit-elle.

— A mon avis, il doit s'agir d'un rituel privé, déclara Filonia, ce qui excita encore plus la curiosité d'Ayla.

— As-tu apporté un objet de ta fabrication ? demanda Losaduna.

— J'ai une lame. Je n'ai pas eu le temps d'y ajouter un manche, mais j'ai fait de mon mieux, assura Jondalar en sortant de sa tunique un petit paquet fait avec un morceau de cuir.

Il l'ouvrit et dévoila un éclat de silex dont le tranchant aiguisé coupait comme un rasoir. Une des extrémités était taillée en pointe pour être introduite dans un manche. Losaduna l'examina avec soin.

— C'est du beau travail, approuva-t-il. Je ne doute pas qu'il soit accepté.

Jondalar, qui ne s'attendait pas à être si nerveux, poussa un soupir de soulagement.

— Et un objet à elle ?

— Ça n'a pas été facile, avoua Jondalar. Nous voyageons avec le minimum de choses et elle sait où elle range chacune de ses affaires. Elle possède bien quelques objets, des cadeaux qu'on lui a offerts, mais je n'ai pas voulu y toucher. Je me suis alors souvenu que tu m'avais spécifié que la taille n'avait pas d'importance, pourvu que ce soit très personnel, fit-il en ramassant un objet minuscule dans le même paquet. Ayla porte une amulette, une petite bourse décorée où elle range des objets de son enfance, expliqua-t-il. C'est très important pour elle et elle ne s'en sépare que pour se baigner, et encore pas toujours. Quand nous sommes allés à la source chaude, elle l'a ôtée. J'en ai profité pour couper une des perles de décoration.

— Bien! fit Losaduna avec un sourire satisfait. C'est parfait! Et c'est très astucieux de ta part. J'ai déjà vu son amulette, c'est un objet très personnel. Enveloppe les deux ensemble et donne-moi le paquet.

Jondalar s'exécuta, mais Losaduna surprit son air interrogateur quand il lui tendit les objets.

— Je ne peux pas te dire où je le range, expliqua Losaduna, mais Elle saura. Bon, j'ai plusieurs choses à te dire, et quelques questions.

— J'y répondrai de mon mieux.

— Tu veux qu'un enfant naisse dans ton foyer, un enfant né de cette femme, Ayla. C'est bien cela?

— Oui.

— Tu dois comprendre qu'un enfant né dans ton foyer ne sera pas nécessairement de ton esprit.

— Oui, je sais.

— Tu le sais, mais qu'en penses-tu? Est-ce que tu attaches de l'importance à l'esprit qui sera utilisé?

— Je préférerais qu'il soit de mon esprit, mais... mon esprit n'est peut-être pas assez bon. S'il n'est pas assez puissant, la Mère ne pourra pas l'utiliser... ou peut-être ne le veut-Elle pas. On n'est jamais sûr de l'esprit qu'Elle utilise, mais si l'enfant est d'Ayla, et qu'il naisse dans mon foyer, je serai satisfait.

Losaduna parut approuver.

— Bon, fit-il. Ce soir nous honorerons la Mère, alors le moment est propice. Tu dois savoir que les femmes qui honorent le plus la Mère sont celles qu'Elle bénit le plus souvent. Ayla est très belle, elle n'aura aucun mal à trouver un ou plusieurs partenaires avec qui partager les Plaisirs.

En voyant sa réaction, Celui Qui Sert la Mère comprit

que Jondalar était de ceux qui acceptent difficilement que la femme de leur choix en choisisse un autre, même le temps d'une cérémonie.

— Tu dois l'encourager, Jondalar. La Mère en sera honorée, et cela prouvera ta sincérité. Si tu veux réellement qu'un enfant d'Ayla naisse dans ton foyer, tu dois l'encourager. Cela marche souvent, j'en ai été témoin. Nombreuses sont les femmes qui deviennent enceintes presque immédiatement. En outre, la Mère sera satisfaite de toi, et Elle utilisera peut-être ton esprit, surtout si tu L'honores comme il convient, toi aussi.

Jondalar approuva d'un signe de tête, mais Losaduna vit ses mâchoires se crisper et comprit que les choses n'allaient pas être simples.

— Elle n'a jamais participé à une Fête en l'Honneur de la Mère, objecta Jondalar. Que se passera-t-il si... si elle ne veut que moi ? Devrai-je refuser ?

— Tu dois l'encourager à partager avec d'autres, mais le choix lui appartient, bien sûr. A Sa Fête, tu ne dois refuser aucune femme, et surtout pas celle que tu as choisie pour compagne. Mais ne t'inquiète pas, Jondalar. Pendant la Fête de la Mère, les femmes sont dans un tel état d'esprit qu'elles partagent Ses Plaisirs avec joie. Pourtant, je suis très surpris qu'une femme comme Ayla n'ait pas été élevée dans la gloire de la Mère. J'ignorais qu'il existât un seul peuple qui ne La reconnût pas.

— Ceux qui l'ont élevée étaient... étaient assez particuliers, se contenta de dire Jondalar.

— Je le crois volontiers. Bien, allons demander à la Mère.

Demander à la Mère. Demander à la Mère. L'idée l'obsédait. Il se rappela soudain avoir souvent entendu dire qu'il était un des favoris de la Mère. On disait qu'Elle l'aimait tant qu'aucune femme ne pouvait se refuser à lui, pas même Doni en personne. Et qu'il pouvait Lui demander ce qu'il voulait, Elle le lui accorderait toujours. On l'avait aussi prévenu de se méfier d'une telle faveur : il risquait d'obtenir ce qu'il Lui demandait. Pour l'instant, il ne souhaitait que cela.

Ils s'arrêtèrent devant la niche où la lampe brûlait toujours.

— Prends la dunaï et serre-la dans tes mains, ordonna Celui Qui Sert la Mère.

Jondalar s'empara délicatement de la représentation de la Mère. C'était l'une des plus belles sculptures qu'il eût jamais vues. Le dessin de son corps était parfait. On aurait dit que le sculpteur s'était inspiré d'un modèle vivant, de proportions idéales. Jondalar avait vu assez de femmes nues pour savoir comment elles étaient faites. Les bras, posés sur la poitrine opulente, étaient simplement suggérés, mais les doigts et les bracelets qu'elle portait aux poignets étaient finement ciselés. Les deux jambes s'effilaient dans une sorte de piquet qui s'enfonçait dans la terre.

Le plus surprenant était la tête. Celle de la plupart des donii n'était jamais plus qu'une espèce de bosse, parfois encadrée d'une esquisse de cheveux, mais sans visage. Celle-ci avait une coiffure élaborée, faite de plusieurs rangées de boucles serrées entourant un visage entièrement lisse.

En l'examinant de plus près, il découvrit avec surprise qu'on l'avait taillée dans du calcaire. L'ivoire, le bois ou l'os se travaillaient plus facilement, et la statuette était si parfaite qu'on avait peine à croire qu'elle fût en pierre. On a dû casser beaucoup d'outils en silex avant de la terminer, se dit-il.

Tout à ses pensées, Jondalar s'aperçut seulement que Celui Qui Sert la Mère chantonnait, et il avait appris assez de losadunaï pour comprendre qu'il invoquait les noms de la Mère. Le rituel avait commencé. Il se recueillit pieusement en espérant que son intérêt pour l'esthétisme de la sculpture ne le distrairait pas des qualités plus spirituelles de la cérémonie. La donii était certes un symbole de la Mère, et le refuge d'une de Ses nombreuses émanations, mais Jondalar n'ignorait pas que la sculpture n'en était pas pour autant la Grande Terre Mère, Elle-même.

— Maintenant, réfléchis bien, conseilla Losaduna. Et du fond de ton cœur, formule ta demande à la Mère avec tes propres mots. Conserve la dunaï dans tes mains, cela t'aidera à enrichir ta demande de tes sentiments les plus profonds. N'hésite pas à dire tout ce qui te passe par la tête. Et rappelle-toi que ce que tu demandes est agréable à la Mère de Toutes les Créatures.

Jondalar ferma les yeux pour mieux se concentrer.

— O Doni, Grande Terre Mère, commença-t-il. Il y a eu des moments dans ma vie où j'ai pensé... des choses qui T'ont peut-être déplu. Je ne voulais pas Te déplaire, mais... on ne réfléchit pas toujours comme il faudrait. Il fut un temps où je croyais que je ne pourrais jamais aimer une femme, et je me suis demandé si c'était parce que Tu étais fâchée contre moi à cause de... de ces choses...

Cet homme a dû connaître de bien pénibles expériences, se dit Losaduna. Il est pourtant si bon, et il a l'air tellement sûr de lui, on a du mal à croire que la honte puisse l'accabler à ce point.

— Alors, quand je suis parvenu au bout de Ta rivière, et que j'ai perdu... mon frère, que j'aimais plus que tout au monde, Tu m'as envoyé Ayla et j'ai enfin découvert l'amour. Je Te remercie pour Ayla. Si je n'avais plus ni amis ni parents, je serais heureux tant qu'Ayla resterait auprès de moi. Mais si Tu avais la bonté, Grande Mère, j'aimerais... je voudrais... je souhaiterais une dernière chose. J'aimerais Te demander... un... un enfant. Un enfant né d'Ayla, né dans mon foyer, et si c'est possible, né de mon esprit, ou de mon essence, comme le croit Ayla. Si c'est impossible, si mon esprit n'est pas assez... assez puissant, alors qu'Ayla ait tout de même son bébé, et qu'il naisse dans mon foyer pour qu'il soit mien dans mon cœur.

Jondalar allait reposer la donii, mais il n'avait pas terminé. Il s'arrêta et serra très fort la statuette.

— Encore une chose. Si Ayla devenait enceinte d'un

enfant de mon esprit, j'aimerais être sûr que cet enfant est bien de mon esprit.

Tiens, voilà une demande intéressante, se dit Losaduna. Beaucoup d'hommes aimeraient savoir, mais j'en connais peu qui s'en préoccupent à ce point. Pourquoi y attache-t-il tant d'importance ? Et qu'a-t-il voulu dire en parlant d'enfant de son essence... comme le croit Ayla ? J'aimerais bien poser cette question à Ayla. Mais c'est un rituel privé et je ne peux pas dévoiler à Ayla ce qui s'y est dit. J'essaierai de discuter avec elle plus tard.

Ayla regarda les deux hommes sortir du Foyer de Cérémonie. On devinait qu'ils avaient accompli ce qu'ils devaient accomplir, mais le plus petit semblait soucieux et comme accablé, alors que l'autre paraissait malheureux, mais affichait un air déterminé. Leur attitude étrange accrut sa curiosité. Qu'avaient-ils donc été faire ?

— J'espère qu'elle changera d'avis, entendit-elle dire Losaduna comme ils s'approchaient. Je ne vois que les Premiers Rites pour lui permettre de surmonter son épreuve. Il faudra lui choisir un partenaire avec beaucoup de soin. J'aimerais que tu restes, Jondalar. Elle semble s'intéresser à toi. C'est rassurant de voir qu'un homme peut encore l'attirer.

— Je serais heureux de l'aider, mais nous ne pouvons pas rester. Nous devons partir le plus vite possible. Demain ou le jour d'après.

— Oui, tu as raison. La saison peut changer rapidement. Sois prudent si tu remarques que l'un de vous s'énerve.

— Ah, tu parles du Malaise ! fit Jondalar.

— Qu'est-ce que le Malaise ? demanda Ayla.

— C'est le foehn qui l'apporte, le fondeur de neige, le vent du printemps, expliqua Losaduna. Un vent sec et chaud qui souffle du sud-est, avec assez de violence pour déraciner les arbres. Il fait fondre la neige à une telle vitesse que d'énormes congères sont balayées en un jour, et s'il vous surprend sur le glacier, vous risquez de ne pas pouvoir traverser. En fondant, la glace peut creuser des crevasses sous vos pieds, gonfler des rivières qui vous coupent la route, ouvrir soudainement des ravins. Le vent arrive si vite que les mauvais esprits qui aiment le froid n'ont pas le temps de s'enfuir. Il les balaie, les entraîne dans son souffle. C'est pour cela que les mauvais esprits caracolent en tête du fondeur de neige et le précèdent de peu. Ils apportent le Malaise. Si vous savez à quoi vous attendre, vous les contrôlerez et ils vous préviendront de l'arrivée du foehn. Mais les mauvais esprits sont malins, et on ne peut pas toujours les manipuler à son avantage.

— Mais comment peut-on savoir que les mauvais esprits sont là ? s'inquiéta Ayla.

— Comme je viens de le dire, surveillez vos humeurs. Parfois ils rendent malade, et si la maladie est déjà là, elle empire. Mais le plus souvent ils attisent les conflits. Certains entrent dans des rages terribles, mais tout le monde sait que c'est à cause du Malaise et on ne leur en tient pas rigueur — sauf s'ils provoquent des dégâts ou des blessures, et encore, on leur pardonne beaucoup. Après son passage, on remercie le fondeur de neige parce qu'il a amené les nouvelles pousses, la nouvelle vie. Mais personne ne souhaite sa venue.

— Venez manger ! appela Solandia qu'ils n'avaient pas vue arriver. Tout le monde en a déjà repris, il ne vous restera bientôt plus rien.

Ils se hâtèrent vers le foyer central où un grand feu brûlait, attisé par les courants d'air provenant de l'entrée de la caverne. Tout le monde portait des vêtements chauds parce que cette partie de la caverne, qu'aucune cloison de cuir ne protégeait, était ouverte à tous vents. Le centre du cuissot d'ibex était bleu, mais en le laissant sur la broche, il continuait de cuire, et la viande fraîche était très appréciée. Il y avait aussi une riche soupe composée de viande séchée, de graisse de mammouth, de quelques morceaux de racines séchées et d'airelles — presque tout ce qu'il restait de légumineuses et de fruits.

856

Chacun attendait avec impatience les premières pousses du printemps.

Mais le rude hiver sévissait toujours, et bien qu'il souhaitât la venue du printemps, Jondalar souhaitait davantage encore que l'hiver se prolongeât... le temps qu'ils franchissent le glacier qui les séparait de son peuple.

38

Après le repas, Losaduna annonça qu'on allait servir dans le Foyer de Cérémonie quelque chose dont Ayla et Jondalar ne saisirent pas le nom. Il s'agissait d'une boisson chaude, au goût agréable et vaguement familier. Ayla pensa à un jus de fruits fermentés, parfumé avec des herbes et elle fut surprise quand Solandia lui apprit que le breuvage était composé surtout de sève de bouleau avec très peu de fruits.

Après la première gorgée, il restait une amertume en bouche et la boisson était plus forte qu'Ayla ne l'avait cru. Solandia lui avoua que les herbes y étaient pour beaucoup. Ayla identifia enfin l'arôme qui lui avait semblé familier. C'était celui de l'absinthe, une plante très puissante dont l'abus était dangereux. Sa présence était dissimulée par le fort parfum de la reine des bois et de quelques autres plantes aromatiques. Elle goûta encore le breuvage pour analyser sérieusement sa composition.

Elle s'inquiéta auprès de Solandia des dangers potentiels de l'absinthe, et la femme lui expliqua qu'on utilisait rarement la plante, sauf pour cette boisson réservée aux Fêtes de la Mère. A cause de son caractère sacré, Solandia était très réticente à en livrer les secrets, mais les questions d'Ayla étaient si précises et sa connaissance si vaste qu'elle fut obligée de lui répondre. Ayla comprit alors que, derrière son apparence de breuvage plaisant et à peine fermenté, il s'agissait en réalité d'une boisson extrêmement forte, conçue pour encourager la spontanéité et la sensualité propices aux relations intimes qu'exigeait une Fête en l'Honneur de la Mère.

Le peuple de la Caverne affluait dans le Foyer de Cérémonie et Ayla remarqua que sa propre acuité s'était accrue à force de goûter le breuvage. Bientôt un bien-être langoureux l'envahit et lui fit oublier tout désir d'analyse. Elle aperçut Jondalar entouré de quelques autres parlant avec Madenia, et, plantant là Solandia, elle se dirigea vers le groupe. Les hommes la virent arriver avec un plaisir évident. Elle sourit, submergeant Jondalar de tendresse. Il n'allait pas lui être facile de suivre les recommandations de Losaduna, et d'encourager Ayla à participer pleinement à la Fête de la Mère, malgré tout le breuvage que Celui Qui Sert lui avait versé. Il prit une inspiration profonde et vida sa coupe d'un trait.

Parmi ceux qui l'accueillirent chaleureusement, Ayla reconnut Filonia et son compagnon, Daraldi, qu'on lui avait présenté un peu plus tôt.

— Ta coupe est vide ! remarqua Daraldi, qui plongea une louche dans un récipient en bois et servit Ayla.

— Moi aussi, j'en reprendrais volontiers ! déclara Jondalar avec une jovialité forcée.

Losaduna remarqua l'attitude contrainte de Jondalar, mais il pensait que personne ne s'en soucierait. Ce en quoi il se trompait. Ayla avait jeté un coup d'œil à Jondalar, vu ses mâchoires crispées et en avait tout de suite déduit que quelque chose le préoccupait. Elle avait surpris le regard de Celui Qui Sert et avait deviné qu'un secret les liait, mais la boisson obscurcissait son raisonnement et elle décida d'y repenser à tête reposée. Soudain, des battements de tambours résonnèrent.

— La danse commence ! s'exclama Filonia. Viens, Jondalar. Je vais t'apprendre les pas, proposa-t-elle en l'entraînant vers le centre du foyer.

— Vas-y, Madenia, va danser ! l'incita Losaduna.

— Oui, Madenia, viens danser ! renchérit Jondalar en lui souriant. Tu connais les pas ?

Avec soulagement Ayla le voyait se détendre.

Toute la journée, Jondalar avait entouré Madenia de beaucoup d'attention, et bien qu'elle se fût montrée timide et peu loquace, elle avait été très sensible à sa prévenance. Elle ne pouvait croiser son regard irrésistible sans ressentir un pincement au cœur. Lorsqu'il lui prit la main pour l'inviter à danser, des frissons glacés mêlés à une brusque bouffée de chaleur l'étourdirent, et elle fut incapable de lui résister.

Filonia parut d'abord fâchée, mais elle accueillit la jeune fille avec un sourire complice.

— Apprenons-lui ensemble à danser, proposa-t-elle.

Daraldi s'apprêtait à inviter Ayla, mais Laduni le devança. Les deux hommes s'esclaffèrent et se confondirent en politesses, chacun voulant céder sa place à l'autre.

— Montrez-moi donc les pas tous les deux, proposa Ayla, prise par l'allégresse générale.

Daraldi inclina vivement la tête en signe d'assentiment, et Laduni lui adressa un sourire joyeux. Ils la prirent chacun par une main et se frayèrent un chemin parmi les couples qui occupaient déjà le centre de l'espace. On forma une ronde et les visiteurs furent initiés aux premiers rudiments de la danse de la Caverne. Bientôt un son flûté retentit. Ayla sursauta. Elle n'avait pas entendu de flûte depuis la Réunion d'Eté des Mamutoï. Quand était-ce déjà ? L'été dernier seulement ? Que cela lui semblait loin ! Et dire qu'elle ne les reverrait plus jamais.

Elle chassa les larmes qu'elle sentait monter, mais la danse lui fit vite oublier ses souvenirs poignants. Au début, le rythme avait été facile à suivre, mais il devenait de plus en plus compliqué à mesure que la soirée avançait. Ayla était sans conteste le centre d'attraction. Séduits, tous les hommes s'empressaient autour d'elle. C'était à qui attirerait son attention. Les insinuations et les propositions fusaient, à peine voilées par une pointe d'humour. Jondalar faisait discrètement la cour à Madenia, et plus expressément à Filonia, mais il ne perdait pas de vue les hommes qui tournaient autour d'Ayla.

Les figures de danse prenaient des formes complexes, avec changement de place et de partenaires. Ayla dansa avec tout le monde. Elle riait aux plaisanteries grivoises qui accompagnaient les couples allant s'isoler derrière les tentures de cuir. Laduni sauta au milieu de la ronde et exécuta un solo époustouflant. Vers la fin de son exhibition, sa compagne le rejoignit.

Ayla avait soif, et plusieurs Losadunaï l'accompagnèrent se désaltérer. Daraldi marchait près d'elle.

— J'en voudrais aussi, demanda Madenia.

— Non, je suis désolé, intervint Losaduna en recouvrant sa coupe d'une main autoritaire. Tu n'as pas encore accompli les Rites des Premiers Plaisirs, mon enfant. Tu devras te contenter d'une infusion.

Madenia faillit objecter, mais alla finalement se verser une coupe du breuvage innocent qui lui était destiné.

Celui Qui Sert la Mère n'avait pas l'intention de lui accorder les privilèges de la femme tant qu'elle ne se serait pas pliée à la cérémonie qui la consacrerait femme aux yeux de tous, et il mettait tout en œuvre pour l'inciter à accepter cet important rituel. Du même coup, il ferait admettre à tous qu'en dépit de son horrible mésaventure, elle avait été purifiée et ramenée à son état antérieur. Elle devait donc être soumise aux mêmes restrictions, et traitée avec le même soin qu'on accordait à n'importe quelle autre jeune fille à l'aube de sa vie de femme. C'était à son avis le seul moyen qu'elle se rétablisse définitivement des viols répétés qu'elle avait subis.

Ayla et Daraldi étaient restés les derniers devant le récipient en bois.

— Ayla, que tu es belle ! murmura-t-il.

Enfant, elle avait toujours été pour les autres grande et laide, et bien que Jondalar lui eût répété sans cesse qu'elle était belle, elle ne l'avait jamais cru, pensant que l'amour l'aveuglait. Elle ne se considérait pas comme une jolie femme, et le compliment de Daraldi la surprit.

— Oh, non ! dit-elle en s'esclaffant. Je ne suis pas belle !

— Mais... mais si, tu es très belle, bredouilla Daraldi, décontenancé.

Il avait essayé d'attirer son attention toute la soirée mais n'avait pas réussi à déclencher l'étincelle qui l'aiderait à concrétiser ses efforts. Pourtant, Ayla était amicale, chaleureuse, et la sensualité naturelle qu'elle dégageait l'encourageait à poursuivre. Il savait qu'il n'était pas laid, et la Fête de la Mère était une occasion particulière, mais elle ne semblait pas comprendre le désir qui l'animait. Il décida de tenter le tout pour le tout.

— Ayla, fit-il en la prenant par la taille. (Il la sentit se raidir, mais il insista.) Tu es *très belle,* murmura-t-il dans le creux de son oreille.

Au lieu de se laisser cajoler, elle voulut se dégager de son étreinte. Il l'enlaça et la serra davantage. Alors, elle le prit par les épaules et le regarda dans les yeux.

Ayla n'avait pas saisi tout le sens de la Fête de la Mère. Bien que tous parlassent d'« honorer » la mère et qu'elle sût ce que cela impliquait, elle croyait assister à une réunion amicale. Elle avait bien vu des couples se retirer dans des coins sombres ou se cacher derrière les cloisons de peau, elle commençait à se faire une idée plus précise, mais ce ne fut qu'en dévisageant Daraldi et en lisant le désir dans son regard qu'elle comprit ce qu'il attendait.

Il l'attira contre lui et se pencha pour l'embrasser. Séduite, elle répondit à ses avances. Daraldi s'enhardit, caressa son sein et glissa une main sous sa tunique. Il était bel homme, ses caresses brûlaient son corps, elle était détendue et prête à s'abandonner, mais elle voulait d'abord réfléchir. Elle avait du mal à résister et la tête lui tournait. Elle entendit alors le rythme de battements de mains.

— Allons rejoindre les danseurs, proposa-t-elle.

— Pourquoi? D'ailleurs, il n'y a presque plus personne.

— Je veux te montrer une danse mamutoï.

Il acquiesça. Elle avait bien réagi à ses caresses, il pouvait patienter.

En arrivant au centre du foyer, Ayla s'aperçut que Jondalar était encore là et dansait avec Madenia à qui il apprenait un pas sharamudoï. Filonia, Losaduna, Solandia et quelques autres les encourageaient en battant la mesure. Le joueur de flûte et l'homme au tambour s'étaient éclipsés avec leur partenaire.

Ayla et Daraldi tapèrent dans leurs mains avec les autres. Ayla croisa le regard de Jondalar et se mit à frapper sur ses cuisses à la manière des Mamutoï. Madenia s'arrêta pour la regarder, et s'effaça pour permettre à Jondalar de se joindre à Ayla. Ils se lancèrent tous deux dans un rythme compliqué, s'avançant l'un vers l'autre, puis se reculant, tournant l'un autour de l'autre en se regardant par-dessus l'épaule. Arrivés face à face, ils joignirent leurs mains. Dès qu'elle avait croisé le regard de Jondalar, Ayla n'avait plus eu d'yeux que pour lui. Le désir qu'avait fait naître Daraldi s'était reporté tout entier sur l'homme au regard d'un bleu envoûtant.

Leur complicité n'échappa à personne. Losaduna les observa attentivement quelques instants d'un air perplexe. La Mère faisait clairement connaître son choix, semblait-il. Daraldi, la déception passée, adressa un sourire engageant à Filonia. Madenia ne perdait pas une miette du spectacle. Elle se doutait qu'elle assistait à un moment rare et merveilleux.

Quand leur danse s'arrêta, Jondalar et Ayla s'enlacèrent, indifférents à tout le reste. Solandia se mit à battre des mains, et bientôt tous ceux qui restaient firent de même. Le bruit tira le couple de son isolement amoureux. L'homme et la femme se séparèrent, légèrement gênés.

— Il reste encore un peu à boire, déclara Solandia. Qui veut le terminer ?

— Ah, bonne idée ! s'exclama Jondalar en prenant Ayla par la taille.

Il était bien décidé à ne plus la laisser s'échapper. Daraldi versa les dernières gouttes du breuvage festif en dévisageant Filonia. J'ai de la chance, se disait-il. Elle est belle et elle a apporté deux enfants dans mon foyer. Le jour de Sa Fête, la Mère n'interdisait pas qu'on L'honore avec sa propre compagne.

Jondalar but sa coupe d'un trait et la reposa. Puis il souleva soudain Ayla et l'emporta dans leur couche. Elle était d'humeur joyeuse, légèrement étourdie, et avait le sentiment d'avoir échappé à un destin fâcheux. Mais sa joie n'était rien comparée à celle de Jondalar. Il l'avait surveillée toute la soirée, et avait lu le désir dans les yeux des hommes qui tournaient autour d'elle. Fidèle aux recommandations de Losaduna, il avait laissé faire, et pris le risque qu'elle en choisisse un autre.

De son côté, il avait eu de multiples occasions, mais n'avait pas voulu en profiter tant qu'elle était encore là. Il avait passé la soirée avec Madenia, sachant qu'elle était interdite à tout homme. Il avait aimé lui faire la cour, la voir s'amadouer, appréciant les qualités féminines qu'il sentait poindre en elle. Il n'en aurait pas voulu à Filonia de partir avec un autre, les occasions ne lui avaient pas manqué, mais il lui était reconnaissant d'être restée auprès de lui. Il n'aurait pas supporté d'être seul si Ayla avait choisi un autre partenaire. Il avait beaucoup parlé avec Filonia, de Thonolan, du Voyage, des enfants, surtout de Thonolia, et de Daraldi qu'elle aimait beaucoup, mais il n'avait pu se résoudre à parler d'Ayla.

Lorsqu'elle était venue le chercher, il avait cru rêver. Il la déposa doucement sur leur couche, et vit son regard plein d'amour. Il sentit une boule douloureuse monter en lui, et dut lutter pour retenir ses larmes. Il avait obéi à Losaduna, avait accordé toute liberté à Ayla pour qu'elle se trouvât un partenaire, l'avait encouragée, mais c'était lui qu'elle avait choisi. Il n'était pas loin d'y voir un signe de la Mère le prévenant de la future grossesse d'Ayla. L'enfant serait-il de son esprit ?

Il modifia la position des cloisons de cuir mobiles, et comme elle se relevait pour se déshabiller, il la repoussa gentiment.

— Non, cette soirée est à moi, fit-il. Je m'occupe de tout.

Docile, elle s'allongea avec un frisson de ravissement. Il passa derrière la cloison, et rapporta un bâtonnet enflammé avec lequel il alluma une petite lampe dans une niche. Elle dégageait peu de lumière et on voyait à peine. Il commença à déshabiller Ayla, mais s'arrêta soudain.

— Crois-tu que cette lampe nous suffira pour trouver le chemin des sources chaudes ? demanda-t-il.

— On dit que cela épuise les hommes, et amoindrit leur virilité.

— Ne t'inquiète pas, cela ne m'arrivera pas ce soir, assura-t-il avec un sourire malicieux.

— Dans ce cas, allons-y, ce sera amusant, acquiesça-t-elle.

Ils enfilèrent leur pelisse, prirent la lampe et sortirent sans un bruit. Losaduna crut qu'ils allaient se soulager, mais devina vite et sourit. Les sources chaudes ne l'avaient jamais affaibli longtemps. Elles renforçaient simplement son contrôle et prolongeaient les Plaisirs. Mais Losaduna ne fut pas le seul à voir sortir le couple.

Les enfants n'étaient jamais exclus des Fêtes de la Mère. En observant les adultes, ils apprenaient les gestes et la technique amoureuse qui leur seraient utiles plus tard. Dans leurs jeux, ils imitaient souvent les grands, et bien avant d'être capables d'activité sexuelle, les garçons montaient sur les filles, lesquelles faisaient mine de donner naissance à des poupées. Dès qu'ils atteignaient la puberté, des rites initiatiques les faisaient entrer dans le monde adulte où ils partageaient le statut et les responsabilités de tout adulte, même s'ils ne choisissaient pas de compagne, ou de compagnon, avant plusieurs années. Les bébés naissaient en leur temps, lorsque la Mère bénissait la femme, mais, bizarrement, peu de très jeunes devenaient enceintes. Les bébés étaient toujours les bienvenus, et chaque membre du groupe qui formait une Caverne, parents ou amis, s'en occupait avec soin et pourvoyait à leurs besoins.

Madenia avait assisté à des Fêtes de la Mère depuis toujours, mais celle-ci prenait un sens particulier. Elle avait observé plusieurs couples, et les femmes ne paraissaient pas souffrir, même celles qui avaient choisi plusieurs partenaires, mais elle était surtout intéressée par Ayla et Jondalar. En les voyant sortir de la caverne, elle enfila sa pelisse et les suivit.

Le couple trouva sans peine la tente aux doubles parois et alla directement dans la deuxième pièce où régnait une agréable chaleur humide. Jondalar déposa la lampe sur l'autel de terre, ils ôtèrent leur pelisse et s'assirent sur les couvertures en laine.

Jondalar débarrassa Ayla de ses bottes, et enleva ensuite les siennes. Il l'embrassa longuement avec amour tout en détachant les lanières de sa tunique qu'il lui ôta ensuite. Il se baissa pour lui baiser chaque sein, chaque mamelon. Il défit ensuite les jambières fourrées de la jeune femme, sa culotte, et déposa quelques baisers sur la toison si douce et si chaude. Il se déshabilla à son tour et la prit dans ses bras, frissonnant au contact de sa peau.

Il la conduisit dans le bassin où ils se trempèrent rapidement avant de gagner l'endroit où le sol était dallé. Jondalar prit une poignée de mousse dans le bol et commença à en frictionner le dos d'Ayla, ses deux fermes rondeurs, évitant pour le moment l'attirante moiteur de son intimité. L'écume était douce et glissait sur la peau de la jeune femme. Elle ferma les yeux, s'abandonnant avec délices aux caresses si précises de Jondalar, qui semblait toujours anticiper son désir.

Il prit une autre poignée d'écume et la passa sur les cuisses d'Ayla qui tressaillit quand il lui chatouilla les pieds. Il l'embrassa longuement, la fouillant de sa langue, cherchant la sienne. Jondalar sentit une douce chaleur monter dans son ventre, et sa verge sembla se dresser à la recherche du puits tant désiré.

Il lui savonna ensuite les aisselles, caressa les beaux seins fermes, s'attardant sur les mamelons, qu'il pinça gentiment. Ayla frissonna, comme parcourue de décharges foudroyantes, et les mains de Jondalar, enduites d'écume onctueuse, descendirent sur son ventre, ses hanches, ses cuisses et s'activèrent alors autour de la douce toison. Ayla ne put retenir ses cris quand il joua avec son centre des Plaisirs et le frotta délicatement entre ses deux doigts. Il alla remplir le bol au bassin et commença à la rincer. Il lui versa plusieurs bolées d'eau chaude sur le corps avant de l'entraîner de nouveau vers le bassin. Ils s'assirent sur le banc de pierre en se serrant, peau contre peau, et s'enfoncèrent sous le liquide brûlant en ne conservant que la tête hors de l'eau. Jondalar prit Ayla par la main et la conduisit une fois encore hors du bassin. Il l'aida à s'allonger sur la laine soyeuse et se contenta d'observer son corps offert, trempé et luisant.

Il enfouit ensuite sa tête entre les cuisses d'Ayla et passa sa langue sur les replis de son intimité. Le puits d'amour avait perdu son goût salé familier, mais avant qu'il n'eût le temps de s'habituer à ce nouveau parfum, elle se mit à gémir avec délices. Tout s'était passé très vite, mais Ayla était déjà prête. Elle sentit la houle l'emporter et des vagues de jouissance déferlèrent soudain avec la violence d'un ouragan. Et Jondalar retrouva le goût salé qu'il aimait tant.

Elle se cambra pour mieux le recevoir pendant qu'il s'enfonçait dans le puits humide et impatient. Enfin réunis en un seul être, ils soupirèrent de plaisir. Plus il plongeait en elle, plus elle tendait son corps pour le sentir au plus profond de son ventre. Jondalar sentait les lèvres intimes d'Ayla se refermer sur sa verge, comme pour en aspirer la sève qu'il sentait monter sans pouvoir la retenir. Il se retira et elle se cambra, cherchant avec impatience la gigantesque hampe lisse qui la fuyait. Il l'enfonça de nouveau en poussant un râle sauvage, prêt à s'abandonner à la voluptueuse décharge qui le soulagerait d'une tension trop longtemps contenue. Ayla se hissa à la rencontre de la verge qui parut exploser et inonda son puits d'un chaud liquide. Jondalar accompagna l'orgasme de cris de jouissance irrépressibles.

Il resta allongé sur Ayla, sachant qu'elle aimait sentir le poids de son corps. Il roula ensuite sur le côté et vit le sourire alangui de la jeune femme. Il l'embrassa. Leurs langues se cherchèrent avec douceur et volupté, faisant naître chez Ayla un désir renouvelé. Devant la réaction de sa compagne, Jondalar sentit l'excitation monter. Moins pressé cette fois, il picora le visage d'Ayla de petits baisers légers, sur le nez, les yeux, le creux de l'oreille, et dans la courbe du cou à la chair si tendre. Il descendit lentement et suça le mamelon érigé pendant que sa main caressait et pressait le sein jumeau. Ayla se collait à lui, exigeant davantage à mesure qu'elle sentait croître son désir. Celui de Jondalar ne tarda pas à se manifester, et quand Ayla s'en aperçut, elle plongea sa tête entre les cuisses de son compagnon et sa bouche engloutit le membre qui commençait à enfler, hâtant sa renaissance. Il s'abandonna avec délices aux ondes voluptueuses que lui procurait le lent va-et-vient. Ayla suçait avidement la verge, maintenant énorme, comme pour l'avaler tout entière. Elle donna de rapides coups de langue sur le dôme du gland turgescent et le long de la fine membrane qui le reliait à la hampe lisse et humide. Parcouru de vagues irrésistibles, il gémit de plaisir et fit basculer Ayla de sorte qu'elle se retrouvât à califourchon sur lui et qu'il pût goûter les chauds pétales salés de sa fleur.

Chacun sentait l'autre au bord de l'extase. Brusquement, Jondalar la fit pivoter, la retourna à genoux, et se releva pour la prendre par-derrière et enfoncer son membre impatient dans la douce fente brûlante de sa fleur. Elle tendit la croupe vers lui au rythme de ses coups de reins pour aider au mieux la verge ardente à plonger dans son puits, gémissant à chaque poussée. Et soudain, d'abord elle, et lui ensuite, tous deux goûtèrent une seconde fois au merveilleux Don des Plaisirs que la Mère leur avait offert.

Ils s'affaissèrent, agréablement et langoureusement anéantis. Un courant d'air fugitif les frôla, mais ils n'y prirent point garde, et s'assoupirent. Lorsqu'ils se réveillèrent, ils se relevèrent, se lavèrent encore une fois et trempèrent quelque temps dans l'eau brûlante. En émergeant de la vapeur, ils découvrirent à leur grande surprise à côté de l'entrée du petit vestibule des serviettes de peau, sèches et soyeuses.

Madenia retourna à la caverne en proie à des réflexions bouleversantes. Elle avait été émue par la passion de Jondalar, intense mais contrôlée, sa tendresse attentive, et par la réaction d'Ayla qui s'était livrée à lui en toute confiance. L'acte auquel elle venait d'assister n'avait aucun rapport avec ce qu'elle avait enduré. Les Plaisirs de ces deux-là avaient été violents, jamais brutaux. L'homme n'était donc pas obligé d'assouvir sa passion en asservissant la femme? Les Plaisirs se donnaient mutuellement, se partageaient? Ayla ne lui avait donc pas menti : les Plaisirs de la Mère pouvaient être un jeu excitant et sensuel, la célébration joyeuse d'un amour.

Cette découverte la déconcerta et fit naître en elle un trouble délicieux et nouveau. Les larmes aux yeux, elle fut prise d'une envie physique de Jondalar. Elle regretta qu'il ne pût rester pour l'initier aux Premiers Rites, mais elle décida que si elle trouvait quelqu'un comme lui, elle accepterait de suivre la cérémonie à la prochaine Réunion d'Eté.

Au réveil, le jour suivant, personne n'était très frais. Ayla prépara l'infusion du « lendemain » qu'elle avait inventée au Camp du Lion pour apaiser les maux de tête provoqués par les abus de la fête. Il ne lui en restait suffisamment que pour ceux du Foyer de Cérémonie. Elle venait de vérifier l'état de ses réserves et avait constaté avec soulagement que son stock de plantes contraceptives suffirait jusqu'au printemps. Heureusement, il n'en fallait guère.

Madenia vint retrouver les visiteurs avant la mi-journée. Elle sourit timidement à Jondalar et annonça son intention de participer aux Premiers Rites.

— C'est une excellente nouvelle, Madenia. Tu ne le regretteras pas, tu verras, assura le bel étranger aux gestes si doux.

Elle le dévisagea avec un air de telle adoration qu'il déposa un tendre baiser sur sa joue, lui chatouilla le cou et souffla doucement dans le creux de son oreille. Il se redressa en lui souriant, et Madenia se noya dans son regard d'un bleu incroyable. Haletante, le cœur battant, elle souhaita à cet instant que Jondalar fût choisi pour l'initier aux Rites des Premiers Plaisirs. Gênée, elle se précipita hors du foyer, de crainte qu'il ne devinât ses pensées.

— Quel dommage que nous ne vivions pas plus près des Losadunaï ! s'exclama-t-il en la regardant s'enfuir. J'aurais bien aimé aider cette jeune fille, mais je suis sûr qu'on lui trouvera quelqu'un.

— Oh oui, fit Ayla. Espérons seulement que son attente ne soit pas déçue. Je lui ai promis qu'elle trouverait un jour quelqu'un comme toi, Jondalar, et qu'elle le méritait parce qu'elle avait assez souffert. Mais il y a peu d'hommes qui te valent.

— Toutes les jeunes filles bâtissent des rêves grandioses, avant la première fois, remarqua Jondalar.

— Elle a de quoi étayer ses rêves.

— Oui, les filles savent toutes plus ou moins à quoi s'attendre. Ce n'est pas comme si elles n'avaient jamais vu d'hommes et de femmes ensemble.

— Ce n'était pas ce que je voulais dire. A ton avis, qui nous a laissé les serviettes sèches, hier ?

— Je ne sais pas. Losaduna, ou peut-être Solandia.

— Ils se sont couchés avant nous. Ils devaient honorer la Mère, eux aussi. Je leur ai demandé. Ils ignoraient que nous avions été aux eaux sacrées... et Losaduna a paru enchanté de l'apprendre.

— Si ce n'était pas eux, alors qui ?... Madenia ?

— Oui, j'en suis certaine.

Jondalar parut réfléchir.

— Je m'étais habitué à ce que nous soyons seuls... je ne voulais pas te l'avouer, mais... je suis un peu... je n'aime pas me montrer aussi... aussi impétueux devant tout le monde. Hier soir, j'aurais juré qu'il n'y avait que nous. Si j'avais su qu'on nous observait, je n'aurais pas été aussi... aussi démonstratif.

— Je sais, fit Ayla avec un petit sourire.

Elle commençait à le connaître, et savait qu'il répugnait à dévoiler ses sentiments profonds. Elle se félicitait qu'il s'autorisât une si grande liberté de paroles et de gestes avec elle.

— Il vaut mieux que tu ne te sois pas rendu compte de sa présence, reprit-elle. Pour moi, comme pour elle.

— Pour elle ? Que veux-tu dire ?

— Je crois que ce qu'elle a vu l'a convaincue de participer à la cérémonie qui fera d'elle une femme. Elle avait vu tant de fois des hommes et des femmes partager les Plaisirs qu'elle n'y prêtait plus attention, jusqu'à ce que ces brutes la prennent de force. Depuis, elle ne gardait en mémoire que la douleur et l'humiliation d'avoir été utilisée comme un objet, sans l'attention due à une femme. C'est difficile à expliquer, mais on se sent... réduite à une chose affreuse.

— Je veux bien le croire. Mais ce n'est pas tout. Après

ses premières périodes lunaires, et avant de passer les Premiers Rites, une femme est très vulnérable... et très désirable. Elle attire tous les hommes. Peut-être parce qu'ils n'ont pas le droit de la toucher, je ne sais. Le reste du temps, une femme est libre de choisir le compagnon qu'elle désire, ou encore de les refuser tous. Mais à l'époque qu'elle traverse actuellement, elle est en grand danger.

— Tu veux dire comme Latie, qui devait se tenir à l'écart de ses frères ? Je sais, Mamut m'avait expliqué cela.

— Oui, mais c'est plus compliqué. C'est à la femme-fille de montrer une certaine réserve, et ce n'est pas toujours facile. Elle devient le centre d'intérêt ; les hommes la désirent, surtout les jeunes, et c'est parfois difficile de résister. Ils la suivent partout et tentent de la faire céder par tous les moyens. Lorsque l'attente est longue jusqu'à la Réunion d'Eté, certaines femmes-filles se laissent persuader. Mais celle qui se laisse ouvrir en dehors du rituel particulier est déconsidérée. Si on le découvre, et la Mère peut la bénir avant les Premiers Rites pour que nul ne l'ignore, les gens sont parfois cruels, ils la condamnent et se moquent d'elle.

— Mais pourquoi serait-elle la fautive ? Pourquoi ne pas condamner ceux qui l'ont abusée ? s'indigna Ayla, révoltée par tant d'injustice.

— On lui reproche son manque de retenue, on prétend qu'elle n'a pas les qualités pour assumer les responsabilités de la Maternité et du Commandement. Elle ne siégera jamais au Conseil des Mères — ou des Sœurs, suivant le nom qu'on lui donne — et elle perdra son statut, ce qui la rendra moins désirable comme compagne. Elle conservera le statut de sa mère et de son foyer — on ne peut prendre ce qui est acquis —, mais jamais un homme de haute lignée ne la choisira comme compagne, pas plus qu'un homme promis à un bel avenir. Je crois que c'est ce que Madenia craint le plus.

— Ah, je comprends maintenant pourquoi Verdegia disait qu'elle était abîmée ! fit Ayla, soucieuse. Crois-tu que les Losadunaï se satisferont de sa purification rituelle ? Tu sais bien qu'une fois ouverte, elle ne redeviendra plus jamais comme avant.

— Je crois que le rituel suffira. Ce n'est pas comme si elle n'avait pas fait preuve d'assez de retenue. Elle a été forcée, ne l'oublie pas. Et tout le monde en veut à Charoli. Même si certains émettent des réserves, elle trouvera des défenseurs.

— Comme les humains sont compliqués ! s'exclama Ayla après une longue réflexion. Les choses ne sont jamais telles qu'on les imagine.

— Je crois que ça ira, Laduni, assura Jondalar. Oui, ça ira ! Laisse-moi récapituler. Nous mettrons l'herbe séchée dans le canot, avec assez de pierres qui brûlent pour faire fondre la glace, des pierres pour y construire le feu, et aussi la peau de mammouth sur laquelle on posera les pierres pour éviter qu'elles ne traversent la glace en chauffant. Nous transporterons notre nourriture, et celle de Loup, dans des paniers de selle et dans les sacs.

— Cela risque d'être lourd, dit Laduni. Ne fais pas bouillir l'eau, tu économiseras des pierres qui brûlent. Tu n'as qu'à faire fondre la glace juste assez pour que les chevaux puissent boire, et vous aussi, elle n'a pas besoin d'être chaude. Mais prends garde qu'elle ne soit trop froide. Et buvez beaucoup, ne ménagez pas l'eau. Si vous êtes bien couverts, que vous vous reposez, et que vous buvez suffisamment d'eau, vous résisterez au froid.

— Ils devraient faire un essai, pour voir exactement de quoi ils ont besoin, suggéra Laronia.

— Oui, c'est une bonne idée, approuva Ayla.

— Mais Laduni a raison, vous risquez d'être trop chargés, poursuivit Laronia.

— Alors, il faut trier le matériel et n'emporter que le strict nécessaire, dit Jondalar. Nous n'avons pas besoin de grand-chose. De l'autre côté du glacier, nous serons tout près du Camp de Dalanar.

Ils s'étaient déjà débarrassés du superflu, que pouvaient-ils encore abandonner ? s'interrogea Ayla. Elle se dirigeait vers le foyer où leurs affaires étaient rangées quand Madenia se glissa à ses côtés. Déjà éprise de Jondalar, la femme-fille considérait Ayla comme son modèle, ce qui la mettait mal à l'aise. Mais elle avait de l'affection pour Madenia, et elle lui proposa de rester pendant qu'elle trierait ses affaires.

Comme elle défaisait ses paquets et en étalait le contenu, elle compta toutes les fois où elle s'était livrée à cette opération pendant le Voyage. Les choix allaient se révéler délicats. Tout ce qu'elle conservait encore lui était précieux, mais s'ils devaient traverser le glacier gigantesque qui préoccupait Jondalar depuis leur départ, il faudrait éliminer le maximum de chargement possible.

Le premier paquet renfermait le magnifique ensemble en peau de chamois que Roshario lui avait offert. Bras tendus, elle l'examina.

— Oh ! Quelle merveille ! s'exclama Madenia, qui ne résista pas à l'envie de le toucher. Oh, comme c'est doux ! Je n'ai jamais touché une peau si douce.

— C'est une femme des Sharamudoï qui m'en a fait cadeau, dit Ayla. Ils vivent à l'autre bout de la Grande Rivière Mère, là où elle est vraiment digne de son nom. Tu n'imagines pas comme la Grande Mère est immense. Les Sharamudoï sont en réalité deux peuples. Il y a les Shamudoï, qui vivent sur terre et chassent le chamois. As-tu déjà vu un chamois ? C'est un animal qu'on trouve dans les montagnes, comme l'ibex, mais plus petit.

— Ah, oui ! J'en ai déjà vu, mais nous leur donnons un autre nom, fit Madenia.

— Il y a ensuite les Ramudoï, qui habitent sur le fleuve et chassent le grand esturgeon, un poisson géant. Ensemble, ils préparent des peaux de chamois grâce à un procédé secret qui les rend douces et souples comme celle-ci.

Ayla considéra la tunique brodée et repensa aux Sharamudoï. Cela semblait si loin ! Elle regrettait toujours de

874

n'être pas restée avec eux, d'autant qu'elle était sûre de ne jamais les revoir. L'idée d'abandonner le cadeau de Roshario lui coûtait, mais elle vit le regard brillant de convoitise de Madenia et se décida vite.

— Tu le voudrais, Madenia ?

Madenia eut un geste de recul, comme si la tunique lui avait brûlé les mains.

— Oh, je ne peux pas ! protesta-t-elle. On t'en a fait cadeau.

— Nous sommes trop chargés, et je crois que Roshario aurait voulu que tu l'acceptes. Il te plaît tellement. C'est un habit d'apparat pour la Cérémonie de l'Union, mais j'en ai déjà un.

— Tu es sûre ? demanda Madenia, incrédule.

Ayla s'amusa de voir Madenia les yeux brillants, en extase devant la merveilleuse tunique.

— Mais oui, prends-la ! Tu la mettras pour ta Cérémonie de l'Union, si tu le veux. Tu la porteras en pensant à moi.

— Je n'ai pas besoin de cadeau pour ça, protesta Madenia, au bord des larmes. Je ne t'oublierai jamais. Grâce à toi, j'aurai peut-être droit un jour à une Cérémonie de l'Union. Dans ce cas, je porterai ce vêtement, je te le promets.

Elle avait hâte de le montrer à sa mère, à ses amis et aux autres femmes-filles de la Réunion d'Eté.

Ayla ne regrettait pas son cadeau.

— Tu veux voir ma tenue pour l'Union ? demanda-t-elle.

— Oh oui !

Ayla sortit la tunique en ocre jaune, la couleur de ses cheveux, que Nezzie avait faite quand Ayla devait s'unir à Ranec. Enveloppés dans la tunique, se trouvaient un cheval sculpté et deux morceaux d'ambre couleur de miel. Madenia n'en croyait pas ses yeux, deux ensembles aussi beaux et si différents ! Elle n'osa pas manifester son admiration de peur qu'Ayla se sente obligée de lui offrir aussi celui-ci.

875

Ayla l'examina d'un air indécis. Non, décida-t-elle, pas question de la laisser, c'est ma tunique. Je la porterai le jour de mon Union avec Jondalar. D'une certaine manière, cette tunique conservait une partie de Ranec. Elle joua machinalement avec le petit cheval taillé dans une défense de mammouth, et pensa à Ranec en se demandant ce qu'il était devenu. Personne ne l'avait aimée autant que lui, et elle ne l'oublierait jamais. Elle aurait pu s'unir et vivre heureuse avec lui, si elle n'avait tant aimé Jondalar.

Madenia essaya de refréner sa curiosité, mais n'y tint plus.

— Ces pierres, qu'est-ce que c'est ? demanda-t-elle.

— C'est de l'ambre. La Femme Qui Ordonne au Camp du Lion me les a données.

— Et ça, c'est une sculpture de ton cheval ?

— Oui, elle représente Whinney, avoua Ayla en souriant. L'homme qui l'a faite avait des yeux rieurs et une peau de la couleur de la robe de Rapide. Même Jondalar admettait qu'il n'avait jamais connu meilleur sculpteur.

— Un homme à la peau sombre ?

Ayla ne pouvait blâmer Madenia d'être incrédule.

— Oui, il avait la peau sombre. C'était un Mamutoï et il s'appelait Ranec. La première fois que je l'ai vu, je ne pouvais pas le quitter des yeux. C'était très impoli. On m'a dit que sa mère avait la peau aussi brune que... que cette pierre qui brûle. Elle vivait loin au sud, de l'autre côté de la grande mer. Wymez, un autre Mamutoï, avait entrepris un long Voyage. Il s'était uni avec elle et un fils était né dans son foyer. La mère est morte sur le chemin du retour, et il a ramené le garçon. Sa sœur l'a élevé.

Madenia frémit d'excitation. Elle avait toujours cru qu'il n'y avait que des montagnes au sud, des montagnes qui n'en finissaient jamais. Mais Ayla avait tant voyagé et connaissait tant de choses ! Elle se mit à rêver au grand Voyage qu'elle entreprendrait un jour, comme Ayla. Elle rencontrerait un homme à la peau brune qui lui taillerait un superbe cheval en ivoire, tout le monde lui offrirait des habits, elle rencontrerait aussi des chevaux qu'elle monterait, et un loup qui aimerait les enfants. Et un homme comme Jondalar qui monterait aussi sur le dos des chevaux et l'accompagnerait dans son long Voyage.

Elle n'avait jamais connu quelqu'un comme Ayla et l'idolâtrait. La belle jeune femme menait une existence qu'elle enviait et elle souhaitait lui ressembler un jour. Ayla avait un drôle d'accent qui la rendait encore plus mystérieuse et, jeune fille, elle avait subi une violence identique à la sienne. Un homme l'avait prise de force mais elle s'en était remise et comprenait ce que Madenia ressentait. Elle s'imagina adulte, sage et responsable comme Ayla, consolant une jeune fille qu'on venait d'attaquer sauvagement, lui racontant sa propre expérience et l'aidant à oublier.

Tout en rêvant, Madenia remarqua qu'Ayla ramassait un petit paquet soigneusement emballé qu'elle n'ouvrit pas. Elle savait exactement ce qu'il contenait, et ne l'aurait laissé pour rien au monde.

— Qu'est-ce que c'est ? demanda Madenia en voyant Ayla ranger le paquet.

Ayla ne l'avait pas ouvert depuis bien longtemps. Elle s'assura que Jondalar n'était pas en vue, reprit le paquet et en défit les nœuds. Elle étala alors une tunique d'un blanc immaculé ornée de queues d'hermines. Madenia ouvrit de grands yeux incrédules.

— Mais, c'est blanc comme de la neige ! s'exclama Madenia. Je n'ai jamais vu de cuir de cette couleur.

— C'est un secret de fabrication du Foyer de la Grue. La vieille femme qui me l'a dévoilé le tenait de sa mère, expliqua Ayla. Comme elle n'avait personne à qui enseigner son secret, elle a accepté de me l'apprendre.

— C'est toi qui l'as faite ?

— Oui, je l'ai faite pour Jondalar, mais il ne le sait pas. Je la lui donnerai quand nous serons arrivés, le jour de notre Cérémonie de l'Union.

Elle l'étendit pour l'examiner et un petit paquet s'en

échappa. Madenia admira la tunique d'homme. A part les queues d'hermines, elle était dénuée d'ornement. Aucune broderie, aucun dessin, ni coquillages ni perles, mais elle n'en avait pas besoin. Dans sa simplicité nue, c'était ce blanc immaculé qui forçait l'admiration.

Ayla ouvrit le petit paquet qui venait de tomber et découvrit une petite statuette de femme au visage sculpté. Si la jeune fille n'avait pas déjà vu merveille sur merveille, cette vision l'aurait effrayée. Une dunaï n'a jamais de visage. Mais venant d'Ayla elle était prête à tout accepter.

— C'est Jondalar qui l'a sculptée pour moi, expliqua Ayla. Il voulait capturer mon esprit, et il l'a sculptée pour mes Premiers Rites, le jour où il m'a enseigné le Don des Plaisirs de la Mère. Nous étions seuls, mais Jondalar a organisé une petite cérémonie. Plus tard, il me l'a offerte et m'a conseillé de la garder précieusement. Il disait qu'elle détenait un trop grand pouvoir.

— Je veux bien le croire, acquiesça Madenia.

Elle n'avait aucune envie de la toucher, mais elle ne doutait pas qu'Ayla pût en maîtriser le dangereux pouvoir.

Ayla devina le malaise de la femme-fille et rangea la statuette dans son emballage qu'elle glissa ensuite sous les plis de la tunique. Elle enveloppa le tout dans de fines peaux de lapin soigneusement cousues et attacha le paquet avec des cordelettes.

Un autre balluchon renfermait les cadeaux qu'elle avait reçus des Mamutoï le jour de sa cérémonie d'adoption. Elle décida de le garder. Même chose pour sa poche à médecines, bien sûr, ses pierres à feu, sa trousse à couture, des sous-vêtements de rechange ainsi qu'une paire de protège-pieds en feutre pour ses bottes, les fourrures de couchage, les sagaies et le propulseur. Elle ne conserva que l'essentiel de ses récipients et ustensiles de cuisine et décida d'attendre Jondalar avant de prendre une décision pour les tentes, les cordages et le reste du matériel.

Elle se préparait à sortir avec Madenia, quand Jondalar pénétra dans le foyer. Il venait de terminer un chargement de pierres qui brûlent et voulait trier ses affaires. D'autres Losadunaï arrivèrent bientôt, parmi lesquels Solandia et ses enfants, accompagnés de Loup.

— Je ne peux plus me passer de cette bête, déclara Solandia. Il me manquera. J'imagine que tu ne le laisseras pas ici.

Ayla fit signe à Loup. Malgré tout l'amour qu'il portait aux enfants, il accourut et s'assit à ses pieds en la surveillant des yeux.

— Non, Solandia. Je ne pourrais pas m'en séparer.

— Je m'en doutais, fit Solandia, mais je préférais m'en assurer. Tu me manqueras aussi, tu sais, ajouta-t-elle.

— Toi aussi, tu me manqueras, assura Ayla. C'est ce qu'il y a eu de plus pénible dans ce Voyage : se faire des amis et les quitter en sachant qu'on ne les reverra probablement plus jamais.

— Tiens, Laduni, dit Jondalar qui tenait à la main une plaque d'ivoire gravée de signes étranges. Talut, l'Homme Qui Ordonne au Camp du Lion, m'a gravé cette carte du pays qui se trouve loin à l'est. C'était le début de notre Voyage. Je voulais la conserver en souvenir de lui, et ça m'ennuie de la jeter. Peux-tu la garder pour moi ? Qui sait, je reviendrai peut-être la chercher.

— Avec plaisir, fit Laduni en jetant un coup d'œil sur la pièce d'ivoire que Jondalar lui tendait. Ça m'intéresse, j'aimerais bien que tu m'expliques les signes avant de partir. J'espère que tu reviendras un jour, sinon, un des nôtres te la ramènera à l'occasion d'un Voyage.

— Je laisse aussi quelques outils. Tu en feras ce que tu voudras. Je n'aime pas abandonner un percuteur auquel je suis habitué, mais Dalanar m'en donnera un autre dès que nous arriverons chez les Lanzadonii. Il a toujours de bons outils. Je laisserai quelques lames et mon marteau en os. Je garderai mon herminette et ma hache pour casser des morceaux de glace. (Puis, se tournant vers Ayla :) Qu'est-ce que tu emportes, Ayla ?

— Tout est là, sur la couche.

Jondalar aperçut le mystérieux paquet.

— Je ne sais pas ce que tu caches là-dedans, mais ce doit être drôlement important, fit-il.

Madenia sourit timidement, fière d'être dans le secret.

— Et ça? demanda-t-il en désignant un autre balluchon.

— Ce sont les cadeaux du Camp du Lion, répondit-elle en ouvrant l'emballage.

Il vit la magnifique pointe de sagaie que Wymez avait offerte à Ayla, la prit et la montra à Laduni.

— Regarde ce travail, fit-il.

C'était une lame plus grande que sa main et de la largeur de sa paume, mais pas plus épaisse que le bout de son petit doigt et d'un tranchant redoutable.

— C'est un biface, s'étonna Laduni en l'examinant dans tous les sens. Comment a-t-il réussi à le faire si fin? Je croyais que c'était une technique grossière, utilisée pour de simples haches ou des choses dans ce genre-là. C'est le silex le mieux travaillé que j'aie jamais vu! s'extasia-t-il.

— C'est Wymez qui l'a taillé. Je t'avais bien dit qu'il était très bon. Il chauffe le silex avant de le travailler, ça change la qualité de la pierre et les éclats se détachent plus facilement. C'est comme cela qu'il obtient une lame aussi fine. J'ai hâte de la montrer à Dalanar.

— Oui, il saura l'apprécier, approuva Laduni.

Jondalar rendit la pointe à Ayla qui l'emballa avec soin.

— Nous n'emporterons qu'une simple tente, décida Jondalar. Un coupe-vent nous suffira.

— Et la couverture de sol? interrogea Ayla.

— Nous avons déjà tout un chargement de pierres et de rocs!

— Oui, mais il fait froid sur un glacier. Nous serons contents d'avoir une couverture de sol.

— Oui, tu as raison.

— Et les cordes?

— Crois-tu que nous en ayons vraiment besoin?

— Je vous conseille de les prendre, suggéra Laduni. Elles vous seront très utiles sur le glacier.

— Si c'est toi qui le dis, j'écouterai ton conseil, fit Jondalar.

Ils avaient tout emballé et passèrent le dernier soir à faire leurs adieux à ce peuple qu'ils avaient appris à aimer. Verdegia tenait à dire un dernier mot à Ayla.

— Je voulais te remercier, Ayla, fit-elle.

— C'est à nous de vous remercier tous, protesta Ayla.

— Oui, mais je n'oublierai pas ce que tu as fait pour Madenia. J'avoue ignorer ce que tu as bien pu lui faire, ou lui dire, mais tu l'as changée. Avant, elle se cachait dans un coin et voulait mourir. Elle refusait de me dire un seul mot, et ne voulait pas entendre parler de cérémonie des Premiers Rites. Je croyais que tout était perdu. Maintenant, elle est redevenue comme avant, et elle voudrait déjà être à la Réunion d'Eté. J'espère qu'elle ne changera pas d'avis d'ici là.

— Ne t'inquiète pas. Si elle sent que tout le monde l'aide, tout s'arrangera. L'aide des proches est le meilleur remède, tu sais.

— N'empêche que je ne serai pas tranquille avant que Charoli soit puni.

— Maintenant qu'ils sont tous décidés à lui donner la chasse, il sera bientôt puni. Madenia sera lavée de son affront, elle accomplira les Premiers Rites et deviendra une femme. Tu auras tes petits-enfants, Verdegia.

Le lendemain matin, ils partagèrent un ultime repas avec les Losadunaï. Tout le monde était là pour les adieux. Losaduna apprit encore à Ayla quelques versets de la tradition losadunaï et manifesta même une vive émotion quand elle le serra dans ses bras pour lui dire au revoir. Gêné, il se hâta d'aller dire quelques mots à Jondalar. Solandia ne cachait pas son chagrin. Même Loup semblait deviner qu'il ne reverrait plus les enfants. Il lécha le visage du bébé, et pour la première fois Micheri pleura, conscient du départ de l'animal, lui aussi.

Mais en sortant de la caverne, une surprise encore plus

grande les attendait. Madenia avait revêtu le magnifique habit qu'Ayla lui avait donné, et elle s'accrocha à la visiteuse en retenant ses larmes. Jondalar lui dit qu'il la trouvait très belle, et il était sincère. Les superbes vêtements lui donnaient une beauté peu ordinaire et soulignaient les lignes de la femme qu'elle n'allait pas tarder à devenir.

En enfourchant les chevaux, reposés et impatients de partir, ils jetèrent un dernier regard aux Losadunaï rassemblés autour de la caverne. Madenia tranchait sur le groupe. Mais elle était encore jeune, et son visage ruissela de larmes quand ils lui firent un ultime signe de la main.

— Je ne vous oublierai jamais, tous les deux, cria-t-elle avant de s'enfuir dans la caverne.

En se dirigeant vers la Grande Rivière Mère, qui n'était plus qu'un simple ruisseau, Ayla sut qu'elle non plus n'oublierait jamais Madenia, ni son peuple. Les adieux avaient ému Jondalar, mais les difficultés qu'ils allaient devoir affronter le préoccupaient. Il savait que la partie la plus dangereuse de leur Voyage les attendait.

39

Ayla et Jondalar se dirigèrent au nord, vers la Grande Rivière Mère qui les avait guidés pendant la majeure partie de leur long Voyage. Lorsqu'ils l'atteignirent, ils obliquèrent vers l'ouest et remontèrent le courant. Le fleuve avait changé de nature. Ce n'était plus l'immense cours d'eau aux multiples méandres qui s'écoulait majestueusement à travers les vastes plaines, grossi d'innombrables affluents dont les eaux tourbillonnantes charriaient des quantités de limon fertile, le grand fleuve qui se séparait en de nombreux chenaux, laissant derrière lui des bras morts grands comme des lacs.

Près de sa source, la Grande Rivière Mère ressemblait à un torrent d'eau fraîche et peu profonde qui dévalait la montagne abrupte dans un lit rocailleux. La route des deux voyageurs empruntait un chemin escarpé qui les rapprochait de leur inévitable rendez-vous avec l'épaisse couche de glace éternelle recouvrant l'immense plateau de la haute montagne dressée devant eux.

Le dessin des glaciers suivait les contours du paysage. Blocs de glace taillés à coups de serpe sur les cimes, les glaciers des plateaux s'étalaient comme des crêpes, d'une épaisseur uniforme, à peine plus haute au centre, laissant derrière eux des rives de graviers et creusant des dépressions qui deviendraient bientôt des lacs. L'avancée la plus méridionale du gigantesque gâteau glacé continental, dont le niveau atteignait presque les plus hautes montagnes qui l'entouraient, n'était pas éloignée de plus de cinq degrés de latitude des glaciers des montagnes de la pointe nord. Les terres qui les séparaient étaient les plus froides au monde.

Contrairement aux glaciers montagneux, rivières gelées rampant lentement le long des flancs, la glace éternelle du haut plateau — le glacier qui préoccupait tant Jondalar — était une version miniature de la gigantesque couche de glace qui recouvrait tout le nord du continent.

En remontant la rivière, Ayla et Jondalar gagnaient de l'altitude. Ils essayaient d'économiser les chevaux lourdement chargés en allant à pied la plupart du temps. Ayla s'inquiétait particulièrement pour Whinney qui portait la majeure partie des pierres et des rocs, indispensables pour leur survie sur le glacier que les chevaux n'auraient jamais approché de leur plein gré.

De lourds paniers battaient les flancs des chevaux. Whinney, qui tirait déjà le travois, voyait son fardeau plus réduit que celui de Rapide, si volumineux qu'il menaçait de tomber à chaque pas. Ayla et Jondalar portaient aussi sur le dos des paniers assez conséquents. Seul Loup était épargné, et en le voyant gambader sans entraves, Ayla commençait à se demander comment il pourrait contribuer à l'effort collectif.

— Tant de mal pour transporter des pierres ! remarqua Ayla un matin en chargeant le panier sur son dos. Si on nous voyait hisser ces rocs sur les montagnes, on nous trouverait bien étranges.

— Les gens s'étonnent davantage qu'on voyage avec deux chevaux et un loup, rétorqua Jondalar. Mais si nous voulons qu'ils survivent sur le glacier, ces pierres sont indispensables. Nous avons au moins une bonne raison de nous réjouir.

— Ah oui, laquelle ?

— Une fois de l'autre côté, tout deviendra facile.

Le cours supérieur de la rivière traversa les contreforts de la chaîne de montagnes méridionale, dont les voyageurs n'imaginaient pas l'étendue. Les Losadunaï vivaient au sud de la Grande Mère, dans la région plus vallonnée d'un massif calcaire aux vastes plateaux. Erodées au cours des siècles par les eaux et les vents, ces montagnes restaient assez élevées pour supporter des couronnes de glace éternelle. Entre la Grande Mère et les montagnes s'étendait une végétation dormante qui recouvrait une formation détritique. Le tout était caché sous un léger manteau de neige qui eût rendu invisibles les abords gelés de la rivière, si le miroitement bleuté n'avait révélé leur contour.

Plus au sud, scintillant au soleil comme des tessons d'albâtre, les pics escarpés de la crête centrale, sorte de chaîne indépendante du gigantesque massif, dressaient leurs sommets au-dessus des montagnes les plus hautes. Les deux voyageurs poursuivaient leur escalade sous la surveillance de deux pics jumeaux qui dominaient la crête centrale des montagnes méridionales.

Au nord, de l'autre côté de la rivière, l'ancien massif cristallin s'élevait abruptement, surface moutonneuse parfois surmontée de pics rocheux entre lesquels s'étendaient des prairies. A l'ouest, des mamelons plus élevés, certains couronnés de glace, rejoignaient le plissement de terrain plus récent de la chaîne méridionale.

La neige poudreuse tombait plus rarement à mesure qu'ils approchaient de la partie la plus froide du continent, la région comprise entre l'avancée des montagnes glacées et l'extrémité méridionale des immenses couches de glace du Nord. Même le vent coupant des steppes orientales n'atteignait pas la férocité du vent glacial qui régnait dans ces lieux. Seule l'influence maritime sauvait le pays des glaces envahissantes.

Le glacier qu'ils avaient l'intention de traverser serait devenu une gigantesque étendue gelée sans l'adoucissement dû au climat océanique qui limitait sa progression. L'influence maritime qui avait ménagé un passage vers les steppes et les toundras occidentales avait également empêché le glacier d'envahir le pays des Zelandonii, lui épargnant les lourdes couches de glace qui recouvraient d'autres pays de même latitude.

Jondalar et Ayla retrouvèrent vite la routine du Voyage. Ayla avait l'impression de ne s'être jamais arrêtée. Elle avait hâte d'atteindre le but. Des souvenirs du Camp du Lion l'accompagnaient dans son cheminement pénible à travers la monotonie du paysage hivernal. Elle se rappelait avec plaisir les plus petits incidents, oubliant les épreuves qu'elle avait supportées quand elle croyait que Jondalar ne l'aimait plus.

Ils devaient faire fondre la glace pour se procurer de l'eau potable — la neige était inexistante, à part quelques congères —, et pourtant Ayla trouvait au moins un avantage au froid glacial : les affluents de la Grande Mère étaient gelés et faciles à traverser. Mais ils devaient se hâter de franchir les vallées des rivières, ou des torrents, pour ne pas subir les morsures des vents qui s'y engouffraient, rendant l'air déjà glacial encore plus froid.

Frissonnant malgré ses épaisses fourrures, Ayla atteignit avec soulagement le côté de la vallée protégé par un flanc de colline.

— Je suis gelée ! s'exclama-t-elle en parvenant à l'abri. Ah, s'il faisait un peu moins froid !

— Ne dis pas ça ! s'écria Jondalar d'un air anxieux.

— Pourquoi ?

— Nous devons être de l'autre côté du glacier avant le redoux. Le vent chaud, c'est le foehn, le fondeur de glace. C'est lui qui annonce le changement de saison. S'il se mettait à souffler, nous serions obligés de passer par le nord, à travers le territoire du Clan. C'est un grand détour, et avec les ennuis que leur a causés Charoli, je ne crois pas qu'ils nous accueilleraient à bras ouverts.

Ayla hocha la tête d'un air entendu et promena son regard de l'autre côté de la rivière.

— Ils sont du meilleur côté, finit-elle par déclarer.

— Que veux-tu dire ?

— Même d'ici, on devine les bonnes prairies herbeuses. Cela attire le gibier. Sur ce versant il n'y a que des pins rabougris. C'est signe de terre sablonneuse où l'herbe pousse difficilement. Ce versant est plus proche du glacier, il est plus froid et moins riche.

— Tu as sans doute raison, acquiesça Jondalar, trouvant son explication judicieuse. Je ne sais pas à quoi cela ressemble en été, je ne suis passé ici qu'en hiver.

Ayla avait deviné juste. La rive septentrionale de la Grande Rivière Mère, aux plaines de lœss recouvrant un soubassement calcaire, était beaucoup plus fertile que la rive méridionale. En outre, les glaciers des montagnes s'avançaient sur la rive sud, rendant l'hiver plus rude et l'été plus froid, à peine assez chaud pour dégeler la terre et faire fondre la neige accumulée dans l'année. Les glaciers s'étaient remis à avancer lentement, mais suffisamment pour modifier le climat sur les terres qui les séparaient. C'était la dernière poussée glaciaire avant le dégel qui refoulerait bientôt les glaces dans les régions polaires.

Pour reconnaître les arbres à l'état dormant, Ayla devait en goûter l'écorce, un bout de brindille ou un bourgeon. Près de la rivière, et au bord des affluents, là où les aulnes dominaient, elle savait que l'été dévoilerait un sol de tourbe marécageuse. Les bois mixtes de saules et de peupliers signalaient les parties les plus humides des vallées, et les quelques frênes, ormes ou charmes, à peine plus fournis que les buissons, indiquaient un sol plus sec. Les rares chênes nains qui luttaient pour survivre dans les endroits protégés ne laissaient pas présager les immenses forêts de chênes qui recouvriraient un jour cette même région au climat plus tempéré. Sur les hauts plateaux sablonneux mangés par la lande, la terre trop pauvre ne nourrissait que des bruyères, des ajoncs, de rares herbacées, des mousses et des lichens.

Même dans les climats les plus rudes, des oiseaux et des animaux prospéraient. Les animaux des steppes froides et des montagnes étaient légion, et la chasse souvent bonne. Les voyageurs n'étaient que rarement obligés d'utiliser les réserves que leur avaient données les Losadunaï et qu'ils préféraient garder pour la traversée du glacier.

Ayla aperçut une chouette blanche, d'une espèce naine très rare, et la montra à Jondalar. Il était passé maître dans l'art de débusquer les grouses, dont le goût rappelait les lagopèdes qu'il aimait tant, surtout préparés à la façon d'Ayla. Leur plumage de couleur leur offrait un meilleur camouflage sur une terre que la neige recouvrait à peine.

La région subissait l'influence continentale par l'est et océanique par l'ouest, comme en témoignaient le mélange inhabituel de plantes qui poussaient rarement ensemble, ainsi que les variétés d'animaux qu'on n'avait pas l'habitude de voir cohabiter. Ayla en eut un aperçu avec les petites créatures à fourrure, même si les souris, loirs, sousliks, hamsters et autres campagnols hibernaient. Mais elle pillait la nourriture qu'ils amassaient dans leurs nids, et tuait parfois les petites bêtes pour Loup. Elle chassait aussi les hamsters géants pour eux-mêmes. Habituellement, les petits rongeurs servaient de subsistance aux martres, aux renards et aux chats sauvages.

Sur les hautes plaines et dans les vallées, ils apercevaient souvent les mammouths laineux, des troupeaux de femelles que suivait parfois un mâle solitaire, et des troupeaux de mâles rassemblés pour la durée de l'hiver. Les rhinocéros se déplaçaient toujours seuls, à l'exception des femelles, accompagnées d'un ou deux petits. Dans cette région où, à la saison douce, pullulaient bisons, aurochs, et toutes sortes de cervidés, du mégacéros géant au timide chevreuil, seul le renne affrontait l'hiver glacial. Les mouflons, les chamois, les ibex migraient de leurs habitats élevés et Jondalar n'avait jamais vu autant de bœufs musqués.

C'était une année d'expansion pour les bœufs musqués.

L'année suivante verrait probablement leur nombre diminuer considérablement, mais en attendant, ils offraient une cible de choix aux propulseurs. Lorsqu'ils se sentaient menacés, les bœufs musqués, et les mâles en particulier, se formaient en phalanges serrées, cornes baissées, pour protéger les veaux et certaines femelles. Cette tactique était peut-être efficace face à la plupart des prédateurs, mais c'était une aubaine pour les lanceurs de sagaies.

Ayla et Jondalar visaient d'assez loin pour éviter une charge inattendue et choisir leur victime sans risque. C'était presque trop facile, bien qu'ils dussent viser juste et lancer avec assez de force pour traverser l'épaisse toison.

Avec un tel choix, ils ne manquaient pas de viande et souvent, même, étaient contraints d'abandonner les bas morceaux aux carnassiers et aux charognards. Bien qu'il fût copieux, leur régime de viande maigre, riche en protéines, les laissait souvent sur leur faim. L'écorce et des infusions d'aiguilles de pin n'amélioraient guère leur ordinaire.

Les humains, omnivores, avaient besoin d'une alimentation diversifiée et les protéines, bien qu'essentielles, n'étaient pas suffisamment nutritives. Certains mouraient de carence alimentaire par manque de nourriture végétale ou de graisse. Or, à la fin de l'hiver, les animaux avaient déjà brûlé l'essentiel de leurs réserves de graisse. Les deux voyageurs choisissaient donc les morceaux de viande et les viscères qui contenaient le plus de graisse et donnaient le reste à Loup, ou l'abandonnaient aux charognards. Et Loup se débrouillait seul pour trouver le complément nécessaire.

Ils rencontraient souvent des chevaux, mais Ayla et Jondalar ne pouvaient se résoudre à les tuer. Whinney et Rapide, quant à eux, trouvaient une nourriture abondante avec l'herbe sèche, les mousses, les lichens, et mangeaient aussi de petites brindilles et de fines écorces.

Ayla et Jondalar longèrent la rivière qui obliquait légèrement vers le nord. Lorsqu'elle tourna vers le sud-

ouest, Jondalar sut qu'ils approchaient. La dépression
située entre l'ancien massif septentrional et la chaîne
méridionale s'éleva vers un paysage sauvage où affleuraient
des rochers escarpés. Ils arrivèrent à l'endroit où trois gros
torrents se rejoignaient pour former les débuts apparents
de la Grande Rivière Mère. Ils traversèrent et suivirent la
rive gauche du torrent central, celui qu'on appelait la
Moyenne Mère, considéré, ainsi qu'on l'avait expliqué à
Jondalar, comme la véritable Rivière Mère, bien qu'en fait
les trois cours d'eau eussent pu prétendre à cette appella-
tion.

Ayla ne put cacher sa déception. Elle s'était attendue à
mieux de la part d'un fleuve si majestueux. Ainsi, la
Grande Rivière Mère ne jaillissait pas d'un point précis.
Elle n'avait pas de début, et même les frontières du Nord
en territoire de Têtes Plates étaient floues, mais Jondalar
paraissait reconnaître la région. Il pensait que le bord du
glacier était proche bien que la neige recouvrît le sol depuis
quelque temps, et en dissimulât la limite.

Il était encore tôt dans l'après-midi quand ils décidèrent
d'installer leur campement. Ils trouvèrent un endroit
propice au-delà d'un cours d'eau qui dévalait du nord et se
jetait dans le torrent supérieur.

Ayla s'arrêta sur un banc de galets et ramassa quelques
pierres rondes, parfaites pour sa fronde. Elle se proposait
de chasser le lagopède ou le lièvre blanc un peu plus tard,
ou le lendemain matin.

Les souvenirs de leur court séjour chez les Losadunaï
s'estompaient déjà, remplacés par une inquiétude croissante. Jondalar, surtout, était préoccupé. Ils progressaient
moins vite qu'il ne l'avait prévu, et il craignait l'arrivée
prochaine du printemps. On ne pouvait jamais prévoir la
fin de l'hiver, mais il espérait qu'elle serait tardive cette
année.

Ils déchargèrent les chevaux, installèrent leur campement et, comme il était encore tôt, allèrent chasser. Dans
un petit bois, ils remarquèrent des traces de cerf. Cette

découverte surprit Ayla et inquiéta Jondalar. Il craignait que le retour des cerfs annonçât le printemps. Ayla ordonna à Loup de la suivre pour éviter qu'il n'attaque intempestivement leur proie.

La piste conduisait à travers bois à un affleurement proéminent qui leur bouchait la vue. Ayla remarqua une modification dans la démarche de Jondalar, ses épaules s'affaissèrent, son pas se fit plus léger, et en comprit la cause lorsqu'elle vit que les empreintes du cerf indiquaient qu'il avait soudain bondi, effrayé.

Le grognement de Loup les avertit d'un danger. Ils avaient fini par se fier à son instinct, et se figèrent immédiatement. Ayla aurait juré avoir entendu les échos d'une bagarre se déroulant de l'autre côté de l'énorme rocher qui leur barrait le passage. Elle croisa le regard de Jondalar. Il avait entendu la même chose. Sans un bruit, ils avancèrent lentement jusqu'au rocher. Il y eut des vociférations, le choc d'une lourde chute, et, presque aussitôt, un cri de douleur.

La gorge d'Ayla se noua. Elle avait cru reconnaître l'intonation particulière du cri.

— Jondalar! s'exclama-t-elle. Quelqu'un a besoin d'aide.

Et elle se précipita de l'autre côté du rocher.

— Non, attends! C'est peut-être dangereux! prévint Jondalar.

Mais en pure perte. La main crispée sur sa sagaie, il se rua derrière Ayla. De l'autre côté du rocher, plusieurs jeunes hommes luttaient avec quelqu'un à terre qui se débattait vainement. D'autres lançaient des remarques acerbes à l'un d'eux, accroupi sur un corps que maintenaient ses compagnons.

— Alors, Danasi, remue-toi un peu. Tu as besoin d'aide, ou quoi?

— Peut-être qu'il ne trouve pas l'entrée!

— Il ne sait pas quoi en faire, oui!

— Bon, alors au suivant!

Ayla entrevit une mèche de cheveux blonds, et elle comprit avec dégoût qu'ils s'acharnaient sur une femme… Horrifiée, elle devina ce qu'ils lui infligeaient. Elle se lançait à la rescousse quand une vision fugitive s'imposa à elle. Etait-ce la forme du bras ou de la jambe, ou le son de la voix, mais elle sut en un éclair que la femme était du Clan… Une femme du Clan blonde ! Elle resta un instant pétrifiée.

Loup grondait, prêt à bondir, mais il s'arrêta, guettant un geste d'Ayla.

— C'est sûrement la bande de Charoli ! s'écria Jondalar en la rejoignant.

Il se débarrassa de son sac et de son propulseur, et en quelques enjambées arriva à la hauteur des trois agresseurs. Il empoigna par la pelisse celui qui s'escrimait en vain sur la femme et le projeta en arrière. Puis il fit brusquement volte-face, et il lui assena un coup de poing en plein visage. L'homme s'écroula. Les deux autres, un instant hébétés, lâchèrent la femme pour affronter l'étranger. L'un sauta sur son dos pendant que l'autre le frappait au corps et à la face. Le géant fit voltiger l'homme qui s'agrippait à son dos, reçut un coup sur l'épaule, et contre-attaqua en expédiant un violent uppercut dans le foie de son vis-à-vis.

La femme roula sur le côté, se releva et courut vers le deuxième groupe d'assaillants. Son adversaire plié en deux, Jondalar se retourna vers l'autre. Ayla aperçut le premier se relever.

— Loup ! Aide Jondalar ! Mords ! ordonna-t-elle.

Le fauve bondit dans la mêlée, pendant qu'Ayla se débarrassait de ses affaires, détachait la fronde qui lui enserrait la tête et agrippait son sac de pierres. L'un des trois hommes était de nouveau à terre, et elle vit l'autre lever son bras d'un air terrorisé pour se protéger de l'attaque du fauve. Loup se dressa sur ses pattes arrière et planta ses crocs dans le bras de l'homme, arrachant la manche du vêtement de fourrure, pendant qu'un solide direct de Jondalar atterrissait sur la mâchoire du troisième.

Ayla glissa une pierre dans sa fronde et reporta son

attention sur l'autre groupe. L'un des hommes soulevait une lourde massue en os et s'apprêtait à frapper de toutes ses forces. Ayla lança vivement sa pierre et vit l'homme à la massue s'effondrer. Un autre, la sagaie menaçante pointée sur quelqu'un au sol, regarda son compagnon tomber d'un air incrédule. Il ne vit pas venir la seconde pierre, mais hurla sous l'impact. La sagaie lui échappa pendant qu'il tenait sa main blessée.

Ils étaient six contre un homme à terre, mais éprouvaient les pires difficultés à en venir à bout. La fronde d'Ayla en avait mis deux hors de combat et la femme qui venait d'échapper au viol en rouait de coups un troisième. Un quatrième, qui s'était approché de trop près de l'homme à terre, dut reculer en titubant sous la violence d'un coup assené avec une force rare. Il restait encore deux pierres à Ayla. Elle lança l'une, en visant un endroit non vital, ce qui offrit à l'agressé — un homme du Clan, comme Ayla l'avait deviné — une chance de se dégager. Bien qu'assis, il attrapa l'homme qui était le plus près de lui, le souleva et le projeta sur un autre assaillant.

La femme du Clan repartit furieusement à l'attaque, s'acharnant sur l'homme qui préféra battre en retraite. Les femmes du Clan, peu habituées à la bagarre, n'en étaient pas moins de force égale aux hommes. Celle-ci, qui aurait préféré se soumettre aux exigences d'un homme, avait été poussée au combat pour voler au secours de son compagnon blessé.

Les agresseurs avaient perdu leur superbe. L'un d'eux gisait inconscient aux pieds de l'homme du Clan, ses cheveux blonds maculés de sang et de boue. Un autre se frictionnait le bras en fixant d'un regard noir la femme à la fronde. Les autres étaient en piteux état et l'œil du moins mal loti enflait tellement qu'il n'allait pas tarder à se fermer. Les trois agresseurs de la femme du Clan, recroquevillés les uns contre les autres, les vêtements défaits, tremblaient devant Loup qui les surveillait en grondant, les babines retroussées sur ses crocs impressionnants.

893

Jondalar, qui avait reçu sa part de coups mais ne s'en troublait pas pour autant, s'approcha d'Ayla pour s'assurer qu'elle n'avait rien et jeta un coup d'œil à l'homme qui gisait au sol. Il prit soudain conscience qu'il s'agissait d'un homme du Clan. Pourtant, il s'en était rendu compte en arrivant sur les lieux, mais cette découverte lui était sortie de l'esprit. Il se demanda pourquoi l'homme restait au sol. Il le dégagea de celui qui était étendu sur lui, inanimé, et le fit rouler sur le côté. Il comprit alors pourquoi l'homme ne se relevait pas.

Juste au-dessus du genou, sa cuisse droite formait un angle bizarre. Jondalar regarda l'homme avec effarement. C'était avec cette jambe cassée qu'il avait contenu six attaquants ! Il connaissait la force des Têtes Plates, mais tout de même ! A coup sûr, l'homme souffrait le martyre, mais il le cachait bien.

Soudain, un homme qui ne s'était pas montré pendant la bagarre s'avança en plastronnant, et examina la bande en déroute d'un œil critique. Les autres se tortillaient d'un air penaud, incapables de comprendre ce qui venait de leur arriver. Ils s'amusaient tranquillement avec deux Têtes Plates qui avaient eu le malheur de croiser leur chemin, quand avaient surgi une femme qui lançait des pierres avec une précision inouïe, un géant aux poings durs comme le roc... et le loup le plus énorme qu'ils eussent jamais vu ! Sans parler des deux Têtes Plates.

— Que s'est-il passé ? demanda le nouveau venu.

— Tes hommes ont obtenu ce qu'ils méritaient, répondit Ayla. Et maintenant, ça va être ton tour.

Comment cette étrangère savait-elle qu'ils faisaient partie de sa bande ? Elle parlait sa langue avec un accent bizarre, qui était-elle donc ? En entendant parler Ayla, la femme du Clan avait tendu l'oreille, intriguée. L'homme à la tête meurtrie se réveillait. Ayla s'approcha pour examiner sa blessure.

— Laisse-le tranquille ! ordonna le nouveau venu d'un ton menaçant.

894

Mais l'angoisse qui perçait dans sa voix n'échappa pas à Ayla. Elle s'arrêta, le toisa et comprit que son injonction était davantage destinée à impressionner ses hommes qu'à se préoccuper du sort de l'un d'eux. Elle poursuivit donc son examen.

— Il aura des maux de tête pendant quelques jours, mais il n'a rien de grave, annonça-t-elle. Si j'avais voulu le blesser sérieusement, je n'aurais pas retenu mon bras. Et il serait mort, Charoli.

— Comment sais-tu mon nom ? lâcha le jeune homme en s'efforçant de cacher sa peur.

— Nous en savons bien davantage, répliqua Ayla.

Elle jeta un coup d'œil à l'homme et à la femme du Clan. Pour tous les observateurs, ils semblaient impassibles, mais Ayla devinait leur malaise à de multiples signes imperceptibles. Ils surveillaient les Autres, déconcertés par la tournure des événements.

Pour l'instant, pensait l'homme, le danger était provisoirement écarté, mais pourquoi le géant les avait-il aidés ?... ou plutôt, pourquoi avait-il paru les aider ? Pourquoi un homme des Autres attaquerait-il les siens pour les aider ? Et cette femme ? Si c'en était une. Elle avait utilisé une arme avec davantage d'habileté que la plupart des hommes. Quel genre de femme était-elle donc ? Et contre des hommes de sa race, encore ! Mais le plus inquiétant restait le loup, qui menaçait les hommes qui avaient attaqué sa femme... sa nouvelle femme à laquelle il tenait tant. Le géant avait peut-être un totem Loup, mais les totems étaient des esprits, et celui-ci semblait bien vivant. Mieux valait attendre. Supporter la douleur et attendre.

Ayla, qui avait surpris le coup d'œil qu'il avait jeté à Loup et devinant ses craintes, décida d'en finir. Elle poussa un sifflement impératif qui ressemblait à l'appel d'un oiseau, mais d'un oiseau inconnu. Tous écarquillèrent les yeux de peur, mais comme rien ne se passait, ils se détendirent. Mal leur en prit. Ils entendirent bientôt des bruits de sabots et deux chevaux, une jument et un étalon à l'étrange robe brune, accoururent se poster aux côtés de la femme.

Quel est ce rêve bizarre? se demandait l'homme du Clan. Suis-je mort? Suis-je dans le monde des esprits?

Mais les chevaux effrayèrent davantage encore la bande de Charoli. Tous avaient beau cacher leur peur sous des sarcasmes et des provocations, s'excitant mutuellement, ils avaient la gorge serrée de terreur et de culpabilité profondément enfouie. Un jour, chacun en était sûr, il serait découvert et devrait payer. Certains souhaitaient même en finir avant qu'il ne fût trop tard... S'il n'était pas déjà trop tard.

Danasi, celui qui avait été soumis aux sarcasmes de ses compagnons pour avoir tardé à profiter de la femme, en avait déjà parlé à un ou deux autres à qui il se fiait. Les femmes Têtes Plates, passait encore, mais cette fille... pas encore femme, de surcroît, et qui criait et se débattait. D'accord, c'était excitant sur le moment — les femmes de son âge étaient toujours les plus excitantes —, mais après, il s'était senti honteux, et avait commencé à craindre le châtiment de Duna. Comment les punirait-Elle?

Et voilà qu'apparaissait une femme, une étrangère, accompagnée d'un géant blond — ne disait-on pas que Son amant était plus grand et plus blond que tous les hommes? — et d'un loup! Sans parler des chevaux qui accouraient à son appel. Personne ne l'avait jamais vue, et pourtant elle les connaissait. On devinait à son accent qu'elle venait de très loin, mais elle parlait leur langue. Parlait-on avec des mots d'où elle venait? Etait-elle une dunaï? Une incarnation de l'esprit de la Mère? Danasi frissonna.

— Que nous voulez-vous? demanda Charoli. Nous ne vous cherchions pas querelle. Nous nous amusions simplement avec ces Têtes Plates. Quel mal y a-t-il à prendre un peu d'exercice avec des bêtes?

Jondalar vit les efforts d'Ayla pour se contenir.

— Et Madenia? lança-t-il. C'était une bête, elle aussi?

Ils savaient! Paniqués, les jeunes gens se regardèrent et

se tournèrent vers Charoli, implorant son aide. L'accent de l'homme était différent. C'était un Zelandonii. Si les Zelandonii savaient déjà, ils ne pourraient se réfugier chez eux en prétendant entreprendre le Voyage, comme ils l'avaient envisagé. Qui d'autre était au courant ? Trouveraient-ils encore refuge quelque part ?

— Ce ne sont pas des animaux, rectifia Ayla avec une colère froide qui surprit Jondalar.

Il ne l'avait jamais vue dans cet état, mais elle se contrôlait si bien qu'il se demanda si les autres se rendaient compte de sa fureur.

— Si c'étaient des animaux, essayeriez-vous seulement de les forcer ? Forcez-vous les loups ? Et les chevaux ? Non, vous avez besoin d'une femme, et aucune ne veut de vous. Voilà les seules femmes que vous trouvez, mais ce ne sont pas des animaux. Les animaux, c'est vous ! Vous êtes des hyènes ! Vous vous vautrez dans les ordures et vous puez, vous puez le mal. Vous agressez les hommes, forcez les femmes, vous vous livrez au pillage. Ecoutez-moi bien, si vous ne retournez pas chez vous maintenant, vous êtes perdus. Vous n'aurez plus ni famille, ni Caverne, ni peuple et aucune femme à votre foyer. Vous errerez comme les hyènes, ne mangerez que les charognes, et vous devrez voler les vôtres pour survivre.

— Ils savent aussi ça ! murmura l'un des jeunes.

— Ne dites rien ! ordonna Charoli. Ils ne savent rien. Ils supposent, c'est différent.

— Nous savons, corrigea Jondalar. Tout le monde le sait.

Sa maîtrise de leur langue n'était pas parfaite, mais il se faisait très bien comprendre.

— Qui es-tu donc pour affirmer cela ? riposta Charoli. Tu n'es pas un Losadunaï ! Il n'est pas question que nous retournions là-bas. Nous n'avons besoin de personne. Nous avons notre propre Caverne.

— Alors pourquoi voler et forcer les femmes ?

demanda Ayla. Une Caverne sans femmes dans vos foyers n'est pas une Caverne.

— Nous nous moquons de ce que tu racontes. Nous prendrons ce qu'il nous plaira, quand il nous plaira... nourriture, femme, tout. Personne ne nous en a jamais empêchés, ce n'est pas maintenant que ça va commencer ! Allons-nous-en ! fit-il en se mettant en marche.

— Charoli ! cria Jondalar, qui le rattrapa en quelques enjambées.

— Que veux-tu ?

— J'ai une surprise pour toi !

Sans crier gare, il expédia un large crochet d'une telle violence à la face de Charoli qu'il le fit décoller du sol.

— De la part de Madenia ! expliqua Jondalar en jetant un œil sur le corps affalé au sol.

Sur ce, il tourna les talons.

Ayla observa le jeune homme assommé. Un filet de sang coulait à la commissure de ses lèvres, mais elle ne fit pas un geste pour lui porter secours. Deux des siens se chargèrent de le relever. Ayla reporta son attention sur les autres Losadunaï, les dévisageant chacun leur tour. C'était une bande de malheureux, hagards, sales et dépenaillés. Leurs visages émaciés reflétaient la faim et la désolation. Pas étonnant qu'ils fussent obligés de voler. Ils avaient bien besoin de l'aide et de l'assistance d'une famille, et des amis de la Caverne. La vie de rapines et d'aventures dans le confort sans contrainte de la bande de Charoli avait cessé d'exercer sur eux l'attrait enivrant des débuts, et ils étaient prêts à rejoindre les leurs.

— Les Losadunaï vous recherchent, annonça-t-elle. Ils trouvent tous que vous êtes allés trop loin. Même Tomasi, qui est pourtant apparenté à Charoli. Si vous rentrez maintenant dans vos Cavernes et acceptez la punition qui vous attend, il vous reste une chance de retrouver vos familles. Si vous attendez qu'ils vous découvrent, vous aggraverez votre sort.

C'était donc pour ça qu'Elle était venue ! Elle nous

accorde une dernière chance, estima Danasi. Si nous rentrons tout de suite et que nous essayons de nous amender, nos Cavernes nous accepteront-elles ?

Après le départ de la bande de Charoli, Ayla s'approcha du couple du Clan. Ils avaient assisté avec étonnement à la confrontation entre Ayla et les hommes, et vu Jondalar assommer l'autre homme d'un coup de poing. Les hommes du Clan ne se battaient jamais entre eux, mais les hommes des Autres étaient tellement étranges. Ils ressemblaient parfois à des humains, mais ne se conduisaient pas toujours en hommes, surtout celui que le géant avait assommé. Tout les clans connaissaient ses agissements, et le blessé n'était pas mécontent de l'avoir vu subir une correction. Mais il était encore plus content de les voir partir.

Il aurait bien voulu que les deux autres s'en allassent aussi. Leur intervention imprévue l'avait troublé, et il désirait surtout retourner dans son clan. Mais comment s'y prendre avec sa jambe cassée ?

Mais Ayla leur réservait une surprise de taille. Même Jondalar devina leur désarroi. Ayla s'assit avec grâce, les jambes croisées, en face de l'homme du Clan, et fixa le sol avec humilité.

Jondalar n'était pas le dernier surpris. Elle avait déjà adopté cette attitude avec lui, quand elle voulait lui dire quelque chose d'important et ne trouvait pas les mots, mais c'était la première fois qu'il la voyait faire ce geste dans son contexte naturel. C'était un geste de respect. Elle demandait à l'homme la permission de lui adresser la parole. Mais Jondalar ne comprenait pas qu'une femme de sa compétence, intelligente et indépendante, pût approcher ainsi un Tête Plate avec tant de déférence. Elle avait essayé de lui expliquer qu'il s'agissait de courtoisie, de tradition, et qu'il ne fallait pas y voir de déshonneur ou d'humiliation, mais Jondalar ne connaissait aucune Zelandonii, ni aucune autre femme, qui aurait accepté de se conduire de la sorte avec quiconque, homme ou femme.

Ayla attendait patiemment que l'homme daignât lui toucher l'épaule, mais elle n'était pas sûre que le langage de ceux de ce clan fût le même que celui employé par ceux qui l'avaient élevée. La distance qui séparait ces deux peuples était si grande, et l'aspect de ceux-ci n'était pas le même. Elle avait bien noté des similitudes de certains vocables, mais plus les distances entre les peuples étaient grandes, moins leur langage avait de chances d'être proche. Elle ne pouvait qu'espérer se faire comprendre.

Elle savait que leur langage de signes, comme toutes leurs connaissances et leurs coutumes, était emmagasiné dans leur mémoire, la mémoire ancestrale, voisine de l'instinct, innée chez chaque membre du Clan. Si ce Peuple du Clan avait les mêmes ancêtres que ceux qui l'avaient recueillie, leur langage serait alors très proche.

Nerveuse, elle commençait à se demander si l'homme avait une idée de ce qu'elle attendait. Elle sentit alors une légère tape sur son épaule et prit une profonde inspiration. Il y avait bien longtemps qu'elle n'avait pas parlé avec un membre du Clan, depuis le jour où elle avait été damnée... Tiens, elle avait oublié. Il ne fallait pas qu'elle leur parle de sa condamnation à mort, sinon ils cesseraient de la voir, exactement comme si elle n'existait pas. Son regard croisa celui de l'homme. Ils s'étudiaient mutuellement.

Elle n'avait rien d'une femme du Clan. C'était une Autre. Elle n'était même pas comme ceux que le mélange d'esprits avait étrangement déformés et qui naissaient par poignées ces derniers temps. Alors, où cette femme des Autres avait-elle appris à s'adresser à un homme avec une telle correction ?

Ayla n'avait pas vu de visage du Clan depuis des années. Celui de l'homme qu'elle avait devant elle était bien du Clan, mais il différait de ceux qu'elle avait connus. Ses cheveux et sa barbe étaient plus clairs, plus soyeux et moins bouclés. Ses yeux marron étaient plus clairs, eux aussi, contrairement à ceux, presque noirs, de son clan. Ses traits étaient plus accentués : les arcades sourcilières plus lourdes, le nez plus pointu, les mâchoires davantage proéminentes, le front plus fuyant, et la tête plus longue. D'une certaine manière, il était plus Clan que son Clan.

Ayla commença à parler avec les signes quotidiens du clan de Brun qu'elle avait appris enfant. Elle comprit tout de suite que ces signes étaient inconnus de l'homme. Il articula alors quelques sons. Ils avaient les mêmes inflexions et la même tonalité que dans son souvenir : sons gutturaux, voyelles avalées, mais malgré tous ses efforts elle ne comprenait pas. L'homme avait une jambe cassée, et elle voulait l'aider. Mais elle voulait aussi en profiter pour en savoir davantage sur ces deux-là. D'une certaine manière, elle se sentait plus à l'aise avec eux qu'avec le Peuple des Autres. Pourtant, si elle voulait l'aider, elle devait entrer en communication avec lui. Il prononça encore quelques sons accompagnés de signes. Les gestes étaient familiers mais n'avaient aucun sens, alors que les sons lui étaient totalement inconnus. Le langage du clan de Brun était-il si différent qu'elle ne pût communiquer avec les clans de ce pays ?

40

Tout en réfléchissant, Ayla jetait des coups d'œil à la jeune femme assise à l'écart. Elle semblait nerveuse et bouleversée. Ayla se souvint alors du Rassemblement du Clan, et elle essaya le langage ancestral, utilisé pour s'adresser aux esprits et avec lequel on se faisait comprendre des clans qui n'employaient pas les signes courants.

L'homme acquiesça et fit un geste. Il la comprenait ! Ayla éprouva un profond soulagement accompagné d'un élan d'enthousiasme. Ils avaient les mêmes ancêtres que son clan ! Quelque part, dans le passé lointain, les ancêtres de Creb et d'Iza et ceux de cet homme se connaissaient. Une vision fulgurante l'effleura : elle-même avait des racines identiques, mais sa lignée avait emprunté une autre voie.

Jondalar les observait, fasciné. Il avait peine à suivre leurs gestes rapides, mais s'apercevait d'une complexité et d'une subtilité qui lui avaient échappé quand Ayla avait enseigné le langage du Clan au Camp du Lion afin de permettre à Rydag de communiquer avec les autres pour la première fois de sa vie. Il comprit qu'elle s'était contentée alors de survoler les rudiments du langage des signes parce que Rydag avait seulement besoin qu'on éveillât sa mémoire. Il avait deviné que le jeune garçon communiquait plus complètement avec elle, mais il découvrait maintenant l'étendue et la profondeur du langage des signes.

Ayla fut surprise que l'homme oubliât les formalités d'usage. Il ne mentionna aucun nom de lieu, ni de parenté.

— Femme des Autres, cet homme désire savoir où tu as appris à parler.

— Quand cette femme était enfant, peuple et famille disparurent lorsque la terre trembla. Cette femme a été élevée par un clan, expliqua Ayla.

— Cet homme ne connaît pas de clan qui ait élevé une femme des Autres, fit l'homme.

— Le clan de cette femme vit très loin. L'homme connaît-il le fleuve que les Autres nomment la Grande Mère ?

— C'est notre frontière, fit l'homme d'un geste impatient.

— La rivière va plus loin que beaucoup l'imaginent, et tombe dans une mer, à l'est. Le clan de cette femme vit à la fin de la Grande Mère.

L'homme la regarda, incrédule, puis l'étudia attentivement. Contrairement au Peuple du Clan qui utilisait un langage de signes comprenant les mouvements inconscients du corps, ce qui rendait tout mensonge impossible, le Peuple des Autres ne parlait qu'avec des mots et cachait souvent ses pensées. Il ne découvrit aucun signe de dissimulation, mais l'histoire de cette femme paraissait invraisemblable.

— Cette femme voyage depuis le début de la dernière saison chaude, précisa Ayla.

Il montra des signes de nervosité, et Ayla comprit qu'il souffrait énormément.

— Que veut la femme ? Autres sont partis, pourquoi la femme reste-t-elle ?

Il savait qu'elle lui avait sauvé la vie, et avait aidé sa

903

compagne, ce qui impliquait qu'il lui devait une obligation. Elle deviendrait alors presque sa parente. Cette pensée le troublait.

— Cette femme est une guérisseuse. Cette femme aimerait examiner la jambe de l'homme, fit Ayla.

Il cracha son mépris.

— La femme ne peut pas être une guérisseuse. La femme n'est pas du Clan.

Ayla se garda bien de protester. Elle prit le temps de la réflexion et tenta une nouvelle approche.

— Cette femme désire s'entretenir avec l'homme des Autres.

L'homme accéda à sa requête. Ayla se leva et marcha à reculons, avant de se retourner pour rejoindre Jondalar.

— Vous arrivez à vous comprendre ? demanda-t-il. Je vois bien que tu fais des efforts, mais le clan où tu as vécu habite si loin !

— J'ai essayé le langage ordinaire de mon clan, mais sans succès. J'aurais dû m'en douter. Heureusement que j'ai pensé à utiliser le langage ancestral. Nous nous comprenons parfaitement, maintenant.

— Tu prétends que le Clan parle un langage compris de tous ? Où qu'ils habitent, ils se comprennent ? J'ai du mal à te croire.

— Evidemment. Mais n'oublie pas que le langage ancestral fait partie de leur mémoire innée.

— Tu veux dire qu'en naissant ils savent déjà parler comme ça ? Un bébé comprendrait ?

— Non, c'est plus compliqué. Ils naissent avec la mémoire, mais ils ont besoin qu'on leur apprenne à l'utiliser. J'ignore comment ça fonctionne, je n'ai pas cette mémoire-là, mais je crois qu'il s'agit davantage d'un « rappel » de quelque chose qu'ils savent déjà. En principe, un seul rappel suffit et le mécanisme est en place. C'est pour ça que certains d'entre eux me croyaient stupide. J'apprenais si lentement ! Je me suis exercée à mémoriser le plus vite possible, mais cela n'a pas été facile.

Rydag possédait la mémoire, mais il n'avait personne pour lui apprendre à s'en servir... C'est la raison pour laquelle il ne connaissait pas les signes avant mon arrivée.

— Toi, lente à apprendre ! s'exclama Jondalar. Je n'ai jamais rencontré quelqu'un qui apprenait les langues aussi vite que toi.

— C'est différent, fit-elle, dédaignant le compliment. Les Autres possèdent une sorte de mémoire pour les mots, nous apprenons à reproduire les sons que nous entendons autour de nous. Apprendre une nouvelle langue consiste seulement à retenir un autre arrangement des sons. Même si tu fais des fautes, on te comprend. Son langage est plus difficile pour nous, mais ce n'est pas ça qui m'inquiète. Le problème, c'est l'obligation.

— L'obligation ? Quelle obligation ?

— Il ne l'admettra jamais, mais il souffre terriblement. Je veux l'aider, je veux réparer sa jambe. J'ignore comment ils rentreront dans leur clan, mais nous verrons cela plus tard. Il faut d'abord soigner sa jambe cassée. Mais il a déjà une dette envers nous, et il sait, puisque je comprends sa langue, que je connais l'existence des obligations. S'il croit que je lui ai sauvé la vie, c'est une dette de sang. Il ne veut pas nous devoir davantage, dit Ayla, essayant d'expliquer des relations complexes en les simplifiant.

— Une dette de sang ?

— Oui, c'est une obligation...

Ayla réfléchit. Comment lui faire comprendre ?

— C'est souvent ce qui se passe entre chasseurs. Si un homme sauve la vie d'un autre, il « possède » une parcelle de son esprit. L'homme qui aurait dû mourir la lui cède en échange de sa vie. Etant donné qu'aucun homme ne veut voir mourir des parcelles de son esprit — et marcher dans l'autre monde avant lui — il ferait tout pour maintenir en vie celui à qui il a donné une parcelle de la sienne. Ils deviennent ainsi frères de sang, et sont encore plus proches que des frères ordinaires.

— Oui, ça se comprend, acquiesça Jondalar.

— A la chasse, les hommes doivent s'entraider, et comme ils se sauvent souvent mutuellement la vie, chacun possède une parcelle de l'esprit des autres. Ils nouent ainsi des liens plus importants que ceux de la famille. Certains chasseurs d'un même clan sont parfois apparentés, mais les liens familiaux passent après ceux des chasseurs, qui ne peuvent se permettre de favoriser l'un plutôt que l'autre. Ils sont trop dépendants les uns des autres.

— En somme, c'est une forme de sagesse, fit Jondalar d'un air pensif.

— C'est ce qu'on appelle une dette de sang. Cet homme ignore les coutumes des Autres, et le peu qu'il en sait ne lui donne pas une bonne opinion de nous.

— Après les exploits de Charoli, c'est normal.

— C'est vrai, mais c'est encore plus compliqué, Jondalar. En tout cas, il n'est pas très content d'être notre obligé.

— Il te l'a dit ?

— Bien sûr que non ! Mais le langage du Clan ne se réduit pas aux seuls gestes. La façon dont on se tient, les expressions, une foule de petits détails entrent en jeu. J'ai grandi dans un clan, toutes ces choses font partie de moi, et nous sont communes. Alors, je devine ce qui le gêne. S'il pouvait m'accepter en tant que guérisseuse du Clan, ce serait déjà un progrès.

— Qu'est-ce que cela changerait ?

— Cela voudrait dire que je possède déjà une parcelle de son esprit.

— Mais... mais tu ne le connais pas ! Comment posséderais-tu une parcelle de son esprit ?

— Une guérisseuse sauve des vies. Elle pourrait exiger une parcelle de l'esprit de tous ceux qu'elle sauve, et en détiendrait une de chacun avant longtemps. Quand elle est nommée guérisseuse, elle donne une parcelle de son esprit au Clan, et reçoit en échange une parcelle de chacun. Comme cela, la dette est déjà acquittée, et cela explique le statut privilégié de la guérisseuse. Pour la première fois, je suis contente qu'on ne m'ait pas repris les esprits du Clan....

Jondalar allait parler, mais devant l'expression figée d'Ayla, il comprit qu'elle était plongée dans une profonde méditation.

— ... quand j'ai été condamnée à mort, poursuivit-elle. J'en ai été longtemps préoccupée. A la mort d'Iza, Creb a repris toutes les parcelles d'esprit pour qu'elle ne les emporte pas dans l'autre monde. Mais quand Broud m'a damnée, personne ne m'a repris les parcelles, pourtant le Clan me considérait comme morte.

— Qu'arriverait-il s'ils l'apprenaient ? demanda Jondalar en désignant les deux membres du Clan d'un discret signe de tête.

— Je cesserais d'exister. Ils ne me verraient même pas. Ils ne s'autoriseraient pas à me voir. Si je me plantais devant eux en hurlant, ils ne m'entendraient pas. Ils croiraient simplement qu'un mauvais esprit cherche à les entraîner dans l'autre monde, expliqua Ayla, qui frissonna en revivant un souvenir cruel.

— Oui, mais pourquoi es-tu contente de toujours détenir les parcelles d'esprits ?

— Parce que je ne peux pas lui mentir, il le saurait. En revanche, je peux éviter de tout dire. Par courtoisie et par respect de la vie privée d'autrui, c'est autorisé. Je ne suis pas obligée de lui dévoiler ma damnation, mais je peux dire que je suis une guérisseuse du Clan puisque c'est vrai. Je le suis toujours, je possède encore les parcelles d'esprits... Mais je mourrai un jour, Jondalar, reprit-elle d'un air soucieux. Si j'emporte les parcelles d'esprits dans l'autre monde, que deviendront ceux du Clan ?

— Comment le saurais-je ?

Ayla paraissait bouleversée.

— Je penserai à l'autre monde plus tard, dit-elle en se reprenant, un devoir m'attend dans celui-ci. S'il m'accepte en tant que guérisseuse du Clan, il n'aura pas à se préoccuper de dette. La dette de sang qu'il a contractée avec un des Autres lui pèse déjà assez. Mais une dette envers une femme est encore plus pénible, surtout une femme qui se sert d'une arme.

— Mais je croyais que tu chassais quand tu vivais avec le Clan ?

— C'était une exception, et uniquement parce que j'avais survécu pendant une lune à une Malédiction Suprême pour avoir chassé à la fronde. Brun m'a autorisée à chasser parce que mon totem, le Lion des Cavernes, me protégeait. C'est lui qui m'a offert mon talisman et m'a appelée la Femme Qui Chasse.

Ayla caressa la petite bourse en cuir qu'elle portait en permanence autour du cou, et repensa à la première bourse en paille qu'Iza lui avait tressée. Comme l'aurait fait une mère, Iza y avait déposé un petit morceau d'ocre rouge quand Ayla avait été acceptée par le Clan. C'était une amulette grossière, sans décoration, contrairement à celle qu'elle portait maintenant et que les Mamutoï lui avaient donnée à la cérémonie d'adoption, mais Ayla conservait toujours ses objets magiques et le morceau d'ocre rouge. Les objets étaient les signes envoyés par son totem, ainsi que la pointe ovale tachée de rouge d'une défense de mammouth — son talisman de chasse —, la pierre noire, et le morceau de bioxyde de manganèse renfermant les parcelles d'esprits du Clan qu'on lui avait données quand elle avait été nommée guérisseuse du clan de Brun.

— Jondalar, il serait bon que tu lui parles. Il ne sait plus que penser. C'est un homme de traditions et il vient d'assister à trop de choses anormales. Il vaut mieux que ce soit un homme, même un des Autres, qui lui parle, plutôt qu'une femme. Ça le tranquilliserait. Tu te souviens du signe pour saluer un homme ?

Jondalar esquissa un geste et Ayla approuva. Cela manquait de finesse, mais le sens était clair.

— Ne salue pas tout de suite la femme, ce serait de mauvais goût. Il risquerait de se sentir insulté. Les hommes, surtout les étrangers, ne s'adressent jamais aux femmes sans un bon motif. Attends son autorisation avant d'adresser la parole à sa compagne. Avec un parent, les formalités sont moindres, et un ami proche peut satisfaire ses besoins avec elle — partager les Plaisirs — mais la politesse exige de demander l'autorisation à l'homme.

— Son autorisation, et pas celle de la femme ? Pourquoi les femmes acceptent-elles qu'on leur accorde moins d'importance qu'aux hommes ?

— Elles n'envisagent pas les choses comme toi. Au fond d'elles-mêmes, elles savent bien que les femmes comptent autant que les hommes. Mais elles n'ignorent pas qu'elles sont très différentes.

— Bien sûr qu'elles sont différentes. Comme partout... heureusement, d'ailleurs.

— Ce n'est pas ce que je voulais dire. Tu peux faire les mêmes choses que les femmes, Jondalar, sauf mettre au monde un enfant. Je suis moins forte que toi, mais je peux faire presque les mêmes choses que toi. Les hommes du Clan n'ont pas le droit de faire les mêmes travaux que les femmes, et inversement. La mémoire leur manque. Quand j'ai appris à chasser, les gens étaient davantage surpris par ma capacité d'apprendre, ou mon désir de chasser, que par l'interdit que j'avais bravé. Ça les surprenait autant que si un homme avait donné naissance à un bébé, et les femmes étaient encore plus étonnées que les hommes. Une femme du Clan n'aurait jamais pensé à chasser.

— Tu disais pourtant que le Peuple du Clan et celui des Autres se ressemblaient beaucoup.

— C'est vrai. Mais par certains côtés, le Clan est plus singulier que tu ne le penses. J'ai déjà du mal à l'imaginer, et j'étais des leurs ! Alors, es-tu prêt à lui parler ?

— Oui, je crois.

Le géant s'avança au-devant de l'homme puissant et râblé qui attendait, assis par terre, la jambe tordue par la fracture. Ayla suivit à quelques pas. Jondalar s'assit en face de l'homme, et jeta un coup d'œil à Ayla qui lui fit un signe d'approbation.

Il n'avait jamais vu un mâle adulte de si près, et il pensa tout de suite à Rydag. Mais en observant l'homme, Jondalar découvrit à quel point le jeune garçon était éloigné d'un vrai Clan. En comparaison, les traits de Rydag étaient comme... *adoucis*. Le visage de l'homme était à la fois long et large, les mâchoires proéminentes comme entraînées en avant par un nez fort et pointu. Sa barbe, soyeuse et récemment taillée, n'arrivait pas à masquer l'absence de menton.

La barbe se mêlait à une masse épaisse de cheveux bouclés d'un brun clair, qui recouvrait un énorme crâne formant une bosse arrondie sur la nuque. Les lourdes arcades sourcilières de l'homme envahissaient presque tout le front fuyant et bas. Jondalar faillit tâter son propre front pour en évaluer la différence. Il commençait à comprendre l'origine de leur surnom : les Têtes Plates. C'était comme si un sculpteur avait remodelé sa propre tête, aplati le front et concentré la matière restante en boule au-dessus de la nuque.

Une épaisse broussaille accentuait la forme des arcades sourcilières de l'homme et ses yeux noisette mouchetés d'or reflétaient la curiosité, l'intelligence, et une douleur contenue. Jondalar comprit pourquoi Ayla tenait tant à l'aider.

Il se sentit stupide en faisant les signes du salut, mais l'éclair de surprise qu'il lut dans le regard de l'autre lui mit du baume au cœur. L'homme du Clan lui retourna son salut. Jondalar se demandait comment poursuivre. Il imagina ce qu'il aurait dit à un inconnu d'une autre Caverne ou d'un autre Camp et essaya de se rappeler les signes qu'il avait appris pour communiquer avec Rydag.

— Cet homme s'appelle... fit-il. (Il énonça ensuite son nom suivi de son affiliation primaire.) Jondalar des Zelandonii.

Les sons étaient trop mélodieux, les voyelles trop abondantes pour que l'homme pût les saisir toutes à la fois. Il hocha la tête comme pour se déboucher les oreilles, et la pencha pour mieux entendre. Ensuite, il frappa légèrement la poitrine de Jondalar.

Jondalar comprit tout de suite le sens de son geste. C'était facile.

— Cet homme s'appelle... Jondalar, répéta-t-il en oubliant volontairement l'affiliation.

L'homme parut se concentrer. Il prit ensuite une profonde inspiration et articula de son mieux :

— Dyondar.

Jondalar esquissa un sourire approbateur. La voix était profonde, l'articulation inexistante, les voyelles avalées, mais l'idée y était, et surtout le son lui parut étrangement familier. Mais oui, Ayla ! Bien que plus douce, la voix d'Ayla possédait cette même sonorité gutturale. Pas étonnant que personne ne réussisse à identifier son accent ! Elle avait un accent du Clan. Et dire qu'on les croyait incapables de parler !

Ayla trouva que l'homme avait particulièrement bien prononcé le nom de Jondalar. Elle n'était pas sûre d'avoir été aussi claire la première fois qu'elle avait dû dire son nom, et elle se demanda si l'homme n'avait pas déjà eu des contacts avec les Autres. S'il avait été choisi pour représenter les siens, ou engager des sortes de pourparlers avec ceux qu'on nommait les Autres, cela impliquerait un statut élevé. Voilà qui justifiait son inquiétude d'une dette de sang à payer aux Autres, surtout à des Autres de statut inconnu. Il craignait de dévaluer son rang, mais une obligation était une obligation, et qu'il le veuille ou non, il avait besoin d'aide. Restait à le convaincre qu'elle connaissait le sens de la dette et en comprenait toutes les implications.

L'homme se frappa la poitrine et se pencha légèrement.

— Guban, dit-il.

Jondalar éprouva les mêmes difficultés à reproduire le nom que l'homme avait eues avec « Jondalar », et Guban fit preuve d'autant d'indulgence que Jondalar précédemment.

Ayla laissa échapper un soupir de soulagement. L'échange de noms était peu de chose, mais c'était un début. Elle jeta un coup d'œil à la femme, toujours déconcertée de voir une femme du Clan aux cheveux plus clairs que les siens. Ses boucles soyeuses étaient presque blanches, mais la femme était séduisante. C'était sans doute la deuxième de son foyer. Guban était un homme dans la force de l'âge, et cette femme venait probablement d'un autre clan. Elle devait représenter un bon prix.

La femme regarda furtivement Ayla. Ayla avait cru lire de la peur dans ce regard. Elle l'examina à la dérobée. Etait-ce de l'embonpoint qui lui ceignait la taille ? Le cuir n'écrasait-il pas trop sa poitrine ? Mais oui, elle était enceinte ! Pas étonnant qu'elle ait peur. Un homme à la jambe cassée n'est plus un vaillant chasseur. Et si cet homme possède un statut élevé, il exerce probablement des responsabilités. Il faut que je réussisse à le convaincre, se dit Ayla.

Les deux hommes s'évaluaient. Jondalar ne savait pas quelle attitude adopter, et l'autre guettait sa réaction. En désespoir de cause, Jondalar se tourna vers Ayla.

— Cette femme se nomme Ayla, fit-il.

Ayla crut d'abord à une gaffe, mais en remarquant la réaction de Guban, elle se ravisa. Une présentation si hâtive indiquait dans quelle haute estime on la tenait, ce qui semblait normal pour une guérisseuse. En déchiffrant les explications suivantes de Jondalar, elle se demanda s'il n'avait pas lu dans ses pensées.

— Ayla soigne. Elle soigne très bien. Bonne médecine. Ayla veut aider Guban.

Pour l'homme du Clan, les signes qu'utilisait Jondalar rappelaient le langage des bébés. Ses propos manquaient de nuances, et de complexité, mais ils paraissaient sincères. Guban ne s'attendait pas à ce qu'un homme des Autres parlât correctement. La plupart jacassaient, ou marmonnaient, ou grognaient comme des animaux. Ils faisaient trop de bruits avec leur bouche, comme les jeunes enfants, mais que pouvait-on attendre de ces humains demeurés ?

Pourtant la femme ne manquait pas de profondeur, et saisissait les nuances les plus subtiles. Sa capacité à communiquer était réelle. Elle avait une finesse insoupçonnée, elle avait traduit les propos de Dyondar, facilitant la communication entre les deux hommes sans les embarrasser. Il avait peine à croire qu'elle eût été élevée par un clan et qu'elle vînt de si loin, mais elle parlait avec tant de facilité qu'on l'aurait prise pour une femme du Clan.

Guban n'avait jamais entendu parler du clan dont elle prétendait venir et pourtant il en connaissait de nombreux. Le langage ordinaire qu'elle avait utilisé ne lui était pas familier. Le langage du clan de sa compagne aux cheveux jaunes n'était pas aussi étrange, mais cette femme des Autres connaissait les signes ancestraux, et les utilisait à bon escient, ce qui était rare pour une femme. Elle semblait cacher quelque chose, mais il ne l'aurait pas juré. C'était une femme des Autres, et il n'était pas question de l'interroger là-dessus. D'ailleurs, les femmes, surtout les guérisseuses, aimaient garder quelques secrets.

La douleur se réveilla et faillit lui arracher un cri. Il dut se concentrer pour l'oublier.

Comment pouvait-elle se prétendre guérisseuse ? Elle n'était pas du Clan. Elle n'en avait pas la mémoire. Dyondar l'avait présentée comme une femme qui soignait, et semblait la tenir en haute estime... Ah, cette jambe cassée !... Guban tressaillit légèrement et dut serrer les dents. Elle soignait peut-être, après tout. Mais cela n'en faisait pas une guérisseuse du Clan. Et son obligation était déjà si élevée. Une dette de sang envers cet homme, passe encore... mais envers une femme. Et une femme qui utilisait les armes !

D'un autre côté, que seraient-ils devenus sans leur aide ? Cheveux Jaunes qui attendait un bébé... Cette pensée l'émut. Une rage inconnue l'avait fait bouillir quand les hommes l'avaient attrapée, blessée, et avaient essayé de la

913

prendre. Il avait sauté du rocher pour la défendre. L'escalader n'avait pas été facile, et il n'avait pas eu le temps de redescendre.

Ils avaient repéré des traces de cerf, et il avait grimpé sur le rocher pour savoir si la chasse serait possible, pendant que Cheveux Jaunes collectait des écorces et incisait les troncs pour récolter le jus qui n'allait pas tarder à couler. Elle prétendait qu'il ferait bientôt plus chaud, mais personne ne l'avait crue. C'était encore une étrangère pour son clan, mais elle disait qu'elle possédait la mémoire de ces choses. Il avait décidé de lui permettre de prouver son savoir, et avait accepté de l'emmener bien qu'il connût les dangers... à cause de ces hommes.

Il faisait froid, et il avait cru qu'ils réussiraient à les éviter en restant près du glacier. Le rocher lui avait semblé un bon poste d'observation. En atterrissant, la douleur l'avait transpercé et il avait senti l'os se briser. Il avait failli s'évanouir, mais il n'en avait pas le droit. Douleur ou pas, il devait affronter les Autres. Lorsqu'elle s'était précipitée pour le défendre, une agréable chaleur l'avait envahi. Il avait été surpris de la voir frapper les Autres. Les femmes ne se battaient jamais, d'habitude, et il n'avait pas l'intention de le raconter à ceux de son clan. Mais il s'était senti flatté qu'elle eût volé à son secours.

Il changea de position pour mieux contrôler la violence de la douleur. Il ne craignait pas la douleur. Mais il y avait d'autres peurs. Que se passerait-il s'il ne pouvait plus marcher ? Une jambe cassée ne se remettait pas si vite, si elle se remettait. Mais s'il restait invalide, comment chasserait-il ?

S'il ne pouvait plus chasser, il perdrait son statut. Il cesserait d'être chef. Il avait promis au chef du clan de Cheveux Jaunes de prendre soin d'elle. C'était une favorite dans son clan, mais il était de rang élevé et elle avait accepté de le suivre. Elle lui avait même avoué, dans l'intimité de leurs fourrures, qu'elle avait désiré être sa compagne.

Sa première femme ne s'était pas réjouie de l'arrivée d'une jeune et belle seconde compagne. Mais c'était une femme du Clan. Elle avait bien pris soin de son foyer, et elle conserverait le titre de Première Femme. Il lui avait promis de s'occuper d'elle et de ses deux filles, bien qu'il eût longtemps regretté qu'elle n'eût pas mis au monde un garçon. Les deux filles de son foyer faisaient sa joie, mais elles seraient bientôt grandes. Elles partiraient.

S'il ne pouvait plus chasser, il ne pourrait plus subvenir aux besoins de personne. Le clan devrait prendre soin de lui comme d'un vieillard. Et la belle Cheveux Jaunes, qui aurait peut-être bientôt un garçon, comment prendrait-il soin d'elle ? Elle trouverait facilement un homme pour s'occuper d'elle. Oui, mais il la perdrait.

D'ailleurs, s'il ne pouvait plus marcher, comment rentre-rait-il au clan ? Cheveux Jaunes serait obligée d'aller chercher de l'aide. S'il ne pouvait rentrer seul, il se déconsidérerait aux yeux de son clan, mais ce serait encore pire si la jambe ne se remettait pas et qu'il perdait son habileté de chasseur.

Je devrais peut-être demander à cette femme experte en soins des Autres, hésitait-il, bien qu'elle se serve d'armes. Elle doit être de statut élevé, à voir comment Dyondar la traite. Et le statut de l'homme est certainement important pour qu'il soit uni à une femme experte en soins. Elle avait fait fuir ces hommes autant que Dyondar... avec l'aide de ce loup ! Mais pourquoi un loup les aidait-il ? Il avait surpris la femme qui lui parlait. Elle avait utilisé des signes simples et directs. Elle lui avait demandé de s'asseoir près de l'arbre, avec les chevaux. Et le loup avait compris et avait obéi ! Il attendait toujours sagement.

Guban parut songeur. Il avait du mal à penser à ces animaux sans ressentir une sourde terreur. La peur incon-trôlée des esprits. Comment expliquer autrement l'obéis-sance du loup et des chevaux ? Comment expliquer que des animaux se comportent si peu... en animaux ?

Il voyait bien que Cheveux Jaunes était aussi inquiète

que lui. Comment lui en vouloir ? Puisque Dyondar s'était senti autorisé à lui présenter sa femme, peut-être devrait-il faire de même ? Il ne voulait pas qu'ils crussent que le statut qu'elle avait obtenu en le suivant était inférieur à celui de Dyondar. Guban fit un signe imperceptible à la jeune femme, qui n'avait pas perdu une miette des événements, mais qui, en femme du Clan qui se respecte, avait réussi à se faire oublier.

— Cette femme se nomme... fit-il, avant de toucher l'épaule de sa compagne et d'annoncer : Yorga.

Jondalar cru entendre deux aspirations encadrant un R. Il lui aurait été impossible de reproduire le son. Ayla devina son trouble, et dut envisager rapidement un moyen élégant de prendre la situation en main. Elle répéta le nom de sorte que Jondalar le comprît et s'adressa à la femme.

— Yorga, fit-elle, ajoutant aussitôt en signes : cette femme te salue. Cette femme se nomme... Ayla, prononça-t-elle en détachant chaque syllabe pour Jondalar. L'homme nommé Dyondar voudrait saluer la femme de Guban à son tour.

Cela ne se serait pas passé ainsi dans le Clan, se dit Guban, mais il ne décela aucune offense de la part des Autres. Il était curieux de voir la réaction de Yorga.

Elle jeta un regard à Jondalar, et baissa aussitôt les yeux. Guban la gratifia d'un imperceptible signe d'approbation. Elle avait pris acte de la présence de Jondalar, mais sans plus.

Jondalar n'avait pas ces préjugés. Il n'avait jamais vu ceux du Clan de si près... et il ne cachait pas sa fascination. Il l'observa beaucoup trop longtemps. Les traits de la femme ressemblaient à ceux de l'homme, avec une douceur féminine. Il avait déjà remarqué sa petite taille trapue, la taille d'une enfant. A part ses soyeuses boucles pâles, elle était loin d'être belle, mais il comprenait qu'elle plût à Guban. Il prit soudain conscience que l'homme l'observait, fit un bref signe de tête, et détourna les yeux.

Guban paraissait furieux, et Jondalar se jura d'être désormais plus prudent.

Guban n'avait pas apprécié l'insistance de Jondalar, mais il n'avait pas considéré son impolitesse comme un manque de respect. D'ailleurs, il était bien trop accaparé par la douleur. Il devait absolument questionner cette femme.

— Je désire parler à celle qui soigne... Dyondar, fit-il.

Jondalar devina le sens de sa demande et acquiesça. Ayla, qui les avait attentivement observés, s'avança vivement et s'assit humblement en face de Guban, les yeux baissés.

— Dyondar dit que la femme soigne. La femme se prétend guérisseuse. Guban désire savoir comment une femme des Autres peut devenir guérisseuse du Clan.

Ayla répondit en traduisant en mots ce qu'elle disait en signes pour que Jondalar ne fût pas exclu de la conversation.

— La femme qui m'a recueillie, qui m'a élevée, était une guérisseuse de haut rang. Iza descendait d'une très vieille lignée de guérisseuses. Iza était comme une mère pour cette femme, et a enseigné à cette femme en même temps qu'à la fille de sa lignée.

Guban paraissait sceptique, mais sa curiosité était flagrante.

— Iza n'ignorait pas que cette femme ne possédait pas la mémoire de sa fille.

Guban approuva. C'était évident.

— Iza força cette femme à se rappeler, elle obligea cette femme à répéter sans cesse, expliqua plusieurs fois à cette femme jusqu'au jour où elle fut convaincue que cette femme ne perdrait plus la mémoire. Cette femme fut enchantée d'apprendre, et de répéter les mêmes choses plusieurs fois pour acquérir le savoir d'une guérisseuse.

Ayla poursuivit ses explications avec les signes conventionnels, mais traduisit pour Jondalar en termes zelandonii courants.

— Iza m'a dit qu'elle pensait que cette femme venait

aussi d'une lignée de guérisseuses, de guérisseuses des Autres. Iza disait que je pensais comme une guérisseuse, mais elle m'a appris à considérer les soins comme une guérisseuse du Clan. Cette femme n'est pas née avec la mémoire d'une guérisseuse, mais la mémoire d'Iza est à présent mienne.

Tous suivaient Ayla avec attention.

— Iza est tombée malade. Une toux l'a prise qu'elle-même ne pouvait guérir, et j'ai commencé à la remplacer. Le chef en personne a été content de mes soins le jour où il s'est brûlé. Mais Iza procurait un statut élevé au clan. Quand elle est devenue trop malade pour assister au Rassemblement du Clan, et comme sa vraie fille était trop jeune, le chef et le mog-ur ont décidé de m'élever au rang de guérisseuse. Comme je possédais la mémoire d'Iza, ils disaient que j'étais devenue une guérisseuse de sa lignée. Au Rassemblement du Clan, les autres chefs et les autres mog-ur ont longtemps hésité, mais ils ont fini par m'accepter.

Ayla voyait bien que Guban ne demandait pas mieux que de la croire, mais il doutait encore. Elle ôta la petite bourse décorée de son cou, défit la cordelette et étala le contenu dans sa paume. Elle prit ensuite une petite pierre noire et lui tendit.

Guban connaissait la pierre noire qui laissait une trace. C'était une pierre mystérieuse. Le plus petit fragment pouvait renfermer les esprits de tous les membres du Clan, et on le donnait à une guérisseuse en échange d'une parcelle du sien. Et pourtant, l'amulette qu'elle portait était étrange, d'un style caractéristique des Autres, bien qu'il ignorât jusqu'ici qu'ils eussent des amulettes. Après tout, les Autres n'étaient peut-être pas aussi bornés et brutaux qu'on le croyait.

Guban désigna un objet qui l'intriguait.

— Qu'est-ce que c'est ? fit-il.

Ayla rangea ce qu'elle venait d'étaler devant lui avant de répondre.

918

— C'est mon talisman de chasse.

Impossible, se dit Guban. Elle essaie de me tromper.

— Les femmes du Clan ne chassent pas, fit-il.

— Je sais, mais je ne suis pas née du Clan. J'ai été choisie par un totem du Clan qui m'a protégée et m'a guidée au clan qui m'a adoptée. Mon totem voulait que je chasse. Notre mog-ur a voyagé dans le passé et y a rencontré les anciens esprits qui le lui ont confirmé. On a organisé une cérémonie spéciale, et on m'a appelée la Femme Qui Chasse.

— Quel est le totem qui t'a choisie ?

A la surprise de Guban, Ayla releva sa tunique, défit les cordelettes qui attachaient ses jambières à sa taille, et dévoila le haut de sa cuisse gauche. Guban aperçut nettement les quatre lignes parallèles, cicatrices laissées par les griffes du lion qui l'avait attaquée quand elle était enfant.

— Mon totem est le Lion des Cavernes, fit-elle.

La femme du Clan retint son souffle. Ce totem était trop puissant pour une femme. Elle n'aurait certainement pas d'enfants.

Guban poussa un bref grognement. Le Lion des Cavernes était le totem le plus puissant, un totem d'homme. On n'avait jamais entendu parler de femme protégée par ce totem, mais les marques ne laissaient aucun doute. C'étaient celles qu'on incisait dans la chair d'un garçon, quand sa première dépouille avait fait de lui un homme.

— C'est sur la jambe gauche, remarqua-t-il. On marque la jambe droite d'un homme.

— Je suis une femme, protesta Ayla. Le côté gauche est celui de la femme.

— C'est ton mog-ur qui t'a marquée ?

— Non, c'est le Lion des Cavernes quand j'étais une petite fille, avant d'être recueillie par le Clan.

— Cela expliquerait les armes, signala Guban. Mais les enfants ? L'homme aux cheveux jaunes a-t-il un

919

totem assez puissant pour affronter celui du Lion des Cavernes ?

Jondalar s'agita. Il s'était souvent posé cette question.

— Le Lion des Cavernes l'a choisi, lui aussi, et lui a laissé sa marque. Mog-ur m'a dit que la marque prouvait que le Lion des Cavernes m'avait choisie, comme l'Ours des Cavernes avait choisi Mog-ur, le jour où il lui avait pris son œil...

— Mogor Un-Œil ! Tu as connu Mogor Un-Œil ?

— Je vivais dans son foyer. C'est lui qui m'a élevée. Iza était sa parente, et quand sa compagne est morte, il a pris soin d'elle et de ses enfants. Au Rassemblement du Clan, on l'appelait Mog-ur, mais pour ceux qui vivaient dans son foyer, il était simplement Creb.

— La réputation de Mogor Un-Œil est parvenue jusqu'ici. On parle de lui à nos Rassemblements du Clan. Il était très puissant...

Il allait poursuivre, mais préféra se taire. Les hommes n'étaient pas censés discuter de cérémonies ésotériques en présence des femmes. Mais si elle avait été éduquée par Mogor Un-Œil, voilà qui expliquait sa maîtrise du langage ancestral. Il se souvint qu'une parente du puissant Mogor Un-Œil était une guérisseuse de vieille lignée très respectée. Guban parut enfin se détendre, et il s'autorisa à laisser paraître une partie de sa souffrance. Il prit une profonde inspiration et étudia Ayla, qui était toujours assise les yeux baissés, comme toute femme du Clan qui se respecte. Il lui toucha l'épaule.

— Guérisseuse respectée, cet homme a... un petit ennui, signala-t-il dans le langage ancestral du Clan de l'Ours des Cavernes. Cet homme désire que la guérisseuse examine sa jambe. La jambe est peut-être cassée.

Enfin ! Ayla ferma les yeux et soupira. Elle avait réussi à le convaincre. Elle fit signe à Yorga de préparer une couche pour l'homme. L'os cassé n'avait pas transpercé la peau et Ayla espérait qu'il retrouverait le plein usage de sa jambe. Elle remettrait l'os en place, et le maintiendrait dans un moulage d'écorce.

— Quand je redresserai l'os, il aura très mal, mais j'ai de quoi détendre sa jambe et le faire dormir. Peux-tu rapprocher notre campement, Jondalar ? Je suis désolée de t'imposer cette corvée, surtout avec toutes ces pierres qui brûlent, mais je veux lui préparer la tente. Ils n'avaient pas prévu de s'absenter si longtemps et quand je l'aurai fait dormir, il ne faudra pas qu'il reste au froid. Nous aurons aussi besoin d'un feu, et je ne veux pas utiliser les pierres qui brûlent, et il faudra couper du bois pour les attelles. J'irai chercher de l'écorce quand il dormira, et j'essaierai de lui tailler des béquilles plus tard.

En la voyant prendre le commandement des opérations, Jondalar ne put réprimer un sourire attendri. Pourtant, ce retard le contrariait. Chaque jour de perdu était un jour de trop, mais il voulait aussi aider le blessé. D'ailleurs, Ayla refuserait de partir avant d'avoir réparé sa jambe. Il espérait seulement que ce ne serait pas trop long.

Jondalar ramena les chevaux à leur premier campement, les chargea, transporta leur équipement près d'Ayla, et conduisit ensuite Rapide et Whinney dans une clairière proche et qu'on ne voyait pas de leur nouveau campement où la neige avait couché les foins. Ceux du Clan semblaient considérer les chevaux comme une nouvelle manifestation du comportement étrange des Autres, et Ayla constata leur soulagement quand les chevaux trop dociles disparurent de leur vue. Elle se félicita que Jondalar y eût pensé.

Dès qu'elle retrouva ses affaires, elle sortit sa poche à médecines. En voyant la peau de loutre, Guban s'adoucit. C'était un sac du Clan, fonctionnel, dénué des décorations superflues que prisaient tant les Autres. Ayla s'arrangea pour que Loup restât à l'écart, et bizarrement l'animal, d'habitude si curieux d'approcher ceux qu'Ayla et Jondalar avaient accueillis en amis, ne manifesta pas le besoin de renifler les membres du Clan. Il surveilla les opérations de loin, sans jamais se montrer menaçant, et Ayla se demanda s'il avait compris la gêne qu'il provoquait.

Jondalar aida Yorga et Ayla à transporter Guban sous la tente. L'homme était lourd, mais pour résister à six assaillants, il faut des muscles qui doivent peser un bon poids, se dit Jondalar. Il remarqua aussi le visage impassible de Guban, alors que le transport devait être très douloureux, et se demanda si le refus de succomber à la souffrance ne cachait pas plutôt une insensibilité. Ayla lui expliqua qu'un tel stoïcisme était ancré chez tout homme du Clan dès son plus jeune âge. Le respect de Jondalar pour Guban s'accrut. Cet homme n'était pas de la race des faibles.

La femme, à peine plus petite, possédait aussi une force étonnante. Elle pouvait porter les mêmes charges que Jondalar, et le Zelandonii n'avait jamais vu de mains dotées d'une telle puissance, ce qui n'empêchait pas Yorga de s'en servir avec précision et délicatesse. Jondalar découvrait peu à peu les ressemblances et les différences entre le Clan et les Autres. Il n'aurait pas pu préciser exactement quand son jugement bascula, mais il en était venu à considérer ceux du Clan comme des humains. Différents, certes, mais humains.

Ayla se résigna à utiliser quelques pierres qui brûlent pour faire un feu plus chaud afin d'accélérer la préparation du datura. Elle ajouta des pierres de cuisson pour faire bouillir l'eau. Guban refusa de boire la potion jusqu'au bout, prétendant qu'il n'avait pas le temps d'attendre que l'effet se dissipât, mais Ayla le soupçonna de ne pas se fier à ses capacités de préparer le datura convenablement. Elle remit l'os en place avec l'aide de Jondalar et de Yorga, et fabriqua de solides attelles. Lorsque tout fut terminé, Guban s'endormit enfin.

Yorga insista pour préparer le repas, mais la curiosité de Jondalar l'embarrassait. A la nuit tombée, autour du feu, Jondalar entreprit de tailler une paire de béquilles pendant

922

qu'Ayla et Yorga nouaient connaissance. Ayla lui expliqua comment fabriquer des potions calmantes, comment utiliser les béquilles et lui conseilla de façonner des coussinets pour les rendre plus confortables. La profonde connaissance d'Ayla des mœurs et coutumes du Clan ne cessait de surprendre Yorga qui avait pourtant tout de suite remarqué son accent « Clan ». Elle finit par se livrer et Ayla traduisit son histoire à Jondalar.

Yorga voulait se procurer des écorces et inciser certains arbres. Guban l'avait accompagnée parce que la bande de Charoli avait déjà attaqué trop de femmes, et qu'elles n'étaient plus autorisées à s'éloigner seules. Tout le clan en pâtissait puisque les hommes consacraient moins de temps à la chasse. C'est pourquoi Guban avait décidé d'escalader le rocher. Il pensait trouver une proie pendant qu'elle découpait les écorces. Ceux de Charoli avaient dû la croire seule, et ne l'auraient certainement pas attaquée si Guban avait été là. Dès qu'il les avait vus, Guban avait sauté de son rocher pour la défendre.

— C'est étonnant qu'il ne se soit cassé qu'une jambe, remarqua Jondalar en évaluant la hauteur impressionnante du rocher.

— Les os du Clan sont très robustes, expliqua Ayla, et très épais. Ils ne se brisent pas facilement.

— Ces hommes n'avaient pas besoin de me brutaliser, dit Yorga. S'ils m'avaient donné le signal, je me serais soumise à leur besoin. Quand j'ai entendu le cri de Guban, j'ai compris que c'était très grave.

Elle poursuivit son récit. Plusieurs hommes s'étaient attaqués à Guban pendant que trois autres essayaient de la forcer. En entendant Guban crier, elle avait compris qu'il était blessé et avait tenté d'échapper à ses agresseurs. Jondalar avait alors surgi, frappant les hommes des Autres et le loup avait bondi sur l'un pour le mordre.

— Ton homme est très grand et son nez est tout

petit, mais quand je l'ai vu attaquer les hommes, cette femme a eu pour lui les yeux d'une mère, avoua-t-elle avec un regard timide.

Un instant déconcertée, Ayla finit par sourire.

— Je n'ai pas bien compris, qu'a-t-elle dit ? demanda Jondalar.

— Elle plaisantait, assura Ayla.

— Elle plaisantait ?

Il ne les aurait jamais crus capables de plaisanteries.

— Elle voulait plus ou moins dire que malgré ta laideur, quand tu es venu la défendre, elle t'aurait volontiers embrassé, annonça Ayla avant de traduire ses explications à Yorga.

La femme parut gênée, et jeta un coup d'œil furtif à Jondalar.

— Je suis très reconnaissante à ton géant. Si l'enfant que je porte est un garçon, et si Guban m'autorise à suggérer un nom, je lui dirai que Dyondar n'est pas si vilain que ça.

— Elle plaisante encore ? s'inquiéta Jondalar, plus ému qu'il ne voulait l'avouer.

— Non, mais elle ne peut que le suggérer à Guban, et le nom causerait trop de problèmes à l'enfant. Il est tellement inhabituel pour eux. Mais je crois que Guban accepterait. Pour un homme du Clan, il est exceptionnellement ouvert aux idées nouvelles. Yorga m'a raconté leur Union, et j'ai l'impression qu'ils sont amoureux, ce qui est on ne peut plus rare. D'habitude, les Unions sont arrangées.

— Qu'est-ce qui te fait penser qu'ils s'aiment ? demanda Jondalar, intrigué.

— Yorga est la seconde femme de Guban. Son clan habite loin d'ici, et Guban leur a rendu visite pour parler d'un grand Rassemblement et pour discuter de nous, les Autres. D'abord des agissements de Charoli — je lui ai signalé les intentions des Losadunaï — et si j'ai bien compris, un groupe des Autres a entrepris des démarches de troc avec un ou deux clans.

— Ça alors !

— Comme tu dis. Il y a un problème de communication, mais les hommes du Clan, y compris Guban, ne font pas confiance aux Autres. Au cours de sa visite, Guban et Yorga se sont remarqués. Guban la désirait, et il a prétexté un rapprochement entre clans éloignés pour faciliter les échanges d'idées, et discuter notamment des idées nouvelles. Et il l'a ramenée avec lui! C'est très inhabituel. L'usage veut qu'on en parle d'abord au chef, qu'on rentre en discuter avec son clan et qu'on laisse à la première femme le temps de s'habituer à partager son foyer avec une autre.

— La première femme de son foyer l'ignorait donc? s'étonna Jondalar. Guban est courageux.

— Sa première femme a eu deux filles, et il voulait un garçon. Les hommes du Clan accordent une grande importance aux fils de leur compagne et Yorga espère bien sûr mettre au monde un garçon. Elle a connu quelques difficultés pour se faire accepter par son nouveau clan, et si Guban ne guérit pas, s'il perd son statut à cause de sa jambe cassée, elle craint qu'il ne la rende responsable.

— Je commence à comprendre pourquoi elle s'inquiète tant.

Ayla se garda de lui avouer qu'elle s'était confiée à Yorga, lui expliquant qu'elle se rendait chez le peuple de Jondalar, loin des siens, elle aussi. Elle ne voulait pas ajouter aux soucis de son compagnon, mais elle s'interrogeait toujours sur l'accueil que lui réserveraient les Zelandonii.

Ayla et Yorga auraient aimé rester en contact et partager le fruit de leurs nouvelles expériences. Elles se sentaient presque de la même famille, vu la dette de sang de Guban à l'égard de Jondalar. Elles se connaissaient depuis peu, et pourtant Yorga se sentait plus proche d'Ayla que des femmes de son nouveau clan. Mais ceux du Clan ne visitaient jamais les Autres.

Guban se réveilla au milieu de la nuit, mais l'effet du datura ne s'était pas complètement dissipé. Au petit matin, il était plus alerte, cependant le contrecoup des événements de la veille avait eu raison de ses forces. Quand il aperçut la tête de Jondalar par l'ouverture de la tente, Guban fut surpris du plaisir qu'il éprouva à revoir le géant. Mais il ne sut que faire des béquilles que l'autre lui tendait.

— J'ai utilisé béquille après attaque de lion, expliqua maladroitement Jondalar. Mieux pour marche.

Guban voulut les essayer, mais Ayla le lui défendit. C'était trop tôt. Guban se laissa fléchir après avoir obtenu l'assurance de tenter l'expérience le lendemain. Ce soir-là Yorga fit savoir à Ayla que Guban souhaitait s'entretenir avec Jondalar d'un sujet important, et requérait son aide pour la traduction. Ayla devina de quoi il s'agissait et en discuta avec Jondalar pour aplanir les difficultés futures.

Guban s'inquiétait toujours de sa dette envers Ayla, qui n'était pas couverte par son statut de guérisseuse puisqu'elle lui avait sauvé la vie en utilisant une arme.

— Il faut le convaincre que c'est à toi qu'il est redevable, Jondalar. Si tu lui disais que je suis ta compagne, tu pourrais prétendre que ce qu'il me doit t'est dû, puisque je suis sous ta responsabilité.

Jondalar accepta, et après les préliminaires d'usage Guban et le Zelandonii entrèrent dans le vif du sujet.

— Ayla est ma compagne, elle m'appartient, fit Jondalar, pendant qu'Ayla précisait sa pensée avec force signes. Elle est sous ma responsabilité et c'est à moi qu'il faut payer les dettes qui lui sont dues. Mais j'ai, moi aussi, une obligation qui tourmente mon esprit, ajouta-t-il à la grande surprise d'Ayla. Je dois une dette de sang au Clan.

Son aveu excita la curiosité de Guban.

— La dette pèse beaucoup sur mon esprit parce que je ne sais pas comment l'acquitter.

— Si tu m'expliques, fit Guban, peut-être pourrais-je t'aider.

— Comme l'a raconté Ayla, j'ai été attaqué par un lion des cavernes. Marqué, choisi par le Lion des Cavernes qui est à présent mon totem. Ayla m'a trouvé. La mort rôdait autour de moi, et mon frère, qui m'accompagnait, marchait déjà dans le monde des esprits.

— Ce que tu dis me peine. Perdre un frère est douloureux.

Jondalar acquiesça en silence.

— Si Ayla ne m'avait pas trouvé, reprit-il, je marcherais dans le monde des esprits. Mais quand Ayla était enfant, au bord de la mort, le Clan l'a recueillie et l'a élevée. Si le Clan n'avait pas aidé Ayla, elle serait morte. Et si elle n'avait pas été élevée et instruite par une guérisseuse du Clan, je ne serais pas en vie. Je marcherais comme mon frère dans le monde des esprits. C'est au Clan que je dois d'avoir la vie sauve, et je ne sais pas comment payer ma dette, ni à qui.

Guban hocha la tête avec compassion. C'était un problème délicat, et une dette importante.

— J'ai une demande à adresser à Guban, fit Jondalar. Puisque Guban me doit une dette de sang, je lui demande d'accepter ma dette au Clan en échange de la sienne.

L'homme du Clan considéra la proposition avec gravité. Il était reconnaissant à Jondalar d'avoir abordé ce problème. Il valait mieux échanger une dette de sang que de devoir sa vie à un homme des Autres, et lui donner une parcelle de son esprit.

— Guban accepte l'échange, finit-il par déclarer avec un vif soulagement.

Il ôta l'amulette qu'il portait au cou et l'ouvrit. Il étala le contenu dans sa main et choisit un objet, une dent, une de ses molaires de lait. Les dents de Guban, bien que dénuées de carie, offraient une usure particulière. Les hommes du Clan s'en servaient comme outils. La molaire qu'il tenait dans sa main n'était pas aussi usée que ses dents définitives.

— Accepte ceci en gage de mon amitié, fit-il.

Jondalar était gêné. Il n'avait pas prévu qu'un échange de cadeaux attesterait de l'échange de dettes, et il ne savait pas quoi offrir à l'homme du Clan sans l'offenser.

927

Ils voyageaient avec peu de bagages et il n'avait pas grand-chose à lui donner. Il eut soudain une idée lumineuse.

Il détacha une bourse de sa ceinture et en versa le contenu dans sa main. Guban parut surpris. Il y avait plusieurs griffes et canines d'ours des cavernes, celui qu'il avait tué l'été précédent, au début de leur long Voyage.

— Accepte ceci en gage de mon amitié, fit-il en tendant une dent d'ours à Guban.

Guban refréna sa joie. Une dent d'ours des cavernes était un gage puissant et conférait un statut élevé. Jondalar lui faisait un grand honneur. Guban était enchanté que cet homme des Autres eût compris l'importance de sa position, et qu'il eût souhaité s'acquitter de sa dette envers le Clan tout entier avec autant de discernement. Il accepta le gage qu'il serra dans son poing.

— Bon ! fit Guban avec fermeté, comme s'il mettait un terme à une transaction. Maintenant que nous sommes parents, il serait bon de connaître le territoire de chacun.

Jondalar décrivit brièvement la région qu'occupaient les Zelandonii, et ensuite celle où vivait la Neuvième Caverne. Guban fit de même pour son territoire. A les entendre, Ayla se disait qu'ils n'étaient pas aussi différents qu'elle l'avait imaginé.

Le nom de Charoli arriva dans la conversation. Jondalar expliqua les problèmes que la bande avait causés à tout le monde, et précisa les détails de l'expédition punitive décidée par les Losadunaï. Guban jugea la nouvelle assez importante pour être annoncée aux autres clans. Il commençait à considérer son accident comme un heureux présage.

Il aurait beaucoup de choses à raconter à son clan. Non seulement les Autres se plaignaient des agissements de ces jeunes et comptaient y mettre un terme, mais certains des Autres acceptaient de combattre les leurs pour défendre le Peuple du Clan. Il y en avait même qui parlaient correctement ! Une femme connaissait parfaitement le langage du Clan, et un homme, avec des capacités plus limitées, mais certainement plus utiles puisque c'était un mâle, et un parent de surcroît. Nul doute qu'il pourrait tirer profit de son contact avec les Autres, et de ce qu'il avait appris d'eux. Son statut en sortirait renforcé, surtout s'il récupérait l'usage de sa jambe.

Le soir, Ayla lui appliqua le moulage d'écorce. Guban alla se coucher le cœur léger. Sa jambe ne le faisait presque plus souffrir.

Le lendemain, Ayla se réveilla mal à l'aise. Elle avait encore fait un de ses rêves étranges où il était question de cavernes et de Creb. Elle le raconta à Jondalar. Ils envisagèrent ensuite les différents moyens de ramener Guban dans son clan. Jondalar suggéra d'utiliser les chevaux, mais il craignait que cela ne les retardât trop. Ayla devinait que Guban n'accepterait jamais. Les chevaux apprivoisés l'angoissaient bien trop.

Ils aidèrent Guban à sortir de la tente, et pendant qu'Ayla et Yorga préparaient le repas matinal, Jondalar montra à l'homme le maniement des béquilles. Malgré les protestations d'Ayla, Guban voulut les essayer à tout prix, et après quelques essais, il s'étonna de leur efficacité. En fait, il pouvait marcher sans peser sur sa jambe cassée.

— Yorga ! appela-t-il après avoir reposé les béquilles. Prépare-toi. Nous partirons après le repas. Il est temps de rentrer au clan.

— C'est trop tôt, protesta Ayla, parlant en zelandonii pour Jondalar en même temps qu'elle faisait les signes du Clan. Il faut ménager ta jambe, sinon elle ne se remettra pas convenablement.

— Avec ceci, ma jambe se reposera pendant la marche, fit Guban en montrant les béquilles.

— Si tu es pressé, tu peux monter sur un des chevaux, proposa Jondalar.

Guban prit un air effaré.

— Non ! Guban ira sur ses jambes, grâce à ces bâtons de marche. Nous partagerons encore un repas avec nos nouveaux parents et nous partirons.

41

Les deux couples se séparèrent. Guban et Yorga se contentèrent de regarder un instant Ayla et Jondalar, en prenant garde d'éviter le loup et les chevaux. Alors, appuyé sur ses béquilles, Guban s'éloigna en clopinant, suivi à quelques pas de Yorga.

Pas d'adieux, pas de merci, le Peuple du Clan ignorait de tels concepts. On pensait qu'un départ était un acte éloquent qui se passait de commentaire ; quant à l'aide ou la gentillesse, surtout venant de parents, cela allait de soi. Ayla savait que Guban aurait les pires difficultés à leur rendre la pareille. Il considérait avoir une dette envers eux dont il ne pourrait jamais s'acquitter. Les Autres ne lui avaient pas seulement sauvé la vie, ils lui avaient offert une chance de préserver sa position, son statut, ce qui comptait plus que la vie à ses yeux.

— J'espère qu'ils n'ont pas trop de chemin à parcourir, déclara Jondalar. On ne peut pas aller loin avec des béquilles. Pourvu qu'il y arrive.

— Oh, il y arrivera, fit Ayla, même si c'est loin. Il serait rentré chez lui, avec ou sans béquilles. Il ramperait s'il le fallait. Ne t'inquiète pas, Jondalar, Guban est un homme

930

du Clan. Il y arrivera... au péril de sa vie, mais il y arrivera.

Un voile obscurcit le regard bleu de Jondalar. Il restait songeur, cependant qu'Ayla emmenait déjà Whinney par la longe. Puis il se secoua et se mit en route à son tour, avec Rapide. Il était inquiet pour Guban, mais se réjouissait tout de même que l'homme du Clan eût décliné son offre. Le raccompagner à cheval leur aurait fait perdre des jours précieux.

De leur campement, ils continuèrent à travers bois et parvinrent sur une crête d'où ils contemplèrent le chemin parcouru. Telles des sentinelles, de hauts pins se dressaient sur les berges de la Rivière Mère, colonne d'arbres sortie de la légion des conifères et louvoyant vers le flanc des montagnes méridionales.

La pente que les voyageurs gravissaient s'aplanit et ils débouchèrent sur une petite vallée offrant refuge à une forêt de pins. Ils descendirent de cheval et menèrent leur monture dans la forêt dense et obscure que baignait un silence à donner le frisson. Des fûts droits et sombres soutenaient une voûte de ramures aux longues aiguilles qui barrait la route au soleil et interdisait toute autre végétation. Accumulée au cours des siècles, une épaisse couche d'aiguilles brunes étouffait les pas et le martèlement des sabots.

Apercevant un essaim de champignons au pied d'un arbre, Ayla s'agenouilla pour les examiner. Ils étaient durs comme de la glace, pris dans une brusque gelée au début de l'automne. Comme la neige n'avait pas réussi à traverser la voûte d'aiguilles, rien n'indiquait le changement de saison et on aurait cru que le temps avait suspendu son vol, figeant pour toujours la forêt dans son état automnal. Loup vint fourrer son museau dans la main nue d'Ayla. Elle caressa la tête du fauve et nota son haleine embuée. Elle eut l'impression fugitive qu'ils étaient les seuls survivants dans un monde endormi.

A l'autre bout de la vallée, la pente s'éleva brusquement

et des sapins argentés firent leur apparition, leur chatoiement rehaussé par le vert foncé des épicéas. Avec l'altitude, les pins aux longues aiguilles se rabougrirent avant de disparaître tout à fait, laissant les sapins et les épicéas encadrer le lit de la Moyenne Mère.

Jondalar repensait au couple du Clan qu'ils venaient de rencontrer. Il ne pourrait plus jamais les considérer autrement que comme des humains. Il me faut convaincre mon frère, se promit-il. Il essaiera peut-être d'établir des contacts avec eux… s'il est toujours l'Homme Qui Ordonne. Lorsqu'ils s'arrêtèrent pour préparer une infusion chaude, il fit part de ses réflexions à Ayla.

— Quand nous serons chez moi, je parlerai du Clan à Joharran. Si d'autres peuples peuvent faire du troc avec eux, pourquoi pas nous ? Il faut aussi que mon frère sache que les clans se réunissent pour discuter des problèmes qu'ils rencontrent avec nous. Ça pourrait mal tourner, et je n'aimerais pas me battre avec des gaillards comme Guban.

— Rien ne presse, assura Ayla. Il faudra du temps avant que ceux du Clan prennent une décision. Tout changement leur est difficile.

— Et le troc, crois-tu qu'ils accepteraient de s'y mettre ?

— Guban en serait partisan, j'en suis sûre. Il a envie d'en apprendre davantage sur notre compte. Par exemple, il a refusé de monter à cheval, mais il a accepté les béquilles. Il a déjà fait preuve d'audace en ramenant une femme blonde d'un clan éloigné. Yorga est belle, mais c'était un gros risque.

— Tu la trouves belle ? s'étonna Jondalar.

— Pas toi ?

— Je comprends qu'elle plaise à Guban, répondit prudemment Jondalar.

— Le goût des hommes dépend de leur éducation, remarqua Ayla.

— Oui, et je te trouve très belle.

Ayla lui adressa un sourire qui ne fit que renforcer la conviction de son compagnon.

— C'est vrai, crois-moi. Souviens-toi de ton succès à la Fête de la Mère. Tu ne peux pas imaginer la joie que tu m'as faite en me choisissant ce soir-là.

Ayla se rappela la phrase qu'il avait dite à Guban.

— Je t'appartiens, n'est-ce pas ? fit-elle avec un sourire moqueur. Heureusement que tu ne connais pas bien le langage du Clan, Guban aurait vu que tu mentais quand tu lui as affirmé que j'étais ta compagne.

— Non, il n'aurait rien vu du tout ! Nous n'avons peut-être pas encore eu de Cérémonie de l'Union, mais dans mon cœur, nous sommes déjà unis. Ce n'était pas un mensonge.

— J'éprouve la même chose, dit Ayla, émue, baissant les yeux pour montrer dans quel respect elle tenait ses propres sentiments. Depuis le jour où je t'ai connu dans la vallée, j'ai cette même impression.

Bouleversé par sa confidence, Jondalar crut défaillir. Il la serra dans ses bras, convaincu que leur aveu mutuel équivalait à une Cérémonie d'Union. Celle que son peuple ne manquerait pas d'organiser n'aurait jamais autant de valeur. Il l'accepterait pour faire plaisir à Ayla, mais il ne la considérait plus indispensable. La ramener saine et sauve était tout ce qui lui importait.

Une rafale de vent le glaça, chassant la bouffée de chaleur qui l'avait envahi. Il se leva, s'éloigna du feu qui les réchauffait et respira profondément. Il suffoqua quand l'air glacial brûla ses poumons. Il s'emmitoufla dans ses fourrures, enfouit la tête dans ses épaules et recouvrit son visage de sa capuche pour réchauffer son corps de son haleine. Il ne souhaitait pas l'arrivée du vend chaud, mais il savait que le froid glacial pouvait être tout aussi dangereux.

Au nord, le grand glacier continental avançait vers le sud, comme s'il cherchait à étreindre les magnifiques montagnes bleutées dans ses bras de glace. Les voyageurs étaient parvenus dans la région la plus froide de la terre, entre les montagnes aux crêtes scintillantes et l'immense étendue de glace, au plus profond de l'hiver. L'air, lui-même, était desséché par l'avidité des glaciers à voler la moindre parcelle d'humidité pour nourrir et développer leur masse boursouflée, et emmagasiner assez de réserves pour lutter contre l'assaut de l'été.

La lutte était à son point d'arrêt entre le froid glacial et le réchauffement pour le contrôle de la Grande Terre Mère, mais la chance était en train de tourner. Le glacier progressait. Il était près de conquérir une dernière fois les terres méridionales avant de battre en retraite dans son refuge polaire. Mais même là, il attendrait son heure.

A mesure qu'ils poursuivaient leur escalade, le froid s'intensifiait et, avec l'altitude, leur rendez-vous avec le glacier approchait. Les chevaux trouvaient difficilement du fourrage. Près du torrent prisonnier des glaces, l'herbe flétrie était couchée contre le sol gelé. Comme seule neige, des grains durs et brûlants étaient balayés par les vents.

Ils chevauchaient en silence, gardant leur discussion pour le soir au campement, dans la chaleur réconfortante de leur tente.

— Yorga avait des cheveux splendides, déclara Ayla en se réfugiant dans les fourrures.

— Oui, c'est vrai, approuva Jondalar avec sincérité.

— Dommage qu'Iza, ou ceux du clan de Brun, ne l'aient pas vue. Ils trouvaient mes cheveux si étranges. C'est vrai qu'Iza pensait que c'était ce que j'avais de mieux.

— J'aime beaucoup leur couleur, et j'adore les voir tomber en vagues quand tu les dénoues, avoua Jondalar en caressant une boucle blonde qui descendait dans son cou.

— Je ne savais pas que des membres du Clan vivaient si loin de la péninsule.

Jondalar devina que ses caresses n'atteignaient pas Ayla, plongée dans ses réflexions sur le Clan, comme lui précédemment.

— Le physique de Guban était différent. Il était... comment dire ? Ses arcades sourcilières étaient plus lourdes, son nez plus fort, ses mâchoires plus... plus

934

proéminentes. Tous ses traits semblaient davantage prononcés, plus Clan d'une certaine manière. Je crois même qu'il était plus trapu et plus musclé que Brun. Il n'avait pas l'air de souffrir du froid. Sa peau était chaude, alors qu'il était allongé sur le sol gelé. Et son cœur battait plus vite.

— Ils se sont sans doute habitués au froid, avança Jondalar. Laduni disait qu'ils vivaient au nord d'ici, et il n'y fait jamais très chaud, pas même en été.

— Tu as peut-être raison. Pourtant, ils pensent comme ceux que j'ai connus. A propos, qu'est-ce qui t'a incité à dire à Guban que tu avais une dette envers le Clan ? Tu ne pouvais pas choisir meilleur argument.

— Je ne sais pas. Mais c'est la vérité. C'est au Clan que je dois la vie. S'il ne t'avait pas recueillie, tu serais morte, et moi aussi.

— Tu ne pouvais pas non plus trouver de meilleur gage que cette dent d'ours des cavernes. Tu as vite compris leurs coutumes, Jondalar.

— Oh, elles ne sont pas si différentes des nôtres ! Les obligations comptent beaucoup pour les Zelandonii. Les obligations que tu n'as pas réglées avant de partir pour l'autre monde donnent le contrôle de ton esprit à celui à qui tu les dois. On prétend que certains de Ceux Qui Servent la Mère empêchent des gens de s'acquitter de leurs dettes pour exercer un pouvoir sur leur esprit. Mais s'il fallait écouter tout ce qu'on raconte !

— Guban croit que vos deux esprits sont étroitement mêlés, dans cette vie, et dans l'autre. Il pense qu'une parcelle de ton esprit l'accompagnera toujours, et qu'une parcelle du sien te suivra partout. C'est bien ce qui l'inquiétait. Il a perdu une parcelle de son esprit quand tu lui as sauvé la vie, mais comme tu lui en as donné une du tien en échange, il n'y a pas de vide, pas de trou.

— Tu lui as aussi sauvé la vie. Tu l'as encore davantage aidé.

— Oui, mais je suis une femme, et une femme du Clan est différente d'un homme du Clan. On ne peut même pas

935

parler d'échange parce que l'un ne peut pas faire ce que fait l'autre. Ils ne possèdent pas la même mémoire.

— Mais tu lui as réparé sa jambe pour qu'il rentre chez lui.

— Il serait rentré de toute façon, je ne m'inquiétais pas pour ça. J'avais peur que sa jambe ne se ressoude pas proprement, et qu'il ne puisse plus chasser.

— Est-ce si grave ? Ne peut-il pas faire autre chose, comme les garçons des S'Armunaï ?

— Le statut d'un homme du Clan dépend de ses capacités de chasseur, et son statut lui importe davantage que sa vie. Guban a des responsabilités. Il a deux femmes. La première a deux filles, et la nouvelle est enceinte. Il a promis de subvenir aux besoins de toutes.

— Et s'il ne peut pas ? Qu'adviendra-t-il d'elles ?

— Oh, elles ne manqueront de rien. Le clan s'occupera d'elles, mais leur statut — la façon dont elles vivent, la nourriture, les vêtements, le respect qu'on leur doit — dépend de celui de Guban. En plus, il perdrait Yorga. Elle est jeune et belle, un autre homme serait ravi de la prendre pour compagne. Mais si elle met au monde le fils que Guban rêvait d'avoir dans son foyer, elle l'emportera avec elle.

— Et quand il sera trop vieux pour chasser ? demanda Jondalar.

— Un vieux abandonne la chasse petit à petit, avec élégance. Il va habiter avec les fils de sa compagne, ou les filles si elles vivent toujours dans le clan, et il ne deviendra un fardeau pour personne. Zoug s'était perfectionné à la fronde pour apporter sa contribution à la chasse, et les conseils de Dorv étaient très écoutés. Pourtant, il voyait à peine. Mais Guban est dans la force de l'âge, et c'est un chef. S'il perdait tout cela d'un coup, il ne s'en remettrait jamais.

— Oui, je comprends, fit Jondalar d'un air entendu. Ça ne me dérangerait pas de ne plus chasser, mais si je n'étais plus capable de travailler le silex, je serais très malheureux... Tu as fait beaucoup pour lui, Ayla, ajouta-t-il après réflexion. Même si les femmes du Clan sont différentes, ça ne compte-t-il pas ? Il aurait au moins pu te remercier.

— Mais il m'a témoigné sa gratitude, à sa manière, Jondalar. Avec tact et subtilité, comme il convient.

— Il a dû être drôlement subtil, parce que je n'ai rien remarqué, s'étonna Jondalar.

— Il a communiqué directement avec moi, sans passer par ton intermédiaire. Et il a tenu compte de mon avis. Il a accepté que sa femme te parle, ce qui faisait de moi son égale. Et comme son statut est élevé, celui de Yorga l'est aussi. Il t'a témoigné beaucoup de considération, tu sais. Il t'a même fait un compliment.

— Vraiment ?

— Il a trouvé tes outils d'excellente qualité, et il a admiré ton travail. Sinon, il n'aurait jamais accepté tes béquilles, ni ton gage, expliqua Ayla.

— Que pouvait-il faire ? J'ai accepté sa dent. J'ai trouvé le cadeau étrange, mais j'ai compris le geste. Quel qu'ait été son gage, je l'aurais accepté de toute façon.

— Lui, s'il avait jugé ton cadeau inadéquat, il l'aurait refusé, mais il n'y avait pas que cela. S'il ne t'avait pas respecté, il n'aurait pas accepté ta parcelle d'esprit en échange de la sienne. Il s'estime trop. Il aurait préféré vivre avec un vide, un trou, que de posséder une parcelle d'esprit sans valeur.

— Décidément, ce Peuple du Clan est bien subtil. Il y a tellement de nuances que cela devient trop compliqué pour moi.

— Crois-tu que les Autres soient tellement différents ? Je n'arrive toujours pas à saisir toutes leurs nuances. Mais ton peuple est plus tolérant. Ils se rendent davantage visite, voyagent davantage, accueillent les étrangers plus volontiers. Je suis sûre d'avoir commis des impairs, mais les Autres ne les ont pas relevés parce que j'étais une hôte et qu'ils comprenaient que les coutumes de mon peuple étaient sans doute différentes des leurs.

— Mon peuple est le tien, Ayla, assura Jondalar avec bienveillance.

Ayla le dévisagea d'un air perplexe.

— Je l'espère, Jondalar. Je l'espère sincèrement, finit-elle par déclarer.

La forêt de sapins et d'épicéas commença à s'éclaircir et les arbres se rabougrirent au fil de l'ascension des voyageurs. La végétation avait cessé de faire écran, mais leur chemin qui longeait la rivière les conduisit par de profondes vallées et des affleurements qui les empêchaient de voir les hauteurs avoisinantes. A un coude de la rivière, un torrent qui tombait de la montagne se jetait dans la Moyenne Mère. L'air glacial, qui gelait les os jusqu'à la moelle, avait paralysé l'eau dans sa chute, et les vents coupants avaient sculpté des formes grotesques dans la cascade de glace. Des caricatures de créatures vivantes, prisonnières des glaces, semblaient comme pétrifiées au moment de l'envol. On aurait dit qu'elles savaient le changement de saison proche, et attendaient leur libération avec impatience.

L'homme et la femme conduisirent avec prudence les chevaux parmi les blocs de glace, contournèrent la cascade gelée et gravirent la pente escarpée. Ils s'arrêtèrent soudain, éblouis par le glacier qui s'étalait enfin devant eux. Ils l'avaient déjà entr'aperçu, mais cette fois le plateau de glace semblait proche à le toucher du doigt. Mais ce n'était qu'une illusion d'optique. Le majestueux glacier était beaucoup plus éloigné qu'il ne paraissait.

Ils scrutèrent le tortueux torrent gelé qui disparaissait hors de leur vue en zigzaguant. Il réapparut plus haut parmi une multitude de cours d'eau qui perlaient du glacier comme autant de rubans argentés. Dans le lointain, des montagnes bordaient le plateau de glace, entourées de crêtes aux pics gelés d'un blanc si pur que ses reflets bleutés semblaient miroiter dans l'azur du ciel.

Au sud, les deux pics jumeaux qui les avaient accompagnés avaient disparu depuis longtemps. Un nouveau piton, qui était apparu à l'ouest, s'estompait à l'est, et les crêtes de la chaîne méridionale qu'ils avaient longée scintillaient toujours au sud. Une double chaîne d'un massif plus ancien se détachait au nord. La rivière était très proche de la nouvelle chaîne calcaire dont ils escaladaient la pente en direction du sud-ouest, vers la source de la Mère.

La végétation changeait. Les épicéas et les sapins argentés furent remplacés par les mélèzes et les pins sur les sols acides qui recouvraient à peine la roche imperméable. Mais ils étaient loin des sentinelles majestueuses des terres moins élevées. Les voyageurs avaient atteint une parcelle de taïga montagneuse, jonchée de semper virens rachitiques recouverts d'une couche de neige et de glace soudée aux branches une grande partie de l'année. L'arbre qui avait le malheur de s'élever au-dessus de ses frères était impitoyablement étêté par les vents coupants qui taillaient les cimes à un niveau uniforme.

Le petit gibier se déplaçait facilement le long des pistes qu'il avait tracées autour des arbres, mais le gros gibier devait se frayer un chemin en force. Jondalar décida de s'éloigner du petit torrent qu'ils remontaient, l'un de ceux qui formeraient les débuts de la Grande Mère, et d'emprunter une piste tracée dans le fourré dru des conifères.

Peu à peu, la végétation s'éclaircit et ils purent apercevoir une région dépouillée de futaie. Mais la vie était tenace. Des arbrisseaux nains et des herbacées s'y étaient développés, ainsi qu'une herbe épaisse en partie enfouie sous un manteau de neige.

On trouvait une végétation similaire, mais beaucoup plus abondante, dans les régions septentrionales de moindre altitude. Des arbres à feuilles caduques réussissaient à survivre dans certains coins protégés des régions boréales. A l'extrême nord, les arbres, quand il y en avait, étaient chétifs et rabougris, et à proximité de l'immense glacier seules les plantes qui pouvaient achever rapidement leur cycle survivaient.

Au-delà de la limite supérieure de la forêt, de nombreuses

plantes s'étaient adaptées à la rudesse de l'environnement. Ayla remarquait les changements avec intérêt, et regrettait de ne pas avoir plus de temps à y consacrer. Elle avait vécu dans des montagnes plus au sud où la végétation, à cause de l'influence de la mer intérieure, était celle d'un climat froid tempéré. Ce qu'elle découvrait dans ces régions glaciales la passionnait.

Les saules majestueux qui déployaient leur grâce le long de chaque rivière, torrent, ou du moindre ruisseau capable de retenir une parcelle d'humidité, n'atteignaient pas la hauteur des arbustes ; les bouleaux et les pins étaient réduits en arbrisseaux rampants. Des tapis de myrtilles et d'airelles, à peine hauts de dix centimètres, recouvraient le sol. Les squelettes aux branches atrophiées témoignaient d'une abondance de plantes, mais Ayla n'arrivait pas à les identifier, et elle se demandait à quoi ressemblaient ces prairies en été.

On était au cœur de l'hiver, Ayla et Jondalar n'avaient aucune idée de la beauté de la végétation pendant les saisons plus clémentes. Ils ne virent aucun rosier sauvage, aucun rhododendron colorer le paysage de leurs bouquets roses ; point de crocus ou d'anémones, point de belles gentianes bleues ou de narcisses jaunes ne se risquaient à affronter les vents ; ni primevères ni violettes n'égayeraient le paysage de leur splendeur multicolore avant les premières chaleurs du printemps. Pas de campanules, de séneçons, de marguerites, de raiponces, de saxifrages, de lis, d'œillets, de napels ou d'edelweiss pour adoucir la monotonie des prés hivernaux gelés.

Mais une autre vision terrifiante les attendait. Une forteresse de glace, qui reflétait le soleil avec la magie d'un diamant, leur barrait le chemin. Sa pure blancheur cristalline scintillait de reflets bleutés qui en camouflaient les défauts, crevasses, tunnels, grottes et poches qui criblaient le magnifique joyau.

Ils avaient enfin atteint le glacier.

En grimpant vers la crête érodée de la montagne qui

supportait la couronne de glace, ils ignoraient si le petit ruisseau qu'ils longeaient était la continuation du fleuve qui avait été leur compagnon de route pendant si longtemps. La mince traînée gelée se mêlait aux innombrables ruisselets qui attendaient le printemps pour déverser leurs cascades sur la roche cristalline du haut plateau.

La Grande Rivière Mère qu'ils avaient suivie depuis le vaste delta par lequel elle se vidait dans la mer intérieure, le fleuve immense qui avait guidé leurs pas tout au long de ce Voyage ardu avait disparu. Ayla et Jondalar ne tarderaient pas à abandonner le petit ruisseau aux eaux emprisonnées dans la glace, et devraient poursuivre leur Voyage avec le soleil et les étoiles pour seuls guides, et les repères dont Jondalar espérait se souvenir.

Au-dessus de la prairie, la végétation avait presque disparu. Seuls, algues, lichens et mousse accrochés aux rochers arrivaient à survivre. Ayla avait commencé à nourrir les chevaux avec l'herbe qu'ils avaient emportée. Sans leur double épaisseur de fourrure, ni les chevaux ni le loup n'auraient résisté. Heureusement la nature les avait adaptés au froid glacial. Dépourvus de cette épaisse laine, les humains avaient remédié à cette infériorité en utilisant les fourrures des animaux qu'ils chassaient. Sans elles, ils n'auraient pas survécu. D'un autre côté, sans la protection du feu et des fourrures de leurs proies, leurs ancêtres ne se seraient jamais aventurés vers le nord.

Les ibex, les chamois et les mouflons étaient chez eux dans les hauts pâturages, mais n'y restaient pas si tard dans la saison. Les chevaux, eux, ne grimpaient jamais à une telle altitude, mais Whinney et Rapide avaient le pied sûr.

Tête basse, les chevaux hissaient le matériel et les pierres qui brûlent indispensables à la survie des voyageurs. Les cavaliers, guidant leur monture, cherchaient un endroit plat pour planter la tente, contre le froid intense et le vent coupant. L'entreprise était harassante, et même Loup n'éprouvait plus l'envie d'explorer les environs comme à son habitude.

— Je n'en peux plus, gémit Ayla, alors qu'ils ployaient sous les rafales. J'en ai assez du vent, assez du froid. J'ai l'impression qu'il ne fera plus jamais chaud. Je ne savais pas qu'il pouvait exister un froid pareil !

Jondalar hocha la tête d'un air approbateur. Lui savait que le froid allait encore empirer. Il surprit le regard qu'Ayla jeta vers la masse colossale de glace, et comprit que le froid n'était pas sa seule inquiétude.

— Allons-nous vraiment traverser toute cette glace ? demanda-t-elle, affichant enfin les véritables raisons de sa peur. Est-ce vraiment faisable ? Je ne sais même pas si nous réussirons à monter sur le plateau.

— Ce n'est pas facile, mais je l'ai déjà fait avec Thonolan. D'ailleurs, pendant qu'il fait encore jour, je vais chercher le meilleur passage pour les chevaux.

— J'ai l'impression que nous voyageons depuis toujours, Jondalar. Combien de chemin nous reste-t-il ?

— Nous ne sommes pas encore à la Neuvième Caverne, mais ce n'est plus très loin. Ce n'est rien à côté de ce que nous avons déjà fait. Après avoir franchi le glacier, nous serons presque arrivés à la Caverne de Dalanar où nous nous reposerons un moment. Tu feras sa connaissance, et celle de Jerika et des autres. J'ai hâte de montrer à Dalanar et Joplaya les techniques de taille du silex que m'a enseignées Wymez. Nous pourrons rester quelque temps chez eux, et arriver tout de même avant l'été.

L'été ! Ayla était abattue. Mais nous sommes en hiver ! se dit-elle. Si elle avait pu imaginer à quel point le Voyage serait long, elle n'aurait peut-être pas été si pressée de suivre Jondalar. Elle se serait appliquée davantage à le convaincre de rester chez les Mamutoï.

— Allons jeter un coup d'œil à ce glacier, proposa Jondalar. Voyons comment nous pouvons escalader le dernier obstacle. Après nous vérifierons que nous avons tout le matériel qu'il nous faut pour traverser.

— Il faudra entamer la réserve de pierres qui brûlent pour faire du feu ce soir. Il n'y a aucun combustible par ici.

Il faudra aussi faire fondre de la glace… Enfin, ce n'est pas ça qui manque !

Seules quelques rares poches retenaient encore une quantité négligeable de neige. Jondalar n'était venu qu'une fois par cette route, mais la neige était plus abondante dans son souvenir. Il ne se trompait pas. Ils étaient dans la région sous le vent, et les chutes de neige épisodiques arrivaient plus tard, au changement de saison. Jondalar et Thonolan avaient affronté une tempête de neige en redescendant.

L'hiver, les vents doux et humides qui soufflaient de l'océan étaient aspirés par les hautes pressions qui régnaient au-dessus du glacier. L'air humide se refroidissait, se condensait, et se changeait en neige qui ne tombait que sur la glace, et nourrissait la panse de l'insatiable glacier.

La glace qui recouvrait l'archaïque massif érodé circonscrivait la précipitation à sa propre surface, aplanissant la calotte jusqu'à la périphérie. L'air refroidi, asséché, descendait et courait sur les flancs de la montagne, mais n'apportait pas de neige au-delà des limites du glacier.

En cherchant un moyen d'escalader le rempart de glace, Jondalar et Ayla remarquèrent des éboulis et des rochers soulevés par les dents du glacier en marche.

Par endroits, la roche archaïque du haut plateau affleurait au pied du glacier. Le massif, plissé et soulevé par les pressions immenses qui avaient créé les montagnes du Sud, avait été autrefois un solide bloc cristallin comprenant un haut plateau identique à l'ouest. Les forces qui avaient secoué l'inébranlable montagne, le plus ancien massif terrestre, avaient ouvert une gigantesque fissure qui avait séparé les deux blocs.

A l'extrémité ouest du glacier, le versant de la montagne était abrupt, comme son jumeau de l'autre côté de la vallée tectonique. Une rivière coulait dans la vallée, le long de la ligne de faille, protégée par les versants parallèles du massif éclaté. Jondalar avait l'intention de traverser le glacier en diagonale vers le sud-ouest pour redescendre par un versant moins abrupt. Il voulait franchir la rivière près de sa source, avant qu'elle s'écoulât autour du massif et irriguât la vallée tectonique.

— D'où ça vient ? demanda Ayla.

L'objet qu'elle tenait à la main consistait en deux disques ovales montés sur une armature rigide qui les maintenait côte à côte, et munie de lanières attachées sur chaque côté. Une mince fente horizontale ouvrait les disques dans presque toute la longueur.

— J'ai fabriqué ça avant de partir. Il y en a aussi un pour toi. C'est pour protéger les yeux. Le reflet sur le glacier est tellement fort qu'il rend aveugle. L'aveuglement disparaît après quelque temps, mais les yeux rougissent et deviennent très douloureux. Vas-y, mets-les. Tiens, je vais te montrer, dit-il en voyant Ayla manipuler les disques avec maladresse.

Il plaça les étranges protections sur ses yeux et attacha les lanières derrière sa tête.

— Mais comment peux-tu voir ? s'étonna Ayla qui discernait à peine les yeux de Jondalar dissimulés derrière la fente. Mais on voit presque tout ! s'exclama-t-elle lorsqu'elle eut chaussé sa propre paire de disques. Il faut simplement tourner la tête pour voir sur les côtés. Tu as l'air si drôle avec ça ! s'amusa-t-elle. On dirait un esprit... ou un insecte. L'esprit d'un insecte, peut-être.

— Tu n'es pas mal non plus, riposta Jondalar en souriant. En tout cas, ces yeux d'insecte te sauveront peut-être la vie. Tu auras besoin de voir où tu vas quand tu seras sur le glacier.

— Les garnitures de botte en laine de mouflon que la mère de Madenia m'a données m'ont été fort utiles, déclara Ayla en les rangeant dans un endroit accessible. Même quand elles sont mouillées, elles gardent les pieds chauds.

— Et nous pouvons remercier la Grande Mère d'en avoir une paire de rechange, renchérit Jondalar.

— Quand je vivais avec le Clan, je fourrais mes bottes avec des feuilles de carex.

— Des feuilles de carex?

— Oui. Ça tient les pieds au chaud et ça sèche vite.

— C'est bon à savoir, fit Jondalar en ramassant une botte. Mets tes bottes avec les semelles en cuir de mammouth. Elles sont presque imperméables, très solides et elles t'éviteront de glisser. La glace peut être acérée, parfois. Bon, nous aurons besoin d'une herminette pour découper la glace.

Il posa l'outil sur la pile qu'il avait mise de côté.

— Ah, des cordes. Il faut qu'elles soient robustes. Il nous faudra la tente, les fourrures de couchage, la nourriture bien sûr. Peut-on abandonner le matériel de cuisine? Nous n'en aurons pas besoin sur le glacier, et les Lanzadonii nous en fourniront d'autre.

— Nous mangerons les vivres de route. Je ne ferai pas de cuisine, et j'ai décidé d'utiliser le récipient en peau que nous a donné Solandia pour faire fondre la glace. On peut le poser directement sur le feu. Cela chauffera plus rapidement et ce n'est pas la peine de faire bouillir l'eau.

— N'oublie pas ta sagaie.

— Pourquoi? Il y a des animaux sur le glacier?

— Non, mais tu t'en serviras pour sonder la glace et t'assurer qu'elle est assez solide. Et la peau de mammouth? Nous la transportons depuis le début, mais en avons-nous besoin? Elle est lourde.

— C'est une bonne peau, on peut la plier, elle est imperméable et on peut en recouvrir le canot. Tu disais qu'il neigeait sur le glacier, expliqua Ayla qui refusait de s'en débarrasser.

— Oh, la tente suffira.

— C'est juste... fit Ayla avec une moue pensive... Où as-tu trouvé ces torches?

— C'est un cadeau de Laduni. Nous nous lèverons avant le soleil pendant que le sol est encore solidement gelé. Même par ce froid, le soleil réchauffe la glace et il vaudra mieux escalader le rebord avant que la surface ne soit rendue glissante par la fonte.

Ils se couchèrent tôt, mais Ayla eut du mal à trouver le sommeil. Elle était nerveuse et impatiente. Demain, ils aborderaient le fameux glacier dont Jondalar parlait depuis le début.

— Que... qu'y a-t-il? bougonna Ayla, réveillée en sursaut.

— Il est temps de se lever, fit Jondalar en brandissant une torche.

Il en enfonça le manche dans les graviers et lui tendit un bol d'infusion brûlante.

— J'ai fait du feu. Tiens, bois ça.

Il la vit sourire avec plaisir. Elle lui avait préparé son infusion tous les matins depuis le début du Voyage, et il était heureux de s'être levé le premier, pour une fois, et de lui servir le breuvage revigorant. En fait, il avait à peine dormi. Il était bien trop nerveux, impatient, et inquiet en même temps.

Loup, dont les yeux reflétaient la lumière de la torche, observait les deux humains. Sentant que quelque chose se préparait, il gambadait fiévreusement de long en large. Les chevaux, tout aussi impatients, s'ébrouaient, hennissaient, dégageant de longues bouffées de buée. Grâce aux pierres qui brûlent, Ayla leur fit fondre de la glace et leur donna du grain. Elle tendit à Loup une galette, cadeau des Losadunaï, une autre pour Jondalar, et en garda une pour elle. Ils rangèrent la tente, les fourrures de couchage et le reste du matériel à la lueur de la torche. Ils abandonnèrent le superflu, un récipient vide, quelques outils, mais au dernier moment, Ayla récupéra la peau de mammouth et la jeta sur le canot.

Jondalar ramassa la torche et ouvrit la route. La longe de Rapide dans une main, il commença l'escalade, mais la torche le gênait. Elle n'éclairait qu'un étroit périmètre, même lorsqu'il la levait le plus haut possible. La lune était

946

presque pleine, et il se dit qu'il trouverait aussi bien son chemin sans la torche. Il la jeta finalement et s'avança dans le noir. Ayla le suivit, et bientôt ses yeux s'habituèrent à l'obscurité. La torche continua de brûler tandis qu'ils s'éloignaient.

A la lueur de la lune, à qui il ne manquait qu'un infime croissant pour être pleine, le monstrueux bastion de glace luisait d'un éclat sinistre et inquiétant. Le ciel noir était criblé d'étoiles, l'air cassant, éther amorphe doué d'une vie propre.

L'air glacial semblait se rafraîchir encore à l'approche de la muraille de glace, mais les frissons qui faisaient trembler Ayla s'expliquaient surtout par l'exaltation et la crainte émerveillée. Jondalar l'observa avec tendresse. Haletante, le regard brillant, la bouche entrouverte, elle était bouleversante. Un désir subit le prit, mais il se contint. Le moment était mal choisi, le glacier les attendait.

— Il faut s'attacher, conseilla-t-il en prenant une longue corde dans son sac.

— Les chevaux aussi ?

— Non. Nous pourrons nous retenir l'un l'autre, mais si les chevaux glissent, ils nous entraîneront dans leur chute.

Bien que l'idée de perdre Rapide ou Whinney lui fît horreur, il se souciait davantage de la sécurité d'Ayla. A contrecœur, elle finit par obtempérer.

Ils murmuraient, de crainte de déranger la forteresse majestueuse, ou de la prévenir de l'assaut imminent, et la glace étouffait leur voix.

Jondalar attacha un bout de la corde autour de sa taille, l'autre autour d'Ayla, et enroula le mou qu'il maintint sur son épaule. Chacun empoigna ensuite la longe de sa monture. Loup devrait trouver son chemin tout seul.

Au moment de s'élancer, Jondalar eut un moment de panique. Qu'est-ce qui lui avait pris ? Pourquoi avoir amené Ayla et les chevaux sur ce maudit glacier ? Ils auraient dû le contourner, malgré la longueur de la route, c'eût été plus prudent. Au moins, ils seraient arrivés sains et saufs. Finalement il se décida à gravir le mur de glace.

Au pied d'un glacier, la terre était souvent séparée de la glace par une sorte de cavité, à moins que la glace elle-même ne surplombât les graviers accumulés par le labourage du glacier en marche. Jondalar avait choisi de gravir un surplomb effondré, ce qui procurait une pente graduelle. De plus, la glace était criblée de gravier et offrait davantage de prise. L'importante accumulation de gravier — une moraine — traçait un chemin jusqu'au rebord, et leur permit de le gravir sans trop de mal. Restait le rebord à escalader. Jondalar ne se rendit pas compte des difficultés avant d'y arriver.

Lorsque Jondalar commença à gravir la pente caillouteuse, Rapide se déroba. Bien qu'ils eussent allégé sa charge, la cargaison était toujours instable et la brusque élévation de terrain l'inquiéta. Son sabot glissa, se reprit, et après quelques hésitations, le jeune étalon se mit en marche. Ce fut ensuite le tour d'Ayla suivie de Whinney qui tirait le travois. La jument qui avait transporté les perches depuis si longtemps, et sur tous les terrains, ne se formalisa pas. D'autre part, contrairement à Rapide qui portait la lourde charge sur son dos, les perches que tirait Whinney l'aidaient à trouver un meilleur équilibre.

Loup fermait la marche, mais c'était plus facile pour lui, avec ses pattes plus courtes aux larges coussinets calleux et antidérapants. Il suivait ses compagnons, conscient d'une menace invisible, épiant le moindre mouvement en bonne arrière-garde.

La lumière de la lune se reflétait dans les saillies de glace et sur les surfaces planes semblables à des miroirs. On distinguait sans mal la moraine qui descendait comme une rivière de sable et de pierres au ralenti, mais la lumière nocturne déformait la taille et la perspective des objets, et en dissimulait les détails.

Jondalar marchait d'un pas mesuré, conduisant Rapide avec précaution, contournant les obstacles. Ayla s'inquiétait davantage pour sa jument que pour elle-même. Quand la pente devint plus abrupte, les chevaux, déséquilibrés par l'inclinaison et par leur lourd fardeau, commencèrent à déraper. Un sabot de Rapide patina, et l'étalon affolé hennit et essaya de se cabrer.

— Allez, Rapide, l'encouragea Jondalar en tirant sur la longe comme s'il pouvait le faire avancer grâce à sa seule force. Allez, nous y sommes presque. Tu vas y arriver.

L'étalon aurait bien voulu lui faire plaisir, mais ses sabots patinaient sur la glace recouverte d'une fine pellicule de neige, et il entraîna Jondalar dans sa glissade. Celui-ci donna du mou à la longe, et finit par la lâcher. Le chargement de Rapide était précieux, et il regretterait surtout l'étalon, mais il craignait que le cheval ne réussisse pas à escalader le raidillon.

Mais lorsque les sabots de Rapide retrouvèrent le gravier, il cessa de glisser, redressa la tête et s'arracha en avant d'un solide coup de reins qui lui permit de franchir le rebord en léger surplomb. D'un pas sûr, il évita adroitement une étroite crevasse avant de prendre pied sur la surface aplanie du glacier. Jondalar observa le ciel passer du noir au bleu indigo tandis qu'une faible lueur pointait à l'est, et il flatta l'encolure de Rapide en lui murmurant des mots d'encouragement.

Une secousse fit vibrer la corde sur son épaule. Il pensa qu'Ayla avait glissé et lui donna davantage de mou. Soudain, la corde lui échappa et une violente saccade à la taille l'ébranla. Elle se tient certainement à la longe de Whinney, se dit-il. Il faut qu'elle la lâche.

Il empoigna la corde à deux mains et hurla :

— Lâche la longe, Ayla ! Whinney va te faire tomber.

Mais Ayla ne l'entendit pas, ou ne comprit pas. Whinney avait commencé l'escalade du raidillon, mais elle ne trouvait pas d'appuis et reculait plus qu'elle n'avançait. Ayla se cramponnait à la longe comme si elle pouvait empêcher la jument d'être emportée dans sa glissade. C'était au contraire Ayla qui était entraînée en arrière, et

Jondalar fut attiré dangereusement à son tour. Cherchant quelque chose pour se retenir, il saisit la longe de Rapide. L'étalon hennit bruyamment.

Ce fut le travois qui stoppa la glissade de Whinney. L'une des perches se coinça dans une faille et permit à la jument de retrouver son équilibre. Ses sabots s'enfoncèrent alors dans une coulée de neige et elle put faire quelques pas qui l'amenèrent à une zone caillouteuse. Sentant la corde se détendre, Jondalar lâcha la longe de Rapide. Il assura son pied dans une fente de la glace et tira la corde.

— Donne-moi un peu de mou! cria Ayla cramponnée à la longe de Whinney qui progressait lentement.

Jondalar vit alors apparaître la tête d'Ayla par-dessus le rebord et il la tira vers le haut. Whinney pointa les naseaux à son tour, piétina légèrement et réussit à franchir le dernier obstacle, les perches du travois dressées en l'air, le canot reposant sur le rebord du mur de glace qu'ils venaient de franchir. Le ciel se stria de rose, dévoilant les contours de la terre et Jondalar poussa un profond soupir.

Loup bondit soudain sur le rebord et se précipita vers Ayla. Il allait sauter, quand, en équilibre instable, elle lui fit signe de se tenir tranquille. Il recula, penaud, examina Jondalar, puis les chevaux. Il leva alors la tête, poussa quelques jappements et finit par entonner son long hurlement de loup.

Bien qu'ils eussent gravi la muraille de glace et que le sol fût à peu près plat, ils n'étaient pas tout à fait sur la surface du glacier, mais sur une bordure de blocs de glace. Jondalar franchit un monticule de neige qui recouvrait des blocs déchiquetés et posa enfin le pied sur le véritable glacier. Rapide le suivit en créant un léger éboulis qui dégringola dans le vide. Jondalar conserva la corde soigneusement attachée à sa taille pendant qu'Ayla passait le dernier obstacle. Loup parcourut la distance en quelques bonds, suivi de Whinney.

Le jour se levait et le ciel s'était coloré du bleu particulier et fugitif de l'aube pendant que des rayons illuminaient l'horizon. Ayla jeta un coup d'œil par-dessus la muraille en se demandant comment ils avaient pu l'escalader. Vu d'en haut, cela paraissait impossible. Lorsqu'elle se retourna, elle resta bouche bée.

Le soleil pointait à l'est et une lumière aveuglante illuminait un paysage irréel. Vers l'ouest, une surface plane et déserte d'un blanc étincelant s'étendait devant eux. La voûte d'azur était d'un bleu qu'elle n'avait jamais vu. Le ciel avait en quelque sorte absorbé la réflexion de l'aube rouge, le bleu-vert de la glace du glacier, et restait pourtant bleu. Mais c'était un bleu si étrangement brillant qu'on pouvait croire qu'il irradiait lui-même cette couleur indescriptible. Dans le lointain, il se voilait d'un ton bleu foncé.

Pendant que le soleil se levait à l'est, le cercle presque parfait qui éclairait le ciel noir à leur réveil glissa lentement derrière l'horizon à l'ouest, pâle reflet de sa gloire précédente. Rien ne brisait la splendeur du vaste désert d'eau gelée ; nul arbre, nul rocher, nul mouvement d'aucune sorte ne troublait la majesté de la surface uniformément polie.

Le souffle coupé, Ayla ne trouvait pas les mots pour exprimer son émerveillement.

— Oh, Jondalar ! fit-elle soudain. C'est magnifique ! Pourquoi ne m'avais-tu rien dit ? J'aurais volontiers parcouru deux fois la distance rien que pour voir ça.

— C'est spectaculaire, hein ? fit-il, amusé par sa réaction, mais tout aussi enthousiaste. Je ne pouvais pas te prévenir, je ne l'ai jamais vu comme ça. Ce n'est pas toujours aussi calme, crois-moi. Le blizzard est spectaculaire aussi. Profitons de ce temps clair pour avancer. La glace n'est pas aussi solide qu'elle en a l'air, et avec ce ciel dégagé et ce soleil, une crevasse peut s'ouvrir en un clin d'œil, ou une corniche peut céder.

Ils entamèrent la traversée de la plaine de glace, précédés par leurs ombres immenses. Avant que le soleil fût au zénith, ils transpiraient dans leurs épaisses fourrures. Ayla enleva sa chaude pelisse.

951

— Ote-la si tu veux, mais reste bien couverte, conseilla Jondalar. Le soleil brûle, et pas seulement d'en haut. Son reflet sur la glace peut aussi te brûler.

De petits cumulus se formèrent dans la matinée et à la mi-journée le ciel était couvert de nuages. Dans l'après-midi, le vent se leva. Quand les Voyageurs s'arrêtèrent pour faire fondre de la glace et de la neige, Ayla fut contente de remettre sa pelisse fourrée. Le soleil était caché par les cumulo-nimbus qui les saupoudraient de légers flocons de neige sèche. Le glacier grandissait.

Le plateau de glace qu'ils traversaient était né sur les cimes des montagnes escarpées du sud. L'air humide, qui s'élevait en balayant les hautes barrières, se condensait en gouttelettes brumeuses, et la température décidait de la neige ou de la pluie. Les glaciers n'étaient pas le résultat d'un froid perpétuel, mais d'une accumulation de neige d'une année sur l'autre. La neige se transformait en couches de glace qui finissaient par s'étendre sur des continents entiers.

Sous les cimes des hautes montagnes méridionales, trop abruptes pour retenir la neige, de petits bassins se formaient, des cirques nichés sur le flanc de la montagne. De ces cirques les glaciers avaient gagné le reste du pays. De minuscules particules d'eau s'étaient insinuées dans les failles de la roche qu'elles firent exploser en gelant. Dans ces dépressions ainsi créées en haut des montagnes, les légers flocons de neige, dentelle de givre, s'étaient amoncelés. Le poids du volume d'eau gelée avait fini par briser les délicats flocons qui s'étaient compressés en petites boules de glace : les névés.

Le névé se formait en profondeur. Dans les cirques, et à chaque nouvelle chute de neige, les boules de glace compactes étaient poussées vers la surface et basculaient par-dessus la barre du cirque. En tombant, les boules de glace se choquaient les unes contre les autres avec tant de force que la friction libérait de la chaleur. Pendant une fraction de seconde, la glace fondait aux multiples points de contact et regelait aussitôt, formant ainsi un amalgame. Plus les couches de glace s'épaississaient, plus la pression augmentait et transformait la structure des molécules en glace cristalline, mais avec une caractéristique essentielle : la glace s'écoulait.

La glace des glaciers, créée par des pressions colossales, était d'une densité supérieure. Pourtant, à la base, la gigantesque masse de glace compacte s'écoulait comme une rivière. Devant les obstacles tels que les pics montagneux, elle se séparait et se rejoignait de l'autre côté, en emportant souvent une partie de la roche, et en laissant derrière elle des îles de rochers déchiquetés. La glace épousait les contours du sol, le broyant et le remodelant au passage.

Le fleuve de glace possédait ses courants, ses tourbillons, ses eaux stagnantes et ses centres impétueux, mais il se déplaçait à son rythme, avec une lenteur solennelle digne de sa masse gigantesque. Il ne couvrait parfois que quelques centimètres en plusieurs années, mais qu'importe ! Le glacier avait tout son temps. Tant que la température moyenne restait en deçà du seuil critique, le glacier prospérait.

Les cirques des montagnes n'étaient pas les uniques matrices pour les glaciers. Ils se formaient aussi sur terrain plat et dès qu'ils recouvraient une surface importante, le refroidissement créait un entonnoir anticyclonique centré au milieu du glacier et par où s'engouffraient les précipitations qui s'étendaient ensuite jusqu'à sa bordure. L'épaisseur de la glace restait la même partout.

Les glaciers n'étaient jamais complètement secs. Les pressions colossales faisaient fondre l'eau qui suintait en permanence. Elle comblait les fentes et les fissures et se dilatait en regelant. De son point de départ, le glacier avançait dans toutes les directions et sa vitesse dépendait de l'inclinaison de sa surface, et non de la pente du sol sur lequel il s'écoulait. Plus l'inclinaison était forte, plus vite l'eau du glacier se précipitait dans les fissures de la glace et étendait le glacier en regelant. La glaciers grandissaient plus vite quand ils étaient jeunes, près des océans et des mers, dans les montagnes où les hautes cimes leur garantissaient des chutes de neige abondantes. Ils ralentissaient en vieillissant, leur surface immense éloignait les rayons du soleil par réflexion, et au-dessus du centre, l'air devenait plus sec et plus froid, et la neige moins abondante.

Partis du massif méridional, les glaciers avaient rempli les vallées et s'étaient déversés par les cols des hautes montagnes. Au cours de la période glaciaire précédente, ils avaient comblé la tranchée profonde de la ligne de faille qui séparait la jeune montagne de l'ancien massif. Ils recouvraient les hauts plateaux et s'étaient étendus jusqu'aux vieux sommets érodés de la chaîne septentrionale. La glace avait reculé pendant la période de réchauffement — qui touchait à sa fin — et l'eau avait inondé la vallée de faille, créant une vaste rivière et une longue moraine, mais le plateau de glace qu'elles franchissaient perdura.

Comme ils ne pouvaient installer leur feu directement sur la glace, ils avaient d'abord pensé utiliser le canot comme socle et y installer les rocs qu'ils avaient transportés pour construire le foyer. Mais il leur fallait vider le canot des pierres qui brûlent. Ayla ôta donc la peau de mammouth qui recouvrait le canot et eut l'idée d'en protéger la glace pour bâtir le foyer. Elle risquait d'être légèrement roussie, mais cela n'avait pas d'importance. Elle se félicita de l'avoir conservée. Tout le monde, y compris les chevaux, put se désaltérer et se restaurer.

Pendant leur halte, le soleil disparut entièrement derrière de gros nuages, et avant qu'ils ne reprissent la route, une neige épaisse tomba avec une détermination farouche. Le vent du nord se mit à hurler et rien sur l'étendue glacée ne s'opposait à son souffle glacial. Le blizzard se levait.

42

La neige se mit à tomber en flocons serrés et le noroît souffla avec une force accrue. Il fouettait les voyageurs et les brimbalait dans tous les sens comme de vulgaires fétus de paille.

— Il vaut mieux attendre que la tempête se calme ! cria Jondalar par-dessus les hurlements du vent.

Pour dresser leur tente, ils bataillèrent contre les rafales glacées qui soulevaient le petit abri, arrachaient les piquets, laissant le cuir se gonfler et claquer au vent. Le souffle rageur du blizzard menaçait d'emporter la tente à laquelle les deux minuscules humains se cramponnaient, osant braver le vent furieux qui balayait la surface uniforme du glacier de flocons étouffants.

— Comment maintenir la tente ? demanda Ayla. Le vent souffle-t-il toujours aussi fort ?

— Je ne me souviens pas de rafales si violentes, mais cela ne me surprend pas.

Stoïques et silencieux, les chevaux enduraient la tempête, tête baissée. A côté, Loup se creusait un abri.

— On pourrait demander aux chevaux de monter sur les

bords de la tente afin de la tenir le temps que nous l'arrimions, suggéra Ayla.

De fil en aiguille, ils trouvèrent une installation de fortune, utilisant les chevaux comme piquets et supports. Ils passèrent la tente au-dessus de Rapide et de Whinney. Ayla incita la jument à marcher sur un des pans de la tente, en espérant qu'elle ne bougerait pas trop et que la tente ne s'envolerait pas. Ayla et Jondalar se blottirent l'un contre l'autre, Loup entre leurs jambes, assis pratiquement sous le ventre des chevaux, sur l'autre extrémité du cuir.

La tempête ne se calma qu'après la tombée de la nuit, et ils campèrent sur place après avoir installé la tente convenablement. Au matin, Ayla découvrit des traînées sombres sur le cuir, à l'endroit où Whinney avait posé ses sabots, et elle s'en inquiéta.

Ils avancèrent mieux le deuxième jour, malgré les monticules de blocs de glace à escalader, et les crevasses béantes à éviter. La tempête se leva de nouveau dans l'après-midi, mais le vent soufflait moins fort et cessa rapidement. Ils poursuivirent leur route jusque tard dans la journée.

Vers le soir, Ayla remarqua que Whinney boitait. En y regardant de plus près, elle aperçut, le cœur brisé et la peur au ventre, des taches rouges sur la glace. Elle souleva le pied de la jument et examina son sabot. Il était entaillé à vif et les plaies saignaient.

— Jondalar, viens voir. Elle a des coupures au pied. Comment s'est-elle blessée ?

Jondalar examina les blessures de la jument et inspecta ensuite les sabots de Rapide. Il découvrit les mêmes coupures.

— Ce doit être la glace, dit-il d'un air soucieux. Vérifie donc les pattes de Loup.

Les coussinets de ses pattes étaient écorchés, mais son état était moins inquiétant.

— Qu'allons-nous faire ? gémit Ayla. Ils seront bientôt estropiés si ça continue.

— Je n'aurais jamais cru que la glace puisse couper à ce

point, avoua Jondalar, rongé par le remords. J'ai essayé de penser à tout... et voilà !

— Les sabots sont durs, mais ils ne sont pas en pierre. C'est un peu comme de l'ongle, cela s'abîme. Jondalar, ils ne peuvent pas continuer. Encore un ou deux jours et ils ne pourront plus marcher du tout. Il faut les aider.

— Oui, mais que faire ?

— J'ai encore ma poche à médecines, je peux soigner leurs plaies.

— Mais, Ayla, nous ne pouvons pas attendre qu'ils guérissent. Et puis, une fois guéris, ils vont de nouveau se blesser.

Jondalar s'arrêta, le front soucieux, un pli amer aux lèvres. Il refusait d'envisager ce qu'il considérait pourtant comme inévitable, et il osait encore moins en parler.

— Ayla, il va falloir les laisser, finit-il par dire avec une grande douceur.

— Les laisser ? Comment ça, « les laisser » ? On ne peut pas abandonner Whinney et Rapide. Où trouveraient-ils à boire ? Et à manger ? Il n'y a rien à brouter sur cette maudite glace, pas même la moindre brindille. Ils mourront de faim, ou de froid. Non, nous ne pouvons pas faire cela ! On ne peut pas les abandonner ici ! Pas question !

— Tu as raison, nous ne pouvons pas les laisser comme ça. Ce ne serait pas juste. Ils souffriraient trop... mais... mais nous avons des sagaies, et des propulseurs...

— Non ! Non, Jondalar ! hurla Ayla. Non, je ne te laisserai pas faire.

— C'est mieux que de les abandonner à une mort lente, à des souffrances inutiles. Ce n'est pas comme si on n'avait jamais... chassé les chevaux. Tout le monde les tue.

— Whinney et Rapide ne sont pas des chevaux ordinaires. Ce sont nos amis. Nous avons vécu tant de choses ensemble. Ils nous ont aidés, Whinney m'a sauvé la vie. Je ne peux pas l'abandonner.

— Ça ne m'amuse pas plus que toi, assura Jondalar. Mais que faire d'autre ?

L'idée de tuer l'étalon qui avait été son compagnon de voyage pendant si longtemps le révulsait, et il comprenait la réaction d'Ayla.

— Faisons demi-tour, proposa-t-elle. Rebroussons chemin, tu disais qu'il y avait une autre route.

— Voilà deux jours que nous marchons sur ce glacier et les chevaux sont presque estropiés. Nous pouvons revenir en arrière, Ayla, mais je ne sais pas si les chevaux y arriveront.

Il ignorait également si Loup y parviendrait, et le remords l'accablait.

— Je suis navré, Ayla. C'est de ma faute. J'ai été stupide de croire qu'on pouvait traverser le glacier avec les chevaux. Nous aurions dû prendre l'autre chemin, mais c'est trop tard à présent.

Ayla surprit des larmes dans les yeux de son compagnon. Elle ne l'avait jamais vu pleurer. Les Autres pleuraient parfois, mais Jondalar préférait cacher ses émotions. D'une certaine manière, cela renforçait l'amour qu'il portait à Ayla. Il ne se livrait que devant elle, et elle ne l'en aimait que davantage, mais elle refusait d'abandonner Whinney. La jument était sa meilleure amie, la seule qui l'avait soutenue dans la vallée, avant l'arrivée de Jondalar.

— Il faut trouver une solution, hoqueta-t-elle en pleurant.

— Oui, mais laquelle ?

Il ne s'était jamais senti aussi malheureux, aussi frustré devant son impuissance.

— Bon, en attendant, je vais soigner leurs plaies, dit Ayla en essuyant les larmes qui gelaient sur sa figure. Il faut un bon feu, assez chaud pour faire bouillir de l'eau.

Elle prit la peau de mammouth et l'étendit sur la glace. Quelques traces de roussi n'avaient pas endommagé l'épais cuir robuste. Elle déposa les rocs près du centre pour y bâtir le foyer. S'ils n'avaient plus à économiser les pierres qui brûlent, ils pourraient les abandonner.

Ayla était incapable de parler, et Jondalar n'avait rien à

dire. Les mots semblaient inutiles et dérisoires. Tant de préparatifs, de calculs, pour être confrontés à un problème qu'ils n'avaient même pas envisagé. Ayla regardait le feu d'un air absent. Loup, sentant son désarroi, rampa à ses côtés et gémit doucement. Ayla examina de nouveau ses plaies. Elles n'étaient pas aussi graves que celles des chevaux. Il faisait davantage attention où il posait ses pattes, et il léchait soigneusement la glace collée à chaque arrêt. L'idée de le perdre bouleversait Ayla.

Elle n'avait pas oublié Durc bien qu'elle n'y pensât pas consciemment. Il restait dans sa mémoire comme une douleur inextinguible. Elle se surprit à se demander ce qu'il devenait. A-t-il commencé à chasser avec le Clan ? Se sert-il de la fronde ? Uba doit être une bonne mère pour lui. Je suis sûre qu'elle le soigne bien, qu'elle lui prépare à manger et lui fabrique de bons vêtements chauds.

En pensant au froid, Ayla frissonna. Elle se rappela alors les habits qu'Iza lui fabriquait. Elle adorait le bonnet en peau de lapin avec la fourrure à l'intérieur. Pour les protège-pieds d'hiver aussi, la fourrure était à l'intérieur. Elle se voyait encore folâtrer avec une paire neuve aux pieds et le modèle assez simple des protège-pieds lui revint en mémoire. C'était une pièce de cuir rassemblée autour de la jambe et attachée à la cheville. Au début, ils n'étaient pas très pratiques, mais à l'usage le cuir se moulait au pied.

Ayla fixait toujours le feu, surveillant l'eau qui commençait à frémir. Quelque chose la tracassait. Quelque chose d'important... à propos des...

— Jondalar ! haleta-t-elle, en proie à une agitation intense. Oh, Jondalar !

— Qu'y a-t-il ? s'inquiéta Jondalar.

— Il y a... il y a que j'ai trouvé ! s'écria-t-elle. Oh, Jondalar, je viens de m'en souvenir.

Jondalar ne comprenait pas le comportement étrange de sa compagne.

— Tu viens de te souvenir de quoi ?

A l'évidence, la perspective de perdre les deux chevaux la perturbe, se désola Jondalar.

Ayla tira brusquement la lourde peau de mammouth du feu, renversant une pierre brûlante sur le cuir.

— Donne-moi un couteau, Jondalar. Ton couteau le mieux aiguisé.

— Mon couteau ?

— Oui, je vais fabriquer des bottes pour les chevaux.

— Des quoi ?

— Je vais faire des bottes pour les chevaux, et aussi pour Loup. Regarde, avec cette peau de mammouth !

— Des bottes pour chevaux ?

— Voilà, je découpe des cercles dans le cuir, je perce des trous sur les bords, j'enfile des tendons que j'attacherai aux paturons des chevaux. Puisque la peau de mammouth protège nos pieds des coupures de la glace, elle protégera aussi les sabots de Whinney et de Rapide, expliqua Ayla.

Jondalar se taisait, essayant de visualiser l'objet qu'Ayla venait de décrire. Son visage s'éclaira.

— Oui, je crois que ça peut marcher. Par la Grande Terre Mère, ça marchera ! Quelle idée fantastique ! Comment y as-tu pensé ?

— C'est comme cela qu'Iza fabriquait mes bottes. C'est comme cela que le peuple du Clan fabrique ses protège-pieds et ses protège-mains. Comment étaient ceux que portaient Guban et Yorga ? Ah, c'est difficile à dire parce qu'après un certain temps, le cuir se moule exactement aux pieds.

— Cette peau suffira-t-elle ?

— Oui, je crois. Je vais terminer la préparation de la potion pour les coupures pendant que le feu est encore chaud, et je ferai aussi une infusion pour nous. Nous n'en avons pas bu depuis deux jours, et nous n'aurons certainement pas l'occasion d'en prendre avant d'être sortis de ce glacier. Il va falloir économiser les pierres qui brûlent, mais une bonne infusion sera la bienvenue.

— Allons-y pour l'infusion ! approuva Jondalar qui avait retrouvé sa bonne humeur.

Ayla examina les sabots des chevaux, nettoya les plaies, appliqua sa potion, et enveloppa ensuite les paturons des deux montures dans des morceaux de la peau de mammouth. Ils essayèrent d'abord de se débarrasser des étranges protège-pieds, mais le cuir était solidement attaché et ils s'y habituèrent vite. Elle recommença l'opération avec Loup. Il mâchonna et rongea le cuir qui le dérangeait, mais finit pas se lasser, lui aussi.

Ainsi, le lendemain matin, la charge des chevaux fut allégée. Des pierres qui brûlent avaient disparu dans le feu, et la lourde peau de mammouth entourait maintenant leurs pieds. De surcroît, Ayla les déchargea à chaque arrêt, et prit une partie du fardeau sur son dos, bien qu'avec la meilleure volonté du monde, elle ne pût les soulager que d'un poids insignifiant. Mais malgré la marche, leurs blessures se cicatrisèrent. Loup semblait être déjà guéri, au grand soulagement d'Ayla et de Jondalar. Avantage inattendu, les bottes, comme les raquettes, empêchaient les chevaux de s'enfoncer dans la neige épaisse.

Le rythme du premier jour se maintint, avec quelques variantes. Ils parcouraient les plus grandes distances le matin, car l'après-midi apportait la neige et le vent. Parfois, ils reprenaient la route après la tempête, mais ils étaient souvent obligés de camper là où le blizzard les surprenait. Pourtant, ils n'eurent plus à affronter des vents aussi violents que le premier jour.

Le glacier n'était pas aussi plat et lisse qu'il leur avait paru. Ils pataugeaient dans des monticules de neige poudreuse détrempée amoncelée par des tempêtes locales, trébuchaient sur des amas de glace coupante, glissaient dans des fossés, se prenaient les pieds dans des fissures, se tordaient les chevilles sur la surface inégale. De brusques bourrasques soufflaient sans crier gare, les vents féroces ne faiblissaient presque jamais, et les deux voyageurs vivaient dans la hantise d'une crevasse invisible recouverte d'un pont trop fragile ou d'une corniche de neige friable.

Ils contournaient les crevasses béantes, particulièrement nombreuses vers le centre du glacier où l'air sec ne permettait pas d'importantes chutes de neige qui les eussent recouvertes. Le froid intense, âpre, mordant, polaire ne s'adoucissait jamais. Leur haleine gelait sur la fourrure de leur capuche, autour de la bouche. Une goutte d'eau qui coulait d'un bol gelait avant d'atteindre le sol. Leur visage exposé aux vents vifs et au soleil ardent se craquelait, pelait et noircissait. Les gelures menaçaient en permanence.

La tension accumulée commençait à se faire sentir. Leurs réflexes devenaient plus lents, leur jugement s'obscurcissait. Une tempête commencée dans l'après-midi s'était poursuivie toute la nuit. Au matin, Jondalar était pressé de partir. Ils avaient déjà perdu trop de temps. Dans ce froid polaire, l'eau était plus longue à chauffer et leur réserve de pierres qui brûlent diminuait dramatiquement.

Ayla fouillait son sac. Elle se mit ensuite à fureter dans sa fourrure de couchage et autour de la couche. Elle ne se souvenait pas depuis combien de temps ils étaient sur ce maudit glacier, mais elle en avait plus qu'assez.

— Dépêche-toi, Ayla ! Qu'est-ce qui te retarde ? aboya Jondalar.

— Je ne trouve pas mes protège-yeux.

— Je t'avais bien dit d'y faire attention. Tu veux vraiment devenir aveugle ? explosa-t-il.

— Bien sûr que non. Pourquoi crois-tu que je les cherche ? rétorqua Ayla.

Jondalar empoigna la fourrure d'Ayla et la secoua d'un geste brusque. Les caches en bois tombèrent au sol.

— Fais attention où tu les mets, à l'avenir, fit-il. Allez, il est temps de partir.

Ils rangèrent leurs affaires à la hâte, mais Ayla boudait et n'adressa plus la parole à Jondalar. Il vint vérifier les lanières comme d'habitude, mais Ayla empoigna la longe de Whinney et s'en alla avant que Jondalar puisse examiner son fardeau.

— Comme si je ne savais pas charger ma jument toute seule ! lança-t-elle par-dessus son épaule. Je croyais que tu étais pressé, qu'est-ce que tu attends ?

Il voulait vérifier par simple prudence, maugréait Jondalar. Elle ne connaissait même pas la route. Attendez un peu qu'elle tourne en rond ! Elle viendrait lui demander de passer devant dans pas longtemps. Sur ce, il lui emboîta le pas.

Ayla avait froid. La marche l'épuisait. Elle avançait sans regarder où elle mettait les pieds. Ah, il voulait qu'on se dépêche, eh bien, on allait se dépêcher ! rageait-elle. S'ils avaient la chance de s'en sortir, elle espérait bien ne plus jamais revoir de glacier de sa vie.

Loup courait nerveusement d'Ayla, qui ouvrait la marche, à Jondalar, loin derrière. D'habitude, Jondalar était devant, et l'inversion des rôles le perturbait. Loup dépassa la jeune femme en colère qui se traînait, la tête ailleurs, en pestant contre le froid. Soudain, Loup s'arrêta devant Ayla, lui bouchant le chemin.

Menant toujours Whinney par la longe, Ayla évita le loup. Il se précipita au-devant d'elle, et s'arrêta encore d'un air décidé. Elle l'ignora. Il la suivit quelque temps en lui donnant des petits coups de museau, mais elle le chassa. Il courut encore devant Ayla, s'assit et hurla pour attirer son attention. Elle le dépassa sans le voir. Il courut vers Jondalar, aboya, cabriola, couina, fit quelques bonds en direction d'Ayla, mais revint au-devant de l'homme.

— Qu'est-ce qui ne va pas ? demanda Jondalar qui avait enfin remarqué l'agitation du loup.

Un bruit terrifiant, un bruit étouffé lui répondit. Jondalar leva la tête et aperçut avec horreur des gerbes de neige poudreuse jaillir du sol.

— Oh, non ! s'écria-t-il d'une voix angoissée. Non, pas ça !

Il se précipita. Quand la neige fut retombée, il vit Loup au bord d'une crevasse béante. Le jeune animal pointa son museau vers le ciel et poussa un long hurlement plaintif.

Jondalar se jeta à plat ventre et scruta le gouffre par-dessus le rebord.

— Ayla, cria-t-il, désespéré. Ayla !

Son ventre se noua. Il savait bien que c'était inutile, elle ne l'entendait plus. Elle gisait au fond de la crevasse, morte.

— Jondalar ?

Une petite voix terrorisée lui parvint de très loin.

— Ayla ? demanda-t-il sans y croire.

Loin en dessous, debout sur une étroite corniche qui courait le long du mur de glace, Ayla jetait des regards implorants.

— Ayla, ne bouge surtout pas ! ordonna-t-il. Ne fais pas un geste, la glace pourrait céder.

Elle était vivante ! C'était incroyable ! Un miracle ! Mais comment allait-il la sortir de là ?

Dans le gouffre de glace, Ayla s'appuyait contre le mur, et s'accrochait désespérément à une faille et à une petite aspérité, pétrifiée de peur.

Elle avançait péniblement, de la neige jusqu'aux genoux, perdue dans ses pensées. Elle était fatiguée, fatiguée de tout : du froid, de cette neige où elle s'enfonçait, du glacier. La marche à travers le glacier l'avait épuisée, elle n'en pouvait plus. Pourtant, elle continuait à se battre, obsédée par un seul but : atteindre l'extrémité du glacier.

Un craquement sonore l'avait alors tirée de ses ruminations. Elle avait senti la glace s'effondrer sous ses pas, et le souvenir effrayant d'un lointain tremblement de terre lui était revenu. Instinctivement, elle avait cherché à se raccrocher, mais la glace et la neige qui avaient accompagné sa chute ne lui offraient aucune prise. Elle s'était sentie tomber, suffoquant à demi au milieu de l'avalanche de neige déclenchée par l'effondrement du pont, et elle s'était retrouvée, sans savoir comment, sur l'étroite corniche.

Elle leva la tête avec précaution, craignant que le

moindre mouvement ébranlât son appui précaire. Au-dessus, le ciel paraissait presque noir et elle crut apercevoir le pâle scintillement des étoiles. Quelques morceaux de glace, ou des poignées de neige, tombaient à retardement et aspergeaient la jeune femme dans leur chute.

La corniche était un reste de l'ancienne surface enfouie depuis longtemps sous la neige, et reposait sur un gros rocher déchiqueté, arraché à la montagne quand la glace avait empli la vallée avant de déborder dans la suivante. La rivière de glace accumulait quantité de poussière, sable, graviers, ainsi que des rochers qu'elle détachait de la muraille rocheuse, et qui étaient progressivement happés par le courant central, plus rapide. Entraînées par le courant, ces moraines formaient de longues langues cailouteuses. Lorsque la température remonterait suffisamment pour faire fondre le glacier, des traces de leur passage se liraient à ces amoncellements de rocs dépareillés déposés sur les crêtes et les collines.

Elle attendait, immobile, et percevait des faibles murmures et des grondements sourds. Elle crut d'abord que son imagination lui jouait des tours. En fait, la masse de glace était moins compacte qu'elle ne paraissait de l'extérieur. Elle était en mouvement constant, s'étendait, glissait, basculait. Le fracas d'une crevasse qui s'ouvrait ou se refermait au loin, à la surface ou en profondeur, se propageait à travers le solide visqueux. Les montagnes de glace étaient criblées de cavités : couloirs débouchant sur un à-pic, longues galeries sinueuses, trous béants, poches et grottes accueillantes mais qui se refermaient d'un coup.

Ayla osa enfin étudier sa prison. Les murs de glace luisaient d'une incroyable lumière bleue aux reflets verts. Elle s'aperçut avec un coup au cœur qu'elle avait déjà vu cette couleur quelque part. Les yeux de Jondalar ! Ah, revoir ces yeux au bleu si intense ! Les parois du cristal gigantesque lui donnaient l'impression qu'un mystérieux chambardement se déroulait hors de sa vue. Elle était persuadé qu'en tournant la tête d'un geste brusque, elle apercevrait une forme éphémère dans les miroirs muraux.

Ce n'était qu'une illusion d'angle et de lumière, un tour de magicien. Les cristaux de glace filtraient la plupart des couleurs du spectre de la lumière qui descendait de l'astre incandescent, et ne libéraient que le bleu-vert. Les plans et les arêtes des miroirs teintés jouaient entre eux un jeu de réflexion et de réfraction.

Douchée une nouvelle fois par une chute de neige, Ayla leva la tête. Jondalar était penché au-dessus de la crevasse, et une corde se balança devant les yeux d'Ayla.

— Attache la corde autour de ta taille, cria-t-il. Et fais attention de la nouer solidement. Tu me préviendras quand tu seras prête.

Voilà que je recommence, se maudit Jondalar. Pourquoi toujours vérifier ce qu'elle fait? Pourquoi rabâcher des conseils évidents? Elle savait bien qu'il fallait attacher la corde solidement. C'était justement ce qui l'avait mise en rage, et avait provoqué son départ précipité qui avait abouti à la dangereuse situation présente... Evidemment, elle aurait dû se contrôler.

— Je suis prête, Jondalar, lança Ayla après avoir noué la corde bien serré. Ça tiendra.

— Bon. Agrippe-toi à la corde, nous allons te remonter.

La corde se tendit et Ayla fut hissée. Les pieds dans le vide, elle se sentait monter lentement vers le bord de la crevasse. Elle vit Jondalar et ses merveilleux yeux bleus remplis d'inquiétude, et elle agrippa la main qu'il lui tendait. Il l'aida à escalader le rebord et elle mit bientôt pied sur le sol glacé. Jondalar l'étreignit avec ardeur, et elle s'accrocha à lui avec une passion égale.

— J'ai bien cru que tu étais partie à jamais, murmura-t-il en la couvrant de baisers. Je regrette de t'avoir brusquée, Ayla. Je sais très bien que tu peux faire tes paquets toute seule. Je m'inquiète toujours trop.

— Non, c'est de ma faute, protesta Ayla. J'aurais dû faire davantage attention à mes protège-yeux, et je n'aurais pas dû avancer si vite sur la glace. Je ne connais pas encore les dangers du glacier.

— Oui, mais j'ai eu tort de te laisser partir devant.

— J'aurais dû m'en douter, dirent-ils en même temps.

Ils se sourirent avec tendresse.

Ayla sentit une secousse à sa taille et vit que Jondalar avait attaché la corde au harnais de l'étalon. C'était donc Rapide qui l'avait tirée de la crevasse ! Elle s'escrima à défaire les multiples nœuds, mais dut les trancher avec un couteau tant elle les avait serrés, d'autant que sa remontée les avait encore renforcés.

Ils contournèrent la crevasse qui avait failli engloutir Ayla et poursuivirent leur route vers le sud-ouest. L'épuisement de leur réserve de pierres qui brûlent commençait à les inquiéter sérieusement.

— Encore combien de temps avant d'atteindre le bout du glacier, Jondalar ? interrogea Ayla un matin, après avoir fait fondre de la glace. Il ne nous reste plus beaucoup de pierres qui brûlent.

— Je sais. J'avais espéré que nous serions bientôt arrivés, mais les tempêtes nous ont retardés, et j'ai peur que le temps s'adoucisse pendant que nous sommes encore sur le glacier. Ça arrive si vite, fit-il en scrutant le ciel d'un œil inquiet. Je crains que le vent chaud ne souffle bientôt.

— Pourquoi ?

— J'ai repensé à cette dispute stupide. Tout le monde nous conseillait de faire attention aux mauvais esprits qui précèdent le fondeur de neige, tu te rappelles ?

— Ah oui ! Solandia et Verdegia disaient qu'ils rendaient nerveux et irritable. J'étais très énervée, et je le suis toujours. J'en ai tellement assez de toute cette glace, je dois me forcer pour continuer. Serait-ce le Malaise ?

— C'est justement la question que je me posais. Si c'est ça, nous devons nous dépêcher, Ayla. Si le foehn souffle pendant que nous sommes encore sur le glacier, nous risquons de disparaître dans une crevasse.

967

Ils burent l'eau à peine fondue pour économiser les pierres brunâtres, et portèrent des outres pleines de neige sous leur pelisse fourrée afin que la chaleur du corps fasse fondre assez de neige pour eux-mêmes et Loup. Mais cela ne suffisait pas, et lorsque ils eurent utilisé leurs dernières pierres, ils n'eurent plus d'eau pour les chevaux. Ayla était à court de fourrage, mais l'eau était plus importante. Elle s'aperçut que les chevaux mâchaient de la glace, mais son inquiétude grandissait. La glace et la déshydratation risquaient d'abaisser leur température corporelle et de diminuer leur résistance au froid.

Après qu'Ayla et Jondalar eurent installé la tente, les deux chevaux s'approchèrent pour avoir de l'eau, mais Ayla ne put que leur offrir quelques gouttes et leur casser de la glace. Ce jour-là, il n'y avait pas eu de blizzard et ils avaient marché jusqu'à la nuit tombée. Ils auraient dû être contents du chemin parcouru, mais Ayla se sentait étrangement nerveuse. Cette même nuit, elle eut du mal à trouver le sommeil. Elle essaya de se rassurer en mettant son anxiété sur le compte des chevaux.

Jondalar resta longtemps éveillé, lui aussi. Il voyait bien que l'horizon se rapprochait, mais il préféra ne pas en parler de peur de causer une profonde désillusion. Il finit par somnoler et se réveilla en plein milieu de la nuit pour constater qu'Ayla ne dormait pas non plus. Ils se levèrent dès les premières lueurs de l'aube et se mirent en marche alors que les étoiles brillaient encore dans le ciel opaque.

Au milieu de la matinée le vent avait tourné, et Jondalar crut que ses pires craintes allaient se confirmer. Le vent n'était pas réellement chaud, il était seulement moins froid, mais il soufflait du sud.

— Dépêchons-nous, Ayla ! Dépêchons-nous, cria-t-il en courant presque.

Ayla ne se le fit pas dire deux fois. A la mi-journée, le ciel était limpide et la brise était si douce qu'elle semblait presque tiède. Elle souffla avec une violence accrue, ralentissant les voyageurs qui avançaient péniblement, courbés en deux. Le souffle réchauffait la glace comme une caresse mortelle. Les congères poudreuses devinrent humides et compactes, et tournèrent vite en neige fondue. Des mares se formèrent dans les creux, grandirent, et scintillèrent. Le centre du glacier resplendit alors d'une vive couleur bleutée, mais les voyageurs n'avaient ni le temps ni l'envie d'admirer la beauté du paysage. Les chevaux pouvaient enfin se désaltérer, mais Jondalar se serait volontiers passé de cette satisfaction.

Un léger brouillard se leva, et resta accroché à la surface. Le vent du sud l'emporta avant qu'il ne pût s'élever dans les airs. Jondalar tâtait la glace avec une longue sagaie, mais il courait presque et Ayla avait toutes les peines à le suivre. Elle aurait bien voulu sauter sur le dos de Whinney et galoper le plus vite possible, mais des crevasses s'ouvraient devant leurs pas à chaque instant. Jondalar aurait juré que l'horizon se rapprochait, mais le brouillard rampant déformait la perception des distances.

Des petits ruisselets commencèrent à couler sur la glace, reliant les flaques entre elles, et les voyageurs avaient du mal à garder l'équilibre. Soudain, devant eux à quelques pas, une énorme plaque de glace s'effondra, dévoilant un gouffre béant. Loup hurla et les chevaux effarouchés poussèrent des hennissements stridents. Jondalar suivit le bord du gouffre à la recherche d'un chemin.

— Jondalar, je n'en peux plus. Je suis épuisée, il faut que je m'arrête, gémit Ayla qui s'effondra en sanglots. Nous n'y arriverons jamais.

Jondalar revint sur ses pas et la consola.

— Nous y sommes presque, Ayla. Regarde, tu vois bien que le glacier s'arrête bientôt.

— Mais nous avons failli tomber dans une crevasse, Jondalar, et ces flaques se transforment en trous bleus immenses où les ruisseaux disparaissent.

— Tu préfères rester ici ?

— Non. Oh, non ! Je ne sais pas ce que j'ai à pleurer comme ça. Si nous restons ici, nous mourrons, c'est sûr.

Jondalar réussit à se frayer un passage autour du cratère, mais lorsqu'ils obliquèrent vers le sud, le vent souffla avec autant de violence que les blizzards précédents. Les rus grossirent et tissèrent un réseau entremêlé de ruisseaux qui devinrent bientôt des rivières. Les voyageurs contournèrent deux nouvelles crevasses et virent enfin le bout de leur cauchemar. Ils franchirent les derniers mètres au pas de course, et se penchèrent au-dessus du vide.

Ils avaient franchi le glacier.

Une cascade d'eau laiteuse, le lait du glacier, jaillissait sous leurs pieds, de la base du glacier. Ils apercevaient au loin, au-delà de la coulée de neige, un fin tapis de verdure.

— Veux-tu que nous nous arrêtions un peu ici, pour que tu te reposes ? proposa Jondalar, le front soucieux.

— Non, je veux en finir avec cette glace. Nous nous reposerons dans cette prairie, là-bas.

— C'est plus loin qu'on le croit, tu sais. Pas de précipitation, restons prudents. Nous allons nous encorder, et tu descendras la première. Si tu dérapes, je te retiendrai. Choisis bien ton chemin. Nous guiderons les chevaux par la longe.

— Non, il ne vaut mieux pas. Otons-leur les harnais et déchargeons-les, détachons le travois, et laissons-les descendre tout seuls.

— Tu as peut-être raison, mais il faudra abandonner les paniers de charge... à moins que...

Ayla devina ses pensées.

— Oui, chargeons tout dans le bateau ! fit-elle. Nous le laisserons glisser jusqu'à la prairie.

— C'est ça, mais gardons un panier où nous entasserons l'essentiel, ajouta-t-il, fier de sa trouvaille.

— Si nous attachons bien le chargement et que nous regardons de quel côté il glisse, nous le retrouverons.

— Et si ça casse ?

— Tu crois qu'il va se casser ?

— L'armature peut se briser, mais la peau restera entière et maintiendra les affaires.

— Et le contenu restera en bon état, n'est-ce pas ?

— Oui, assura Jondalar. Le contenu devrait résister. L'idée du canot est excellente.

Ils chargèrent l'embarcation et Jondalar installa le panier d'objets de première nécessité sur son dos. En prenant garde de ne pas glisser, ils longèrent le bord du glacier à la recherche d'une descente propice. Comme pour compenser tant de retard et de mésaventures, ils trouvèrent tout de suite la pente douce d'une moraine qui prolongeait une coulée de glace plus abrupte. Ils tirèrent le canot jusqu'à la coulée glissante. Ayla détacha le travois, ils débarrassèrent les chevaux de leur harnais mais leur laissèrent les protège-sabots de cuir. Ayla s'assura qu'ils étaient bien fixés, mais le cuir avait épousé la forme du sabot et s'ajustait confortablement aux paturons. Ils conduisirent ensuite les chevaux en haut de la moraine.

Affolée, Whinney hennit. Ayla l'apaisa en lui parlant dans la langue de signes, de mots, et de sons, qu'elle avait inventée pour communiquer avec sa jument.

— Whinney, il faut que tu descendes toute seule. Tu trouveras plus facilement ton chemin que si j'étais avec toi.

Jondalar rassura à son tour le jeune étalon. La descente était dangereuse et tout pouvait arriver, mais au moins avait-il amené les chevaux de l'autre côté du glacier. C'était maintenant à eux de jouer. Loup courait de long en large sur le rebord du glacier, comme lorsqu'il avait peur de traverser une rivière.

Encouragée par Ayla, Whinney se lança la première, posant ses sabots avec précaution. Rapide lui emboîta le pas et la distança bientôt. Ils parvinrent à un endroit glissant, dérapèrent, prirent de la vitesse et durent galoper pour garder l'équilibre. Ils seraient en sécurité avant qu'Ayla et Jondalar atteignissent la prairie... à moins que...

En haut, Loup couinait, la queue entre les pattes, affichant sa peur sans honte en voyant les chevaux dévaler la pente.

— Poussons le canot et mettons-nous en route, fit Jondalar. La descente est longue et ce ne sera pas facile.

Comme ils poussaient le bateau près de la crête du glacier, Loup sauta dedans.

— Il croit que nous allons traverser une rivière, remarqua Ayla. Ah, si nous pouvions flotter sur la glace !

Leurs regards se croisèrent et un sourire se dessina sur leurs lèvres.

— Qu'en penses-tu ? demanda Jondalar.

— Pourquoi pas ? Tu disais que la peau résisterait.

— Et nous ?

— Nous verrons bien !

Ils déblayèrent le terrain et grimpèrent dans le canot en forme de coquille de noix où Loup les attendait. Jondalar adressa une prière à la Mère, et en s'aidant d'une des perches, les propulsa dans la pente.

— Cramponne-toi bien ! cria Jondalar.

Le canot prit bientôt de la vitesse et fonça tout droit, mais il heurta un obstacle, fit un bond et tournoya. Il fit une embardée, arriva en haut d'un petit raidillon et décolla. Ayla et Jondalar poussèrent des cris de peur et d'excitation. Ils atterrirent dans une violente secousse qui les propulsa en l'air. Ils s'agrippèrent à la coque qui tourniqua, alors que Loup s'aplatissait dans le fond tout en pointant son museau par-dessus bord.

Ayla et Jondalar se cramponnaient de toutes leurs forces, ils ne pouvaient rien faire d'autre. Le canot échappait à leur contrôle et dévalait la pente du glacier. Il zigzaguait, tantôt à droite, tantôt à gauche, tournoyait, bondissait, comme ivre de joie. Heureusement, il était trop chargé pour culbuter. La descente vertigineuse arrachait des cris à Ayla comme à Jondalar, qui souriaient malgré tout. Jamais ils n'avaient connu une telle ivresse, mais la descente n'était pas terminée.

Ils ne s'étaient pas demandé comment s'arrêterait leur embarcation, mais comme ils approchaient du bas, Jondalar se souvint qu'une crevasse séparait le pied du glacier de la terre ferme. Un arrêt brutal sur du gravier pourrait les jeter par-dessus bord, les blesser, ou pire encore. Jondalar ne comprit pas tout de suite ce qui se passait, mais quand ils atterrirent dans une grande secousse et une gerbe d'éclaboussures au milieu de nuages d'eau, il comprit que le canot les avait conduits au bas de la cascade qu'ils avaient aperçue d'en haut.

La cascade les entraîna dans une autre chute, et après un nouveau choc et de nouvelles éclaboussures, ils flottèrent bientôt sur les eaux de fonte paisibles d'un petit lac. Loup était si heureux qu'il ne savait plus où donner de la tête. Il sautait sur l'un, sur l'autre, les léchait, aboyait, les léchait encore. Finalement il s'assit sur son arrière-train, tendit le cou vers le ciel et poussa un long hurlement de joie.

— Ça y est, Ayla, nous avons réussi ! s'écria Jondalar. Nous avons réussi ! Nous avons franchi le glacier.

— Oh, Jondalar, c'est fantastique ! fit Ayla avec un sourire radieux.

— Ce n'était pas très prudent, nous aurions pu nous blesser... ou nous tuer.

— D'accord, c'était dangereux, mais c'était formidable ! fit Ayla, les yeux encore brillants d'émotion.

Son enthousiasme était contagieux et malgré sa hantise d'un accident, il ne put s'empêcher de sourire.

— Je dois avouer que c'était excitant, et approprié d'une certaine manière. Je ne suis pas près de retraverser ce glacier. Deux fois dans une vie, ça me suffit, mais je suis fier de l'avoir fait... Et je n'oublierai jamais cette descente.

— Il ne nous reste plus qu'à atteindre la rive, et à retrouver Whinney et Rapide.

La nuit tombait et entre la lumière aveuglante du couchant et les ombres trompeuses du crépuscule, on distinguait mal les environs. La fraîcheur du soir avait fait retomber la température, et il gelait de nouveau. Ils apercevaient les contours du lac, rassurante terre noire parsemée de neige çà et là, mais ils ne savaient pas comment l'atteindre. Ils n'avaient pas de pagaies, et les perches étaient restées sur le glacier.

Le lac paraissait calme, mais l'écoulement rapide des eaux de fonte provoquait un courant subaquatique qui les entraînait lentement vers le rivage. Lorsqu'ils furent assez près, ils sautèrent dans l'eau suivis de Loup et tirèrent le canot sur la terre ferme. Loup s'ébroua, arrosant Ayla et Jondalar qui n'y prirent même pas garde. Ils tombèrent dans les bras l'un de l'autre, heureux d'être en vie, amoureux, et soulagés de sentir la terre sous leurs pieds.

— Nous avons réussi. Nous sommes presque arrivés, Ayla, murmura Jondalar, qui avait cru qu'il ne la tiendrait plus jamais dans ses bras.

Avec le regel, la neige détrempée crissait à nouveau sous les pas. Main dans la main, ils traversèrent une zone de graviers et arrivèrent dans un pré. Il n'y avait pas de bois pour faire du feu, mais ils ne s'en souciaient guère. Ils mangèrent des galettes, leur seule nourriture sur le glacier, et ils burent l'eau de fonte de leurs outres. Ils plantèrent ensuite leur tente et étalèrent leurs fourrures de couchage, mais avant de se coucher Ayla scruta les ténèbres en se demandant où avaient disparu les chevaux.

Elle siffla, espérant que Whinney l'entendrait, mais aucun bruit de sabots ne lui parvint et les chevaux ne se montrèrent pas. Elle siffla encore, mais sans résultat. Il était trop tard, les recherches ne pourraient pas commencer avant le lendemain. Ayla se glissa dans ses fourrures aux côtés de Jondalar, et caressa Loup qui vint se blottir contre elle. Préoccupée par les chevaux, elle sombra néanmoins dans un sommeil profond.

L'homme contempla les cheveux blonds ébouriffés de la jeune femme dont la tête reposait au creux de son épaule, et il décida de remettre son lever à plus tard. Plus rien ne pressait à présent, et cette absence de tension laissait un vide qui le désarçonnait. Il devait se persuader qu'ils n'étaient plus sur le maudit glacier et qu'ils pouvaient prendre tout leur temps, paresser dans leurs fourrures la journée entière, par exemple.

Le glacier était derrière eux. Ayla était saine et sauve. La vision d'Ayla disparaissant dans la crevasse s'imposa à lui, et il la serra plus fort contre lui. La jeune femme s'accouda et ouvrit les yeux. Elle adorait le regarder. Sous la tente en peau de bête, la lumière tamisée adoucissait le bleu intense de ses yeux, et son front était lisse pour la première fois depuis longtemps. Elle fit courir ses doigts le long de ses rides, sur sa joue, sur les contours de son visage.

— Tu sais, avant de te rencontrer, j'essayais de me figurer à quoi ressemblait un homme des Autres. Pas un homme du Clan, un de mes semblables. Mais je n'y arrivais jamais. Tu es si beau, Jondalar.

— Les femmes sont belles, protesta Jondalar en riant. Pas les hommes.

— Ah bon ? Comment sont-ils, alors ?

— Ils sont forts, ou braves.

— Toi, tu es fort et brave, mais la beauté n'a rien à voir là-dedans. Comment appelle-t-on un homme qu'on trouve beau ?

— On peut dire qu'il est bien bâti, suggéra-t-il, mal à l'aise au souvenir du compliment qu'on lui avait fait trop souvent.

— Bien bâti, bien bâti, répéta-t-elle comme pour l'ancrer dans sa mémoire. Non, je préfère beau. Beau, au moins, je comprends.

Jondalar éclata de rire, un rire chaud, franc et bon enfant. Peu habituée à une telle démonstration de joie, Ayla le dévisagea d'un air surpris. Elle l'avait rarement vu sourire, mais rire, jamais.

— Si tu tiens à me trouver beau, ne te gêne pas, fit-il en l'attirant contre lui. Comment refuserais-je qu'une jolie femme me trouve beau ?

Les spasmes de Jondalar la secouèrent et son rire communicatif déclencha son hilarité.

— Ah, Jondalar, j'adore quand tu ris, fit-elle.

— Tu as le don de m'amuser et je t'aime tellement, murmura-t-il.

Lorsque leur rire se fut calmé, Jondalar serra Ayla dans ses bras. Emu par la chaude caresse de sa poitrine, il la coucha pour l'embrasser dans le cou, pétrissant ses seins lourds et fermes. Elle glissa sa langue entre ses lèvres, surprise de s'enflammer aussi vite. Cela fait si longtemps, se dit-elle. Pendant la traversée du glacier, l'idée ne leur en était pas venue, ou l'envie n'avait pu surmonter l'obstacle de leur fatigue et de leur anxiété.

Jondalar sentit Ayla contre lui, offerte, et un désir urgent l'envahit. Il roula sur elle, entraînant les fourrures dans son ardeur, baisa son cou, sa nuque, laissa courir ses lèvres sur son corps et trouva un mamelon érigé qu'il suça avidement.

Ayla perçut des pointes de feu déferler dans tout son corps, lui arrachant un cri d'extase. Sa propre réaction la stupéfia. Il l'avait à peine effleurée, et déjà elle était prête, mieux, impatiente. Cela faisait-il si longtemps ? Elle se colla contre lui.

Jondalar glissa sa main entre les cuisses d'Ayla, trouva le bouton des Plaisirs et le massa avec douceur. Ayla gémit en atteignant une jouissance si intense qu'elle ne voulut plus attendre.

En sentant une humidité soudaine, Jondalar comprit qu'elle était prête. Il écarta les fourrures qui le gênaient et guida son membre fier dans le puits d'amour qu'Ayla lui offrait.

Lorsqu'il entra au plus profond, elle s'agrippa à ses reins et le retint en criant son plaisir. Son puits avide enfin comblé par sa verge brûlante, elle crut défaillir. C'était trop bon, c'était au-delà des Plaisirs.

Jondalar ne tarda pas à la rejoindre. Il retira son membre pour mieux l'enfoncer ensuite. Encore une fois et la vague déferla dans une multitude de secousses qui l'anéantit. Emporté par son élan, il donna encore quelques légers coups de reins et s'écroula sur Ayla.

Allongée, les yeux toujours clos, le poids de Jondalar sur son corps, Ayla se sentait merveilleusement bien. Elle ne voulait pas bouger. Lorsqu'il se leva, il ne résista pas au plaisir de l'embrasser. Elle ouvrit les yeux.

— Oh, Jondalar, c'était si bon !

— C'était rapide. Nous étions prêts tous les deux. Que voulait dire ce sourire mystérieux quand je t'ai embrassée ?

— C'est parce que je suis tellement heureuse.

— Moi aussi, fit-il en l'embrassant encore.

Il roula sur le côté et ils somnolèrent bientôt. Jondalar se réveilla avant Ayla et la regarda dormir. Le sourire mystérieux reparut sur ses lèvres, et Jondalar aurait bien aimé connaître ses rêves. Il ne put s'empêcher de déposer des baisers sur son cou et de caresser ses seins lourds et fermes. Elle ouvrit de grands yeux sombres, pleins de secrets.

Il baisa ses paupières, chatouilla une oreille, puis un mamelon. Elle lui sourit quand il effleura la douce toison. Il la sentit réceptive mais elle n'était pas encore prête, et il regretta la brièveté des Plaisirs. Soudain, il la serra, l'embrassa avec une fougue incontrôlée, pétrit son corps, ses seins, ses hanches, ses cuisses. Il ne pouvait plus s'arrêter et semblait vouloir l'étreindre comme pour l'empêcher de tomber dans une crevasse imaginaire. Il se rattrapait de l'angoisse qui l'avait saisi quand il l'avait crue disparue dans le gouffre.

— Je n'aurais jamais imaginé que je tomberais amoureux un jour, avoua-t-il en se détendant enfin. Pourquoi ai-je eu besoin d'aller chercher si loin une femme que je puisse aimer ?

Cette question l'avait travaillé depuis son réveil, et il s'aperçut qu'ils étaient presque arrivés chez lui. Il était heureux de se retrouver de ce côté du glacier, mais l'impatience le gagnait. Il commençait à penser aux siens et aurait voulu être déjà auprès d'eux.

— Parce que mon totem t'a choisi pour moi. Le Lion des Cavernes t'a guidé jusqu'à moi.

— Mais alors pourquoi la Mère nous a-t-Elle fait naître si loin l'un de l'autre ?

Ayla le dévisagea d'un air grave.

— J'ai commencé à apprendre, mais j'ignore encore beaucoup de choses sur la volonté de la Grande Terre Mère, et je sais si peu des esprits protecteurs des totems du Clan. Mais il y a une chose que je sais : tu m'as trouvée.

— Et j'ai failli te perdre, murmura-t-il, saisi d'une peur rétrospective. Ayla, que deviendrais-je si jamais je te perdais ?

Sa voix trahissait une réelle émotion qu'il n'avait pas l'habitude de montrer si clairement. Il roula sur le côté, enfouit sa tête dans le cou d'Ayla et la serra si fort qu'elle suffoqua.

— Que ferais-je sans toi ? gémit-il.

Elle s'agrippa à lui. Elle aurait voulu que leurs deux corps ne fissent plus qu'un, et lorsqu'elle sentit le désir de Jondalar monter, elle s'abandonna tout entière avec joie. Poussé par une urgence aussi exigeante que son amour, il prit le corps qu'elle lui offrait avec une ardeur égale à la sienne. Ce brusque désir fut encore plus vite satisfait que le précédent, et une douce et chaude tendresse lui succéda. Lorsqu'il voulut soulager Ayla du poids de son corps, elle le retint, comme pour faire durer l'intensité des Plaisirs qui l'avaient anéantie.

— Je n'imagine pas la vie sans toi, Jondalar, assura Ayla en reprenant la conversation où ils l'avaient laissée. Une parcelle de moi te suivrait dans le monde des esprits, et je serais condamnée à vivre avec un manque perpétuel. Mais nous avons de la chance. Pense à tous ceux qui ne rencontrent jamais l'amour, et ceux qui aiment sans retour.

— Comme Ranec ?

— Oui, comme Ranec. J'ai toujours de la peine quand je pense à lui.

Jondalar se redressa et s'assit.

— Moi aussi. Je l'aimais bien... ou plutôt, j'aurais pu l'aimer... Ce n'est pas comme ça que nous arriverons chez Dalanar, dit-il brusquement, soudain impatient de repartir. J'ai hâte de le revoir.

— Oui, mais il faut d'abord retrouver les chevaux.

43

Ayla se leva et sortit devant la tente. Une brume rampante s'accrochait au sol et l'air frais et humide transperçait sa peau nue. Au loin, la cascade rugissait. Au fond du lac, langue d'eau verdâtre, le brouillard était presque opaque.

Ayla devinait qu'aucun poisson n'habitait le lac dont les abords étaient dépourvus de végétation. C'était un paysage archaïque qui semblait remonter du fond des âges, avant le commencement de toute vie, un paysage de roche et d'eau. Ayla frissonna en comprenant la solitude de la Grande Terre Mère avant qu'elle ne donnât naissance aux êtres animés.

Ayla traversa la berge de gravier en courant et plongea dans l'eau, glacée et limoneuse. Elle avait attendu ce bain depuis si longtemps — depuis la traversée du glacier ! Que l'eau fût froide ne la gênait pas, mais elle l'avait crue claire et limpide.

Dépitée, elle retourna à la tente pour se rhabiller et aider Jondalar à emballer les affaires. Comme elle scrutait le paysage désertique enveloppé dans la brume, elle aperçut en contrebas la silhouette d'une forêt. Soudain, un sourire éclaira son visage.

— Ah, vous voilà ! s'exclama-t-elle, avant de pousser un long sifflement.

Jondalar se rua hors de la tente et s'illumina en voyant les deux chevaux accourir au galop. Loup, qui les suivait, semblait aussi réjoui que les deux humains. On ne l'avait pas vu de la matinée, et Ayla s'interrogea sur son rôle dans le retour de Whinney et de Rapide. Mais le saurait-elle jamais ?

Chacun accueillit sa monture avec force cajoleries et Ayla les examina soigneusement, inquiète d'une éventuelle blessure. Whinney avait perdu son protège-sabot droit et broncha quand Ayla palpa sa jambe. Elle se dit que la jument avait probablement pris son pied dans la glace et avait arraché le protège-sabot en se libérant, ce qui avait meurtri sa jambe.

Ayla ôta la peau de mammouth toujours attachée à l'autre sabot de Whinney, aidée par Jondalar qui maintenait la jument. Rapide avait encore ses protège-sabots dont l'usure commençait à apparaître. Même une peau aussi solide que celle de mammouth finissait par s'élimer après un tel traitement.

Après avoir rangé tout leur équipement, Ayla et Jondalar allèrent chercher le canot et découvrirent que le fond était humide et détrempé. Il fuyait.

— Je n'ai pas très envie de traverser une rivière dans un canot en pareil état, constata Jondalar. Que dirais-tu de l'abandonner ?

— C'est préférable, à moins que nous voulions le tirer nous-mêmes, fit Ayla. Les perches du travois sont restées sur le glacier, et il n'y a pas d'arbre pour en tailler d'autres.

— Voilà qui règle la question. Heureusement que nous n'avons plus de pierres à transporter, et nos bagages sont tellement réduits que nous pourrions les porter, même sans les chevaux.

— S'ils n'étaient pas revenus, c'est ce que nous aurions

été obligés de faire pour partir à leur recherche, remarqua Ayla. Je suis contente qu'ils nous aient retrouvés.

— Moi aussi. Je m'inquiétais, dit Jondalar.

Comme ils descendaient le versant sud-ouest de l'ancien massif qui supportait le champ de glace désertique sur son sommet érodé, une pluie fine se mit à tomber. Elle nettoya la neige sale accumulée dans les creux ombragés de la forêt d'épicéas clairsemés qu'ils traversèrent. Un lavis de vert colorait la prairie ocre et les buissons d'arbustes qui l'entouraient. Plus bas, perçant le brouillard, on devinait le miroitement d'une rivière qui s'écoulait d'ouest au nord en suivant la vallée tectonique. Au sud de la rivière, les falaises montagneuses déchiquetées disparaissaient dans une brume pourpre dont surgissait, tel un spectre, la haute chaîne recouverte de glace jusqu'à mi-flancs.

— Je suis sûr que Dalanar te plaira, disait Jondalar comme ils chevauchaient paisiblement côte à côte. Et tu aimeras les Lanzadonii. La plupart sont d'anciens Zelandonii.

— Qu'est-ce qui les a poussés à fonder une nouvelle Caverne ? demanda Ayla.

— Je ne sais pas. J'étais trop jeune quand ma mère et Dalanar se sont séparés, et je ne l'ai vraiment connu que lorsque je suis allé vivre avec lui. Il nous a appris comment travailler la pierre, à Joplaya et à moi. Je crois qu'il a décidé de fonder une nouvelle Caverne quand il a rencontré Jerika, et il a choisi son emplacement après avoir découvert une mine de silex. Les pierres des Lanzadonii commençaient déjà à être célèbres quand j'étais encore un enfant.

— Jerika, c'est sa compagne, et... Joplaya... c'est ta cousine ?

— Oui, ma proche cousine. C'est la fille de Jerika, née au foyer de Dalanar. Elle taille très bien le silex, mais ne lui répète surtout pas. Tu verras, elle est très drôle, toujours en train de plaisanter. Je me demande si elle a trouvé un compagnon. Grande Mère, cela fait si longtemps ! Ils seront surpris de nous voir !

— Jondalar ! s'écria Ayla en baissant la voix. Regarde là-bas, près des arbres. Un cerf !

— Attrapons-le !

Jondalar empoigna son propulseur, une sagaie, et commanda Rapide d'une simple pression des genoux. Bien qu'il ne guidât pas sa monture avec la même dextérité qu'Ayla, une année de chevauchée avait considérablement perfectionné sa technique.

Ayla poussa Whinney à la suite de Jondalar et engagea une sagaie dans son propulseur. La jument, débarrassée de son travois, était d'autant plus fringante. Le cerf, alerté par le bruit, s'enfuit en décrivant de larges bonds, mais les deux cavaliers le prirent en tenailles et n'eurent aucun mal à l'abattre. Ils le dépecèrent, choisirent les meilleurs morceaux, en gardèrent quelques-uns à offrir au peuple de Dalanar, et laissèrent Loup se régaler des restes.

Vers le soir, ils trouvèrent un torrent limpide qui dévalait la pente à gros bouillons ; ils le suivirent jusqu'à un vaste pré planté de quelques arbres, des fourrés bordaient le cours d'eau. Ils décidèrent d'installer leur campement et de cuire leur chasse. La pluie s'était calmée et plus rien ne les pressait.

Le lendemain matin en sortant de la tente, Ayla s'arrêta bouche bée, abasourdie par la beauté du spectacle. Elle crut rêver. Ils venaient d'endurer des conditions climatiques impitoyables, un hiver glacial dans un univers de désolation, quelques jours à peine avaient passé, et c'était déjà le printemps !

— Jondalar ! Jondalar, viens voir !

L'homme pointa une tête ensommeillée et Ayla vit son visage s'éclairer d'un sourire béat.

Ils avaient campé à moyenne altitude et le crachin de la veille avait disparu avec la brume, laissant place à un soleil radieux. Le ciel bleu azur était pointillé de petits moutons blancs. Les arbres et les buissons arboraient de nouvelles pousses d'un vert tendre et l'herbe du pré semblait appétissante. Une abondance de fleurs émaillaient la verdure, jonquilles, lis, ancolies, iris, et autres. Des oiseaux aux plumages multicolores volaient dans le ciel, égayant la scène printanière de leurs gazouillis et de leurs chants.

Ayla reconnut des grives, des rossignols, des gorges-bleues, des casse-noix, des pics à tête noire, des fauvettes des rivières, et répondit à leurs chants en sifflant. Jondalar sortit de la tente pour la regarder, fasciné, amener à force de patience et de cajolerie une pie-grièche dans le creux de sa main.

— Comment réussis-tu cela ? s'étonna-t-il alors que l'oiseau s'envolait.

Ayla se contenta de sourire.

— Je vais chercher quelque chose de frais et de bon à manger, annonça-t-elle.

Loup avait de nouveau disparu, en quête d'exploration ou d'une proie éventuelle. Il sentait, lui aussi, l'appel du printemps. Ayla rejoignit les chevaux qui broutaient les fines pousses sucrées qui recouvraient le pré. C'était le début de la saison riche, le temps de la croissance.

La plupart de l'année, les vastes plaines qui entouraient les couches de glace de plusieurs kilomètres d'épaisseur, et les prairies des hauts plateaux, étaient arides et froides. De rares pluies et quelques chutes de neige arrosaient à peine la terre, les glaciers attirant pour leur seul bénéfice l'humidité renfermée dans l'air. Le permafrost s'étendait sous les steppes, comme, plus tard, sous les toundras humides septentrionales, et les vents qui soufflaient des glaciers rendaient les étés secs, la terre aride et dure, les marais rares. L'hiver, les vents balayaient la neige légère des sols couverts d'herbe séchée sur pied, et l'accumulaient dans les dépressions. Les innombrables herbivores géants trouvaient là une nourriture abondante.

Les prairies ne se ressemblaient pas toutes. Pour créer la profusion végétale des plaines de l'Ere Glaciaire, l'important n'était pas tant la quantité de précipitations annuelles

— à condition que les pluies fussent suffisantes — que l'adéquation du moment. La combinaison de pluies intensives et de vents asséchants en proportions convenables aux moments opportuns étaient le gage de la richesse des prairies.

Dans les basses latitudes, le soleil commençait à réchauffer la terre peu après le solstice d'hiver. Sur la neige ou sur la glace, la majeure partie des rayons du soleil printanier est renvoyée dans l'espace par réflexion, et le peu que la terre absorbe est converti en chaleur pour faire fondre la neige.

Sur les prairies balayées par les vents, le soleil se déversait sur les sols dénudés, et les couches supérieures du permafrost dégelaient rapidement. L'énergie solaire préparait les graines et les racines à développer de nouvelles pousses. Encore fallait-il de l'eau.

La glace scintillante, qui réfléchissait les rayons du soleil, résistait à la fonte printanière. Mais avec une telle humidité stockée dans les couches de glaces hautes comme des montagnes, l'influence du soleil et la caresse des vents chauds finissaient par se faire sentir. La couche supérieure des glaciers commençait à fondre, l'eau s'infiltrait dans les fissures et remplissait les ruisseaux, puis les rivières qui répandaient le précieux liquide sur les terres desséchées. Cependant, l'apport d'eau le plus important restait celui des brouillards et des brumes qui s'évaporaient des masses de glace et couvraient le ciel de nuages de pluie.

Au printemps, la chaleur du soleil forçait les glaciers à rendre l'humidité plutôt qu'à la capturer. C'était l'unique moment de l'année où la pluie tombait, non sur le glacier, mais sur la terre fertile et assoiffée qui l'entourait. L'été de l'Ere Glaciaire était chaud et bref ; le printemps primitif était long et humide, et la végétation foisonnait.

Les animaux de cette ère se développaient aussi au printemps lorsque les herbacées étaient fraîches, et riches en éléments nutritifs. Le printemps est le temps où croissent les os, les défenses et les cornes, où pointent de nouveaux andouillers, où les fourrures d'hiver tombent avant d'être bientôt remplacées. Le printemps commençait tôt et durait longtemps, le temps de croissance augmentait en proportion et favorisait la taille gigantesque des animaux et de leurs ornements.

Lorsque plusieurs espèces se partageaient la même alimentation et le même habitat, l'une d'elles finissait toujours par prévaloir. Les autres développaient de nouveaux comportements, modifiaient leur choix nutritif, émigraient vers d'autres régions, ou s'éteignaient. Les herbivores n'entraient jamais en compétition directe pour la nourriture.

Les seuls combats se déroulaient entre mâles d'une même espèce et n'avaient lieu qu'à la saison du rut. Et souvent le simple étalage d'andouillers particulièrement imposants, ou de cornes, ou encore de défenses, suffisait à asseoir la suprématie et le droit à la procréation — explication génétique des magnifiques ornements que la richesse des pâturages printaniers encourageait.

Passé les débordements printaniers, la vie des habitants itinérants des steppes reprenait ses normes établies, et les conditions se durcissaient. L'été, ils devaient s'alimenter suffisamment pour maintenir la croissance spectaculaire dont le printemps était la cause et emmagasiner des réserves de graisse pour la saison froide. Avec l'automne arrivait la saison du rut pour certains. Et c'était à l'automne qu'apparaissaient les épaisses fourrures ou autres moyens de protection. Les conditions hivernales étaient les pires. L'hiver décidait qui allait mourir et qui survivrait. Il était dur pour les mâles qui devaient nourrir un corps énorme, et maintenir leurs ornements démesurés ou les refaire pousser. Il était dur pour les femelles, de taille plus petite mais qui devaient trouver assez de nourriture pour leur progéniture. Mais c'étaient les jeunes qui souffraient le plus. Ils ne possédaient pas encore la taille des adultes pour stocker des réserves et devaient utiliser la graisse accumulée pour leur croissance. S'ils passaient la première année, ils avaient des chances de survivre.

Une grande diversité d'animaux partageait harmonieusement le territoire des prairies froides et arides proches des glaciers. Les carnivores eux-mêmes se répartissaient leurs proies. Mais une nouvelle espèce, inventive et créative, mal adaptée à l'environnement et qui le modifiait pour l'adapter à ses besoins, une nouvelle espèce commençait à faire sentir sa présence.

Ils s'arrêtèrent pour se reposer près d'un torrent aux eaux bouillonnantes, et manger le restant de venaison et les légumineuses qu'ils avaient cuits le matin. Jondalar trouvait Ayla étrangement silencieuse.

— Nous ne sommes plus très loin, maintenant, déclara-t-il. Nous nous étions arrêtés par ici Thonolan et moi, peu après notre départ.

— Le paysage est magnifique, dit Ayla d'un air distrait.

— Pourquoi es-tu tellement silencieuse, Ayla ? s'enquit Jondalar.

— Je pensais à tes parents, et je me suis aperçue que je n'avais pas de famille.

— Mais si ! Et les Mamutoï ? N'es-tu pas Ayla des Mamutoï ?

— Oui, mais c'est différent. Ils me manquent et je les aimerai toujours, mais je les ai quittés sans trop de regrets. C'était bien plus pénible d'abandonner Durc, avoua-t-elle avec un regard douloureux.

— Oui, je sais, dit Jondalar en la prenant dans ses bras. Ce n'est pas cela qui te le rendra, mais pense que la Mère t'accordera peut-être un autre enfant... un jour prochain... un enfant de mon esprit, avec un peu de chance.

Ayla ne semblait pas l'entendre.

— Ils prétendaient que Durc était difforme, mais c'était faux. Il était du Clan, mais il était aussi à moi. Il faisait partie des deux. Ils ne me trouvaient pas difforme, ils pensaient seulement que j'étais laide. J'étais plus grande que les hommes du Clan... j'étais trop grande et laide...

— Enfin, Ayla, tu n'es ni trop grande ni laide ! Au contraire, tu es très belle. Et souviens-toi que ma famille est maintenant la tienne.

— Avant toi, j'étais seule. A présent j'ai un homme à aimer, et peut-être un jour aurai-je un enfant pour ton foyer. Cela suffirait à mon bonheur, dit-elle en souriant.

Ce sourire soulagea Jondalar, et l'allusion à l'enfant le réjouit encore davantage. Il leva la tête pour vérifier la position du soleil.

— Hâtons-nous, sinon nous n'arriverons pas à la Caverne de Dalanar aujourd'hui, fit-il. Allons-y, Ayla, les chevaux ont besoin de galoper et je ne supporterais pas une autre nuit sous la tente si près du but.

Loup émergea des bois en courant, d'humeur joueuse et plein d'énergie. Il sauta sur Ayla, posa ses pattes sur ses épaules, et lui lécha la joue. C'était là sa famille, se dit-elle en empoignant la fourrure de l'animal. Ce magnifique loup, la fidèle et patiente jument, le fougueux étalon et cet homme merveilleux. Et bientôt, elle rencontrerait sa famille à lui.

Elle rangea ses affaires en silence. Soudain, elle changea d'avis et se mit à fouiller dans ses paquets.

— Jondalar, je vais prendre un bain dans le torrent et mettre une tunique et des jambières propres, déclara-t-elle en se déshabillant.

— Pourquoi n'attends-tu pas que nous soyons arrivés ? Tu vas te geler, Ayla. Cette eau descend tout droit du glacier.

— Tant pis ! Je ne veux pas que ta famille me voie dans cet état.

Ils arrivèrent près d'une rivière de fonte à l'eau d'un vert laiteux, qui grossirait jusqu'à ce qu'elle atteigne son volume maximal plus tard dans la saison. Ils obliquèrent vers l'est en remontant le courant et trouvèrent un gué peu profond. Après avoir traversé, ils prirent vers le sud-ouest. En fin d'après-midi, ils gravirent une pente douce qui s'aplanissait près d'une muraille rocheuse. Sous un surplomb, ils aperçurent l'ouverture sombre d'une grotte.

Une jeune femme était assise sur le sol, entourée d'éclats et de nodules de silex. Elle leur tournait le dos. Un poinçon dans une main, morceau de bois pointu, appliqué sur le cœur d'une pierre gris foncé, elle s'apprêtait à le frapper avec un lourd marteau en os. Elle était tellement concentrée sur son ouvrage qu'elle n'entendit pas Jondalar se glisser silencieusement derrière elle.

— Continue comme ça, Joplaya, et un jour tu seras aussi bonne que moi, plaisanta-t-il.

Le marteau en os rata son coup, et écrasa la lame que Joplaya voulait travailler. Elle se retourna et lança à Jondalar un regard incrédule.

— Jondalar ! Oh, Jondalar ! C'est vraiment toi ? s'écriat-elle en se levant pour se jeter dans ses bras.

Jondalar la prit par la taille, la souleva et la fit tournoyer. Elle s'agrippait comme si elle voulait le garder pour toujours pour elle seule.

— Mère ! Dalanar ! Jondalar est de retour ! Jondalar est de retour ! cria-t-elle.

Des gens accoururent de la caverne, et un homme d'âge mûr, de la taille de Jondalar, se précipita vers lui. Ils s'étreignirent, s'empoignèrent par les épaules, se dévisagèrent, et s'embrassèrent encore.

— Enfin te voilà ! fit l'homme. Tu es parti si longtemps, j'ai cru que tu ne reviendrais jamais.

Par-dessus l'épaule de Jondalar, il eut soudain une vision troublante. Deux chevaux, chargés de paniers et de ballots, une peau de bête sur le dos, et un loup énorme, à côté d'une femme grande, vêtue d'une pelisse de fourrure et de jambières aux motifs inhabituels. La capuche de la femme était rejetée en arrière, dévoilant un visage encadré d'une cascade de boucles blondes. Ses traits, comme la coupe de ses habits, dénotaient l'étrangère, et ce mystère ne faisait qu'accroître sa fascinante beauté.

— Je ne vois pas ton frère, mais tu n'es pas revenu seul, remarqua l'homme.

— Thonolan est mort, déclara Jondalar avec une expression douloureuse. Et je ne serais pas là si Ayla ne m'avait sauvé la vie.

— C'est une triste nouvelle. J'aimais Thonolan. Willomar et ta mère auront beaucoup de chagrin. En tout cas, tes goûts n'ont pas changé. Tu as toujours eu un faible pour les belles Zelandonia.

Jondalar fut d'abord surpris que l'homme considérât Ayla comme Une Qui Sert la Mère, mais à vrai dire, Ayla, l'étrangère entourée d'animaux, avait tout de la Zelandoni. Il alla chercher Rapide et revint suivi d'Ayla, de Whinney et de Loup.

— Dalanar des Lanzadonii, souhaite la bienvenue à Ayla des Mamutoï, déclara-t-il ensuite.

Dalanar offrit ses mains tendues, paumes vers le ciel, dans le geste d'amitié traditionnel. Ayla saisit les mains et les étreignit.

— Au nom de Doni, la Grande Terre Mère, bienvenue à toi, Ayla des Mamutoï.

— Je te salue, Dalanar des Lanzadonii, répondit Ayla selon la formule consacrée.

— Tu parles bien notre langue pour quelqu'un qui vient de si loin, remarqua l'homme dont le sourire chaleureux adoucissait l'air solennel. C'est avec plaisir que je fais ta connaissance.

— C'est Jondalar qui m'a appris, avoua-t-elle, incapable de détacher ses yeux de Dalanar dont la ressemblance avec Jondalar la fascinait.

Les cheveux blonds de Dalanar étaient légèrement clairsemés sur le sommet du crâne, sa taille un peu alourdie, mais il avait ses yeux d'un bleu intense — avec toutefois quelques rides aux coins des paupières — son front, un peu plus ridé. Sa voix ressemblait à celle de

Jondalar, même timbre et mêmes intonations. Il prononçait le mot *plaisir* comme lui, avec ce soupçon de double sens. C'était fort troublant. La chaleur de sa poignée de main fit frissonner Ayla. Cette ressemblance l'émouvait profondément.

Dalanar devina son trouble et sourit de la même manière que Jondalar. L'accent d'Ayla l'intriguait. Elle devait venir de très loin. Lorsqu'il relâcha les mains d'Ayla, le loup s'approcha d'eux avec une tranquillité qu'était loin d'éprouver Dalanar. L'animal enfouit son museau dans les mains de l'homme pour réclamer un peu d'attention, et Dalanar se surprit à tapoter la tête de l'animal, comme s'il n'y avait rien de plus naturel que de caresser un énorme loup vivant.

— Loup te prend pour moi, s'amusa Jondalar. Tout le monde a toujours dit qu'on se ressemblait ! Eh bien, tu n'as plus qu'à monter sur le dos de Rapide ! ajouta-t-il en faisant approcher l'étalon.

— Tu as bien dit « le dos de Rapide » ?

— Oui, nous avons voyagé sur le dos de ces chevaux. J'ai nommé l'étalon Rapide, expliqua Jondalar. La jument d'Ayla s'appelle Whinney, et cette grosse bête qui semble t'avoir adopté, c'est Loup.

— Comment avez-vous fait pour qu'un loup et des chevaux... ? commença Dalanar.

— Eh bien, Dalanar ! Aurais-tu oublié les usages ? Nous avons tous envie de les rencontrer et d'entendre leurs histoires.

Ayla chercha qui avait parlé et resta bouche bée. C'était une femme comme elle n'en avait jamais vu. Ses cheveux, noués en chignon sur sa nuque, étaient d'un noir brillant et grisonnaient sur les tempes. Mais c'était son visage qui retenait l'attention d'Ayla. Il était rond et plat, les pommettes hautes, le nez petit, et les yeux bridés. Le sourire de la femme contredisait la sévérité de sa voix, et Dalanar baissa vers elle un regard aimant.

— Jerika ! s'exclama joyeusement Jondalar.

— Jondalar! Comme je suis contente de te revoir! (Ils s'étreignirent affectueusement.) Eh bien, puisque cet ours a oublié les bonnes manières, présente-moi donc à ta compagne. Ensuite, tu nous expliqueras pourquoi ces animaux restent avec vous au lieu de s'enfuir dans la nature.

Elle se glissa entre les deux hommes et parut encore plus petite. Dalanar et Jondalar étaient de taille égale, et elle leur arrivait à peine à mi-hauteur de la poitrine. Elle marchait à petits pas énergiques et Ayla la compara à un oiseau, impression renforcée par sa silhouette menue.

— Jerika des Lanzadonii, voici Ayla des Mamutoï. C'est elle qui a apprivoisé les animaux, déclara Jondalar. Elle t'expliquera mieux que moi pourquoi ils ne cherchent pas à s'enfuir.

— Tu es la bienvenue, Ayla des Mamutoï, assura Jerika, les mains tendues. Et les animaux aussi, si tu me promets qu'ils auront toujours ce comportement inhabituel, ajouta-t-elle en surveillant Loup du coin de l'œil.

— Je te salue, Jerika des Lanzadonii, fit Ayla en lui retournant son sourire.

La poigne de la petite femme trahissait un caractère inflexible.

— Le loup aime bien les humains, il ne fera de mal à personne, assura Ayla, sauf s'il nous voit menacés. Par contre, il vaudrait mieux se tenir à l'écart des chevaux. La présence d'étrangers les rend nerveux, et ils risquent de ruer si on les approche. Il faut leur laisser le temps de s'habituer.

— Cela paraît raisonnable, et je te remercie de nous prévenir, fit la petite femme en dévisageant Ayla avec une insistance déconcertante. Tu viens de loin. Les Mamutoï vivent au-delà de l'embouchure de la Grande Rivière Mère.

— Tu connais le territoire des Chasseurs de Mammouths? s'étonna Ayla.

— Oui, et même encore plus loin à l'est, bien que j'en

garde peu de souvenirs. Hochaman sera très heureux de t'en dire davantage. Il adore raconter ses vieilles histoires. Ma mère et lui sont venus de l'est, d'un pays proche de la Mer Sans Fin. Je suis née en route. Nous avons vécu avec de nombreux peuples chez qui nous restions parfois plusieurs années. Je me souviens des Mamutoï. Peuple chaleureux, bons chasseurs. Ils souhaitaient nous garder parmi eux.

— Pourquoi avez-vous refusé ?

— Hochaman voulait poursuivre le Voyage jusqu'au bout du monde, son rêve était de voir où la terre s'arrêtait. Nous avons rencontré Dalanar peu après la mort de ma mère et nous avons décidé de rester avec lui et de l'aider à exploiter la mine de silex. Mais Hochaman a réalisé son rêve, fit Jerika en coulant un regard vers Dalanar. Il a parcouru la terre, de la Mer Sans Fin jusqu'aux Grandes Eaux de l'Ouest. Dalanar l'a aidé à terminer son Voyage il y a quelques années, en le portant sur son dos la plupart du chemin. Hochaman ne peut plus marcher, mais personne n'a jamais été aussi loin que lui.

— A part toi, Jerika, intervint Dalanar avec fierté. Tu as voyagé presque aussi loin.

— Oh ! fit-elle, moi j'étais obligée. Mais je réprimande Dalanar et voilà que je bavarde autant que lui.

Jondalar tenait toujours contre lui la jeune femme qu'il avait surprise en train de tailler le silex.

— J'aimerais que tu me présentes ta compagne de voyage, lui demanda-t-elle.

— Oh, je suis désolé ! s'excusa Jondalar. Ayla des Mamutoï, je te présente Joplaya des Lanzadonii.

— Bienvenue à toi, Ayla des Mamutoï, déclara Joplaya en étreignant les mains d'Ayla.

— Je te salue, Joplaya des Lanzadonii. Jondalar m'a si souvent parlé de toi.

— Je suis contente d'apprendre qu'il ne m'a pas oubliée, répondit Joplaya en se blottissant de nouveau contre Jondalar.

Une foule s'était rassemblée autour d'eux, et Ayla dut saluer chaque membre de la Caverne selon les usages. Tout le monde questionnait et dévisageait sans vergogne celle que Jondalar avait ramenée, et elle accueillit l'intervention de Jerika avec soulagement.

— Allons, assez de questions pour l'instant, déclarat-elle. Ils ont certainement une quantité d'histoires à nous raconter, mais ils doivent être fatigués. Viens, Ayla, je vais te montrer où t'installer. Les animaux ont-ils besoin de quelque chose de particulier?

— Il faut décharger les chevaux, et leur trouver un endroit où paître. Loup restera avec nous, si tu n'y vois pas d'inconvénient.

Voyant Jondalar en grande conversation avec Joplaya, elle entreprit seule de débarrasser les chevaux de leurs paniers mais il accourut pour l'aider à transporter les affaires dans la caverne.

— Je crois savoir où faire paître les chevaux, dit-il. Je les y emmène. J'attacherai Rapide avec une longue corde, veux-tu que j'attache aussi Whinney?

— Non, c'est inutile. Elle restera près de Rapide.

Ayla nota que Jondalar se sentait tellement à l'aise qu'il n'avait même pas demandé l'autorisation pour le pâturage. Après tout, ces gens étaient ses parents, se dit-elle.

— Je t'accompagne.

Suivis de Loup, ils marchèrent jusqu'à un vallon à l'herbe tendre traversé par un ruisseau d'eau claire près duquel Jondalar attacha Rapide.

— Tu viens? demanda-t-il ensuite à Ayla.

— Non, je préfère rester un peu avec Whinney.

— Je retourne m'occuper de nos affaires, alors.

— Oui, vas-y.

Il avait l'air pressé, et elle ne lui en tenait pas rigueur. Elle fit signe à Loup de rester. Tout était nouveau pour lui aussi, et comme elle, il avait besoin de s'habituer. Lorsqu'elle rentra à la caverne, Ayla trouva

Jondalar et Joplaya plongés dans une discussion animée. Elle hésita à les interrompre.

— Ayla, fit Jondalar quand il remarqua sa présence. Je parlais de Wymez. Tu montreras à Joplaya la pointe qu'il t'a donnée ?

Ayla acquiesça d'un signe de tête et Jondalar reprit sa conversation.

— Attends de la voir. Les Mamutoï sont d'excellents chasseurs de mammouths, ils équipent leurs sagaies de pointes en silex. Elles sont plus efficaces que les pointes en os pour percer les peaux dures et épaisses, surtout si elles sont bien effilées. Wymez a adopté une technique nouvelle. Il façonne des bifaces en chauffant la pierre, ce qui lui permet de tailler des éclats très fins. Il fabrique des pointes aussi longues que ma main et tellement fines que tu n'en croirais pas tes yeux.

Ils étaient si près l'un de l'autre que leurs deux corps se touchaient presque, et leur tendre complicité troubla Ayla. Ils avaient vécu leurs années d'adolescence ensemble. Quels secrets s'étaient-ils confiés ? Quelles joies et quels chagrins avaient-ils partagés ? Quelles déceptions et quels triomphes dans leur apprentissage de la taille des silex ? Joplaya connaissait-elle mieux Jondalar qu'elle ? se demandait Ayla.

Auparavant, ils étaient tous deux des étrangers pour les gens qu'ils rencontraient. A présent, elle seule était une étrangère.

— Et si j'allais chercher cette pointe ? Où l'as-tu rangée ? demanda-t-il à Ayla, en se dirigeant vers la caverne.

Elle lui donna les indications. Après son départ, elle sourit d'un air contraint à la jeune femme aux cheveux noirs, mais toutes deux restèrent silencieuses. Jondalar fut vite de retour.

— J'ai demandé à Dalanar de nous rejoindre, annonça-t-il.

Il défit l'emballage avec précaution et en sortait la

délicate lame de silex quand Dalanar arriva. Voyant l'objet, celui-ci le prit et l'examina attentivement.

— C'est du travail de maître ! s'exclama-t-il. Regarde ça, Joplaya. C'est un biface, et pourtant il est très effilé. Tu imagines la précision et l'habileté qu'il a fallu pour tailler d'aussi fins éclats. Le grain du silex est différent, et le lustre aussi. C'est... c'est presque huileux. Où as-tu trouvé cela, Jondalar ? Le silex est-il d'une nature différente dans l'Est ?

— Non. C'est Wymez, un Mamutoï, qui a inventé un procédé nouveau. C'est le seul tailleur de pierre qui soit digne de toi, Dalanar. Il chauffe la pierre avant de la travailler, c'est ce qui lui donne son lustre et son grain ; mais c'est surtout ce qui permet d'ôter des éclats extrêmement fins, expliqua Jondalar, enthousiaste.

Ayla l'observait.

— Les éclats sautent presque tout seuls. Je te montrerai la technique. Je ne suis pas encore aussi habile que Wymez, mais tu comprendras tout de même. J'aimerais beaucoup rapporter quelques bons silex des Lanzadonii chez moi.

— Mais tu es ici chez toi, Jondalar, assura Dalanar avec douceur. Enfin, puisque tu le veux, nous irons demain à la mine choisir de belles pierres. J'ai hâte de te voir tailler des bifaces ! Mais es-tu vraiment sûr que cette pointe serve à chasser ? Elle semble tellement fragile !

— C'est avec ça qu'ils chassent le mammouth. Ça casse plus facilement, c'est vrai, mais le silex perce la peau épaisse mieux que l'os et s'enfonce entre les côtes. J'ai autre chose encore à te montrer. Quelque chose que j'ai découvert dans la vallée d'Ayla, quand je me rétablissais de la blessure que m'avait faite le lion des cavernes. C'est un propulseur qui permet de lancer une sagaie deux fois plus loin ! Je te montrerai.

— Je crois qu'on nous attend pour manger, Jondalar, déclara Dalanar en remarquant les Lanzadonii rassemblés à l'entrée de la caverne. Tout le monde veut entendre vos récits. Venez, nous serons mieux installés à l'intérieur. Vous nous avez appâtés avec ces animaux qui vous obéissent, ces allusions à l'attaque d'un lion des cavernes, le propulseur, les nouvelles techniques pour tailler les silex. Qu'allez-vous encore nous raconter ?

— Tout cela n'est rien ! s'exclama Jondalar en riant. Me croirais-tu si je te disais que nous avons vu des pierres qui font du feu, d'autres qui brûlent ? Et des habitations construites avec des os de mammouths, des pointes en ivoire qui tirent les fils, d'énormes bateaux pour chasser des poissons si gigantesques qu'il faudrait cinq hommes grands comme toi pour égaler leur taille !

Ayla n'avait jamais vu Jondalar si détendu. Il les enlaça, Joplaya et elle, et les entraîna vers la caverne.

— Dis-moi, Joplaya, t'es-tu choisi un compagnon ? demanda-t-il. Je n'ai encore vu personne à qui tu sembles appartenir.

— Non, je t'attendais, répondit Joplaya en plaisantant.

— Ah, tu n'as pas changé ! pouffa Jondalar. Les proches cousins ne peuvent pas s'unir, expliqua-t-il à l'adresse d'Ayla.

— J'ai tout prévu, poursuivit Joplaya. Nous nous enfuirons et nous fonderons notre propre Caverne, comme l'a fait Dalanar. Bien sûr nous n'accepterons que des tailleurs de silex.

Son rire semblait forcé et elle n'osait regarder que Jondalar.

— Tu vois ce que je te disais, Ayla ? fit Jondalar en pressant la taille de Joplaya. Elle plaisante tout le temps.

Mais Ayla ne trouvait pas la plaisanterie si drôle.

— Sérieusement, Joplaya, tu ne t'es promise à personne ?

— Echozar m'a demandée, mais je ne me suis pas encore décidée.

— Echozar ? Je ne crois pas le connaître. C'est un Zelandonii ?

— Non, il est lanzadonii. Il nous a rejoints il y a quelques années, après que Dalanar l'a sauvé de la noyade. Il doit être encore dans la caverne. Il est très timide. Tu comprendras quand tu le verras, il a l'air... il est différent. Il n'aime pas rencontrer des étrangers, il ne veut pas aller à la Réunion d'Eté des Zelandonii. Mais quand on le connaît mieux, il est très gentil. Et il donnerait sa vie pour Dalanar.

— Iras-tu à la Réunion d'Eté cette année ? Viens au moins assister à notre Cérémonie de l'Union. Oui, nous allons nous unir, Ayla et moi, ajouta-t-il en pressant la taille d'Ayla, cette fois-ci.

— Je ne sais pas encore, fit Joplaya en baissant les yeux. J'ai toujours su que tu ne t'unirais pas à Marona, mais je n'avais pas imaginé que tu ramènerais une femme de ton Voyage.

En entendant le nom de la femme à qui il avait promis de s'unir et qu'il avait abandonnée en partant, Jondalar se troubla, et ne remarqua pas qu'Ayla se raidissait en voyant l'homme que Joplaya courait rejoindre à l'entrée de la caverne.

— Jondalar ! Regarde cet homme !

La voix d'Ayla le surprit. Il l'observa. Elle était livide.

— Qu'est-ce qui ne va pas, Ayla ?

— On dirait Durc ! Ou en tout cas, mon fils lui ressemblera quand il sera adulte. Jondalar, cet homme est un demi-Clan !

Jondalar examina l'homme plus attentivement. Ayla avait raison. L'homme que Joplaya poussait vers eux avait l'apparence d'un membre du Clan. Mais quand il approcha, Ayla remarqua des différences notables. D'abord, il était presque aussi grand qu'elle.

Elle fit un geste furtif de la main, un geste que personne ne pouvait remarquer, mais l'homme écarquilla les yeux, incrédule.

— Où as-tu appris ça ? demanda-t-il en lui renvoyant son signe.

Sa voix était profonde, mais claire. Il n'avait pas d'accent, pas de problème de prononciation. C'était bien un esprit mêlé.

— J'ai été élevée par un clan. Ils m'ont recueillie quand

j'étais toute petite. Je ne me souviens pas avoir eu une autre famille.

— Tu as été élevée par un clan ? s'exclama-t-il. Eux ont maudit ma mère de m'avoir mis au monde ! dit-il d'un ton amer. Quel est donc le clan qui a voulu de toi ?

— J'avais bien deviné qu'elle n'avait pas l'accent mamutoï ! intervint Jerika.

On s'attroupait autour d'eux. Jondalar poussa un profond soupir et se redressa. Il avait toujours su que les antécédents d'Ayla viendraient à la surface un jour ou l'autre.

— Lorsque j'ai connu Ayla, elle ne parlait même pas, Jerika, expliqua-t-il. En tout cas, pas avec des mots. Mais elle m'a sauvé des griffes du lion des cavernes. Et c'est précisément parce qu'elle est experte dans l'art de donner des soins que le Foyer du Mammouth des Mamutoï l'a adoptée.

— Alors c'est une mamut ? Où est donc son tatouage ? Je ne vois pas de marques sur ses joues, s'étonna Jerika.

— C'est la femme qui l'a élevée, une guérisseuse de ceux qu'elle appelle le Clan — les Têtes Plates —, qui lui a enseigné l'art de soigner, mais elle est aussi puissante qu'une Zelandoni. Mamut avait commencé à l'initier au Service de la Mère, mais nous sommes partis avant qu'il ait terminé. C'est la raison pour laquelle elle n'est pas tatouée.

— Je me doutais bien qu'elle était une Zelandoni. Evidemment, pour avoir ce pouvoir sur les animaux ! Mais comment une Tête Plate a-t-elle pu lui apprendre à soigner ? s'exclama Dalanar. Vois-tu, avant de rencontrer Echozar, je les prenais pour des animaux. Il m'a fait comprendre qu'ils possédaient une sorte de langage, et maintenant j'apprends qu'ils ont des gens qui soignent. Tu aurais dû m'en parler, Echozar.

— Comment l'aurais-je pu ? Je ne suis pas une *Tête Plate* ! s'offusqua Echozar. Je n'ai connu que ma mère, et Andovan.

Il avait craché le nom, et Ayla s'étonna d'une telle amertume.

— Tu disais que ta mère avait été maudite ? demanda-t-elle. Et pourtant elle a survécu à la Malédiction Suprême, et t'a élevé ? Ce devait être une femme remarquable.

Echozar plongea son regard dans les yeux gris bleu de la grande femme blonde. Elle ne chercha pas à le fuir. Il éprouvait une étrange attirance envers cette femme qu'il voyait pour la première fois de sa vie.

— Elle n'en parlait pas beaucoup, raconta Echozar. Elle avait été attaquée par des hommes qui avaient tué son compagnon parce qu'il essayait de la protéger. C'était le frère du chef de son clan, et on la rendit responsable de sa mort. Le chef disait qu'elle portait malheur. Plus tard, quand il a su qu'elle était enceinte, il l'a prise comme seconde femme. Quand je suis né, il a dit que c'était la preuve qu'elle portait malheur : non seulement elle avait fait mourir son compagnon, mais elle donnait naissance à un enfant difforme. Il lui a jeté la Malédiction Suprême.

Il se surprenait à se confier à cette inconnue comme il ne l'avait jamais fait avec quiconque auparavant.

— La Malédiction Suprême... je ne comprenais pas ce que c'était. Elle m'a expliqué que tout le monde la fuyait, qu'on la regardait sans la voir. Les autres prétendaient qu'elle était morte. Elle essayait de les obliger à la regarder, mais c'était comme si elle n'existait plus, comme si elle était vraiment morte. Ce devait être une expérience affreuse.

— Oui, c'était affreux, prononça Ayla d'une voix douce. On n'a plus envie de vivre quand on n'existe plus pour ceux qu'on aime, expliqua-t-elle, le regard embué.

— Ma mère m'a emporté loin du clan pour mourir, et c'est alors qu'Andovan nous a trouvés. Il était déjà vieux, et il vivait seul. Il ne m'a jamais précisé pourquoi il avait fui sa Caverne. Je crois que Celle Qui Ordonne était une femme cruelle...

— Andovan... intervint Ayla. N'était-il pas s'armunaï ?

— Oui, je crois. Il ne parlait pas souvent de son peuple.

— Nous avons connu la cruauté de cette femme, fit Jondalar d'un air sombre.

— Andovan nous a recueillis, poursuivit Echozar. Il m'a appris à chasser. Ma mère lui a enseigné le langage des signes, mais elle ne pouvait articuler que peu de mots. Moi, j'ai appris les deux langages, et elle était très étonnée que je puisse reproduire les sons d'Andovan. Il est mort il y a quelques années, et ma mère a perdu goût à la vie. La Malédiction Suprême l'a finalement rattrapée.

— Qu'as-tu fait ? demanda Jondalar.

— J'ai vécu seul.

— Ce n'est pas facile, remarqua Ayla.

— Non, ce n'est pas facile. J'ai essayé de trouver des gens avec qui habiter, mais aucun clan ne me laissait approcher. Ils me jetaient des pierres en disant que j'étais difforme et que je portais malheur. Ceux des Cavernes ne voulaient pas de moi non plus. Ils disaient que j'étais un monstre, un esprit mêlé, mi-homme, mi-bête. J'étais las d'être rejeté par tous, et je ne voulais plus vivre seul. Un jour, j'ai sauté d'une falaise dans une rivière. Quand je suis revenu à moi, j'ai vu Dalanar qui me regardait. Il m'a ramené dans sa Caverne, et maintenant je suis Echozar des Lanzadonii, conclut-il avec fierté en jetant un coup d'œil à l'homme qu'il respectait tant.

Ayla songea à son fils, et se félicita qu'il ait été admis dans le clan étant bébé. Elle eut une pensée émue pour ceux qui avaient aimé Durc et qui avaient accepté de prendre soin de lui quand elle avait dû l'abandonner.

— Echozar, dit-elle, ne déteste pas le peuple de ta mère. Il n'est pas mauvais, mais c'est un si vieux peuple qu'il a horreur du changement. Ses traditions remontent à la nuit des temps, et il ne comprend pas les coutumes nouvelles.

— Et ce sont des humains, précisa Jondalar pour Dalanar. C'est une des choses que j'ai apprise pendant ce Voyage. Nous avons rencontré un couple de Têtes Plates juste avant d'entamer la traversée du glacier — voilà encore une autre aventure — et j'ai appris qu'ils préparaient des réunions pour évoquer des problèmes qu'ils rencontrent avec de jeunes Losadunaï. Figure-toi que certains Losadunaï leur ont proposé de faire du troc.

— Des réunions de Têtes Plates ? Du troc ? Le monde change trop vite pour moi, déclara Dalanar. Avant de rencontrer Echozar, je n'aurais jamais cru que c'était possible.

— On a beau les appeler des Têtes Plates et les traiter de bêtes, tu sais très bien que ta mère était une femme brave, Echozar, dit Ayla en lui tendant les mains, paumes vers le ciel. Je sais ce que c'est de ne pas avoir de peuple, crois-moi. Maintenant, je suis Ayla des Mamutoï. Me souhaiteras-tu la bienvenue, Echozar des Lanzadonii ?

Lorsqu'il prit ses mains, elle s'aperçut qu'il tremblait.

— Tu es la bienvenue ici, Ayla des Mamutoï, fit-il.

Jondalar s'avança les mains tendues, lui aussi.

— Je te salue, Echozar des Lanzadonii.

— Sois le bienvenu, Jondalar des Zelandonii, dit Echozar. Mais tu n'as pas besoin d'être accueilli ici. Tout le monde connaît le fils du foyer de Dalanar. On voit bien que tu es l'enfant de son esprit, tu lui ressembles beaucoup.

— Oui, à ce qu'il paraît, fit Jondalar avec un sourire joyeux. Pourtant, ne trouves-tu pas que son nez est plus gros que le mien ?

— Non, c'est le contraire, protesta Dalanar d'un air jovial en donnant une tape amicale à Jondalar. Allez, rentrons. Le repas refroidit.

Ayla s'attarda un moment avec Echozar. Elle allait entrer à son tour quand Joplaya la retint.

— J'aimerais dire quelque chose à Ayla, mais ne rentre pas tout de suite, Echozar, je voudrais te parler.

Echozar s'écarta vivement pour laisser les deux femmes s'entretenir, mais Ayla avait eu le temps d'apercevoir le regard d'adoration qu'il avait lancé à Joplaya.

— Ayla, je... commença Joplaya. Je... Je crois savoir

pourquoi Jondalar t'aime. Je voudrais... je voudrais vous souhaiter beaucoup de bonheur à tous les deux.

Ayla étudia la jeune femme aux cheveux noirs. Elle perçut un changement, une sorte de repli sur soi, comme l'acceptation d'une triste fatalité. Elle comprit alors le malaise qu'elle avait ressenti en la voyant avec Jondalar.

— Merci, Joplaya. Je l'aime tant, tu sais. Je ne pourrais pas vivre sans lui. Je resterais avec un vide impossible à combler.

— Oui, impossible, approuva Joplaya, les paupières closes.

— Vous n'entrez pas ? s'étonna Jondalar qui venait à leur recherche.

— Va, Ayla, dit Joplaya. J'ai encore quelque chose à faire.

44

Echozar jeta un coup d'œil au grand morceau d'obsi-
dienne et détourna vivement la tête. Les ondulations de la
pierre noire déformaient son image, mais rien ne le
changerait et il ne supportait pas de se voir aujourd'hui. Il
avait revêtu sa tunique en peau de cerf, frangée de touffes
de fourrure et ornée de perles taillées dans des os d'oiseau,
de pennes teintées et de dents pointues. Il n'avait jamais
rien possédé de si beau. C'était Joplaya qui lui avait
fabriqué cette tunique pour la cérémonie qui avait officia-
lisé son adoption dans la Première Caverne des Lanzadonii.

En se dirigeant vers la partie centrale de la caverne, il
caressait le cuir avec vénération en pensant aux mains de
Joplaya qui l'avaient tanné. Penser à elle lui était presque
douloureux. Il l'avait tout de suite aimée. C'était Joplaya
qui lui avait parlé, qui l'avait écouté, qui lui avait rendu
goût à la vie. Sans elle, il n'aurait jamais osé affronter tous
les Zelandonii à la Réunion d'Eté, et lorsqu'il avait vu
comment les hommes s'attroupaient autour d'elle, il avait
eu envie de disparaître à jamais. Il avait attendu des mois
avant d'avoir le courage de faire sa demande : comment un

homme aussi laid oserait-il rêver d'une telle beauté? Elle n'avait pas refusé et ses espérances avaient grandi, mais elle réservait sa réponse depuis si longtemps qu'il avait fini par comprendre que c'était sa manière de lui dire non.

Alors, le jour où Ayla et Jondalar étaient arrivés et qu'elle lui avait demandé s'il voulait toujours d'elle, il avait été abasourdi. S'il la voulait! Mais il n'avait jamais rien désiré avec autant d'ardeur. Il avait attendu que Dalanar fût seul pour lui parler, mais les visiteurs étaient toujours avec lui, et il n'osait pas les déranger. En outre, il avait peur. Seule la crainte de perdre son unique chance de bonheur, un bonheur qu'il avait toujours cru inaccessible, lui avait donné le courage d'essayer.

Dalanar lui avait répondu qu'il devait en parler avec Jerika, sa mère, et il avait seulement voulu savoir si Joplaya avait donné son accord et s'il l'aimait. S'il l'aimait? S'il l'aimait? Oh, Mère, il me demande si je l'aime!

Echozar prit place parmi les Lanzadonii et son cœur se mit à battre quand il vit Dalanar se lever et marcher jusqu'à un foyer au centre de la caverne. Une statuette en bois était fichée dans le sol devant le foyer. La poitrine opulente, le ventre plein, et la large croupe de la doni étaient sculptés avec précision mais la tête n'était guère plus qu'une simple bosse et les bras comme les jambes étaient à peine suggérés. Dalanar se campa à côté du foyer et regarda l'assemblée.

— Je tiens d'abord à vous annoncer que nous irons encore à la Réunion d'Eté des Zelandonii cette année, commença-t-il, et j'invite ceux qui veulent rejoindre nos rangs à y assister. C'est un long Voyage, mais j'espère persuader un jeune zelandoni de venir vivre parmi nous. Nous n'avons pas de lanzadoni et nous avons besoin de Celui Qui Sert la Mère. Nous prospérons, nous aurons bientôt une Seconde Caverne et un jour, nous organiserons nos propres Réunions d'Eté.

« Il y a une autre raison pour y aller. Non seulement l'Union de Jondalar et d'Ayla sera consacrée par une Cérémonie, mais nous aurons une autre célébration.

Dalanar ramassa la figurine qui représentait la Grande Terre Mère et fit signe à Joplaya et Echozar d'approcher. Echozar se mit à trembler bien qu'il sût que Dalanar se bornerait à annoncer la cérémonie future, autrement plus terrifiante avec ses rituels purificateurs et ses tabous. Lorsqu'ils furent devant lui, Dalanar déclara :

— Echozar, fils de la Femme que Doni a bénie, membre de la Première Caverne des Lanzadonii, tu as demandé pour compagne Joplaya, Fille de Jerika, unie à Dalanar. Est-ce vrai ?

— Oui, c'est vrai, balbutia Echozar d'une voix si faible qu'on l'entendit à peine.

— Joplaya, Fille de Jerika, unie à Dalanar...

Les mots étaient différents, mais le sens restait le même et des sanglots secouèrent Ayla qui se souvenait d'une cérémonie similaire où un homme à la peau foncée la regardait avec la même adoration qu'Echozar avait pour Joplaya.

— Ne pleure pas, Ayla, c'est un grand moment de bonheur, dit Jondalar en la serrant tendrement.

Elle ne pouvait pas s'en empêcher. Elle comprenait ce que devait ressentir Joplaya, mais c'était sans espoir pour elle. Jamais l'homme qu'elle aimait ne transgresserait les coutumes pour s'unir à elle. D'ailleurs, il ignorait qu'elle l'aimait et elle n'osait pas le lui avouer. C'était son cousin, son proche cousin, davantage un frère qu'un cousin, un homme interdit... et il en aimait une autre. Ayla souffrait en même temps que Joplaya, et pleurait dans les bras de l'homme qu'elles aimaient toutes deux.

— Je me revoyais au côté de Ranec, finit-elle par articuler entre deux sanglots.

Jondalar ne comprenait que trop bien. Sa gorge se noua et il serra farouchement Ayla contre lui.

— Hé, tu vas me faire pleurer aussi ! fit-il.

Il jeta un coup d'œil à Jerika, assise bien droite et digne, les joues baignées de larmes.

— Pourquoi les femmes pleurent-elles quand tout le monde se réjouit ? s'étonna-t-il.

Jerika lui adressa un regard insondable, et vit Ayla en larmes dans les bras du géant.

— Il est temps qu'elle s'unisse, qu'elle oublie ses rêves impossibles. Nous ne pouvons pas toutes avoir l'homme idéal, murmura-t-elle d'une voix douce avant de reporter son attention sur la cérémonie.

— ... La Première Caverne des Lanzadonii accepte-t-elle cette Union ? demanda Dalanar en relevant la tête.

— Nous l'acceptons, fut la réponse unanime.

— Echozar, Joplaya, vous êtes promis l'un à l'autre. Puisse Doni, la Grande Terre Mère, bénir votre Union, conclut le chef en touchant le front d'Echozar et le ventre de Joplaya avec la statuette en bois.

Il remit la doni à sa place, devant le foyer, en enfonçant dans le sol les jambes en forme de piquet.

Le couple se retourna pour faire face à l'assemblée et marcha lentement autour du foyer central. Dans le silence solennel, l'air d'ineffable mélancolie de la belle jeune femme lui donnait un charme encore plus exquis.

Son compagnon était un peu plus petit. Son large nez busqué saillait dans un visage sans menton aux lourdes mâchoires. Ses arcades sourcilières proéminentes se rejoignaient au-dessus du nez et les épais sourcils en accentuaient le dessin, barrant son front d'une unique ligne de poils broussailleux. De courtes jambes, arquées et velues, soutenaient un long corps au torse impressionnant prolongé par de gros bras musclés. C'étaient les traits du Clan, mais on ne pouvait pas le confondre avec les Têtes Plates. Contrairement à eux, il ne possédait pas le front fuyant ni la tête comme aplatie par un coup, et dont ils tiraient leur nom. Le front d'Echozar s'élevait haut et droit comme celui des membres de la Caverne.

La laideur d'Echozar était pathétique. Il semblait l'antithèse de la femme qui serait bientôt sa compagne. Mais ses yeux débordaient d'adoration béate et auraient presque fait oublier l'indicible tristesse qui enveloppait Joplaya.

Cet amour manifeste ne suffisait pas à atténuer la douleur qu'Ayla ressentait pour Joplaya. Elle ne supportait plus ce spectacle et enfouit sa tête contre la poitrine de Jondalar.

Lorsque le couple acheva son troisième tour, le silence fut brisé par les vœux de bonheur lancés par les Lanzadonii. Ayla essaya de se recomposer un visage. Poussée par Jondalar, elle alla présenter ses compliments au jeune couple.

— Joplaya, je suis heureux que vous célébriez votre Union en même temps que nous, déclara Jondalar en l'embrassant.

Elle le serra si fort qu'il lui lança un regard étonné. Il avait le pénible sentiment qu'elle lui faisait des adieux définitifs, et qu'il ne la reverrait jamais.

— Je te souhaite d'être toujours aussi heureux qu'aujourd'hui, Echozar, déclara Ayla.

— Avec Joplaya, comment pourrait-il en être autrement ? répondit-il.

Prise d'une impulsion subite, elle l'étreignit. Elle ne le trouvait pas laid, au contraire. Pour elle, il avait un physique rassurant, familier. Echozar ne réagit pas tout de suite. Il n'avait pas l'habitude d'être embrassé par de jolies femmes et il ressentit une chaude tendresse pour l'étrangère aux cheveux d'or.

Ayla plongea alors son regard dans des yeux aussi verts que ceux de Jondalar étaient bleus, mais les mots qu'elle allait dire lui restèrent dans la gorge. Elle tomba dans les bras de Joplaya, bouleversée par son renoncement héroïque, et la jeune Lanzadonii lui tapota l'épaule comme si c'était elle qui avait besoin de consolation.

— Ne pleure pas, Ayla, dit Joplaya d'une voix éteinte, les yeux secs. Que pouvais-je faire d'autre ? Jamais personne ne m'aimera autant qu'Echozar. Je savais depuis longtemps que je m'unirais un jour avec lui, et il n'y avait plus de raison de remettre ma décision.

Ayla se dégagea, luttant contre les larmes, et vit Echozar s'approcher doucement de Joplaya. Il enlaça timidement la jeune femme par la taille, sans parvenir à croire tout à fait à ce qu'il lui arrivait. Il avait peur de se réveiller et de découvrir qu'il avait rêvé. Il ne semblait pas se douter qu'il ne possédait que l'enveloppe de la femme qu'il aimait. Mais l'enveloppe lui suffisait.

— Euh, non... Je ne l'ai pas vu de mes propres yeux, avoua Hochaman, et je ne l'ai pas cru. Mais si vous pouvez monter sur le dos des chevaux et apprendre à un loup à vous suivre partout, pourquoi ne monterait-on pas aussi sur le dos des mammouths ?

— Où cela s'est-il passé ? demanda Dalanar.

— C'était peu après notre départ, loin vers le levant. Ce devait être un mammouth à quatre doigts, précisa Hochaman.

— Un mammouth à quatre doigts ? Je n'ai jamais entendu parler de ça, s'étonna Jondalar. Pas même chez les Mamutoï.

— Les Mamutoï ne sont pas les seuls à chasser le mammouth, tu sais. D'ailleurs, ils ne vivent pas assez à l'est. Crois-moi, ce sont presque des voisins en comparaison. Quand tu approches de la Mer Sans Fin, les mammouths possèdent quatre doigts à leurs pattes de derrière. Ils sont plus foncés, et parfois presque noirs.

— Evidemment, si un lion des cavernes a porté Ayla sur son dos, quelqu'un peut très bien monter sur le dos d'un mammouth, déclara Jondalar. Qu'en penses-tu, Ayla ?

— Si on les prend assez jeunes, c'est possible. Je crois que si on habitue n'importe quel animal à vivre parmi les humains quand il est bébé, on peut le dresser. On peut en tout cas lui apprendre à ne pas craindre les humains. Les mammouths sont intelligents. Nous en avons vu casser de la glace pour obtenir de l'eau.

— Et ils reniflent l'eau de très loin, renchérit Hocha-
man. Il fait très sec dans l'Est et les gens de là-bas disent :
« Si tu ne trouves pas d'eau, cherche les mammouths. »
C'est vrai, ils finissent toujours par en trouver.

— C'est bon à savoir, dit Echozar.

— Oui, surtout si tu voyages beaucoup, ajouta Joplaya.

— Je n'ai pas envie de voyager, fit-il.

— Pourtant, tu viendras à la Réunion d'Eté des Zelandonii, dit Jondalar.

— Oui, pour notre Cérémonie de l'Union. Et j'aimerais
aussi vous revoir, assura Echozar en esquissant un sourire
timide. Ce serait formidable si Ayla et toi décidiez de vivre
ici.

— Oui, étudiez bien notre proposition, appuya Dalanar.
Tu sais que tu es ici chez toi, Jondalar, et nous n'avons pas
de Femme Qui Soigne à part Jerika. Mais elle n'est pas
vraiment initiée. Il nous faut une lanzadoni et nous pensons
tous qu'Ayla tiendrait parfaitement ce rôle. Tu peux aller
voir ta mère, et revenir avec nous après la Réunion d'Eté.

— Nous sommes très flattés de ton offre, Dalanar,
assura Jondalar. Et nous l'étudierons avec attention.

Ayla regarda Joplaya. La jeune femme s'était refermée
sur elle-même. Ayla aimait Joplaya mais elles ne parlèrent
que de choses superficielles. Ayla ne parvenait pas à
surmonter son chagrin devant le destin de Joplaya — elle
avait failli se retrouver dans la même situation — et son
propre bonheur lui rappelait sans cesse la douleur de
Joplaya. Bien qu'elle eût sympathisé avec tout le monde,
elle n'était pas fâchée de partir le lendemain matin.

Jerika et Dalanar lui manqueraient particulièrement,
ainsi que leurs « discussions » enflammées. La femme était
menue, et Dalanar la dominait de sa haute stature, mais
Jerika avait une volonté indomptable. Elle dirigeait la
Caverne autant que lui et s'opposait avec véhémence aux
décisions qu'elle désapprouvait. Dalanar écoutait ses récriminations avec patience mais ne cédait pas toujours, loin
s'en fallait. Il était très attaché au bien-être de son peuple,

et portait souvent les débats sur la place publique, mais prenait finalement les décisions avec autant d'autorité que n'importe quel chef. Il ne donnait jamais d'ordre mais savait se faire respecter.

Les premières scènes publiques avaient désarçonné Ayla, mais par la suite, elle avait adoré assister à leurs disputes. Elle ne prenait plus la peine de cacher son sourire en voyant la femme minuscule tempêter avec ardeur contre le géant. Mais ce qui l'étonnait le plus était leur façon inattendue d'interrompre des débats violents pour se glisser des mots doux ou parler de tout autre chose comme si de rien était, avant de s'entre-déchirer de nouveau comme les pires ennemis. Une fois l'argumentation terminée, il ne leur restait point de rancune. Ils semblaient apprécier les combats d'idées, et malgré leur différence de taille, ils luttaient à armes égales. Ils s'aimaient beaucoup, plus encore, ils se respectaient.

Le temps s'était adouci et le printemps explosait lorsque Ayla et Jondalar reprirent la route. Dalanar leur demanda de transmettre ses meilleurs vœux à la Neuvième Caverne et leur rappela sa proposition. Ils avaient été tous deux chaleureusement accueillis, mais ce qu'Ayla ressentait pour Joplaya lui aurait rendu la vie impossible chez les Lanzadonii.

Elle n'avait pas osé en parler à Jondalar et il avait deviné sans comprendre une certaine tension entre les deux femmes, qui semblaient pourtant s'apprécier. L'attitude de Joplaya à son égard avait changé aussi, elle était plus distante et ne plaisantait plus comme avant. Mais c'était surtout ses ardentes étreintes d'adieu qui l'avaient troublé. Devant ses larmes, il avait dû lui rappeler qu'il ne partait pas si loin, et qu'ils se reverraient bientôt à la Réunion d'Eté.

Jondalar avait été profondément rassuré par l'accueil que les Lanzadonii avaient réservé à Ayla et il considérait la proposition de Dalanar avec attention, d'autant qu'il n'était pas sûr que les Zelandonii se montreraient aussi tolérants vis-à-vis d'Ayla. Pourtant, et bien qu'il aimât sincèrement Dalanar et les Lanzadonii, les Zelandonii étaient son peuple. C'était parmi eux qu'il comptait s'installer avec Ayla.

Le départ soulagea Ayla d'un grand poids. Malgré la pluie, la température était clémente, et les jours où le soleil se montrait, le spectacle était si beau qu'elle oublia vite son chagrin. Elle voyageait avec l'homme qu'elle aimait, en route vers son peuple et son nouveau foyer. Pourtant, elle balançait entre l'espoir et la crainte.

Jondalar était en pays de connaissance. Il retrouvait chaque paysage avec enthousiasme, et racontait souvent quelques anecdotes qui s'y rapportaient. Ils traversèrent une passe entre deux montagnes, remontèrent une rivière qui zigzaguait vers leur destination. Ils la quittèrent à sa source, franchirent d'autres rivières qui coulaient du nord vers le sud, gravirent un large massif surplombé de volcans, dont l'un fumait encore. En traversant un plateau, ils longèrent des sources chaudes, là où un cours d'eau jaillissait du sol.

— Je crois que nous sommes arrivés à la source de la rivière qui passe devant la Neuvième Caverne, déclara Jondalar, qui ne tenait plus en place. Nous y sommes presque, Ayla ! Nous serons arrivés avant la nuit.

— Ne seraient-ce pas là les sources chaudes dont tu m'as tant parlé ? demanda Ayla.

— Si. Nous les appelons les Eaux Apaisantes de Doni.

— Campons ici ce soir, proposa-t-elle.

— Mais nous sommes presque arrivés ! s'écria Jondalar. Notre Voyage touche à sa fin, et je suis parti depuis si longtemps.

— C'est justement pourquoi je voudrais rester ici cette nuit. C'est la fin de notre Voyage. Je voudrais me baigner dans l'eau chaude et passer une dernière nuit seule avec toi, avant de rencontrer ton peuple.

— D'accord ! fit Jondalar en souriant. C'est vrai, qu'est-

1012

ce qu'une nuit de plus ou de moins, après tout ce temps ? et puis... j'aimerais bien retourner avec toi dans les sources chaudes.

Ils plantèrent leur tente dans un endroit où des traces d'un autre campement se voyaient encore. Ils déchargèrent les chevaux qui partirent brouter l'herbe tendre du plateau et Ayla les trouva bien agités, mais elle avait repéré des pas-d'âne et de l'oseille qu'elle alla cueillir. En chemin, elle vit des champignons et plus loin, des pommes sauvages et des pousses de sureau. Elle revint au campement, le bas de sa tunique relevé et rempli de nourriture fraîche.

— On dirait que tu prépares un festin, déclara Jondalar.

— C'est une bonne idée, non ? J'ai aperçu un nid et je vais voir si je ne trouve pas d'œufs.

— Et que penses-tu de ça ? fit-il en brandissant une truite sous l'œil émerveillé d'Ayla. Je l'avais repérée dans la rivière. J'ai effilé une tige de bois, j'ai creusé la terre pour trouver un ver que j'ai ensuite enfilé sur la tige. Le poisson a mordu si vite qu'on aurait cru qu'il m'attendait.

— Eh bien, nous avons tout ce qu'il faut pour festoyer.

— Le festin peut-il attendre ? demanda Jondalar. J'aimerais commencer par le bain chaud.

Ayla fut immédiatement troublée par la promesse qu'elle vit briller dans les beaux yeux bleus.

— Excellente idée.

Elle alla vider le contenu de sa tunique près du feu et revint se blottir dans les bras du géant.

Repus et satisfaits, détendus, ils étaient assis côte à côte près du feu et regardaient le ballet des étincelles qui montaient dans la nuit en dessinant des arabesques. Loup somnolait. Soudain, il leva la tête et dressa les oreilles. Ils entendirent au loin un long hennissement auquel Whinney répondit par un cri aigu et, bientôt, Rapide hennit à son tour.

— Il y a un cheval dans ce pré, dit Ayla en se levant d'un bond.

— C'est une nuit sans lune, Ayla. Tu ne verras rien. Attends que je fabrique une torche.

Whinney poussa un nouveau hennissement, et le cheval inconnu répondit. Ils entendirent ensuite un martèlement de sabots qui s'évanouit dans la nuit.

— Voilà, c'est trop tard, annonça Jondalar. Elle est partie. Un étalon l'a encore capturée.

— Oui, mais cette fois, je crois qu'elle est partie de son plein gré. Je l'avais trouvée nerveuse, et j'aurais dû faire plus attention. C'est sa saison, Jondalar. C'est un étalon que nous avons entendu et je crois que Rapide les a suivis. Il est encore jeune, mais il a dû être attiré par d'autres femelles en chaleur tout de même

— Il fait trop sombre pour partir à leur recherche, mais je connais la région. Nous retrouverons leur piste demain.

— La dernière fois, l'étalon noir est venu la chercher. Quand elle est revenue avec moi, elle portait Rapide. Je crois qu'elle veut un autre petit, dit Ayla en se rasseyant près du feu. (Elle leva les yeux vers Jondalar et lui sourit.) C'est très bien, nous allons être enceintes en même temps.

Il n'eut pas l'air de comprendre tout de suite.

— Tu veux dire... vous allez être enceintes... toutes les deux ? Tu... tu vas avoir un enfant ?

— Oui, je vais avoir ton enfant, Jondalar.

— Mon enfant ? Tu es enceinte de mon enfant ? Ayla ! Oh, Ayla !

Il la prit dans ses bras et se mit à danser en tournoyant.

— Tu en es sûre ? s'inquiéta-t-il en la couvrant de baisers. Mais l'esprit est peut-être venu d'un des hommes de la Caverne de Dalanar, ou encore de celle des Losadunaï... peu importe après tout, puisque c'est la volonté de la Mère.

— J'ai passé ma période lunaire sans saigner, et je me sens enceinte, confirma Ayla. J'ai eu la nausée le matin. Oh, pas beaucoup. Je crois que nous l'avons commencé en descendant du glacier. Et c'est ton bébé, Jondalar, j'en suis sûre. Ça ne peut être celui de personne d'autre. Tu l'as commencé avec ton essence. L'essence de ta virilité.

— Mon bébé ? s'exclama-t-il d'un air émerveillé. Mon bébé est là-dedans ? demanda-t-il en posant la main sur le ventre d'Ayla. Je l'ai tant désiré ! J'ai été jusqu'à supplier la Mère.

— Ne disais-tu pas que la Mère t'accordait toujours ce que tu lui demandais ? Mais dis-moi, lui as-tu demandé un garçon ou une fille ?

— Cela m'était égal, je voulais seulement un enfant.

— Alors tu ne m'en voudras pas de préférer une fille pour cette fois ?

— Pourvu que ce soit ton bébé, Ayla... et peut-être aussi le mien.

— L'ennui, quand on piste des chevaux à pied, c'est qu'ils se déplacent plus vite que nous, dit Ayla.

— Cela ne fait rien. Je crois savoir où ils vont, et je connais un raccourci.

— Mais s'ils ne sont pas où tu crois ?

— Alors nous reviendrons sur nos pas et nous suivrons leur piste. Mais leurs traces vont dans la bonne direction. Ne t'inquiète pas Ayla, nous les retrouverons.

— Il le faut. Nous avons vécu tant de choses ensemble. Je ne veux pas laisser Whinney avec cette bande.

Jondalar la conduisit dans un pré abrité où il avait souvent vu brouter des chevaux. Ils en trouvèrent là une multitude et Ayla repéra vite son amie. Ils s'approchèrent au bord du pré à l'herbe grasse, et Jondalar surveillait étroitement Ayla de peur qu'elle ne commette une folie. Elle siffla la jument.

Whinney leva la tête et accourut au galop, suivie par un grand étalon clair et un jeune à la robe brun foncé. L'étalon clair se retourna pour affronter le jeune mâle qui battit en retraite. Bien qu'excité par la présence des femelles en chaleur, il n'était pas encore prêt à se mesurer à un mâle dominant pour récupérer sa propre mère. Jondalar se précipita au secours de Rapide, le propulseur à la main, mais le jeune étalon avait accepté la défaite et le cheval clair rejoignit la femelle consentante.

Ayla enlaçait l'encolure de Whinney quand l'étalon se mit à ruer et à se cabrer, faisant étalage de toute sa puissance. Whinney se dégagea de l'étreinte de la jeune femme et répondit aux avances du mâle. Jondalar s'approcha, l'air inquiet, tenant Rapide par une corde grossière attachée à son harnais.

— Essaie de lui mettre son harnais, conseilla-t-il.

— Non. Nous camperons ici ce soir. Elle n'est pas encore prête à me suivre. Ils font un petit, Jondalar. Laisse-lui le temps.

— Pourquoi pas ? fit-il. Rien ne presse. Nous camperons ici le temps qu'il faudra. Il veut rejoindre la bande, remarqua-t-il en observant Rapide. Dois-je le laisser partir ?

— Oui. Ils n'iront pas loin, ce pré est assez grand. S'ils partaient, nous pourrions grimper là-haut et voir où ils se dirigent. Ça lui fera du bien de rester avec la bande, il apprendra peut-être des choses utiles.

— Tu as raison, fit Jondalar en ôtant le harnais du jeune étalon, qui, sitôt débarrassé, galopa rejoindre les autres. Je me demande si Rapide deviendra un jour un chef de bande, et s'il partagera les Plaisirs avec toutes les femelles. Et s'il commencera des poulains dans leur ventre, poursuivit-il en aparté.

— Autant chercher un bon emplacement pour camper, suggéra Ayla. Nous devrions aussi envisager une chasse. Il y a peut-être des lagopèdes dans les arbres qui bordent la rivière.

— Dommage qu'il n'y ait pas de source chaude, regretta Jondalar. J'adore les bains chauds, on est si détendu après.

Ayla contemplait de très haut une nappe d'eau sans fin. De l'autre côté, les vastes plaines herbeuses s'étendaient à perte de vue. Elle apercevait, tout près, une prairie de montagne à l'aspect familier, bordée par une muraille

*rocheuse creusée d'une petite grotte. Un buisson de noise-
tiers en cachait l'entrée.*

*Elle avait peur. La neige qui tombait dehors bouchait
l'entrée de la grotte, mais lorsqu'elle écarta les branches de
noisetiers et sortit, c'était le printemps. Les fleurs s'épanouissaient et des oiseaux chantaient. Partout la vie jaillissait.
Dans la grotte, un nouveau-né affamé pleurait.*

*Portant le bébé sur sa hanche, dans les plis de sa cape, elle
suivait quelqu'un qui descendait la montagne. Il boitait en
s'appuyant sur un bâton et portait sur son dos une chose qui
saillait sous sa cape. C'était Creb, et il protégeait son
nouveau-né. Ils marchèrent, marchèrent une éternité, cou-
vrirent une distance immense, à travers les montagnes et de
vastes plaines et arrivèrent enfin dans une vallée où ils
trouvèrent un pré bien protégé, fréquenté par des chevaux.*

*Creb s'arrêta, ôta sa cape et l'étendit sur le sol. Ayla crut
voir le blanc d'un os, mais un jeune cheval marron sortit en
courant de la cape et se précipita vers une jument louvette.
Ayla siffla, mais la jument s'enfuit avec un étalon clair.*

*Creb se retourna et lui fit un signe dans un langage qu'elle
ne connaissait pas. Il essaya d'autres signes. « Viens, nous y
serons avant la nuit. »*

*Elle se retrouva dans le long corridor d'une caverne
profonde. Une lumière scintilla au loin. C'était l'ouverture
de la caverne. Elle gravissait un sentier escarpé qui longeait
une muraille rocheuse d'un blanc crème, et suivait un
homme qui marchait à longues enjambées. Elle connaissait
cet endroit et elle se hâta de rejoindre l'homme.*

« Attends ! Attends-moi, j'arrive », cria-t-elle.

— Ayla ! Ayla ! appela Jondalar en la secouant. Encore
un de tes cauchemars ?

— J'ai fait un rêve étrange, mais ce n'était pas un
cauchemar.

Elle se leva, mais prise de nausée, elle s'allongea de
nouveau en espérant que cela passerait.

1017

Jondalar agita la couverture en peau devant l'étalon clair et Loup le harcela en aboyant pendant qu'Ayla glissait un harnais sur la tête de Whinney. Rapide, solidement attaché à un arbre, portait tout le matériel excepté un panier dont Ayla chargea Whinney.

Puis, elle enfourcha la jument et la poussa au galop vers l'autre extrémité du pré. L'étalon clair se lança à leur poursuite, mais plus ils s'éloignaient plus il ralentissait. Il finit par s'arrêter, se cabra et hennit vers Whinney une dernière fois avant de retourner au galop près des femelles que d'autres étalons, profitant de son absence, commençaient à courtiser. A proximité du troupeau, il se cabra de nouveau, défiant les audacieux d'un hennissement sonore.

Ayla remit Whinney au trot, puis l'arrêta pour attendre Jondalar monté sur Rapide qui arrivait au galop, Loup dans son sillage.

— Si nous nous hâtons, nous arriverons avant la nuit, dit Jondalar.

Ayla guida Whinney au côté de Rapide. Elle avait l'étrange impression d'avoir déjà vécu ce moment.

— Ainsi, nous allons toutes les deux avoir un petit, dit Ayla. Et nous avions toutes les deux un mâle la première fois. C'est bon signe. Nous attendrons la naissance ensemble.

— Il y aura beaucoup de monde autour de toi pour attendre ce moment, Ayla.

— Tu as sans doute raison, mais j'aurai plaisir à partager cela avec Whinney... Elle est plus jeune que moi, ajouta-t-elle après un long silence. Moi, je suis déjà vieille pour avoir un bébé.

— Tu n'es pas vieille, Ayla, protesta Jondalar. C'est moi qui suis vieux.

— J'ai eu dix-neuf ans ce printemps. C'est beaucoup pour avoir un enfant.

— Et moi, j'ai plus de vingt-trois ans. Et je n'ai encore jamais créé de foyer ! C'est très vieux ! Te rends-tu compte que je suis parti cinq ans? Je me demande si on se souviendra de moi.

— Evidemment! Dalanar n'a pas hésité à te reconnaître, et Joplaya non plus.

Et moi, je serai l'étrangère, songea Ayla.

— Regarde! Tu vois ce rocher? Là-bas, au coude de la rivière? C'est là que j'ai tué mon premier gibier! déclara Jondalar en poussant Rapide. C'était un grand cerf. Je ne me souviens pas de ce qui m'inquiétait le plus, ses andouillers gigantesques, ou la crainte de le manquer et de rentrer bredouille.

Ayla sourit mais se rembrunit bien vite. Elle n'avait pas de souvenirs, elle serait encore une étrangère et on s'étonnerait encore de son accent bizarre.

— Nous avons eu une Réunion d'Eté ici même, poursuivit Jondalar. Il y avait des foyers partout. C'était ma première Réunion après que je suis devenu un homme. Oh, je faisais le fier, mais je n'étais pas rassuré. Je redoutais qu'aucune femme ne m'invite à ses Premiers Rites. J'avais tort : j'ai reçu trois demandes! Ce qui m'a encore plus affolé.

— Jondalar, il y a des gens qui nous regardent là-bas.

— C'est la Quatorzième Caverne! fit-il en agitant la main.

Mais personne ne lui rendit son salut. Au contraire, ils disparurent sous un surplomb.

— C'est à cause des chevaux, supposa Ayla.

Un pli soucieux barra un instant le front de Jondalar.

— Oh, ils s'y habitueront, affirma-t-il.

Je l'espère, souhaitait Ayla. J'espère aussi qu'ils s'habitueront à moi.

— Ayla, nous y sommes! s'exclama Jondalar. Voilà la Neuvième Caverne des Zelandonii!

Elle regarda dans la direction qu'il indiquait et blêmit.

— C'est facile à trouver grâce à ce rocher en équilibre. Regarde, on dirait qu'il va tomber. Et pourtant, il n'y a aucun risque, à moins que tout s'écroule... Que se passe-t-il, Ayla ? Tu es si pâle, es-tu malade ?

— Jondalar, j'ai déjà vu cet endroit.

— Mais c'est impossible ! Tu n'es jamais venue.

Soudain, elle comprit. C'était la caverne qui hantait ses rêves ! Celle qui était dans la mémoire de Creb ! Ayla comprenait enfin ce qu'il essayait de lui dire.

— Je t'ai déjà dit que mon totem, le Lion des Cavernes, t'avait choisi pour me conduire là où il se sentirait en paix chez lui. Eh bien, c'est ici. Je suis enfin chez moi, Jondalar. Ton foyer est le mien.

Le visage de Jondalar s'éclaira, et il allait répondre quand un cri lui fit tourner la tête.

— Jondalar ! Jondalar !

Ils levèrent la tête vers un sentier qui menait à une falaise en surplomb, et virent une jeune femme.

— Mère ! Viens vite, criait-elle. Jondalar est de retour ! Jondalar est de retour !

Et moi aussi, songea Ayla.

Aubin Imprimeur
LIGUGÉ, POITIERS

Achevé d'imprimer en juillet 2002
pour le compte de France Loisirs
123, bd de Grenelle, 75015 Paris
N° d'édition 37135 / N° d'impression L 63670
Dépôt légal août 2002
Imprimé en France